睡眠・休息　覚醒・活動　食事　排泄　身じたく　コミュニケーション

生活

認知症　パーキンソン病　脳卒中（脳出血・脳梗塞・くも膜下出血）　大腿骨近位部骨折
肺炎（誤嚥性肺炎）　慢性閉塞性肺疾患（COPD）　心不全（慢性うっ血性心不全）　糖尿病
前立腺肥大症　老人性皮膚瘙痒症（老人性乾皮症）　褥瘡　白内障
尿路感染症　口腔機能低下症

疾患

摂食嚥下障害　低栄養　脱水　浮腫　排尿障害（尿失禁・排尿困難・頻尿・過活動膀胱）
排便障害（便秘・下痢）　睡眠障害　言語障害（失語症・構音障害）　老人性難聴　痛み・しびれ
抑うつ状態　せん妄　高血圧・低血圧　フレイル（サルコペニア・廃用症候群）　転倒

症状

第4版

生活機能からみた

老年看護過程

＋病態・生活機能関連図

編集

山田律子
北海道医療大学看護福祉学部教授・老年看護学

内ヶ島伸也
北海道医療大学看護福祉学部准教授・老年看護学

編集協力

秋下雅弘
東京大学大学院医学系研究科教授・老年病学

医学書院

ご注意

本書に記載されている治療法や看護ケアに関しては，出版時点における最新の情報に基づき，正確を期するよう，著者，編集者ならびに出版社は，それぞれ最善の努力を払っています．しかし，医学，医療の進歩から見て，記載された内容があらゆる点において正確かつ完全であると保証するものではありません．

したがって，看護実践への活用にあたっては，常に最新のデータに当たり，本書に記載された内容が正確であるか，読者御自身で細心の注意を払われることを要望いたします．本書記載の治療法・医薬品がその後の医学研究ならびに医療の進歩により本書発行後に変更された場合，その治療法・医薬品による不測の事故に対して，著者，編集者，ならびに出版社は，その責を負いかねます．

株式会社 医学書院

生活機能からみた 老年看護過程＋病態・生活機能関連図

発 行 2008年9月1日 第1版第1刷
2011年10月15日 第1版第8刷
2012年8月15日 第2版第1刷
2015年11月1日 第2版第6刷
2016年11月1日 第3版第1刷
2019年11月1日 第3版第4刷
2020年11月1日 第4版第1刷©
2023年12月15日 第4版第4刷

編 集 山田律子（やまだりつこ）・内ヶ島伸也（うちがしましんや）

発行者 株式会社 医学書院
代表取締役 金原 俊
〒113-8719 東京都文京区本郷1-28-23
電話 03-3817-5600(社内案内)

印刷・製本 アイワード

ISBN978-4-260-04274-1

はじめに

本書の初版は2008年9月に上梓されました．高齢者の尊厳を第一として，看護実践の質の向上を目指す有志たちが一丸となって執筆しました．本書には，私たちが当初から大切にしてきた2つの特長があります．

1つ目は，「目標志向型思考」によって看護を展開する点です．治療の場における看護学実習では，通常「看護問題」を取り上げ，治療可能な疾患からの早期回復に向けて問題を解決するように看護を展開します．いわゆる「問題解決型思考」です．しかし，老年看護学実習で学生の皆さんが受け持つ高齢者の多くは，慢性疾患や障害をもちながら暮らしています．その場合には，高齢者がどのような生活を望んでいるかという「目標志向型思考」で看護を展開した方が望ましく，「看護問題」ではなく「看護の焦点」としています．このことを「転倒予防」を例に考えてみましょう．転倒により骨折すると高齢者の生活が一変するため，転倒予防は非常に重要です．しかし，転倒のリスクを「看護問題」として取り上げると，「安全を確保するためには行動制限をしなければならない」といった発想が生じます．この考え方は，高齢者の「いきいきとした活動」をかえって妨げることにつながりかねません．転倒予防策は具体策で立案しますが，「看護の焦点」には，高齢者の暮らしが豊かになるような目指すべき方向性を示した方が，本人をはじめ多職種間でも目標を共有でき，進むべき方向性も見失わずにすみます．

2つ目の特長は，「生活行動モデル」を用いた点です．これは，筆者らの老年看護領域における実践経験をもとに開発したモデルであり，文字どおり「高齢者の生活」に焦点を合わせています．読者がモデルを理解し，実践に応用できるように，本書の第1編では「生活行動モデル」に基づいて，高齢者の生活をとらえるための視点について詳述しました．今回の改訂では，さらに第1編の生活行動の構成要素を見直し，「睡眠・休息」と「コミュニケーション」の構成要素を全面的に改訂するとともに，第2編とのつながりを円滑にするために第1編に「主な看護の焦点」を加えました．

この第4版の改訂にあたっては，2022年度から導入される新カリキュラムを見据えて，高齢者が療養・生活する多様な場におけるシームレスな(切れ目のない)看護を多職種と協働しながら提供できるように，さらに根拠に基づく看護を「見える化」するために，具体策に小見出しをつけて「高齢者に対する何のための支援なのか」を表現しました．また，高齢者用の検査データ基準値への更新やMinds診療ガイドラインを踏まえて疾患名を修正しました．新カリキュラムでは，臨床判断能力に必要な基礎的能力を強化することも求められています．そこで第2編第1部では，老年医学の最前線で活躍されておられる秋下雅弘教授・東京大学大学院医学系研究科チームに，疾患ごとの病態生理，診断・治療等について，最新の知見を踏まえて内容を充実させていただきました．

昨今の臨床動向をふまえて第2編の項目やコラムも刷新しました．特に第2編第1部では「口腔機能低下症」を追加して，高齢者歯科学を専門とする會田英紀教授に執筆いただき，第2部では「低栄養」を追加しました．また序章には，ポリファーマシー（多剤服用による有害事象）を含む「薬物治療を受ける高齢者のとらえ方」と，エンドオブライフ・ケアにも関わることができるように「人生の最終段階を見据えた高齢者のとらえ方と意思決定支援」を追加しました．

高齢者人口の増加に伴い老年看護学実習も多様化している昨今ですが，個々の高齢者の価値観に沿って豊かな看護展開ができるように，今回の改訂にあたっては，さらに多くの老人看護専門看護師の方々に執筆者として加わっていただきました．

以上のような第4版の改訂でありますが，皆さんが老年看護学実習を円滑に進めるうえでの拠り所として本書を活用してくださることは，筆者らにとって望外の喜びです．今後もお寄せいただいたご意見やご感想は，引き続き改訂の際に反映していく予定です．本書のさらなる改訂によって皆さんの学びが一層深まれば，実習場面で皆さんがお世話になる高齢者の方々への還元にもつながると考えているからです．

第4版の刊行にあたり，多くの改訂事項に関して快くご協力いただきました執筆者の方々に対して，この場を借りて御礼を申し上げます．なかでも第4版を手に取る前に夭逝された上野澄恵氏には，心からの感謝とご冥福をお祈り申し上げます．上野氏が本書に遺してくださった数々の実践知は，読者によって今後も看護実践へと引き継がれていくものと信じております．最後になりましたが，いつも温かく励ましながら支えていただき，丁寧な編集・校正をいただきました医学書院の諸氏に深く感謝申し上げます．

私たちの老年看護学にかける熱い思いを，本書を通して少しでも伝えることができたのであれば幸いです．

2020年9月

著者を代表して　山田律子

編集

山田　律子 北海道医療大学看護福祉学部教授・老年看護学／日本摂食嚥下リハビリテーション学会認定士
内ヶ島伸也 北海道医療大学看護福祉学部准教授・老年看護学

編集協力

秋下　雅弘 東京大学大学院医学系研究科教授・老年病学

執筆

看護過程解説

（五十音順）

上野　澄恵 元茨城県立中央病院／老人看護専門看護師，診療看護師，皮膚・排泄ケア認定看護師
内ヶ島伸也 北海道医療大学看護福祉学部講師・老年看護学
大久保抄織 医療法人社団静和会　介護老人保健施設　エル・クォール平和・看護科長／老人看護専門看護師
木島　輝美 札幌医科大学保健医療学部看護学科講師・老年看護学
北川　公子 共立女子大学看護学部教授・老年看護学
澤田　知里 名寄市立大学保健福祉学部看護学科講師・老年看護学
菅谷　清美 滝川市立高等看護学院・副学院長／老人看護専門看護師
菅原　昌子 医療法人渓仁会　定山渓病院・看護師長／老人看護専門看護師
鈴木真理子 医療法人愛全会　グループホームハートハウスもいわした／老人看護専門看護師
高岡　哲子 北海道文教大学医療保健科学部看護学科教授・老年看護学
中川真奈美 介護老人保健施設あつべつ・副施設長／老人看護専門看護師，介護支援専門員
長瀬　亜岐 大阪大学大学院招へい教員／診療看護師，老人看護専門看護師
萩野　悦子 前札幌保健医療大学教授
長谷川真澄 札幌医科大学保健医療学部看護学科教授・老年看護学
樋口　春美 前北海道医療大学大学院看護福祉学研究科客員教授
船橋久美子 北海道医療大学看護福祉学部助教・老年看護学／老人看護専門看護師
三浦　直子 医療法人聖愛会　発寒リハビリテーション病院看護部長／認定看護管理者／老人看護専門看護師，緩和ケア認定看護師
山崎　尚美 四天王寺大学看護学部看護学科教授・老年看護学
山下いずみ 江別市立病院認知症疾患医療センター・患者支援センター看護師長／老人看護専門看護師
山田　律子 北海道医療大学看護福祉学部教授・老年看護学／日本摂食嚥下リハビリテーション学会認定士
横山　晃子 前北海道医療大学看護福祉学部助教・老年看護学／認知症ケア上級専門士
吉岡　真由 前北海道医療大学看護福祉学部助教・老年看護学

疾患解説

（五十音順）

會田　英紀 北海道医療大学歯学部教授・高齢者・有病者歯科学
秋下　雅弘 東京大学大学院医学系研究科教授・老年病学
石井　正紀 東京大学大学院医学系研究科講師・老年病学
小川　純人 東京大学大学院医学系研究科准教授・老年病学
亀山　祐美 東京大学大学院医学系研究科講師・老年病学
小島　太郎 東京大学大学院医学系研究科講師・老年病学
矢可部満隆 東京大学大学院医学系研究科助教・老年病学
山中　崇 東京大学大学院医学系研究科特任教授・在宅医療学

老年看護の展開における考え方

山田　律子

どんなに素晴らしい看護技術をもっていても，その用い方が妥当性を欠くものであれば，対象者にマイナスの作用をもたらすことさえある．そのため看護の展開にあたって，まずは「基盤となる考え方」が重要になる．また，看護師はプロ(専門職)として，科学的根拠に基づく看護を提供するために，さらには看護チームのメンバーの意思統一を図るために，看護師間で共有できる方法を用いて看護を展開する．それが看護過程(nursing process)である．看護過程とは，必要な情報を収集し，アセスメントし，看護計画を立て，実施，評価する秩序立った一連のプロセスである．

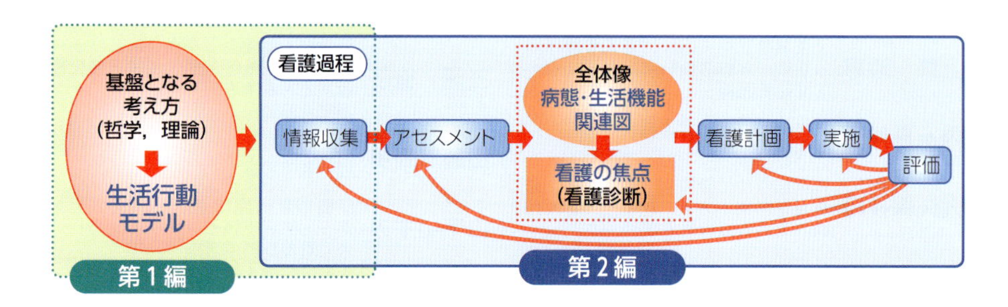

老年看護学実習の多くは，慢性疾患や健康障害をもつ高齢者が対象である．治癒する見込みの高い疾患とは異なり，疾患や障害をもちながらも，その人らしく生活を営むことができるよう支援することが大切になる．このため，成人看護学実習をはじめ他領域の看護過程と共通した流れをもっていても，方向性や内容には若干の相違がある．そこで，以下に老年看護の展開における特徴的な考え方を示す．

「生活機能」という考え方

平成20年度の看護教育カリキュラム改正にあたって，厚生労働省は「看護基礎教育の充実に関する検討会報告書(平成19年3月23日)」のなかで，看護師教育の「基本的考え方」として，「看護の対象者を健康を損ねている者としてのみとらえるのではなく，疾患や障害を有している生活者として幅広くとらえて考えていくこと」を第一に掲げ，「老年看護学」では「生活機能の観点からアセスメントし，看護を展開する方法を学ぶ」ことを重視した．この考え方は，令和4年度から導入される新カリキュラムにおいても変わるものではない．

上記は老年看護を展開するうえで重要な考え方であり，本書ではこの考え方を踏襲し作成している．なお，本書では「生活機能とは人間が生活者としていきいきと暮らすためのもてる力とその働き」と定義する．

基盤となる考え方としての「生活行動モデル」

「旅行したい」「孫の結婚式に出席したい」「おいしいものを食べたい」「人と楽しく語らいたい」等々，人は誰もがいきいきと暮らすことを望んでいる．しかしながら，疾患や障害によって，希望する生活が円滑に営めなくなる場合がある．

老年看護では，たとえ疾患や障害をもちながらも高齢者がいきいきと暮らすことができるように，その人のもてる力を大切に支援する．このような老年看護を展開するための基盤となる考え方が，「生活行動モデル」である．生活行動モデルでは，下記の4つの視点を大切にした老年看護の展開のあり方を示している．

①対象者である高齢者を「身体的」「心理・霊的」「社会・文化的」なホリスティックな存在としてとらえる．
②大きな雪だま(生きざま)をつくっていくかのごとく，生活を営むために不可欠な6つの生活行動「睡眠・休息」「覚醒・活動」「食事」「排泄」「身じたく」「コミュニケーション」にみる高齢者のもてる力に着眼する．
③生活が拡充するように「生活環境」を整える．
④高齢者が築いてきた生活史の道を基盤に，豊かな人生の統合へと向かって歩んでいけるよう支援する．

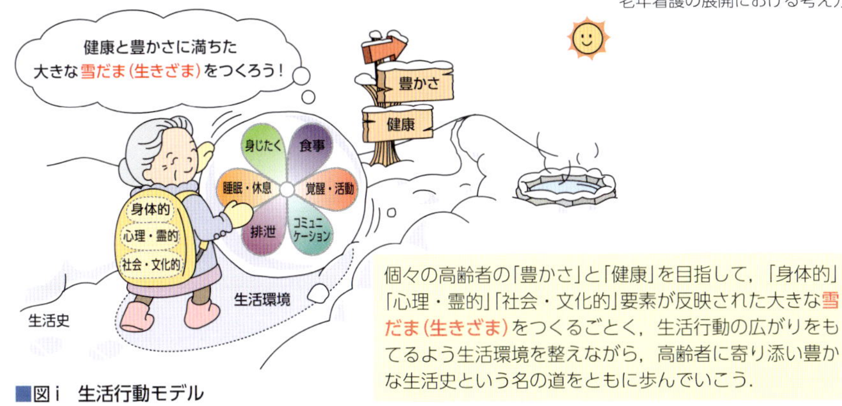

健康と豊かさに満ちた
大きな雪だま(生きざま)をつくろう!
豊かさ
健康
身じたく
食事
睡眠・休息
覚醒・活動
排泄
コミュニケーション
身体的
心理・霊的
社会・文化的
生活環境
生活史
個々の高齢者の「豊かさ」と「健康」を目指して，「身体的」「心理・霊的」「社会・文化的」要素が反映された大きな雪だま(生きざま)をつくるごとく，生活行動の広がりをもてるよう生活環境を整えながら，高齢者に寄り添い豊かな生活史という名の道をともに歩んでいこう．

■図ⅰ　生活行動モデル

「病態・生活機能関連図」という考え方

これまで，対象者の全体像をとらえるために，「病態関連図」を描いてきたことと思う．しかし，老年看護で全体像をとらえる際，**「生活機能」の視点**は不可欠である．

老年看護の展開では，**「高齢者が望む生活は何か」を重視**する．その際，生活が円滑に営めないとすればなぜなのか，疾患や障害は高齢者の生活にどのように影響を及ぼしているのか，**病態**についてもしっかりと分析する必要がある．同時に，**高齢者のもてる力に着眼**する．老年看護では，生活を営むうえで高齢者の**もてる力**を引き出すことができるよう支援する．転倒の危険回避などといった安全面ばかりを前面に押し出して生活行動を狭小化することがないように，高齢者が安心していきいきと暮らせるよう，その陰でしっかりと安全面にも配慮できてこそ，プロの看護展開だと考える．

このような老年看護の展開を行うために，主軸を高齢者の生活機能におき，背後にある病態を分析するといった意味で，本書では「**病態・生活機能関連図**」という表現を用いている．

目標志向型思考の「看護の焦点」という考え方

本書における「**看護の焦点**」とは，看護過程の「看護問題」または「看護診断」に相当する．

「看護問題」では，問題の要因は対象者本人にあるととらえ，「問題解決型思考」で早期回復に向けて支援を行う．老年看護の対象者は，慢性疾患や健康障害を抱えながら暮らす高齢者である．その人が望む生活を妨げる要因は，対象者自身ではなく**生活環境**にあるととらえる．また，問題というネガティブな表現ではなく，**対象者が望む生活や状態像を見据えた「目標志向型思考」**のプラス思考で看護展開を行う．このためにも，本書では「看護問題」に代わる言葉として「**看護の焦点**」という言葉を用いた．

看護問題……問題解決型思考

「A に起因する B」
A：対象者がもつ要因
B：対象者がもつ問題となる状態

↕

看護の焦点…目標志向型思考

「A の維持・向上による B」
A：対象者のもてる力
B：対象者が望むよい状態(可能性)

臨床実践における老年看護の展開は，高齢者を中心に家族や多職種と協働でケアを提供するため，ケアプランという形で共有することも多い．**対象者である高齢者が主体**となり，望む生活へ向かって暮らせるよう，また，各職種が専門性を発揮しつつ一丸となって支援していくためにも，目標志向型思考が求められる．

優先順位は「対象者の生活に及ぼす影響の大きさの順」という考え方

一般に「看護問題」の優先順位は，1) 生命の危険性，2) 対象者の苦痛…といった内容が基準となる．しかし，状態像が安定し，いますぐに生命の危険に陥る可能性が少ない高齢者に対して看護展開する場合には，**「看護の焦点」の優先順位**は，「**対象者の生活に及ぼす影響の大きさの順**」に従って決定したほうがよい．

したがって，何人かの高齢者で同じような「看護の焦点」があげられたとしても，高齢者によって生活に及ぼす影響の大きさが異なるため，優先順位も異なる場合がある．本書第 2 編の「看護の焦点」では，仮に優先順位(#1，#2，…)*をつけているが受け持つ高齢者の生活に応じて決定してほしい．

＊優先順位の「#」は，番号(No.)を意味する記号であり，「ナンバー」と読む．「シャープ(♯)」ではないので注意しよう．

複数の疾患をもつ高齢者のとらえ方

萩野　悦子

老年看護学実習で受け持つ高齢者のほとんどが，複数の疾患をもっている．受け持ち高齢者の看護記録にいくつもの診断名が書かれていると，実習学生は，こんなにたくさんの疾患をもつ高齢者の心身の状態を把握できるか心配になってしまうだろう．そのようなときには，それぞれの疾患がいつごろ発症したのか**時系列で整理する**ことを勧める．

仮に，脳梗塞や脳出血など脳卒中の既往がある高齢者を受け持ったとする．脳卒中の発症に先立って，その原因となる糖尿病や高血圧のような生活習慣病はなかったか，心房細動や心臓弁膜症など心疾患の治療を受けていなかったか，脳卒中の発症に関連する疾患を書き出してみよう．

次に，脳卒中の発症後に出現した疾患や障害を整理する．片麻痺や血管性認知症，失語症，嚥下障害などは脳卒中が発症したあとに出現したのだろうか．大腿骨頸部骨折や脊椎圧迫骨折は，歩行が困難になった，あるいは転倒を回避するだけの判断力が低下した時期に起こったことなのだろうか．転倒して骨折に至ったことには，骨粗鬆症による骨量の低下が関係しているだろうか．このように，**もととなる疾患とそれによって新たに起こった疾患や障害をつなげて考える**ことで複数疾患の関連が整理でき，今後起こりうる危険性を予測しやすくなる．

疾患を時系列で整理したら，新たな疾患や障害が加わることで受け持ち高齢者の生活がどのように変化してきたのか考えよう．つらかったことや回復のために努力したこと，できなくなってあきらめたこと，新たに習得したことなどを高齢者の目線で考えてみよう．そうすれば，**複数の疾患や障害を抱えつつ老年期を生きている高齢者が，これまでどのように暮らし，今何を大切だと感じていて，これからどのように生きたいと望んでいるのか**がだんだんとみえてくる．これは受け持ち高齢者への看護を方向づける大切なヒントになる．

受け持った高齢者は多くの疾患を抱えているにもかかわらず，実際に会ってみると思ったより穏やかに暮らしているようにみえて驚くこともある．しかしながら，その**穏やかな生活は危ういバランスを保ち，かろうじて崩れない積み木のような状態**のうえに成り立っている．ひとたび肺炎や骨折が起これば，慢性に経過している疾患は次から次へと急性期の状態へと変化する．したがって，平素は体調変化の徴候がないかどうかを絶えず見守り，新たな疾患や障害が起こったときには，回復に向けた支援や生活リズムの変調に対する支援を行っていくことで，受け持ち高齢者が望む生活を長く続けられることを目指す．

加えて，複数の疾患をもつ高齢者は，多種類の治療薬を処方され多剤服用による有害事象（ポリファーマシー，polypharmacy）が起こりやすい．したがって，次頁の「薬物治療を受ける高齢者のとらえ方」や巻末の付表1「気をつけたい！　高齢者の治療薬と留意点リスト」をぜひ参照してほしい．

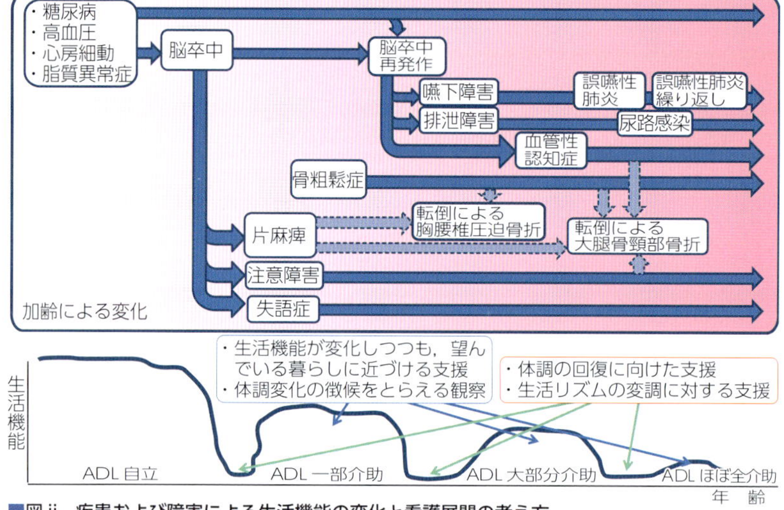

■図 ii　疾患および障害による生活機能の変化と看護展開の考え方

薬物治療を受ける高齢者のとらえ方

長瀬　亜岐

高齢者は加齢変化により腎臓や肝臓の生理的機能低下がみられる．そのため，薬の代謝・排泄機能が低下することで，薬が体内に残りやすくなることから，長年飲み続けていた薬であっても，薬効が強く出現することがある．また，高齢者は複数の疾患を併存していることが多く，内科，整形外科，皮膚科など多数の診療科を受診することで，多種類の薬が処方されていることがある．その結果，多剤服用による有害事象によってふらつきや認知機能低下などの症状が現れ，転倒して骨折するなど事故につながる危険が高くなる．「高齢者だからよくある」と思われる症状が薬剤性であることを疑う視点をもち，漢方薬やサプリメントも含めた服薬状況を把握することが重要である．

高齢者の薬物療法では，なぜその薬が処方されているのかを現病歴・既往歴から推測し，現在必要な薬なのか，薬の効果がみられているのかといった視点で定期的に薬効を含めて患者の状態をモニタリングして評価していく．その時に異常や疑問があれば，医師，薬剤師に報告することは看護師の重要な役割である．

服薬アドヒアランスについては，入院中や施設入所中であれば，薬は支援者から１回分ごと，または１日分ごとに配られている．しかし，在宅で生活している場合は，服薬管理者は誰なのか，高齢者本人または家族なのか，ヘルパーや訪問看護師なのかを聴取する．在宅では処方どおりに内服している高齢者は少ないといわれている．そのため入院し，支援者によって服薬管理が行われ，処方どおりに服用すると，めまいや倦怠感などを訴え，血圧が下がったり低血糖がみられたりすることもある．

高齢者の薬に対する思いについても着目してほしい．「薬はいざというときに飲むもの」「調子がいいときは飲まない」と，棚に大事に薬をしまいこんでいる人もいる．薬の管理は飲み忘れだけに焦点があてられているが，「内服しない」といった信念によって服薬していない高齢者もいる．１日３回の処方薬であっても，１日２食の食習慣の場合は服用のタイミングが合わず服用できていないこともあるため，個々の生活習慣に合わせた処方内容になっているかどうか，生活の視点から高齢者の服薬状況について支援者が把握し，必要な支援をともに考えていくことが大切である．逆に薬がないと不安で眠れないというように依存的になっている場合もあるため，活動や休息のとり方を見直し，安心感が得られるように支援していく．

また，薬物治療が指示どおりに継続されるためには，薬袋の字が読める大きさか，薬を取り出し開けることができるか，手指の巧緻性はどうか，視力低下，薬の飲み込みにくさはないか嚥下機能を観察し，問題がある場合は服用しやすいパッケージや剤形であるのか薬剤師に相談する．飲み忘れがある場合は，一包化やカレンダーやピルボックスなどの服薬支援グッズを利用したり，必要時はケアマネジャーと相談して，訪問看護師・訪問薬剤師の介入も視野に入れ，高齢者の薬物治療の支援方法を検討していく．

■表ｉ　薬物治療を受けている高齢者のアセスメントの視点

高齢者の生理機能からみた薬物代謝の視点	吸収（胃・腸管），分布（体脂肪），代謝（肝機能），排泄（腎機能）
薬物の有害事象を疑う視点	・多剤服用による有害事象はないか（ポリファーマシー） ・重複・不要な薬物はないか（胃薬，睡眠薬など） ・睡眠薬，抗不安薬などの依存性はないか
服薬アドヒアランスの視点	・薬に対する価値観・思い ・巧緻性，嚥下機能，視力 ・生活習慣と処方はあっているか ・服薬管理者の存在 ・薬の剤形

手術を必要とする高齢者のとらえ方

樋口　春美

近年，周術期医療の発達で侵襲の少ない術式が増加しており，高齢者が手術を受ける範囲も拡大しつつある．したがって，実習においても手術対象者を受け持つ機会が増えることが予測される．しかし，低侵襲の手術であっても，加齢による身体能力の低下や複数の疾患をもつ高齢者は，その範囲の大きさや術式，麻酔で使用する薬剤，術後の身体機能や形態の変化など，心身にさまざまな影響を受けやすい．

手術の目的は，「**根治を目指す**」「**痛みを取り除く**」「**疾患の進行をゆるやかにする**」などさまざまである．手術をすることで**どのような症状がよくなるのか，あるいは手術の影響で起こりうることや，合併症の可能性**などをわかりやすく説明する必要がある．また，**高齢者が今もてる力は何か，これからどういう生活を望み，何を大事にしたいのか**，高齢者と家族の意向を理解して手術に関する選択肢を提示し，**意思決定を支える**ことが大切である．昨今は，外来で手術の決定や検査を終えて入院することも多く，**外来での個別情報を十分に把握して入院・在宅へと看護をつなげる**ことも重要になる．

術前は高齢者に多い**術後の肺合併症を予防**するための呼吸訓練などを計画する．また，高齢者は術後せん妄の頻度も高い．薬剤の影響，痛み，ドレーン・カテーテル挿入の苦痛，慣れない環境など要因となることはさまざまである．**せん妄を予知**し，生活リズムを整え，とくに睡眠の質をよくすること，基礎疾患を中心とした体調管理やなじみの環境を整えることなど，**術前からせん妄の予防策**が重要になる．

術中は**肺合併症の予防策**や，高齢者の脆弱な皮膚を保護し，**褥瘡予防**や同一体位による**神経麻痺を予防**する看護を行う．

術後は疼痛コントロールが回復に向けて大きな鍵となる．**可能な限り絶食時間を短くして経口で食事をとること**が体力や免疫力の維持につながり，回復が促進されるため，推奨されはじめている．そのためには医師による食事箋，麻酔の方法や薬剤の検討，栄養士による献立の工夫，看護師による摂取の支援など**チーム医療活動が必要**とされる．また**早期離床への支援**も重要である．筋力低下を防止し，リハビリテーション専門職や看護師などで術後の離床やリハビリテーションが効果的に行えるように協働する．

術前から術後まで，高齢者のこれまでの生活の価値観を大事にしながら手術後の望む生活に向かい，医療チームとその家族が一体となって高齢者を支援することが大切である．

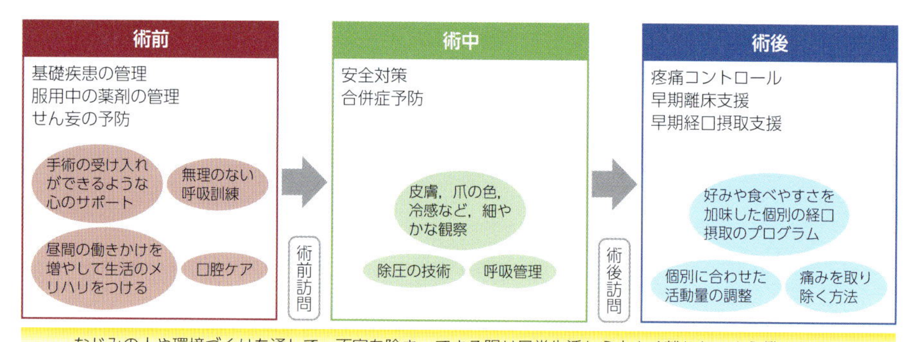

■図 iii　周術期の流れと看護の実際

人生の最終段階を見据えた高齢者のとらえ方と意思決定支援

山田　律子

老年期を生きる人々には，必ず「生」を終える日が訪れる．高齢者一人ひとりが人生の最終段階に至るまでの「尊重された医療・ケア」について，本人・家族と医療・ケアチームが事前に対話を繰り返しながら本人の意思決定を支援していく必要がある．このプロセスを**アドバンス・ケア・プランニング（advance care planning：ACP）**，あるいは**人生会議**という（表 ii）．

ACP では，本人の価値観，信念，死生観や，気がかり，また人生の目標，医療・ケアに関する希望，療養の場や最期の場に関する意向，代弁者などについて話し合うことが望ましいとされている．これは本書の「生活行動モデル」とも重なる視点である．

高齢者が意思表示可能な段階から意思決定支援を日々行っていくことが重要であり，その延長線上に ACP があること（図 iv）を念頭において，継続して**記録に残す**ことが必要である．身近な人の死などの多様な機会に，高齢者の意向を確認して記録に残したり，ライフデザインノート（東京都健康長寿医療センター研究所）のようなツールを活用するのも一つである．

なお，意思決定能力がある高齢者でも，周囲への配慮や遠慮から発言内容が本人の意向そのものでないことがあるため，発言の背景を踏まえて「真の意向」をとらえることが大切である．一方，認知機能障害などにより的確な意思確認が困難な場合でも，本人と対話する場を設定し，理解しやすいように伝え方を工夫して本人の意思の把握に努めることが重要である．また，家族には「高齢者本人ならばどう思うだろうか？」などと，本人の視点で考えられるように支援し，家族の意向とは分けて尋ねる必要がある．

「看護者の倫理要綱」の条文 1 に「看護者は，人間の生命，人間としての尊厳及び権利を尊重する」とあるように，高齢者の豊かな人生の物語としての「生」を最期まで支えることは，看護師の責務でもある．

■表 ii　ACP に関する解説

定義	将来の医療・ケアについて，本人を人として尊重した意思決定の実現を支援するプロセス
目標	本人の意向に沿った，本人らしい人生の最終段階における医療・ケアを実現し，本人が最期まで尊厳をもって人生をまっとうすることができるよう支援すること
開始時期	多くは医療・ケアを受けるようになったときであり，年齢は問わない
対象者	場を問わず医療・ケアを受けるすべての人
実践者	本人や家族，本人に関わる多職種の医療・ケア提供者など

〔日本老年医学会 倫理委員会「エンドオブライフに関する小委員会」(2019)：ACP 推進に関する提言を参考に作成〕

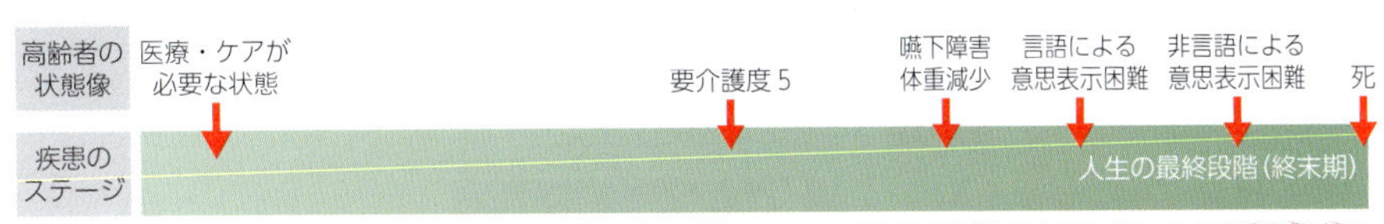

■図 iv　高齢者における ACP のイメージ

●参考文献
1）厚生労働省（2018）：人生の最終段階における医療・ケアの決定プロセスに関するガイドライン（2018 年改訂版）．https://www.mhlw.go.jp/file/06-Seisakujouhou-10800000-Iseikyoku/0000197721.pdf（2020/08/28 閲覧）
2）日本医師会（2018）：終末期医療　アドバンス・ケア・プランニング（ACP）から考える．https://www.med.or.jp/doctor/rinri/i_rinri/006612.html（2020/08/28 閲覧）
3）日本看護協会（2003）：看護者の倫理要綱．https://www.nurse.or.jp/home/publication/pdf/rinri/code_of_ethics.pdf（2020/08/28 閲覧）

本書の構成と使い方

山田　律子

本書の構成

本書は，老年看護展開の基盤となる考え方に基づく「第 1 編　生活行動情報の着眼点」と，老年期に特徴的な疾患や症状・機能障害別看護過程の展開である「第 2 編　病態からみた看護過程の展開」で構成した．

第 1 編では，学生の皆さんが，実習という大海原のなかで方向性を見失うことなく，生活者としての高齢者をしっかりととらえるためのアセスメントの視点を，「生活行動モデル」に基づき示した．

第 2 編は，さらに「第 1 部　疾患別看護過程の展開」と「第 2 部　症状・機能障害別看護過程の展開」で構成した．看護過程に関する参考書の多くは，「疾患別」か「症状・機能障害別」のどちらか一方で展開しているが，実際はその両方が必要になる．そこで第 2 編では，皆さんが「疾患」と「症状・機能障害」のどちらからも看護展開について学習できるように，その両方を盛り込み，本書 1 冊で老年看護の展開ができるよう配慮した．

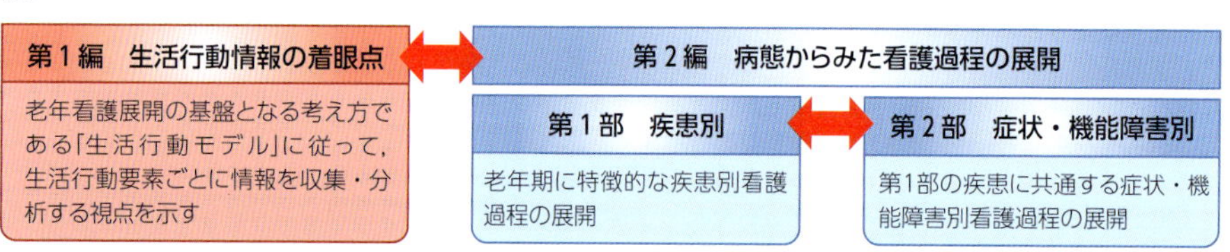

第 1 編　生活行動情報の着眼点
老年看護展開の基盤となる考え方である「生活行動モデル」に従って，生活行動要素ごとに情報を収集・分析する視点を示す
第 2 編　病態からみた看護過程の展開
第 1 部　疾患別
老年期に特徴的な疾患別看護過程の展開
第 2 部　症状・機能障害別
第1部の疾患に共通する症状・機能障害別看護過程の展開

本書の使い方

第 1 編の着眼点を押さえたうえで，第 2 編で受け持ち高齢者に関連した疾患（第 1 部）や症状・機能障害（第 2 部）のページへ進むのが基本であるが，時間がない場合には，先に第 2 編の必要な箇所を参考にしたうえで，情報収集や全体像を描く際に，第 1 編に戻ってもよい．

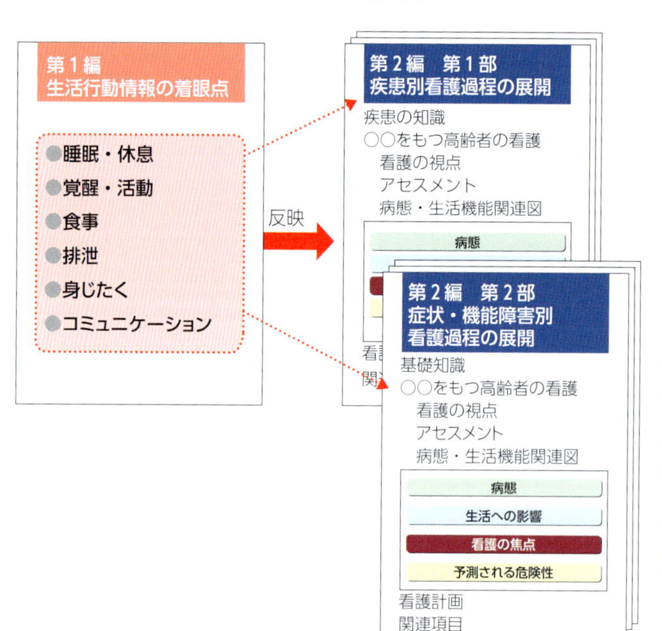

第 2 編第 2 部には，「睡眠障害」「摂食嚥下障害」「排尿障害」「排便障害」「言語障害」といった第 1 編の生活行動自体の障害や，第 2 編第 1 部の疾患に共通する「機能障害」，高齢者に多い症状である「脱水」「浮腫」などをまとめた．

第１編「生活行動情報の着眼点」の使い方

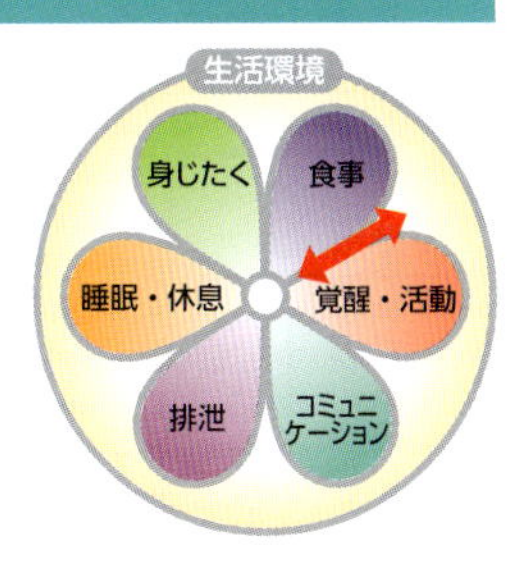

第１編には，**生活者としての高齢者**をとらえるために必要な**アセスメントの視点**を記載した．

看護過程の展開に関する参考書の多くは，病態論（本書の第２編に相当）から始められている．しかし老年看護では，高齢者が築き上げてきた個々の歴史（**生活史**）をもとに，**生活の営みをふくよかにとらえる視点を重視**する．

さらに，生活行動をとらえるとき，日常生活動作（ADL）の機能評価といった狭い視点ではなく，「豊かな生活の営み」という拡がりをもった視点が必要である．図中の円形画は各生活行動を花弁に見立てたものであるが，そのグラデーション（⟷）は生理機能から社会文化的な暮らしに至る**「生活の拡がり」**を意味している．食事でいえば，栄養状態という生理機能的側面から食文化に配慮した食生活の営みまで，その観点は広がりをもっている．

以上のような意図をふまえ，第１編では「老年看護の展開における考え方」（vi，vii 頁）で示した「生活行動モデル」に基づき，**６つの生活行動**すなわち**「睡眠・休息」「覚醒・活動」「食事」「排泄」「身じたく」「コミュニケーション」**に着眼し，各生活行動の構成要素別に，高齢者の**「身体的」「心理・霊的」「社会・文化的」要因と「生活環境からの影響」**といった観点から情報収集し，分析するための視点を提示した．第２編の「情報収集」における生活行動情報の収集の際に反映させるとともに，高齢者の全体像を描く際に活用してほしい．

慢性疾患や健康障害を抱える高齢者を対象者とした老年看護学実習では，その展開にあたり，主に６つの生活行動のいずれかに関連した事項が「看護の焦点」として取り上げられる．したがって，「看護の焦点」を絞ることができないときには，この６つの生活行動に着眼すると見出しやすくなる．第４版では，６つの生活行動に特徴的な「主な看護の焦点」を追加したので活用してほしい．

第２編「病態からみた看護過程の展開」の使い方

第２編第１部は，老年看護学実習で受け持つ高齢者に多発する疾患を中心とした**「疾患別看護過程の展開」**を，第２編第２部は，第１部の疾患に共通する老年期に起こりやすい機能障害や症状を中心とした**「症状・機能障害別看護過程の展開」**を記載した．いずれも「基礎知識」と「看護過程の展開」を主軸に内容を構成した．

「基礎知識」（第１部の「疾患の知識」，第２部の「基礎知識」）では，受け持ち高齢者に関連した疾患や症状・機能障害の知識を身につけるとともに，病態に関する知識を深める視点を押さえながら学習してほしい．それが，根拠に基づく情報収集や全体像の把握，看護計画の支援内容を考案する基盤となる．

「看護過程の展開」（「○○をもつ高齢者の看護」）は，**「看護の視点」「アセスメント」「病態・生活機能関連図（全体像）」「看護計画」**で構成している．汎用性を高めるために，あえて１事例の展開例ではなく，複数事例に共通する「看護過程の展開」を提示した．

高齢者は，しばしば複数の疾患や障害・徴候をもつ．関連するページを網羅しながら，あなたが受け持つ高齢者独自の「看護過程の展開」を行ってほしい．とくに，全体像や看護計画を見た際に，受け持ち高齢者のものと特定できるように，生活史をはじめ高齢者の特徴を盛り込むとよい．

また，パーキンソン病のような進行性疾患では，学生が受け持つ頻度の高いステージの高齢者を想定して記載した．ステージが異なる場合には，「基礎知識」や「長期的な看護の視点」を参考にして，看護過程を展開していくとよいだろう．

なお，高齢者の看護においては，「○○状態の維持」のように，常時考慮しなければならないことがらを看護目標とすることが多い．この場合，看護目標に記載された内容に変化が生じていなければ（つまり新たな目標が加わることがなければ），看護計画の支援内容が妥当であったと見なす．

先述のように，他領域の看護展開は問題解決型思考で進めることが多く，問題が解決されたかどうかが評価の基準となるが，**目標志向型思考で展開する老年看護の「評価」**では，「看護目標」を評価するときに**望まれる状態像が維持・達成しているかどうかの判定が重視**される．それゆえ本書では，問題解決型思考による「評価」の視点について，あえて記載していないことを了解していただきたい．

疾患別ならびに症状・機能障害別看護過程の展開の各最終ページに，**「関連項目」**を設けた．これは，さらに学習を深めることで実習に役立つ関連項目について，本書における参照ページと学習のポイントを示したものである．自己学習にあたって，是非活用してほしい．

第 1 編「生活行動情報の着眼点」の使い方

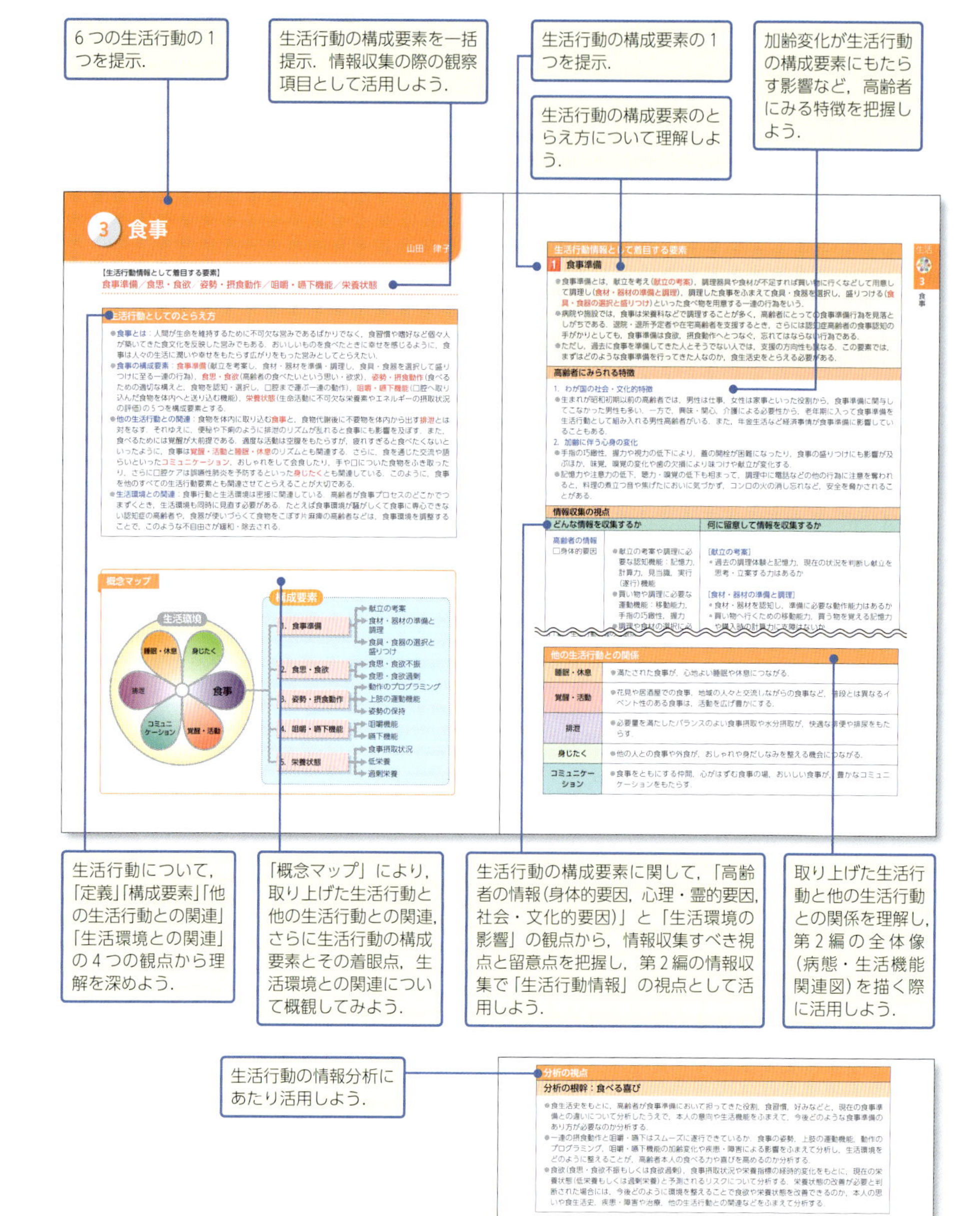

6 つの生活行動の 1 つを提示.
生活行動の構成要素を一括提示. 情報収集の際の観察項目として活用しよう.
生活行動の構成要素の 1 つを提示.
生活行動の構成要素のとらえ方について理解しよう.
加齢変化が生活行動の構成要素にもたらす影響など, 高齢者にみる特徴を把握しよう.
3 食事
山田 律子
【生活行動情報として着目する要素】
食事準備／食思・食欲／姿勢・摂食動作／咀嚼・嚥下機能／栄養状態
生活行動としてのとらえ方
概念マップ
生活環境
構成要素
生活行動情報として着目する要素
1 食事準備
高齢者にみられる特徴
情報収集の視点
どんな情報を収集するか
何に留意して情報を収集するか
他の生活行動との関係
生活行動について,「定義」「構成要素」「他の生活行動との関連」「生活環境との関連」の 4 つの観点から理解を深めよう.
「概念マップ」により, 取り上げた生活行動と他の生活行動との関連, さらに生活行動の構成要素とその着眼点, 生活環境との関連について概観してみよう.
生活行動の構成要素に関して,「高齢者の情報(身体的要因, 心理・霊的要因, 社会・文化的要因)」と「生活環境の影響」の観点から, 情報収集すべき視点と留意点を把握し, 第 2 編の情報収集で「生活行動情報」の視点として活用しよう.
取り上げた生活行動と他の生活行動との関係を理解し, 第 2 編の全体像(病態・生活機能関連図)を描く際に活用しよう.
生活行動の情報分析にあたり活用しよう.
分析の視点
分析の根幹：食べる喜び

第2編「病態からみた看護過程の展開」の使い方①

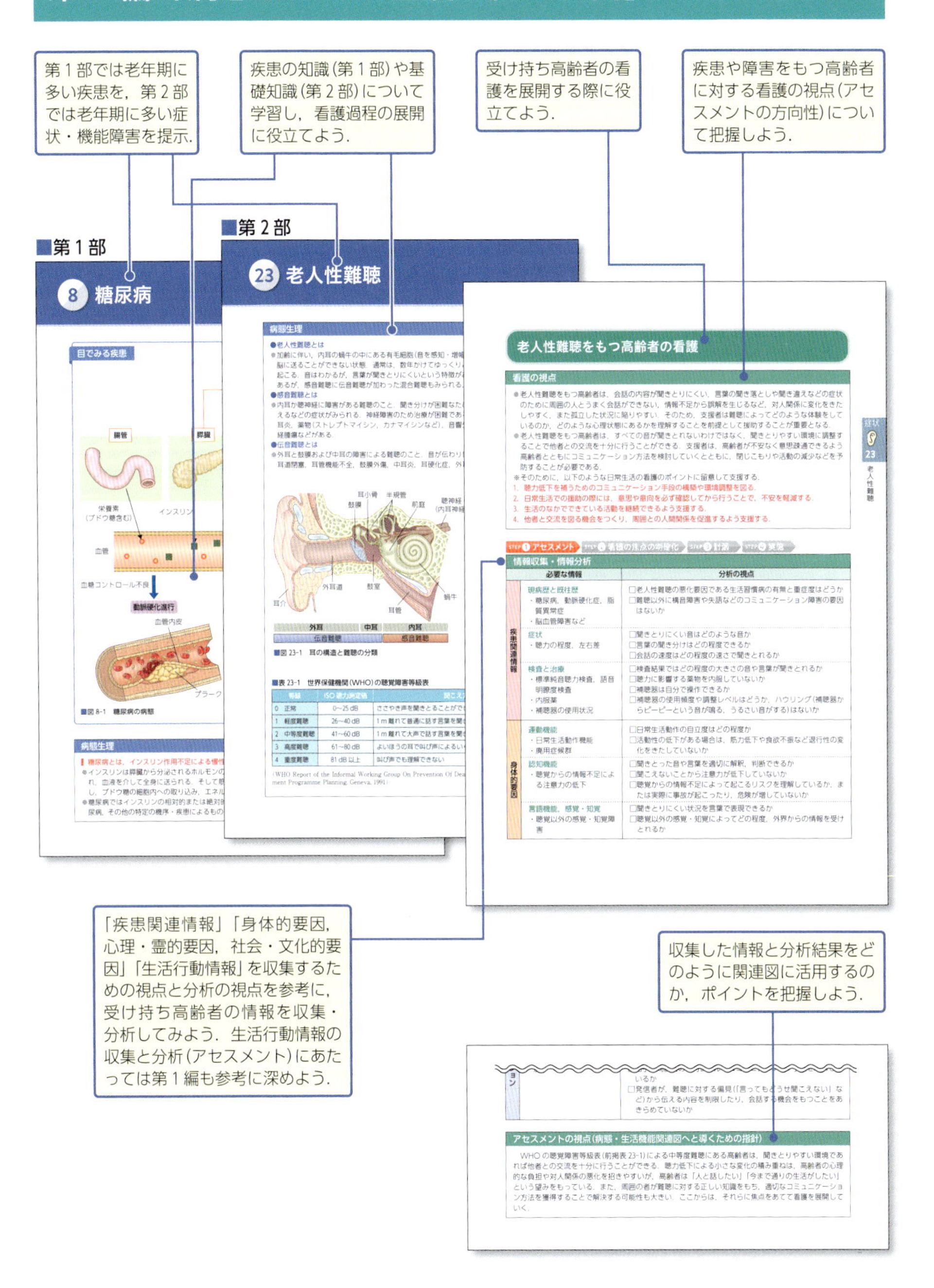

第1部では老年期に多い疾患を，第2部では老年期に多い症状・機能障害を提示．
疾患の知識(第1部)や基礎知識(第2部)について学習し，看護過程の展開に役立てよう．
受け持ち高齢者の看護を展開する際に役立てよう．
疾患や障害をもつ高齢者に対する看護の視点(アセスメントの方向性)について把握しよう．
■第1部
8 糖尿病
■第2部
23 老人性難聴
老人性難聴をもつ高齢者の看護
看護の視点
情報収集・情報分析
アセスメントの視点(病態・生活機能関連図へと導くための指針)
「疾患関連情報」「身体的要因，心理・霊的要因，社会・文化的要因」「生活行動情報」を収集するための視点と分析の視点を参考に，受け持ち高齢者の情報を収集・分析してみよう．生活行動情報の収集と分析(アセスメント)にあたっては第1編も参考に深めよう．
収集した情報と分析結果をどのように関連図に活用するのか，ポイントを把握しよう．

第2編「病態からみた看護過程の展開」の使い方②

受け持ち高齢者に関連する疾患や症状・機能障害の記載頁を参考に，各自で受け持ち高齢者の特徴を追加しながら，病態・生活機能関連図を描いてみよう．

病態・生活機能関連図作成のコツ

ステップ1 「看護の焦点」を見出そう！
⇒高齢者が望む生活を，6つの生活行動を参考に書き出してみよう．

ステップ2 「看護の焦点」と高齢者のもつ生活機能との関連をみよう！
⇒望む生活に近づくための高齢者の「**もてる力**」(プラス面)，生活に影響を及ぼす要素(マイナス面)，生活環境との関連をふまえたうえで，「看護の焦点」との関係を線で結ぼう．

ステップ3 病態との関連をみよう！
⇒上記の生活機能を阻害する症状・状態，それをもたらす疾患や加齢変化，身体的要因，心理・霊的要因，社会・文化的要因との関係を線で結んでみよう．

ステップ4 予測される危険性も把握しよう！
⇒看護が提供されないことで生じる危険性についても把握しておこう．

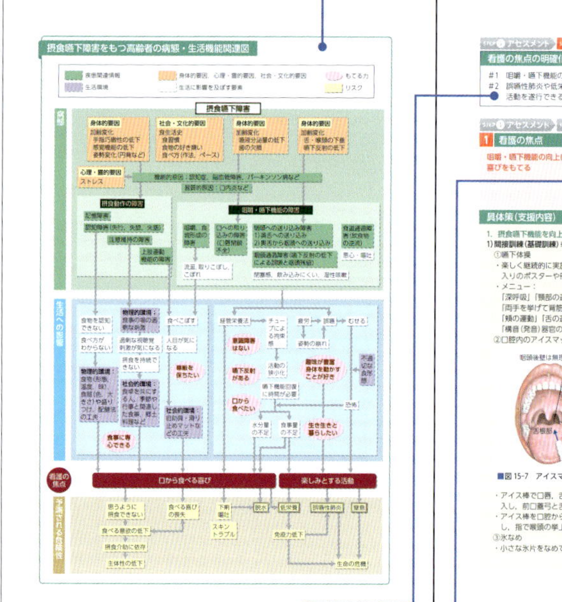

STEP① アセスメント　STEP② 看護の焦点の明確化　STEP③ 計画　STEP④ 実施

看護の焦点の明確化

#1 咀嚼・嚥下機能の向上により，再び口から食べる喜びをもてる
#2 誤嚥性肺炎や低栄養など危険な状態に陥ることなく体力を維持・向上することで，楽しみとする活動を遂行できる

STEP① アセスメント　STEP② 看護の焦点の明確化　STEP③ 計画　STEP④ 実施

1 看護の焦点	看護目標
咀嚼・嚥下機能の向上により，再び口から食べる喜びをもてる	1)口から食べることができる 2)食べることによる喜びを表出する(例：「おいしい」などの発言や，笑みがこぼれるなど) 3)(目安：食事○割程度)自力で摂食できる 4)食事をこぼすことによる気分の落ち込みがない

具体策(支援内容)	根拠
1．摂食嚥下機能を向上するための摂食嚥下訓練 1)間接訓練(基礎訓練)※食前に実施する ①嚥下体操 ・楽しく継続的に実施できるように，イラスト入りのポスターや冊子を作成する ・メニュー： 「深呼吸」「頸部の運動」「肩の運動」 「両手を挙げて背筋を伸ばす運動」 「頬の運動」「舌の運動」「呼気の保持」 「構音(発音)器官の運動」 ②口腔内のアイスマッサージ(図15-7)	●摂食嚥下訓練は，摂食嚥下にかかわる器官を刺激したり動かすことで，摂食嚥下機能の向上を図るリハビリテーションである ●摂食嚥下訓練のメニューは，高齢者の状態に応じて決める ●間接訓練は，食物を用いないため安全であり，急性期から導入することが可能である ●口腔周囲筋(顎，頬，口唇，舌)は自分の意思で動かすことが可能な随意運動であることから，嚥下体操により口腔の運動能力を向上し，食塊をスムーズにのどへ送り込むことによって誤嚥を防止することを目的とする
咽頭後壁は無理にしない／前口蓋弓／舌根部／後口蓋弓 ■図15-7 アイスマッサージの部位 ・アイス棒で口唇，舌に触れ徐々に口の中に挿入し，前口蓋弓と舌根部を2往復触れる ・アイス棒を口腔から取り出し，空嚥下を指示し，指で喉頭の挙上を確認する ③氷なめ ・小さな氷片をなめてもらう	●口腔内のアイスマッサージは，食事前にアイス棒で前口蓋弓や舌根部に触れ，嚥下反射を誘発させることを目的とする．急に前口蓋弓や舌根部に触れると悪心・嘔吐を誘発するので注意する ●氷なめは空嚥下が困難な認知症の人でも，少量の水と寒冷刺激により，嚥下を誘発する

15 摂食嚥下障害

本書を参考に，受け持ち高齢者の病態・生活機能関連図で明確化された「看護の焦点」を記載しよう．なお，優先順位は，各高齢者の生活に及ぼす影響の大きさの順で決めよう．

本書を参考に，受け持ち高齢者の「看護の焦点」と「看護目標」を書いてみよう．

本書を参考に，根拠に基づく具体策(支援内容)を書き出してみよう．

「関連項目」を参考に学習を深め，受け持ち高齢者が望む看護計画を立案してみよう．

関連項目

※もっと詳しく知りたいときは，以下の項目を参照しよう．

摂食嚥下障害の原因・誘因
- 「1 認知症(→ p.56)」：失行や失認，注意障害などが摂食動作に影響を及ぼしていないか確認しよう
- 「2 パーキンソン病(→ p.73)」：疾患特有の症状が摂食動作や嚥下障害に影響を及ぼしていないか明確にしておこう
- 「3 脳卒中(→ p.93)」：偽性球麻痺による嚥下障害，片麻痺・拘縮による摂食動作への影響はないか確認しよう
- 「28 フレイル(→ p.491)」：易疲労により姿勢の崩れや嚥下筋の疲労をもたらし，誤嚥につながっていないか調べてみよう

摂食嚥下に影響を及ぼす障害・状態
- 「21 睡眠障害(→ p.394)」：食事中に居眠りする背景に睡眠障害はないか確かめておこう

目次　生活機能からみた　老年看護過程＋病態・生活機能関連図

第1編

生活行動情報の着眼点

1 睡眠・休息

長瀬　亜岐

【生活行動情報として着目する要素】
睡眠・休息のリズム／睡眠と休息の質／心身の回復・リセット

生活行動としてのとらえ方

- **睡眠・休息とは**：睡眠は覚醒と対になり，休息は活動と対になって，日々の生活行動が営まれる．睡眠・休息は，活動によって疲労した心身の回復のために必要であり，身体と脳を休ませる働きがある．また，生活行動に必要なエネルギーを貯蔵したり，次の活動に向けて心身ともにリセットする働きもある．睡眠・休息は，高齢者の生活行動ならびに生活の質の根幹に影響を及ぼす重要な要素である．
- **睡眠・休息の構成要素**：**睡眠・休息のリズム**〔生活リズムに影響する睡眠時間や睡眠の型(パターン)，休息と活動のバランス〕，**睡眠・休息の質**(睡眠・休息時の様子や日中の活動状態，睡眠・休息の満足度による質評価)，**心身の回復・リセット**(睡眠や休息による心身の疲労の回復，活動中の疲れや気分のリセット)の３つの構成要素とする．
- **他の生活行動との関連**：「活動」による疲労が睡眠・休息と深く関連する．そのため，覚醒・活動と対をなす睡眠・休息のとり方の是非が，「食事」「排泄」「身じたく」「コミュニケーション」に影響することになる．**休息と活動のバランス**がとれると生活行動を円滑に行うことにつながるが，**睡眠・休息の質**が保たれなければ，心身の疲労が蓄積し，本来できていることもできないといった状態に陥り，身体的にも精神的にも脆弱な状態になりやすい．そのため，睡眠・休息は，１日のスケジュールのなかでの位置づけによって，他の生活行動への影響や活動の広がりにも影響を及ぼす．
- **生活環境との関連**：高齢者の睡眠・休息は環境の影響を受けやすい．温度，湿度，音，光，においといった環境要素が高齢者にとって快適であり，プライバシーが保たれているかを把握する．睡眠では，寝衣・寝具が心地よいもので，くつろぐことができるかを把握する．休息では，他者との関係や１日のスケジュールを把握したうえで，休息のタイミングも含めて個別的な調整が重要になる．

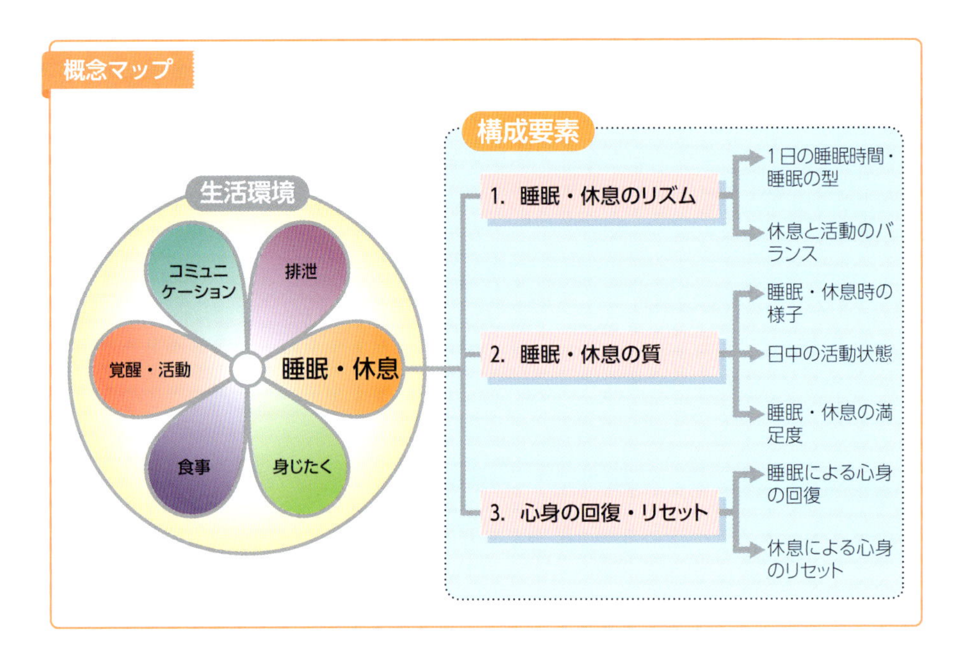

生活行動情報として着目する要素

1 睡眠・休息のリズム

1. 睡眠と覚醒のリズム(1日の睡眠時間・睡眠の型)

●睡眠は覚醒と対の関係にある．**睡眠**とは，意識がなく，小さな物音では覚醒せず，大脳を休息させるための生体防衛機能である．睡眠には，心身の疲れを積極的に休ませる調節(恒常性維持)と，1日のうち「夜になると眠くなり，昼間は眠くならないという体内時計によって眠気が変化する概日リズム(サーカディアンリズム)によって調節されている(図1-A)．体内時計と生活リズムがずれてしまうと日中の覚醒度が下がり，夜間の睡眠の質が低下する．本来，生体リズムは25時間であるが，外部からの刺激(同調因子)によって，体内時計がリセットされ，24時間周期に調整される．なかでも重要な働きをしている同調因子は午前中太陽の光を浴びることと食事をすることで，生活リズムを整えていくうえで大切な要素である．

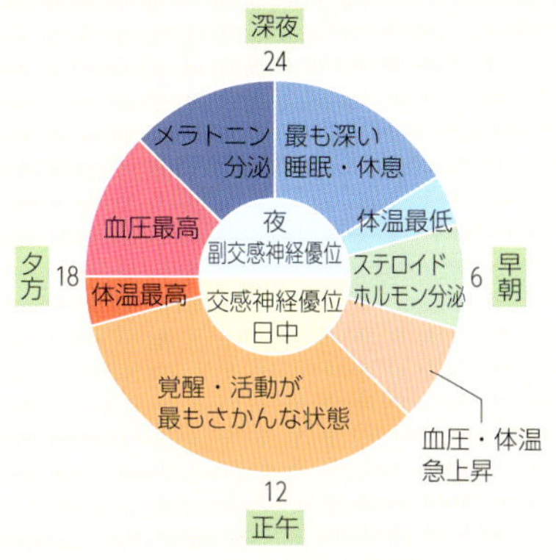

■図1-A　概日リズムと1日の生活

●睡眠は，眼球が動いている**レム睡眠**(REM：rapid eye movement)と4段階からなる**ノンレム睡眠**(non REM)のサイクルを1セット90分周期で繰り返している．脳を休ませているのがノンレム睡眠で，身体を休ませているのがレム睡眠であり，ノンレム睡眠のうち，睡眠段階1と2は浅い睡眠，睡眠段階3と4が深い睡眠で熟睡している状態である．

2. 休息と活動のバランス

●休息は活動と対の関係にある．**休息**には，活動(仕事や運動)をやめて，筋肉の緊張をほぐしたり，活動のエネルギーを補充し，次の活動へとつなぐための働きがある．身体を休めることだけでなく，心をくつろげることも含まれる．深呼吸をして呼吸を整えたり，リラックスして好きな音楽や飲み物を楽しみながら過ごすなど，休息のとり方やタイミングは個人の好みが影響する．

●疲労の回復に向けた休息のとり方は，個々によって異なる．単に身体を休ませることだけではなく，次の活動に向けて心身の疲労を回復するための休息も大切である．疲労が蓄積すると次への活動が難しくなるため，タイミングをみながら休息をとる．そうすることで活動と休息のバランスがとれて，充実した生活行動や活動へと広がる．

●休息と活動のバランスを保つことが，健康の維持にもつながる．バランスを崩すと睡眠パターンの乱れや活動不足につながり，生活リズムそのものが崩れることになる．

高齢者にみられる特徴

●加齢により睡眠パターンが変化する．就床・起床時刻が早く，1日の睡眠時間は短く(図1-B)，昼寝の時間は成人期より長い．多相性の睡眠・覚醒パターンであるため睡眠障害が起こりやすい(図1-C)．

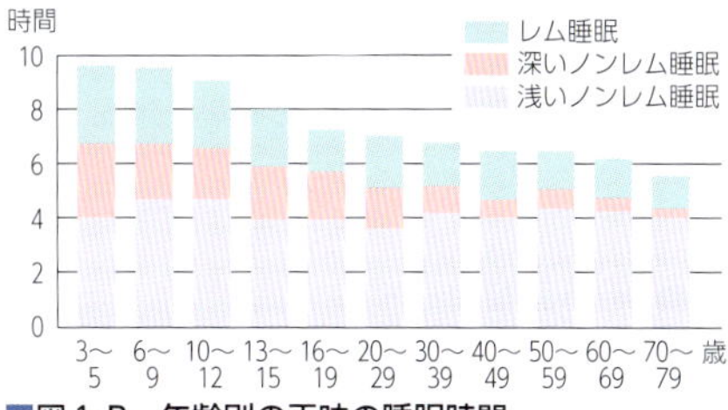

■図1-B　年齢別の正味の睡眠時間

試験方法：睡眠ポリグラフィを実施し，正味の睡眠時間を年齢別に検討した．

(Williams R, et al：Electroencephalography (EEG) of Human Sleep；Clinical Applications. John Wiley & Sons, 1974より)

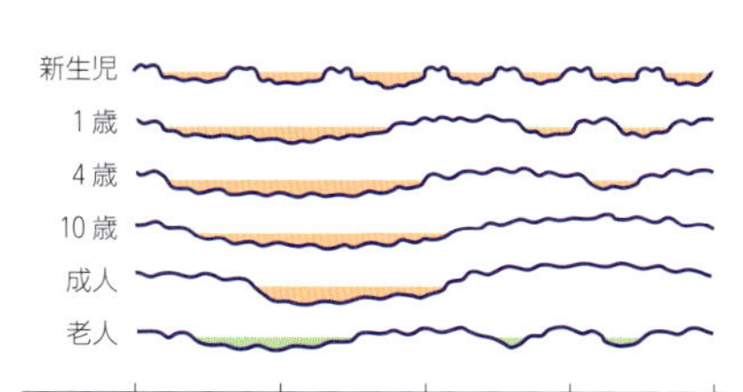

■図1-C　ヒトの睡眠リズムと年齢との関係

Kleitman, 1963の模式図に老人を加えたもの．

(大熊輝雄：睡眠の臨床，p.12，医学書院，1977)

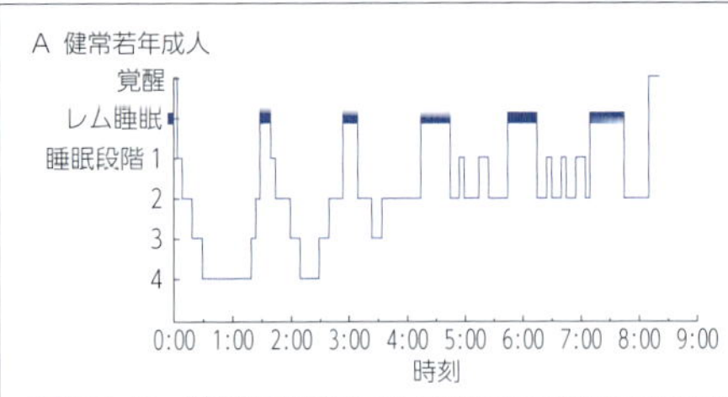

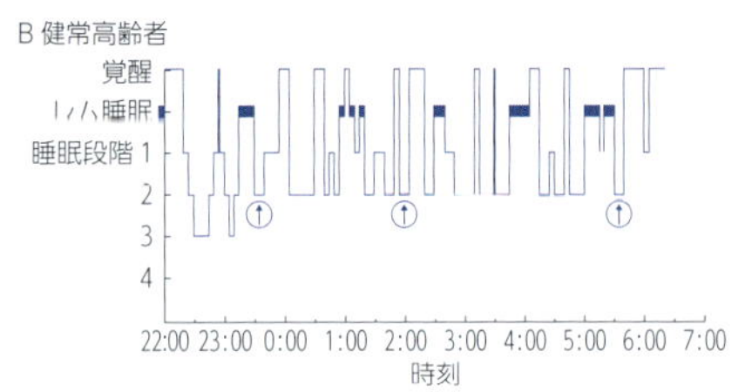

図 1-D　健常若年成人および健常高齢者の夜間睡眠ポリグラフの定型例　　↑は浅い眠り

（三島和夫：認知症の早期徴候とリスク要因としての睡眠問題．BRAIN and NERVE 68(7)：781，2016 を一部改変）

- ノンレム睡眠の減少によって中途覚醒や早朝覚醒といった睡眠障害が出現しやすい．また，睡眠段階 3・4 が減少することで熟眠感が乏しくなる（図 1-D）．
- 視交叉上核の神経細胞数は加齢とともに減少する．そのため，概日リズムの位相が前に移動する（睡眠相の前進）ため，夜中に覚醒し眠れないと訴える人が多い．
- 睡眠薬を服用する高齢者は多いが，薬物の影響によって睡眠と覚醒のリズムが崩れ，生活リズムの乱れにつながる場合もある．
- 睡眠時間が減ることによって成長ホルモンも分泌が減少することから創部の治癒が遅れる．
- 急性期病院では治療や処置（点滴交換や喀痰吸引など），モニターのアラーム音などによっても睡眠が中断されることがある．また病院や施設の規則で起床時間 6 時，消灯時間 21 時と決められている場合には，高齢者にそぐわない睡眠時間になっていることもある．入浴においても，入院・入所前の生活と異なり，環境の変化が高齢者のスムーズな睡眠導入につながっていないこともある．
- 途中で目が覚めてしまう（中途覚醒）理由には，夜間の尿意で覚醒する場合や，自己体動が困難のためケア提供者による体位変換・おむつ交換による場合もある．
- 休息のとり方は個人によって異なり，高齢者の疾患や体力に合わせて活動の合間にこまめに取り入れていくことが必要である．

情報収集の視点

どんな情報を収集するか		何に留意して情報を収集するか
高齢者の情報 □身体的要因		
		[睡眠と覚醒のリズム]
	●1 日の睡眠時間 ●起床時間，就床時間 ●早朝覚醒，中途覚醒 ●入眠までの時間 ●昼夜逆転 ●昼寝の時間	• 1 日の睡眠時間（起床時間，就床時間，入眠時間）は適切か • 体内リズムが一定になるような生活が送れているか • 睡眠に影響を受けて昼間の活動が妨げられていないか
	●認知機能障害	• 認知機能障害によって時間の見当識障害がある場合や，時間感覚が低下している場合に昼寝の時間が 30 分以上あり，昼夜逆転していないか
	●睡眠リズムを妨げる身体的苦痛	• 睡眠を妨げる苦痛（痛み，しびれ，かゆみ，発熱，夜間頻尿，空腹，口渇など）はないか
	●睡眠薬の服用，種類，効果	• 睡眠薬が覚醒に影響を及ぼしていないか，薬物が翌日まで持ち越ししていないか
		[休息と活動のバランス]
	●休息の方法	• 休息と活動のバランスはどうか • 活動の合間に自ら適した休息を取り込めているか • 休息はいつ，どこで，どのくらいの時間，どのようにとっているか
	●1 日のリズム ●1 週間のリズム	• 1 日もしくは 1 週間の中で，どのように活動しているか

	●活動状況(食事,清潔,活動,排泄など) ●活動量・活動による疲労の程度	・活動後の疲労の程度はどうか
□心理・霊的要因	●心配事や不安 ●人生観,死生観	・疾患や家族・家庭の事情,経済的な問題が睡眠に影響を及ぼしていないか ・これからの人生,死と向き合うことなどの不安や心配事による睡眠への影響はないか
□社会・文化的要因	●社会的役割の減少・喪失変化 ●睡眠導入につながる生活習慣,入浴時間	・仕事や生活習慣でどのような活動をしていたのか,現在との相違点はなにか ・睡眠前の入浴習慣や夕食後の散歩など睡眠導入につながる習慣はないか
生活環境の影響	●環境:光(明暗),音,臭気 ●外出の機会 ●睡眠中の処置やケア	・室内は,昼夜の区別がつく環境か ・午前中に太陽の光を浴びる機会があるか ・睡眠リズムを乱す環境要因はないか ・睡眠中の医療処置やケアの実施によって中途覚醒していないか ・夜の強い照明によって体内リズムが乱れていないか

2 睡眠・休息の質

1. 睡眠・休息時の様子

●睡眠・休息時は筋緊張が緩み,穏やかな呼吸,リラックスした表情で,身体も心も安らいでいる寝姿やくつろいでいる様子がみられることが望ましい.休息によりバイタルサイン(脈,呼吸,血圧)が安定し,心身の安寧が図られることが大切である.

2. 日中の活動状態

●体内リズムを整えることにつながる日中の活動は,午前中に太陽の光を浴びることによって体内時計がリセットされることと規則的な食事摂取である.日中の活動が夜間の睡眠の質にも影響する.

●逆に睡眠不足があると疲労感,日中の過度の眠気,意欲の低下,イライラ感などが生じて,注意力や集中力の低下が起こる.さらに,バランス能力の低下によりふらつきや,力が入らず歩行速度の低下や握力の低下が起きやすくなることから,転倒のリスクが高くなる.

3. 睡眠・休息の満足度

●睡眠・休息の質は,高齢者の主観によるものが大きいが,疲労回復できたか,すっきりと覚醒できたか,活動が意欲的に充実して行えているかどうかが指標となる.

●睡眠の質の指標として睡眠効率がある.睡眠効率は就床時間(布団の中にいる時間)に対する実際の睡眠時間の割合で,入眠障害や中途覚醒などでは睡眠効率は低くなる.

●睡眠の質が悪いと思考が停止し,気分や意欲の低下にもつながる.また,睡眠には免疫機能を高める,記憶の固定,感情整理など多くの役割がある.したがって,良質な睡眠は,生活の質を維持・向上させ,覚醒度の高い,いきいきとした生活につながる.

高齢者にみられる特徴

●高齢者は眠くない状況でも早くから布団に入ることが多いため,睡眠効率が低下し,睡眠の質も低下する.睡眠習慣では布団に入る時刻が早くなり,就床時刻から起床時刻までの総時間が長くなる特徴がある.この早寝と総就床時間の増加が高齢者の睡眠の質を低下させる要因で,また,昼間に眠気が起こりやすいうえに,入眠時刻と起床時刻が早くなり,夜間睡眠が分断されやすくなる.

●就床時間が早すぎるため夜中に覚醒したり,夜間頻尿などの影響もあり中途覚醒が増えたりするため,不眠(入眠困難,中途覚醒,早朝覚醒,熟眠感欠如)を訴えることが多い.

●「寝ていない」という訴えがあるが,実際は夜間もいびきをかいて深く眠っている姿をみることが多い.睡眠段階 3・4 が減るため,熟眠感が得られにくい.

- 「○時間以上眠らなければならない」という信念から，睡眠薬を服用している場合もある．ベンゾジアゼピンの服用は筋弛緩によるふらつきが起こりやすいため，転倒リスクが高くなる．
- 高齢者は身体的・精神的にも機能低下していることから疲労しやすい．疲労を感じた時にその高齢者に合った休息をとることで疲労の回復が図られ，活動が円滑に行われる．
- 睡眠障害が高齢者に及ぼす影響として，日中の過度の眠気，認知機能障害，身体疾患や精神疾患の罹患および増悪，夜間の転倒，QOL の低下，睡眠薬の過剰使用などがあげられる．
- るいそうや円背によって骨突出がみられやすく，高齢者にとっての安楽な睡眠時の姿勢にも影響が及んでいることがある．
- 睡眠障害は不眠，過眠，睡眠時異常行動，概日リズム睡眠障害に分類される．さらに不眠は，入眠困難，中途覚醒，早期覚醒，熟眠障害に分けられる．

情報収集の視点

どんな情報を収集するか		何に留意して情報を収集するか
高齢者の情報 □身体的要因	●日中の活動状態	・日中の活動が円滑に営めているか
	●日中の眠気	・起床時（覚醒時）や食事など活動時の眠気が強いこと（薬物の影響）がないか
	●アルコール摂取	・睡眠薬や寝酒という方法で睡眠を得ようとしていないか
	●就床時刻と寝つくまでの時間	・睡眠の質について，睡眠効率（実際の睡眠時間÷布団にいた時間×100）を数的な指標として，高齢者の主観と合わせて分析する
	●睡眠時の様子（寝息，近づいても全く起きない，いびき，睡眠中の姿勢など）	・睡眠中の姿勢や呼吸の深さから深い睡眠状態にあるかどうか，骨格筋が弛緩してゆったりと緊張がとれて眠れているか
	●睡眠薬の服用	・睡眠薬は適切に使用されているか ・持ち越しがなくすっきりと覚醒できているか
	眠れなくなる要因 ●夜間の排尿回数	
	●介護サービスや家族支援者のケア	・中途覚醒の原因について，疾患による症状や体位変換やおむつ交換など，高齢者本人の意思ではなく，支援者の都合に影響を受けていないか
	●疾患〔睡眠時無呼吸症候群（SAS），周期性四肢運動障害，レム睡眠行動障害，むずむず脚（レストレスレッグス）症候群，認知症など〕	・認知症に伴う脳萎縮による神経伝達障害の影響によって，睡眠障害が生じていないか
	●バイタルサイン（脈拍，呼吸，血圧など）	・身体的な負荷が解消され，次の活動につながる気分転換や気持ちの切り替えになる休息がとれているか
	●表情の穏やかさ，心地よさ	
□心理・霊的要因	●睡眠・休息の満足度	・睡眠に対する満足度はあるか（起床時の満足感，睡眠全体での満足感，夜間や昼間の眠気，熟眠感，すっきり感，疲労感がない，入眠困難感など）
	●休息への思い，活動への振り返り	・休息の満足度はあるか（気持ちの切り替え，すっきり，疲労回復感，心地よさなど） ・次の活動につながる気分転換ができているか．気持ちの切り替えになる休息がとれているか

□社会・文化的要因	●習慣，生活環境の変化 ●寝具（マットレス，枕，布団） ●寝衣	●睡眠に関する習慣や生活環境に変化がないか（慣れない環境にとまどいを感じて眠れないことはないか） ●心地よい適切な寝具・寝衣か（掛布団の重さで体動困難になっていないか，枕は呼吸がしやすく首や肩の筋肉が緊張しない高さか） ●やせや円背や骨突出などがある場合はマットレスの硬さによって痛みが出ていないか
生活環境の影響	●入院，旅行 ●休息の場所 ●休息の環境 ●就寝中の体動 ●人的環境の影響 ●室内環境の影響	●高齢者が好む環境と現在の環境に差はないか ●高齢者が慣れ親しんだ睡眠環境か（ベッドか畳に布団で寝ているか，枕の高さ，布団の重さなど） ●高齢者の好みが休息に取り入れられているか ●体動できる場合，寝返りがしやすい掛布団の重さかどうか ●同室の他の患者・入居者との関係性が身体的な休息を妨げていないか（独語がある患者・入居者と同室のため，横になってもゆっくり休めないなど） ●室内環境（ベッド，照明，音，においなど）が身体的な休息を妨げていないか

3 心身の回復・リセット

1．睡眠による心身の回復

●睡眠による身体的な回復には，活動による疲労からの回復や，疾患からの回復がある．睡眠中に放出される成長ホルモンは，組織再生を行うため，創治癒にも関連する．睡眠によって免疫力が向上（検査データの変化）する．睡眠中は副交感神経が優位になり，心臓への負担が低減される．また，セロトニンの分泌によりストレス解消，思考停止からの回復，涙もろさ・心の乱れの改善など，心の回復につながる．

2．休息による心身のリセット

●身体の回復は，活動中や活動終了後，疲労回復のために休憩することや，次の活動に向けてエネルギーを充填することである．散歩の途中でベンチに腰かけて呼吸を整えたり，ソファで横になって身体を解放し筋緊張をほぐすこと，血行をよくするためマッサージや足浴をすることなど心身の回復に向けた調整が行われる．

●心身の休息はストレスからの解放や，不適合な環境下でも時間をかけながら少しずつ自分らしさを構築していくための行動である．気分転換もその１つであり，不快な気分を快の気分へと変化させ，別の事柄に意識を向けさせる．そこには楽しみ，心地よさ，くつろぎといった要素がある．

高齢者にみられる特徴

●高齢者は身体的機能が低下しているため，活動を継続すると疲労を蓄積しやすい．蓄積された疲労によって，次の活動に影響を及ぼすといったことが起こりうる．また疲労回復には時間がかかるため，活動と休息のバランスを調整することが重要である．

●活動と休息のバランスを自ら調整することが難しいため，活動過多や休息過多になりすぎないような支援を行う．

●高齢者は社会的役割の喪失や友人・近親者の死別などを経験するなかで，大きなストレスを抱える機会が多い．個人差はあるものの自ら対処することが困難な場合もある．

●入院や施設入所といった環境変化や集団生活，治療によって行動が制限されることによるストレスが生じる．それまで楽しんでいたことが継続できない環境であると，心の休息（楽しみ，くつろぎ）を諦めてしまう場合がある．

情報収集の視点		
どんな情報を収集するか		何に留意して情報を収集するか
高齢者の情報 □身体的要因	●検査データ（免疫能）	●睡眠や休息によって，疲労回復，疾患からの回復，免疫力の向上（検査データの変化），創治癒など，回復効果がみられているか
	●活動量と疲労の程度，活動時の表情や動作や姿勢，バランス	●休息によって身体が回復でき，次の活動へつながったか
	●1 日の活動内容と休息時間	●自ら疲労回復につながる行動をとれるか，または声をかけることで休息がとれるか
	●筋肉の緊張	●筋肉の緊張がとれ，リラックスできているか
	●リラクセーション，気分転換の状況	●休息できる環境があり，穏やかに自分らしくくつろいで過ごす休息ができているか（アロマ，心のリセット，好きな音楽を聴いてほっとする瞬間，コーヒータイム，お茶の時，気のおけない仲間との会話・交流など）
□心理・霊的要因	●表情，意欲，活気	●精神的な疲労やストレスの蓄積はないか
	●意向，希望	●休息方法の希望はあるか
	●精神的ストレス	●環境変化や友人・近親者の死別など精神的なストレスが睡眠による心身の回復を妨げていないか
	●霊的な休息	●休息として祈りや宗教による方法はあるか
□社会・文化的要因	●行動を制限するような治療や処置	●活動に合わせた休息のとり方や対応があるか
	●日中の過ごし方や休息の仕方	●これまで過ごしていた環境とは異なる場所（入院，施設入所，家族と同居など）で，行動や活動が制限されることで睡眠や休息に影響はないか
	●生活背景，生活習慣 ●好きな休息の取り方やくつろぎ方	●自分の好みに合わせた休息をとり，くつろげているか
	●嗜好品（お茶，コーヒー，甘味，アルコール）	●カフェインを含む嗜好品を摂取する時間帯が夜間の睡眠に影響していないか
	●他者との交流	●友人などとリフレッシュできる交流を継続しているか
	●役割の喪失・変化	●疾患・症状によって役割を遂行できなくなっていないか
	●趣味や関心のある内容	●居住場所の移転により，趣味活動や関心を諦めても，好みの休息のとり方が継続できているか
生活環境の影響	●睡眠・休息の場（ベッド，ベンチ，ソファ等） ●生活している地域 ●個室，家の間取り ●友人の所在地	●睡眠・休息できる環境や，睡眠・休息にふさわしい環境か，物理的・人的環境をアセスメントする

他の生活行動との関係

覚醒・活動	●適度な活動による身体疲労が，深い睡眠につながる．
食事	●十分な休息や睡眠が，おいしい食事や栄養の取り込みにつながる．
排泄	●副交感神経が優位になるリラックスできる睡眠によって，すっきりとした排便につながる．
身じたく	●着心地のよい寝衣によって快適な睡眠につながる．
コミュニケーション	●仲間や家族と休息を過ごすことで，コミュニケーションを楽しむことにつながる．

分析の視点

分析の根幹：活動につながる心地よい睡眠と休息

- 生活習慣をもとに，高齢者の睡眠時間や睡眠環境について分析したうえで，心身の安寧が図られ，筋肉が弛緩し，緊張がなくリラックスした状態で睡眠がとれているかを分析する．
- 加齢や疾患による影響で中途覚醒が多くなったり，寝つきが悪くなったりすることで，昼夜のリズムが乱れ，日中の活動に影響がないかを分析する．
- 生活スケジュール(日・週間)に合わせて，疲労を蓄積せず心地よいと感じる休息が取り入れられることで，高齢者が意欲的にやりたいことを実践・実施できているか，活動と休息のバランスについて分析する．
- 休息により気持ちの切り替えができ，休息後にすっきりした，気分転換につながったなど，高齢者が満足できる内容や空間(環境)が整っているかを分析する．

主な看護の焦点

※下記の(○○)には疾患名や障害，症状，徴候などが入る．

- (○○)はあるが，夜間に心地よく眠ることができる．
- (○○)に起因する中途覚醒がありながらも，日中の活動が楽しめる．
- (○○)による症状の変動に合わせて休息をとりながら，楽しみとしている活動を継続できる．

2 覚醒・活動

萩野　悦子

【生活行動情報として着目する要素】
覚醒／活動の個人史・意味／活動の発展

生活行動としてのとらえ方

- **覚醒・活動とは**：人は，いまよりも楽しくなりたい，賢くなりたい，巧みになりたい，新しい何かを得たい，誰かの役に立ちたい，あるいは感謝の意を伝えたいといった意欲が原動力となり覚醒・活動する．もし意欲がなければ活動を行うことは難しく，それは単に「させられている」ことになる．便宜上，ここでは「食事」「排泄」「身じたく」など他の5つの生活行動を除くものとする．
- **覚醒・活動の構成要素**：覚醒・活動は，**覚醒**していること，これまでの活動の変遷とその意味をとらえる**活動の個人史・意味**，今後の**活動の発展**から構成される．
- **他の生活行動との関連**：「(覚醒・)活動」することは，心身を疲労させることでもある．活動によって疲労した心身は，「睡眠・休息」をとることで回復し再び活動に向かうというように，覚醒・活動と睡眠・休息は対をなしている．活動には他者との「コミュニケーション」が影響する場面が多く，体力の低下や疾患により生活機能障害が起こると，「食事」や「排泄」「身じたく」が優先されて活動範囲は縮小しやすい．逆に，覚醒・活動に働きかけることで，高齢者が自らより快く豊かになるために歩み始めると，他の生活行動に波及効果をもたらし，再び生活全体が広がりをみせる．
- **生活環境との関連**：活動は，道具を用いず思索のように1人でできるものから，道具を使うもの、他者とともに継続して行うものなど幅広い．高齢者に活動する機会があるか，どのくらいの人数で行うか，必要な道具や設備はあるか，戸外での活動なら季節がいつなのかによっても活動の内容は変化する．

概念マップ

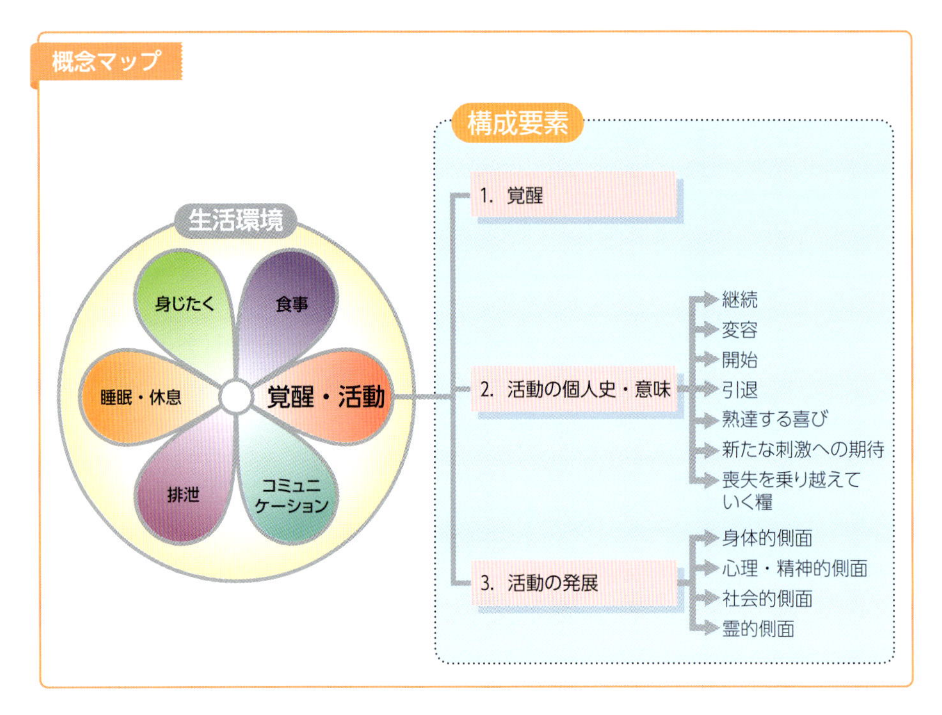

生活行動情報として着目する要素

1 覚醒

- 覚醒とは，睡眠していない状態であり，見当識が保たれ周囲に注意しながら状況を正しく認識できる状態である．活動するためには，覚醒が保たれていることが基盤となる．

高齢者にみられる特徴

- 人が何らかの活動をするときには，外界の情報や刺激に注意を向け，状況を認識したり判断したりする．注意がはたらくためには，しっかりと覚醒している必要がある．しかし，高齢者には加齢や疾患，障害によって，覚醒状態を保つことが困難になりやすい背景がある．
- 加齢に伴い睡眠・覚醒パターンに変化が起こる．成人期では，日中は覚醒して夜に睡眠するという単相性の睡眠・覚醒パターンであるが，高齢になると，日中の覚醒が持続しなくなり，1日のなかで何度も睡眠と覚醒が入れ替わる多相性の睡眠・覚醒パターンに変化する．すると，日中のうたた寝がみられるようになる．
- 認知症の人は，社会的な接触による刺激が少なくなりやすい．また，認知障害のために時刻を知る手がかりを得にくい状態にもなりやすい．さらに身体的・精神的活動能力が低下しているために日中の活動量が少なく熟睡しにくく，多様な身体的要因や疾患のために夜間睡眠が妨げられやすい．加齢や脳の器質的障害に伴い体内時計自体が変化したり，体内時計からの信号の伝導が障害されやすくなる．
- 身体疾患や精神疾患によって日中に過剰な眠気が起こることがある．脳血管障害や頭部外傷，パーキンソン病，代謝性疾患，内分泌疾患，中枢神経疾患，うつ，せん妄などでは日中に傾眠になりやすい．
- 夜間に十分な睡眠が得られないことで，日中に眠気が強まることもある．痛みやかゆみ，呼吸困難や咳嗽，頻尿によって夜間の睡眠が中断されてしまい，不足した睡眠を日中に補っていることがある．また，睡眠時の無呼吸やむずむず脚症候群（レストレスレッグス症候群）によっても夜間に十分睡眠がとれず，日中の眠気が強まり，十分な覚醒が得られないこともある．
- 疾患や障害によって，日中の臥床時間が長くなったり社会的な接触による刺激が少なくなったりすると，不規則睡眠・覚醒リズム障害になり，睡眠と覚醒が昼夜を問わず現れるため日中の覚醒が続かなくなることもある．
- 睡眠の障害は高齢になると多くなるため，睡眠薬を服用する人も増加する．しかし睡眠薬が適切に使われていないと，睡眠薬の持ち越し効果により昼間に眠気が起こり，覚醒が持続しない状態になる．

情報収集の視点

どんな情報を収集するか		何に留意して情報を収集するか
高齢者の情報 □身体的要因	●睡眠，覚醒の時間とパターン	・睡眠，覚醒の時間とパターン，覚醒時の生活行動と活動の内容は，日による違いを考慮して1週間程度の情報を収集する
	●運動機能，認知機能の障害，ADL	・認知症の高齢者で，症状を言葉で伝えられないことがないか（サインを注意深く観察する）
	●夜間の睡眠を阻害する症状	・痛み，かゆみ，発熱，呼吸困難，咳嗽，口渇，空腹，頻尿などの症状によって睡眠が阻害され，日中の眠気が増強していないか
	●眠気を引き起こす疾患	・慢性腎不全，甲状腺機能低下症，脳血管障害，頭部外傷後，認知症，パーキンソン病，うつ，せん妄などによって夜間不眠や日中に過剰な眠気が生じていないか
	●睡眠の障害による日中の眠気	・睡眠時無呼吸，むずむず脚症候群によって睡眠が阻害され，日中の眠気が増強していないか，不規則睡眠・覚醒リズム障害によって日中の覚醒が続かない状態になっていないか

	●使用している薬剤	●睡眠薬，抗ヒスタミン作用のある風邪薬，抗アレルギー薬，抗精神病薬，抗不安薬，抗うつ薬，抗てんかん薬のような，催眠作用や鎮静作用がある薬剤の影響で日中に過剰な眠気が生じていないか
	●1日の過ごし方による覚醒状態の違い	●1日の中で臥位や座位で過ごす時間，体位による覚醒しやすさ，覚醒の持続時間に違いはあるか
□心理・霊的要因	●緊張，不安，興奮，怒り，懸念 ●覚醒して活動する意欲	●覚醒しているときに，緊張，不安，興奮，怒り，懸念にとらわれていることはないか ●覚醒していたいと思えるような楽しみや，心待ちにしていることがあるか
□社会・文化的要因	●活動する機会や役割の変化	●活動や役割の変化が覚醒に影響しているか ●ともに生活している人々と覚醒している時間帯が異なることで，不都合はないか
	●これまでの生活で覚醒していた時間帯	●これまでの生活で覚醒していた時間帯と異なることで，不都合はないか
生活環境の影響	●過ごしている場所の昼夜の明るさ，音，室温	●部屋が明るすぎて夜間に眠れない，あるいは昼間は薄暗くて眠気が生じることになっていないか ●夜間の同室者のいびきや物音によって夜間の睡眠が中断される状況にないか ●騒音がある，もしくは静かすぎることで夜間に眠れない，あるいは昼間に眠気が生じることになっていないか ●室温が高すぎる，あるいは低すぎることで，眠れなかったり眠気が起きたりしていないか
	●他者との交流が過密あるいは希薄	●他者との交流が少ないことで覚醒を保てない状況にないか，あるいは他者との接触時間が長すぎることで睡眠が不足していることはないか ●起床して活動できるように気を配ってくれる他者の存在があるか

2 活動の個人史・意味

●年齢を重ねていく過程で起こる身体的，心理・霊的な変化や，その人を取り巻く社会・文化的な変化に活動は影響を受けている．

●活動を支援していこうとするとき，その人が過去から現在までどのように活動してきて，そこにどのような意味を見出しているのかを併せて考えていくことが重要である．また，活動を引退することや，活動しないということにも意味を見出している可能性がある．

高齢者にみられる特徴

1. 活動の個人史

●高齢者はこれまでどのような活動をしてきているのだろうか．個人の過去から現在までをたどると，活動には次のような歩みがあるかもしれない．

- **継続**：若いときから変わらず，同じ活動を続けている．
- **変容**：身体的，経済的な変化によって，それまでの活動を変容させて続けることがある．登山をウォーキングに変えて自然とのふれ合いを楽しむといったように，表現は変化しても以前の活動とのつながりを残している．
- **開始**：退職や子どもが結婚して家を離れたことをきっかけに新たに活動を始めたり，次世代の相談役としての活動，生活の知恵や技や遊びの伝承のように，高齢になったからこそ可能になる活動もある．

・**引退**：加齢や疾患に伴う身体機能や精神機能の低下によって，これまで続けていた活動を断念せざるをえないこともあるが，まだ続けられる状態であっても，本人が「もうやらない」と決断して活動から退くこともある．

2. 活動の意味

●長年同じ活動を続けたり変容させせながらかかわったり，新たに活動を始めたりするのはなぜだろう．それを知るためには，人が活動に見出している意味をともに考えていく必要がある．

・**熟達する喜び**：たとえば，陶芸や書道を継続していくことで，次第に表現が洗練されたり，味わい深い作品を生み出せるようになっていくことに喜びを感じる．

・**新たな刺激への期待**：いつもと違う場所で会食したり，夏祭りに出かけたりしたとき，旅先での予想もつかない出来事を期待するとき，わくわくする気持ちがわいてくる．また，懸命に描いた絵をだれかに見てもらうことが生活の張り合いとなって創作意欲が湧くこともあるし，新たな活動へと発展していくこともある．

・**喪失を乗り越えていく糧**：配偶者を十分に看病できなかった思いから介護ボランティアを始めたり，加齢や疾患によって失いつつある心身の機能を維持するために，運動や学習に取り組むこともある．

情報収集の視点

どんな情報を収集するか		何に留意して情報を収集するか
高齢者の情報 □身体的要因	●運動機能：麻痺や協調運動の障害，柔軟性，巧緻性など	●活動を継続したり，新たに活動を始める，あるいは変容，引退するような身体機能の変化がいつ頃起こったか
	●感覚機能：視覚(老視，白内障，周辺視野)，聴覚(難聴，言語の弁別能)，平衡感覚など	●これまで行ってきた活動を継続したり，新たに活動を始めるための身体機能があるか ●活動を始めたり増やしたりした際に，夜間の睡眠に変化はあるか
	●認知機能：記憶，見当識，注意，実行機能	
	●移動・移乗の状況：寝返り，起き上がり，座位，立位，歩行の状況	
	●活動耐性：筋力，持久力，他の生活行動と連続することでの疲労	●疲労のために歩行が不安定になる，食事がとれなくなる，日中の休息が増加するなどの変化はないか
□心理・霊的要因	●活動を始めたきっかけ	●楽しみや生活の張り合いを求めて始めた活動か，あるいは喪失を乗り越えるために始めた活動か
	●活動によって得られる楽しみや生活の張り合い	●現在その活動は楽しみや生活の張り合いとなっているのか
	●活動を継続することの困難感	●活動を継続していくことに限界を感じているか
□社会・文化的要因	●これまでの活動史	●他者や社会に貢献したり，時代や地域に求められたなどの背景をもつ活動だったか
	●活動によって広がった交流	●活動の機会，活動に用いた道具，活動をともにしていた仲間との交流に変化はないか
生活環境の影響	●入院や転居，同居家族の変化などでこれまで行ってきた活動は継続できているか	●継続できなくなった活動だけなく，変容して続けている活動や新たに始めた活動が生活環境の変化に関連しているか

	●デイケア，デイサービスなどの介護サービスの利用によって新たに始めた活動はあるか	

3 活動の発展

●活動の発展とは，活動のもっている以下の側面が拡張することである．
- **身体的側面**：骨格筋を動かすことにより，筋肉を増強させ，心肺機能を向上させ，筋力や持久力が高まる．また，関節可動域が拡大するように動くことで，身体各部の柔軟性が保たれる．骨格筋を動かしたり，可動域を増大させる活動を行うことで，平衡性，協調性，敏捷性が維持・向上する．
- **心理・精神的側面**：たとえば，自然や芸術，文学にふれたときに感動したり深く考えたりすること，誰かのことを思いやったり，昔のことを回想することは，感情や思考に影響を及ぼす．また，新たな知識や技術を学ぶことは，知的機能にも影響を及ぼす．
- **社会的側面**：その人が他者のために自分の労力や技術，時間を提供して行うもので，社会の一員として，自分のもつ能力を発揮するものである．
- **霊的側面**：自分は何者であるのか，自分がなぜ存在しているのか，自分はなぜ生きるのかという問いを，（先祖も含めた）他者とのかかわり，自然とのかかわり，信仰とのかかわり，自己との対峙のなかから見出そうとするものである．

●下記に示した活動の発展例のように，「孫と楽しく過ごしたい」という心理・精神的側面から活動が始まったとしても，歌いながら孫をあやすことで身体的側面や，娘を休ませるという社会的側面，孫とのつながりを通して自分と母親もしくは娘との関係を思い起こし，自分の存在を再確認する霊的側面までも含んだ活動に拡張している．そして，孫と楽しく過ごしたことを快いと感じることで，「もっと孫と楽しく過ごしたい」という意欲や期待は高まり，新しい歌を覚えることで心理・精神的側面をさらに発展させていくことができる．

活動の発展の例

脳梗塞による嗄声と片側の不全麻痺をもつ高齢女性が，孫と楽しく過ごすために孫に歌を聞かせる活動の場面を思い浮かべてみよう．その女性は，よく声が出て歌えるように，呼吸を調整しながら口やのど，腹筋などを意識して動かす．孫を抱いてあやすために，麻痺がある左腕に一生懸命力を入れる．孫が歌に興味をもってくれているか，うれしがっているかに注意を向ける．孫に歌って聞かせることは，孫の母（自分の娘）にひと時の休息を与えることになるし，かつて自分のために母が歌ってくれたことを思い出して懐かしんだり，自分が娘に歌ってやった子育ての時代を振り返る機会となる．とにかく，歌って聞かせることで，孫が自分になついてくれることに無上の喜びを感じ，孫が気に入っている歌を覚えて，今度会ったときに歌って孫を喜ばせようと計画し練習している．

高齢者にみられる特徴

1. 意欲が表れやすい機会をつくる

●高齢者にとって，継続的な活動で積み重ねてきた技や蓄えた知識を，加齢や疾患によって失うことの衝撃は大きい．さらに，現在の自分に合う活動を見つけて新たに始めたり，これまでの活動を変容させたりするだけの意欲や身体・認知機能が低下していると，高齢者の活動は縮小しやすい．

●自力で食事や排泄をするのがやっとの状態なので活動のために体力を使いたくないとか，他人の手を借りてまで活動をすべきではないという思いから，自ら活動を縮小させていることもある．

●したがって，高齢者が活動に対する意欲をもっているかどうか，わかりにくいことがある．とくに認知症の人は，何をしたらいいかがわからないために活動を行えないこともある．音楽や歌が好きであるとか，園芸が好きであるなど個人の活動史をふまえて活動の機会をつくると，楽しむことができる人もいる．このように，活動への意欲が表れる機会を設けていくことは，支援の第一歩である．

2. 身近な活動から始める

●活動は臥床していても特別な道具を使わずに始められる．家族への思いを言葉にしてみることから始め，その思いを書いてみる，手紙にしてみる，売店に切手を買いに行く，ポストに手紙を投函しに行くというように発展させていくことができる．たとえわずかでも活動への意欲が認められたら，このように，活動を発展できる可能性を検討する．

3. 今の状態に合わせた活動を行う

- 心身の状態の変化で，それまでの活動の継続が困難になっているとき，現在の心身の状態に合った方法を検討してみる．たとえば，ちぎり絵の活動をしていた人は，紙のちぎり方を大きくしたり構図を簡略化することで，活動を継続できるようになる．また，構図や配色，紙選びなどのアドバイザーになってもらうことで，その人の活動の経験を生かすという方法もある．
- 一方，人によっては心身の状態が変化したことで，いままでの活動を好まなくなったり，活動の意味を見出せなくなることもある．このような場合は，高齢者が新たな活動をみつけられるような支援をしていく．

4. 納得して活動を終わらせていく

- 高齢者が活動を縮小(もしくは終息)していくことも，活動の支援の１つである．活動からの引き際の潔さに重きをおく人もいるし，あるがままに活動が消退していくことを望む人もいる．したがって，その人がどのように活動を終わらせようとしているのかを知ることも大切である．

情報収集の視点

どんな情報を収集するか		何に留意して情報を収集するか
高齢者の情報 □身体的要因	●運動機能：麻痺や協調運動の障害，柔軟性，巧緻性など	• これまで行っていた活動を継続できそうか，多少変化させることで行えるか
	●感覚機能：視覚(老視，白内障，周辺視野)，聴覚(難聴，言語の弁別能)，平衡感覚など	• 視覚や聴覚の低下に対して配慮することはあるか • 姿勢を維持するために配慮することはあるか
	●認知機能：記憶，見当識，注意，実行機能	• 知らない場所に行ったり，新しい活動に挑戦するときに不安や混乱はないか
	●移動・移乗の状況：寝返り，起き上がり，座位，立位，歩行の状況	• 座位や立位，歩行時の姿勢が安定しているか
	●活動耐性：筋力，持久力，他の生活行動と連続することでの疲労	• 活動の制限が必要な心身の状態ではないか • 疲労が強くならずに楽しめる活動の長さはどのくらいか • 食事や排泄，身じたくなどとの関連から，活動する時間帯はいつが適切か
□心理・霊的要因	●活動への興味や関心が表れている状況 ●活動から退く，あるいは活動しないでいることへの思い	• 活動の意欲が低下しているようにみえる人でも，散歩に行くと表情が明るくなることがあるか • 活動することを断念していないか，あるいは他人の手を借りてまで活動したくないと思っていないか
□社会・文化的要因	●高齢者が，いままでどおり活動を続けること(あるいは活動を控えること)に対する周囲の人々の反応	• 加齢や障害をもつ高齢者の活動に対して，周囲の人々はどのように感じたり，本人への働きかけをしているか
生活環境の影響	●活動のための資源：道具，場所，協力してくれる人，活動の場に移動する手段，予算	• 屋内活動か戸外活動か，活動の規模，費用などを考慮して実施可能であるか • 季節によって適した，あるいは適さない活動があるか

	●一緒に活動したい人の存在 ●活動の意欲を引き出す人，促進させる人の存在	●一緒に活動したい人や活動の意欲を引き出してくれる人は誰か．家族だけでなく，支援者や他の職種のスタッフ，友人，サークル仲間，同室の患者や施設の入居者，デイケアやデイサービスの利用者など広くとらえてみる

他の生活行動との関係

睡眠・休息	●日中の覚醒と適度な疲労をもたらす活動は，心地よい休息や夜間のまとまった睡眠につながる．
食事	●活動の発展によって他者との交流が増えると，食欲や食事前後の歓談が促進される．
排泄	●日中の覚醒が保てることで，尿意や便意がはっきりする(明確になる)ことに影響する． ●活動が増えることで便秘の改善につながる． ●活動の機会が多くなることで，排泄動作の改善につながる．
身じたく	●活動の機会や他者との交流が増えることで，身だしなみやおしゃれに対する意識や意欲の高まりにつながる．
コミュニケーション	●活動の発展によって，自発的な他者とのコミュニケーションが促進する．

分析の視点

分析の根幹：やりたい活動ができる楽しさ

●本人の意欲に基づいて充実した活動ができる基盤があるか検討する．まず，活動中の覚醒を保つことが困難な状態であれば，覚醒を維持できない要因の有無や，その要因を自分で軽減・除去する力があるか分析する．また，覚醒して何をするか，1日のなかでいつ覚醒したり起床したりして活動を始めるか，体調やスケジュールに合わせて本人が行動できるか認知機能も併せて分析する．もし，充実した活動の内容を本人が決められなかったり，1日のなかでその活動を行うスケジュールが立てられないようであれば，本人の希望を取り入れて検討する．

●その人の活動史や活動に見出している価値が活動内容に反映されることが大切である．そのために，いままでどのような活動をしてきたか，あるいは活動をどのように変容させてきたか，活動内容の変遷を分析する．そして，活動を開始したり変容させたり，また引退したときにどのような出来事があったか，それは本人の意思によるものか他の影響によるものか，そのことに対して，本人はどのような思いを抱いているかを分析する．また，継続している活動でも，そこに見出す意味がある時点から変わっているかもしれないし，活動が変容していてもそこに同じ意味を見出しているかもしれないので，丁寧に分析する．

●現在の活動をより豊かにしていくために，現在の活動に対する意欲や考えを分析する．自ら活動を始めないが，その場に行くと楽しめるか，いままでの活動をそのまま，あるいは変容させて継続したいか，何かしていないと不安で過剰に活動していることはないかなど，まず，現在の活動の様子を分析する．次に，いまの生活でやりたいことはあるか(例：家族に手紙を出したい，花を育てたい)，活動に否定的でないか(例：他人の手を借りてまで活動すべきではない，療養しているのだから楽しんではいけない，食事や排泄を自分で行うこと以外には体力を使いたくない)など活動に対する要望があるか分析する．併せて，活動を今後どのように発展させたいか，活動をどのように終わらせたいかなど本人の思いの表出があるか分析する．

●活動をするための身体機能(身体の機能障害や耐久性)や認知機能，現在の生活の場に活動の機会や資源はあるか，豊かな活動の支援に向けて，身体的，心理・精神的，社会的，霊的側面のうち，どの側面を発展させられる可能性があるかについても分析する．

主な看護の焦点

- 日中は（○○）のような過ごし方であるが，興味や関心をもてる活動があると覚醒していられる
- 活動に対する要望は（○○）であるが，活動に誘われると積極的に参加できる
- （○○）が困難であるが，活動に積極的に参加することで（△△）になる

3 食事

山田　律子

【生活行動情報として着目する要素】

食事準備／食思・食欲／姿勢・摂食動作／咀嚼・嚥下機能／栄養状態

生活行動としてのとらえ方

- **食事とは**：人間が生命を維持するために不可欠な営みであるばかりでなく，食習慣や嗜好など個々人が築いてきた食文化を反映した営みでもある．おいしいものを食べたときに幸せを感じるように，食事は人々の生活に潤いや幸せをもたらす広がりをもった営みとしてとらえたい．
- **食事の構成要素**：**食事準備**(献立を考案し，食材・器材を準備・調理し，食具・食器を選択して盛りつけに至る一連の行為)，**食思・食欲**(高齢者の食べたいという思い・欲求)，**姿勢・摂食動作**(食べるための適切な構えと，食物を認知・選択し，口腔まで運ぶ一連の動作)，**咀嚼・嚥下機能**(口腔へ取り込んだ食物を体内へと送り込む機能)，**栄養状態**(生命活動に不可欠な栄養素やエネルギーの摂取状況の評価)の5つを構成要素とする．
- **他の生活行動との関連**：食物を体内に取り込む**食事**と，食物代謝後に不要物を体内から出す**排泄**とは対をなす．それゆえに，便秘や下痢のように排泄のリズムが乱れると食事にも影響を及ぼす．また，食べるためには覚醒が大前提である．適度な活動は空腹をもたらすが，疲れすぎると食べたくないといったように，食事は**覚醒・活動**と**睡眠・休息**のリズムとも関連する．さらに，食を通じた交流や語らいといった**コミュニケーション**，おしゃれをして会食したり，手や口についた食物をふき取ったり，さらに口腔ケアは誤嚥性肺炎を予防するといった**身じたく**とも関連している．このように，食事を他のすべての生活行動要素とも関連させてとらえることが大切である．
- **生活環境との関連**：食事行動と生活環境は密接に関連している．高齢者が食事プロセスのどこかでつまずくとき，生活環境も同時に見直す必要がある．たとえば食事環境が騒がしくて食事に専心できない認知症の高齢者や，食器が使いづらくて食物をこぼす片麻痺の高齢者などは，食事環境を調整することで，このような不自由さが緩和・除去される．

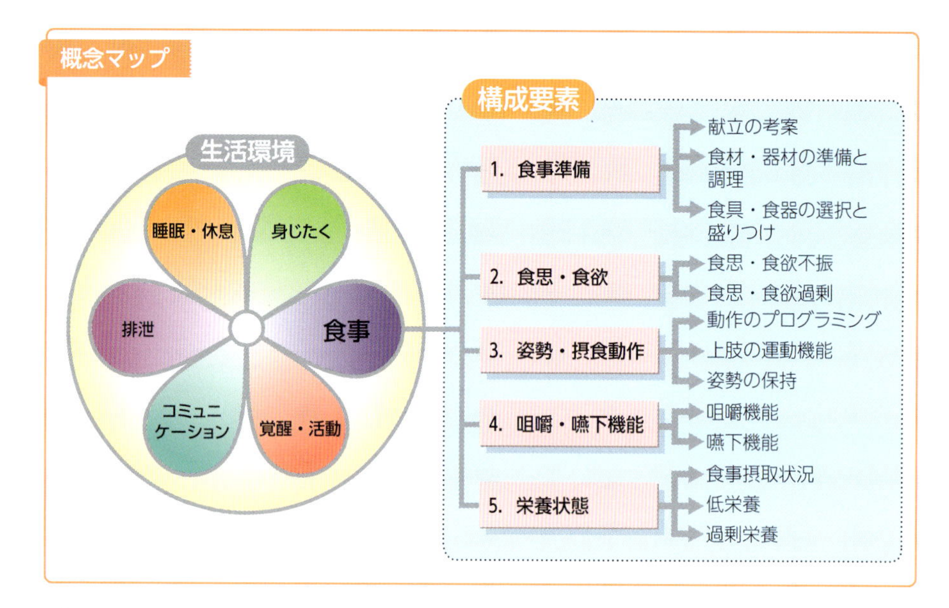

生活行動情報として着目する要素

1 食事準備

- 食事準備とは，献立を考え(**献立の考案**)，調理器具や食材が不足すれば買い物に行くなどして用意して調理し(**食材・器材の準備と調理**)，調理した食事をふまえて食具・食器を選択し，盛りつける(**食具・食器の選択と盛りつけ**)といった食べ物を用意する一連の行為をいう．
- 病院や施設では，食事は栄養科などで調理することが多いため，高齢者にとっての食事準備行為を見落としがちである．退院・退所予定者や在宅高齢者を支援するとき，さらには認知症高齢者の食事認知の手がかりとしても，食事準備は食欲，摂食動作へとつなぐ，忘れてはならない行為である．
- ただし，過去に食事を準備してきた人とそうでない人では，支援の方向性も異なる．この要素では，まずはどのような食事準備を行ってきた人なのか，食生活史をとらえる必要がある．

高齢者にみられる特徴

1. わが国の社会・文化的特徴

- 生まれが昭和初期以前の高齢者では，男性は仕事，女性は家事といった役割から，食事準備に関与してこなかった男性も多い．一方で，興味・関心，介護による必要性，退職後の家庭内での新たな役割などから，老年期に入って食事準備を生活行動として組み入れる男性高齢者がいる．また，年金生活など経済事情が食事準備に影響していることもある．

2. 加齢に伴う心身の変化

- 手指の巧緻性，握力や視力の低下により，蓋の開栓が困難になったり，食事の盛りつけにも影響が及ぶほか，味覚，嗅覚の変化や歯の欠損により味つけや献立が変化する．
- 記憶力や注意力の低下，聴力・嗅覚の低下も相まって，調理中に電話などの他の行為に注意を奪われると，料理の煮立つ音や焦げたにおいに気づかず，コンロの火の消し忘れなど，安全を脅かされることがある．

情報収集の視点

どんな情報を収集するか		何に留意して情報を収集するか
高齢者の情報 □身体的要因	●献立の考案や調理に必要な認知機能：記憶力，計算力，見当識，実行(遂行)機能 ●買い物や調理に必要な運動機能：移動能力，手指の巧緻性，握力 ●調理や食材の選択に必要な感覚機能：味覚，嗅覚，視覚，聴覚 ●摂食動作機能に適した食具・食器の選択	**[献立の考案]** ・過去の調理体験と記憶力，現在の状況を判断し献立を思考・立案する力はあるか **[食材・器材の準備と調理]** ・食材・器材を認知し，準備に必要な動作能力はあるか ・買い物へ行くための移動能力，買う物を覚える記憶力や購入時の計算力に支障はないか ・行為を実行する力，各行為を組み立てて調理を遂行する力はあるか．調味料で味つけするための味覚や嗅覚，巧緻性はどうか **[食具・食器の選択と盛りつけ]** ・加齢変化や疾患による感覚機能や運動機能の変化をふまえた食べやすい食具・食器を選択しているか，見た目にも食欲をそそる盛りつけになっているか
□心理・霊的要因	●食事準備の意向 ●気分・情動，もてなす心	・食事準備にどのような意向をもっているか ・食事準備の原動力となる食べる楽しみやもてなしの心など，どのような心理・霊的要素をもっているか．逆に食事準備に対する心理的負担，悲嘆や悩みごとなどはないか

□社会・文化的要因	●食事準備の経験，役割 ●食事スタイル，食文化 ●料理を喜ぶ人の存在 ●経済面	•過去に料理を行ってきたか，どのような方法で食事を準備し，それは大事な役割の１つとなっていたか •１日の食事回数，和食派や洋食派など食事スタイルはどうか．郷土色豊かな食文化に根ざした伝統料理と，それに対する高齢者の思いはどのようなものか •料理を喜ぶ人の存在など食事準備の原動力となる社会・文化的要素はあるか •経済的要素が食事準備に影響していないか
生活環境の影響	●使い慣れた，もしくは身体機能に適した調理器具・食器，食材による影響	•握りやすいグリップの包丁など，身体機能に応じた使いやすい道具の使用や，安全に配慮した台所環境など，食事を準備する環境が整っているか •これまで使用してきた調理器具と見た目や使い方が異なるために，食事の準備を妨げていないか •高齢者がもてる力を引き出せるよう環境が整えられているか

2　食思・食欲

●食思とは食物を「食べたい」という思い，食欲とは摂食中枢と満腹中枢の調整によって生じる生理的欲求である．

●食欲を司る摂食中枢と満腹中枢がある視床下部は，脳の底部にあり，キャラメル１粒ほどの小空間である．

●食欲のバランスが崩れると，**食欲不振**により摂食量が減少して低栄養をもたらす．逆に**食欲過剰**による過剰栄養では肥満をもたらし，合併症や健康障害を起こすリスクが高まる．

●**食思・食欲不振**では，その人が食べたいと思える体内環境や生活環境が整っていることが大切である．

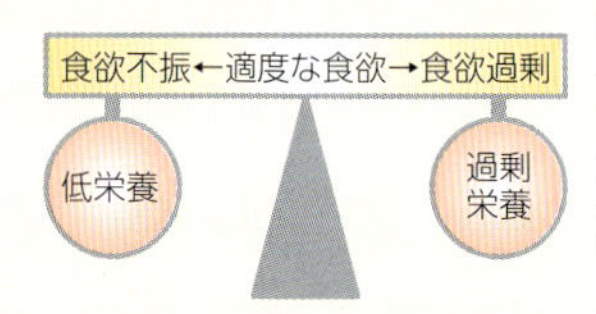

■図 3-A　食欲のバランス

●**食思・食欲過剰**による肥満では，加齢に伴うエネルギー消費量の低下に対して，「食べること以外に楽しみがない」「残っているからもったいない」「甘いものは別腹」と，つい食べ過ぎるような生活環境におかれていることも多い．丁寧な情報収集により改善可能な生活環境を見出すことが鍵となる．

高齢者にみられる特徴

1．食思・食欲不振

●以下のような加齢変化が複合的に作用して，食思・食欲不振をもたらしていることも多い．

1) 加齢に伴う味覚・嗅覚・視覚・聴覚の低下によるおいしさへの影響，歯の欠損や義歯の不適合，咀嚼・嚥下機能の低下による食事内容や食形態の変化，胃液分泌の減少による消化不良や胃のもたれ，蠕動運動の減少や運動量の低下による便秘
2) 退職，子どもの独立，配偶者や親しい人との死別など，加齢に伴う喪失体験，抑うつ状態

●高齢者では，食思・食欲不振が疾患の早期発見につながる．背景に口内炎や重篤な疾患が隠されていて食思・食欲不振になっていることがある．また，薬物の有害事象によって食思・食欲不振となっていることもある．身体変調のサインとしての食思・食欲不振も見逃さないようにしたい．

2．食欲過剰

●戦中，戦後の貧しい時代を生き抜いてきた高齢者では，食べ残すことに対して「もったいない」という思いや，満腹感を得るまで食べられなかった過去の反動から食べすぎる者もいる．

●老年期における時間的ゆとりのなかで食べることに楽しみを見出し，食べること以外の楽しみが少ないことで，食欲過剰をもたらしている場合もある．

●認知症などの疾患や薬物の有害事象によっても，食欲過剰になることがある．身体変調のサインとしての食欲過剰も見逃さないようにしたい．

情報収集の視点

どんな情報を収集するか		何に留意して情報を収集するか
高齢者の情報 □身体的要因	●空腹感，疲労，適度な活動が可能な運動機能 ●感覚機能：嗅覚・味覚 ●口腔内の状態 ●嚥下機能 ●身体的苦痛・不快 ●食思・食欲に影響する疾患や薬物の有害事象	**[食思・食欲不振]** ●空腹感をもたらす適度な活動が不足していないか，逆に過度な活動による疲労はないか ●食欲をそそる味やにおいを感じているか ●歯の欠損，義歯の不適合，舌苔・歯垢の蓄積，口内炎など口腔関連の苦痛はないか ●嚥下機能の低下・障害がもたらす誤嚥，便秘，下痢，痛みなどの身体的苦痛や不快はないか ●疾患や薬物の有害事象による食思・食欲不振はないか **[食欲過剰]** ●常に空腹感があるような状況はないか ●食欲を抑制できず，食事摂取量が必要以上ではないか ●疾患や薬物の有害事象による食欲過剰はないか
□心理・霊的要因	●食事に対する思い ●気分，情動 ●ストレスとなる出来事	**[食思・食欲不振]** ●高齢者の意向と現在の食事が合っているか ●悲嘆，不安，緊張感などストレスはないか **[食欲過剰]** ●ストレスが，やけ食いなどにつながっていないか．食事以外の楽しみはあるか ●食べ残すことに対して「もったいない」などの思いはあるか ●食べることが好きで，満腹でもおいしそうな食物だと，つい食べてしまうことはないか
□社会・文化的要因	●食文化，食体験，嗜好 ●食卓を囲む人 ●食事の様式	**[食思・食欲不振]** ●料理や食事の様式，同席者など，築いてきた食文化に合わない状況はないか **[食欲過剰]** ●若い頃から食べるスピードが速く，満腹時にはすでに過剰な食事量となっていないか ●満腹感を得られるまで食べられなかった過去の体験はあるか ●幼少時代から食欲旺盛だったか
生活環境の影響	●食思・食欲に影響を及ぼす以下の生活環境 ・好みの献立・調理 ・食物の香り・形態・量・温度・盛りつけ ●食器や自助具による影響 ●食事の場による影響 ●食事以外に専心できる活動の場や機会	**[食思・食欲不振]** ●高齢者がおいしさを感じられる食物か．味，香り，温度，形態，量(量が多いと見ただけで満腹になる人もいる)，献立，調理法，盛りつけが工夫されているか ●不適切な食具による疲労や，不適切な食形態が誤嚥を助長し，食思・食欲に影響していないか ●食事の場がトイレに近く汚物のにおいがする，暑すぎるなど，食事環境への配慮が不足していないか **[食欲過剰]** ●料理や好物が多く並ぶ食事環境になっていないか ●外出や運動する機会や空間がほとんどないような生活環境になっていないか ●食べること以外に，楽しみにし，専心できる活動の場や機会があるか

3 姿勢・摂食動作

- 摂食動作は，食物を認知，選択し，口腔まで運ぶ一連の動作である．
- 摂食動作のアセスメントには，**動作のプログラミング**(五感を使って食物を認知し，どのように食べるかを決め指令を出す大脳の働き)，**上肢の運動機能**(食物を口腔内へと運ぶために必要な運動)，これらの前提としての**姿勢の保持**を含む．たとえば，食物をとるために手を伸ばすとき，身体全体のバランスを保つための姿勢制御機構が働かなければ倒れてしまい，摂食動作を実行できない．
- 食べるときの姿勢は，摂食動作や咀嚼・嚥下機能にも影響を及ぼす．

高齢者にみられる特徴

1. 姿勢の保持

- 加齢に伴い骨盤が後傾しやすい．さらに，円背や筋力の低下に加えて麻痺などの障害を伴うと，姿勢が崩れて疲労しやすくなるほか，摂食動作や咀嚼・嚥下にも影響を及ぼす．

2. 上肢の運動機能

- 加齢に伴う握力の低下や巧緻性の低下によって，パッケージを開封する，魚の小骨をとる，食物をこぼすといった摂食動作に影響が及ぶことがある．

3. 動作のプログラミング

- 加齢に伴う感覚機能の低下や眼瞼下垂によって，食事に関する情報入力の減少や神経伝達速度の遅延があるが，摂食動作のプログラミングに支障をきたすまでには至らない．しかし，老年期に多い中枢神経系疾患(認知症や脳血管障害など)に罹患すると，プログラミング自体に支障をきたす．

情報収集の視点

どんな情報を収集するか		何に留意して情報を収集するか
高齢者の情報 □身体的要因	●姿勢保持力，姿勢が摂食動作や咀嚼・嚥下機能に及ぼす影響	**[姿勢の保持]** • どんな姿勢で摂食し，座位姿勢は何分保持できるか(食事中の姿勢の崩れはないか) • 姿勢が摂食動作や咀嚼・嚥下機能，疲労に影響を及ぼしていないか
	●身体的疲労	• 身体的疲労が，食べこぼしや姿勢の崩れをもたらしていないか
	●摂食に必要な運動機能と使用する食具との関係	**[上肢の運動機能]** • 器や箸などを把持することができるか • 食品の開封，飲料パックへのストロー挿入，魚の骨をとるなど手指の巧緻性はどうか • スプーンや箸を使うことは可能か．麺類など食品による食べにくさの違いがあるか • 食物をすくって，口もとに運ぶことができるか．食物を口腔内へ入れることは可能か
	●認知機能：記憶障害，注意障害，見当識障害，実行機能障害，失認・失行	**[動作のプログラミング]** • 食事時間や場所を認知できるか • 食物を食べる対象物として認知できるか • 箸などの食事道具の使い方がわかるか • 食事に注意を維持し続けることが可能か
	●食事スタイル	• 過去の食事経験に照らし合わせ，何を，どのような方法で食べるかプログラムできるか
	●感覚機能	• 視覚，聴覚，嗅覚，味覚，触覚，温度感覚の機能低下はないか，感覚機能は食物の認知を助ける働きをしているか
□心理・霊的要因	●意向・希望 ●霊的な食事習慣	• 摂食動作に関してどのような意向があるか • 食前の祈りや宗教による食事制限などはあるか

□社会・文化的要因	●食生活史，食文化 ●食卓を囲む人 ●食事の仕方・様式，食習慣	・高齢者が好む食物や食文化はどのようなものか ・食卓を囲む人数，食べ方の様式など，どのような食習慣をもっている高齢者なのか ・周囲の食べるスピードが速いことを気にしていないか
生活環境の影響	●摂食動作を助ける食物・食具・食器 ●摂食動作や姿勢保持を助ける椅子・食卓 ●食事の場	・摂食動作を助ける食物（味，香り，温度，形態，量，献立，調理法，盛りつけ，郷土料理）が提供されているか ・食具・食器は高齢者にとって使いやすいか ・摂食動作や姿勢保持を助ける椅子や食卓か ・食事に専心できる環境か

4 咀嚼・嚥下機能

●**咀嚼機能**とは，口腔内に取り込んだ食物を，歯で噛み細かく粉砕し，舌を巧みに使って唾液と混ぜて「食塊」という飲み込みやすい形態に加工する運動機能である．咀嚼を通して，食物の物性（噛みごたえ）や化学的性質（味や香り）が脳に伝わり，食物の安全性やおいしさを確認している．

●**嚥下機能**とは，咀嚼運動によってつくられた食塊や飲料水を，口腔から咽頭，食道を経て胃に送り込む運動機能である．嚥下時には，わずか1秒ほどの間に，空気と食物の共通路である咽頭で交通整理も行うほか，気道への食物の侵入を防ぐ機能もある．

高齢者にみられる特徴

1. 咀嚼機能

●加齢に伴う舌の運動機能の低下，唾液分泌量の低下，歯の欠損が複合的に作用して咀嚼機能の低下を招く．義歯使用時の咀嚼能率は1/4に低下し，食事内容が変化したり，義歯の不適合により口内炎が発生し，咀嚼に影響することもある．味覚は，唾液によって溶けた物質が味蕾と接触して感知することから，唾液分泌量と咀嚼機能の低下，そこに嗅覚の低下も加わり，おいしさに影響を及ぼす．

2. 嚥下機能

●加齢に伴い舌筋，咀嚼筋，顔面筋の収縮力が低下し，舌，舌骨，喉頭が下垂する．その結果，嚥下時に喉頭が十分に挙上せず，喉頭蓋の閉鎖が不完全になり，食物が気道へ流れ込み誤嚥しやすくなる．

情報収集の視点

どんな情報を収集するか		何に留意して情報を収集するか
高齢者の情報 □身体的要因	●認知機能 ●口腔機能，口腔内の状態，口腔感覚機能 ●身体機能 ●運動機能 ●言語機能 ●摂食嚥下機能に影響を及ぼす疾患	・嚥下機能の検査やリハビリテーションを行うための理解力や実行機能に支障はないか ・唾液分泌量や口腔感覚機能の低下はないか ・歯，義歯，歯肉の状態，舌の状態，唾液分泌量，口内炎など口腔内に問題はないか ・咀嚼運動や嚥下運動にかかわる器官は正常に機能しているか ・むせる，のどにつかえるなどの自覚はないか ・言語障害（失語症，構音障害）が口腔機能に障害をきたしていないか ・脳血管障害や認知症など，摂食嚥下機能に影響を及ぼす疾患や障害はないか

□心理・霊的要因	●食事に対する思い ●気分・情動 ●ストレスとなる出来事	●咀嚼・嚥下に関して高齢者はどんな意向・希望をもっているか ●ストレスが咀嚼・嚥下の協調運動に不調和を生じさせていないか
□社会・文化的要因	●食文化・食体験の継続 ●食卓を囲む人 ●食事の仕方	●これまで築いてきた食文化に合わない料理や，嫌いな人と同席する食事が，嚥下機能に緊張をもたらしていないか ●よくかまずに飲みこむなど，食べるペースが速い習慣が，むせる頻度を高くしていないか
生活環境の影響	●食物による影響 ●食事の場による影響	●食形態，温度，味，一口量が咀嚼・嚥下機能の働きを補うよう工夫されているか ●不適切な食卓と椅子が姿勢を乱し，嚥下に影響していないか

5　栄養状態

- 栄養状態とは，食物が体内で消化，代謝，吸収された結果，バランスよく必要な栄養素が適量取り込まれたかどうかを評価するための体内の状態である．
- 栄養状態の評価では，日々の食事摂取量，回数，内容をもとに**食事摂取状況**を評価するほか，身体計測や血液検査の結果をもとに**低栄養**や**過剰栄養**を評価する．
- **低栄養**に陥ると，免疫能の低下や疾患の回復遅延を引き起こし，死に至ることさえある．
- **過剰栄養**では，肥満となりメタボリックシンドロームに至ったり，膝関節痛をもたらしたり，さらに老年期に多い疾患や合併症を併発するリスクも高まる．

高齢者にみられる特徴

1. 食事摂取状況(1 日の食事量，回数，内容)

- 高齢者では活動するために必要なエネルギー量(エネルギー必要量)は加齢に伴い減少していくが，人が生きるために重要な栄養素である蛋白質の量は年齢にかかわらず不変である．また，加齢に伴う口腔機能の変化(歯の欠損，舌運動機能の低下，唾液分泌量の低下)から軟らかく咀嚼しやすい食形態を好むようになったり，味覚・嗅覚の変化から味つけが変化したり，さらには年金生活といった経済的変化から食事内容(種類やバランス)や回数にも変化が生じる．個体差はあるが，活動量の減少も相まって 1 回に摂取する食事量も減少する．

2. 低栄養と過剰栄養

- **低栄養**：高齢者では，上記の加齢変化に加えて疾患や障害により食欲が低下し，低栄養に陥りやすい．とくに訪問看護を利用する高齢者や入院中の高齢者の 3～4 割は**蛋白質・エネルギー低栄養状態(protein-energy malnutrition：PEM)**にあるといわれる．
- **過剰栄養**：加齢に伴う運動機能や社会生活の変化もあり，運動不足と過食によって，腹囲が男性 85 cm 以上，女性 90 cm 以上になり，かつ血圧・血糖・血清脂質のうち 2 つ以上が基準値を超えると「メタボリックシンドローム」と診断される．過剰栄養の結果，必要以上の内臓脂肪が蓄積すると代謝異常が起き，動脈硬化を進行させ，心臓病や脳卒中を引き起こすリスクが高くなるため，予防が必要になる．

【評価指標】

- 身体計測：BMI(body mass index)＝体重(kg)÷〔身長(m)×身長(m)〕，体重減少率，下肢周囲長・腹囲の測定
  PEM の評価では，円背があると BMI が不正確になるため，体重減少率(%LBW)を用いる．⇒第 2 編の「15 摂食嚥下障害」「16 低栄養」参照
- 血液検査：血液生化学検査(血清アルブミン，総蛋白，総コレステロール，電解質など)

■表 3-A　エネルギーの食事摂取基準：推定エネルギー必要量(kcal/日)

性別	男性			女性		
身体活動レベル	Ⅰ(低い)	Ⅱ(ふつう)	Ⅲ(高い)	Ⅰ(低い)	Ⅱ(ふつう)	Ⅲ(高い)
50〜64 歳	2,200	2,600	2,950	1,650	1,950	2,250
65〜74 歳	2,050	2,400	2,750	1,550	1,850	2,100
75 歳以上	1,800	2,100	−	1,400	1,650	−

〔厚生労働省：日本人の食事摂取基準(2020 年版)，「日本人の食事摂取基準」策定検討会報告書，p.84，2019 より抜粋〕

■表 3-B　蛋白質食事摂取基準(g/日)

年齢	蛋白質推定平均必要量	
	男性	女性
50〜64 歳	50	40
65〜74 歳	50	40
75 歳以上	50	40

〔厚生労働省：日本人の食事摂取基準(2020 年版)，「日本人の食事摂取基準」策定検討会報告書，p.126，2019 より抜粋〕

情報収集の視点

	どんな情報を収集するか	何に留意して情報を収集するか
高齢者の情報 □身体的要因	●栄養状態の評価 ・食事摂取状況：1 日の食事量，回数，内容 ・食事のバランス，栄養摂取量(必要エネルギーと蛋白質)，水分摂取量 ・身体計測 ・血液検査 ・免疫能	●1 日の食事量はどのくらいで，回数は何回か．過去 6 か月間における食事量，回数，内容に変化はあるか ●1 日に必要な栄養摂取量や水分摂取量は適切か，食事のバランスはよいか ●体重や腹囲，BMI は正常か．過去 6 か月間(または 1 か月間)の体重に変動はないか ●血液生化学検査(血清アルブミン，総コレステロール，電解質など)の結果は正常か ●低栄養の場合，総リンパ球数や免疫グロブリンなど免疫能にまで影響していないか ●低栄養または過剰栄養な状態はないか．そのことが生活に影響を及ぼしていないか
□心理・霊的要因	●意向，受けとめ方	●栄養状態を，どのように受けとめ理解しているか ●高齢者の意向・希望はどうか
□社会・文化的要因	●食文化，食習慣 ●嗜好品，偏食 ●経済面	●これまで築いてきた食文化や食習慣と現在の栄養状態とは，どのような関係にあるか ●嗜好品や偏食，経済面が栄養状態に影響していないか
生活環境の影響	●食事環境 ●栄養管理法(栄養補給法)	●食事環境が栄養状態に影響を及ぼしていないか ●どのような栄養管理法で，高齢者の意向や身体状況に見合った方法か．非経口栄養法の場合，経口摂取への移行を検討しているか

他の生活行動との関係

睡眠・休息	●満たされた食事が，心地よい睡眠や休息につながる．
覚醒・活動	●花見や居酒屋での食事，地域の人々と交流しながらの食事など，普段とは異なるイベント性のある食事は，活動を広げ豊かにする．
排泄	●必要量を満たしたバランスのよい食事摂取や水分摂取が，快適な排便や排尿をもたらす．
身じたく	●他の人との食事や外食が，おしゃれや身だしなみを整える機会につながる．
コミュニケーション	●食事をともにする仲間，心がはずむ食事の場，おいしい食事が，豊かなコミュニケーションをもたらす．

分析の視点

分析の根幹：食べる喜び

- 食生活史をもとに，高齢者が食事準備において担ってきた役割，食習慣，好みなどと，現在の食事準備との違いについて分析したうえで，本人の意向や生活機能をふまえて，今後どのような食事準備のあり方が必要なのか分析する．
- 一連の摂食動作と咀嚼・嚥下はスムーズに遂行できているか．食事の姿勢，上肢の運動機能，動作のプログラミング，咀嚼・嚥下機能の加齢変化や疾患・障害による影響をふまえて分析し，生活環境をどのように整えることが，高齢者本人の食べる力や喜びを高めるのか分析する．
- 食欲（食思・食欲不振もしくは食欲過剰），食事摂取状況や栄養指標の経時的変化をもとに，現在の栄養状態（低栄養もしくは過剰栄養）と予測されるリスクについて分析する．栄養状態の改善が必要と判断された場合には，今後どのように環境を整えることで食欲や栄養状態を改善できるのか，本人の思いや食生活史，疾患・障害や治療，他の生活行動との関連などをふまえて分析する．

主な看護の焦点

※下記の（○○）には疾患名や障害，症状，徴候などが入る．

- （○○）はあるが栄養状態を悪化することなく，おいしく食べることができる
- （○○）に起因する咀嚼・嚥下障害がありながらも誤嚥性肺炎を起こすことなく，食べる喜びを保つことができる
- （○○）による姿勢の崩れや疲労を増強することなく，食べる楽しみをもてる

4 排泄

内ヶ島伸也

【生活行動情報として着目する要素】
尿・便をためる／尿意・便意／姿勢・排泄動作／尿・便の排出／尿・便の状態

生活行動としてのとらえ方

- **排泄とは**：ここでは排尿と排便のことを指す．排泄行為や排泄物を他人に見られることには，誰もが強い抵抗と羞恥を感じる．ゆえに，排泄がうまくいかない状態や援助を必要とする状態は，自律や自尊心の低下を招きかねない．また，支援者にとっても負担感が大きく，排泄の問題は双方に強い葛藤を生む．だからこそ，排泄が“快適である”ことは，高齢者の尊厳と活気ある生活のために重要なのである．
- **排泄の構成要素**：排泄は，関連する身体機能と一連の動作から，生成された尿・便をためる，尿・便がたまったことを知らせる尿意・便意，トイレへの移動→脱衣→便器への接近・着座→後始末→着衣までの一連の姿勢・排泄動作，尿道・肛門からの尿・便の排出，身体のコンディションを表す尿・便の状態で構成される．
- **他の生活行動との関連**：「食事」の量や内容は，排泄回数や排泄物の状態などに直接的に影響する．反対に排泄の状況が，食欲や食事メニューに影響することもある．また，排泄の悩みや不安によって，「(覚醒・)活動」が楽しめなかったり，「コミュニケーション」が減少したりする場合がある．夜間頻尿による不眠や，尿漏れしないよう常に気を張っている状態は「睡眠・休息」を妨げる．衣服や陰部・殿部を清潔に保つために「身じたく」の工夫が必要になることもある．不活発な生活や不眠による生活リズムの変調は，高齢者の健康状態を低下させ，排泄にかかわる機能をさらに低下させる．このように，排泄は生活全般と強く影響しあっている．
- **生活環境との関連**：トイレ環境の整備や排泄グッズの活用，理解者・支援者の存在によって，排泄の問題が軽減したり解消したりする．ゆえに，高齢者の希望と生活スタイルに応じて排泄環境をアレンジすることと，日常生活全般を整えていく視点で排泄を考えることが重要である．

概念マップ

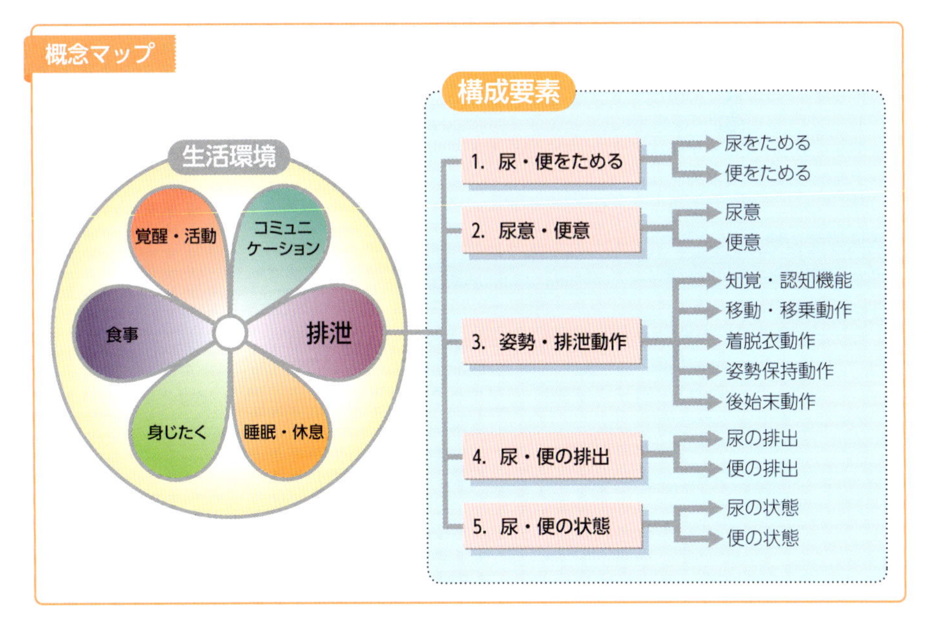

生活行動情報として着目する要素

1 尿・便をためる

● **尿をためる**：腎臓で生成された尿は，体外へ排出(排尿)するのに適当な時と場所(トイレ)まで膀胱内に保持される．膀胱には 400〜500 mL 程度の尿をためることができる(蓄尿機能)．蓄尿時の膀胱は伸びて緩み，膀胱頸部にある内尿道括約筋とその先にある外尿道括約筋は収縮して尿道を閉鎖している．膀胱と内尿道括約筋の働きは尿がたまると受動的・反射的に起こり，尿が漏れ出ることを防ぐ．

● **便をためる**：消化管で生成された便は，体外へ排出(排便)するまで直腸内に保持される．肛門の閉鎖には，自律神経によって調節される内肛門括約筋と随意的に調節できる外肛門括約筋が働いている．

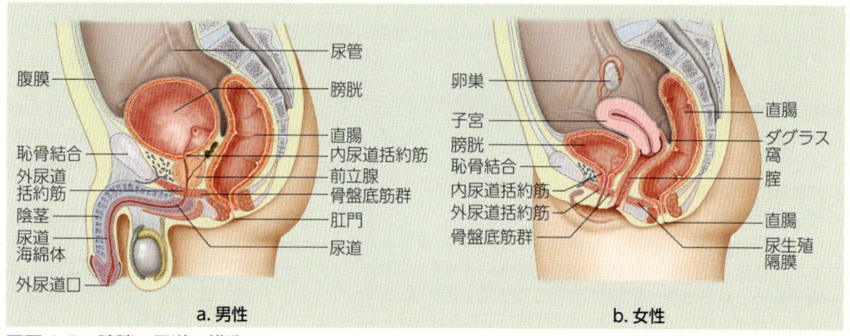

■図 4-A　膀胱・尿道の構造

高齢者にみられる特徴

● **尿をためる**：膀胱壁の平滑筋が線維化して弾性が低下するため，蓄尿時に十分に伸びて緩むことができなくなって膀胱容量は減少する．尿道括約筋の収縮力低下によって尿道の閉鎖が不十分になると，尿漏れの原因になる．とくに女性は尿道が短く直線的であるという構造上の特徴と，出産経験による骨盤底筋群と外尿道括約筋の機能低下で尿漏れや頻尿を生じやすい．また，加齢による尿の濃縮力低下や，抗利尿ホルモンの分泌減少に伴う夜間排尿量の増加が尿をためることに影響する．高血圧や糖尿病では尿量が増加する場合があり，脳梗塞やパーキンソン病などの疾患では膀胱・尿道機能が低下して蓄尿機能が低下する．カフェインやアルコールには利尿作用があるため，排尿量や排尿回数が増加する．移動動作に時間がかかるような疾患があることで，トイレに間に合わず失禁してしまう場合もある．このように，尿をためることには，加齢変化のみならず，疾患や生活習慣も大きく影響する．

● **便をためる**：炎症や手術などで直腸の容量が小さくなって便を十分にためられなくなったり，加齢や出産時の裂傷などで内・外肛門括約筋の収縮力が低下したりすると，便の保持に支障をきたして便失禁につながる場合がある．

情報収集の視点

どんな情報を収集するか		何に留意して情報を収集するか
高齢者の情報 □身体的要因	●尿量(1 回量・1 日量)，排尿間隔，残尿量	・尿をどれくらいためられるかを，尿量と排尿間隔の観察から推測する．必要に応じて残尿量を測定する
	●便量と便性状，排便間隔	・便をどれくらいためられるかは，便量と便性状，排便間隔の観察から推測する．とくに下痢や便秘は便の保持に影響するため，便性状は重要である
	●漏れや自覚症状	・食事や飲水量とともに排泄記録をつけることで，パターンを把握して対策を検討することができる
	●膀胱・尿道疾患 ●消化器・直腸・肛門疾患	・尿・便の漏れは，泌尿器・消化器疾患だけでなく，知覚や移動動作が原因の場合もあり，自覚症状を確認して対策を検討する

	●脳血管疾患，神経疾患 ●高血圧，糖尿病，疼痛，感染症，服薬内容	•非定型的な症状のために感染症などを見落とすことや，薬物の有害作用に気づかない場合があるため留意する
	●性別，出産歴 ●移動動作などの運動機能	•泌尿器・下部消化器（直腸・肛門）の構造や機能障害は性別による違いがある．出産経験をもつ女性では尿・便をためる力が低下しやすいなど，性別や生活歴に関する情報も重要である
□心理・霊的要因	●頻尿の悩みや失禁の不安	•トイレが近い，失禁したことがあるといった経験から，意識的にあるいは無意識に早めにトイレへ行くようになる場合がある．そのことがかえって尿・便をためる力を低下させるため，悩みや不安を確認して効果的な対策を検討する
	●活動意欲，睡眠・休息への影響	•尿・便をためることへの不安から，活動意欲の低下や睡眠・休息の不足が生じていないか確認する
□社会・文化的要因	●仕事・役割，交流	•尿・便をがまんするような多忙な生活あるいは不活発な生活がなかったか確認する •尿・便をためることへの不安から活動範囲が縮小していないか確認する
生活環境の影響	●食事・水分摂取の状況，嗜好品	•食事・水分摂取の状況や嗜好品（カフェイン，アルコールなど）によって，尿量が多くなったり便秘・下痢になったりしていないか確認する
	●トイレ環境，おむつなどの使用状況，支援者	•安心して使えるトイレやおむつなどがそろっているか，理解者や協力者がいるかを確認する

2 尿意・便意

- **尿意**：膀胱容量の半分程度まで尿がたまると，膀胱内圧の上昇が骨盤神経を介して橋排尿中枢，大脳皮質に伝わり尿意を感じる．最初の尿意から 30 分～1 時間ほどは排尿をがまんすることができる．
- **便意**：直腸内にたまった便が 200 mL 前後になると，便によって直腸壁が拡張されて生じる刺激が，骨盤神経を介して仙髄排便中枢，大脳皮質に伝わり便意を感じる．便意は，がまんすると消失してしまう．

高齢者にみられる特徴

- **尿意**：加齢や脳血管疾患，中枢神経系疾患によって膀胱内圧上昇の知覚が低下したり，大脳皮質への伝達が遅延したりといった問題が生じる．逆に，知覚過敏や膀胱の活動が過剰な状態（過活動膀胱）になることもある．そのため，膀胱いっぱいに尿がたまって切迫した尿意で慌てることや，頻回の尿意に悩むことにつながり，日常生活に影響する．また，認知症の人では，尿意を適切に判断することや周囲に伝えることが困難になる場合がある．
- **便意**：尿意と同じく，加齢や疾患の影響によって直腸・肛門機能が低下すると便意の知覚にも問題が生じる．便秘では，直腸内にたまった便によって常に直腸壁が拡張された状態となるため，便意が生じにくくなる．肛門括約筋の収縮力が低下している場合，便意を生じることなく下痢が流れ出るなど，いつの間にか便失禁してしまうことがある．

情報収集の視点

どんな情報を収集するか		何に留意して情報を収集するか
高齢者の情報 □身体的要因	●尿意・便意の有無とがまんできる時間の長さ	・尿意・便意は毎回明確に知覚できているか，知覚してからどれくらいがまんできるか(切迫性)，必要な支援を周囲にどのように伝えられるか(言語的・非言語的)を確認する．とくに認知症の人では，知覚した尿意・便意がうまく伝達できないためにトイレでの排泄をあきらめてしまっている場合がある
	●尿意・便意の伝達方法 ●尿量(1回量・1日量)，排尿間隔，残尿量	・明確な尿意・便意がなくても，食事や飲水量とともに排尿記録をつけることで，パターンを把握して対策を検討することができる
	●便量と便性状，排便間隔 ●尿・便の漏れや自覚症状	・尿・便の量や性状が，尿意・便意の知覚やがまんできる時間に影響していないか検討する
	●膀胱・尿道疾患 ●消化器・直腸・肛門疾患 ●脳血管疾患，神経疾患，認知症	・尿・便意の知覚に影響するような泌尿器・下部消化管疾患や脳神経系疾患がないか確認する
□心理・霊的要因	●切迫した尿意や頻尿の悩み，失禁の不安	・トイレが近い，失禁したことがあるといった経験から，意識的にあるいは無意識に早めにトイレへ行くようになる場合がある．そのことがかえって尿意・便意の知覚を低下させるため，悩みや不安を確認して効果的な対策を検討する
	●活動意欲，睡眠・休息への影響	・切迫した尿意・便意のために活動意欲の低下や睡眠・休息の不足が生じていないか確認する
□社会・文化的要因	●仕事・役割，交流	・尿・便をがまんするような多忙な生活あるいは不活発な生活がなかったか確認する ・切迫した尿意・便意のために活動範囲が縮小していないか確認する
生活環境の影響	●トイレ環境，おむつなどの使用状況，支援者	・安心して使えるトイレやおむつなどがそろっているか，理解者や協力者がいるかを確認する

3　姿勢・排泄動作

- 排泄にはさまざまな身体機能・動作を必要とし，一連の姿勢・排泄動作は環境の影響を強く受ける．
- 排泄にかかわる身体機能と一連の動作は，尿意・便意を感じ，トイレがどこにあるのかを探すための「知覚・認知機能」，トイレまで移動して便器を使用するまでの「移動・移乗動作」，衣服・下着を上げ下げする「着脱衣動作」，排泄が終了するまで姿勢を保持する「姿勢保持動作」，陰部・殿部をきれいにして排泄物を流し，手を洗う「後始末動作」である．

高齢者にみられる特徴

- **知覚・認知機能**：視力の低下でトイレを探すのに時間がかかる場合や，明暗順応の低下で薄暗い場所や夜間にトイレまでの経路に迷う場合がある．記憶障害や見当識障害があると，慣れた自宅のトイレまでは迷わなかったとしても，外出先や入院・入所といった環境変化でトイレがわからなくなることがある．認知症の人では，トイレにたどり着いても便器が認識できなかったり(失認)，便器の使い方がわからなかったり(失行)することがある．

- **移動・移乗動作**：足腰が弱っている場合や痛みがある場合，脳血管疾患やパーキンソン病などで歩行に障害がある人の場合では，トイレまでの移動や便器への移乗に時間がかかったり，不安定な歩行や立位で転倒の危険があったりする．とくに車椅子を使用する場合は，扉の開閉のしやすさや，方向転換するためのスペースが十分にあること，安全に起立・着座するための手すりがあることなどの環境面が大きく影響する．
- **着脱衣動作**：上肢・手指の巧緻性が低下していると，ファスナーやボタンの操作，ズボンや下着の上げ下げに時間がかかる．おむつや尿パッドを使用している人では，排泄後に適切に当てることが難しい場合もある．
- **姿勢保持動作**：下肢や体幹の筋力が低下している場合や，脳血管疾患やパーキンソン病の人で姿勢が傾く場合では，排泄中の立位保持や座位保持が困難になる．身体が傾くと排泄に集中できず，努責(いきみ)の力が不十分になってしまったり，転倒や転落の危険が生じたりする．身体を支えるための手すりや介助バー，足底が床につかない場合には踏み台を活用するなどの工夫が助けになる．
- **後始末動作**：上肢・手指の巧緻性が低下していると，トイレットペーパーを準備して陰部・殿部を拭くことや水洗レバーを操作して排泄物を流すことが難しくなる．同様に，洗面台の蛇口や石けんを使うことも難しくなる．とくに麻痺がある場合では，健側でうまくできるような環境や道具の調整が必要である．

情報収集の視点

どんな情報を収集するか		何に留意して情報を収集するか
高齢者の情報 □身体的要因	●視力などの感覚機能	• トイレや便器の位置が見えているか，照明などの明るさの影響を受けていないか確認する
	●記憶障害や見当識障害などの認知機能	• 視力に問題がないのに，トイレや便器が認識できなかったり使い方に迷ったりしていないか確認する
	●下肢運動機能 ●体幹筋力，バランス感覚 ●転倒歴	• 移動動作や立位・座位姿勢の保持が安全にできているか，過去に転倒した経験がないかを確認する
	●上肢・手指の巧緻性 ●脳血管疾患，神経疾患，認知症	• ファスナーやボタンの操作，ズボンや下着の上げ下げ，トイレットペーパーの取り扱いや蛇口の操作を観察し，視力や認知機能，上肢・手指の巧緻性を確認する
	●高血圧，糖尿病，疼痛，感染症，服薬内容 ●睡眠状況，疲労感，倦怠感	• 一連の姿勢・排泄動作のどこかに支障がある場合，疾患や機能障害，使用している薬剤の影響など，あらゆる角度から原因を分析し，対策を検討する
□心理・霊的要因	●頻尿の悩みや失禁の不安	• トイレが近い，失禁したことがあるといった経験から，早めにトイレへ行くように意識したり，急いで移動したりする場合がある．そのことで疲労したり，慌ててしまって動作が不安定になったり転倒したりしないように，悩みや不安を確認して効果的な対策を検討する
	●活動意欲，睡眠・休息への影響	• 排泄の悩みや不安から，活動意欲の低下や睡眠・休息の不足が生じていないか確認する
	●羞恥心，遠慮，自尊心	• 姿勢・排泄動作を支援されることに恥ずかしさや申し訳なさ，惨めさなどを強く感じていないか確認する
□社会・文化的要因	●仕事・役割，交流	• 尿・便をがまんするような多忙な生活あるいは不活発な生活がなかったか確認する • 排泄への不安で活動範囲が縮小していないか確認する

生活環境の影響	●トイレ環境，おむつなどの使用状況，支援者	・安心して使えるトイレやおむつなどがそろっているか，手すりや介助バーの位置と高さ，居室や廊下の明るさが適切であるかを確認する ・羞恥心や遠慮する気持ちを理解して協力してくれる支援者がいるかを確認する
	●入院・入所などのリロケーション	・生活の場の変化でトイレの場所や周囲の人間関係に慣れず，混乱や不安が生じていないか確認する

4 尿・便の排出

●**尿の排出**：尿を体外へ排出(排尿)するのに適当な時と場所(トイレ)であると判断すると，これまで尿をためるために伸びて緩んでいた膀胱は収縮し，尿道を閉鎖していた尿道括約筋は弛緩して尿が排出される(排出機能)．たまっていた尿量によるが，1 回の排尿量は 200～500 mL，排尿に要する時間は 20 秒程度である．

●**便の排出**：直腸内に便がたまった反射で内肛門括約筋が弛緩し，便意を感じて外肛門括約筋を随意的に緩めることで便が排出(排便)される．排便には，直腸の収縮，意識的な努責，骨盤底筋群による下支えが必要で，押し出す力が働く方向と重力の影響から座位姿勢が最も効果的である．

高齢者にみられる特徴

●**尿の排出**：膀胱壁の弾性低下によって膀胱の収縮力は低下する．そのため，排尿に要する時間が延長したり完全に排尿しきれず残尿量が増加したりする．とくに男性では膀胱頸部に隣接する前立腺が肥大することで尿道が狭くなり，尿を出すのに時間がかかったり(遷延性排尿)，排尿がだらだらと続いたり〔苒延(ぜんえん)性排尿〕する．また，脳血管疾患やパーキンソン病，脊髄損傷による中枢神経障害，脊柱管狭窄症や椎間板ヘルニア，糖尿病による末梢神経障害なども原因となる．さらに，高齢者に多くみられる疾患の治療薬のなかには尿排出障害を起こしうるものがある．尿の排出が困難になり残尿量が増加すると，尿路感染症や膀胱結石，水腎症，水尿管症の発症から重篤な腎機能低下へとつながっていくため注意が必要である．

●**便の排出**：加齢に伴う消化管機能の低下や便秘傾向にある高齢者では，便意が低下するために排便に必要な直腸の収縮力が弱くなる．横隔膜や腹筋の力が低下すると努責も低下する．同様に，骨盤底筋群の脆弱化も排便する力を低下させる．このような排便機能の低下は，脳血管疾患やパーキンソン病によっても引き起こされる．また，これらの疾患によって排便に有効な座位姿勢が保持できない場合や，トイレに間に合わないことなどが便秘を悪化させたり，便失禁につながったりもする．加えて，トイレの清潔さや使いやすさ，プライバシーが保たれているかなどの環境面も影響する．

情報収集の視点

どんな情報を収集するか		何に留意して情報を収集するか
高齢者の情報 □身体的要因	●尿意・便意	・尿意・便意は毎回明確に知覚できているか，知覚してからどれくらいがまんできるか(切迫性)，知覚したときにトイレへ行けているかを確認する
	●尿量(1 回量・1 日量)，排尿間隔，残尿量，排尿にかかる時間 ●便量と便性状，排便間隔	・明確な尿意・便意がなくても，食事や飲水量とともに排尿記録をつけることで，パターンを把握して対策を検討することができる ・尿・便の量や性状が，尿・便の排出しやすさに影響していないか検討する
	●腹部膨満感などの自覚症状	・尿・便の排出が不十分で膀胱・直腸内に貯留していないか，苦痛はないかを確認する
	●膀胱・尿道疾患 ●消化器・直腸・肛門疾患	・泌尿器疾患や消化器疾患だけでなく，中枢神経系の障害による影響や，姿勢保持動作が尿・便の排出に影響していないか検討する

	●脳血管疾患，神経疾患，認知症 ●姿勢保持のための下肢・体幹機能 ●高血圧，糖尿病，脊椎疾患，疼痛，感染症，服薬内容 ●性別，出産歴	●非定型的な症状のために感染症などを見落とすことや，薬剤の有害事象に気づかない場合があるため留意する．利尿薬や下剤は効果を適切に評価する ●泌尿器・下部消化器（直腸・肛門）の構造や機能障害は性別による違いがある．前立腺肥大症の男性や出産経験をもつ女性では尿・便の排出が困難になるなど，性別や生活歴に関する情報も重要である
□心理・霊的要因	●排泄の悩みや失禁の不安 ●活動意欲，睡眠・休息への影響 ●羞恥心，遠慮，自尊心	●頻回にトイレへ行くことや，排出に時間がかかること，失禁したことがあるといった経験が，疲労やイライラ，あきらめなどにつながっていないかを確認する ●排泄の悩みや不安から，活動意欲の低下や睡眠・休息の不足が生じていないか確認する ●排泄行為や排泄物を見られることに恥ずかしさや申し訳なさ，惨めさなどを強く感じていないか確認する
□社会・文化的要因	●仕事・役割，交流	●尿・便をがまんするような多忙な生活あるいは不活発な生活がなかったか確認する ●排泄への不安で活動が縮小していないか確認する
生活環境の影響	●食事・水分摂取の状況，嗜好品 ●トイレ環境，おむつなどの使用状況，支援者	●食事・水分摂取の状況や嗜好品（カフェイン，アルコールなど）によって，尿量が多くなったり便秘・下痢になったりしていないか確認する ●安心して使えるトイレやおむつなどがそろっているか，理解者や協力者がいるかを確認する

5 尿・便の状態

- **尿の状態**：水分の摂取量と喪失量に影響されるが，尿量は1日1,000～1,500 mL，色調は淡黄色から淡黄褐色で透明である．排尿回数は，おおむね日中5～7回，夜間0～1回である．
- **便の状態**：食事量や食物の内容に影響されるが，1回の排便量は200 g前後で，水分が80％程度含まれる．排便回数は，1日に2～3回でも2日に1回でも正常で，個人差が大きい．便の性状から便秘傾向や下痢傾向を判断するブリストルスケールでは，便の水分が70％以下を便秘傾向，90％以上を下痢傾向としている．

高齢者にみられる特徴

- **尿の状態**：一般に尿量と色調の変化はないが，加齢によって尿の濃縮力低下や抗利尿ホルモンの分泌減少に伴う夜間排尿量の増加がみられる．尿量の増減や色調の異常は，腎疾患や膀胱・尿道疾患だけでなく，糖尿病や心疾患，感染症，脱水症などの観点から注目する必要がある．とくに，認知症の人では自覚症状を的確に表現することが困難な場合があるため，尿の状態が異常の早期発見に重要である．
- **便の状態**：加齢による消化管機能の低下が排便量や便性状に影響を及ぼす．また，渇中枢の機能低下による飲水量の減少，咀嚼・嚥下機能の低下による食事摂取量の減少や摂取食物の偏り，足腰の痛みなどによる運動の機会の減少が便秘の原因となる．さらに，高齢者に多くみられる疾患の治療薬のなかには，消化管機能を抑制して便秘を引き起こすものがある．下痢は，消化管の吸収不良や循環障害，ストレスなどによって生じるが，直腸に蓄積した硬い便塊（嵌入便）で排便が滞っている場合での下剤服用が下痢や便失禁の原因になることもある．便の性状は，便の保持と排出の両方に影響するため，注意深く観察する必要がある．

情報収集の視点		
どんな情報を収集するか		何に留意して情報を収集するか
高齢者の情報 □身体的要因	●尿量(1回量・1日量), 色調, 排尿回数 ●便量と便性状, 排便間隔 ●膀胱・尿道疾患 ●消化器・直腸・肛門疾患 ●脳血管疾患, 神経疾患, 認知症 ●高血圧, 糖尿病, 疼痛, 感染症, 服薬内容 ●尿検査, 血液検査データ	●尿・便の量や性状は, 尿・便をためること, 尿意・便意を感じること, 尿・便を排出することのすべてに影響するため, 丁寧に観察して記録する ●尿・便の量や性状は, 泌尿器疾患や消化器疾患だけでなく, 脱水症や感染症などの影響, 薬剤の影響も受けるため, 全身の健康状態を把握するデータとして利用できる ●尿・便の量や性状に変化がみられた場合は, 食事や水分摂取の状況, 薬剤の変更などがなかったかを確認し, 必要な対策を検討する
□心理・霊的要因	●排泄の悩みや失禁の不安 ●活動意欲, 睡眠・休息への影響 ●羞恥心, 自尊心	●頻回にトイレへ行くことや, 排出に時間がかかること, 排尿・排便時痛や血尿などの異常, 失禁した経験などが, 疲労やイライラ, 恐れ, あきらめなどにつながっていないかを確認する ●排泄の悩みや不安から, 活動意欲の低下や睡眠・休息の不足が生じていないか確認する ●排泄物を見られることに恥ずかしさや申し訳なさ, 惨めさなどを強く感じていないか確認する
□社会・文化的要因	●仕事・役割, 交流	●食事・水分摂取の過不足や内容が偏るような生活スタイル, 強いストレスなどがなかったか確認する ●排泄への不安で活動範囲が縮小していないか確認する
生活環境の影響	●食事・水分摂取の状況, 嗜好品 ●居室の室温・湿度, 気候, 衣服やリネン類	●食事・水分摂取の状況や嗜好品(カフェイン, アルコールなど)によって, 尿量が多くなったり, 便秘・下痢になったりしていないか確認する ●発汗などが尿・便の量や性状に影響していないか確認する

他の生活行動との関係	
睡眠・休息	●排泄の心配がなく安心して生活できることによって, ゆっくり休むことができる.
覚醒・活動	●快適に排泄できることは, 活動意欲を高め, 活動範囲を拡大する.
食事	●気持ちよく排泄できることによって, 食事や嗜好品を楽しむことができる.
身じたく	●安心して排泄できることが, 衣服の選択やおしゃれの意欲に影響する.
コミュニケーション	●排泄の心配がなく自信をもって生活することで, 他者との交流が促進する.

分析の視点

分析の根幹：快適な排泄

- 排泄は，羞恥心や自尊心に大きく影響する生活行動であるため，何より高齢者の気持ちを大切に支援方法を検討する必要がある．また，排泄にまつわる不安や悩みを解消し，安心して生活できることが，いきいきとした暮らしにつながることを念頭に，快適な排泄を実現するための方策を分析する．
- できる限りトイレで排泄できることを目指すためには，尿意・便意の知覚から始まる一連の排泄行動のどこに支障をきたしているのかを分析する視点と，膀胱や尿道などの機能障害について分析する視点の両方が必要である．その結果，トイレの表示や手すりを工夫するなど，わかりやすく使いやすいトイレ環境を整えていくことが可能となる．また，切迫した尿意・便意や排泄による血圧変動などにより，移乗や衣服の着脱時に転倒する危険があるため，安全面での配慮も不可欠となる．
- 尿(便)失禁のタイプに応じて，誘導・動作援助の方法を検討するだけでなく，服薬内容の見直しや，治療・リハビリテーションによる改善の可能性についても検討する．

主な看護の焦点

※下記の(○○)には疾患名や障害，症状，徴候などが入る．

- (○○)はあるが，排泄パターンに合わせてトイレで気持ちよく排泄できる
- (○○)による移動動作の不安定さはあるが，体調に合わせて安全にトイレで排泄できる

5 身じたく

内ヶ島伸也

【生活行動情報として着目する要素】
清潔（入浴，口腔ケア）／身だしなみ（更衣，洗面・整容）／おしゃれ

生活行動としてのとらえ方

- **身じたくとは**：身なりを整えることをさす．身じたくに対する考え方や習慣は，各人の文化的背景や生活パターンなどによって多様性を帯びながら，発達段階に応じて身につけていくものである．それゆえ，年齢に応じた身じたくのあり方には高い個別性が認められる．
- **身じたくの構成要素**：身じたくは、感染予防や健康管理にかかわる清潔保持としての入浴と口腔ケア，他者や社会との交流に影響を及ぼす更衣や洗面・整容といった身だしなみ，さらに，自分らしさを表現するおしゃれを構成要素とする．
- **他の生活行動との関連**：「したく」が「用意，準備」を意味するように，「身じたく」には，次の行動や活動に向かうために気持ちと身体の準備を整えるという重要な意義がある．「排泄」によって生じた汚れを落とし，皮膚や口腔の清潔によって得られる爽快感は，「睡眠・休息」や「食事」によい影響をもたらし，疲労回復や活動意欲を高める．さらに，身だしなみやおしゃれは，他者との「コミュニケーション」や「覚醒・活動」を円滑にする．このように，身じたくは心身の健康と社会とのつながりを保ち，行動開始への準備性を高めるという役割をもち，人の生活全般に大きく関与する生活行動であるといえる．こうした考え方は急性期医療においても重要であり，入院に伴う苦痛や不安を和らげ，回復を促進するために，清潔や身だしなみを援助することが大切である．
- **生活環境との関連**：身じたくにかかわる行為を行うための時間，場所，道具といった環境はもちろん，身じたくへの意欲にかかわる交流や活動の状況なども重要な環境要因としてとらえなければならない．起床から就寝までの時間的経過のなかで，身じたくを生活に位置づける視点が必要である．

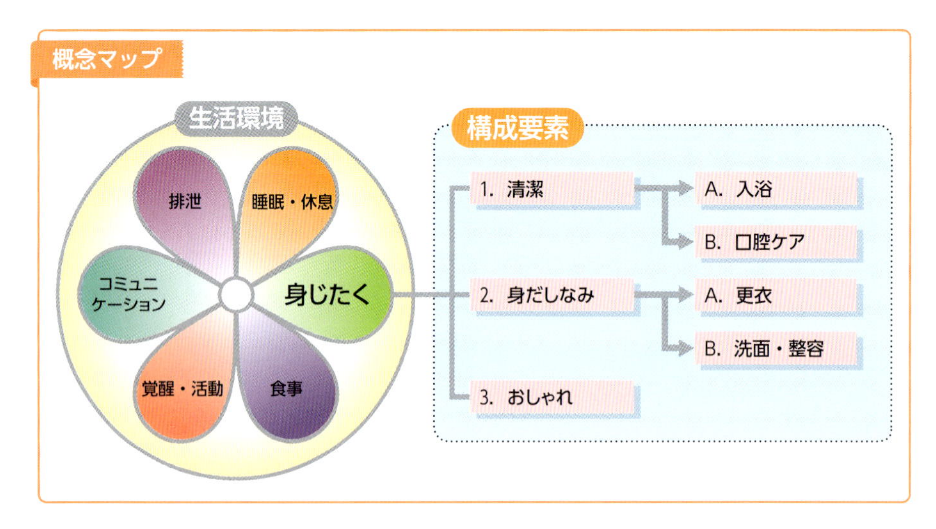

生活行動情報として着目する要素

1 清潔

- 清潔の第一義は，皮膚や粘膜に備わっている保護，排泄，体温調節，感覚といった生理機能の働きを維持して内部環境の恒常性を保ち，感染症など外部環境からの影響を緩衝することにある．
- 上記の衛生面だけでなく，清潔によって得られる爽快感や健康感が，心身の緊張をほぐし，食欲や睡眠にもよい影響をもたらして疲労回復を助けるという視点から，清潔が果たす心身の健康を守る役割を見逃してはならない．さらに，清潔が，身だしなみとおしゃれの感覚や意識を高めることも忘れてはならない．

A 入浴

- 入浴の主たる目的は，皮膚や粘膜の汚れを落として生理機能と新陳代謝を高めるとともに，種々の感染を予防することにある．また入浴によって受ける温熱刺激や圧刺激，身体を洗う動作に伴う筋・関節の運動には，皮膚感覚や呼吸，循環，代謝機能，全身の協調運動能力を高める効果もある．
- 入浴にはさまざまな効果が期待できるが，それだけ身体に負荷がかかることにもなるため，心肺機能が低下している場合や体調が悪い場合には十分な注意が必要である．また，入浴中は全身の肌を露出するため，プライバシー・羞恥心への配慮や適切な室内温度調節といった快適さの確保と，転倒に配慮した滑りにくい浴室環境などの安全対策が求められる．

高齢者にみられる特徴

1. 皮膚・粘膜

- 高齢者の皮膚は，表皮層の菲薄化や皮下脂肪減少による弾力性の低下から傷つきやすい．また，脂腺から分泌される皮脂の産生・分泌量も低下しているため，乾燥して瘙痒感を伴いやすく，爪で皮膚を傷つけてしまうことで，湿疹や感染症を起こしやすい．
- おむつを使用している場合は，おむつ内の湿潤環境と排泄物の付着が皮膚・粘膜の脆弱化や炎症，感染症を起こすリスクとなる．

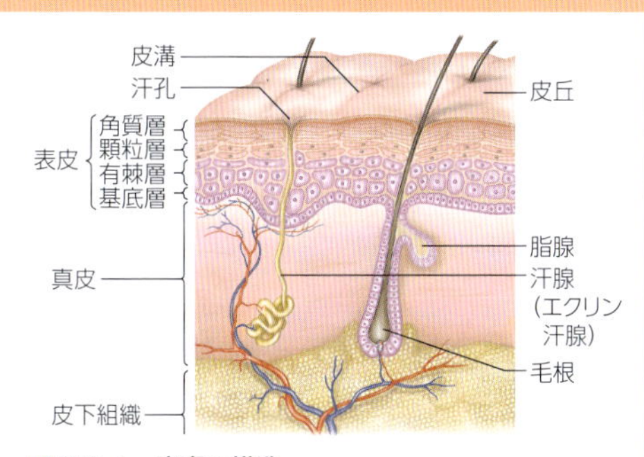

図 5-A　皮膚の構造

情報収集の視点

どんな情報を収集するか		何に留意して情報を収集するか
高齢者の情報 □身体的要因	● 入浴の認識や入浴可能な時間帯・場所の理解	● 前回の入浴日や汚れ具合に応じて入浴の必要性を判断したり，入浴可能な時間帯や浴室の場所を認識することができているか
	● 道具の操作や動作に関する失行・失認 ● 視力，聴力，皮膚感覚 ● 歩行，姿勢保持，座位保持能力 ● 上下肢の可動域，手指の巧緻性	● シャワーや石けんなどの道具の操作，浴槽への出入りなどが理解・認識できているか ● 感覚機能や運動機能の低下によって，浴室までの移動や道具の操作が難しくなっていないか ● 転倒や湯温調節など，安全への配慮が十分にできているか
	● 全身症状，皮膚症状 ● 排泄の問題 ● 入浴後の疲労感，体調変化	● 発熱や脱水症状，血圧の変動，創傷や湿疹，尿失禁や下痢など，入浴を妨げるような健康・体調上の問題はないか

□心理・霊的要因	●入浴のニーズ ●不安，不快感	●お風呂に入ってきれいにしたい，気分転換したいという気持ちを満たせているか ●入浴後に爽快感，満足感を得られているか ●転倒の不安，更衣・洗う動作に伴う不安や恥ずかしさ，浴室・脱衣場の温度差に対する不快感，お風呂に入るのを面倒に感じるなど，入浴を妨げるような問題はないか
□社会・文化的要因	●入浴の習慣，価値観	●いつ入るのか，どのような風呂を好むのか(朝風呂や就寝前の入浴，銭湯や温泉が好き)，入浴についての考え方(入らなくても死なない，湯に入るのは贅沢なこと)など，高齢者のライフスタイルや意思を尊重する
生活環境の影響	●浴室環境 ●入浴を促す仲間・支援者，交流・活動	●浴室までの距離，脱衣場と浴室の広さ，明るさ，手すりや段差，なじみの道具，扱いやすい道具の有無など，浴室の構造や使用する道具が適しているか ●浴室の改造や光熱費にかかわる経済事情が入浴に影響していないか ●温泉・銭湯に出かける仲間や，入浴をサポートする支援者がいるか ●サポートする人の有無や支援方法の問題から，不安や不快感などが増強し，入浴を困難にしていないか ●お風呂に入ってさっぱりしたいという気持ちになるような交流や活動に参加しているか

B　口腔ケア

- 口腔ケアの目的は，食物残渣と歯垢の蓄積に伴う細菌繁殖の抑制，う歯や歯周病，口内炎，誤嚥性肺炎といった感染症予防に加えて，舌苔や口臭によって生じる味覚障害や対人関係への障害を予防・改善することにある．口腔内の清潔と爽快感は，健康増進や食欲，他者との交流にかかわるためにとくに重要である．
- 口腔内の清潔は，唾液分泌や会話，咀嚼などの口腔の運動による自浄作用と，歯，歯間のブラッシングによって維持されている．義歯を使用している場合は，義歯の適切な洗浄や管理が必要となる．

高齢者にみられる特徴

1. 唾液分泌量の低下，自浄作用の低下

- 高齢者は，唾液分泌量低下による口腔内の乾燥，咀嚼・嚥下機能低下によって自浄作用が損なわれやすく，口腔内で繁殖した細菌や食物残渣を誤嚥することで肺炎を起こすことがある．

2. 義歯の装着と管理

- 歯の喪失に伴い，全部床義歯や部分床義歯を装着する人が増える．着脱の際に口角や歯肉を傷つけたり，義歯が細菌の温床とならないような管理上の注意が必要である．

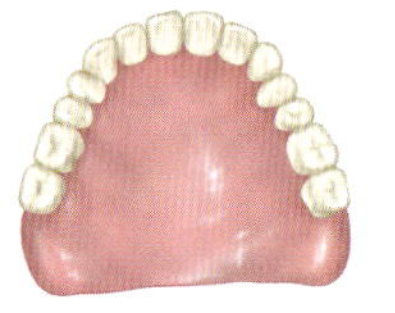

a. 全部床義歯

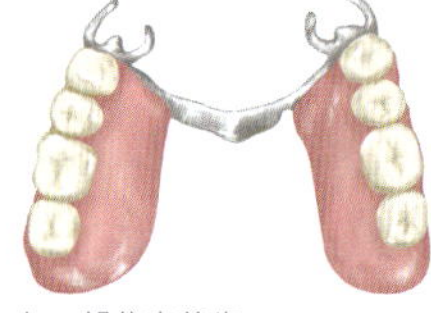

b. 部分床義歯

図 5-B　義歯の種類

情報収集の視点

どんな情報を収集するか		何に留意して情報を収集するか
高齢者の情報 □身体的要因	●口腔ケアの認識・理解	●食後や口腔の汚れ具合に応じて口腔ケアの必要性を判断したり，洗面所の場所を認識することができているか

	●道具の操作や動作に関する失行・失認 ●視力，聴力，皮膚感覚 ●歩行，姿勢保持，座位保持能力 ●上下肢の可動域，手指の巧緻性	●歯ブラシや蛇口などの道具の操作，義歯の着脱はできているか ●感覚機能や運動機能の低下によって，洗面所までの移動や道具の操作が難しくなっていないか
	●口腔内の状態 ●全身症状 ●食後の疲労感，誤嚥による含嗽困難	●歯の欠損，う歯や口内炎，舌苔などはないか ●身体を起こすことや洗面所への移動の困難さや，疲労感や誤嚥の危険性などによって，口腔ケアを十分に行えない状況にないか
□心理・霊的要因	●口腔ケアのニーズ	●歯を磨いてさっぱりしたい，気分転換したいという気持ちを満たせているか ●口腔ケア後に爽快感，満足感を得られているか
	●不安，不快感	●含嗽時の誤嚥や動作に伴う不安，義歯の出し入れや口腔内を見られることへの恥ずかしさ，口腔ケアを面倒に感じるなど，口腔ケアを妨げるような問題はないか
□社会・文化的要因	●口腔ケアの習慣，価値観	●いつ，どのような方法で行うか（毎食後に歯磨きしたい，寝る前だけでいい），口腔ケアについての考え方（義歯だから必要ない，ミント系の爽快感が好き）など，高齢者のライフスタイルや意思を尊重する
生活環境の影響	●洗面所環境	●洗面所までの距離，洗面所の広さ，明るさ，シンクの高さ，蛇口の構造，なじみの道具，扱いやすい道具の有無など，洗面所の構造や使用する道具が適しているか
	●口腔ケアを促す支援者，交流・活動	●口腔ケアをサポートする人の有無や支援方法の問題から，不安や不快感などが増強し，口腔ケアを困難にしていないか ●歯磨きをしてさっぱりしたいという気持ちになるような交流や活動に参加しているか

2 身だしなみ

- 身だしなみによってもたらされる清潔感は，品位やその人らしさを表現して他者との交流や活動への参加を円滑にする．さらに，起床時の洗面や場に応じた着替え，整容は，1日の始まりや時間の経過を認識するのを助けて生活にリズムを生む．その結果，生活に安定とめりはり，豊かさをもたらすことにつながっていく．
- 身だしなみを意識することは，清潔やおしゃれへの関心を高めながら，人の心理・社会面に大きな影響を及ぼすことを再認識しよう．

A 更衣

- 更衣は，汗，垢などの皮膚排泄物や塵，埃などによって汚れた衣服を取り替えて清潔を保つだけでなく，爽快感や清潔感といった心理的効果をもたらす．さらに，時間，場所，状況に応じて衣服を替えていくことによって，1日の生活にリズムを生むという効果も期待できる．
- 更衣では，着替えるという動作にばかり目がいきがちだが，生活の豊かさにかかわる生活行動として，気持ちや生活リズム，活動状況といった心理・社会面への影響に注目してとらえる視点が必要である．

高齢者にみられる特徴

1. 運動機能低下，感覚機能低下

●加齢による運動機能や感覚機能の低下は，更衣に必要な立位，座位のバランスや上下肢の可動域の低下をもたらして動作の困難を生じる場合がある．さらに，手指の巧緻性低下や視覚・皮膚感覚の低下は，ボタンをはめる動作や袖，裾に手足を通すなどの更衣動作を難しくさせる．

情報収集の視点

どんな情報を収集するか		何に留意して情報を収集するか
高齢者の情報 □身体的要因	●更衣の認識・理解	●時間・場所，状況に応じた衣服の選択や着替えができているか
	●衣服の認識や動作に関する失行・失認	●衣服の左右・表裏，袖・裾を認識して手足を通すことができているか
	●視力，聴力，皮膚感覚	
	●歩行，姿勢保持，座位保持能力	●ズボンや靴下を履くための姿勢保持，かぶる動作が安全にできているか
	●上下肢の可動域，手指の巧緻性	●ボタンやファスナーなどの操作ができているか
	●排泄の問題	●おむつ・尿パッドの使用に伴う着心地の悪さや着脱の煩雑さはないか
	●全身症状，皮膚症状	●疲労感や倦怠感，創傷や湿疹，かゆみなど，更衣に影響するような健康・体調上の問題はないか
□心理・霊的要因	●更衣のニーズ	●着替えたい，着替えなければという気持ちを満たせているか ●更衣後に爽快感，満足感を得られているか
	●不安，不快感	●転倒の不安，更衣動作に伴う不安や恥ずかしさ，着替えるのを面倒に感じるなど，更衣を妨げるような問題はないか
□社会・文化的要因	●更衣の習慣，価値観	●いつ着替えるか，どのような衣服を選ぶか（生活リズム，重ね着），更衣についての価値観（人前に出るのに失礼にならない格好，洗濯代がもったいない）など，高齢者のライフスタイルや意思を尊重する
生活環境の影響	●更衣場所	●更衣場所の広さ，明るさ，手すりや間仕切りなどが適切に確保されているか
	●収納場所，衣服の種類	●衣服を取り出しやすい収納場所，季節に応じて衣替えできる保管場所が確保されているか ●衣服の購入や洗濯にかかわる経済事情が更衣に影響していないか
	●仲間・支援者，交流・活動	●着替えの動機づけとなるような仲間との交流や活動に参加しているか ●サポートする人の有無や支援方法の問題から，不安や不快感などが増強し，更衣を困難にしていないか

B　洗面・整容

●起床時の洗面・整容は，1日の活動を始めるにあたって覚醒を高める重要な役割を果たす．それ以外でも，冷水で顔を洗ったり髪をとかすことで，気分転換や次の活動への意欲を喚起することがしばしばある．

●洗面・整容でもたらされる清潔感が交流や活動に影響を及ぼしたり，逆に，活動状況が洗面・整容への意識を高めるといった場合もある．更衣と同様に，こうした生活への影響を見過ごしてはならない．

高齢者にみられる特徴

1. 爪の手入れ

- 加齢に伴う血液循環量や水分含有量の低下から爪はもろく割れやすくなる．とくに足の爪は，巻き爪や陥入爪を起こしたり，白癬菌に感染(爪白癬)しやすくなる．
- 視覚機能低下や手指の巧緻性低下があると，爪を手入れすることが難しくなって症状を悪化させてしまうことがあるため，十分な注意とケアが必要である．

情報収集の視点

どんな情報を収集するか		何に留意して情報を収集するか
高齢者の情報 □身体的要因	●洗面・整容の認識・理解 ●道具の操作や動作に関する失行・失認 ●視力，聴力，皮膚感覚 ●歩行，姿勢保持，座位保持能力 ●上下肢の可動域，手指の巧緻性 ●全身症状，起床時の覚醒	●時間や状況に応じて洗面・整容の必要性を判断したり，洗面所の場所を認識することができているか ●鏡やブラシ，蛇口などの操作ができているか ●感覚器の機能低下や運動機能の低下によって，洗面所までの移動や道具の操作が難しくなっていないか ●転倒や湯温調節など，安全への配慮が十分にできているか ●疲労感や倦怠感，覚醒状況など，洗面・整容に影響するような健康・体調上の問題はないか
□心理・霊的要因	●洗面・整容のニーズ ●不安，不快感	●顔を洗ってさっぱりしたい，気分転換したいという気持ちを満たせているか ●洗面・整容後に爽快感，満足感を得られているか ●動作に伴う不安，必要な道具がないことへの不満，面倒に感じるなど，洗面・整容を妨げるような問題はないか
□社会・文化的要因	●洗面・整容の習慣	●いつ，どのような方法で行うか(朝食前に済ませたい，温かいタオルで顔を拭きたい)，洗面・整容についての考え方(人に会わなければしなくてよい)など，高齢者のライフスタイルや意思を尊重する
生活環境の影響	●洗面・整容場所 ●洗面・整容道具 ●仲間・支援者，交流・活動	●洗面所や鏡のある場所までの距離，洗面所の広さ，明るさ，シンクの高さ，蛇口の構造，なじみの道具，扱いやすい道具の有無など，洗面所の構造や使用する道具が適しているか ●洗面・整容の動機づけとなるような仲間との交流や活動に参加しているか ●サポートする人の有無や支援方法の問題から，不安や不快感などが増強し，更衣を困難にしていないか

3 おしゃれ

- おしゃれへのこだわりほど個別性の高いものはない．衣服や装飾品，化粧などは，その色彩やデザイン，素材，組み合わせの選択において，時代や文化の影響を受けつつも自分らしさを表現する手段として重要な意味をもつ．あるいは，「粋」や「いなせ」といった感覚のように，単に着飾るのではなく，立ち居振る舞い，生き方におしゃれを見出す人もいる．
- おしゃれへの関心やこだわりを表現できることは，健康感を高めて自信と尊厳をもたらし，交流や活動への意欲と密接に結びついて生活に豊かさをもたらす．清潔や身だしなみとの関連も含め，おしゃれが自己と他者への関心や意識を強め，健康な暮らしを支えるという側面をもつことを重要視したい．

高齢者にみられる特徴

1. 思い出の品

- おしゃれを表現するアイテムには，それを手に入れた経緯や身につけて出かけた場所などの思い出が込められている場合が少なくない．高齢者にとっては，年齢を重ねていく過程で手にした品々に，これまでの自分が生きた足跡として他に代えがたい価値を見出していることもある．彼らにとっての「とっておき」には，こうした思い出が込められていることを忘れてはいけない．

2. 気分との関連

- 身体機能の低下によって，おしゃれが面倒になったり，もう必要ないと思っていたりする場合がある．しかし，ちょっとした化粧や明るい色の上着を羽織るだけで，いきいきとして見え，気持ちが明るくなることも少なくない．こうした経験が，おしゃれへの関心を後押しすることを大切にしたい．

情報収集の視点

どんな情報を収集するか		何に留意して情報を収集するか
高齢者の情報 □身体的要因	●外出の時間や場所，状況の認識	・外出する時間や場所，外出先の状況に応じた衣服や装飾品を選択できているか
	●おしゃれ道具の選択や使用に関する失行・失認	・装飾品や化粧に必要な道具を認識し，使用できているか ・装飾品の留め具や化粧道具などを操作したり，鏡の前で試着や出来栄えを確認したりなどができているか
	●視力，聴力，皮膚感覚 ●歩行，姿勢保持，座位保持能力 ●上下肢の可動域，手指の巧緻性	
	●排泄の問題	・重ね着による着脱の煩雑さや，おむつ・尿パッドの使用に伴う衣服選択の難しさはないか
	●全身症状	・疲労感や倦怠感など，おしゃれに影響するような健康・体調上の問題はないか
□心理・霊的要因	●おしゃれのニーズ	・おしゃれしたいという気持ちを満たせているか ・おしゃれを面倒に感じたり，必要ないと感じたりなど，おしゃれを妨げるような問題はないか
□社会・文化的要因	●おしゃれの習慣，価値観	・何をすることがおしゃれなのか(アクセサリーや香水が好き，アイロンは欠かせない)，どのようなときにおしゃれをしたいのか，おしゃれについての価値観(若々しい格好でいたい，派手だと思われたくない)など，高齢者のライフスタイルや意思を尊重する
生活環境の影響	●衣服や装飾品の種類と収納場所	・おしゃれのための衣服や装飾品を取り出しやすい収納場所が確保されているか ・必要なおしゃれ道具の購入にかかわる経済事情がおしゃれに影響していないか
	●おしゃれする場所	・おしゃれをチェックする姿見や鏡の有無，準備する場所の広さ，明るさが適切に確保されているか
	●仲間・支援者，交流・活動	・おしゃれしたくなるような仲間との交流や活動に参加できているか ・サポートする人の有無や支援方法の問題が，おしゃれの意欲に影響していないか

他の生活行動との関係

睡眠・休息	●入浴や更衣による爽快感は，安眠や効果的な休息の確保につながる．
覚醒・活動	●更衣や洗面・整容は，生活にリズムを生み，活動への関心や意欲を高める．
食事	●口腔内の清潔状態は，食欲や咀嚼・嚥下に影響し，誤嚥性肺炎の予防にもつながる．
排泄	●更衣動作や衣服の選択は，排泄動作に影響する．
コミュニケーション	●満足なおしゃれができることによって，他者との交流が促進する．

分析の視点

分析の根幹：生活リズムと自己表現

●身じたくには，衣服や装飾品の選択，ボタンや洗面道具の操作といった細かい動作が必要となる．そのため，見当識障害や失行・失認などの認知機能，視力，姿勢保持能力，手指の巧緻性について分析し，高齢者ができることを支援する方法を検討する．
●身じたくは強い生理的欲求によって始まる行動ではなく，時間や場所，状況に応じて必要性を感じて始める行動である．高齢者の慣れ親しんできたタイミングと方法をふまえ，入浴と口腔ケアでは爽快感を，更衣と洗面・整容では生活リズムを，おしゃれでは自分らしさの表現を重要視し，高齢者が身じたくを始めようという気持ちになれるような場づくりを検討する．

主な看護の焦点

※下記の（○○）には疾患名や障害，症状，徴候などが入る．
●（○○）はあるが，なじみの方法で心地よい身じたく（入浴・口腔ケア）ができる
●（○○）はあるが，交流の機会に合わせて身だしなみやおしゃれを楽しむことができる

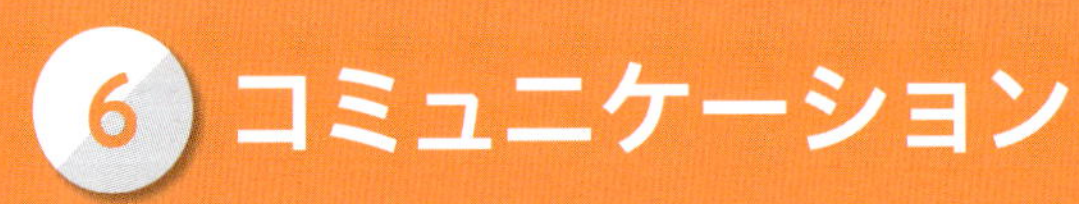

6 コミュニケーション

横山　晃子

【生活行動情報として着目する要素】
伝える・受け取る／コミュニケーションの相互作用・意味／コミュニケーションの発展

生活行動としてのとらえ方

- **コミュニケーションとは**：ラテン語の communicare（共同する，共有する）に由来し，人間同士が互いに何かを共有しようとする行為一般を意味する．また，コミュニケーションは，他者とかかわりたいという基本的な欲求を満たす手段を提供するものである．
- **コミュニケーションの構成要素**：コミュニケーションでは，**伝える**と同時に**受け取る**というやり取り，そこから生じる**コミュニケーションの相互作用・意味**，そしてこれらが重なっていくことで生み出されていくつながりを**コミュニケーションの発展**とし，この3つを構成要素とする．
- **他の生活行動との関連**：不安な思いを他者に伝え，受け止めてもらうだけで気持ちが軽くなった経験が誰にでもあるように，コミュニケーションを契機に「**睡眠・休息**」を得られることもある．「**排泄**」や「**身じたく**」はプライバシーに直結し，羞恥心を伴いやすい行為であるため，コミュニケーションに際し，場の選択や言い方などに多くの配慮を必要とする．一方で，「**（覚醒・）活動**」は共同する他者との交流を伴うことが多く，「**食事**」は食堂やリビングなどといった複数人が介する場所でとることもあることから，他者とのコミュニケーションが生じる機会ともなる．また，各生活行動をより豊かにしていくためには，コミュニケーションを通じた試行錯誤の積み重ねが不可欠である．
- **生活環境との関連**：高齢者においてはとくに，コミュニケーションは生活環境の影響を受ける．例えば，騒音が著しい環境におかれた場合，聴覚による理解の誤りをもたらしかねないばかりか，注意障害を有する高齢者の注意を妨げる物理的阻害要因となる．また，慌ただしい雰囲気のなかでは遠慮してしまい，思いが十分伝えにくいという心理的阻害要因が作用しやすい．したがって，コミュニケーションを円滑にするための環境づくりが重要となる

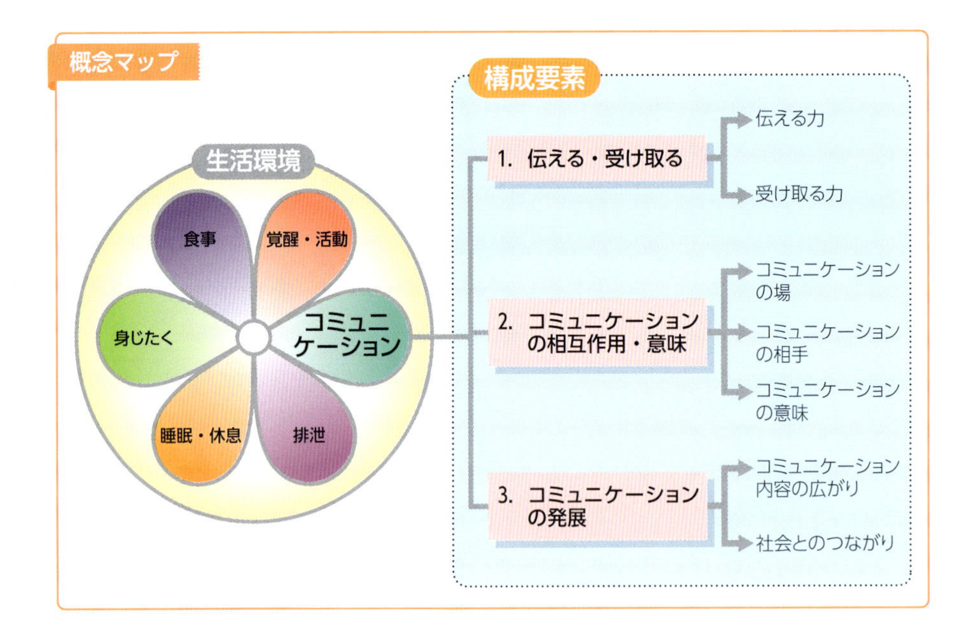

生活行動情報として着目する要素

1 伝える・受け取る

- **伝える力**は，「話す」「書く」「表情・しぐさ」などの伝達手段を用いながらメッセージを発信する力であり，**受け取る力**は，「聞く」「読む」「見る」などの手段を通してメッセージを受信する力である．「伝える」と「受け取る」は双方向になされるという特徴をもつ．
- コミュニケーションの手段では，言語メッセージはもとより，非言語メッセージも多くを占める．

高齢者にみられる特徴

1. 伝える力

- 発声発語器官の加齢変化に加え，義歯の未装着や不適合，口腔内の乾燥が円滑な発話を妨げる．また，脳血管障害などにより失語(言語の障害)や構音障害(発話の障害)が生じる．
- 記憶力が低下すると，発話の内容が重複したり，冗長になったりしやすい．認知症により喚語困難や語彙の減少が起こると，思いどおりに言語メッセージを表出しづらくなる．
- 巧緻性の低下や振戦により字が思うように書けなくなったり，関節可動域の減少で身振りが制限されたりする．

2. 受け取る力

- 加齢に伴って内耳の感覚細胞，聴(蝸牛)神経などの機能が低下して起こる老人性(感音性)難聴は，高音域を含む子音(k，s，t)が聞き取りにくいため，聞き誤りにつながりやすい．また，小さい音が聞こえにくくなる一方で，大きな音は若年者以上に大きく感じやすくなる．さらに，相手の話を理解するまでに時間を要することもある．
- 伝音性難聴は，巧緻性の低下などにより耳のケアが不十分となり，耳垢などが閉塞して起こる．
- 加齢による視力や視野の低下，色の識別能の低下は，視覚情報の把握を妨げる．加えて，円背があると，相手の口の動きや表情，高い位置の表示などの確認に影響が及ぶ．
- 認知症の注意障害や記憶障害，判断力の低下などの症状により，会話の内容が理解しにくくなる．

情報収集の視点

どんな情報を収集するか		何に留意して情報を収集するか
高齢者の情報		[伝える力]
□身体的要因	●発声発語器官の状況	・話し言葉の明瞭さや口唇・舌・頬の動きはどうか．口腔内の乾燥はあるか．歯の欠損により話すときに息が漏れていないか．義歯を装着し，適合しているか
	●言語機能：失語，構音障害	・言いたい言葉が，なかなか出てこない，または違う言葉で言うことはないか ・話すときの抑揚，流暢さはどうか．単語の表出の仕方や声(かすれる，細くなる)，発話速度(早くなる)，声量(小さい，大きい)はどうか．息が続かないことはないか
	●認知機能：記憶保持時間，注意力，判断力 ●感覚機能：視力，視野，聴力	・同じ言葉を繰り返す場合，認知機能(記憶障害や滞続言語)による可能性はないか ・返答の内容は適切か．適切ではない場合，認知機能(言語能力の低下)や感覚機能(難聴など)による影響はないか
	●運動機能：麻痺の有無・程度，関節可動域，巧緻性，握力など	・麻痺や関節可動域の制限，巧緻性の低下，振戦，筋力の低下がある場合，文字を思いどおりに書けるか．身振りや表情で表現できるか．コミュニケーションボードを使用した時に指し示しやすい位置はどこか ・伝えたいことを表現できているか

	●感覚機能：聴力，視力，視野，色の識別	[受け取る力] ●どれだけ聞き取れているか．聞こえない時のサインはあるか．どの程度の声のトーン，大きさ，速さだと聞き取りやすいか．右耳と左耳で聞こえやすさに差はあるか．耳垢などはないか ●補聴器や助聴器などの道具を使用しているか．写真や図表などの視覚的情報があると理解しやすいか

〈マイクとスピーカーを備えたタイプ〉

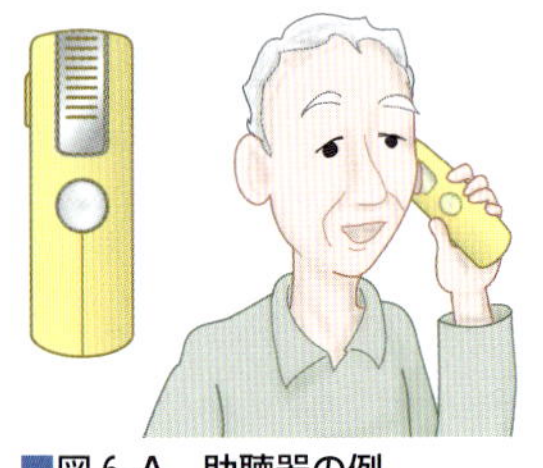

〈伸縮するタイプ〉

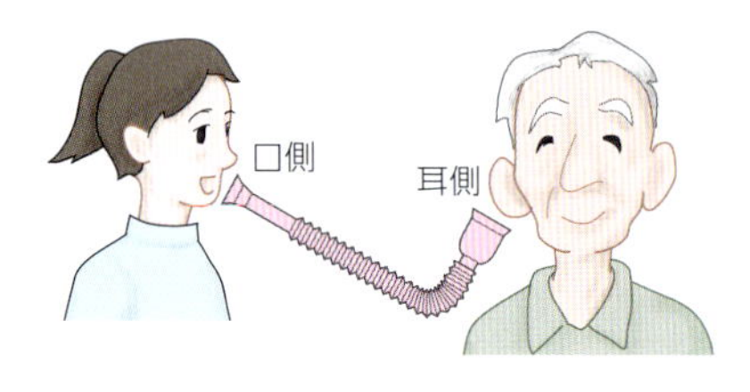

■図6-A　助聴器の例

		●どの程度の文字の大きさ，色のコントラスト，距離，範囲であると見やすいか ●眼鏡や拡大鏡などの道具を使用しているか，汚れていないか，適合しているか
	●運動機能：姿勢保持能力，関節可動域など	●どの程度の時間の長さであれば相手を見続けられるか．円背などがある場合，どの高さが見やすいか
	●認知機能：言葉の理解，記憶力，注意障害の有無と程度など	●認知機能障害やもの忘れがある場合，どの程度の文の長さ，単語の区切り，抽象度であれば理解しやすいか．視覚的情報を組み合わせる方が記憶保持や理解がしやすいか
	●身体的不快感，疲労感，倦怠感，薬物の作用時間	[伝える力]と[受け取る力]に共通するもの ●伝える・受け取る意欲や内容に影響する身体的不快感(痛み，空腹，しびれなど)や疲労感，倦怠感はないか．それらを軽減する薬物の作用時間はどうか
	●伝える力と受け取る力のバランス	●「相手の言っていることや文章を理解する能力」と「自分で言葉を発したり文章を書いたりする能力」に著しい差はないか
	●認知機能や身体機能の変動	●認知機能や身体機能に変動がある場合，伝えやすい・受け取りやすい特定の時間や状況はあるか
□心理・霊的要因	●遠慮，過剰な気配り	[伝える力] ●伝えることをためらうような遠慮や過剰な気配りはないか
	●伝わりにくいストレス，あきらめ	●相手から(繰り返し)聞き返された時の様子はどうか．伝わりにくい経験がストレスとなり，伝えることをあきらめていないか
	●緊張や不安，気持ちのゆとりのなさ	[受け取る力] ●受け取る内容にずれが生じるような緊張や不安，気持ちのゆとりのなさはないか

□社会・文化的要因	●コミュニケーションにかかわる社会・文化的背景 ●経済状況	[伝える力] および [受け取る力] ●職業や育ってきた文化的背景(方言など), 時代背景, 教育的背景の違いにより, 他者との間で伝えやすい・受け取りやすい内容や話題に差が生じていないか, 正確な受け取りを阻害していないか ●“見る・聞く”を補助する道具や義歯にかかる費用は負担になっていないか
生活環境の影響	●コミュニケーション相手の姿勢：表情, 態度, 心構えなど ●もてる力を発揮するための適切な道具, 選択肢の数など ●住環境・療養環境：照度, 騒音, 人の行き来やテレビの動きなど	[伝える力] および [受け取る力] ●コミュニケーション相手は伝えやすく, 受け止めてくれるような姿勢か ●身体機能に見合った道具(コミュニケーションボード, 筆記具など)があるか. 認知機能の低下や失語がある場合, 選択肢の数をいくつにすると自己選択がしやすいか ●見えにくさ, 聞こえにくさ, 集中しにくさを助長する環境になっていないか

2 コミュニケーションの相互作用・意味

- **コミュニケーションの場**は, 共有している「時間」「空間」「橋渡しの人・物」から構成される. コミュニケーションが促進されるか否かは場の影響を受ける. 同じ空間に「ともにいること」は, 同じ時間に同じ景色を見るという経験を共有することである. こうした経験の共有がコミュニケーションのきっかけとなったり, 相手との関係を深めたりする.
- **コミュニケーションの相手**によって話題や話の広がり方が変わるように, コミュニケーションは, 相手と互いに作用し, 影響を及ぼし合う動的な過程である. 言葉がなくとも互いに通じ合える相手もいれば, 緊張したり, 気を遣ったりする相手もいる
- **コミュニケーションの意味**は, 場や相手との相互作用のなかで, やり取りされるメッセージに見出す価値である. 喜びや楽しみ, 大切な思いを伝えたい, 役に立ちたいなど, コミュニケーションの意味は多様である.

高齢者にみられる特徴

1. コミュニケーションの場

- 高齢者にとって十分な時間のもと自分のペースが担保され, 快適な空間か否かが, コミュニケーションの量・質ともに影響する. パーキンソン病やレビー小体型認知症のように, 症状の変動がある場合, 相互作用のしやすさは時間の影響を受ける.
- 難聴や認知症がある高齢者同士でのコミュニケーションでは, 橋渡しの人・物の役割が重要である. 思い出の物を見ることで当時の感情が思い起こされ, 語る内容が広がることもある.

2. コミュニケーションの相手

- 相手が同世代の高齢者であれば, 同じ時代を生きた者として経験を分かち合うことができる. また, 熱心に話を聞こうとする若い世代にだからこそ, 家族にも言えないようなことを話せることもある.
- 言語障害がある高齢者が発した断片的なメッセージを, コミュニケーションの相手が捉えられるかどうかが, コミュニケーションの相互作用に大きく影響する.
- 動植物やセラピーロボットに代表されるように, コミュニケーションの相手は人間に限らない場合もある.

3. コミュニケーションの意味

- 長い人生を生きてきた高齢者だからこそ, コミュニケーションには培ってきた価値観(自分像・家族像を含む), 意味の深さが込められている. 発せられるメッセージの背景に込められた思いや願いを思慮する姿勢が求められる.

●重度認知症の高齢者同士のコミュニケーションでは，言語的な会話が成立していないようにみえても，感情や場を共有することが重要な意味をもつ．

情報収集の視点

どんな情報を収集するか		何に留意して情報を収集するか
高齢者の情報 □身体的要因	●身体機能：移動能力	・移動能力が他者とのコミュニケーションに影響していないか
	●認知機能：見当識障害，判断力	・相手は誰か（名前や自分との関係がわからないとしても，安心できる人か否か）を判断できるか．相手の話している内容は理解できているか
	●持久力，集中力，体調	・持久力，集中力，体調などをふまえると，どの程度の長さのコミュニケーション（会話や交流）がちょうどよいか
	●身体的不快感，疲労感，倦怠感，薬物の作用時間	・身体的不快感（痛み，空腹，しびれなど）や疲労感，倦怠感，それらを軽減する薬物の作用時間がコミュニケーションに影響していないか
□心理・霊的要因	●コミュニケーションに関する意向	・コミュニケーションの場や相手に関してどのような意向があるか．意向と現状に差異があると感じているか
	●コミュニケーションの内容：共有したいこと・したくないこと	・積極的に共有したい内容はあるか．言い方に配慮が必要な内容や，共有したくない内容はないか．それらは状況により変化するか（いきいきとした様子や表情・口調などの非言語的メッセージも参考にする）
□社会・文化的要因	●橋渡しの物，なじみの物	・写真や広告チラシ，思い出の品や音楽，なじみの物など，どういった橋渡しの物があると，コミュニケーションが促進されるか
	●経済状況	・橋渡しの物や動植物などにかかる費用が負担になっていないか
	●コミュニケーション相手との関係	・コミュニケーションの相手は誰（何）が多いか ・「気がおけない間柄」（通じる感じや受け止めてくれる感じ）の人（・物）は存在するか ・本心を語ったり，否定的・消極的な気持ちを伝えたりできる相手はいるか
	●生活史，価値観など	・人づき合いは得意であったか ・話す方と聞く方，どちらを好んでいたか ・人間関係や家族関係，職業や文化的背景，時代背景，教育的背景，価値観がコミュニケーションの意味にどう影響しているか
	●関心や親しみ・中断	・関心や親しみを示す独自の方法（見つめる，掌をあげる，握手など）はあるか，コミュニケーションを中断したい時はどのようにしているか
生活環境の影響	●もてる力を発揮できる場：くつろぎ，橋渡しの物など	・ゆっくりコミュニケーションできるような時間が確保されているか ・空間の広さ，家具の位置，周囲の人の存在，距離感や座る向き，互いの目線の高さ，間（適度な無言の時間）など，くつろぎながらコミュニケーションができる環境であるか ・趣あるカフェやペットの訪問など，コミュニケーションを促進する特定の場所や状況があるか

3 コミュニケーションの発展

- コミュニケーションの発展とは，コミュニケーションを通した相互理解の深まりが，本来持ち合わせていた自分らしさの顕在化や尊重されていることの実感となり，それが新たな思いや願い，挑戦につながるように，**コミュニケーション内容の広がり**がもたらされることをさす．
- 人は社会的な存在であり，生きている限り社会とかかわっている．コミュニケーションを通して関係を深めたり，**社会とのつながり**を再構築・維持・拡大していったりすることもコミュニケーションの発展に含まれる．例えば，ICT（情報通信技術）機器や手紙の活用による家族や友人とのつながりの継続である．

高齢者にみられる特徴

1. コミュニケーション内容の広がり

- 結晶性知能（日常の習慣から培ってきた経験や生活の知恵，昔とった杵柄など）は発達し続けるとされているが，高齢者は新しい場面・環境への順応性が低下しやすいため，発揮しにくい．日常生活動作が障害されていたり，認知機能が低下している高齢者では，もてる力や自分らしさが症状や障害の陰に隠れていたり，注目されにくいこともある．

2. 社会とのつながり

- 筋力・持久力などの身体機能の低下や，記憶力などの認知機能の低下があると，これまで行っていた方法による社会とのつながりが縮小する．定年退職や引退に伴い，社会的役割や社会参加の方法が変化する．
- 長年のかかわり合いを続けた配偶者や友人との死別により，交流関係が変化する．入院・入居などに伴い居住地を変更すると，これまでに築いてきたつき合いを離れ，新たな関係の構築が始まる．

情報収集の視点

どんな情報を収集するか		何に留意して情報を収集するか
高齢者の情報 □身体的要因	●身体機能；視力，視野，聴力，巧緻性，握力，移動能力など	・結晶性知能などのもてる力を発揮するうえで妨げとなる身体機能や認知機能の低下はあるか
	●認知機能；意欲の低下，実行機能障害，見当識障害，記憶障害	・居室内で1人で過ごすことが多い場合，認知機能の低下（意欲の低下や実行機能障害など）による影響はないか ・居室外，居住地外の人や物とつながる通信・連絡手段を活用できているか；呼び出しボタン，携帯電話，PC・スマートフォン，手紙，見守りシステムなど ・居室外や居住地外の人や物とつながるために思いどおりに移動することができるか
□心理・霊的要因	●とまどいや抵抗感	・自分の経験を語ることに対し，とまどいや抵抗感はないか
	●交流に対する意向	・居室外，居住地外の人（物）との交流に対し，どのような意向をもっているか．かかわり合いを楽しみにしている人（物）はあるか
	●社会とのつながりに対する受けとめ	・社会とのつながりの現状や過去からの変化をどのようにどのように受け止めているか
□社会・文化的要因	●人（物）の役に立った経験	・これまでどのように人（物）の役に立ってきたと認識しているか．培ってきた経験や生活の知恵が現在どのように活かされているか
	●生活史	・これまで主にどのような人（物）とのつながりを大切にしてきたか．新たな人間関係の構築をする際に，活用した方法はあるか
	●経済状況	・つながる手段に要する費用は負担になっていないか

生活環境の影響	●もてる力を発揮できる場 ●サポート体制	●生活史などをもとに，昔とった杵柄が活用できる機会が用意されているか ●通信・連絡や移動に関する支援など，つながりがもてるために活用できる資源は何か

他の生活行動との関係

睡眠・休息	●コミュニケーションが適切にはかられ，不安や考えごとが緩和されることで，睡眠・休息が深まる．
覚醒・活動	●コミュニケーションの相手がいることは，覚醒する機会となり，また活動の選択肢が増える．
食事	●食事や間食，水分の摂取に関する生活史や嗜好に関する会話は，おいしく食べること・おいしいものを飲むことに結びつく．
排泄	●自尊心が保たれるように配慮された排泄状況の確認や排泄行動への誘いは，安心・快適な排泄につながる．
身じたく	●身じたくに関するコミュニケーションがはかられることは，よりよいタイミングでの入浴・口腔ケア，その時々の気分に合った身だしなみやおしゃれにつながる．

分析の視点

分析の根幹：かかわり合える安心感

伝える・受け取る

●コミュニケーションの状況は，「伝える」「受け取る」に関連する身体能力の障害だけでなく，周囲への遠慮や気遣いといった心理的・社会的背景の影響も受ける．高齢者が「思うようにいかない」と感じている場合は，安心してコミュニケーションできるように，その要因について身体的(加齢変化，機能，疾患など)・心理的・社会的側面，環境要因など多面的に分析する．

コミュニケーションの相互作用・意味

●他者とのかかわり合いが望みどおりにできているかどうかは，コミュニケーションの場と相手に大きく影響される．高齢者の生活史や意向もふまえ，どのように環境を整えると相互作用が維持・促進され，本人にとって意味のある豊かなかかわり合いとなるのか，コミュニケーションの場や相手の視点から分析する．

コミュニケーションの発展

●この先も保ちたいつながりや，新しいつながりを高齢者が大切にできるように，培ってきた経験や知恵を活かしつつ，新たな手段や資源を取り入れられる可能性について分析する．

主な看護の焦点

※下記の（○○）には疾患名や障害，症状，徴候などが入る．

- （○○）による単語の出にくさがあるが，自分なりの方法で意向を伝えることができる
- （○○）による聞きとりにくさがあるが，気兼ねなく仲間とのかかわり合いを楽しむことができる
- （○○）に起因する通信手段の操作しづらさがありながらも，居住地外の家族・友人とのつながりを通し，社会的関係を維持することができる

第2編

病態からみた看護過程の展開

第1部

疾患別
看護過程の展開

1 認知症

亀山　祐美

目でみる疾患

アルツハイマー型認知症
レビー小体型認知症

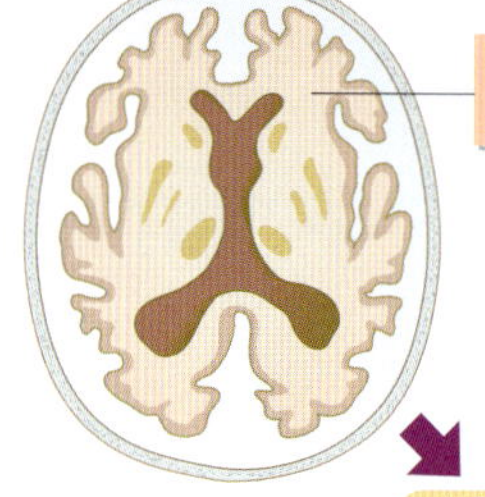

血管性認知症

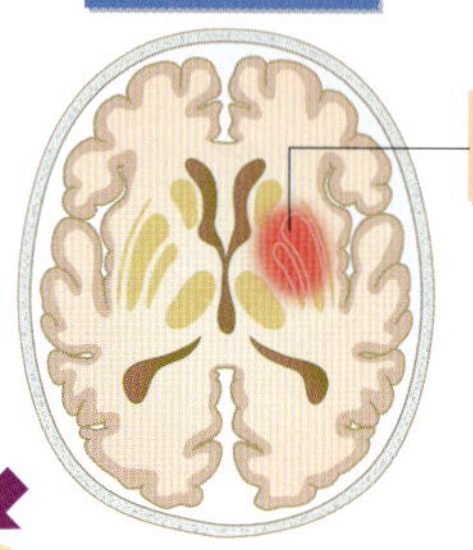

病変部位に応じた症状が出る

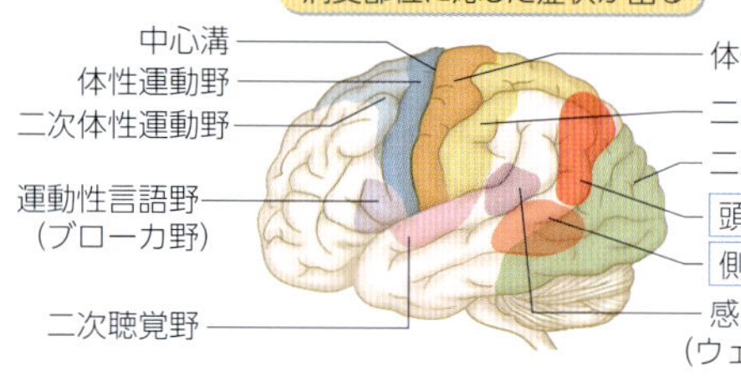

認知症は病変部位に応じた症状が出現する．アルツハイマー型認知症では記憶に関与する海馬に，レビー小体型認知症では幻視に関与する後頭葉などに病変が出やすい．

■図 1-1　認知症における病変の違い

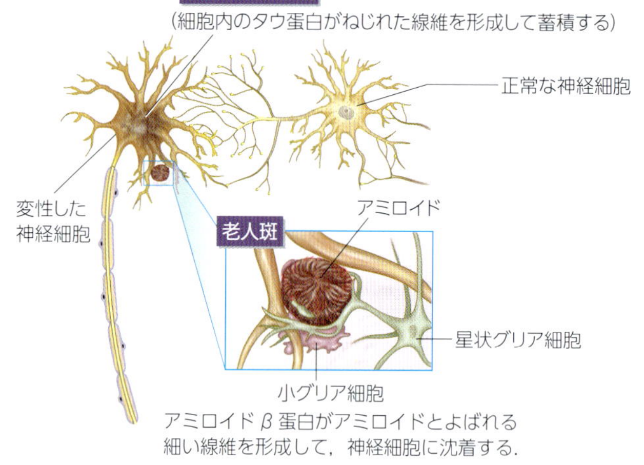

■図 1-2　アルツハイマー型認知症にみられる特徴的な病態

病態生理

認知症は，正常に発達した脳の機能が後天的な疾患で低下する状態である．記憶障害を中心として，複数の認知機能領域（見当識，言語，実行機能など）に障害がある．社会生活に支障をきたしている場合を認知症といい，物忘れはあるが日常生活が自立している場合を軽度認知障害（MCI）という．

●アルツハイマー型認知症

- 脳に老人斑（アミロイドβが沈着）や神経原線維変化（リン酸化タウが凝集・蓄積）が出現し，脳神経細胞が脱落することで起こる認知症である．海馬の萎縮が特徴．

●レビー小体型認知症

- 脳にレビー小体（αシヌクレインからなる）が沈着することで起こる認知症である．

●前頭側頭葉変性症

- 脳に異常な蛋白（TDP-43 やリン酸化タウ）が沈着する認知症で，前頭葉・側頭葉が萎縮する．

●血管性認知症

- 脳血管障害が原因で起こる認知症．

●鑑別が必要な疾患

- 正常圧水頭症，慢性硬膜下血腫，脳腫瘍，炎症や腫瘍など疾患による認知機能低下，てんかん，せん妄，うつ病との鑑別を要する．

病因・増悪因子

- アルツハイマー型認知症では，少数に遺伝性のものがあるが，原因の多くは明らかでない．加齢，女性，動脈硬化性疾患が増悪因子に挙げられている．
- 血管性認知症は，脳梗塞，脳出血，動脈硬化が関連している．

疫学・予後

- 認知症（462 万人）のうち臨床診断では約 68% がアルツハイマー型認知症，20% が血管性認知症，4% がレビー小体型認知症といわれている（病理診断では 20% という報告もある）が，経過が長い場合，混合型をとる患者が増えている．認知症は加齢に伴い 80 歳以上の 3 人に 1 人，90 歳以上の 2 人に 1 人が有する．
- アルツハイマー型認知症が進行すると，生活機能が低下し，介護を要する．
- 認知症が進行すると無言無動となり，誤嚥性肺炎や尿路感染症，転倒などによる外傷で最終的には寝たきりになる．
- MCI（mild cognitive impairment，軽度認知障害）は，全国に 400 万人いるといわれており，正常と認知症の中間の状態である．物忘れはあるが，日常生活に支障はない．年間 10～30% が認知症に進行する．一方，正常なレベルに回復する人もいる．

症状

新しいことが覚えられない記憶障害，日付や場所がわからない見当識障害から始まり，失行，失認といった中核症状と，ケアの大変さがしばしば課題となる BPSD がある．

- 認知機能障害（中核症状）には以下のようなものがある．
  - ・記憶障害（記銘，再生の障害）
  - ・見当識障害
  - ・失語（言語障害），失行，失認
  - ・実行機能障害（計画，組織化，順序立て，抽象化の障害）
- 認知症の行動・心理症状（behavioral and psychological symptoms of dementia：BPSD）は，認知症患者によくみられる知覚，思考内容，気分または行動の障害による症状で，認知症をもつ人および家族の QOL を著しく低下させる要因となる．幻覚，妄想，徘徊，不安・焦燥，うつ，意欲低下，せん妄，暴言・暴力，性的行動，不穏・興奮，拒絶などがある．

●アルツハイマー型認知症

- 新しいことが覚えられない記憶障害，日付や場所がわからない見当識障害から始まり，計画を立てて実行する遂行機能障害や，進行すると失行（着替えられない），失認（家族の顔がわからない）といった中核症状が出現する．

- 初期から中期にかけては，ケアが大変な BPSD がある．とくに物盗られ妄想が出やすい．

●レビー小体型認知症

- 記憶障害は軽度だが，視空間認知障害（形が認識できない）や幻視，錯視が出現し，パーキンソニズムで転倒しやすい，夜中に夢を見て声を出したり動いたり，症状の変動が激しい，薬剤に過敏に反応するといった症状がある．
- 症状が現れる順番はそれぞれで異なるため，診断がつきにくい．

●前頭側頭葉変性症

- ピック病（性格と常同行動，反社会的行動），意味性認知症（言葉の意味がわからない），進行性非流暢性失語などがある．

●血管性認知症

- 脳卒中のあとに急激に認知機能が低下する．
- 意欲低下，うつが中心で，脳梗塞による巣症状（障害発生部位により，その部位が担う機能が障害される）も現れる．

診断・検査値

症状と画像検査で鑑別を行う．

- 長谷川式認知症スケールや MMSE（Mini-Mental State Examination）のような心理検査，頭部画像検査（頭部 CT あるいは MRI），血液・尿検査，胸部 X 線検査，心電図によって，治療可能な認知症と変性疾患による認知症化を鑑別する．
- アルツハイマー型認知症では，新しく記憶することが徐々に困難になる．CT や MRI で海馬の萎縮，脳血流 SPECT で後部帯状回の血流低下がみられることが特徴である．

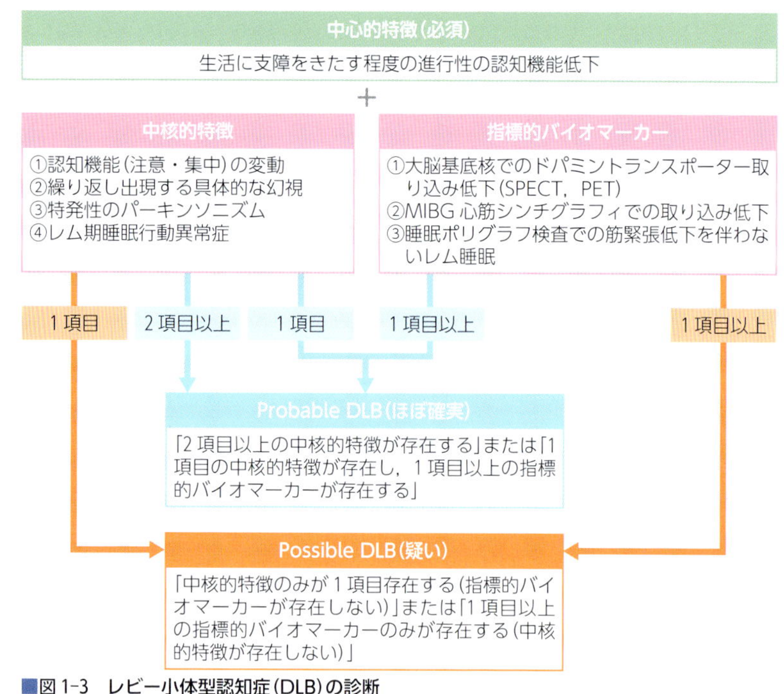

■図 1-3　レビー小体型認知症（DLB）の診断
〔McKeith IG, et al. Neurology 89 (1) : 88-100, 2017 より作成〕

- レビー小体型認知症の場合，心理検査では，MMSEの図形模写や立方体模写などがゆがむといった視空間認知障害，また構成障害が初期から出やすい．図1-3のように核医学検査(MIBG心筋シンチグラフィ，ドパミンSPECT)，睡眠ポリグラフの結果も診断の補助に有用である．
- 血管性認知症では，頭部CTやMRIで脳梗塞，脳出血，多発梗塞，広範囲な虚血(ビンスワンガー型)などを認める．
- 脳波検査によって，てんかんなど意識障害との鑑別を行う．

●検査値

- アルツハイマー型認知症では，髄液検査はリン酸化タウ上昇を認める(保険適用)．

合併しやすい症状

- BPSDを合併することが多い．
- 認知症が進行すると誤嚥性肺炎，尿路感染，転倒骨折外傷などを合併する．

治療法

●治療方針

- 薬物療法と非薬物療法がある．
- アルツハイマー型認知症は，進行性であり，現段階で根本治療薬はない．認知機能や日常生活動作の維持を目的に認知症治療薬を投与する．
- BPSDについては，不眠には睡眠薬，うつ状態には抗うつ薬を保険適用で使用する．現段階で抗精神病薬は保険適用が認められていないが，実際には使用することが多い．
- レビー小体型認知症には，幻視や認知機能低下，パーキンソニズムに対して薬物療法がある．リハビリテーションも日常生活動作を保つために有用な非薬物療法である．
- 血管性認知症には，脳血管障害の発症予防，再発予防が大切である．危険因子である高血圧，糖尿病，脂質異常症，肥満などの管理と治療を行う．
- 前頭側頭葉変性症は指定難病の1つであり，医療費補助の対象となる．対症療法，デイサービス利用，常同行動は止めないなどのケアが中心となる．

●薬物療法

- アルツハイマー型認知症の治療薬として，表1-1のコリンエステラーゼ阻害薬，NMDA受容体拮抗薬がある．初期にコリンエステラーゼ阻害薬のうち1種類を使い，中等度に進行したところでNMDA受容体拮抗薬を併用する治療が一般的である．
- レビー小体型認知症には，認知症治療薬のうちドネペジル塩酸塩(商品名：アリセプト)のみが保険適応がある．レビー小体型認知症に伴うパーキンソニズムには，ゾニサミド(商品名：トレリーフ)が保険適応をもつ．パーキンソン病ほど奏効しないがL-ドパを投与することもある．ただし，幻覚・せん妄が悪化することもあるため，増量が難しいこともある．
- 血管性認知症は，脳梗塞後の高血圧にはCa拮抗薬，ACE阻害薬，ARBなどで降圧をはかる．糖尿病，脂質異常症も認知症リスクとなるため適切に治療を行う．血糖管理は，MCI～軽度認知症はHbA1c 7.0未満，中等度以上の認知症はHbA1c 8.0未満と緩めの血糖コントロール目標とし，低血糖を回避するように気をつける．
- いずれにしても，物忘れがあることにより自己服薬管理は困難になるため，服薬支援が必要である．

■表1-1　認知症の主な治療薬

分類	一般名	主な商品名	薬の効くメカニズム	主な副作用
コリンエステラーゼ阻害薬	ドネペジル塩酸塩	アリセプト	アセチルコリンの分解酵素を抑制し脳内アセチルコリン量を増加させる	悪心・嘔吐，下痢，食欲低下，徐脈
	ガランタミン臭化水素酸塩	レミニール		
	リバスチグミン	リバスタッチ，イクセロン		
NMDA受容体拮抗薬	メマンチン塩酸塩	メマリー	グルタミン酸による神経毒性から保護する	めまい，眠気，頭重

Px 処方例　アルツハイマー型認知症に対し，以下のいずれかを用いる．

1) アリセプト錠 3 mg　1回1錠　1日1回　**←コリンエステラーゼ阻害薬**
　※2週間後，5 mg に増量する．高度に進行すると最大 10 mg 投与可能
2) レミニール錠 4 mg　1回1錠　1日2回　朝夕食後　**←コリンエステラーゼ阻害薬**
　※1か月使用し，1回 8 mg に増量し維持．最大1回 12 mg まで増量可能
3) リバスタッチパッチ（またはイクセロンパッチ）　1日1回 4.5 mg から開始し，最大 18 mg まで増量　**←コリンエステラーゼ阻害薬**
　※3ステップ漸増法（4.5 → 9 → 13.5 → 18 mg と増量する方法）と，1ステップで 9 → 18 mg と増量する方法がある．

Px 処方例　中等度アルツハイマー型認知症

- メマリー錠 5 mg　1回1錠　1日1回　**← NMDA 受容体拮抗薬**
　※徐々に増量し，眠気・ふらつきに注意して，最大 20 mg まで増量可能
　※コリンエステラーゼ阻害薬のうち1つと，メマンチン塩酸塩（商品名：メマリー）を併用することが可能

Px 処方例　レビー小体型認知症

- アリセプト錠 3 mg　1回1錠　1日1回　**←コリンエステラーゼ阻害薬**
　※2週間後，5 mg に増量する
- レビー小体型認知症に伴うパーキンソニズムには，ゾニサミド（商品名：トレリーフ），レボドパ・カルビドパ水和物合剤（商品名：メネシット，ネオドパストン L）を少量から開始する．それぞれの患者の症状に合わせて開始量や増量を決める．

- 高血圧や糖尿病などは脳血管障害の危険因子であることから，血管性認知症では生活習慣病の治療が大切である．高血圧には Ca 拮抗薬，糖尿病には糖尿病治療薬などを用いる．脳梗塞の再発予防にはアスピリン（商品名：バイアスピリン）錠 100 mg やシロスタゾール（商品名：プレタール）OD 錠 100 mg などを投与する．血管性認知症の意欲低下にはアマンタジン塩酸塩（商品名：シンメトレル）や脳代謝改善薬を用いる．

●非薬物療法

- 回想法，リアリティオリエンテーション，音楽療法などがあり，BPSD の軽減，認知機能の活性化を目的に行う．

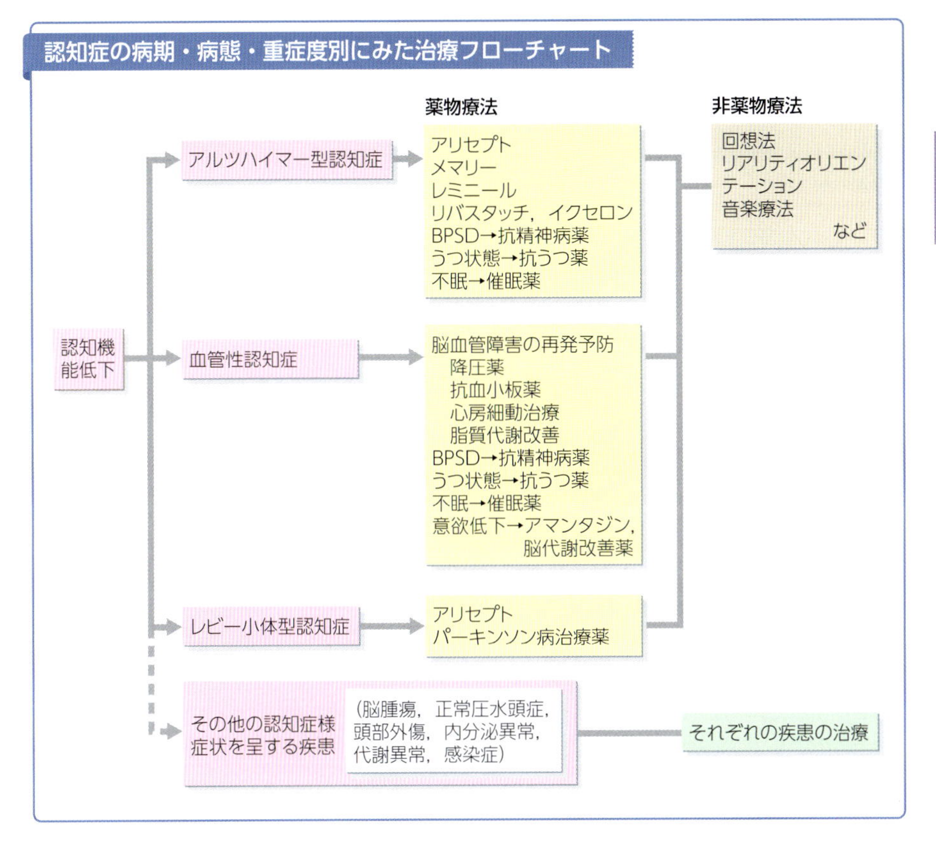
認知症の病期・病態・重症度別にみた治療フローチャート
薬物療法
非薬物療法
認知機能低下
アルツハイマー型認知症
アリセプト
メマリー
レミニール
リバスタッチ，イクセロン
BPSD→抗精神病薬
うつ状態→抗うつ薬
不眠→催眠薬
回想法
リアリティオリエンテーション
音楽療法
など
血管性認知症
脳血管障害の再発予防
降圧薬
抗血小板薬
心房細動治療
脂質代謝改善
BPSD→抗精神病薬
うつ状態→抗うつ薬
不眠→催眠薬
意欲低下→アマンタジン，脳代謝改善薬
レビー小体型認知症
アリセプト
パーキンソン病治療薬
その他の認知症様症状を呈する疾患
（脳腫瘍，正常圧水頭症，頭部外傷，内分泌異常，代謝異常，感染症）
それぞれの疾患の治療

認知症をもつ高齢者の看護

北川　公子

看護の視点

●基本的な視点

- 認知症をもつ高齢者は，身体機能の加齢変化に加え認知機能の低下を併せもつが，自分でできることを模索しながら主体的に生きようとしている人々である．
- 支援者は，認知症をもつ高齢者が示すちぐはぐな行動のなかから，どのような手がかりや手助けがあれば支障なく日常生活を送ることができるのかを見出し，その人らしく過ごせるよう環境を整え，その人が伝えようとしていることを多面的に検討する．そのうえで，不安や苦痛を軽減し，もてる力を引き出していくことが重要である．

※そのために，以下のような日常生活の看護のポイントに留意して援助していく．

1. 言語・非言語メッセージに注目し，生活歴や日ごろの暮らしぶりに関する家族からの情報と照らし合わせ，その意味を掘り下げる．
2. 睡眠・休息，覚醒・活動，食事，排泄，身じたく，コミュニケーションを，もてる力を引き出しつつ安全で快適に遂行できるよう，日々のケアと環境を整える．
3. 早期に症状や徴候に気づき，身体疾患，活動内容，服薬状況などとの関連性を検討する．
4. 不安や苦痛を軽減し，もてる力を引き出すケアと環境を提供することによりBPSDを予防する．

●発展的な視点

- 家族介護者の困難な状況は数多く報告されている．介護負担感，身体的疲労や持病，将来への不安にも注目し，家族介護者も視野に入れた看護計画を立案する．
- 認知症の初期段階で診断を受ける人が増え，当事者によるセルフヘルプグループ活動が活発になっている．認知症をもつ高齢者自身が前向きに生きていくことができるよう，人とのつながりや社会の中での役割を保ち，進行を予防できる支援のあり方について検討する．
- 骨折や肺炎，がんなどの身体疾患の治療を目的に入院する認知症の高齢者も増えている．高齢者の尊厳が守られ，かつ認知症の諸症状を増悪させることなく必要な治療を受けられるよう，説明のしかたや処置の方法など支援技術の開発が求められる．

■表1-2　認知症の病型別にみた看護の特徴

病型	看護の特徴
アルツハイマー型認知症	・アクティビティ，良好な人間関係，自立的な生活の遂行ならびに認知症治療薬により，認知症の進行を遅らせる援助を行う ・風邪や転倒，便秘などのちょっとした身体的不調や環境の変化が認知症の急速な悪化の引き金になる．そのため，健康管理と安定した生活環境の維持に努める
レビー小体型認知症	・パーキンソニズムに加えて認知機能や意識レベルの変動が大きいので，とくに転倒に注意する ・起立，移乗，方向転換などの諸動作はバランスを崩しやすいので，注意深く見守り支援する ・関節を動かす運動，座位や立位の姿勢を正しく保つようにする ・幻視・幻聴が出現している際は，周囲を明るくするなど不安の軽減に努める ・パーキンソニズム，幻視・幻覚に対して薬物が処方されている場合は，その有害作用にも留意する
前頭側頭葉変性症	・常同行動を途中でさえぎると興奮を招くことがある．常同行動を他の役割，例えばテーブル拭きなどの行動に転換していくよう試みる ・運動機能が保持されているので，リハビリテーションやアクティビティを積極的に取り入れる ・人の食べ物を食べたり，口いっぱい食べ物をほおばってしまうことがある．集団ではなく個別に食事がとれる環境を検討する ・行動抑制ができない自分をある程度，認識している高齢者のつらさに寄り添う
血管性認知症	・脳梗塞，脳出血の再発および高血圧，脂質異常症，糖尿病などの合併症の悪化を防ぐ ・麻痺や降圧薬等による血圧変動などに起因する転倒を予防する ・麻痺や関節拘縮，言語障害を伴うので，病棟でも継続して機能維持・回復に取り組む ・嚥下障害を伴う場合があるので，誤嚥性肺炎を予防する

情報収集・情報分析

	必要な情報	分析の視点
疾患関連情報	**現病歴と既往歴** ・認知症の原因疾患 ・認知症の程度(重症度) ・既往歴	□認知症の原因疾患は何か，いつ頃，どこで診断されたのか □現在の認知症の程度とその推移はどうか(どのスケールを用い，評価は何点か) □飲酒歴，正常圧水頭症など，認知症を示すほかの疾患はあるか □高血圧，脂質異常症，糖尿病など血管性認知症に併存しやすい疾患はあるか
	症状 ・生理的な物忘れ ・鑑別を要する症状 ・認知機能障害 ・行動・心理症状(BPSD) ・特有の症状	□加齢に伴う生理的な物忘れではないか □せん妄，抑うつ状態の可能性を否定できるか □どのような認知機能障害(記憶障害，見当識障害，全般性注意障害など)が認められるか．現在までどのような経過をたどったか □ BPSD の誘因となる出来事や環境の変化，体調不良はないか □レビー小体型認知症：パーキンソニズム，幻視や幻聴，日内変動など特有の症状が生活にどのような影響を及ぼしているか □前頭側頭葉変性症：社会的な逸脱行為，常同行動など特有の症状が生活および家族にどのような影響を及ぼしているか □麻痺，失行，失認，失語が生活にどのような影響を及ぼしているか
	検査と治療 ・認知症の診断方法 ・認知症治療薬の処方 ・BPSD に対する薬物療法	□どのような認知機能検査や診断基準が実施されたか．また，どのような評価結果であったか □どのような画像診断，臨床診断が実施されたか，また，どのような結果であったか □検査を受ける高齢者の不安や苦痛緩和のため，どのような配慮が必要か □認知症治療薬が処方されているか，その効果を高齢者本人をはじめ家族や医師はどのようにとらえているか，有害作用の有無，適切な剤形が処方されているか □ BPSD に対して，ケアや環境改善が行われたうえで，処方が検討されているか □処方の継続の必要性が検討されているか
身体的要因	**運動機能** ・失行 ・麻痺や関節拘縮 ・粗大運動性の不具合 ・巧緻性の不具合	□運動機能の障害がないにもかかわらず，日常生活動作が行えないのか．麻痺や関節拘縮があるため，日常生活動作が行えないのか □歩行，立ち座り動作，座位・立位保持は安定して行えるか．どのような自助具や介助があれば行えるか □ボタンをはめるなど，手先の細かい操作は安定して行えるか．どのような自助具や介助があれば行えるか
	認知機能，言語機能，感覚・知覚 ・全般性注意障害 ・記憶障害 ・見当識障害 ・実行機能障害 ・言語障害 ・視力低下 ・難聴	□注意を持続する，注目する方を選ぶ，同時に複数のことに気を配る，別の方向に注意を向けることにどのような支障が生じているか □新たな出来事や経験を記憶することができるか □即時記憶，近似記憶，遠隔記憶のうち，保持のよい記憶はどれか □どのような手がかりがあれば，過去の出来事を思い出せるか □得意とする手続き記憶は何か，生活に生かせているか □高齢者は自分，家族，支援者をどのように認識しているか □年，季節，日時をどのように認識しているか．時計やカレンダーは役立っているか □屋内外の場所を認識できているか(例：自分の家，自分の部屋，自分のベッド，トイレの場所など)．目印は役立っているか

	必要な情報	分析の視点
身体的要因		□構音障害や失語症はないか，また，コミュニケーションへの影響はどの程度か □見やすい文字の大きさはどれくらいか，老眼鏡を効果的に用いているか □難聴による応答の悪さを認知症と間違えていないか．耳垢塞栓の可能性はないか
心理・霊的要因	**健康知覚・意向，自己知覚** ・症状の自覚 ・進行を遅らせる活動への意欲	□高齢者は自分の症状や将来をどのように受け止めているか □抗認知症薬の服用やアクティビティの参加に対してどのような意向をもっているか
	価値・信念，信仰 ・その人らしさの表明 ・宗教的行事への関心・参加	□日々の言動から，どのような“その人らしさ”をくみ取れているか □宗教的行事に参加することが，精神的な安定につながっているか
	気分・情動，ストレス耐性 ・気分・情動の安定性 ・ストレス耐性の脆弱化	□気分・情動の安定性を損なう環境，支援者の言動にはどのようなものがあるか．どのような支援行為が気分・情動の安定につながるか □どのような状況設定が易怒性や攻撃的な行動を誘発するか
社会・文化的要因	**役割・関係** ・大切に思っている役割，その継続性と有用性 ・大切な人との関係の継続 ・新たな関係性の構築	□趣味や特技が生かされる役割が，生活のなかに用意されているか □役割を果たすことで，達成感や有用感が得られているか □信頼している人はだれか □これまでの家族との人間関係はどうか □認知症の発症前後で，人付き合いにどのような変化がみられているか
	仕事・家事・学習・遊び，社会参加 ・家庭内外での活動への参加の状況 ・参加に対する意向 ・プログラムへの適合性	□家事，家族旅行，冠婚葬祭など，どのような家庭の行事に参加できているか □家庭内外の行事に参加に対する意欲や参加状況はどうか □集団プログラム，個別プログラム，それぞれの適合性はどうか
睡眠・休息	**睡眠・休息のリズム**	□入眠・覚醒時間，夜間覚醒回数，再入眠に要する時間はどれくらいか □入院・入所先の消灯時間と，これまでの就寝時刻とにずれはないか □不眠や昼夜逆転の原因は何か □日中，どのような方法・時間・タイミングで休息をとっているか
	睡眠・休息の質 ・薬物の使用と影響 ・BPSDの影響	□催眠鎮静薬の種類，服用時間，処方期間，有害事象はあるか □幻覚・妄想，夜間せん妄，徘徊などによって，睡眠・休息が阻害されていないか □疲労感が増強した場合にどのような表情や徴候がみられるか
覚醒・活動	**覚醒** ・覚醒レベル	□活動に望ましい時間帯に入眠することがあるか（例：食事中に眠る），その原因は何か，生活全体への影響はどの程度か
	活動の個人史・意味 ・活動範囲・内容の変化	□認知症の発症前から現在までの行動範囲や活動内容には，どのような変化があるか

	必要な情報	分析の視点
覚醒・活動	**活動の発展** ・継続している活動 ・新たな活動	□家庭内外でどのような活動が継続しているか □認知症発症以降にみられる活動の広がりには，どのようなものがあるか（例：通所介護の利用，認知症カフェへの参加など）
食事	**食事準備** ・調理，配膳	□買い物や調理の過程にかかわれていることはあるか □配膳の際の注意点はどのようなことか
	食思・食欲 ・食欲 ・嗜好	□拒食，食欲の亢進や低下はないか □嗜好の変化はないか，食べ物以外の物を口にすることはないか □人の分まで食べてしまうことがあるか
	姿勢・摂食動作 ・食事にかかる時間 ・摂食動作，食事姿勢	□１回の食事にかかる時間はどのくらいか．食事中に中断がみられるか，中断しても自ら食事を再開できるか □食事をとる場所とその際の姿勢 □箸，スプーンが使えるか，食器を持って食べられるか □食事中の姿勢崩れの有無と姿勢の変化はどうか
	咀嚼・嚥下機能 ・食形態 ・食べこぼし	□むせの有無，むせる食品や調理形態は何か，どのような食べ方のときにむせるか □食べこぼしの有無，道具との適合性，口の開き方，箸やスプーンの運び方はどうか □食事に集中することができるか
	栄養状態 ・食事摂取量，栄養状態	□食事摂取量はどうか，BMI など栄養指標の経時的変化はないか □低栄養状態にないか，それはなぜか
排泄	**尿・便をためる**	□１回の排尿量，排便量はどのくらいか □介助のたびに下着への汚染がみられる
	尿意・便意 ・尿意や便意の知覚および時間帯 ・尿意や便意の知らせ方	□尿意や便意の知覚の有無と，その確かさはどうか □尿意・便意を感じた際の特有の行動，身振りにどのようなものがあるか □ナースコールやその他の方法で，排泄の介助を求めることができるか
	姿勢・排泄動作 ・トイレの場所の把握 ・排泄に伴う諸動作 ・排泄物の処理	□トイレの場所がわからずに，トイレ以外の場所で排泄することがあるか □立ち座り，衣類の上げ下ろし，排泄後の始末をする動作などができているか □排泄後に水を流す，手を洗うなどの動作ができるか
	尿・便の排出 ・排尿・排便間隔	□１日にトイレに行く回数はどのくらいか □下剤がなくても，1〜2 日に一度，排便があるか □トイレに入ってから出るまでに，どのくらい時間がかかるか
	尿・便の状態 ・排泄物の観察方法	□排泄物を観察できているか □排泄物に便秘や尿路感染の徴候が現れていないか
身じたく	**清潔** ・入浴 ・口腔ケア	□認知症になる前の入浴習慣，入浴に対する好み，介助を受けることへの羞恥心はどうか，抵抗はみられるか □身体や頭を洗う動作に対して，どのようなことができ，どの部分に介助が必要か □認知症になる前の口腔ケアの習慣はどうであったか □口腔ケアを受けることに拒否はないか，ある場合その理由は何か

	必要な情報	分析の視点
身じたく	**身だしなみ** ・季節に合った衣類の選択 ・整容	□着衣，脱衣の動作性，および手順がわかるか □ボタンを留める，紐を結ぶなどの巧緻性はどうか □季節にそぐわない素材の衣類，多すぎる枚数の衣類を着用することはないか □朝晩，更衣をして，生活にメリハリをつけることができているか
	おしゃれ ・好みの衣類の調達	□おしゃれへの関心・意欲は保持しているか．おしゃれを必要とするような活動の機会が用意されているか
コミュニケーション	**伝える・受け取る** ・言語メッセージと非言語メッセージ ・身振りやしぐさ，表情 ・書字・読字 ・補聴器，眼鏡の使用	□理解可能な文章の長さや内容はどの程度か □発語あるいは非言語的な表現として，どのような特徴をもっているか □身振り，しぐさ，表情として表出している意味にどのようなものがあるか □難聴の有無や補聴器の適合性はどうか □書字，読字機能がどの程度保持されているか □老眼鏡を使えているか
	コミュニケーションの相互作用・意味 ・人との交流	□人が交流している場にいることが心地よさそうか □言葉を交わす，ともに作業をする相手は誰か □慰めあう，癒しあう相手は誰か
	コミュニケーションの発展 ・IT の活用	□電子的な表示やロボットに関心を寄せるか □自分の過去を追想する道具(例：アルバム)や機会はあるか

アセスメントの視点(病態・生活機能関連図へと導くための指針)

「認知症高齢者の日常生活自立度」のランクⅢは，食事や排泄などの生活行動に，直接的な介助が必要となる状態像である．周囲の人との意思疎通に不具合が生じ，行動範囲も狭まりがちなステージであるが，高齢者は，これまでの人生で培った「もてる力」を発揮し，自分の価値や信念に基づいて意思決定をしながら，安心して眠り，自分で食べ，おむつをしているかもしれないがトイレで排泄し，人から不快に思われない身だしなみを保てて，制止されることなく動き，人と交流できる，という暮らしを，できるだけ長く続けたいと願っている．

ここからは，このような状態像に焦点をあて，看護を展開する．

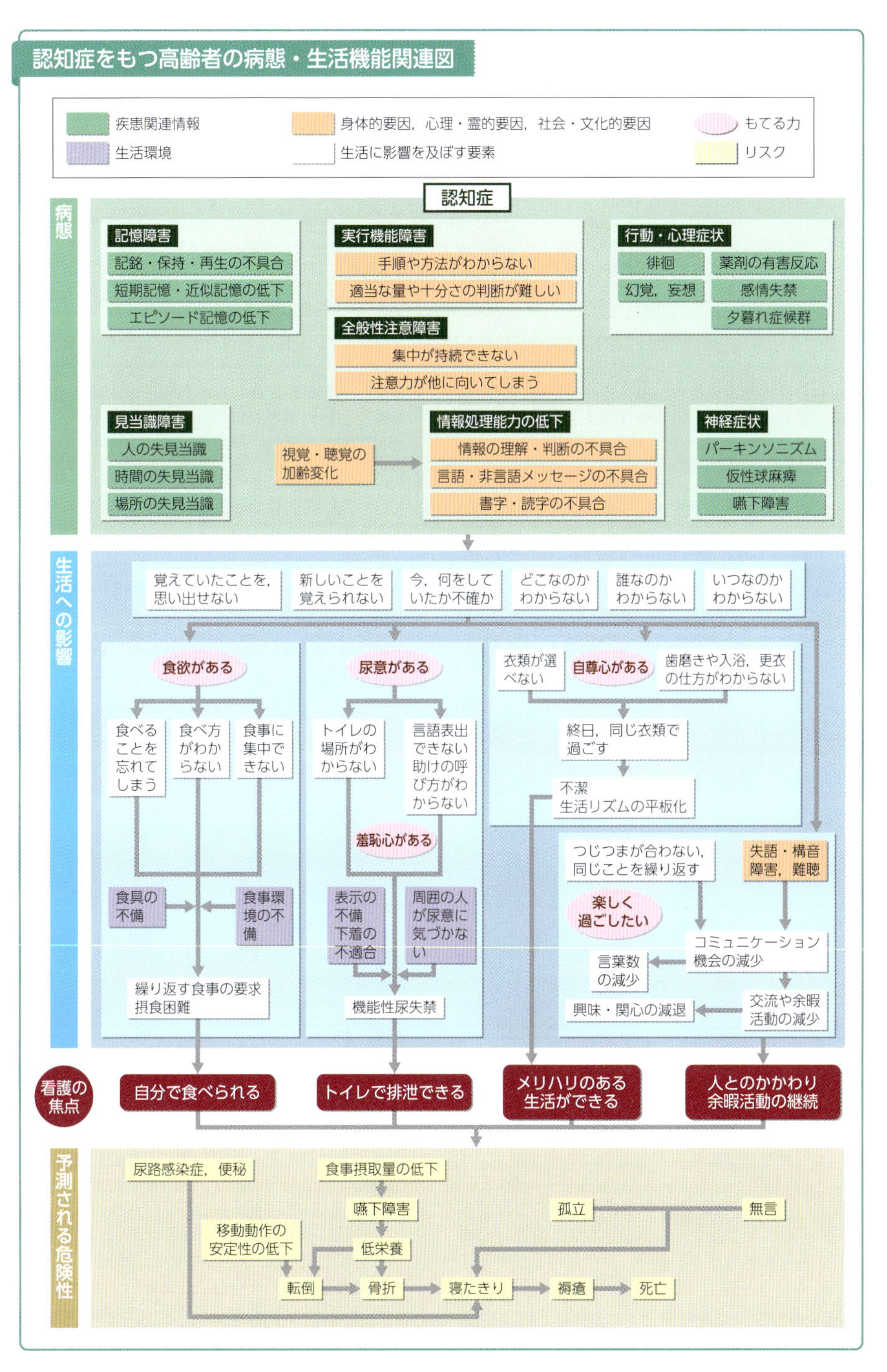

認知症をもつ高齢者の病態・生活機能関連図
疾患関連情報
生活環境
身体的要因，心理・霊的要因，社会・文化的要因
生活に影響を及ぼす要素
もてる力
リスク
病態
認知症
記憶障害
記銘・保持・再生の不具合
短期記憶・近似記憶の低下
エピソード記憶の低下
実行機能障害
手順や方法がわからない
適当な量や十分さの判断が難しい
全般性注意障害
集中が持続できない
注意力が他に向いてしまう
行動・心理症状
徘徊
薬剤の有害反応
幻覚，妄想
感情失禁
夕暮れ症候群
見当識障害
人の失見当識
時間の失見当識
場所の失見当識
視覚・聴覚の加齢変化
情報処理能力の低下
情報の理解・判断の不具合
言語・非言語メッセージの不具合
書字・読字の不具合
神経症状
パーキンソニズム
仮性球麻痺
嚥下障害
生活への影響
覚えていたことを，思い出せない
新しいことを覚えられない
今，何をしていたか不確か
どこなのかわからない
誰なのかわからない
いつなのかわからない
食欲がある
食べることを忘れてしまう
食べ方がわからない
食事に集中できない
食具の不備
食事環境の不備
繰り返す食事の要求
摂食困難
尿意がある
トイレの場所がわからない
言語表出できない
助けの呼び方がわからない
羞恥心がある
表示の不備
下着の不適合
周囲の人が尿意に気づかない
機能性尿失禁
衣類が選べない
自尊心がある
歯磨きや入浴，更衣の仕方がわからない
終日，同じ衣類で過ごす
不潔
生活リズムの平板化
つじつまが合わない，同じことを繰り返す
失語・構音障害，難聴
楽しく過ごしたい
コミュニケーション機会の減少
言葉数の減少
交流や余暇活動の減少
興味・関心の減退
看護の焦点
自分で食べられる
トイレで排泄できる
メリハリのある生活ができる
人とのかかわり余暇活動の継続
予測される危険性
尿路感染症，便秘
食事摂取量の低下
嚥下障害
低栄養
移動動作の安定性の低下
孤立
無言
転倒
骨折
寝たきり
褥瘡
死亡

STEP 1 アセスメント　STEP 2 看護の焦点の明確化　STEP 3 計画　STEP 4 実施

看護の焦点の明確化

#1　食べたことを忘れたり，食べ方やマナーの逸脱があっても，自分でおいしく食べることができる
#2　場所や手順が不確かになり，トイレに間に合わないこともあるが，自尊心を保ち，トイレで排泄することができる
#3　時間の感覚が不確かになるが，メリハリのある生活時間をすごすことができる
#4　話の内容がわからず，人付き合いが苦手になるが，清潔な身だしなみと失敗しても許される雰囲気があれば，人との交流や作業・趣味活動に加わることができる

STEP 1 アセスメント　STEP 2 看護の焦点の明確化　STEP 3 計画　STEP 4 実施

1 看護の焦点	看護目標
食べたことを忘れたり，食べ方やマナーの逸脱があっても，自分でおいしく食べることができる	1) 摂食・嚥下機能に適した献立を，誤嚥することなく経口的に摂取できる 2) 部分的であっても，自力で摂食できる 3) 食事による満足感が得られる

具体策（支援内容）	根拠
1. 食事をした経験を記憶できないことへの配慮	
・食べたことを忘れてしまい，再度，食事の要求があった場合，なぜそのように訴えるのかを検討し，理由によって対応方法を工夫する	●「すでに食事を済ませている」という事実の追及に終始すると，「否定された」体験が強く残ってしまう．記憶できないこと以外にも，何もすることがないために食事に強くこだわってしまう可能性なども考えられる
・食べたにもかかわらず，食べていないと主張する場合は，カロリーの低いおやつを提供する，一緒に食事の準備をするなど，高齢者の満足を優先する対応を検討する	●食事という基本的欲求の充足による満足感・安心感は大きく，波及効果が期待できる
・食事だけで解決しようとせず，生活全体を見直す	●役割や楽しめる活動がないため，食事に強くこだわっている可能性がある
2. 食具の選択	
・高齢者の機能に見合う道具，食形態を用意する．箸，スプーン，あるいはその両方．あるいは，自宅で使い慣れた食器の使用．手で食べるのであれば，おにぎりにする	●高齢者が自分で食べられることを最優先し，それに合った自助具，食形態を用意する．重度認知症があっても長年使い慣れた箸を上手に使う高齢者もいる
・嚥下機能に見合った食形態を選択する	●嚥下機能に合っていない食形態は誤嚥を起こすおそれがある
3. もてる力を活かした食事動作の支援	
・支援者がペースメーカーの役割を果たし，「もう一口食べましょうか」など，食事への注意を引き戻す役割をとる	●食事の途中で集中力がとぎれ，自ら摂食リズムをつくりにくい．おおよそ1時間以内に食べ終えることができるように支援する必要がある
・「食物を器からすくえないが，口に運ぶことはできる」「器に口をつけて飲むことはできるが，箸やスプーンは使えない」など，できない部分は様々である．ただちに全介助をするのではなく，できる部分は自分で行うような支援方法をとる	●部分的な介助を行うより，全介助したほうが時間の短縮になり，食べこぼしも少ない．しかし，食器に手を伸ばす，箸をにぎる，食べ物を口に運ぼうとするなどの主体的な動作を尊重し，できない部分を中心に介助を行う．そのことが食べることへの意欲の持続にもつながる

2 看護の焦点	看護目標
場所や手順が不確かになり，トイレに間に合わないこともあるが，自尊心を保ち，トイレで排泄することができる	1) 日中，トイレに行くことができる 2) 日中，何度かはトイレで排泄できる 3) 下着などの工夫により，外出や交流が継続できる

具体策（支援内容）	根拠
1. 尿意・便意の把握と自尊心に配慮したトイレ誘導	
・言葉だけでなく，動作や行動の特徴（立ち座りを繰り返す，落ち着きがない，部屋や廊下の隅のほうに行くなど）からも尿意・便意を把握し，排泄パターンをふまえて，ゆとりをもち自尊心に配慮してトイレへ誘導する	●排泄間隔をとらえることができれば，尿意・便意の自発的な表明がなくても，誘導によりトイレでの排尿が可能になる．また，自尊心の保持や尿路感染の予防の観点からも重要である
2. トイレ環境の調整	
・掲示やドアの色を変えるなどにより，トイレの場所をわかりやすくする．トイレ内には洗剤などを置かず，見つけやすい位置にトイレットペーパーなどを配置する	●トイレのドアを他の環境に比べて目立つようにすることで，見つけやすくなる．混乱しないよう，トイレ内の環境はシンプルに整える
・流し忘れや汚れがあるかもしれないので，使用後のトイレを点検し，適宜掃除をする	●使用後のトイレを確認することで，排尿・排便の有無や，動作の不具合を把握できる
3. もてる力を活かした排泄動作の支援	
・衣類の上げ下ろし，陰部をペーパーでふくことなど，自分でできる動作は自分で行ってもらう	●衣類を下げきらないうちに排尿したり，使用したペーパーをポケットに入れるなど，行為の順序が混乱することがある．羞恥心に配慮し最小の支援でもてる力を引き出す方法を考える

3 看護の焦点	看護目標
時間の感覚が不確かになるが，メリハリのある生活時間をすごすことができる	1) 食事，更衣，日中の離床などにより，リズムのある生活を送ることができる 2) 日中，散歩や体操などを行うことで，長年，習慣化した時間に起床・就寝できる

具体策（支援内容）	根拠
1. 生活リズムの調整	
・起床・就寝，三食の時間，入浴の時間など，長年培った生活習慣に近い生活リズムが刻めるようにする ・体操や外出など身体を動かすプログラムを生活に組み込む	●朝晩の更衣，離床，食事をとることで，おのずと生活リズムが整ってくる．リズムが整うことで，食欲の改善，定期的な排便，快適な入眠につながりやすい
2. 気分転換，休息への誘導	
・入浴や更衣を拒否する場合は，無理強いせず，時間や誘導方法を変えて勧めてみる	●高齢者の都合ではなく，支援者側の都合でケアを進めていないか確認する
・気分転換できる活動に誘ってみる．家族に面会に来てもらう	●気分転換や安楽，爽快につながる支援によって安心感が高まり，BPSD の予防にもつながる

4 看護の焦点	看護目標
話の内容がわからず，人付き合いが苦手になるが，清潔な身だしなみと失敗しても許される雰囲気があれば，人との交流や作業・趣味活動に加わることができる	1）相手の話を聞こうとする態度，何かを伝えようとする態度がみられる 2）楽しんで集団プログラムあるいは個別プログラムに参加することができる

具体策（支援内容）	根拠
1. 他者との交流	
・気の合う他者に出会い，集うことのできる日課（食事やティータイムの設定とその際の座席）を検討する	●つじつまの合わない話であっても傾聴する態度で対応する他者は，認知症をもつ高齢者のコミュニケーションへの意欲の保持に大きく貢献する
・プログラム（家事や軽作業，アクティビティ，回想法などの実施とグルーピング），生活環境（同室者の組み合わせ，たまり場づくり），会話を促進するような思い出の品物などを整える	●会話だけに頼らず，協同作業や楽しみの共有によっても交流は促進される
2. 支援者との良好な関係の構築	
・アイコンタクト，うなずき，発語への励まし，あるいは待てること，発語や発声を促す応答などのコミュニケーション技術を用いる	●認知症をもつ高齢者がコミュニケーションへの意欲を損なわない，あるいは能力を保持するために最も必要なのが“よい聞き手”の存在である．「ちょっと待ってね」と言われてそのままにされたり，一生懸命話しても（同じ話を繰り返してしまうので）相手に「ふんふん」と受け流されてしまったり，あるいは話の矛盾点や間違いを指摘されてしまう．発病以降のこのような心ない対応が何よりも高齢者の無力化を生んでいる
3. 伝える力の保持	
・音読，書字の機会を設ける ・新聞の見出しやRO（reality orientation）ボード（今日の日付や天気などを掲示したボード）の音読，歌詞カードを見ながら歌を歌う，作品への署名，日記などの活用を検討する	●筆記用具が身近にあったとしても，中等度以上の認知症になると自らが何かを書きとめようとすることはあまりない．しかし，重症認知症であっても，自分の名前を書ける人は少なくないので，書字の機会を設けるかかわりをもつ ●あいさつのやりとりや摂食嚥下体操は，言語的コミュニケーション能力の保持，（意味理解が困難でも）発声器・呼吸器の機能維持につながる
4. 楽しみにしていることの創出	
・高齢者が楽しんで参加できる活動を，生活歴や手続き記憶をもとに探す	●楽しみや有用感を感じることが，他者との交流に対する意欲の維持につながる

関連項目

※もっと詳しく知りたいときは，以下の項目を参照しよう．

認知症との鑑別

- 「25 抑うつ状態（→ p.451）」「26 せん妄（→ p.465）」：認知症と間違われることがあるので，症状の特徴をしっかり押さえよう

重度化の予防

- 「3 脳卒中（→ p.93）」：認知症の原因疾患の 1 つであり，再発は認知症の重度化に直結する．再発しないための療養生活の留意点を確認しよう
- 「2 パーキンソン病（→ p.73）」：認知症の症状を呈することがあるので病態を知っておこう
- 「5 肺炎（→ p.129）」「16 低栄養（→ p.323）」：原因，治療，予防策を確認しよう

ADL・QOL を保つ

- 「15 摂食嚥下障害（→ p.304）」「19 排尿障害（→ p.364）」「21 睡眠障害（→ p.394）」「22 言語障害（→ p.405）」「29 転倒（→ p.504）」：障害の最小化を図りつつ，保持されている機能を最大限に引き出す支援のヒントをつかもう

高次脳機能障害

山田　律子

「認知症」との違いは進行しないこと．しかし，共通する症状は多く，看護の視点も同様

定義・診断

頭部外傷や脳血管障害などにより高次の脳機能（記憶，言語，注意，遂行機能などの認知機能）が障害され，日常生活や社会生活に支障をきたした状態をいう．高次脳機能とは，動物が生まれながらにしてもつ生命維持や運動・感覚など基本的な脳機能に対して，人間が自立生活を営むために誕生後に獲得した脳機能を示す．認知症も高次の脳機能が障害されるが，進行性疾患であることから，高次脳機能障害とは区別して用いることが多い．

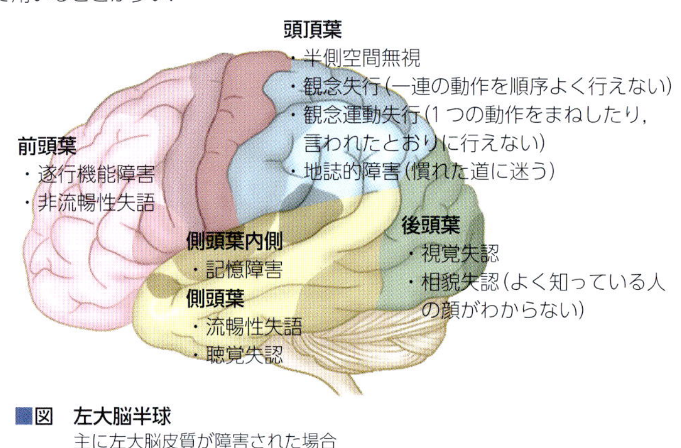

■図　左大脳半球
主に左大脳皮質が障害された場合

症状・検査・治療

原因疾患は，①頭部外傷と②脳血管障害で 9 割以上を占め，その他に脳炎や低酸素脳症などがある．主な症状は，記憶障害，注意障害，遂行機能障害，社会的行動障害などの認知機能の障害で，図のように脳の損傷部位により症状が異なる．主な検査は，大脳の CT や MRI，神経心理学検査である．確立した治療法はなく，社会復帰を目的としたリハビリテーションが中心となる．

看護の視点

発症後 1 年ほどは著明な改善を認め，2 年ほど経過すると症状が固定し始めるが，その後も継続的な環境調整とリハビリテーションが有効である．周囲のかかわり方が，高齢者の行動・心理に大きな影響を及ぼす．一方で外見上はわかりにくいため，周囲の理解が得られにくいという特徴もある．支援者自身が正しい病態の知識をもつとともに，家族をはじめ，かかわる人々の本障害への理解と対応法について支援する必要がある．看護のポイントは，認知症高齢者に対する看護同様，認知機能の障害により常に不安を抱える高齢者の視点に立ち，生活史をヒントに「もてる力」に着目して，その力を発揮でき達成感や喜びを感じられるような環境を整えることである．

2 パーキンソン病

亀山　祐美

目でみる疾患

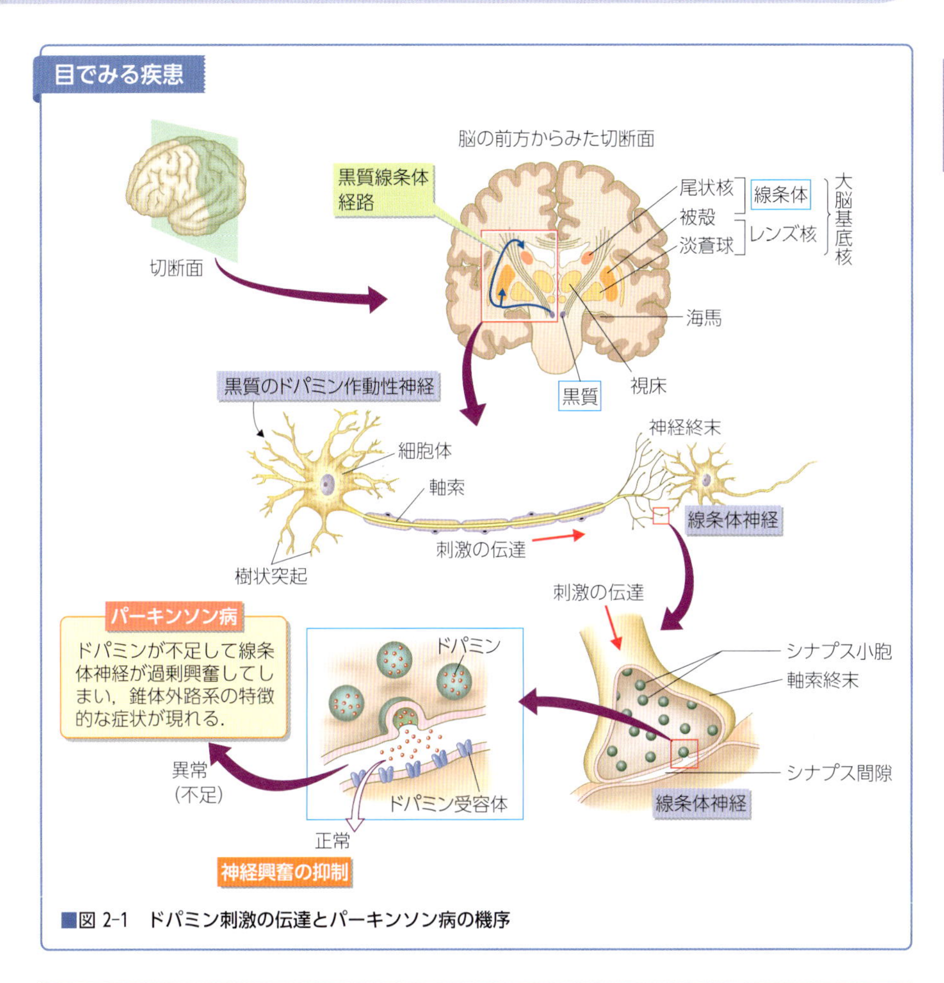

■図 2-1　ドパミン刺激の伝達とパーキンソン病の機序

病態生理

パーキンソン病は，脳内のドパミン不足と相対的に過剰になったコリン作動性刺激によって起こる神経変性疾患である.

- パーキンソン病は，黒質のドパミン作動性神経が選択的に変性・脱落し，黒質からのドパミンの放出量が少なくなり線条体へのドパミン刺激が減少することで起こる錐体外路系の変性疾患である．中年期以降に発症することが多いが，まれに若年性や遺伝性もある.
- ドパミン受容体を遮断する作用をもつ薬物（抗精神病薬であるハロペリドールなど）を服用すると，ドパミン刺激が線条体に伝わらず，薬剤性パーキンソニズムが副作用として生じることがある.

病因・増悪因子

- ドパミン作動性神経にレビー小体（α シヌクレインからなる）が異常に蓄積することで起こる.

- 近年，運動症状発現以前の病期を総称するパーキンソン病前駆状態（prodromal PD）が提唱されている．これは環境要因（性，喫煙，カフェイン摂取など），遺伝因子（家族歴，遺伝子検査），運動前駆症状（便秘，嗅覚低下，運動徴候）などから診断するもので，超早期の診断・介入に関心がもたれている．

疫学・予後

- 女性が男性よりも 2 倍多い傾向がある．10 万人に 100～150 人くらいだが，60 歳以上では 10 万人に約 1,000 人と多くなっている．
- 進行性で長期慢性経過をたどる．

症状

安静時振戦，筋強剛，無動・寡動，姿勢反射障害，そのほかに同時に 2 つの動作をする能力の低下，自由にリズムをつくる能力の低下といった運動症状が現れる．

- 運動症状として，初発症状は振戦が最も多く，次に動作の拙劣さが続く．症状の左右差があることが多い．
- 動作は全般的に遅く拙劣・緩慢となり，椅子からの起立時やベッド上での体位変換時に目立つことが多い．表情は変化に乏しく（仮面様顔貌），言葉は単調で低くなる．
- 歩行は前傾前屈姿勢で，前後にも横方向にも歩幅が狭く，歩行速度は遅くなる．進行すると，すくみ足がみられる．方向転換するときや狭い場所を通過するときに障害が目立つ．
- 精神症状として意欲の低下，認知機能障害，幻視，幻覚，妄想などの多彩な症状が認められる．
- 睡眠障害（昼間の過眠，REM 睡眠行動異常など），自律神経障害（便秘，頻尿，発汗異常，起立性低血圧），嗅覚の低下，痛みやしびれ，浮腫など様々な症状を伴うことが知られている．

診断・検査値

症状と除外診断，パーキンソン病治療薬の効果で診断される．

- パーキンソン症状と問診，神経診察で確認し，除外診断（パーキンソニズムをきたす薬剤の使用の有無，頭部 CT や MRI で脳血管障害の有無）を行う．
- MIBG 心筋シンチグラフィ（交感神経機能低下）や DAT スキャン〔線条体のドパミントランスポーター（DAT）密度〕を補助的に用いる．
- 重症度の診断には，ホーン-ヤールの重症度分類（表 2-1）が用いられる．

検査値

- 血液検査や髄液検査などでは特異的なマーカーはない．

表 2-1　ホーン-ヤールの重症度分類と生活機能障害度分類

ホーン-ヤールの重症度分類		生活機能障害度	
1 度	一側性障害のみで，片側上下肢の静止振戦・強剛のみ．通常，機能障害は軽微またはなし	Ⅰ度	日常生活，通院は 1 人で可能．労働能力もかなり保たれる
2 度	両側性障害で，四肢・体幹の静止振戦・強剛と姿勢異常・動作緩慢（無動がみられる）		
3 度	歩行障害が明確となり，方向転換や押された時の不安定さなど姿勢反射障害がみられる．身体機能はやや制限されているものの，職業の種類によってはある程度の仕事も可能である．身体的には独立した生活を遂行できる．その機能障害度はまだ軽度ないし中等度にとどまる	Ⅱ度	ⓐ身の回りのことなどは何とか 1 人で可能．細かい手指の動作，外出，通院などには部分的介助が必要．労作能力はかなり制限
4 度	無動は高度となり，起立・歩行はできても障害が強く，介助を要することが多い．姿勢反射障害は高度となり，容易に転倒する		ⓑ日常生活の大半は介助が必要となり，通院は車で運んでもらわないと困難．労働能力はほとんど失われる
5 度	1 人では動けないため，寝たきりとなり，移動は車椅子などによる介助のみで可能	Ⅲ度	すべての日常生活は介助が必要で，労働能力はまったくない

合併しやすい症状

- 幻覚，妄想，うつ状態，認知症
- 自律神経症状（排尿障害，便秘，起立性低血圧）
- 悪性症候群（治療薬開始時，中止時に注意が必要）

治療法

●治療方針

- 根本治療薬は現在までのところ開発されていない．すべての治療は対症療法であるので，症状の程度によって適切な薬物療法や手術療法を選択する．

●薬物療法

- 現在，大きく分けて9グループの治療薬（表2-2）が使われている．それぞれに特徴があり，必要に応じて組み合わせて服薬する．

■表2-2　パーキンソン病の主な治療薬

分類	一般名	主な商品名	薬の効くメカニズム	主な副作用
ドパミン前駆体補充薬	レボドパ	ドパゾール，ドパストン	ドパミンを増加させる	悪性症候群，ウェアリングオフ
	レボドパ・カルビドパ水和物（合剤）	メネシット，ネオドパストンL デュオドーパ（LCIG療法に使用）		悪性症候群
ドパミン放出促進薬	アマンタジン塩酸塩	シンメトレル	ドパミン神経終末に作用してドパミンの放出を促進	幻覚，せん妄
ドパミン受容体刺激薬（ドパミンアゴニスト）	ブロモクリプチンメシル酸塩	パーロデル	ドパミン受容体を刺激し，ドパミン刺激伝達を促進	突発的睡眠，幻覚，妄想
	プラミペキソール塩酸塩水和物	ビ・シフロール，ミラペックス		
	ロピニロール塩酸塩	レキップ，ハルロピ		
	ロチゴチン	ニュープロ		
	アポモルヒネ塩酸塩水和物	アポカイン		
MAOB阻害薬	セレギリン塩酸塩	エフピー	ドパミンの代謝を抑制し，ドパミンモジュレーターとして治療効果を延長	幻覚，妄想，せん妄
COMT阻害薬	エンタカポン	コムタン	レボドパの代謝を阻害	ジスキネジア，幻覚，傾眠
アデノシンA_{2A}受容体拮抗薬	イストラデフィリン	ノウリアスト	ドパミンとアデノシンのバランスをよくしてオフ症状を改善	幻覚，うつの悪化，食欲減退
抗コリン薬	トリヘキシフェニジル塩酸塩	アーテン	パーキンソン病で亢進しているアセチルコリンニューロンの活動を抑制	口渇，便秘，排尿困難，せん妄，記銘力低下
ノルアドレナリン前駆物質	ドロキシドパ	ドプス	パーキンソン病で減少するノルアドレナリンを増やし，起立性低血圧やすくみ足に有効	末梢循環不全（血液透析中・閉塞隅角緑内障は禁忌）
レボドパ賦活薬	ゾニサミド	トレリーフ	チロシンからのドパミン合成を促進	眠気，脱力感

- パーキンソン病治療の基本薬はレボドパ(L-ドパ)とドパミンアゴニストである．早期にはどちらも有効であるが，L-ドパによる運動合併症が起こりやすい若年者は，ドパミンアゴニストで治療開始すべきである．一方，高齢者(一つの目安として 70～75 歳以上)および認知症を合併している患者は，ドパミンアゴニストによって幻覚・妄想が誘発されやすく，運動合併症の発現は若年者ほど多くないので L-ドパで治療開始してよい．症状の出現の程度，治療効果，副作用などに応じて薬剤の選択を考慮する(フローチャート参照)．
- 早期パーキンソン病については高齢者，認知機能低下，精神疾患がある場合を除きドパミンアゴニストで治療開始が推奨されてきたが，症状改善を急ぐ場合は L-ドパ製剤での治療開始を推奨している．
- 進行したパーキンソン病では，ウェアリングオフ現象(L-ドパ製剤の効果持続時間が短くなり，次の服薬前に症状が現れる状態)の治療にドパミンアゴニストの投与および増量を行う．
- すくみ足には，パーキンソン病治療薬の増量，ドロキシドパ増量(600～900 mg)を検討する．
- 起立性低血圧の治療には，弾性ストッキングの使用や，塩分摂取，薬物療法としてミドドリン塩酸塩，ドロキシドパを使用する．
- 副作用のジスキネジアに対しては，L-ドパの 1 回量を減らして頻回投与したり，ドパミンアゴニストを補充して L-ドパ総量を減らしたりする．
- 幻覚・妄想が出た場合は，抗コリン薬，アマンタジン塩酸塩，セレギリン塩酸塩，ドパミンアゴニストを中止して経過をみる．
- レボドパ・カルビドパ水和物の合剤(商品名：デュオドーパ)を直接空腸に投与する L-ドパ持続経腸療法がわが国でも可能となった．これは，胃瘻を経由して空腸までチューブを挿入し，体外式ポンプによって薬剤を持続的に投与するものである．L-ドパの頻回内服の負担をなくし，ウェアリングオフ現象やジスキネジアを抑えることができる．

Px 処方例 早期パーキンソン病

- ミラペックス LA 錠　1 回 0.375 mg　1 日 1 回より開始し，1 回 1.5～4.5 mg　1 日 1 回で維持　←ドパミン受容体刺激薬

Px 処方例 認知症・幻覚を伴う場合

- L-ドパから開始する．
  メネシット配合錠 100 mg　1 回 1 錠　1 日 2 回　朝夕食後(少量から増量)　←ドパミン前駆体補充薬
- 治療中に認知症，幻覚が出た場合は，L-ドパ以外のパーキンソン病治療薬(抗コリン薬，アマンタジン塩酸，セレギリン塩酸塩，ドパミンアゴニスト，エンタカポン，ゾニサミド)などを減量・中止する．
- それでも精神症状が持続するときは，L-ドパの減量，非定型抗精神病薬や認知症治療薬(コリンエステラーゼ阻害薬)を試してみてもよい．
  セロクエル錠 25 mg　1 回 1 錠　1 日 1 回　夕食後　←非定型抗精神病薬

Px 処方例 ウェアリングオフ症状の治療

- L-ドパを 1 日 4～5 回の分割投与に変更，またはドパミンアゴニストを開始，増量，変更する．そのうえで以下の薬剤のうちいずれかを，または組み合わせて追加する．
  - ・コムタン錠 100 mg　1 回 1 錠　L- ドパ製剤と併用し 1 日 8 回まで　← COMT 阻害薬
  - ・エフピー OD 錠 2.5 mg　1 回 1 錠　1 日 1 回　朝食後(1 日 2～4 錠まで増量)　← MAOB 阻害薬
  - ・トレリーフ錠 25 mg　1 回 1 錠　1 日 1 回　朝食後(効果が不十分な場合は 1 回 2 錠　1 日 1 回まで増量)　←レボドパ賦活薬
- それでもコントロールが難しいときは，LCIG 療法や脳深部刺激療法(後述)を検討する．

Px 処方例 すくみ足のある場合

- L-ドパの増量，ウェアリングオフ症状の改善に努めるが，効果不十分な場合は以下を追加する．
  ドプス OD 錠 100 mg　1 回 2 錠　1 日 3 回　朝昼夕食後(1 日 9 錠まで適宜調整)　←ノルアドレナリン前駆物質

●外科療法

〈脳深部刺激療法(deep brain stimulation：DBS)〉

- ウェアリングオフやジスキネジアといった運動合併症に対して，治療の選択肢となる.
- 手術は定位脳手術によって行われる．定位脳手術とは頭蓋骨に固定したフレームと，脳深部の目評点の位置関係を三次元化して，外からみることのできない脳深部の目標点に正確に到達する技術である.
- 病勢の進行そのものを止めるものではなく，対症療法であるが，服薬とは異なり持続的に治療効果を発現させることができる.

パーキンソン病の病期・病態・重症度別にみた治療フローチャート

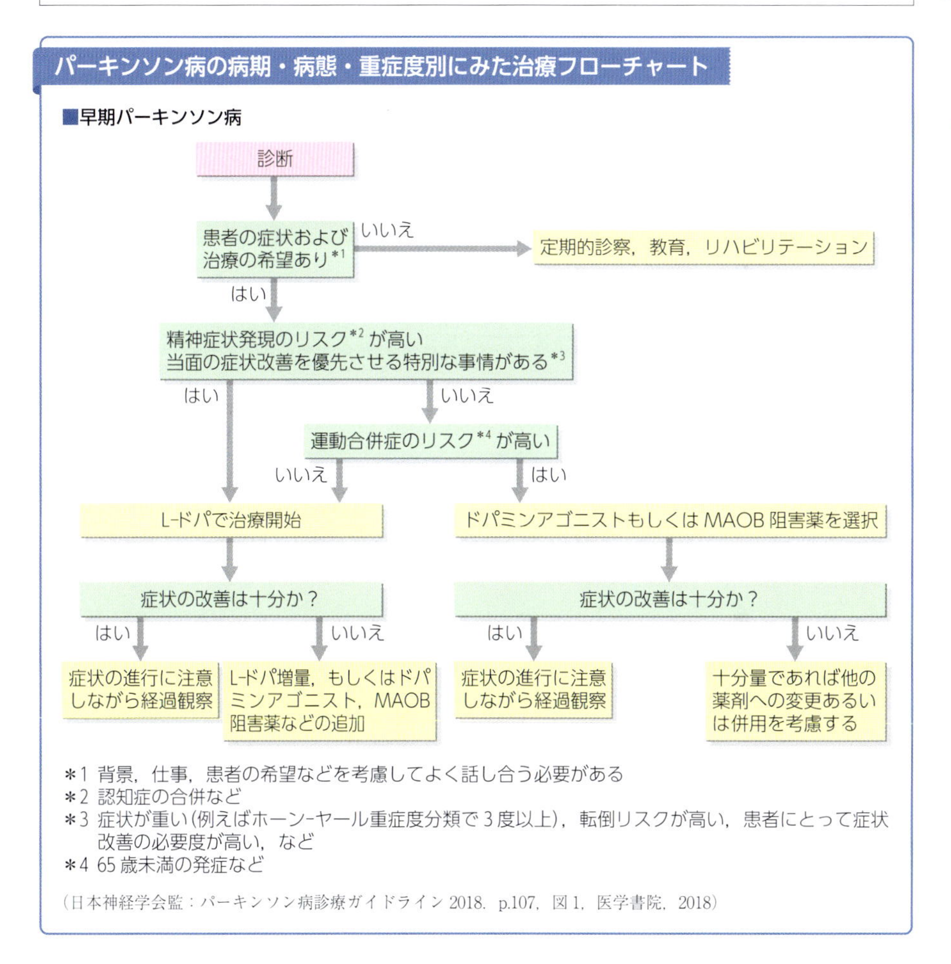

＊1 背景，仕事，患者の希望などを考慮してよく話し合う必要がある
＊2 認知症の合併など
＊3 症状が重い(例えばホーン-ヤール重症度分類で 3 度以上)，転倒リスクが高い，患者にとって症状改善の必要度が高い，など
＊4 65 歳未満の発症など

(日本神経学会監：パーキンソン病診療ガイドライン 2018．p.107，図 1，医学書院，2018)

パーキンソン病の病期・病態・重症度別にみた治療フローチャート

■ウェアリングオフ現象出現時

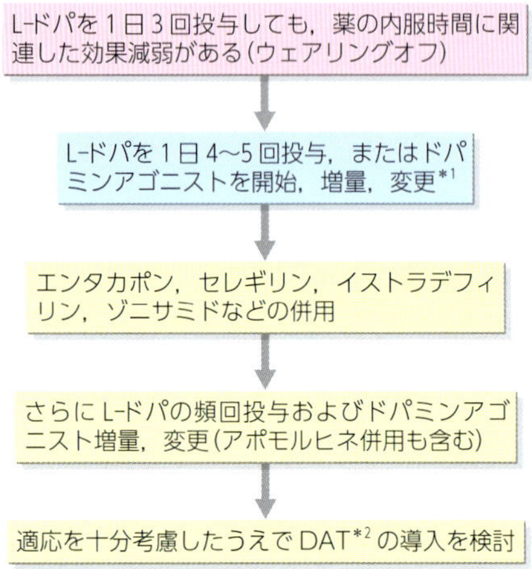

L-ドパを1日3回投与しても，薬の内服時間に関連した効果減弱がある（ウェアリングオフ）

↓

L-ドパを1日4〜5回投与，またはドパミンアゴニストを開始，増量，変更*1

↓

エンタカポン，セレギリン，イストラデフィリン，ゾニサミドなどの併用

↓

さらにL-ドパの頻回投与およびドパミンアゴニスト増量，変更（アポモルヒネ併用も含む）

↓

適応を十分考慮したうえでDAT*2の導入を検討

＊1 ウェアリングオフ出現時には投与量不足の可能性もあるので，L-ドパを1日3〜4回投与にしていない，あるいはドパミンアゴニストを十分加えていない場合は，まずこれを行う．
＊2 DAT：device aided therapy（本邦ではDBSおよびL-ドパ持続経腸療法がこれに該当する）．

（日本神経学会監：パーキンソン病診療ガイドライン 2018．p.125，図1，医学書院，2018）

パーキンソン病をもつ高齢者の看護

萩野　悦子

看護の視点

- パーキンソン病をもつ高齢者は運動障害があるために，生活機能全般にわたって障害をきたしやすい．しかし，パーキンソン病をもつ高齢者は可能なかぎり自分の力で生活し，疾患や症状の変動によりできない部分を援助してもらいたいという希望をもっていることが多い．
- 支援者は高齢者の主体性を重視しつつ，過不足なく支援していくことが大切である．そのことは，高齢者の治療意欲の減退，さらには生活機能の低下といった悪循環を防ぐことにもつながる．

※そのために，以下のような日常生活の看護のポイントに留意して支援していく．

1. 自分でやりたいという気持ちに沿いながら日常生活を支援する．

支援者は主体性を重視した必要最小限の支援を行う．

1) 症状の変化のパターンをとらえる．
2)「いまはできるのか」という視点で見守る．
3) 1人でも動けるように環境を整備する．
4) 薬物の服薬方法を調整する．

2. 身体の動きやすさを支援する．

3. 安楽な姿勢で過ごせるように支援する．

●生活機能障害度に応じた長期的な看護の視点

長期に慢性経過をたどることから，ADL の低下だけでなく，家庭生活や社会生活への適応が難しくなる．家族環境や社会資源も考慮しながら，生活機能の障害度に応じて支援していく．

【Ⅰ度】身体の動きが緩徐になるが，ほとんど介助を受けなくても日常生活を送ることができる．難病であるがゆえに疾患に対する不安を抱き，治療に対する前向きな姿勢を損ないやすいため，疾患に対する正しい理解を促し，これまでの生活を継続できるようにかかわっていく．

【Ⅱ度】ADL に部分的な介助が必要となる．過度な介助は，高齢者のもつ力を奪うだけなく自尊心も低下させてしまうため，できる部分と介助が必要な部分を見極め支援していく必要がある．薬物療法の長期化に伴う効果の減弱や有害事象が現れやすい時期であり，症状の日内変動をとらえて，過不足なく援助する柔軟さが必要である．

【Ⅲ度】歩行や起立が不能なため，生活全般にわたる介助が必要となる．関節の拘縮や褥瘡，呼吸器感染や尿路感染も起こしやすくなってくるので，感染予防ケアが必要である．

STEP 1 アセスメント　STEP 2 看護の焦点の明確化　STEP 3 計画　STEP 4 実施

情報収集・情報分析

	必要な情報	分析の視点
疾患関連情報	**現病歴と既往歴，症状** ・ホーン-ヤールの重症度 ・各症状の出現状況 運動症状：振戦，(筋)強剛，無動，姿勢保持障害，姿勢異常(側屈，腰の曲がり，首の下がり)，すくみ現象 自律神経症状：排尿障害(排尿困難)，排便障害(便秘)，起立性低血圧，発汗障害	□ホーン-ヤールの重症度分類ではどのステージにあるか □1日のなかで症状の変化があるか，あるとすれば，服薬時刻，活動による疲労，不安や精神的な緊張と関連しているか □ウェアリングオフ現象，オン-オフ現象，ジスキネジア，幻覚・妄想など薬物療法の影響があるか □睡眠障害やうつ症状があるか □幻視のために，生活に支障をきたすことがあるか

	必要な情報	分析の視点
疾患関連情報	精神・認知・行動障害：抑うつ，睡眠障害，認知機能障害，幻覚・妄想	
	検査と治療 ・薬物療法の内容と服薬時刻 ・機能訓練の目的，目標，訓練内容，参加意欲	□薬物療法はどのような症状の改善をめざしているか □ウェアリングオフ現象，オン－オフ現象，ジスキネジア，幻覚・妄想など薬物療法の有害事象が起きているか □どのような機能低下があり，どこまでの改善をめざしているか □機能訓練にどのような期待を抱いているか
身体的要因	**運動機能** ・姿勢の保持と体位変換，移動方法（床上での寝返り，起き上がり，端座位からの立ち上がり，歩き出し，歩調，方向転換の足の踏み替え，立ち止まり，着座姿勢） ・姿勢保持障害，姿勢異常，すくみ現象 ・起立性低血圧	□姿勢の保持，体位変換，移動についてできないこと，できるけれども危険が伴うこと，できるときとできないときの違いがないか □すり足やすくみ足で歩行が困難であったり転倒しやすい状態であるか □左右のどちらかの足がつまずきやすい状態であるか □移動時に補助具（杖，歩行器，車椅子）を用いる必要はあるか □人や物をよけるときにふらつきやすい状態であるか □方向転換や狭い場所を通るときに足のすくみがあるか □補助具を安全に使用できるか □起立性低血圧のために，座位，立位時に危険が増すことはあるか
	認知機能 ・周囲への関心・注意力の低下 ・遂行障害	□周囲の状況に関心を払ったり，注意力の低下に時間帯や日による変動はみられるか □複雑な手順の行動を計画したり，話をしながら歩く，物をテーブルに置きながら椅子に座るなどの異なる動作を同時に行うことに困難はあるか
	言語機能 ・構音障害（抑揚のない小声でぼそぼそ話す）や加速現象（次第に早口になる）	□コミュニケーションに障害をきたしていないか
	感覚・知覚 ・白内障，老人性難聴 ・嗅覚障害	□視覚，聴覚の加齢変化が影響して，幻覚・妄想につながることはないか □嗅覚の障害によって食欲が湧かない，あるいは腐敗臭やガス漏れに気づかないといった危険認知への影響がないか
心理・霊的要因	**健康知覚・意向，自己知覚，価値・信念，信仰** ・進行性の疾患や症状の変動に対する苦悩	□進行性の疾患であること，症状の変動があることの苦悩はないか □他者に症状を理解してもらえないという苦悩はないか □自分でできることは，できるだけ自分で行いたいと思っているか
	気分・情動，ストレス耐性 ・療養生活に対する不安，つらさ	□不安や心配事が，幻覚・妄想につながることがないか

	必要な情報	分析の視点
社会・文化的要因	**役割・関係** ・パーキンソン病発症前と現在の役割	□パーキンソン病の進行に伴い，役割が変化していないか □役割の変化が気分や活動状況に影響していないか
	仕事・家事・学習・遊び，社会参加 ・仕事，家事，他者との交流の機会，社会参加の機会	□仕事，家事，他者との交流の機会が減少したり，社会参加の機会が減少していないか □以前と同じようにできないからという理由で，遠慮したり，あきらめていることがあるか
睡眠・休息	**睡眠・休息のリズム** ・夜間の睡眠時間，中途覚醒とその理由 ・パーキンソン病治療薬の影響	□便意や尿意，寝返りができず痛みのために目が覚めるなど，睡眠を阻害するものはないか □枕や掛けものの乱れを自力で直すことができるか □排泄のために目覚めて，すぐに行ける状況にあるか □パーキンソン病治療薬による睡眠障害の影響はないか
	睡眠と休息の質 ・昼夜の臥床時間と睡眠時間，熟睡感の有無 ・幻覚・妄想による影響	□することがなくて，臥床がちになっていないか □食事や排泄行動で疲労している状況にないか □昼間に休息したいときに，自力で居室に戻ったり，誰かに伝えることはできるか □長時間座位になっていることで，足部に浮腫が生じていないか □幻覚・妄想によって休息が阻害されていないか
	心身の回復・リセット ・昼間の眠気	□休息や睡眠の後は，気分の爽快感や活気がみられるか
覚醒・活動	**覚醒** ・覚醒の維持	□やりたいと思う活動時に覚醒していられるか □身体が動きやすい時間帯，気分がよい時間帯はいつか □疲労の自覚やサイン(姿勢のくずれ，言語の不明瞭さ，動きの緩慢さ，注意力の低下，居眠りなど)はあるか
	活動の個人史・意味，活動の発展 ・活動全般に対する意欲 ・現在の楽しみ，日中の過ごし方についての希望	□継続して活動できる時間はどのくらいか □今の活動を楽しめているか □以前と同じように活動できないからという理由で，楽しむことを遠慮したり，あきらめていることがないか □活動が阻害されている要因は何か □資源があれば活動内容を拡げられるか
食事	**食事準備，食思・食欲** ・悪心・嘔吐，空腹感 ・嗅覚障害 ・食事を待っている時間 ・食べ物の嗜好 ・食べ方の好み ・排泄困難に対する懸念	□体調，薬物の有害事象である悪心・嘔吐が食欲に影響していないか □嗅覚障害による食物の認知や食欲への影響はあるか □食堂まで自力で移動できるか □食事が来る前に疲労してしまうことはないか □食事時間帯に薬効が低下し，運動症状が強くなっていないか □日によって，摂食動作や咀嚼・嚥下機能に違いはあるか □好きなもの，食べやすいものはあるか □どんなに時間がかかっても自分で食べたいか，途中で手伝ってもらいたいか □排泄行動が困難なために，飲食を控えていないか □便秘による腹部の不快感のために，飲食を控えていないか

	必要な情報	分析の視点
食事	**姿勢・摂食動作，咀嚼・嚥下機能** ・食事にかかる時間 ・摂食動作，食事の姿勢 ・食形態 ・流涎	□時間経過とともに摂食動作や姿勢に変化はないか，食事のペースの変化があるか，姿勢が変化することで摂食動作に影響があるか，疲労感があるか □食事の形態によって，咀嚼や食塊形成に困難があるか □流涎が強く，食塊形成に困難があるか □食事中の姿勢が崩れることで嚥下に影響があるか
	栄養状態 ・食事摂取量，栄養状態 ・栄養補助食品の使用 ・食事前後の血圧変動	□栄養状態は良好か □必要な栄養を摂取する工夫をしているか □食後に血圧が低下するか(食後低血圧)
排泄	**尿・便をためる** ・自律神経症状(排尿困難，排便困難) ・食事・水分の摂取量と摂取時刻 ・活動量	□排尿困難や排便困難(便秘)があるか □摂取している食事量，水分量，食物繊維は十分か □失禁することを恐れて，水分を控えているか □腸蠕動を促進するような運動をしているか
	尿意・便意 ・尿意・便意の自覚，時間帯，知らせ方 ・尿意切迫感	□尿意や便意の時間帯に規則性はあるか □尿意や便意を自覚しているか □言葉やナースコールで尿意・便意があることを伝えられるか □頻回な尿意で他の生活行動に支障はないか □尿意・便意を感じてから排泄するまで，どのくらい時間がかかるか □尿意・便意を感じてから排泄するまで，失禁しないでいられるか
	姿勢・排泄動作 ・トイレまでの移動方法 ・移動・移乗動作，排泄姿勢，着脱衣動作，後始末動作，手洗い動作の状態	□すくみ足や(筋)強剛，無動によって，トイレまでの移動，衣類の着脱，便座への着座などに困難はないか □便座に着座した後，姿勢を保持できるか □トイレットペーパーは自分で用意できるか，拭き取る動作はできるか
	尿・便の排出，状態 ・排尿遅延，尿漏れ ・残尿感，腹部の緊満 ・残尿量 ・排泄前後の血圧変動	□便座に着座してから排尿・排便があるまでに時間がかかるか □くしゃみをしたり，かがんだ時に尿を漏らすことがあるか □自然排便が可能か，下剤や浣腸を使用しているか □残尿感，腹部の不快感がなく他の生活行動に集中できるか □残尿量はどれくらいか，導尿が必要か □便座から立ち上がった時にめまいはないか
身じたく	**清潔** ・入浴，口腔ケア ・更衣，洗面，整容	□入浴，シャワー浴，手洗い，歯磨き，ひげそりなどの動作に困難がないか □入浴や整容の方法に高齢者の好みが反映されているか □衣服の着脱に伴う動作に困難はないか
	身だしなみ，おしゃれ ・おしゃれに対する希望	□化粧やおしゃれをすることをあきらめたり，遠慮したりすることがあるか

	必要な情報	分析の視点
コミュニケーション	**伝える・受け取る** ・構音障害(抑揚のない小声でぼそぼそ話す)，加速現象(次第に早口になる) ・相手の理解力，聴力 ・注意力 ・思考速度 ・仮面様顔貌 ・筆記による伝達 ・小字症	□相手に伝わる声の大きさや話すスピードであるか □発語が明瞭で言いたいことが相手に伝わっているか □話しかけられていることに気づいたり，話の内容に集中できるか □思考の低下による返答の遅さが，他者には無回答や無視と誤って捉えられることはないか □言いたいことが伝わらない経験をすることで，話すことに消極的になっていないか □筆記によって伝えられるか，文字を書くとだんだん小さくなる(小字症)ことがあるか
	コミュニケーションの相互作用・意味 ・ジスキネジア	□表情が乏しいために，相手が話しかけにくい状況になっていないか □口腔の不随意運動があるために，他者との交流を避けていることがないか □気軽に話す相手がいないことで，孤立感がないか
	コミュニケーションの発展	□気分がすっきりしているときに，ユーモアが発揮されるか

アセスメントの視点(病態・生活機能関連図へと導くための指針)

ホーン - ヤールの重症度分類でステージⅢの状態にある高齢者の多くは，身体の動きが緩慢で多少時間がかかったとしても，できるだけ自分で食事をしたりトイレで排泄したり，楽しいと感じる活動をしたいという望みをもっている．また身だしなみを整えたりおしゃれをすることで，より活動を拡大していける可能性も十分ある．ここからは，それらに焦点をあてて看護を展開していく．高齢者が自分でやりたいという気持ちや，いまできることを「もてる力」として支援し，意欲や尊厳の向上に働きかけることが重要である．

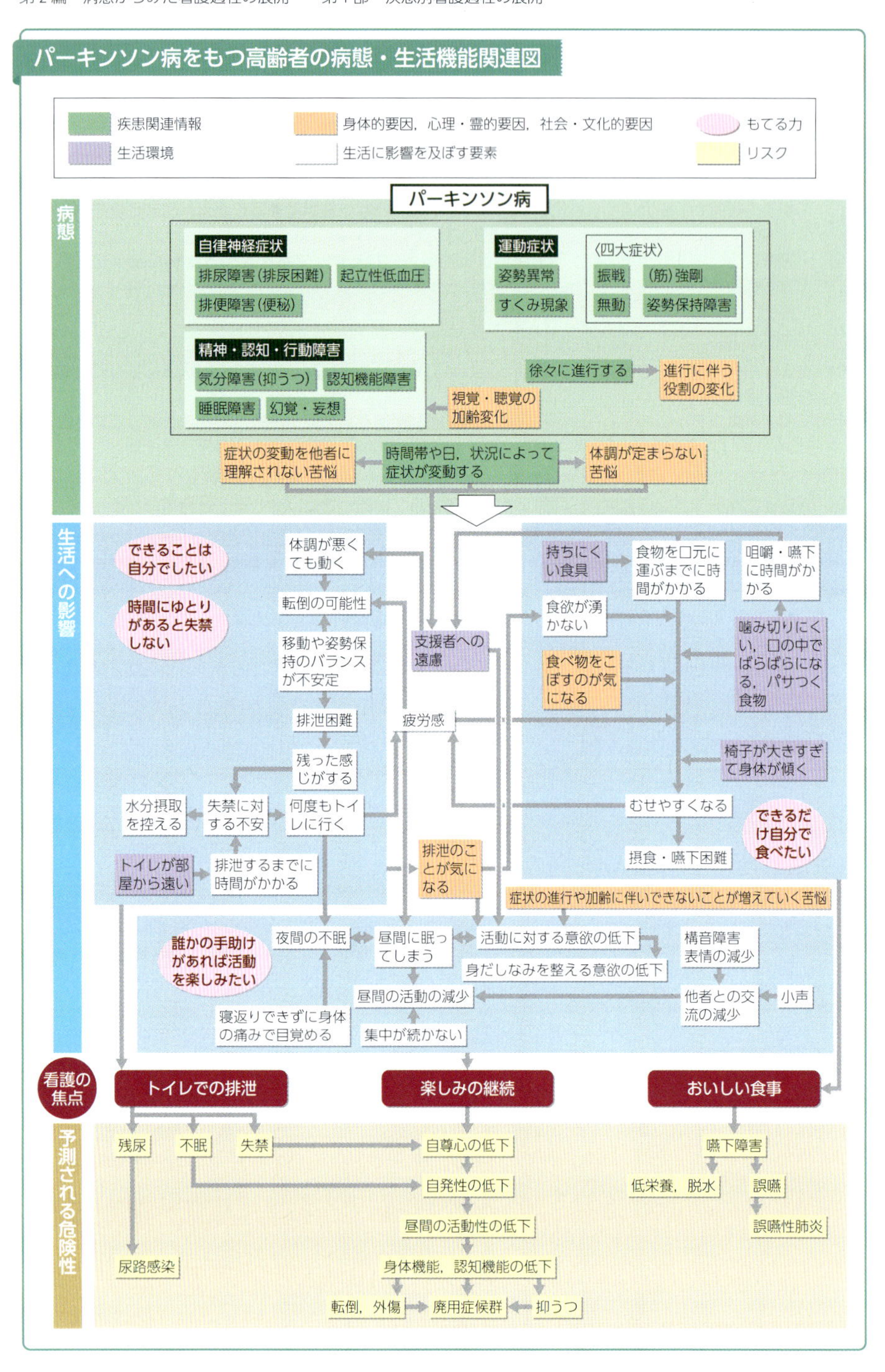
パーキンソン病をもつ高齢者の病態・生活機能関連図
疾患関連情報
生活環境
身体的要因，心理・霊的要因，社会・文化的要因
生活に影響を及ぼす要素
もてる力
リスク
病態
パーキンソン病
自律神経症状
排尿障害（排尿困難）
起立性低血圧
排便障害（便秘）
運動症状
姿勢異常
すくみ現象
〈四大症状〉
振戦
（筋）強剛
無動
姿勢保持障害
精神・認知・行動障害
気分障害（抑うつ）
認知機能障害
睡眠障害
幻覚・妄想
徐々に進行する
進行に伴う役割の変化
視覚・聴覚の加齢変化
症状の変動を他者に理解されない苦悩
時間帯や日，状況によって症状が変動する
体調が定まらない苦悩
生活への影響
できることは自分でしたい
時間にゆとりがあると失禁しない
体調が悪くても動く
転倒の可能性
移動や姿勢保持のバランスが不安定
排泄困難
残った感じがする
水分摂取を控える
失禁に対する不安
何度もトイレに行く
トイレが部屋から遠い
排泄するまでに時間がかかる
支援者への遠慮
疲労感
排泄のことが気になる
持ちにくい食具
食物を口元に運ぶまでに時間がかかる
咀嚼・嚥下に時間がかかる
食欲が湧かない
噛み切りにくい，口の中でばらばらになる，パサつく食物
食べ物をこぼすのが気になる
椅子が大きすぎて身体が傾く
むせやすくなる
摂食・嚥下困難
できるだけ自分で食べたい
症状の進行や加齢に伴いできないことが増えていく苦悩
誰かの手助けがあれば活動を楽しみたい
夜間の不眠
昼間に眠ってしまう
活動に対する意欲の低下
身だしなみを整える意欲の低下
構音障害
表情の減少
昼間の活動の減少
他者との交流の減少
小声
寝返りできずに身体の痛みで目覚める
集中が続かない
看護の焦点
トイレでの排泄
楽しみの継続
おいしい食事
予測される危険性
残尿
不眠
失禁
自尊心の低下
自発性の低下
昼間の活動性の低下
身体機能，認知機能の低下
転倒，外傷
廃用症候群
抑うつ
尿路感染
嚥下障害
低栄養，脱水
誤嚥
誤嚥性肺炎

看護の焦点の明確化

#1　パーキンソン病に伴う姿勢保持障害や咀嚼・嚥下困難がありながらも，おいしく食べることができる
#2　自力での排泄行動が困難になりつつあるが，トイレでの排泄を維持できる
#3　症状の変動に合わせて休息をとりながら，楽しみにしている活動を続けられる

STEP 1 アセスメント　STEP 2 看護の焦点の明確化　STEP 3 計画　STEP 4 実施

1 看護の焦点	看護目標
パーキンソン病に伴う姿勢保持障害や咀嚼・嚥下困難がありながらも，おいしく食べることができる	1) 自力摂取量が増加する 2) 食事中に姿勢が崩れない 3) 嚥下しやすくなる 4) 食べたい欲求が満たされる

具体策（支援内容）	根拠
1. 食前の支援	
1) 食事をするための準備	
・義歯の装着，必要な自助具の準備，排泄，食堂への移動のタイミングの検討，食事前のスケジュール調整など	●食事に専心できるように，身体の準備を行う ●食事の前に機能訓練や入浴などで疲れ，食事がとれなくならないように，スケジュールを調整する
2. 食事中の支援	
1) 食事摂取動作の調整	
①ペースの配慮	
・動作が緩慢でも，一定の食事動作がみられるときは，まずは，高齢者のペースで食べてもらう	●周囲の慌ただしさや，支援者にせかされることで，動きのペースが乱れて途中で疲労してしまう
・おてふきを用意しておく	●食物をトレイにこぼしたり，手についてしまうことを気にして，食事動作が止まってしまうことがある
②姿勢の調整	
・前後左右に傾きのないよう座る ・姿勢が崩れ始める時間や，姿勢の傾き方を観察する	●姿勢保持障害のため，疲れてくるとさらに体幹の傾きが大きくなり，食物を口に運ぶことが困難になる
・姿勢が傾く場合は，一度座位をとり直す，あるいは，クッションなどを用いて姿勢を安定させる ・誤嚥防止のために，食事中は支援者が見守る	●姿勢が崩れることにより，誤嚥しやすくなる
③自助具の活用	
・箸をスプーンに変える，スプーンの握りを太くする，食器の底面に滑り止め加工をしたり，食器の片側が高く内側に湾曲した皿に変える	●細かな動作が困難になっても，食器の把持や食物をすくいやすくすることで，自力での摂取が可能となる
2) 食形態の調整	
・咀嚼や嚥下がしにくい食材は変更するよう調整する ・酸味の強いものや粉っぽいものは避ける，硬いものや水分の少ないもの（パンなど）は小さくする	●自律神経障害による嚥下機能の低下により誤嚥しやすくなるため，高齢者の咀嚼・嚥下機能に合った食品を考慮する

- 米飯は，手で持って食べられるおにぎりにしてみる
  - ●箸やスプーンを使わなくても食べられるように調整することで，自力での摂取が可能となる

3) 疲労に対する調整

- 疲れた表情，ペースが遅くなる，食物をすくえなくなる，つまめなくなる，嚥下するのに時間がかかる，姿勢の傾きが大きくなるなど変化がみられてきたときは，疲労を確認して，必要に応じて介助する
  - ●食事に時間をかけすぎることで，他の活動に悪影響が及ばないようにする

4) 食べる意欲への支援

- 高齢者の食事に対する思いの把握
- 日内変動により身体の動きが悪く，食事を自分のペースで食べることができない場合は，薬の調整を検討する
  - ●食事時間に身体が動きやすくなることで，「食べたい」という思いが満たされるように，医師と連携して治療薬の服用時刻を検討する

3. 食後の支援

1) 食事の満足感

- おいしく食べられたか，量はちょうどよいかを確認する
  - ●食事に対して満足しているか，高齢者自身による言葉は大切である
  - ●食事の量が多すぎる場合，圧倒されて食事が進まないことがある．また，「残すのが申しわけない」と感じて手をつけない高齢者もいる．高齢者が食べられそうな量に調整する，食器を小さくするなど，おいしく食事できる工夫も必要である

2) 食後の整容

- 衣服が食物で汚れた場合は交換する．口もと，手指などに食物がついたままになっていないか確認する

3) 休息の支援

- 食事時間が長くかかることで疲労感があるときは，休息を促す
  - ●(筋)強剛，姿勢反射障害のため，長時間の座位からの立ち上がり時に，バランスを崩して転倒しやすい
- 疲労の程度に合わせて，食堂から居室までの移動方法を検討する
  - ●食後低血圧のために，立ちくらみを起こす場合があり，注意する

2 看護の焦点	看護目標
自力での排泄行動が困難になりつつあるが，トイレでの排泄を維持できる	1) トイレへ行きたいときに伝えられる 2) 排泄しやすい姿勢を保持できる 3) 排泄動作に伴う転倒・転落がない

具体策(支援内容)	根拠

1. トイレへのアクセスの支援

- 起立性低血圧がある人は，臥床から端座位でひと休みし，立ち上がったあともすぐに歩き出さないなど，動作を区切って血液循環動態を安定させる
  - ●起立性低血圧がある場合は，急に立ち上がるとふらつき，めまいにより転倒の危険がある
- すくみ足のときは，障害の軽い側の足から踏み出すように決めておき，足をいつもより高く上げて踏み出すよう意識してもらう
  - ●かけ声をかけたり，ビニールテープなどで等間隔の線を廊下につけると歩き出しの助けになる
- すり足のときは，かかとから着地し，足の裏全体で地面をつかむ感じで体重を移動させて，つま先で蹴り出すように意識してもらう
- 方向転換はできるだけ大きく円を描くように回ることを説明する

・歩行や補助具(杖，歩行器，車椅子)で，自力で移動できるときは見守る	
・尿意・便意が切迫しているなど，高齢者が手伝ってほしいときの合図を決めておく	●小声であることが多く，手伝ってほしいことを言葉で伝えられないこともある
・尿意・便意が頻回でも，手伝ってほしいときは遠慮しなくてよいことを伝える	●尿意・便意が頻回だと介助を受けることに遠慮が生じ，1人で行こうとすることで，転倒の危険が高まる
2. 車椅子と便器間の移乗の支援	
・便座への移動が行いやすい位置を考慮して車椅子を寄せる	●狭いトイレ内で，方向転換のための足の踏み替えは，すくみ現象や姿勢保持障害をもつ高齢者には困難である
・便座に座る際は，後ろから支えてゆっくり着座する	●前傾姿勢が強い高齢者は，立ち上がる際には手すりの高い位置をつかんだほうが，立位を保持しやすい ●姿勢異常があると，着座の際に後傾しやすく，強い衝撃を受けたときは，腰椎圧迫骨折につながる場合がある
・洋式便器は，着座したときに足が床に着き，かつ立ち上がりやすい高さが望ましい	●リフト機能がつき，立ち上がりを補助する便座もある
3. 排泄時の安全で安楽な姿勢の保持	
・排泄時間が長くなるので，殿部が痛くないように便座を工夫する	●前傾姿勢をとり，腹圧をかけやすいように工夫する
・床に足底がしっかり着かないときは，滑らない足台を置く ・便器の周りに，つかまりやすい手すりを設置する ・後ろに反り返ってしまうときは，背中にクッションを入れる ・便座からの転落を防ぐため，高齢者が恥ずかしさやせかされているように感じず，かつ動きが察知できる位置を探して見守る	●姿勢が傾きやすいことに加えて，排尿困難・排便困難への対処として用手的に腹圧をかけると，よりバランスを崩しやすい
4. 排泄後の後始末の支援	
・必要時，陰部，殿部の拭き取りを支援する	●体幹をひねる運動が困難になるため，排泄の後始末が難しくなる

3 看護の焦点	看護目標
症状の変動に合わせて休息をとりながら，楽しみにしている活動を続けられる	1) 休息や夜間の睡眠で疲労を回復することができる 2) 調子のよい時間帯に活動ができる 3) 他者との交流が増える

具体策(支援内容)	根拠
1. 疲労を回復する睡眠・休息の支援	
・体幹がねじれたり傾いたりしたままにならないように，クッションを用いて姿勢を整える	●身体がねじれたり浮き上がったりしていると，筋緊張が高まったままとなり，休息が得られない
・臥床する際に強剛があるために，頭や足がベッドに着かず，浮き上がったままになっていると	

きは，頸部後面や大腿，膝や足関節に手を添えて筋の伸展を促していく
・歩行ができる人でも寝返りができないことによって中途覚醒をきたすので，夜間は体位変換の介助や寝返り機能がついたベッドを使用する
・振戦やむずむず脚症候群によって入眠が妨げられている場合は，医師と調整する
・夜間の排尿が頻回になるときは，ベッドサイドにポータブルトイレを設置したり，尿漏れ用の紙パッドの使用を高齢者と検討する
・薬剤の効果で調子のよい時間帯を把握する
●時間帯によって症状が変化する
・機能訓練，食事，入浴などの時間を考慮して，活動する時間帯を設定する
・趣味活動に長時間没頭して，疲労のために食事や排泄動作などに影響が出ないように，活動の時間を考慮する
●パーキンソン病による易疲労性のために食事や排泄動作などに影響が出ていないか確認する
・場所を移動して活動する場合は，整容，排泄にかかる時間を考慮して準備していく
●途中でトイレに行きたくなることを懸念して，活動に消極的になっていることがある
・活動の前後は，尿意・便意を確認する
・長時間の座位により下肢の浮腫がみられるときは，下肢を挙上して休息をとれるようにする
●歩行能力の低下により筋肉のポンプ作用が働かないことや自律神経障害のために，下肢に浮腫がみられることがある

2. 身体の動きやすさを改善するための支援

・薬剤の効果で動きやすい時間帯を観察し，活動時間を調整する
・強剛を軽減するためのストレッチ体操を取り入れる
●強剛があり，身体が動きづらくなっているので，身体を伸ばす運動を行ってから活動を始める
・四肢だけではなく，体幹の前後左右の屈曲運動や回旋運動も行う
・ストレッチの際に「身体を伸ばしてください」と促しても，高齢者は身体が十分に伸展しているかどうかわからないので，支援者が手を添えて動作を支援する
・時間にゆとりを持って，活動のスケジュールを立てる
●急いだりあせったりして緊張すると，振戦やすくみ足が強まることがある

3. 活動への意欲を高める支援

●意欲の低下，興味関心の低下が起こりやすい
・洗顔，歯磨き，ひげそり，化粧など自力でできないことは介助する
●鏡を見る機会が少なくなり，身だしなみに注意がいかなくなっていることもあるので，高齢者が嫌でなければ，鏡を用意するか，鏡のあるところで整容を行う
・できるだけ調子のよい時間帯に合わせて行う
・起床したら，パジャマから着替える
●日中の活動ができるよう更衣によって気分を切り替える
・マジックテープやファスナータイプの上衣や，ウエストにゴムが入ったズボンやスカートなど，着脱しやすく好みの服を選ぶ
●着脱しやすい服を選ぶことで，おしゃれの楽しみを保つことができる
●足に絡まりやすい長いスカートは避ける
・上に羽織るカーディガンや，髪留め，スカーフなどを選んでもらう
●自分で衣類や装身具を選択することで，能動的な意思表示につながり，主体性を回復する

- 身だしなみを整えたりおしゃれをした後は，趣味活動や散歩，レクリエーションへの参加を促す
  - ●気分がすっきりして何かをしたくなる意欲がわくことを期待して働きかける
- 機能訓練の帰りにそのまま散歩に出かけたりするなど，離床したついでにどこかに行ってみるという方法で活動を拡大してみる
  - ●居室から出て，服装や髪型の変化を他者に気づいてもらえることで，気分が高揚し活動の意欲も高まる
- 活動の前には排泄を済ませる，あるいは，排泄の希望があったときはすぐに支援できる体制を準備する
  - ●排泄に不安があると，活動を拡大していきにくい

4. 安全に活動できる環境整備

- スリッパは脱げやすく滑るので使用せず，室内用の靴を着用する
- 転倒の危険性が高い場合は，転倒時の頭部保護の機能がついた帽子の着用を勧める
- ナースコールや時計，ティッシュペーパー，ラジオのイヤホンなどは，手の届きやすい場所に置く
  - ●床頭台や冷蔵庫の下側に入っているものを取り出そうとして，前かがみになり車椅子から転落する危険性がある
- よく使うものは高齢者と話し合いながら収納場所を変更する
  - ●高い位置にあると，立ち上がって手を伸ばした際に，バランスを崩して転倒しやすい
- 室内を伝い歩きで移動するときは家具の配置を変更し，通路にはくずかごや電気のコード類など，つまずきやすいものを置かない
- すり足によって小さな段差でつまずきやすくなるので，段差がわかるようにカラーテープで目印をつける
- 椅子の座面やベッドのへりは沈みこまない硬さのあるものを選ぶ
  - ●椅子やベッドが柔らかすぎると座位が安定しづらく，立ち上がりにくい
- 椅子は背もたれと，両側に肘かけがあるものを選ぶ
  - ●肘かけがあることで姿勢保持障害による椅子からの転落を防ぐ
  - ●背もたれがあることで，反り返りよる椅子からの転落を防ぐ
- テーブルや椅子，チェストなど，本人が立ち上がりや方向転換時につかまる家具も安定しているものを選ぶ
  - ●椅子が滑りやすいと，立ち上がりや着座の際に椅子がずれて転倒しやすい
  - ●キャスターがついていたり，軽くて滑りやすい家具に体重をあずけると転倒につながる

5. 他者との交流を促進する支援

- これまで続けていた楽しみや，新たにやってみたいことを高齢者に聞いてみる
  - ●振戦や無動などの症状により，発病前に行っていた活動をあきらめていることが多い
- これまで続けていた楽しみを，形を変えることで続けられるか検討する
  - ●緻密な作業は単純化・粗大化することで，現在も好きなことを続けられることがある
- やりたいことがすぐにみつからないときは，散歩や茶話を通して，他者との交流や活動が発展していく可能性を探る
  - ●作業は困難でも，和紙の素材や色を選ぶ，絵の構図を考えるなど，アドバイザーとして関与してもらう
- 交流相手とのコミュニケーションがスムーズにいくように調整する
  - ●構音障害や言語の加速現象のために，交流相手が聞きとれなかったり，交流相手に難聴があると言語的コミュニケーションが困難になる

・相手との交流に気を遣い，自身の疲労に気づかないことがあるので，その後の生活行動に影響が出ていないか観察し，もし影響があるときは次回の交流時に自然に切り上げて休息が取れるよう支援する
・交流時に，運動症状やすくみ現象などが強くなってきたら，自然に切り上げて休息が取れるよう支援する

●交流後の疲労や症状の増強を経験することで，交流に対して消極的になってしまわないように配慮する

関連項目

※もっと詳しく知りたいときは，以下の項目を参照しよう．

パーキンソン病の症状について

●「19 排尿障害（→ p.364）」「20 排便障害（→ p.378）」：排尿時間の延長や頻尿，残尿，便秘がみられないか確認しよう
●「15 摂食嚥下障害（→ p.304）」：嚥下訓練の方法，姿勢や食形態の工夫，経管栄養法の管理について把握しよう
●「27 高血圧・低血圧（→ p.478）」：起立性低血圧を起こさない工夫（判断基準もみてみよう）をしよう
●「25 抑うつ状態（→ p.451）」：不安や焦りを抱える高齢者の理解について確認しよう

パーキンソン病に関連したリスク

●「13 尿路感染症（→ p.272）」「5 肺炎（→ p.129）」「29 転倒（→ p.504）」の危険性について把握しよう

進行性核上性麻痺

萩野　悦子

パーキンソン病様の関連疾患で，転倒予防が重要

定義・診断

進行性核上性麻痺は，脳の特定部位（中脳，淡蒼球，小脳歯状核など）の神経細胞が脱落し，異常リン酸化タウ蛋白が蓄積する神経変性疾患である．原因はまだ解明されておらず，わが国の指定難病となっている．

初期にはパーキンソン病と似た症状を示すため鑑別が困難なこともある．パーキンソン病，大脳皮質基底核変性症，脊髄小脳変性症などと臨床症状が似ているため，鑑別診断にはCTやMRI画像を用いる．

進行性核上性麻痺には神経症状に基づいた診断基準がある．40歳以降で発症し緩徐に進行する疾患であり，上方または下方の眼球運動が障害される（垂直性核上性眼球運動障害）．発症してから1～2年以内に姿勢の不安定さや，すり足歩行，すくみ足，立ち直り反射障害，突進現象による転倒しやすさが顕著になる．四肢末梢よりも体幹部や頸部に目立つような無動あるいは筋強剛がある．

進行性核上性麻痺には，典型例のほかに，パーキンソン病に似てレボドパ（L-ドパ）の効果が認められる型，歩行や言葉のすくみが強い型，小脳失調症状が目立つ型，失行や失語が目立つ型など，いくつかのタイプがあることがわかっている．

症状

パーキンソン症状（パーキンソニズム）がある．振戦は少なく，体幹部の筋強剛が強く頸部が後屈する．すり足やすくみ足もみられる．眼球運動障害があると，縦書きの文章が読みづらくなったり，下方が見えにくくなると階段を下りることが困難になったりする．認知機能障害（思考緩慢，思い出すことが困難，意欲低下）も出現する．転倒のしやすさも進行性核上性麻痺の特徴とされる．姿勢が不安定になりやすいことに加えて，バランスを崩したときにとっさに手を出して衝撃をやわらげることも難しいため，顔面や頭部に外傷を負うことがある．さらに，認知機能障害によって注意力や危険な状況の判断力が低下する．無動にみえるようでも突発的に動くことがあり，転倒を繰り返しやすくなる．進行に伴い嚥下障害や構音障害がみられる．

治療

薬物療法としては，パーキンソン病治療薬のレボドパが用いられることがあるが，効果が長続きしないとされている．筋緊張の緩和のためストレッチ，バランス訓練，飲みこみにくさがあるときは嚥下体操などのリハビリテーションを行い，現在の生活を維持していく．

看護の視点

一見動かないようにみえても，車椅子やベッドから突然立ち上がって転倒したり，ベッドから転落することもあるため，見守りが必要となる．目の前にあるものを取ろうとして，バランスを崩して転倒しやすくなるため環境を整える．よく使うメガネやテレビのリモコン，イヤホン，ティッシュペーパーの箱などは，手の届きやすいところに置く．キャスター付きの椅子や開きかけのドアのような不安定なものにつかまって立ち上がったりしないよう，手の届くところの家具類は安定感のあるものにする．また転倒時の頭部外傷を最小限にするために，クッション入りの帽子を装着したり，身の回りにある家具の角を保護する．

●参考文献
1) 難病情報センター：進行性核上性麻痺．https://www.nanbyou.or.jp/entry/4115（2020/08/28閲覧）
2) 平成28年度厚生労働科学研究費補助金難治性疾患等政策研究事業（難治性疾患政策研究事業）「神経変性疾患領域における基盤的調査研究」班：進行性核上性麻痺（PSP）ケアマニュアル　Ver.4．2017
3) 饗場郁子：進行性核上性麻痺―最近の進歩と今後の方向性―．老年精神医学雑誌　30(10)：1127-1138，2019
4) 水野美邦：パーキンソン病の診かた，治療の進めかた．中外医学社，2012

脊髄小脳変性症

菅原　昌子

症状の進行が緩徐なため，身体の動きの安定化と生活環境を整えることで，もてる力を活かすことが大切

定義・診断

脊髄小脳変性症は，脊髄と小脳・脊髄の神経核や伝導路の病変を中心とした神経疾患の総称で，指定難病の１つである．遺伝性と孤発性（非遺伝性）に分けられ，遺伝性脊髄小脳変性症には，マシャド-ジョセフ病，歯状核赤核淡蒼球ルイ体萎縮症などがあり，病因遺伝子が次々と明らかになってきている．

孤発性脊髄小脳変性症の多くはオリーブ橋小脳萎縮症，線条体黒質変性症，シャイ-ドレーガー症候群で，これらを併せて多系統萎縮症と総称する．多系統萎縮症の系統病変は，小脳系，線条体黒質系，自律神経系である．ほかに皮質性小脳萎縮症がある．

診断にあたっては，脳血管障害，炎症，腫瘍，多発性硬化症，薬物中毒，甲状腺機能低下症など，二次性の運動失調症を除外する必要がある．

症状・検査

徐々に発病し，緩徐に進行する．症状は運動失調が中心で歩行障害から始まる．一般的には，手足がバラバラに動き，バランスのとれた動きができなくなるため，つまずきやすく後方へ倒れるなどの症状がみられる．また，眼振，書字障害，言語障害なども出現する．閉足立位時に開眼から閉眼することによって，開眼時よりも身体の動揺が大きくなるロンベルグ徴候がみられる．手を膝の上に置き，膝を打ちながら手の内反と外反を連続的に行う拮抗反復運動では，左右差がなく運動失調が著しい．眼球運動が障害されると滑らかさを欠き，しばしば微動性となる．自律神経症状，末梢神経症状，痙性対麻痺，錐体路症状，高次脳機能障害を伴うことがある．

オリーブ橋小脳萎縮症は進行するとパーキンソン病様症状に変化し（線条体黒質変性症），しばしば排尿障害や起立性低血圧などの自律神経機能不全を合併する（シャイ-ドレーガー症候群）ことが多い．

頭部画像検査（CT，MRI）では小脳や脳幹の萎縮が目立つ．遺伝性の場合は家族歴を把握する．

血液生化学検査で診断できるのは，ビタミンＥ欠損症，低アルブミン血症を伴う常染色体劣性遺伝性の小脳性運動失調症などである．

高血圧，糖尿病，脳血管障害，変形性頸椎症，尿路感染症の合併が多い．

治療

根本的な治療法は確立されていないため，様々な症状に対症療法が行われる．また，リハビリテーションや生活指導も重要になる．

ビタミンＥ欠乏を伴う失調症ではビタミンＥを補充して進行を抑制する．起立性低血圧による立ちくらみや失神などに対しては，下半身に弾性包帯，弾性ストッキングを着用する．運動失調を改善するために甲状腺刺激ホルモン放出ホルモン（TRH）を補充する．また，パーキンソン病様症状に対しては，パーキンソン病治療薬を投与する．自律神経障害である排尿障害や起立性低血圧に対して改善薬，痙性には筋弛緩薬を用いる．

看護の視点

経過や予後は疾患によって異なるが，症状は徐々に進行して生活機能全般にわたって障害をきたすことから，もてる力を活かして，その人らしく生活できる支援を心がける．

多系統萎縮症は重症になる経過が早いといわれている．ADLの低下だけではなく，家庭生活や社会生活への適応が難しくなる．高齢者が安心して生活できるよう，生活環境を整え安全を守ることを優先し，社会資源を活用しながら支援していく．

3 脳卒中（脳出血・脳梗塞・くも膜下出血）

小島　太郎

目でみる疾患

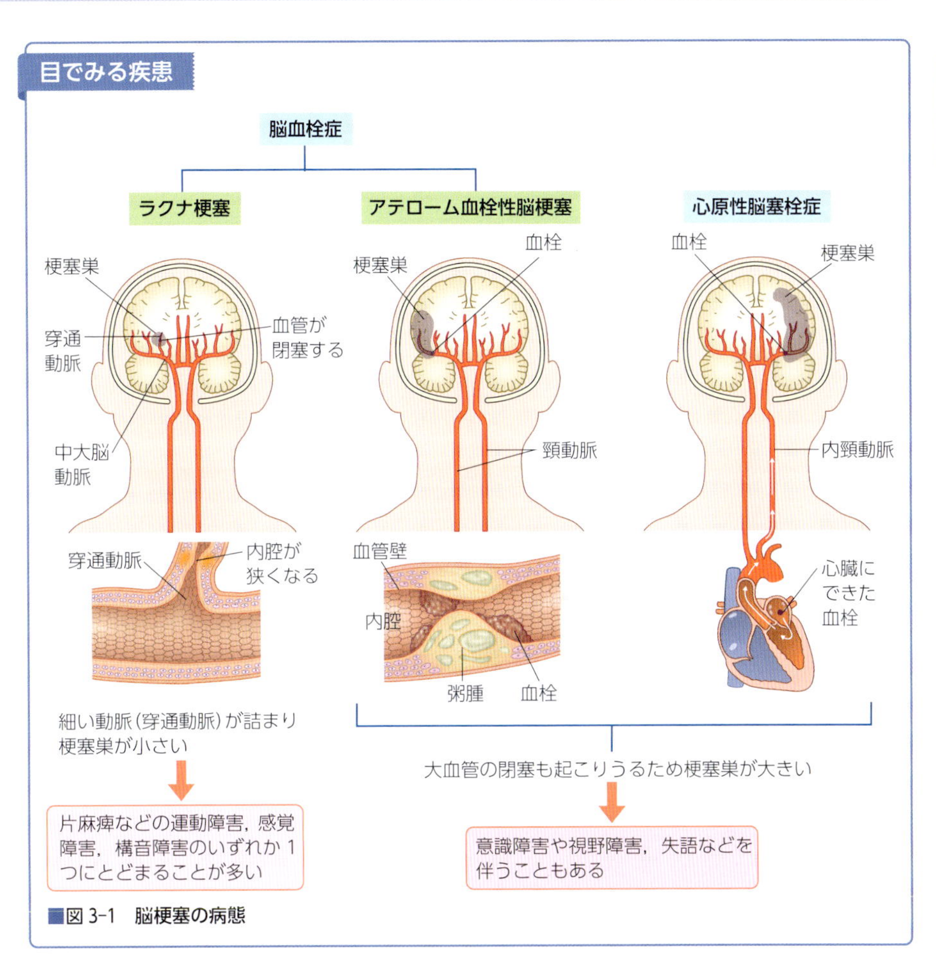

図 3-1　脳梗塞の病態

病態生理

脳卒中は脳梗塞，脳出血，くも膜下出血に大別され，すべて急性発症で致死的な神経障害をきたす危険性がある疾患である．

- 脳卒中とは，脳の血管が破れるか詰まるかして，脳の神経細胞が障害される疾患である．病因により，脳梗塞（脳血管が詰まり，脳が虚血状態に陥る），脳出血（血管が破れ，血腫が脳を圧迫），くも膜下出血（動脈瘤が破れ，くも膜下腔に血液が流入），一過性脳虚血発作（TIA）（脳梗塞の症状が短時間で消失）の4つに分類される．可能な限り早期に治療が必要である．

1）脳梗塞

- 脳梗塞の半分以上を占める病型で，脳動脈の閉塞ないし狭窄により，神経細胞が虚血状態となり，神経細胞障害が起こる．

- 病態により，ラクナ梗塞，アテローム血栓性脳梗塞，心原性脳塞栓症の 3 つの病型に分けられる（図 3-1）．ラクナ梗塞およびアテローム血栓性脳梗塞は脳血栓症の範疇に入り，細い血管の動脈硬化によるものをラクナ梗塞，太い血管の動脈硬化によるものをアテローム血栓性脳梗塞と呼ぶ．心原性脳塞栓症は，心房細動や心不全などの心疾患により生じた心臓内血栓（主に左房内）が血流に乗り，脳動脈を詰まらせて起こる．大血管の閉塞も起こりうるため，3 つの中で最も重篤になりやすい．

2）脳出血

- 脳動脈が破れ，脳内に血腫を生じて神経細胞を障害することで，症状が出現する．細い血管（細小動脈）が高血圧などによる動脈硬化で障害され，破綻して発症する．細小動脈は脳内に入り込んでおり，出血は脳内に広がる．
- 高血圧の関与が強いが，高齢者ではアルツハイマー型認知症の原因物質であるアミロイドの血管沈着によるアミロイドアンギオパチーが原因となることがある．

3）くも膜下出血

- 高血圧などを背景に主幹脳動脈に脳動脈瘤が起こるが，これが破裂し，くも膜と軟膜との間のくも膜下腔に血液が流入して発症する．激しい頭痛と意識障害が生じ，脳卒中の中では死亡率が高く，重症化しやすい．

4）一過性脳虚血発作

- 脳梗塞と同じ機序で起こった神経症状が 1 時間以内に改善する病状を指す．一時改善が認められても 48 時間以内に脳梗塞を発症するリスクが高く，脳梗塞の発症予防が重要である．そのため，前触れの症状として脳梗塞同様に原因精査が重要である．

病因・増悪因子

1）脳梗塞

- 脳梗塞ではラクナ梗塞，アテローム血栓性脳梗塞，心原性脳塞栓症の 3 つの病型で病因や増悪因子が異なる．
- ラクナ梗塞は細い血管（穿通動脈）が高血圧により障害を受けることで閉塞を起こす．そのため，慢性期では血圧管理が重要となる．
- アテローム血栓性脳梗塞では，総頸動脈や内頸動脈など頸部から脳内への主幹動脈の壁に粥腫（アテローム）ができ，血管壁の粥腫が破綻することで血栓が生じ，血管を閉塞させることで発症する．粥腫を形成するリスク因子として，動脈硬化のリスクとされる高血圧や糖尿病，脂質異常症，喫煙，飲酒などが関与する．
- 心原性脳塞栓症では，心臓内に形成された血栓が血流に乗り脳内の動脈を塞栓することで発症する．心房細動や心不全の患者において心臓内（とくに左心房）に血栓形成が起きやすく，抗凝固療法（ワルファリンカリウムなどの抗凝固薬の内服）により予防を行う．

2）脳出血

- 脳血管の破綻の原因として高血圧が最も多いため，急性期から慢性期を通じて血圧管理が重要である．抗血栓薬の内服も増悪因子となるため，中止する．

3）くも膜下出血

- 脳動脈瘤の破裂が多く，飲酒，高血圧，喫煙などが危険因子となる．その他の原因として，先天性の血管奇形（脳動静脈奇形）が出血の原因となる．

4）一過性脳虚血発作

- 脳梗塞と同様である．

疫学・予後

- 平成 30 年（2018 年）の人口動態統計（厚生労働省）では，脳卒中は日本人の死因第 4 位であり，年間で約 11 万人が死亡している．また，要介護状態の原因として男性では一番多い．
- 一般に病変の部位の広がりが大きいものは予後が悪く，急性期を過ぎても脳梗塞再発予防が重要である．また，誤嚥性肺炎や廃用症候群など要介護状態に合併しやすい疾患が起きやすい．

症状

脳卒中では，意識障害やろれつが回らない，麻痺症状が起こる，視野障害など，多彩な神経症状が起こりうる．くも膜下出血では激しい頭痛が特徴的である．

- 血管の詰まりによって虚血に陥った部位により症状は異なる．
- ラクナ梗塞では細動脈が詰まり梗塞巣が小さいため，片麻痺などの運動障害や感覚障害，構音障害のいずれか1つにとどまることが多いが，アテローム血栓性脳梗塞や心原性脳塞栓症では梗塞巣が広範囲に及ぶことがあり，片麻痺や構音障害のほか，意識障害や視野障害，失語などの症状を伴うことがある．

診断・検査値

脳梗塞，脳出血，くも膜下出血のいずれも問診と神経学的所見の診察，さらに頭部CT(またはMRI)にて診断を行う．

- 脳卒中が疑われる患者が来院した場合，迅速な診断が必要であるが，同時に意識状態や呼吸，循環動態を確認のうえ，必要なモニタリングを行う．呼吸・循環に異常がある場合やけいれん発作を合併する場合には，必要な処置を行ったうえで問診や神経学的所見の診察，さらにCTやMRIなどによる検査を行う．
- 問診では，発症時の症状のほか，合併疾患について聴取する．とくに，前述したリスク因子の既往歴と治療状況，治療薬の内容について確認を行う．
- 神経学的所見では，脳卒中によって障害された部位により症状が異なるが，急性発症で何らかの異常所見があり症状の軽快がみられない場合には，脳卒中を積極的に疑い，CTなどの画像検査を行う．この際，胸部X線や心電図，血液検査などで他疾患を除外する必要がある．とくに意識障害がある場合には，脳卒中以外にも急性心筋梗塞などの心疾患のほか，低血糖発作や感染症なども鑑別診断にあがる．
- 画像検査については疾患別に下記に解説するが，まず頭部CTで脳出血とくも膜下出血など出血性病変の有無を診断する．CTでは脳梗塞の急性期を診断することは難しいため，MRIが撮影できる施設であればMRIにて拡散強調画像で確認する．植え込み式ペースメーカー使用中の患者は，原則的にMRIが撮影できないことに注意する．

1)脳梗塞(図3-2)

- CTでは慢性期病変が低吸収域でわかりやすいが，急性期病変は明確には判別しにくい．そのため，頭部CTにおいて明らかな異常所見がないからといって脳梗塞を否定できない．

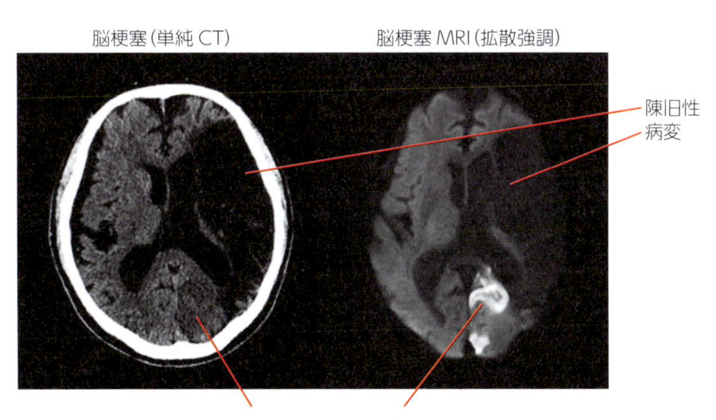
脳梗塞(単純CT)
脳梗塞MRI(拡散強調)
陳旧性
病変
急性期病変はCTでは低吸収域，
MRI拡散強調画像では高信号域を呈する．

■図3-2　脳梗塞のCTおよびMRI画像

● MRIでは，T_1強調画像やT_2強調画像は急性期で変化がないこともあるが，超急性期においても拡散強調画像では，明瞭な高信号域として認められる．そのため，急性期脳梗塞はMRIが診断に有用である．
● MRIの撮影ができない場合には，発症翌日以降のCTを再検すると梗塞部位において低吸収域が顕在化してくるため，診断に有用である．

2) 脳出血（図3-3）
● 出血は，CTで脳白質より白い色調が強い高吸収域として現れるため，CTが有用である．
● 被殻や視床など基底核に多いが（70%以上），大脳皮質下や小脳，脳幹にも起こる．

3) くも膜下出血（図3-4）
● 脳出血同様，CTにてくも膜下腔に高吸収域が認められる．

合併しやすい症状

● 急性期では，けいれん発作や中枢性発熱が起こりうる．脳卒中の範囲が大きい場合には脳浮腫による脳圧亢進症状が起き，意識障害や徐脈，呼吸回数の減少などの合併症が生じる．
● 慢性期では，急性期の神経障害が改善せず後遺症として残存する場合がある．嚥下障害がある場合には誤嚥性肺炎が，重度の麻痺がある場合には関節の拘縮や褥瘡が起こりやすい．
● その他の疾患同様，入院中には深部静脈血栓症や肺塞栓症，せん妄，尿路感染症などに注意する．

治療法

●治療方針
● 脳梗塞，脳出血，くも膜下出血それぞれの疾患で治療法は異なるが，いずれの疾患においても，①全身管理（呼吸や循環管理，中枢性発熱に対する解熱），②各疾患に対する治療，③合併症の予防を行う．以下，各疾患に対する治療を列記する．

1) 脳梗塞
● ラクナ梗塞，アテローム血栓性脳梗塞，心原性脳塞栓症のいずれに対しても血栓溶解薬による血栓溶解療法の適応があるが，rt-PA（アルテプラーゼ）による血栓溶解療法は75歳以上では出血のリスクのために慎重投与であり，使用されないことがある．
● いずれの脳梗塞においても，梗塞の範囲が大きい場合には脳保護療法としてエダラボンの静脈点滴を，脳浮腫を認める場合は高張グリセロール（10%）の静脈点滴を行う．脳浮腫による脳圧亢進症状が顕著な場合には外科療法を考慮する．脳梗塞病変内の脳出血（出血性脳梗塞）や脳浮腫が起こらなければ，発症1～5日以内にリハビリテーションを開始する．

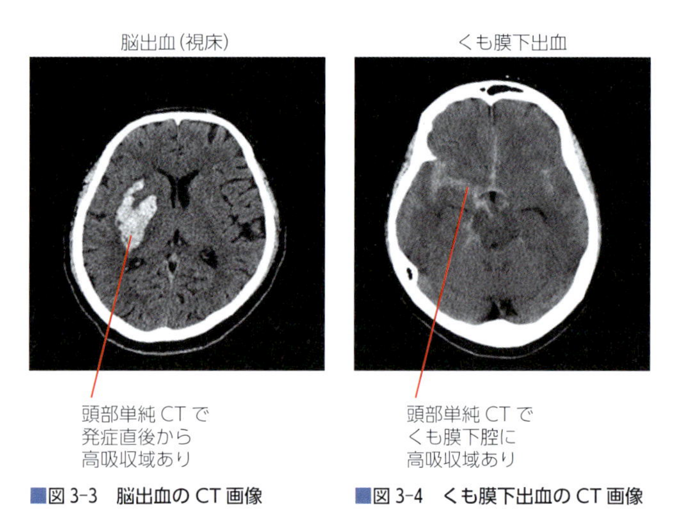

■図3-3　脳出血のCT画像

■図3-4　くも膜下出血のCT画像

- 以下，各病型により急性期で使用されるその他の抗血栓薬を列記する．
  - ・ラクナ梗塞：抗凝固薬（ヘパリンナトリウム），抗血小板薬（アスピリン，オザグレルナトリウム）
  - ・アテローム血栓性脳梗塞：抗凝固薬（ヘパリンナトリウム，アルガトロバン水和物），抗血小板薬（アスピリン，オザグレルナトリウム）
  - ・心原性脳塞栓症：抗凝固薬（ヘパリンナトリウム）
- 再発予防薬には，アテローム血栓性脳梗塞では抗血小板薬（アスピリン，クロピドグレル硫酸塩）や粥腫を退縮させるHMG-CoA還元酵素阻害薬（スタチン，コレステロール低下薬）が，心原性脳塞栓症では抗凝固薬〔ワルファリンカリウムや直接経口抗凝固薬（direct oral anticoagulants：DOAC）〕が使用される．

2）脳出血

- 高血圧性脳出血が多いため，安静と血圧コントロールを行う．血圧の目標値は定まっていないが，収縮期血圧140 mmHg以下まで下げることが多い．血圧コントロールは内服薬〔Ca拮抗薬やACE阻害薬（アンジオテンシン変換酵素阻害薬），ARB（アンジオテンシンⅡ受容体拮抗薬），サイアザイド系利尿薬）に切り替えて慢性期にも継続する．
- 抗血栓薬を内服している患者では中止する．
- 脳浮腫が起こった場合には高張グリセロール（10%）の静脈点滴を行う．血腫や脳浮腫による脳圧亢進症状が顕著な場合には外科療法を考慮する．再出血や脳浮腫が起こらなければ，発症1日〜5日以内にリハビリテーションを開始する．

3）くも膜下出血

- ほとんどの患者が昏睡状態で搬送され，30%以上が来院後早期に死亡するため，診断がついたら外科療法を行う．収縮期血圧値が160 mmHgを超える場合には出血量を減らすためにも血圧コントロールを行う．再出血や脳浮腫が起こらなければ，発症1〜5日以内にリハビリテーションを開始する．

●薬物療法

- 急性期には表3-1にあるような抗凝固薬，抗血小板薬，脳保護薬，浸透圧利尿薬などを用いる．降圧時にはCa拮抗薬，ACE阻害薬，ARB，利尿薬など，脂質異常に対してはスタチンなどが用いられる．

Px 処方例 アテローム血栓性脳梗塞の退院時

- プラビックス錠75 mg　1回1錠　1日1回　朝食後　←抗血小板薬
- ノルバスク錠5 mg　1回1錠　1日1回　朝食後　←Ca拮抗薬
- レニベース錠5 mg　1回1錠　1日1回　朝食後　←ACE阻害薬
- リピトール錠5 mg　1回1錠　1日1回　朝食後　←スタチン

Px 処方例 慢性心不全，心房細動を合併した心原性脳塞栓症の退院時

- ラシックス錠10 mg　1回1錠　1日1回　朝食後　←ループ利尿薬

■表3-1　脳卒中急性期の主な治療薬

分類	一般名	主な商品名	薬の効くメカニズム	主な副作用
抗凝固薬	アルテプラーゼ	アクチバシン，グルトパ	血栓を溶解させる	出血（脳出血など） ※75歳以上は慎重投与
	ヘパリンナトリウム	ヘパリンナトリウム	血栓を溶解させる	出血
	アルガトロバン水和物	スロンノン	血栓を溶解させる	出血 ※心原性脳塞栓症は禁忌
抗血小板薬	オザグレルナトリウム	カタクロット，キサンボン	血小板凝集を抑制する	出血 ※心原性脳塞栓症は禁忌
	アスピリン	バイアスピリン	血小板凝集を抑制する	出血，胃潰瘍
脳保護薬	エダラボン	ラジカット	有害なフリーラジカルを除去	腎障害，肝障害
浸透圧利尿薬	高張グリセロール	グリセオール	血管内を高浸透圧にし，脳浮腫の水分を血管内に引き込む	心不全，乳酸アシドーシス

- ブロプレス錠 8 mg　1回1錠　1日1回　朝食後　← ARB
- アーチスト錠 2.5 mg　1回1錠　1日2回　朝夕食後　← β遮断薬
- エリキュース錠 5 mg　1回1錠　1日2回　朝夕食後　← 抗凝固薬

Px 処方例 高血圧性脳出血(被殻)の退院時

- ノルバスク錠 10 mg　1回1錠　1日1回　朝食後　← Ca 拮抗薬
- ミカルディス錠 40 mg　1回1錠　1日1回　朝食後　← ARB
- ヒドロクロロチアジド錠 12.5 mg　1回1錠　1日1回　朝食後　← サイアザイド系利尿薬

●外科療法

1) 脳梗塞

- アテローム血栓性脳梗塞や心原性脳塞栓症など，大血管における閉塞が疑われる場合には，足の動脈からカテーテルを挿入し血栓溶解療法や血栓回収療法などが行われることがある．
- 脳圧亢進症状がある場合には，減圧開頭術が行われる．

2) 脳出血

- 血腫が大きい場合に開頭血腫除去術または内視鏡下血腫除去術が行われる．
- 脳圧亢進症状がある場合には，減圧開頭術が行われる．

3) くも膜下出血

- 出血した破裂脳動脈瘤の再出血予防のために，開頭下で動脈瘤クリッピング術を行う．
- 再出血予防に足の動脈などからカテーテルを使用し，動脈瘤内に金属コイルを詰めるコイル塞栓術を行う．

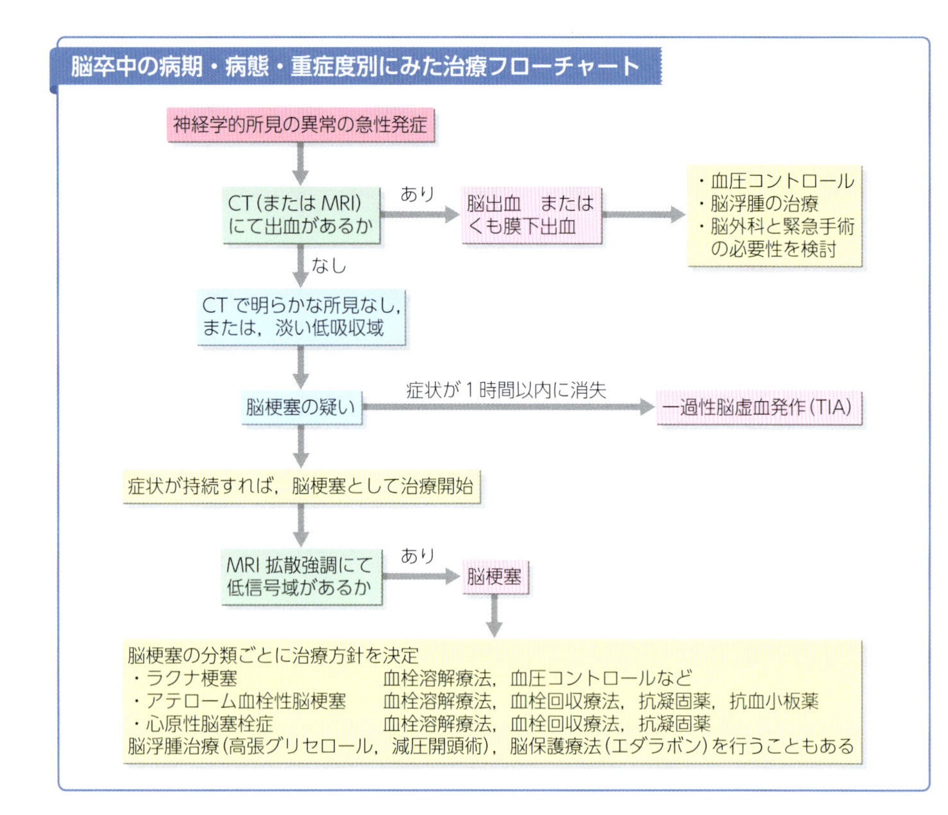

脳卒中をもつ高齢者の看護

高岡　哲子

看護の視点

- 脳卒中は脳組織の不可逆的な変化により，さまざまな機能障害をきたす．そのため，重症度によっては発病前の日常生活の状態にまで回復することは困難であり，生活の再構築が必要となる．高齢者の場合，不自由な身体で生活すること自体に疲労し，今後の生活の組み立てを考える意欲が低下する危険性が高い．したがって，高齢者を中心に家族や多職種と連携しながら，高齢者が望む生活を支援していく必要がある．
- 高齢者だけではなく支える周囲の人々も，高齢者が障害をもった時点でネガティブな側面ばかりに着目し，本来の姿を見失いがちである．適切な自助具の活用や，生活環境を整えることで，自立できることも多い．高齢者のポジティブな側面に着目することで生活の場が広がり，自律した豊かな日常を取り戻すことができることを忘れてはならない．

※そのために，以下のような日常生活の看護のポイントに留意して支援する．

1. **活動と休息のバランスがとれて，疲労を蓄積することなく日常生活を送ることで活動意欲がわき，役割や楽しみを継続し，生活の場が広がるように支援する．**
2. **運動，コミュニケーション，嚥下，排泄などの各障害が生活に与える影響を最小限にするため，適切な自助具を活用し生活環境を整えながら，もてる力を最大限に引き出すように支援する．**

●障害別にみた看護の視点

【運動障害】脳卒中でよくみられる運動障害は，程度に差はあるが日常生活を不自由にする．このような生活は疲労を蓄積し，普段できることもできなくなる危険性があるため，質の高い休息を十分にとり，活動するためのエネルギーを得られるようにする．一方，休息のとりすぎはフレイルをもたらすため，個々の高齢者に合った活動と休息のバランスを大切にしながら，生活のリズムを整える必要がある．

【言語障害】言語障害により自分の思いが伝わらない，伝えられたことを適切に理解できないという経験を繰り返すことで，あきらめの気持ちが強くなり無気力となる危険性がある．したがって，失語症の分類を明らかにし，適切なコミュニケーション手段により，自分の思っていることを他者に伝えることができ，他者から伝達されたことを受けとめることができるように支援する(「22 言語障害」参照)．

【高次脳機能障害】運動障害同様，多くみられるのが高次脳機能障害である．これには，記憶障害や注意障害，失行(行為を行うための運動機能がありながらも，行為できない状態)，失認(人や物を認識できない)などがある．これらは日常生活全般に影響を与え，事故などにあう危険性を高くする．したがって，環境を整える際には，十分に考慮する必要がある．

【嚥下障害】脳卒中の場合，脳の損傷部位によって異なるが嚥下障害が起こる．これは誤嚥性肺炎となる危険性を高くし，何よりも高齢者にとって大切な食べる楽しみを奪うことになる．嚥下障害の程度に合わせた工夫をすることで，安全に食事を楽しめるように支援する．

【排泄障害】脳卒中による排泄障害は尿閉や尿失禁が代表的で，どちらも排泄の自立を脅かし，自尊感情を低下させ，高齢者の社会参加を妨げる危険性がある．また，羞恥心から失禁したことを他者に伝えられず，皮膚の清潔が保たれないこともある．高齢者が自分のペースで排泄ができるように支援する．

●回復過程に応じた看護の視点

【急性期】脳卒中は突然発症し，急激に症状が悪化する特徴がある．急性期では再発防止や脳ヘルニアなどの合併症を早期に発見するため，バイタルサイン，意識障害，運動麻痺の進行度を含む全身状態の観察と管理が重要となる．同時に発病の混乱のなか，高齢者は早期リハビリテーションに取り組まなくてはならない．そのため，予定どおり訓練が行われるように心理状態にも配慮した支援が必要となる．

【回復期】訓練効果が最も望めるこの時期は，訓練室での訓練だけではなく，日常生活動作を行うこと自体が訓練となるため，できるだけベッドから離れて過ごせるように生活の組み立てを行う．また，訓練室での訓練は身体に負荷をかけるため，高齢者は今まで以上に不自由さと向き合うことになる．そのため，できないことに目が向き，「どうしてこんな病気になってしまったのか」と原因や理由を問い，落ち込みやすい．したがって，できていること，できるようになったことに目が向き，今後の生活の再構築を前向きに考えられるように支援することが重要である．

【慢性期】脳卒中は，さまざまな生活要因により再発する危険性があるため，再発予防に向けた生活習慣の見直しが必要となる．また，発病後時間が経過しても，ボディイメージの変化に適応することが難しく，外出が億劫になりがちである．このため，社会とのかかわりが継続され，閉じこもりにならないための支援を行う必要がある．また，家族が介護に疲労することは，高齢者にとってもマイナスとなる．家族介護者が休息を十分にとれるよう配慮することも忘れてはならない．

STEP 1 アセスメント　STEP 2 看護の焦点の明確化　STEP 3 計画　STEP 4 実施

情報収集・情報分析

	必要な情報	分析の視点
疾患関連情報	**現病歴** ・脳の損傷部位 ・医師の説明内容 ・意識障害の有無と程度	□頭部 CT や MRI などの画像から脳の損傷部位を確認し，どのような後遺症が予測されるか □高齢者本人は医師の説明内容をどのように理解しているか □意識状態の悪化はないか
	既往歴 ・高血圧，脂質異常症，糖尿病 ・心房細動	□動脈硬化を促進する危険因子である既往歴から再発の危険性を予測し，どのような生活指導の必要性があるか □治療が確実に行われ，症状のコントロールが良好であるか
	治療 ・治療内容 ・訓練の内容と状況 ・退院後の予定	□治療や治療による有害事象が訓練の妨げになっていないか □退院後の方向性を高齢者や家族がどのように考えているか □自宅や施設などの環境から調整すべき内容は何か □退院までに準備すべきことは何か
身体的要因	**運動機能** ・麻痺の部位や程度（左側・右側） ・拘縮の部位や強さ ・失調と痙性の有無と状態	□運動障害が日常生活にどのような影響を与えているか □運動障害が歩行，移動・移乗などにどのように影響しているか（とくに転倒）
	高次脳機能，認知機能 ・記憶障害の有無と程度 ・注意障害の有無と程度 ・失行の有無と状態 ・失認の有無と状態 ・認知症の有無と程度	□高次脳機能障害が日常生活にどのような影響を与えているか □危険を察知することはできるか □目的に沿った行動がとれているか □人や空間（環境），自身の身体が認識できるか □認知機能が日常生活にどのような影響を与えているか
	言語機能 ・失語症の分類 ・発語の有無と他者の話の理解 ・構音障害の有無と程度	□失語症や構音障害がコミュニケーションに支障をきたしていないか □失語症や構音障害に合ったコミュニケーション方法は何か
	感覚・知覚 ・視野狭窄の有無と範囲 ・聴力障害の有無と程度 ・しびれ，痛みなどの異常知覚の有無と程度 ・知覚鈍麻の有無と程度	□感覚・知覚障害が日常生活にどのような影響を与えているか □障害から予測される回避すべき危険はないか □しびれ，痛みの部位や程度はどうか，1 日の中で増強もしくは軽減することがある場合はどのようなときか

	必要な情報	分析の視点
心理・霊的要因	**健康知覚・意向，自己知覚** ・回復に対する思い ・自己目標の内容	□回復に対する目標や期待が訓練にどのように影響しているか □期待と予測される予後の差異は大きくないか（これが大きい場合は，絶望する危険性がある）
	価値・信念 ・症状に対する思い ・他者の手を借りることへの思い	□症状や予後に対する不安はないか □他者に依存することに伴う自尊感情の低下はないか
	気分 ・気分（イライラ，あせりなど） ・気分転換の方法	□気分が訓練への意欲低下につながっていないか □うつ状態に陥っていないか（うつ状態は，行動や思考の静止状態となり，予定通り訓練が行われない危険性がある） □気分転換が効果的に行われているか
	ストレス耐性 ・ストレスへの対処法	□ストレスへの対処法が効果的に行われているか □ストレス対処法を変更する必要はあるか
社会・文化的要因	**役割・関係** ・役割の内容と思い	□障害をもちながら役割の継続は可能か，そのために必要な条件は何か
	仕事，家事，学習 ・仕事，家事，学習の内容と思い	□障害をもちながら仕事，家事，学習の継続は可能か，または継続に必要な条件は何か
	遊び ・遊びの内容と思い	□障害をもちながら遊びの継続は可能か，または継続に必要な条件は何か
	社会参加 ・社会参加の内容と思い	□障害をもちながら社会参加の継続は可能か，または継続に必要な条件は何か
睡眠・休息	**睡眠・休息のリズム** ・睡眠時間と時間帯 ・夜間の排泄回数 ・1日のスケジュール	□睡眠時間と時間帯は適切か（とくに昼夜逆転） □不眠が活動に与える影響はあるか □機能訓練などの活動の程度に合わせて休息がとれているか
	睡眠・休息の質 ・不安，悩みの有無と内容 ・不眠の訴え ・日中の休息内容と時間帯 ・生活習慣の変化 ・他者との関係	□夜間の排泄が頻回となり，睡眠を妨げていないか □不安や悩みが睡眠の妨げになっていないか □疲労回復の方法は適切か □生活習慣を変化させることで身体的疲労を増強させていないか □家族，同室者，支援者との関係が休息の妨げとなっていないか □他者に介助を頼むとき，とくに夜間トイレにいくなどの行動をとることでの気兼ねはないか
	心身の回復・リセット ・疲労の有無と程度	□不自由な身体で生活することによる疲れやすさに合った休息がとれているか
覚醒・活動	**覚醒** ・覚醒の時間と時間帯	□訓練できる覚醒状態か
	活動の個人史・意味 ・趣味や楽しみの内容と思い ・興味がある事柄	□これまでの趣味や楽しみを継続することは可能か，または継続に必要な条件は何か □興味をもっていることが新たな趣味や楽しみへと発展する可能性はあるか

	必要な情報	分析の視点
覚醒・活動	**活動の発展** ・現在の活動に対する思い ・身体を動かすことへの思い(とくに恐怖心や焦燥感，無気力など) ・社会参加への思い(とくに不安や希望など) ・活動内容 ・一日のスケジュール ・危険を回避する方法 ・活動している空間(段差の有無，空間の広さ，狭い通路の有無，通行の障害になる物品の有無，室内の家具の配置など)	□活動への意欲はあるか □恐怖心に伴う活動量の変化はないか □思いどおりに動けないことへの焦燥感や無気力の気持ちが活動量低下につながっていないか □不安が生活の場を狭める危険性はないか □活動と休息のバランスはとれているか □危険を回避する方法は適切か □活動している空間内に危険はないか □自立を促すために配慮すべきことがらは何か
食事	**食事準備** ・食事に対する認識 ・食事環境 ・食形態 ・摂取に必要な道具 ・食器の配置	□食事をあせらないで摂取できる環境にあるか □食事が認識できているか □食形態が高齢者に合っているか □障害に合った食器，食具，マットなどを使用しているか(麻痺側によって食器を置く方向が違う．また，滑らないマットを使用することで食事が自立できる場合がある)
	食思・食欲 ・活動量と時間帯 ・空腹感の有無と程度と時間帯 ・知覚異常の有無と程度 ・食事中の疲労の有無と程度	□活動量の低下により空腹を感じなくなっていないか □知覚異常が苦痛や不快となり食欲を低下させていないか □運動障害がある身体で食事をすることで，疲労して食欲に影響していないか
	姿勢・摂食動作 ・上肢の運動機能 ・座位姿勢 ・食事にかかる時間 ・疲労の有無と程度 ・むせの有無と程度 ・むせに対する言動 ・食べ残しの量と食器の配置 ・注意力の程度 ・口腔内の状態	□利き手交換(麻痺により利き手を変更すること)が効果的に行われているか □麻痺による姿勢の傾きはないか □食事時間中，姿勢を保つことに疲労していないか □むせにより食事が中断していないか □むせが食事に対する恐怖心をもたらし，食事摂取量に影響していないか □半側空間無視が食事摂取量に影響していないか □注意力が欠けていないか □麻痺のため食物が口腔内に残っていないか
	栄養状態 ・食事摂取量と飲水量 ・食べこぼしの有無と程度 ・体重の変化	□食事摂取量や水分摂取量は適切か □障害により食べこぼしの量が多くなっていないか □急激な体重減少はないか
排泄	**尿・便をためる** ・食事・水分を摂取する時間帯	□食事や水分を摂取する時間帯が，頻回の夜間排泄に影響していないか □夜間排尿を気にして水分を制限していないか

	必要な情報	分析の視点
排泄	・尿閉，残尿感，頻尿の有無 ・腹部症状の有無と程度 ・便秘，残便感の有無	□腹圧がかけられるか □便秘による苦痛はないか
	尿意・便意 ・尿意・便意の有無と感じてから排泄するまでの時間 ・排泄を訴える方法 ・排泄パターン ・失禁の有無と回数 ・緊張	□トイレ移動が時間に余裕をもってできているか □高齢者の尿意・便意の訴え方やサインは何か □排泄時間の規則性はどうか（時間を把握することで早めの声かけが可能となり，機能性尿失禁の予防につながる） □失禁してしまうのではないかと不安になることで，尿意・便意を気にしすぎていないか
	姿勢・排泄動作 ・移動・移乗動作の状況 ・排泄動作の状況 ・後始末の状況 ・排泄による疲労の有無と程度	□トイレまで移動できるか（歩行，車椅子の使用が必要か） □安全に移動・移乗が可能か □安全に排泄ができているか □トイレ動作が安全に行えているか，また必要な介助は何か □殿部，陰部を清潔にできているか □疲労が排泄への意欲低下につながっていないか
	尿・便の排出，状態 ・尿・便の回数 ・排泄に対する思い	□排泄回数の多さが疲労をもたらしていないか □介助を受けることでの，羞恥心などが自尊感情を低下させていないか
身じたく	**清潔** ・入浴・シャワー浴の回数と方法 ・入浴・シャワー浴に対する思い ・入浴・シャワー浴での疲労の有無と程度 ・口腔ケアの方法 ・口腔内の状態	□入浴やシャワー浴を行うことに伴う危険はないか □発病前の入浴・シャワー浴の習慣が継続されているか □自分でできることをやろうとする意欲はあるか □入浴・シャワー浴に対して満足しているか □入浴・シャワー浴後の疲労はないか □口腔内の汚れに気づけているか □口腔ケアの準備ができるか □使用している歯磨き，コップなどの道具は適切か □清潔になったことを確認できるか
	身だしなみ ・更衣の方法 ・着ている服の汚れの有無 ・おむつ使用の有無と種類 ・おむつ交換回数 ・殿部，陰部の皮膚の状態 ・殿部，陰部の清潔 ・洗面，整容の方法 ・疲労の有無と程度	□状況に応じた衣服が選択できているか（気温，場所など） □衣服の汚れに気づき，交換を希望できるか □使用しているおむつは適切か（場合によっては尿とりパッドを併用するなどの工夫が必要である） □おむつの汚染に気づけているか □行っているおむつ交換の回数と時間は適切か □殿部・陰部の清潔を保つ方法は適切か □使用しているひげそり，鏡，ブラシなどの道具は適切か □洗面・整容方法は適切か □疲労することで，自力で整容を行う意欲が低下していないか
	おしゃれ ・おしゃれに対する関心 ・いつも行っているおしゃれの内容 ・おしゃれに対する思い	□自分のおしゃれを楽しめているか □おしゃれに対して満足しているか □障害があることでおしゃれをあきらめていないか

	必要な情報	分析の視点
コミュニケーション	**伝える・受け取る** ・言語機能 ・高齢者が語る内容 ・身ぶり，しぐさ，表情 ・聴力の状態や視力の状態 ・話す環境 ・文字の書き方 ・文字を書くことへの思い ・相手が話した内容の理解度 ・コミュニケーション時の態度 ・コミュニケーション相手が高齢者をどのように理解しているか ・コミュニケーションの内容 ・不安，悩みの有無と内容 ・希望	□「身体的要因」の「言語機能」(p.100) 参照 □高齢者の意図が異なる言葉で語られることはないか □障害がある身体でどのように表現しているのか □非言語的コミュニケーションに特徴はあるか □難聴や視力低下がコミュニケーションに支障をきたしていないか □書かれた文字が理解できているか □文字盤などの道具を活用できるか □文字がうまく書けず，落ち込んでいないか □相手の言ったことを理解できているか □失語症などにより，他者とコミュニケーションをとることに消極的になっていないか □麻痺などのボディイメージの変化により，人とかかわることを避けていないか □伝えることや理解することをあきらめていないか □コミュニケーションの相手は，高齢者の身体状況を理解できているか □伝えようとしている内容を障害が制限していないか □不安や悩み，自分の希望を伝えることができているか

アセスメントの視点（病態・生活機能関連図へと導くための指針）

ここでは回復期の看護展開を行う．脳卒中は，運動障害などの出現により，日常生活に支障をきたしやすい．そのため，高齢者も家族もできなくなったことばかりに着目しがちである．しかし，高齢者はもてる力を活用することで，できることが増え，生活の再構築が可能となる．したがって，できること，支援が必要なことの両面から現状を的確にとらえる必要がある．

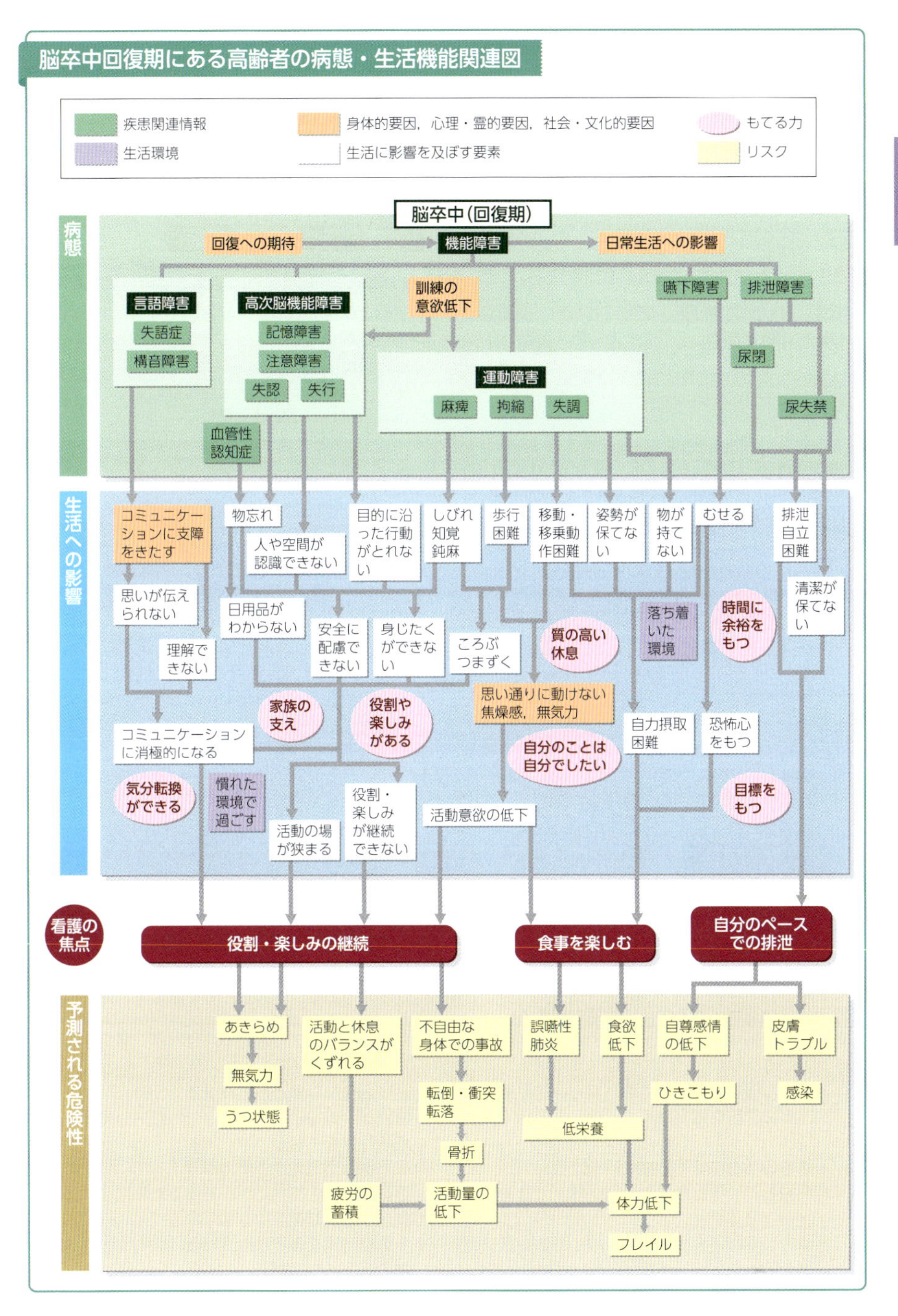
脳卒中回復期にある高齢者の病態・生活機能関連図
疾患関連情報
身体的要因，心理・霊的要因，社会・文化的要因
もてる力
生活環境
生活に影響を及ぼす要素
リスク
病態
脳卒中（回復期）
回復への期待
機能障害
日常生活への影響
言語障害
失語症
構音障害
高次脳機能障害
記憶障害
注意障害
失認
失行
訓練の意欲低下
嚥下障害
排泄障害
尿閉
尿失禁
運動障害
麻痺
拘縮
失調
血管性認知症
生活への影響
コミュニケーションに支障をきたす
物忘れ
人や空間が認識できない
目的に沿った行動がとれない
しびれ知覚鈍麻
歩行困難
移動・移乗動作困難
姿勢が保てない
物が持てない
むせる
排泄自立困難
清潔が保てない
思いが伝えられない
日用品がわからない
安全に配慮できない
身じたくができない
ころぶつまずく
質の高い休息
落ち着いた環境
時間に余裕をもつ
理解できない
家族の支え
役割や楽しみがある
思い通りに動けない焦燥感，無気力
自力摂取困難
恐怖心をもつ
コミュニケーションに消極的になる
自分のことは自分でしたい
気分転換ができる
慣れた環境で過ごす
役割・楽しみが継続できない
活動の場が狭まる
活動意欲の低下
目標をもつ
看護の焦点
役割・楽しみの継続
食事を楽しむ
自分のペースでの排泄
予測される危険性
あきらめ
無気力
うつ状態
活動と休息のバランスがくずれる
不自由な身体での事故
転倒・衝突転落
骨折
誤嚥性肺炎
食欲低下
低栄養
自尊感情の低下
ひきこもり
皮膚トラブル
感染
疲労の蓄積
活動量の低下
体力低下
フレイル

STEP 1 アセスメント　STEP 2 看護の焦点の明確化　STEP 3 計画　STEP 4 実施

看護の焦点の明確化

#1　麻痺により活動量が低下することなく，役割や楽しみが継続できる
#2　麻痺により疲労することなく，食事を楽しむことができる
#3　皮膚トラブルを起こすことなく，自分のペースで排泄できる

STEP 1 アセスメント　STEP 2 看護の焦点の明確化　STEP 3 計画　STEP 4 実施

1 看護の焦点	看護目標
麻痺により活動量が低下することなく，役割や楽しみが継続できる	1)活動と休息のバランスがとれて，日々の疲労が蓄積しない 2)活動意欲を保つことができる 3)事故や転倒などの危険を回避できる 4)役割や楽しみが継続できる

具体策(支援内容)	根拠
1. 活動と休息のバランスがとれるための支援	
1)活動しやすいように環境を整える	
・日常生活のなかで，高齢者が自分でできることは可能なかぎり自分で行う	●もてる力を最大限に生かして自分で行うことは体力維持につながる
・高齢者に合った自助具を使用する	●高齢者に合った自助具の使用は，活動がスムーズになり，安心感をもたらす
・気に入った洋服を着るなど，おしゃれを楽しむ	●おしゃれは室外へ出てみようという思いにつながる
・季節を感じるような行事に参加する	●非日常的なイベントは刺激になり，行動拡大のきっかけになる
・いままでの趣味を継続，または現状でできる趣味をみつけて行う	●趣味を通して，人とのかかわりにつなげる
・日中は動きやすい服を着用し，就寝時は寝衣に着替える	●メリハリをつけることで，活動と休息のバランスがとりやすくなる
・衣服の着脱時は，できないところだけを手伝うようにする	●できることを手伝うことで，もてる力を最大限に発揮できないほか，主体性を奪う
・朝夕に洗面を行う	●メリハリをつけることで，活動と休息のバランスがとりやすくなる
・整容を行うときは鏡を見る	●鏡を使って，高齢者自身が自分の状態を把握することが大切である
2)十分な休息がとれるように生活を整える	
・高齢者の生活パターンに合わせた生活を送る	●個々人のペースに合わせなければ，疲労が蓄積しやすくなる
・疲労が強いときは，生活パターンを見直す	●活動過多になると疲労が増す
・不眠の原因を取り除く	●睡眠が十分にとれないことで，疲労が蓄積する危険性が高くなる
・活動のあとには十分な休息をとる ・疲労しているときは無理強いせず，介助する	●高齢者は回復力や予備力が低下しているため，活動のためのエネルギーを得るためには十分な休息が必要である
・疲労しているときは，疲れない方法で気分転換を図る	●疲労が持続することは，悲観的な考え方や活動量の低下につながる

看護ケア	根拠
・いつもできていることができないときは，無理しないように説明する	●その日の状態によって活動が影響を受けることを知ってもらうことで，安心してもらう
・ベッドで過ごす際は良肢位を保つ	●拘縮予防と安全保持につながる
2. 活動意欲を保つための支援	
・現状と予後について医師から説明してもらう	●今後の方向性が明らかになることで前に進める
・高齢者とともに，できることとできないことを把握する	●高齢者が現状を適切に把握できることで，今後やるべきことが明らかとなる
・希望をもてるような目標を立てる	●孫の結婚式に参加することや，家族旅行へ行くなど具体的な目標があることで，活動意欲を維持できる
・高齢者の訴えを傾聴する	●障害をもつことで，さまざまな不安や混乱を起こしながら日々生活していることが予測されるため，表出してもらうことで緩和を図る
・高齢者が思いを表出できる場を設ける	●場を設定することで，思いを表出しやすくなる
・できていることに対して賞賛する	●以前のように生活できないことで，自己評価を低くしているため，できていることを自覚してもらう
・楽しみや趣味を活用して気分転換をする	●障害ばかりに目を向けることで，絶望に陥りやすいため気分転換を図る
3. 危険が回避できるための支援	
・事故にあわないように環境を整える	●注意障害により危険を回避する能力が低下している場合がある
・転倒を予防するための環境をつくる	●転倒することで自信をなくし，さらに生活の場が狭まる危険性がある．骨折による寝たきりを予防する
・物の場所や部屋はできるだけ変えないようにする．どうしても変更が必要な場合は，よく説明する	●混乱をきたし，事故につながりやすい
・部屋などに，わかりやすい印をつける	●目印はインパクトがあるため，自分の部屋やトイレの場所などを覚えやすい
・慣れない場所へ行くときには，他者が付き添う	
4. 役割や楽しみを継続するための支援	
・生活史をヒントに役割や楽しみを継続する方法を高齢者とともに考える	●ライフイベントや高齢者が大切にしていることを活動のきっかけとする．生活を楽しめることが，高齢者の強みになる ●高齢者の行動の意味を理解する際の助けとなる
・楽しみにしていることを行う際は，事前準備をきちんと行い，疲労を最小限にする	●疲労が少ない経験は，次の活動意欲につながる
・高齢者の希望に合わせた予定を立てる	●主体的に行動できているという経験は，自信につながる
・同じ楽しみをもつ人々との交流の場を設ける	●活動の場が広がる
・必要時は家族の協力を得て行う．施設内でできないことは，家族と調整を図るなどして，できるだけ希望に沿うようにする	●家族の協力によって選択肢が増えることになる

2 看護の焦点	看護目標
麻痺により疲労することなく，食事を楽しむことができる	1) 自助具を活用して，自力で摂取できる 2) 食事を楽しむことができる 3) 口腔内の清潔を保つことができる

具体策（支援内容）	根拠
1. 自助具の活用とセッティングにより自力摂取できるための支援	
1) 食欲を引き出すための工夫	
・飲食物の形態を検討する	●誤嚥せず食事がとれる経験は食欲につながる
・食べることをせかさない	●あせることで，誤嚥しやすくなる
・食事制限がない場合は，病院食以外の食物も時に取り入れる	●食事を楽しいと思える．自分の食べたいものを食べることや，いつもと違うものを食べることは食欲につながるとともに，自力摂取の動機づけとなる
2) 負担にならない食事動作の支援	
・食事をするための姿勢を保つ（体位変換枕や足台などの使用）	●誤嚥を防ぎ，安楽な状態で摂取してもらえる
・障害に合わせたセッティングを行う（半側空間無視に合わせた食器の置き方など）	●食欲があるにもかかわらず，気づかずに食べ残すことで食事量が減少することを防ぐ
・適切な自助具を使用する（トレイ，食器，ストロー）	●適切な自助具を使用することで，自力でできることが増える
・その時々でできていないことを介助する	●疲労度により，できないことが変化している危険性がある
2. 食事を楽しむための環境づくり	
・高齢者に合った食事時間を守る	●空腹感がないときの食事は苦痛になる
・会食形式をとる	●人と場を共有することで，孤独感が軽減する
・ゆったりとした雰囲気をつくる	●ゆっくりと食事ができることで食事量が増える．また落ち着いて食事ができないことがあせりとなり，あわてることで誤嚥などを起こす危険性が高くなる
3. 味を楽しむために口腔内を清潔にする支援	
・毎食後に歯磨きを行う．おやつ摂取後はうがいをする．適宜，舌苔を取り除く．歯磨きやうがいができない場合は，ガーゼなどで清拭をする	●口腔内が汚れていると味覚を感じにくい
・可能であれば水分を多めに摂取するように勧める	●口腔内が潤うことで咀嚼・嚥下機能を助ける
・義歯を調整する	●ゆるいと義歯と歯肉の間に食物残渣が入り，疼痛の原因となる．噛む動作が困難となり，丸のみすることで誤嚥を起こす危険性が高くなる

3 看護の焦点	看護目標
皮膚トラブルを起こすことなく，自分のペースで排泄できる	1) もてる力を発揮しながら余裕をもち排泄行動がとれる 2) 殿部・陰部の清潔を保つことができる

具体策(支援内容)	根拠
1. できることを行いながら早めに排泄行動をとるための支援	
1) 早めに排泄行動をとるための支援	
・排泄パターンを把握する	●早めに行動することで，失敗が少なくなり，自信がもてる
・排泄を希望した場合は，速やかに対応する	●尿意や便意を感じたときに排泄できることで，排泄による苦痛が軽減できる
2) 自立を支援する環境づくり	
・車椅子や杖で移動できるように廊下を整える	●転倒などの事故を予防するため，安全に移動できる環境を整える
・健側に手すりやペーパーホルダーがついているトイレを使用する	●使いやすくすることで，安全に自力で行えるようになる
・洋式便器の高さが高齢者に合っている．車椅子や杖歩行で入っても空間に余裕がある	●高齢者に合った道具を使用することで，最大限の効果を発揮する
・ナースコールの位置を確認する	●必要なときに，支援者をよぶことができる
・使用後のおむつや尿とりパッドを廃棄する入れ物を使いやすい場所に置く	●人の目に触れずに始末ができることで，羞恥心を最小限にできる
・ベッド移乗が容易にできる高さにする	●高齢者に合った道具を使用することで，最大限の力を発揮する
・車椅子使用の場合は自走できる，高齢者に合ったものを使用する	●人に頼まなければ行動できないという制限が軽減される
・杖歩行の場合は高齢者に合った運動靴を履く	●つまずくなどの事故を予防する
・杖は高齢者が取りやすい，決まった場所に置く	●同じ場所に置くことで慣れるため，できることが増える
・方向転換できる空間をつくる	●方向転換が容易なだけではなく，気持ちにも余裕がもてる
2. 自尊感情が低下しないための支援	
・他者に聞こえないように排泄の有無を確認する	●排泄はデリケートなことなので，内容によっては羞恥心をもたらす
・失敗した場合は，速やかに片づける	●失敗による羞恥心を最小限にする
・できていることを具体的に伝える	●失敗したことやできないことに目が向きがちになるため，自信をもってもらう
3. 殿部・陰部の清潔を保つための支援	
・おむつを使用している場合や失禁後は清拭をする(1日1回は石けんを用いる)	●清潔を保つことで皮膚トラブルを予防する
・衣服，下着，おむつを交換する	●臭気や汚れの軽減につながる．身体の汚れや臭気は自信を喪失させ，社会参加を妨げる原因となる

関連項目

※もっと詳しく知りたいときは，以下の項目を参照しよう．

症状・状態

- 「22 言語障害（→ p.405）」：失語症の分類などを詳しくみてみよう
- 「24 痛み・しびれ（→ p.434）」：高齢者が危険を回避するためのヒントを得よう
- 「1 認知症（→ p.56）」：血管性認知症の特徴を押さえておこう
- 「15 摂食嚥下障害（→ p.304）」：障害部位と嚥下との関連を押さえておこう

生活への影響と看護の視点

- 「19 排尿障害（→ p.364）」：症状を緩和するための支援を詳しくみてみよう
- 「20 排便障害（→ p.378）」：症状を緩和するための支援を詳しくみてみよう
- 第 1 編「生活行動情報の着眼点」：脳卒中によるさまざまな機能障害は生活全般に影響するため，基本条件を押さえておこう

予測される危険

- 「25 抑うつ状態（→ p.451）」：うつ状態となることを予防するための支援を詳しくみてみよう
- 「29 転倒（→ p.504）」：転倒を予防するための支援を詳しくみてみよう
- 「5 肺炎（→ p.129）」：誤嚥性肺炎の特徴や予防法を確認しよう
- 「28 フレイル（→ p.491）」：フレイルを予防するための支援を詳しくみてみよう

4 大腿骨近位部骨折

小川　純人

目でみる疾患

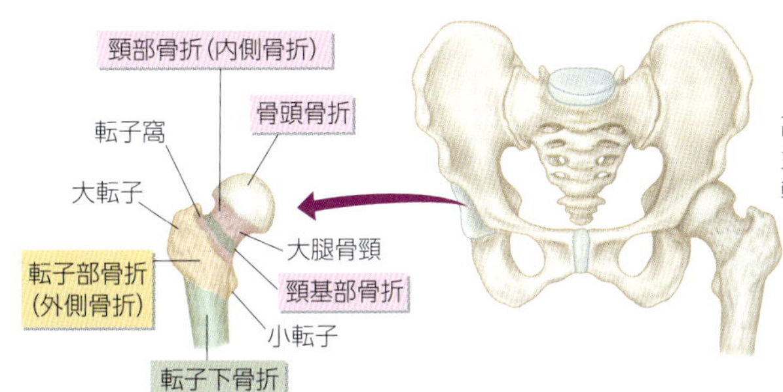

高齢者の転倒による骨折は，主に頸部骨折，頸基部骨折，転子部骨折である．

■図 4-1　大腿骨頸部骨折の骨折部位による分類

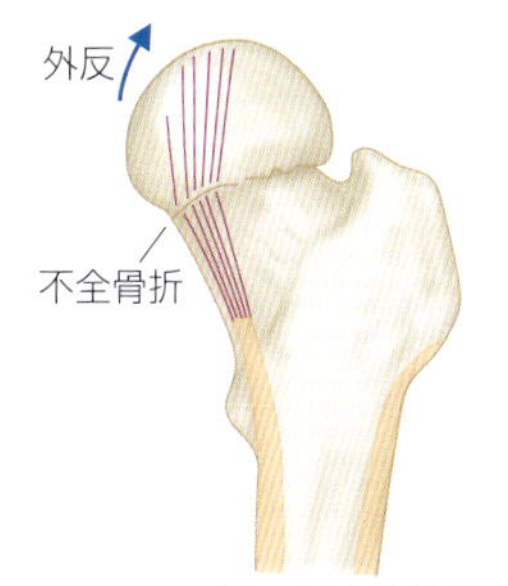

ステージⅠ　不完全骨折
（内側で骨性連続が残存しているもの）

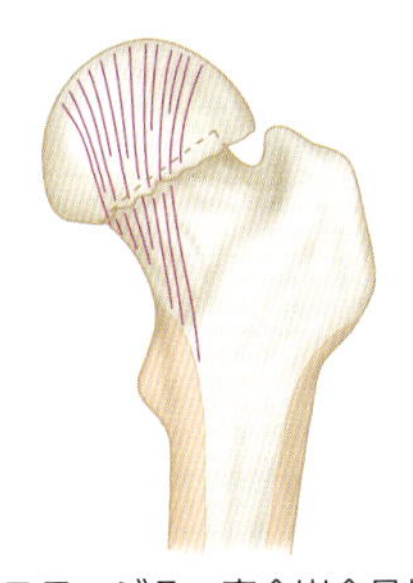

ステージⅡ　完全嵌合骨折
（軟部組織の連続性は残存している）

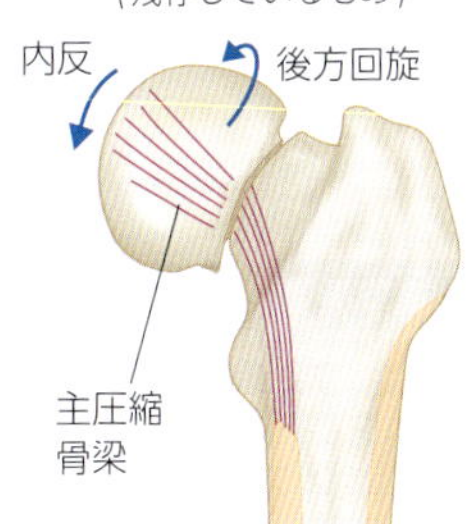

ステージⅢ　完全骨折
転位あり
（バイトブレヒトの支帯の連続性が残存している）

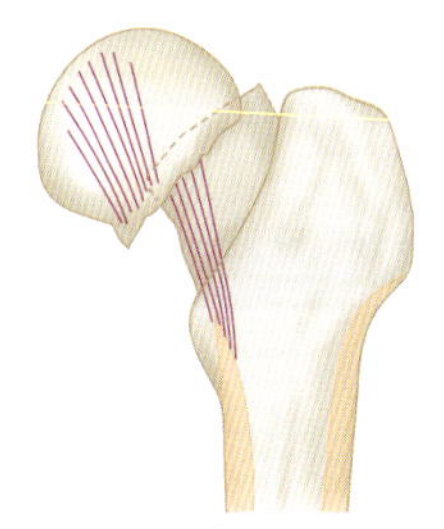

ステージⅣ　完全骨折
転位高度
（すべての軟部組織の連続性が断たれたもの）

■図 4-2　大腿骨頸部内側骨折（頸部骨折）のガーデン分類
（Garden RS: Low-angle fixation in fractures of the femoral neck. J Bone Joint Surg 43-B : 647, 1961 より一部改変）

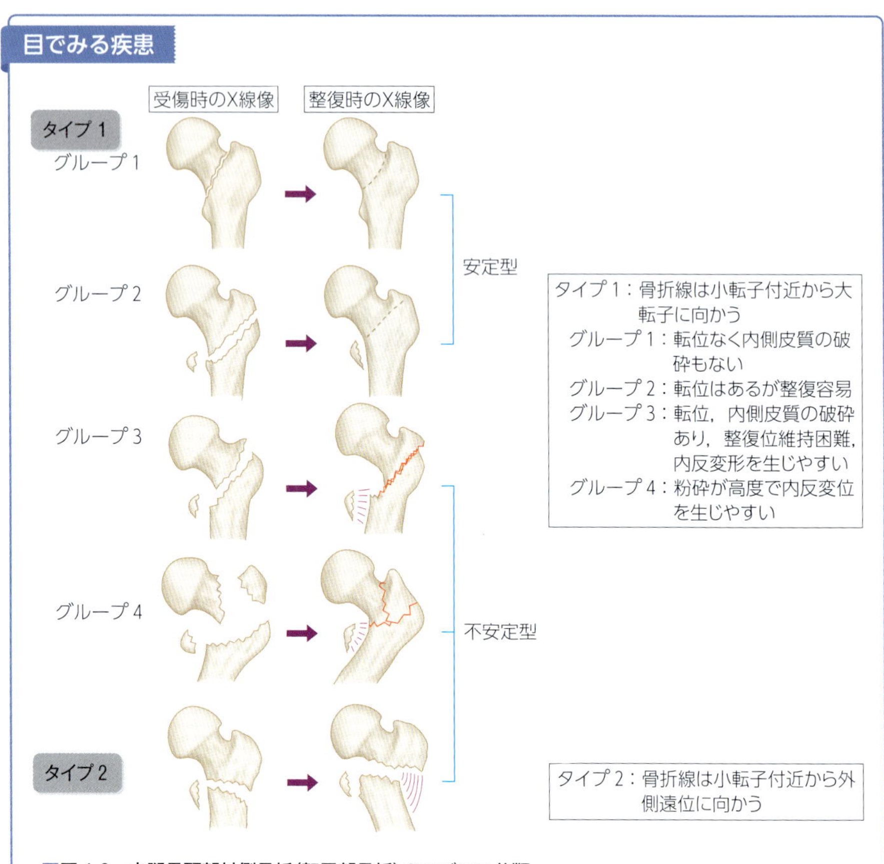

■図 4-3　大腿骨頸部外側骨折(転子部骨折)のエバンス分類
(Evans EM, et al：The treatment of trochanteric fractures of the femur. J Bone Joint Surg Br 31：190-203, 1949 より一部改変)

病態生理

骨が本来もつ強度を超える外力によって骨構造が破壊され，解剖学的な連続性が絶たれた状態を骨折という．

- 原因，部位，程度，外力の作用，骨折線の方向，軟部組織損傷との関係などによって様々に分類される．

〈原因による分類〉

- 外傷性骨折：健常な骨に強い直達あるは介達外力が加わったときに生じる骨折．
- 病的骨折：腫瘍や骨疾患などの基礎疾患が原因となって骨が脆弱化し，軽微な外力によって生じる骨折．

〈軟部組織損傷との関係による分類〉

- 皮下骨折(閉鎖骨折，単純骨折)：外界と骨折部との交通がないものをいう．
- 開放骨折(複雑骨折)：皮膚，軟部組織に創があり外界と骨折部が交通するものをいう．

〈外力の作用による分類〉
●圧迫骨折，屈曲骨折，剪断骨折，裂離骨折，捻転骨折に大別される．

〈骨折線の走向による分類〉
●横骨折，斜骨折，粉砕骨折，螺旋骨折に分類される．

●**高齢者の骨折の特徴**

●骨折は，要支援や要介護の大きな原因となる．なかでも，大腿骨近位部骨折や脊椎圧迫骨折によって，日常生活動作（ADL）や運動機能が低下し，とくに大腿骨頸部骨折では死亡率の上昇など生命予後の悪化にもつながる．
●大腿骨近位部骨折：転倒に伴うものが大半で，股関節痛を訴え歩行困難になることが多いが，時として転倒することなく骨折する場合もある．骨粗鬆症を伴う場合が少なくない．骨折部位によって，関節包内で生じる大腿骨頸部内側骨折（大腿骨頸部骨折）と，関節包外で生じる大腿骨頸部外側骨折（大腿骨転子部骨折）に大別され，骨粗鬆症が高度な高齢者の場合には外側骨折が生じやすい．
●脊椎圧迫骨折：多くは脊椎に対する軸圧による椎体の圧迫骨折であり，楔状に変形した椎体によって脊柱に後弯が生じ，高齢者特有の円背を呈する．
●上腕骨頸部骨折：転倒して手や肘をついたり，肩を打撲したりすることで発症する．上腕骨は近位部から遠位部にかけての骨折が多く，その場合上肢挙上や回旋運動が制限される．
●橈骨遠位端骨折：前方に転倒したときに手関節が背屈して受傷する．

病因・増悪因子

高齢者の骨折の主な原因は転倒で，かつ骨粗鬆症が高度な患者に起こりやすい．

●高齢者では骨粗鬆症を認める場合が少なくなく，骨粗鬆症では骨強度が減少して骨が脆弱になり，力学的に易骨折性の状態にある．
●高齢者の骨折は，次のような点から治癒が困難である．
・基礎に骨粗鬆症をもつことが多く，骨癒合能力が低下している．
・骨折線が垂直方向になりやすく，剪断力が作用するため骨癒合が阻害されやすい．
・高齢者では体重をかけない動作をするように指示しても遵守できなかったり，意欲低下を呈することが少なくなく，十分なリハビリテーションを実施するのが難しい．また全身的な合併疾患を有することが多く，治療に難渋しやすい．
・骨折部が関節内のため骨膜血行が豊富でないうえ，骨折によって髄内血行も途絶する．また大腿骨近位部に主に血液を供給する内側大腿回旋動脈の分枝が骨折により損傷されやすい．

疫学・予後

●高齢化に伴い，大腿骨近位部骨折は患者数，発生頻度ともに増加傾向にある．
●骨粗鬆症の予防に作用する女性ホルモン（エストロゲン）が閉経後に減少するため，閉経後女性は骨粗鬆症を発症しやすい．そのため，高齢女性は大腿骨近位部骨折を起こすリスクが高くなる．
●大腿骨近位部骨折では，受傷後に適切な治療を行っても，受傷前の日常活動レベルに復帰できるとはかぎらない．年齢，受傷前の歩行能力，認知症の程度が歩行能力回復に影響する．ADL低下から寝たきりとなり，肺炎や褥瘡を合併する場合もある．退院後，自宅に帰った症例（なかでも同居症例）は施設入所例よりも機能予後がよい．

症状

骨折部位の持続する疼痛，圧痛，腫脹や機能障害を訴えることが多い．

●転位によって回旋，屈曲などの変形や可動性の異常を認めることもある．骨折端が擦れ合う轢音が聞こえる場合もある．
●骨折部位や程度，合併症の有無により症状は異なる．開放骨折で軟部組織損傷や出血を伴う場合にはショックに陥ることもあり，意識・呼吸・循環状態を確認するようにする．一方，皮下骨折でショックに陥ることは比較的まれである．
●大腿骨近位部骨折は，関節胞内で生じた場合を「内側骨折」，関節胞外で生じた場合を「外側骨折」という．

診断・検査値

正面・側面の2方向からの単純X線撮影によって診断する．

- 2方向の単純X線撮影により診断可能であることが多い．比較のため健側も撮影する．単純X線撮影によって明らかな骨折を指摘できない場合には，CTやMRI撮影を実施して骨折の有無に関する鑑別を進める．
- X線分類では，内側骨折ではガーデン分類（図4-2），外側骨折ではエバンス分類（図4-3）が用いられることが多い．
- 皮下骨折か開放骨折かを調べる．とくに開放骨折の場合には，受傷後の時間経過が大切である．
- 骨折周辺の神経損傷や隣接関節・臓器障害，軟部組織損傷の有無・程度を確認する．血管損傷が疑われた際には血管造影を実施する．
- 問診時には，どこでどのように転倒したのか，疼痛部位を含めて確認し，受傷前のADLや歩行能力を確認する．

●検査値

- 高齢者は内科的併存症を有する場合が少なくないため，血液検査で赤血球数，ヘモグロビン，ヘマトクリット，AST，ALT，クレアチンキナーゼ，尿蛋白などを把握する．

合併しやすい症状

- 感染症，皮膚損傷，血管損傷，神経麻痺，脂肪塞栓，内臓損傷などを合併しやすい．
- 高齢の大腿骨近位部骨折患者では，ADL低下や歩行困難から寝たきりとなり，肺炎，褥瘡，せん妄，認知症，傾眠，食欲不振などを認める場合が少なくない．
- 人工関節置換術後3週間は脱臼しやすいので注意を要する．その後は長期臥床による廃用，筋力低下，低栄養，認知機能低下・認知症などの出現に注意が必要となる．

治療法

●治療方針

- 全身症状を伴う場合は気道確保を優先し，ショックに陥っている場合には内臓損傷などを念頭において迅速に対処する．
- 骨折に対しては，骨癒合を目標に整復，固定，リハビリテーションを行う．整復に際しては，転位した骨片を解剖学的位置に戻すことを目指す．固定は整復位を保持し，骨折部の癒合を確認後，関節拘縮を取り除き，廃用症候群の予防を目的としたリハビリテーションを実施する．
- 大腿骨近位部骨折において，保存療法は予後不良であることが多い．合併症を含めて全身状態や精神状態を評価し，麻酔，手術が可能かどうかを判断し，可能と判断された場合には可及的速やかに手術を実施する．術後は誤嚥性肺炎や深部静脈血栓症などの合併症のリスクが高く，リハビリテーションの遅延や寝たきり，死亡の原因となりうるため，早期離床を目指して合併症を予防する．

●保存療法

- 骨癒合促進のために行う整復には，麻酔やX線透視下で行われる徒手整復と整復位を保持する牽引療法がある．さらに牽引療法には，絆創膏や包帯を用いて皮膚を牽引する介達牽引法と，骨にキルシュナー鋼線などを刺入して牽引する直達牽引法が知られている．
- 保存療法の際には，長期間のベッド上安静のうえ牽引が実施されることが多い．

●外科的治療

- 骨転位の程度によって，保存療法では癒合困難な場合に手術を経て整復を行う．
- 手術は骨折の程度や患者の状況，適応条件などを十分考慮して判断されるが，高齢者は長期臥床によって合併症を起こしやすいため，短期入院による手術が一般的である．
- 大腿骨近位部骨折の外科的治療には，骨接合術と人工股関節置換術がよく用いられる．高齢者はベッド上安静が長期に及ぶと廃用症候群を伴いやすいため，一般的に人工股関節置換術が行われることが多い．概して大腿骨頭置換術後2～3日で歩行訓練開始も可能となることが多く，寝たきり防止の点からも手術が勧められる．

1）骨接合術

- プレート固定法，内釘固定法，創外固定法などによる整復固定術が知られている．大腿骨頸部内側骨折で転位の少ない症例では第一選択となることが多い．外側骨折では転位がなくても適応になる．

2) 人工股関節置換術

- 人工骨頭に置換して機能再建を図る術式である．大腿骨頸部内側骨折の転位型に推奨されることが多い．

●予防，生活指導

- 加齢に伴い，屋外よりも屋内で転倒することが多くなり，また転倒・骨折は高齢者の寝たきりの原因になりやすいため，室内の段差を解消するように努める．また，廊下や階段に手すりをつける，床を滑りにくくするなど，転倒予防に向けて外的要因の解消や生活環境の整備を目指す．
- 大腿骨近位部骨折を起こした場合，対側の同骨折のリスクが高いことが知られている．骨粗鬆症治療や転倒予防などの介入が肝要である．
- 骨粗鬆症の予防には，十分なカルシウムやバランスのとれた食事を摂取するようにし，ビタミンD作用を促進させるために日光に当たるようにする．さらにまた，適度な運動を行い骨に適度な負荷をかけるように努める．

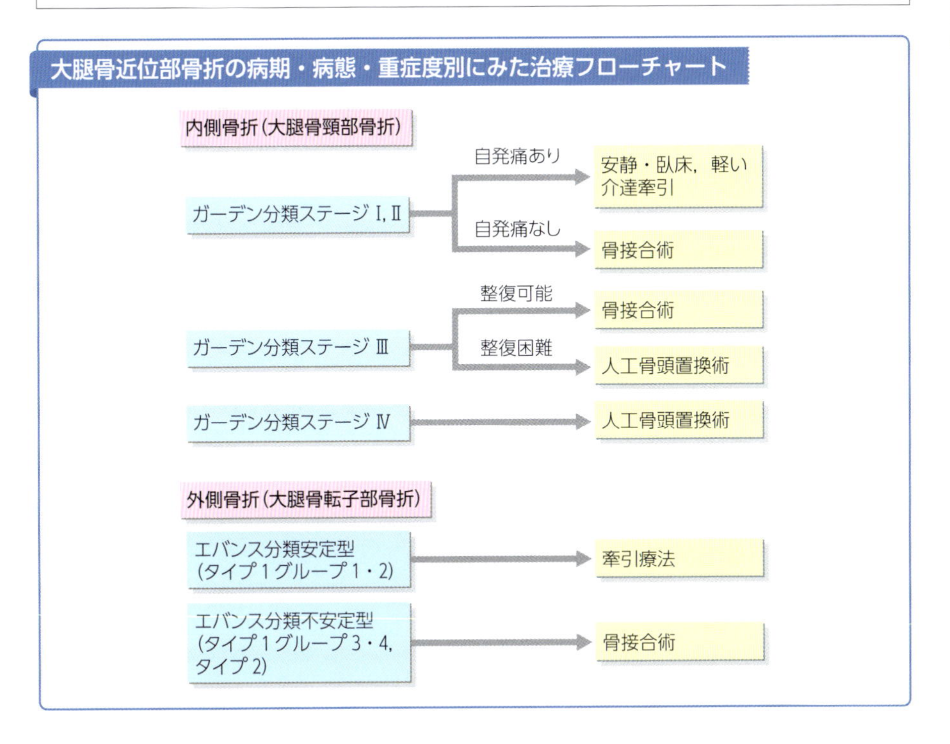

大腿骨近位部骨折をもつ高齢者の看護

山崎　尚美

看護の視点

- 人工骨頭置換術では股関節に可動域制限があるために，生活機能全般にわたって障害をきたしやすい．また，そのことが高齢者の生活行動の制限，さらにはもてる力の埋没といった悪循環を招きやすい．高齢者と家族に日常生活を過ごすうえでの注意点をよく理解してもらい，新しい生活環境に適応できるように支援していく．
- 骨折は予期せぬ転倒から急な生活様式の変更を強いられることが多いため，全身の筋力が低下し日常生活動作の低下だけでなく，家庭生活や社会生活への適応が難しくなる．

※家族環境や社会資源も考慮しながら，以下のような日常生活の看護に沿って援助していく．

1．合併症を予防し，生活様式の再構築を支援する．

人工骨頭置換術後は，股関節を 90 度以上屈曲，内転，内旋することで脱臼するという合併症のリスクをもって生活している．日常生活において，脱臼する危険のある体位を避けるよう生活様式の変更や禁忌肢位を説明する．

2．再転倒を防止し，いきいきとした活動を継続・発展できるよう支援する．

一度，転倒を経験した高齢者は，また転倒するのではないかという恐怖心があり，歩くことやリハビリテーションに対して消極的になりやすい．以下に示す 1)～4) の観点から，安心して歩行できるように支援するとともに，高齢者が望む活動を継続・発展できるよう回復段階に応じて調整する．

1) 多職種で連携しながらリハビリテーションに取り組み，下肢筋力の保持に努める．
2) 転倒要因を除去し，環境を整備する．
3) 歩行用具ならびに衣類や履物を調整する．
4) 恐怖や不安を受けとめ，歩行を見守る．

3．もてる力を大切に，セルフケアの維持・向上に向けて支援する．

高齢者は予備力・回復力が低下しているため，手術後の安静臥床によって全身の機能が低下し，セルフケア能力までもが奪われやすい．このため，フレイルを予防するためにも過度な安静を避け，高齢者の「もてる力」を引き出しながら，セルフケアを維持・向上できるよう支援する．また，「できることはしたい」と願っている高齢者の思いをくみとり，自尊感情を保持する．

●回復過程に応じた看護の視点

【急性期】 受傷直後は，骨折部位の疼痛と牽引のため安静が強いられる．とくに急な入院や緊急手術では，自分のおかれている状況の理解が困難なことが多い．疼痛による身体的ストレスと術後せん妄など急な環境変化への不適応を回避するとともに，安静により生活機能の低下を防ぐよう援助を行う．

【回復期】 全身の筋力の回復と再転倒予防を目的に，リハビリテーションが行われる時期である．人工骨頭置換術後では，脱臼の予防を目的として股関節の可動域を制限するため，日常生活動作に介助が必要となる．過度な介助は，高齢者のもつ力を奪うだけなく，自尊心をも脅かすおそれがあるため，できる部分と介助が必要な部分を見極めて援助していく必要がある．また，退院に向けて生活様式の変更や社会資源の説明を，多職種やキーパーソンを交えて高齢者に行う必要がある．

情報収集・情報分析

	必要な情報	分析の視点
疾患関連情報	**現病歴と既往歴** ・骨折の経緯 ・骨折部位の症状 ・合併症 ・転倒，骨折歴	□どのような状況で骨折に至ったか □患部の症状の変化について骨折の 4 大症状（疼痛，発赤，腫脹，変形）が出現しているか □深部静脈血栓や腓骨神経麻痺はあるか，脱臼症状（疼痛，股関節の変形）はあるか □術式，麻酔方法による術後の経過への影響はないか □過去にも転倒・骨折の経験があるか，あればどのような状況で転倒・骨折したのか
身体的要因	**運動機能** ・姿勢の保持と体位変換，移動方法，補助具の使用 ・重心動揺 ・下肢の筋力	□禁忌肢位（内転・内旋位や股関節屈曲 90 度以上）をとっていないか □移動時に要する補助具（杖，シルバーカー，歩行器，車椅子）を適切に使用できているか □歩行時にふらつきや重心動揺はないか，内服薬がふらつきをもたらしていないか □下肢の筋力は維持しているか
	認知機能 ・せん妄 ・記憶力，理解力，判断力	□せん妄の出現がないか □環境の変化に伴い物忘れが増えたり，認知機能の変化はないか □禁忌肢位の理解や，行動時の危険性への判断はできているか
	言語機能 ・会話	□痛みを適切に表現できているか □必要な支援を求めることができているか
	感覚・知覚 ・視覚，聴覚 ・白内障，老人性難聴の有無	□加齢に伴う感覚機能の低下が，行動時の危険につながっていないか
	生殖 ・閉経と骨密度	□骨粗鬆症の進行が骨折の要因となっていないか
心理・霊的要因	**健康知覚・意向，自己知覚** ・歩行に対する不安・恐怖 ・他人の世話になることのつらさ	□歩行することの恐怖はないか □元どおり歩けるようになるのかという苦悩はないか □他者の力を借りないと何もできないと感じて，情けないという自尊感情の低下につながっていないか
	価値・信念，信仰	□どのような生活を送りたいと考えているか □できるだけ自分のことは自分でしたいと思っているか □活動制限によって，信仰が妨げられていないか
	気分・情動，ストレス耐性	□できないことが増えることで，抑うつ的になっていないか
社会・文化的要因	**役割・関係，仕事・家事・学習・遊び，社会参加** ・役割の変化 ・生活様式の変化 ・他者との交流の変化	□術後の回復状況により，仕事や家庭内での役割に変化が生じる可能性はあるか □生活様式が和式から洋式の生活に変更されることで，行動や活動が制限されていないか □他者との交流は減っていないか □社会資源として，活用しているものがあるか

	必要な情報	分析の視点
睡眠・休息	睡眠・休息のリズム，睡眠・休息の質 ・夜間の睡眠 ・昼間の臥床時間と睡眠時間，中途覚醒，熟睡感，昼間の眠気	□睡眠時間，1日を通しての睡眠のパターンはどうか □痛みや尿意などが睡眠を阻害していないか □寝返りができるか，掛けものの乱れを直すことができるか □長時間，同一体位をとっていないか，また，圧迫や痛みはないか
	心身の回復・リセット	□長時間座位になっていると，足部に浮腫がみられないか □休息したいときに，自力で居室に戻ったり，誰かに伝えることはできるか
覚醒・活動	覚醒，活動の個人史・意味，活動の発展 ・今までしてきた活動，現在行っているもの ・散歩，ウォーキング，園芸などの活動	□痛みのために活動が極端に減少していないか □禁忌肢位を理解して活動できているか □以前と同じように活動できないからといって，楽しむことを遠慮したり，あきらめたりしていないか □必要以上に安静にしていないか □続けて活動できる時間はどのくらいか □続けて活動できる場所への移動はどのように行っているか □活動を楽しめているか □リハビリテーションには積極的に取り組んでいるか
食事	食事準備 ・食堂までの移動 ・鎮痛の必要性	□食堂まで自力で移動できるか，食堂で長時間待っていることで疲労していないか □食事に集中できるように，鎮痛薬の服用時間を調整する必要はないか □内服薬を自力で飲めているか
	食思・食欲 ・痛みによる影響	□痛みや活動の制限が食欲に影響していないか □排泄行動が困難なため，水分や飲食を控えていないか
	姿勢・摂食動作，咀嚼・嚥下機能 ・食事中の姿勢（体幹の傾き） ・疲労感 ・口腔内への食物の取り込み ・義歯の使用	□テーブルの下に用具が落ちたとき，前かがみになって拾おうとしていないか，マジックハンドなど道具を活用しているか □時間の経過とともに摂食動作や姿勢に変化はないか，食事のペースに変化はないか □姿勢が変化することで摂食動作に影響はないか，疲労はないか，食べこぼしはないか □姿勢が変化することで咀嚼・嚥下に影響はないか，患肢側に傾いていないか □食事の形態によって，咀嚼や食塊形成に困難はないか □義歯の使用はないか，義歯の洗浄や管理はできるか
	栄養状態 ・摂取量，体重，血液検査データ，BMI	□必要な栄養を摂取する工夫をしているか □体重の著しい増減はないか □肥満傾向にないか □創治癒は順調か
排泄	尿・便をためる，尿意・便意 ・尿失禁への不安 ・尿意・便意の伝え方	□尿意・便意を伝えて，必要な支援を求めることができているか □失禁を恐れて，水分を控えていないか

	必要な情報	分析の視点
排泄	**姿勢・排泄動作** ・トイレへの移動，排泄姿勢，着脱衣動作，後始末動作	□洋式便器の使用は可能か □トイレまでどのように移動するか．尿意・便意を感じてから十分間に合うか □衣類の着脱は可能か，トイレ内での移乗動作は可能か □便器に着座して姿勢を保持できるか，前傾姿勢になっていないか □トイレットペーパーは自分で用意できるか，拭きとる動作はできるか
	尿・便の排出，状態 ・尿量(1回量・1日量)，排尿間隔，排尿にかかる時間，便性状と排便感覚	□頻尿や，排尿に時間がかかることがあるか □腹圧がかかるように，自力で用手排尿は可能か □自然排便が可能か，下剤や浣腸を使用しているか □食事摂取量や食事内容，水分摂取量が便性に影響していないか □腸蠕動を促進するような運動ができているか
身じたく	**清潔，身だしなみ，おしゃれ** ・移動動作，移乗動作，姿勢保持 ・身だしなみやおしゃれへの関心・意欲	□痛みや禁忌肢位が入浴，シャワー浴，手洗い，歯磨き，ひげそりなどの動作に影響していないか □浴槽をまたげているか □衣服の着脱動作に困難はないか □靴下やスラックスを履くときに自助具の使用は可能か □化粧，おしゃれをすることを遠慮したり，あきらめていないか
コミュニケーション	**伝える・受け取る** ・視覚，聴覚 ・白内障，老人性難聴	□痛みの程度や必要な支援を，支援者に伝えることができているか
	コミュニケーションの相互作用・意味，コミュニケーションの発展 ・会話，他者との交流	□同室者と交流はあるか，同室者との関係に苦痛を感じていないか □家族や面会者との会話や散歩を楽しめているか

アセスメントの視点(病態・生活機能関連図へと導くための指針)

骨折による身体症状の軽減とともに人工骨頭置換術後に予測される合併症を予防できるように，観察する状態を整理するほか，高齢者の意向・希望や苦痛についても把握する．次に，高齢者の再転倒のリスクや，生活機能において低下している面，発揮している面の両方から分析していく．支援においては，高齢者の生活場面をとおして発見したさまざまな「もてる力」を，転倒恐怖感に脅かされることなく，セルフケアの維持・向上といきいきとした活動の継続・発展へとつなげるための環境づくりが重要になる．ここからは，大腿骨頸部骨折により人工骨頭置換術後の回復期に焦点をあてて看護を展開していく．

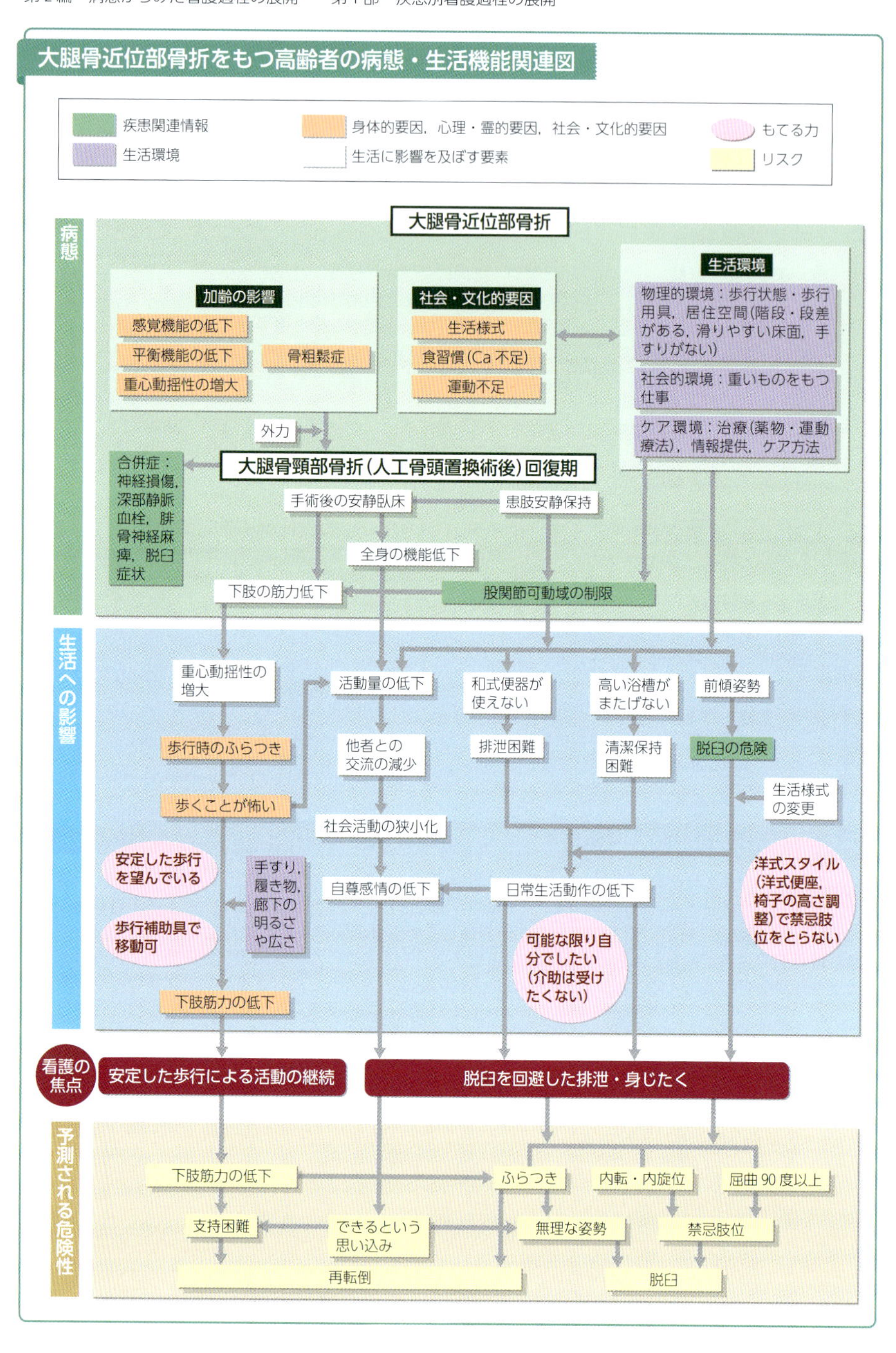
大腿骨近位部骨折をもつ高齢者の病態・生活機能関連図
疾患関連情報
生活環境
身体的要因，心理・霊的要因，社会・文化的要因
生活に影響を及ぼす要素
もてる力
リスク
病態
大腿骨近位部骨折
加齢の影響
感覚機能の低下
平衡機能の低下
骨粗鬆症
重心動揺性の増大
社会・文化的要因
生活様式
食習慣(Ca不足)
運動不足
生活環境
物理的環境：歩行状態・歩行用具，居住空間(階段・段差がある，滑りやすい床面，手すりがない)
社会的環境：重いものをもつ仕事
ケア環境：治療(薬物・運動療法)，情報提供，ケア方法
外力
合併症：神経損傷，深部静脈血栓，腓骨神経麻痺，脱臼症状
大腿骨頸部骨折(人工骨頭置換術後)回復期
手術後の安静臥床
患肢安静保持
全身の機能低下
下肢の筋力低下
股関節可動域の制限
生活への影響
重心動揺性の増大
活動量の低下
和式便器が使えない
高い浴槽がまたげない
前傾姿勢
歩行時のふらつき
他者との交流の減少
排泄困難
清潔保持困難
脱臼の危険
歩くことが怖い
生活様式の変更
社会活動の狭小化
安定した歩行を望んでいる
手すり，履き物，廊下の明るさや広さ
自尊感情の低下
日常生活動作の低下
洋式スタイル(洋式便座，椅子の高さ調整)で禁忌肢位をとらない
歩行補助具で移動可
可能な限り自分でしたい(介助は受けたくない)
下肢筋力の低下
看護の焦点
安定した歩行による活動の継続
脱臼を回避した排泄・身じたく
予測される危険性
下肢筋力の低下
ふらつき
内転・内旋位
屈曲90度以上
支持困難
できるという思い込み
無理な姿勢
禁忌肢位
再転倒
脱臼

STEP 1 アセスメント / STEP 2 看護の焦点の明確化 / STEP 3 計画 / STEP 4 実施

看護の焦点の明確化

#1　生活様式を再構築し，脱臼に気をつけながら，快適に排泄や身じたくができる
#2　下肢筋力を維持することで，安定した歩行により，いきいきとした活動を継続できる

STEP 1 アセスメント / STEP 2 看護の焦点の明確化 / STEP 3 計画 / STEP 4 実施

1 看護の焦点	看護目標
生活様式を再構築し，脱臼に気をつけながら，快適に排泄や身じたくができる	1) 日常生活において禁忌肢位をとらない 2) 脱臼が起こらない 3) 自尊心を保ち排泄ができる 4) 自助具を使用して更衣動作ができる 5) 安全に入浴できる

具体策（支援内容）	根拠
1. 禁忌肢位を防ぎ，脱臼しないための良肢位の保持 下記について，股関節を 90 度以上に屈曲させないようにライフスタイルを洋式にする必要があること，内転位・内外旋位をとらないこと，具体的な体位をパンフレットやポスターに書いて，高齢者と家族に説明する	●股関節を 90 度以上に屈曲すると，脱臼を起こす危険がある ●紙に書いて，繰り返し説明することで理解しやすくなる．また，生活をともにする家族の協力も必要である ●超高齢者は和式のライフスタイルを好む場合もあるので，無理じいはせず，納得したうえで変更を決定する
1) 座位動作時 ・座卓ではなく，テーブルと椅子に変更する ・前傾姿勢：椅子に座るときは，背筋をまっすぐにする ・自助具の活用：物を拾うときはマジックハンドやトングを使用する	●横座りなどの禁忌肢位をとる可能性がある ●前傾姿勢になると股関節が 90 度以上に屈曲する危険がある．円背がある場合は，クッションや小枕などで姿勢を調整する
2) 排泄動作時 ・洋式便器の使用を勧める ・前傾姿勢にならない ・トイレットペーパーを取るときは，後ろを振り返らない	●和式便器は，患肢を伸ばした状態で排泄することになり，立ち上がりが困難である ●排便時は前傾姿勢になりやすいため注意する ●急に後ろを振り返ると，内旋位をとる危険がある．外転中間位をとることが望ましい
3) 身じたく動作時 ・入浴時は，シャワー椅子や柄の長いブラシを使用する ・浴槽をまたぐときは，一度浴槽のへりに座り，患肢を浴槽と水平にして移動する ・爪切りは介助する ・スラックスや靴下を履くときは，自助具を使用する	●足部を洗うとき，しゃがんで髪を洗うとき，浴槽をまたぐときなど，禁忌肢位をとる可能性がある ●ソックスエイドなどの自助具の使用により，遠位部の更衣作業も可能である
4) 外転中間位の保持 ・股関節の軽度外転，外旋中間位が保てるように姿勢を調整する	●術後に股関節の内転，内旋位，屈曲 90 度以上では脱臼の危険がある ●上記以外にも，あぐらをかく，膝を立てて座るなどの禁忌肢位をとらないようにする

2. 自尊心を保持した排泄支援

・洋式便器への移動・移乗を見守る
・排泄時は，手すりを使用する

● 高齢者の「時間がかかっても自分で行動したい」という思いを尊重しながら，その時の状態に合わせていつでも介助できるように準備しておく
● しゃがむという動作は，脱臼を起こす危険性がある．高さのある洋式便器のほうが，股関節に負担がかかりにくい

・時間がかかってもできるだけ自分で行えるよう見守る．ただし，排泄後の後始末など困難な部分は，本人に確認のうえ支援する

● 早めに排泄行動に移れるように声をかけ，時間にゆとりをもって排泄できるように支援する
● 体幹をひねる運動が困難になるため，排泄の後始末が難しくなる

・肯定的フィードバックを行い，自尊感情を保持する

● 高齢者によっては，「排泄だけは自分で行いたい」「いままで自分でできていたことができなくなり情けない」と自尊感情が低下している場合がある

3. もてる力を活かした心地よい入浴，シャワー浴の支援

・シャワー浴では自分で行えることを見守り，困難な部位（背部や頭部など）を介助する

● 1 人で身体を洗うことが困難になっているため，できるところを見極めて介助する

・自力での入浴が困難な場合は状態に応じてリフト，特殊浴槽などを使用し支援する

● 浴槽をまたぐという動作は，屈曲・内転・内旋位となり，脱臼を起こす危険が高いため，とくに手術後 3 週間は特殊浴槽などで対応する．脱臼予防をはじめ筋肉をほぐしたり，身体を温め，ゆっくりとリラックスできるよう，状態に合った浴槽を選ぶ

・時間がかかっても，手すりを持つなどして 1 人で行うことを見守る

● 入浴後の疲労で，次の生活動作に移ることが困難になる可能性にも配慮して支援する

・石けんの泡や水滴に注意する

● 石けんの泡や水滴は滑りやすい

・入浴用の高めの椅子を使用する

● しゃがむという動作は，脱臼を起こす危険性がある．高さのある入浴用の椅子を使用することで，股関節に負担がかかりにくい．また，転倒の危険性も軽減する

4. 自助具を使用した更衣支援

・スラックスは，幅の広いものを選択したり，紐を利用して履くことができることを紹介する

● 立位のままでの遠位での作業は，重心動揺性が増大することで，バランスを崩し転倒する危険がある．操作しやすい衣服を選択する

・靴下はソックスエイドなどの自助具を使用する

● 足先の靴下を履く動作や爪を切る動作は，股関節が 90 度以上に屈曲するので脱臼の危険性がある

・椅子に座って更衣動作を行い，前傾姿勢をとらないように見守る

● スラックスや靴下を履く動作は前傾姿勢になるので，脱臼の危険性がある

2 看護の焦点

下肢筋力を維持することで，安定した歩行により，いきいきとした活動を継続できる

看護目標

1) 運動を行うことで，下肢筋力が維持できる
2) 安全に歩行できる環境を整えることができる
3) 適切な歩行補助具を選択できる
4) 本人の希望を取り入れた移動手段を選択できる

具体策（支援内容）／根拠

1. 下肢の筋力保持のための運動訓練

・高齢者，医師や理学療法士と相談して，ゴールと回数を決定する（1日3回10セットなど）

●ゴールはその人の価値観が影響するので，高齢者を交えて考える

・筋力増強運動の例を図4-4に示す

●下肢の筋力が低下すると，加齢に伴う重心動揺性の増大や平衡バランスの保持困難から立位保持が困難となり，再転倒の可能性が高くなる

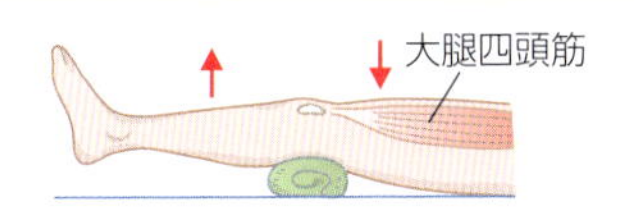

膝の裏に入れたタオルをしっかり押さえつけるように力を入れる

a. 大腿四頭筋セッティング運動

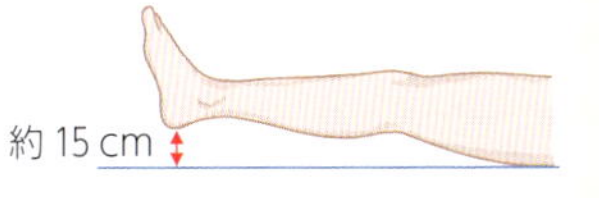

脚をもちあげて5秒間とめる

b. 下肢伸展挙上（SLR）運動

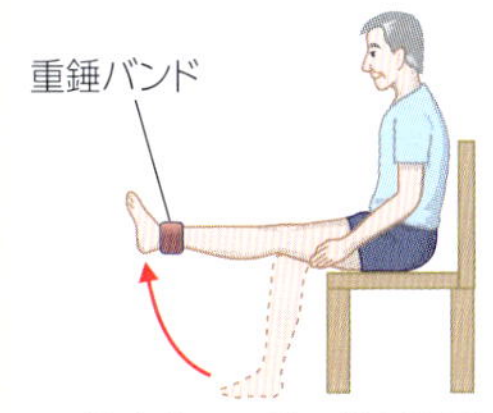

c. 端座位での膝の伸展運動

d. プッシュアップ運動

■図4-4　筋力増強運動

・理学療法士と情報共有し，日常生活のなかで可能なリハビリテーションを考える

2. 転倒を防ぐための支援

・歩行補助具（杖，歩行器，車椅子）は手もとに置き，自力で移動できるときは見守る

●股関節の可動域制限により，ベッドから歩行補助具への移動時に，転倒の可能性がある

・かかとのある滑らない履物を履く

●歩行時に履物が脱げてしまわないようにする

・スラックスは裾が長すぎないものを選択する

●歩行時に裾を踏んで，転倒しないようにする

・移動が行いやすい位置を考慮して車椅子を寄せる

●前傾姿勢が強い高齢者は，立ち上がる際にはなるべく高い位置で手すりをつかんだほうが，禁忌肢位を回避しながら立位を保持しやすい

・座る際は，後ろから支えてゆっくり着座する

●強い衝撃を受けたとき，腰椎圧迫骨折につながる危険性がある

・ベッドや洋式便器の高さは，着座したときに足が床に着き，かつ，立ち上がりやすい高さが望ましい

●リフト機能がつき，立ち上がりを補助する便座もある

・声かけは正面から普通の声で行う	●後方から大きな声で呼びかけられると，声に驚き転倒する可能性がある
・できることを保持するための自立度に合った歩行補助具を選択できるよう，多職種で情報共有し，退院後に介護保険の範囲内で使用できる道具を紹介する	●高齢者は一度転倒した経験をもつと，また転倒するのではないかと歩行することに消極的になりやすい
3. 本人の希望する移動手段の選択	
・本人の願いを最大限にかなえるための意思決定支援を行う	●他者に迷惑をかけたくないからと，本人が希望を諦めている可能性がある ●家族の希望が優先されることにより，本人不在の移動手段の選択になる可能性がある
・転倒することを怖がらないような環境調整を行う	●転倒しやすい環境から，再転倒に対する恐怖や不安を抱いている可能性がある ●転倒しやすい環境から，自らの活動に対する積極性が失われる可能性がある
4. アクティビティを取り入れたリハビリテーションの導入	
・以前の趣味や活動を取り入れ，できることを引き続き行う	●不活発な生活により本人のもてる力が失われ，自尊心が低下する可能性がある ●できないことに目を向けるのではなく，できることに取り組んでもらう方が継続につながる

関連項目

※もっと詳しく知りたいときは，以下の項目を参照しよう．

- 「第1編」の「4 排泄（→ p.27）」：セルフケアへの支援，失禁ケアに関しての情報収集内容やアセスメントの視点を調べてみよう
- 「第1編」の「5 身じたく（→ p.36）」：活動制限により，セルフケアの低下が予測されるため，自尊感情の保持に向けたポイントを調べてみよう
- 「29 転倒（→ p.504）」：高齢者が転倒しやすい原因・要因を確認してみよう
- 「28 フレイル（→ p.491）」：転倒・骨折への恐怖から，活動量が低下して身体的・心理社会的にも行動範囲が縮小されやすい．フレイルによる二次的な生活への影響をアセスメントしよう

骨粗鬆症

萩野　悦子

原発性骨粗鬆症は閉経後の女性や高齢者に起こりやすく，食事，運動，転倒予防が重要

定義・診断

骨粗鬆症は，骨量の低下と骨組織の微細構造の異常により骨強度が低下し，骨折しやすくなった状態である．

骨は，血中に存在する破骨細胞による「骨吸収」と骨芽細胞による「骨形成」を繰り返して，常に組織を更新している(リモデリング)．このバランスがとれていると骨は一定の形を保つが，骨吸収が骨形成を上回ると骨量が低下していく．海綿骨は皮質骨に比べて血液に触れている表面積が大きいので，骨吸収が優位な状態にあると骨の減少が早くなる．そのため，図1のように，骨粗鬆症では網目状の骨梁の断裂や消失によって骨密度が低下し脆弱化する．

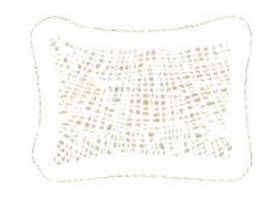

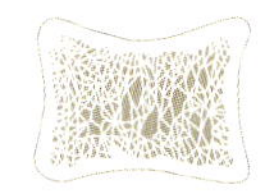

■図1　骨梁の断裂・消失

骨粗鬆症には，加齢に伴う原発性骨粗鬆症と，疾患や薬剤によって引き起こされる続発性骨粗鬆症がある．

原発性骨粗鬆症の原因には，加齢変化による骨芽細胞の機能低下や腸管からのカルシウム吸収能の低下，カルシウムおよびビタミンDの摂取量の不足があげられる．また，骨量維持に必要な運動刺激による力学的負荷の低下も影響するといわれている．さらに女性は閉経に伴って破骨細胞の働きを抑制するエストロゲンの分泌が低下するために，骨吸収が高まって骨量は低下する(図2)．

続発性骨粗鬆症は，甲状腺機能亢進症，性腺機能不全，関節リウマチ，糖尿病などの疾患や，ステロイド薬，メトトレキサート，ワルファリンなどの薬剤が原因となる．

原発性骨粗鬆症の診断基準(2012年改訂)によれば，低骨量をきたす骨粗鬆症以外の疾患や続発性の骨粗鬆症を除き，椎体または大腿骨近位部に微力な外力で発生する脆弱性骨折があるか，その他の部位に脆弱性の骨折が認められ骨密度値がYAM(young adult mean；若年者成人の平均値，腰椎では20～44歳，大腿骨近位部では20～29歳)の80％未満であること，あるいは脆弱性骨折がなくても骨密度がYAMの70％以下または－2.5 SD以下であると原発性の骨粗鬆症となる．

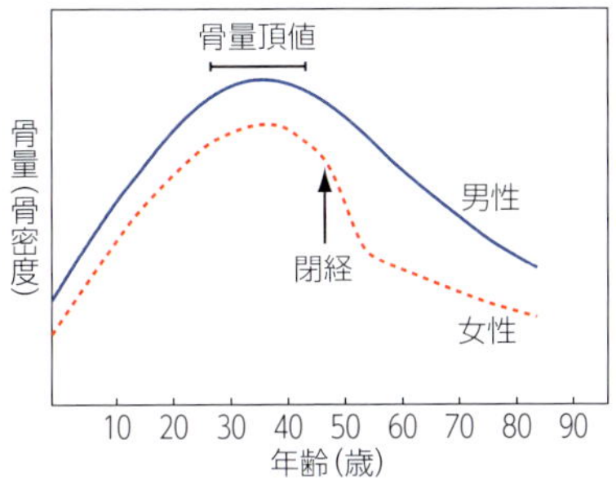

■図2　骨量の経年変化

〔細井孝之：骨粗鬆症の定義と診断基準．公衆衛生58(6)：380，図2，1994〕

症状

初期には自覚症状はないが，骨量の低下が進行していくと，身長の低下，椎体の脆弱性変形や脊椎圧迫骨折とそれに伴う腰背部痛を伴う．大腿骨近位部に骨折が起こると，臥床より心身の機能低下につながる．

治療

薬物療法としては，カルシウム薬，カルシウムの吸収を増加させる活性型ビタミンD_3薬，骨形成を促進するビタミンK_2薬，骨吸収抑制効果のある女性ホルモン薬，骨吸収の抑制と骨形成を促すビスホスホネート薬などがある．

骨粗鬆症による脆弱性骨折は，生活機能を低下させるだけでなく，不動化によるさらなる骨粗鬆症の悪化や，他疾患の発症の原因となり生活の質を著しく低下させる．そのため，薬物療法のみならず，食事，運動によって骨折を予防していく．

看護の視点

食事では，カルシウムを多く含む食品(牛乳，乳製品，小魚，緑黄色野菜，大豆製品)，ビタミン D を多く含む食品(魚類，きのこ類)，ビタミン K を多く含む食品(納豆，緑色野菜)の摂取や，果物と野菜，蛋白質(肉，魚，卵，豆，牛乳・乳製品)の摂取が推奨されている．

運動刺激による骨量維持，筋力維持，転倒予防のために，ウォーキング，太極拳，ジョギング，ダンスなどの運動を継続するとよい．運動による筋力やバランス力の維持は転倒予防にも効果がある．運動の継続や転倒予防教室への参加により転倒を予防するとともに，万が一転倒しても骨折に至るのを防ぐためにヒッププロテクターの装着を促す．

●参考文献

1) 日本骨代謝学会，日本骨粗鬆症学会合同原発性骨粗鬆症診断基準改訂検討委員会：原発性骨粗鬆症の診断基準(2012 年度改訂版)．Osteoporosis Japan 21(1)：9-21，2013
2) 骨粗鬆症の予防と治療ガイドライン作成委員会(日本骨粗鬆症学会，日本骨代謝学会，骨粗鬆症財団)：骨粗鬆症の予防と治療ガイドライン 2015 年版．ライフサイエンス出版，2015
3) 東浩太郎：骨粗鬆症診療の進歩 2019；1．骨粗鬆症発症のメカニズム．日本老年医学会雑誌 56(2)：116-123，2019

脊椎圧迫骨折

萩野　悦子

高齢者の脊椎圧迫骨折は骨粗鬆症に起因することが多い

定義・診断

脊椎が押しつぶされるように変形してしまう骨折で，胸腰椎移行部（第 11 胸椎から第 2 腰椎付近）に多発する．骨粗鬆症がある高齢者では尻もちをつくような転倒や，重たいものを持ったり中腰姿勢による長時間の作業，くしゃみなどによって生じることがある．X 線検査や MRI 検査で圧壊により変形した脊椎（図 1）を認める．

症状

臥位からの起き上がり時に鋭い痛みが生じるような体動時腰背部痛がある．骨折した椎体の破片が脊柱管内に入り込み神経を圧迫すると，下肢のしびれや痛み，麻痺などの症状が現れる．数か月してから脊髄を圧迫して，腰部脊柱管狭窄症による遅発性麻痺を起こすこともある．脊椎のつぶれが進むと亀背と呼ばれる脊椎変形（図 2）をきたすようになる．さらに変形が強くなると，胃部膨満感や食欲不振，逆流性食道炎，心肺機能の低下が現れる．

治療

変形の進行を防ぎ，痛みの軽減を図るためにベッド上で安静にする．保存療法としては，胸腰椎を硬性コルセットで固定することで歩行が可能になる．また，急性期の痛みに対しては鎮痛薬を使用する．骨は 3～4 週間で形成されてくるが，3 か月程度はコルセットを装着するとよいとされている．骨折部の変形の程度が強く，脊髄を圧迫している場合や骨癒合しないときは手術を行う．手術には，金属性のネジや棒による脊椎固定術，骨折した椎体に骨セメントを注入する椎体形成術が行われている．新しい治療法として椎体の中にバルーンを挿入して膨らませた隙間に骨セメントを充填する経皮的後彎矯正術（BKP：balloon kyphoplasty）が導入されている．

骨粗鬆症に起因した骨折は，骨粗鬆症に対する治療および腹筋や背筋の筋力低下防止のためにリハビリテーションを早期から行う．

看護の視点

コルセットの締めつけによる腸蠕動の低下や摩擦による皮膚障害に注意する．胸部コルセットで体幹部を圧迫し，呼吸運動が抑制されていないか注意する．骨折による疼痛の緩和を図り，活動性の低下から筋力低下や骨粗鬆症が進行しないように，骨癒合とともに活動性を高めていく．

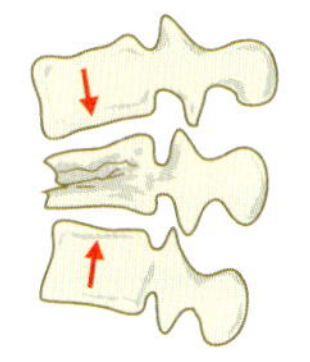

■図 1　骨粗鬆症性腰椎圧迫骨折

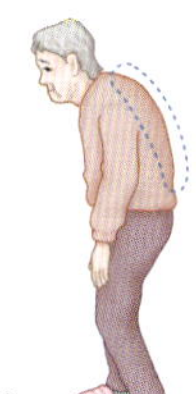

■図 2　亀背（円背）

●参考文献

1）骨粗鬆症の予防と治療ガイドライン作成委員会（日本骨粗鬆症学会，日本骨代謝学会，骨粗鬆症財団）：骨粗鬆症の予防と治療ガイドライン 2015 年版．ライフサイエンス出版，2015

2）西田憲記ほか：骨粗鬆症性脊椎圧迫骨折に対する治療―保存的治療から BKP まで―．脳神経外科ジャーナル 25（9）：718-729，2016

3）落合慈之監：整形外科疾患ビジュアルブック 第 2 版．p192-196，学研メディカル秀潤社，2018

4）日本骨折治療学会：骨粗鬆症による脊椎圧迫骨折．https://www.jsfr.jp/ippan/condition/ip02.html（2020/08/28 閲覧）

変形性膝関節症

山崎　尚美

膝関節への負担を最小限にするために体重をコントロールし，生活様式の再構築を図る

定義・診断

関節軟骨の退行性変化により，膝関節の軟骨の変性・摩耗，軟骨下骨の硬化や骨棘形成などの骨増殖性変化を生じ，関節の変形や破壊を引き起こす病態である．関節軟骨の変性，破壊，浸食，骨露出が進むと，軟骨下骨の硬化，象牙質化，嚢胞形成と骨棘形成，滑膜の炎症，関節包の肥厚などが生じる．

症状・検査

初期症状は，動き始めの痛みで，歩き始めると痛みが消失することが多い．進行すると，とくに階段昇降や正座などの際に痛みの頻度と程度が増す．関節液が貯留すると張ったような痛みが出現することもある．さらに悪化すると，安静時にも痛みを訴えるようになり，関節変形を伴う．

X 線検査で関節裂隙の狭小化，軟骨下骨の硬化，骨棘形成を確認する．年齢，臨床症状，関節液所見などを総合的に検討する．

治療

外科的療法と保存的療法とがあり，保存的療法では減量を含めた生活指導，薬物療法，関節腔内注射法に加えて適切な運動療法が必要になる．局所の温熱療法や楔状足底装具などの装具療法も効果がある．体重が標準を超えている場合には，減量し，体重をより低く維持することを奨励する．

1) 運動療法

大腿四頭筋訓練や股関節外転筋運動を実施する．

2) 薬物療法

疼痛の軽減と関節水症を緩和させる目的で非ステロイド性抗炎症薬（NSAIDs）を投与するが，消化管への安全性を考慮し，セレコキシブを選択する．外用の NSAIDs およびカプサイシン（トウガラシ抽出物）は，変形性膝関節症患者における経口鎮痛薬，抗炎症薬への追加または代替薬として有効である．症候性の場合では，グルコサミンやコンドロイチン硫酸が軟骨保護作用を示す場合がある．

3) 関節腔内注射

ヒアルロン酸ナトリウムや副腎皮質ホルモン製剤を無菌的に膝蓋骨内に注射する．

4) 外科的療法

高位脛骨骨切り術，人工関節置換術を行う．

看護の視点

大きく 2 つの視点が重要である．1 つめは，膝関節痛を軽減するための「からだの動かし方の工夫」である．膝関節痛を軽減する洋式スタイルの導入など生活環境を改善しながら，高齢者が生活様式を再構築できるように支援する．2 つめは，増悪因子である肥満を防ぐための「からだづくり」である．栄養素の摂取（食事）と消費（運動）のバランスにより体重をコントロールできるように支援する．

1) 食事と活動の楽しみを保ちながら，体重コントロールができるような支援

食事の工夫と適度な運動を継続できるよう支援する．その際，食事制限や訓練を強いるのではなく，「これも食べられる」「楽しくて自然にからだも動く」といった高齢者の「食べる喜び」「からだを動かす喜び」を大切に，プラス思考で楽しみのある生活を高齢者とともに創造していく．

2) 多職種で膝関節への負担を最小限にする生活様式を再構築し，疼痛を軽減できるような支援

変形性膝関節症をもつ高齢者は，長期にわたり慢性的な痛みを抱えながら生活をしている．疼痛による心身の苦痛や生活上の希望について確認したうえで生活習慣や生活環境を見直し，膝関節の負荷を最小限にする体位や過ごし方の工夫，運動による大腿四頭筋の強化など，管理栄養士や理学療法士，作業療法士などの多職種と情報共有し，生活様式の再構築により疼痛の緩和を図る．超高齢期にある高齢者は，和式の生活スタイルを洋式にするなど新しい生活様式の変更は受け入れにくい場合がある．高齢者の意思を尊重して話し合い，高齢者が安楽になることのメリットを理解したうえで変更する．

5 肺炎（誤嚥性肺炎）

石井　正紀

目でみる疾患

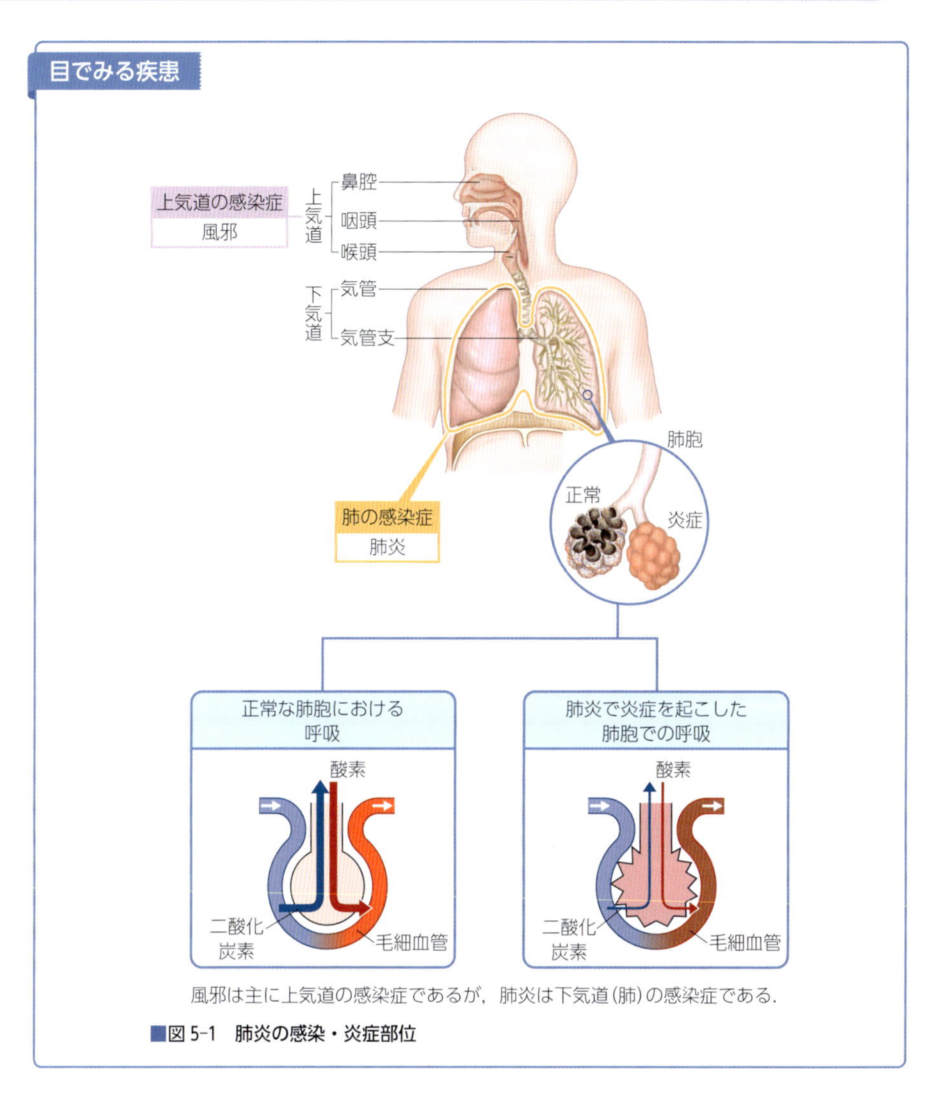

風邪は主に上気道の感染症であるが，肺炎は下気道（肺）の感染症である．

■図 5-1　肺炎の感染・炎症部位

目でみる疾患

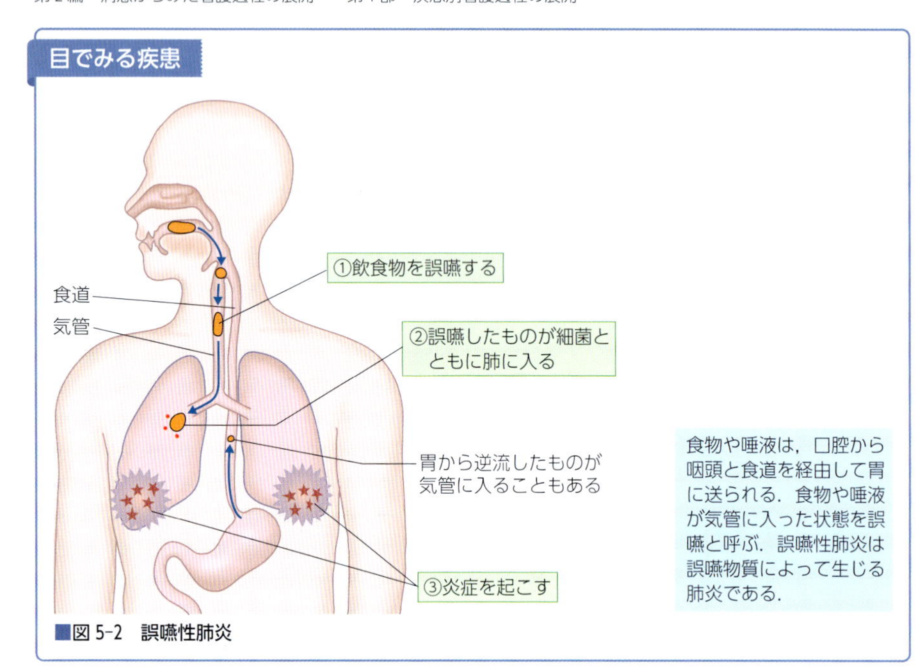

①飲食物を誤嚥する
食道
気管
②誤嚥したものが細菌とともに肺に入る
胃から逆流したものが気管に入ることもある
③炎症を起こす
食物や唾液は，口腔から咽頭と食道を経由して胃に送られる．食物や唾液が気管に入った状態を誤嚥と呼ぶ．誤嚥性肺炎は誤嚥物質によって生じる肺炎である．

■図 5-2　誤嚥性肺炎

病態生理

肺炎は病原微生物によって生じる肺の感染症であり，その発症形態から，市中肺炎（CAP）と院内肺炎（HAP）/医療・介護関連肺炎（NHCAP）に分けられ，HAP/NHCAP の主な原因として誤嚥性肺炎がある．

- CAP は一般の社会生活において感染・発症する肺炎である．
- HAP/NHCAP は，主に入院中や介護を受ける高齢者に発症する肺炎で，死亡率は CAP より高く，誤嚥性肺炎やインフルエンザ後の二次性細菌性肺炎に起因するものが多い．
- 誤嚥とは食物，水分，胃液などが誤って気管・気管支に入ることを指し，誤嚥物質によって発症する肺炎を誤嚥性肺炎という．

病因・増悪因子

- 肺炎患者の多くは高齢者であり，肺炎発症の背景には免疫機能の低下や低栄養などの全身状態の悪化がある．とくに誤嚥性肺炎は高齢の入院患者や介護施設への入居者が多く，加齢や基礎疾患に伴う身体的および精神的な脆弱性がその病因に関与していることが多い．誤嚥をきたしやすい病態としては，脳血管障害や認知症などの神経疾患や嚥下障害などの口腔の異常が挙げられる（表 5-1）．また，鎮静薬や睡眠薬，抗コリン薬などの投与も誤嚥のリスクとされている．

疫学・予後

- 2019 年の厚生労働省の調査では，肺炎による死亡は年間で約 10 万人であり，日本人の死因の第 5 位である（表 5-2）．
- 肺炎による死亡者の 90% 以上は 75 歳以上の高齢者であり，肺炎は高齢者の予後に大きく影響する疾患である．
- 国内の肺炎による入院患者を対象とした調査では，肺炎に占める誤嚥性肺炎の割合は全体で 66.8% で，患者の年齢とともに上昇し，70 歳以上では 80.1% であったとされている[1]．

■表 5-1 誤嚥のリスク因子

神経疾患	脳血管障害，パーキンソン病，認知症など
寝たきり状態	原疾患を問わず
口腔の異常	嚥下障害，口腔内乾燥など
医原性	鎮静薬，睡眠薬，抗コリン薬，経管栄養など

■表 5-2 日本人の死因順位別死亡数・死亡率(人口 10 万対)：2019 年

死因	順位	死亡数(人)	死亡率
全死因		1,381,098	1,116.2
悪性新生物(腫瘍)	1	376,392	304.2
心疾患(高血圧性を除く)	2	207,628	167.8
老衰	3	121,868	98.5
脳血管疾患	4	106,506	86.1
肺炎	5	95,498	77.2
誤嚥性肺炎	6	40,354	32.6
不慮の事故	7	39,410	31.9
腎不全	8	26,644	21.5
血管性および詳細不明の認知症	9	21,370	17.3
アルツハイマー病	10	20,716	16.7

症状

肺炎の一般的な症状は咳嗽，喀痰，胸痛，呼吸困難などの呼吸器症状と発熱や倦怠感などの全身症状である.

- 高齢者では咳や痰，発熱，呼吸困難などの典型的な症状が顕在化しないことも多く，食欲の低下や日常活動の低下などの変化に留まる場合もある．国内における高齢の誤嚥性肺炎患者を対象とした検討では，37.5℃以上の発熱をみとめた患者は 32.5%，白血球数が 9,000/μL 以上の患者は 33.3% とされており[2]，高齢者の肺炎は症状が顕在化しないケースがあることに注意が必要である.

診断・検査値

- 肺炎には画一的な診断基準は存在しない．呼吸機能，咳嗽，喀痰，発熱，ラ音，X 線または CT による画像診断および白血球数などを考慮して，総合的に診断する必要がある.
- 発症機序としての誤嚥の影響を確実に判定する方法は存在しないが，臨床的には，明らかな誤嚥が食物や吐物によって確認された場合や，むせなどの嚥下機能障害の反復を認める場合を誤嚥性肺炎としている．誤嚥が疑われるケースについては，嚥下機能検査を実施し，誤嚥の有無を検出することが望ましい.

合併しやすい症状

- 誤嚥性肺炎に代表される高齢者の肺炎は，加齢や基礎疾患に伴う身体的な脆弱性や機能障害を基盤として発症することから，患者は本来的に様々な合併症を有していることが多い.
- 高齢者の心身の脆弱性の進行につながる代表的な老年症候群として，フレイルやサルコペニアがある．フレイルは加齢に伴って様々な機能低下や生理的予備能力が低下し，外的ストレスに対する心身の脆弱性が進行した状態である．サルコペニアは骨格筋が萎縮し，筋力低下や身体機能の低下を伴うもので，転倒や要介護状態との関連性が示されている.
- これらの老年症候群の合併は予後を悪化させる因子である．高齢者の誤嚥性肺炎においては単一の合併症ではなくフレイルやサルコペニアに代表される心身の脆弱性を評価し，その進行を予防することが重要である.

治療法

- 肺炎は病原微生物による感染症であるため，基本的に抗菌薬による治療が行われるが，重症度を考慮して急性期の治療を行う肺炎と誤嚥性肺炎に代表される高齢者の肺炎の治療方針は異なる．誤嚥性肺炎を生じる基盤となっている全身の脆弱性や嚥下障害を以前の状態に完全に回復させることは症例によっては困難であり，集中治療によって病状が回復しても反復的に誤嚥性肺炎を発症する症例は多い．このようなケースでは，反復性の誤嚥性肺炎のリスクや老衰の状態をふまえて，個人の意思やQOLも考慮して治療方針が選択される（後述のフローチャート参照）[3]．
- 患者の年齢や全身状態などを考慮し，長期的な予後の向上を図る場合には，誤嚥性肺炎の再発防止に向けて嚥下障害のスクリーニングを実施することが望ましい．嚥下機能障害が認められる場合には，口腔ケアや嚥下機能への対策が必要となる．口腔ケアは食物残渣や口腔内細菌の減少によって誤嚥性肺炎のリスクを低下させる．
- 高齢者の肺炎予防において，肺炎球菌ワクチンとインフルエンザワクチンの接種はきわめて重要である．肺炎球菌性肺炎の発症率はワクチン非接種群では7.3%であったのに対して，ワクチン接種群では2.8%に低下したとされている[4]．また，肺炎球菌ワクチンとインフルエンザワクチンの両方を接種した場合には，インフルエンザによる入院リスクが37%，肺炎による入院リスクは29%，肺炎による死亡が35%低下したことが報告されている[5]．

Px 処方例　外来での処方例　下記のいずれかを用いる．

- ジスロマック錠250 mg　1回2錠　1日1回（初日），その後ジスロマック錠250 mg　1回1錠　1日1回（4日間）　←マクロライド系抗菌薬
- クラビット錠500 mg　1回1錠　1日1回（5～7日間）　←フルオロキノロン系抗菌薬
- アベロックス錠400 mg　1回1錠　1日1回（5～7日間）　←フルオロキノロン系抗菌薬

※外来における処方例であり，入院患者には必ずしも対応しない．

Px 処方例　肺炎球菌をターゲットにする場合

- サワシリン錠250 mg　1回3～4錠　1日3回（5～7日間）　←ペニシリン系抗菌薬

※外来における処方例であり，入院患者には必ずしも対応しない．

肺炎の病期・病態・重症度別にみた治療フローチャート

日本呼吸器学会による『成人肺炎診療ガイドライン2017』では，まずはCAPとHAP/NHCAPを大別し，CAPでは敗血症も念頭に置き，重症度を考慮して治療区分が決定される[3]．また，HAP/NHCAPでは，誤嚥性肺炎のリスクや終末期肺炎であるか否かを評価して，治療方針が決定される．

肺炎患者の多くは高齢者であり，肺炎治療は急性疾患に対する治療としての側面と誤嚥性肺炎に代表される終末期医療としての側面がある．今後，高齢化がさらに進む日本においては，高齢者医療を考慮した治療方針の決定は避けることのできない重要な課題である．

■表5-3　肺炎の主な治療薬

分類	一般名	主な商品名	薬の効くメカニズム	主な副作用
マクロライド系抗菌薬	アジスロマイシン水和物	ジスロマック	細菌のリボソームでの蛋白質合成を阻害し，細菌の増殖を抑制する	ショック，アナフィラキシー，中毒性表皮壊死融解症，皮膚粘膜眼症候群，肝機能障害など
フルオロキノロン系抗菌薬	レボフロキサシン水和物	クラビット	DNA複製に必要な酵素を阻害し抗菌作用を示す	ショック，アナフィラキシー，中毒性表皮壊死融解症，皮膚粘膜眼症候群，痙攣など
	モキシフロキサシン塩酸塩	アベロックス		ショック，アナフィラキシー，心室性頻拍，QT延長，偽膜性大腸炎など
ペニシリン系抗菌薬	アモキシシリン水和物	サワシリン	細胞壁合成を阻害することで抗菌作用を示す	ショック，アナフィラキシー，中毒性表皮壊死融解症，皮膚粘膜眼症候群，多形紅斑，急性汎発性発疹性膿疱症，紅皮症など

●参考文献

1) Teramoto S, Fukuchi Y, Sasaki H, et al：High incidence of aspiration pneumonia in community-and hospital-acquired pneumonia in hospitalized patients：a multicenter, prospective study in Japan. J Am Geriatr Soc 56(3)：577-579, 2008
2) 小野博美，石崎武志，永井敦子ほか：後期高齢者誤嚥性肺炎の臨床的特徴．日本化学療法学会雑誌 53(12)：741-747，2005
3) 日本呼吸器学会成人肺炎診療ガイドライン 2017 作成委員会編：成人肺炎診療ガイドライン 2017．日本呼吸器学会，2017
4) Maruyama T, Taguchi O, Niederman MS, et al：Efficacy of 23-valent pneumococcal vaccine in preventing pneumonia and improving survival in nursing home residents：double blind, randomised and placebo controlled trial. BMJ 340：c1004, 2010
5) Christenson B, Hedlund J, Lundbergh P, et al：Additive preventive effect of influenza and pneumococcal vaccines in elderly persons. Eur Respir J 23(3)：363-368, 2004

肺炎の病期・病態・重症度別にみた治療フローチャート

■成人肺炎診療のフローチャート

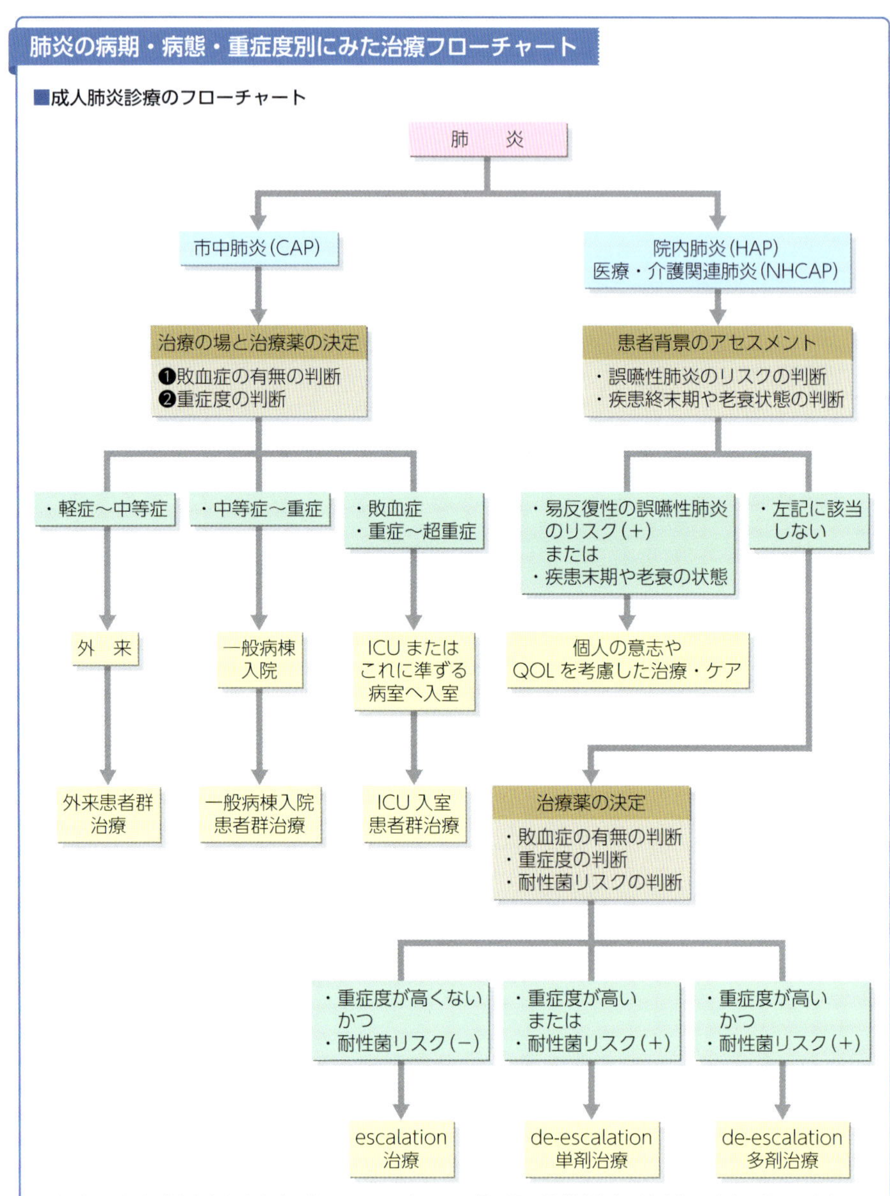

日本呼吸器学会『成人肺炎診療ガイドライン 2017』では，繰り返す誤嚥性肺炎や終末期の肺炎に対する治療において，個人の意思や QOL を重視する方針が加わった．

（日本呼吸器学会成人肺炎診療ガイドライン 2017 作成委員会編：成人肺炎診療ガイドライン 2017．p. iii，日本呼吸器学会，2017）

肺炎をもつ高齢者の看護

樋口　春美

看護の視点

- 肺炎の急性期には発熱や呼吸障害，倦怠感を伴うことが多く，体力の消耗を防ぎながら適切な生活支援を行う必要がある．反面，高齢者の肺炎の特徴の1つに，肺炎像などの病態に比べて症状が現れにくいこともある．また，基礎疾患や複数の疾患があると，増悪や合併症を起こす場合もあるので，高齢者の表情やしぐさに変化がないかをよく観察し，普段との違いを早期発見することが大切である．
- 高齢者の肺炎は，発症を繰り返す誤嚥性肺炎が多くみられる．脳血管性疾患の既往により日常生活動作が低下した状態や，サルコペニア，フレイルなどで活動が低下している高齢者が罹患しやすいため，状態に合わせて可能なかぎり「動ける」ように支援し，生活機能を落とさないことが重要である．
- 誤嚥性肺炎になると，高齢者は「口から食べること」に関する問題を抱えやすい．唾液の誤嚥，口腔内の炎症，胃液の逆流，摂食嚥下障害などにより食べる意欲や機会，機能が失われないように支援することが看護の課題となる．さらに，医療チームの協働によるリハビリテーションも重要である．
- 肺炎は患者背景，原因菌，重症度などが多彩な疾患である．疾患終末期や老衰の状態での発症もあり，高齢者と家族の意思を尊重しQOLを重視した医療チームの活動が推進され，その中で看護の役割を発揮する必要がある．

※そのために，以下のような日常生活の看護のポイントに留意して援助する．

1. **肺炎の症状や治療による苦痛と生活の不便さが和らぐように支援する．**
2. **高齢者のもてる活動性を保持し，生活機能が低下することなく望む生活に向かえるように支援する．**
3. **口から食べる力を弱めることなく，体力の回復と食べる楽しみの継続を目指して支援する．**

STEP 1 アセスメント　STEP 2 看護の焦点の明確化　STEP 3 計画　STEP 4 実施

情報収集・情報分析

	必要な情報	分析の視点
疾患関連情報	**現病歴と既往歴，症状** ・肺炎像，肺音 ・顔色，バイタルサイン ・悪寒戦慄，発熱 ・呼吸の回数や深さ，SpO_2，痰の性状・量・喀出力 ・咳の状態	□どのような基礎疾患をもっているか，いつからか □肺炎の部位や範囲はどのような状態か □バイタルサインと疾患の推移との関係はどうか □発熱と倦怠感が生活にどのように影響しているか □呼吸が楽にできるか，苦痛になっていないか □痰の性状や量，自力で喀出できているか □肺炎が基礎疾患を増悪させ，基礎疾患の症状が変化していないか
	検査と治療 ・血液検査（炎症反応） ・基礎疾患の治療 ・酸素療法 ・輸液療法 ・薬物療法	□血液検査で炎症反応（CRP，白血球など）のデータはどうか □基礎疾患の状態と治療の内容に影響はないか □酸素カニューレやマスクなどを自分ではずす動作があるか □輸液療法と水分出納の関連から，脱水や体液過剰の状態はないか □抗菌薬の効果・有害事象はどうか □基礎疾患の治療として使用している薬物の影響はないか
身体的要因	**運動機能** ・姿勢，安静の必要性	□苦痛が緩和・軽減する姿勢がとれているか □必要以上の安静がフレイルをもたらしていないか
	認知機能 ・表情，活気，会話	□安静時間の増加と活動性の低下による認知機能への影響はないか □普段みられない会話や行動が，心身の異常を表すサイン（せん妄など）である可能性はないか
	言語機能，感覚・知覚 ・倦怠感，気力，方法	□倦怠感や気分が会話に影響していないか □うなずき，まばたきなどのサインで苦痛や意向を表現していないか

	必要な情報	分析の視点
心理・霊的要因	**健康知覚・意向，自己知覚，気分・情動，ストレス耐性** ・表情，会話	□憔悴感はないか □気分の落ち込みはないか □イライラ感はないか
社会・文化的要因	**役割・関係** ・治療に伴う役割の変化	□治療を受けながら，家族や友人など親密な人たちと触れ合う時間や方法はどうか □肺炎により，仕事が中断されたり，家庭での役割の遂行が妨げられていないか，気になっていることがあるか
	仕事・家事・学習・遊び，社会参加	□人と交わるうえで，どのような活動を好んで参加していたのか．また，どのような立場で社会参加をしていたのか
睡眠・休息	**睡眠・休息のリズム** ・日中の活動量 ・治療に伴う影響	□現在の活動量と睡眠の関係はどうか □薬物，治療，処置により睡眠・休息のリズムの変調をきたしていないか
	睡眠・休息の質 ・不快な症状 ・環境(騒音)	□息苦しさ，発熱，咳，痰の喀出困難などの症状が睡眠の妨げになっていないか □酸素吸入用具や点滴のチューブが気になり睡眠を妨げていないか □医療スタッフの頻回の訪室が刺激になっていないか
	心身の回復・リセット ・環境(温度・湿度) ・日中の活動量	□病室の温度や湿度が適切に保たれているか □寝具や寝衣，体位の心地よさが保たれているか □必要時は昼寝をするなど，昼間の活動を調整しながら体力の回復が図れているか
覚醒・活動	**覚醒** ・日中の覚醒状態	□症状や睡眠不足による覚醒状態の変化がないか
	活動の個人史・意味 ・活動意欲 ・活動内容 ・呼吸苦，疲労感	□倦怠感や臥床による筋力の低下が活動意欲の低下につながっていないか □臥床していても以前から好きだった音楽や好きなテレビ番組などを楽しめる機会があるか □回復期における活動時の呼吸苦やリハビリテーション時の疲労などがあるか
食事	**食事準備，食思・食欲** ・呼吸器症状，倦怠感，薬剤の影響 ・口腔内の状態 ・活動量 ・食事内容	□発熱，咳，痰のからみなど食べづらい症状はないか □治療薬の影響による吐き気，腹痛，食思低下はないか □口腔内の乾燥や汚染，便秘など体内環境が整っていない状態はないか □活動量の減少と空腹感の低下に関連性はないか □食欲が高まるような好みの食事内容であるか
	姿勢・摂食動作 ・食事の姿勢 ・食事動作	□点滴ルートが摂食動作に影響していないか □座位やファウラー位などの食べやすい姿勢がとれるか
	咀嚼・嚥下機能 ・むせ，喘鳴 ・口腔内の状態	□体位による咀嚼や嚥下の困難はないか □食事の形態による咀嚼や嚥下の困難はないか □口腔内の乾燥はないか
	栄養状態 ・顔色，るいそう，皮膚弾力 ・血液データ	□皮膚の状態や口唇や舌の乾燥など脱水の徴候はないか □顔色の不良や血清アルブミン値の低下，体重減少，貧血の徴候などがないか □電解質の異常はないか

	必要な情報	分析の視点
排泄	**尿・便をためる，尿意・便意** ・尿失禁，便失禁 ・尿意・便意の伝え方	□ポータブル便器やおむつ使用による影響はないか □表情・しぐさ・言葉などで尿意・便意を伝えることができるか □排泄の場や方法の変化が影響していないか
	姿勢・排泄動作 ・排泄の場所 ・トイレ環境，排泄姿勢 ・移動や排泄動作に伴う疲労感	□トイレで排泄ができるか □排泄の場所までどのように移動するか □普段の排泄場所との違いが排泄動作に影響していないか □移動や排泄動作で疲労していないか □移動に時間がかかり，排泄が間に合わないことがあるか
	尿・便の排出，状態 ・尿の性状・回数・量 ・便の回数・量・硬さ ・下剤の使用	□水分摂取量と食事の種類や量が尿・便の排出と性状に影響していないか □活動量が排便に影響していないか □抗菌薬の使用が軟便や下痢につながっていないか □普段から下剤を使用しているか
身じたく	**清潔** ・清潔の手段 ・口腔内の状態，口腔ケア	□入浴，シャワー浴，手洗い，歯磨き，ひげ剃りなどの動作が困難になっていないか □食事がとれない時，とくに口腔内が汚染されていないか □嚥下障害がある場合，食事前の口腔ケアで唾液の分泌を促しているか，食事前後と就寝前の口腔ケアで継続的な誤嚥防止策がとれているか
	身だしなみ，おしゃれ ・身だしなみへの関心・意欲	□普段行っている身だしなみができているか □自分で身だしなみを整える気力と体力があるか □身だしなみを気にするしぐさがあるか □手助けがあれば身だしなみを整えようとする気持ちになるか
コミュニケーション	**伝える・受け取る**	□倦怠感があって発語が少なくなっていないか □苦しい状態をうまく伝えることができるか □したいと思うことを伝えることができるか
	コミュニケーションの相互作用・意味	□ケアやリハビリテーションの説明を理解し，参加することができるか
	コミュニケーションの発展	□家族や周囲の人と楽しみのためのコミュニケーションがとれるか

アセスメントの視点（病態・生活機能関連図へと導くための指針）

肺炎の症状や治療による生活上の困難を和らげながら，急性期を脱して回復期へと向かうよう支援する．呼吸機能や全身状態を確認しながら，もてる力を発揮して活動性を保持し，生活機能が低下しないように支援することが重要である．身体負荷が予想されるなら，高齢者や家族と相談しながら優先順位の高い活動の選択や支援方法を検討する．

また，嚥下障害があれば，多職種で協働して口腔機能を高めるリハビリテーションや口腔ケアを提供し，安全性を高めながら口からおいしく食べるための支援を行う．

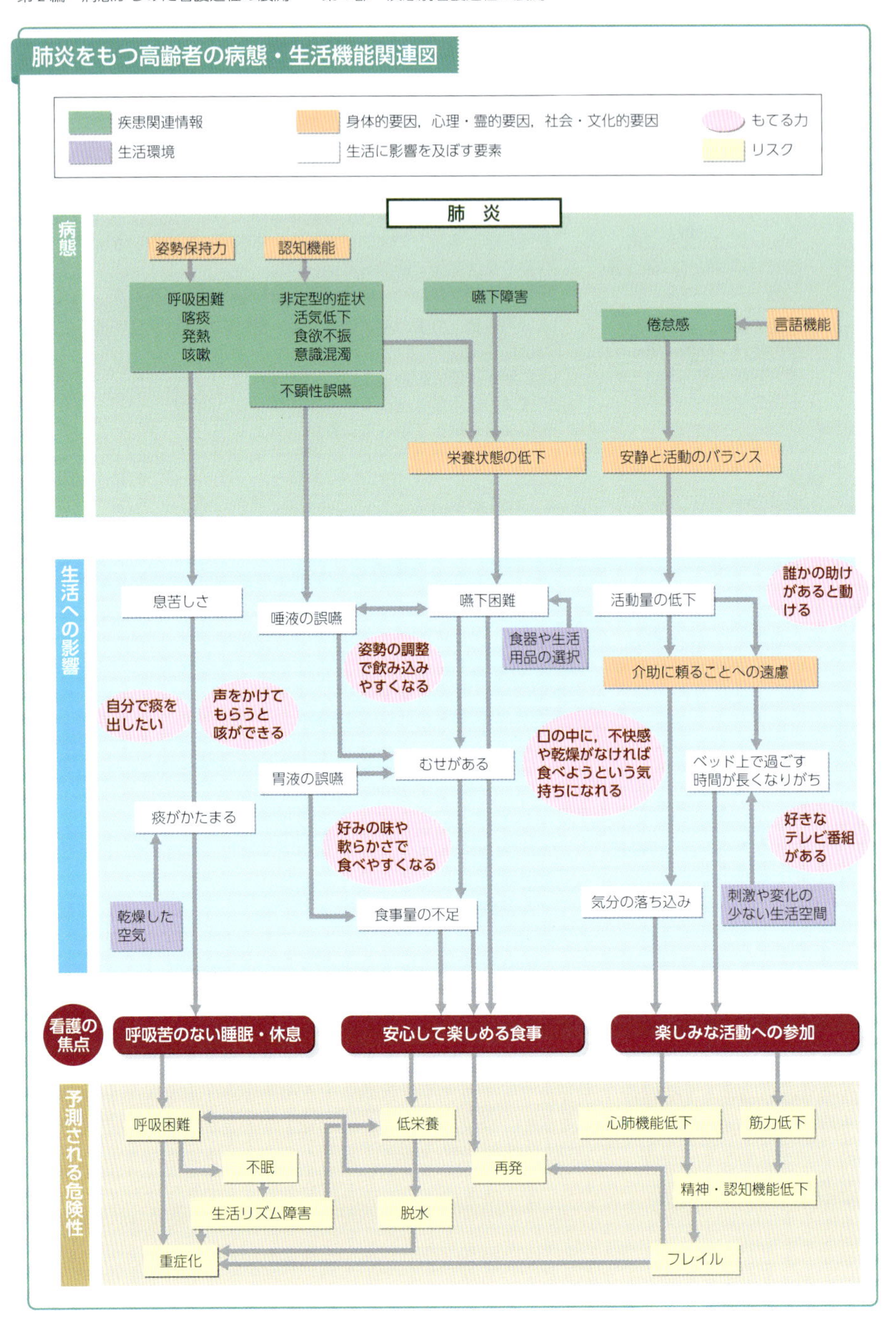
肺炎をもつ高齢者の病態・生活機能関連図
疾患関連情報
生活環境
身体的要因，心理・霊的要因，社会・文化的要因
生活に影響を及ぼす要素
もてる力
リスク
病態
肺　炎
姿勢保持力
認知機能
呼吸困難
喀痰
発熱
咳嗽
非定型的症状
活気低下
食欲不振
意識混濁
嚥下障害
倦怠感
言語機能
不顕性誤嚥
栄養状態の低下
安静と活動のバランス
生活への影響
息苦しさ
唾液の誤嚥
嚥下困難
食器や生活用品の選択
活動量の低下
誰かの助けがあると動ける
姿勢の調整で飲み込みやすくなる
介助に頼ることへの遠慮
自分で痰を出したい
声をかけてもらうと咳ができる
口の中に，不快感や乾燥がなければ食べようという気持ちになれる
むせがある
胃液の誤嚥
ベッド上で過ごす時間が長くなりがち
痰がかたまる
好みの味や軟らかさで食べやすくなる
好きなテレビ番組がある
乾燥した空気
食事量の不足
気分の落ち込み
刺激や変化の少ない生活空間
看護の焦点
呼吸苦のない睡眠・休息
安心して楽しめる食事
楽しみな活動への参加
予測される危険性
呼吸困難
低栄養
心肺機能低下
筋力低下
不眠
再発
精神・認知機能低下
生活リズム障害
脱水
重症化
フレイル

看護の焦点の明確化

#1　息苦しさが改善し，体力回復のための十分な睡眠・休息がとれる
#2　肺炎の回復過程に応じて，身体負荷が少ない方法で楽しみにしている活動ができる
#3　口から食べる力を保ちながら，安心して食べる楽しみをもてる

STEP 1 アセスメント　STEP 2 看護の焦点の明確化　STEP 3 計画　STEP 4 実施

1 看護の焦点	看護目標
息苦しさが改善し，体力回復のための十分な睡眠・休息がとれる	1) 呼吸症状に伴う苦痛がない 2) 痰の喀出がスムーズに行える 3) 発熱による体力の消耗が少ない

具体策（支援内容）	根拠
1. 呼吸を正常化するための支援	
1) 呼吸回数が正常になり，楽になるような姿勢を工夫する	
・上体を軽く挙上するように，ベッドの高さを調整する	
・高齢者の呼吸の状態，訴えや表情を見て，楽な姿勢になるよう角度を調整し，枕などで保持する	●肺の炎症部位はガス交換能力が低下しているので，健康な肺野の呼吸面積を広くとり，ガス交換を有効にする必要がある
・原則，側臥位は患側を下にし，向きや角度，継続時間を調整する	●体位は健康な肺を下にしないことが基本になる ●同一部位の圧迫により，皮膚の炎症や褥瘡が生じないように観察する
2) 酸素マスクやルートの固定に注意をはらい，褥瘡を予防する	●酸素マスクやルートによる皮膚の圧迫や体動時の刺激が医療関連機器圧迫創傷（MDRPU）の発生要因になりうるので，適切な間隔で固定部位を変える
・低酸素血症で酸素療法が必要な場合は，酸素ルートが生活動作の支障にならないように管理する	●酸素ルートが気になって，身体を動かすのが煩わしくなることがある．活動の妨げにならないように固定したり，長さを調節する
2. 痰の喀出の促進	
1) 環境の調整により痰の喀出を促す	●気道を浄化するため，痰を適切に喀出することが望ましい．痰の量が多い，粘稠性が強い場合に，気道を閉塞してしまう危険性があるため，スムーズに喀出できるよう支援する
・胸部X線所見などによる肺炎像の確認と，肺音の聴取から，痰の有無と貯留部位を把握する	
・室内の温度，湿度を適切に保つ	●空気が乾燥していると気道粘膜が乾燥して，痰の喀出が困難になるので，湿度を適切に保つ
2) 自力で喀出しやすくするための支援	
・好みの飲料などで水分を多めにとるように工夫する	●痰の粘稠度が強いときは水分をとることで，痰を軟らかくして喀出しやすくする
・痰をとるティッシュペーパーを手もと近くに準備しておく	●高齢者は，痰をうまく出せずに飲み込んでしまうことが多い．咳が聞かれたら，タイミングを図って口もとにティッシュペーパーを近づけて，すぐとれるように支援する
・自分で喀出できない場合は，出しやすいように支援する ・咳がしやすいように声をかけて促す	●痰の貯留音や呼吸音を聴取しながら，痰の状態と位置を知り，効果的な喀出を支援する

3) 呼吸理学療法の適応の検討	
・リハビリテーションの専門家と連携しながら，痰の喀出に有効な姿勢や動作を日常生活動作に取り入れる	●スクイージングをはじめとする呼吸理学療法を取り入れて効果的に痰の喀出を促す
4) 自力で出せない場合は吸引を検討する	
・自力での痰の喀出が困難な場合に限り，吸引を検討する	●吸引は低酸素状態の誘発や，気道粘膜を傷つける危険性がある
・吸引時には，状況に応じて手を握って励ます	●吸引は苦痛を伴う場合が多いので，実施の際は手を握って励ますことも安心につながる
3. 発熱による体力の消耗を少なくするための支援	
・悪寒による苦痛を軽減するために保温する	●悪寒は，体温上昇時にみられる症状であり，毛布や湯たんぽなどを使用して十分に保温する
・効果的で苦痛のないクーリング方法を検討する	●高齢者にはクーリングの冷感が苦痛になることも多く，皮膚がすぐに赤くなるなどの影響が現れやすいので，刺激にならないようなクーリング方法を検討する
・解熱薬の使用について医師と相談・調整する	●解熱薬使用により急激なショック状態に陥ることがあるので，十分な観察が重要である
・脱水を起こさないように，水分を補う工夫をする	●発熱や痰の喀出・水分摂取困難などが脱水の原因になりやすいので，アセスメントの視点として水分出納は欠かせない

2 看護の焦点	看護目標
肺炎の回復過程に応じて，身体負荷が少ない方法で楽しみにしている活動ができる	1) 急性期には身体に負荷がかからない方法で生活動作が行える 2) 楽しみにしている活動を状態に合わせて行える 3) 回復期には積極的にリハビリテーションを行える

具体策（支援内容）	根拠
1. 急性期に身体負荷がかからない方法で生活動作を行うための支援	
・発熱がない時は，ポジショニングの工夫により楽に座位がとれるよう援助する	●座位をとることで肺の呼吸面積が広がり，有効なガス交換につながる
・痰を喀出する機会などを利用して座位をとる	●体位の変換により，痰が喀出しやすくなる
・更衣，歯磨き，整容など高齢者と相談しながら負荷がかからない方法で一緒に行う	●精神機能や運動機能の維持につながり，フレイルの予防ができる ●ケアに参加できることがセルフケアの能力の保持につながり，尊厳も保たれる
2. 高齢者と相談しながら，状態に合わせて楽しみにしている活動を行うための支援	
・負担にならない時間や方法で，好きなTV番組を観る，音楽を聴くなど楽しみにしている活動をする	●臥床時間が多く活動時間が短いことで，気分が落ち込んだり精神活動が弱まったりする可能性があるので，できるだけ活動の機会をつくる
・覚醒している時間に活動できるよう計画する	●活動意欲と集中力が高められるよう支援する

・過ごしやすいポジショニングで行う ・疲労感を感じるようであれば，活動について高齢者と相談して優先順位をつけて行う	●趣味や好きな活動を可能な範囲で行うことで，社会性の維持やその人らしい生活につながる
3. 回復期にリハビリテーションを積極的に行うための支援	
・日常生活動作の中でリハビリを行う	●食事をデイルームでとることで，移動動作や他者との交流の機会がもてる ●排泄は可能な限りトイレで行い，行動の拡大を図る
・活動の間に適切な休息の時間をとり，疲労しすぎないように行う ・リハビリテーションスタッフ，管理栄養士，介護職など高齢者をとりまく多職種と連携してリハビリテーションを行う	●機能の回復や拡大の可能性を多職種で情報共有し，生活の全てにおいて効果的なリハビリが行える機会をつくる

3 看護の焦点	看護目標
口から食べる力を保ちながら，安心して食べる楽しみをもてる	1) 食べる力を維持できる 2) 食べる楽しみがもてる 3) 脱水や低栄養状態に至らない

具体策(支援内容)	根拠
1. 食べる力を維持するための支援	
1) 経口摂取ができない時期	
・口腔内を清潔にし，保湿できるように口腔ケアを行う	●絶食で口腔内が乾燥して痛みや不快を感じると，摂食に対する意欲が低下しやすい．口腔内が清潔であることが気持ちよく食べるための第一歩となる．また絶食で唾液分泌が減少すると，口腔内が汚染され，雑菌が繁殖しやすくなり，誤嚥性肺炎を繰り返す原因となる
・口腔ケアを行いながら唾液の嚥下状態を注意深く観察する ・歯ブラシやスポンジで舌，頬，口唇のマッサージを行う	●口腔機能の低下を防止する ●唾液がうまく飲み込めることは嚥下機能の改善につながるので，経口摂取再開時期の検討の情報になる
2) 経口摂取が可能となった時期	
・医師，リハビリテーションスタッフ，管理栄養士など多職種で連携して，必要な高齢者には嚥下訓練や食形態の調整を行う	●多職種で連携し，リハビリテーションの視点から安全な食形態や摂取方法を検討する ●口腔運動，嚥下反射，嚥下造影検査などから嚥下機能を評価する
・口腔ケアを行い，義歯は食後に洗浄して清潔を保つ	●口腔内を清潔にし，雑菌の繁殖を防ぐ
・食べやすい体位を工夫する	●体位は嚥下状態や疲労感に影響するので，個別の工夫が必要である
2. 食べる楽しみを高める支援	
・好みの食べ物を，食べやすい形態で準備する	●好みの食べ物で食欲が増すことが多い
・温度や色彩，形，大きさ，軟らかさなどを工夫する	●好みの食べ物やなじみのある食べ物をうまく摂取できることで食事が楽しいと思える
・食べる場所や食習慣(他者との交流を好むかなど)を把握し，座席などを配慮する	●高齢者のもつ食事の習慣や価値観を大切にすることで，安心して食事を楽しんでもらう

・食べる姿をみられたくないという思いがあれば，場所や時間を配慮する

3. 脱水や低栄養状態の予防のための工夫

・水分によるむせがある時はカップやストロー，その他 1 回量が調整しやすい容器などを工夫する
・水分が補給できる食べ物を準備する
・飲みたい時に手の届くところに飲み物を準備しておく
・栄養状態の検査データを把握し，不足がある場合，少量でも栄養価の高い食品を取り入れる
・必要時は輸液療法の併用を検討する
・管理栄養士や栄養サポートチームと協働する

●食欲不振や水分によるむせがあり摂取量が不足すると脱水を起こしやすいので，高齢者にあった食品や食器，量の調整などを細やかに行う必要がある
●とくに経口摂取移行時に，食事量や水分量が不足して脱水になりやすい
●栄養状態は，体力の回復と生活機能の向上に大きく影響する

関連項目

※もっと詳しく知りたいときは，以下の項目を参照しよう.

●「29 転倒 (→ p.504)」：発熱による倦怠感，体力消耗や筋肉低下が要因となっていないか
●「15 摂食嚥下障害 (→ p.304)」：疾患や加齢に関連した摂食嚥下障害の原因や要因を理解して誤嚥防止につなげよう
●「20 排便障害 (→ p.378)」：食事や水分不足の影響で便秘をきたしていないか，抗菌薬の有害事象としての下痢はないか
●「19 排尿障害 (→ p.364)」：発熱や水分摂取不足による脱水の影響はないか
●「18 浮腫 (→ p.352)」：低蛋白血症により浮腫をきたしていないか，補液のバランス障害により浮腫をきたしていないか

6 慢性閉塞性肺疾患(COPD)

石井　正紀

目でみる疾患

正常な肺胞

肺胞の周囲の毛細血管によって肺胞の二酸化炭素と酸素が交換される

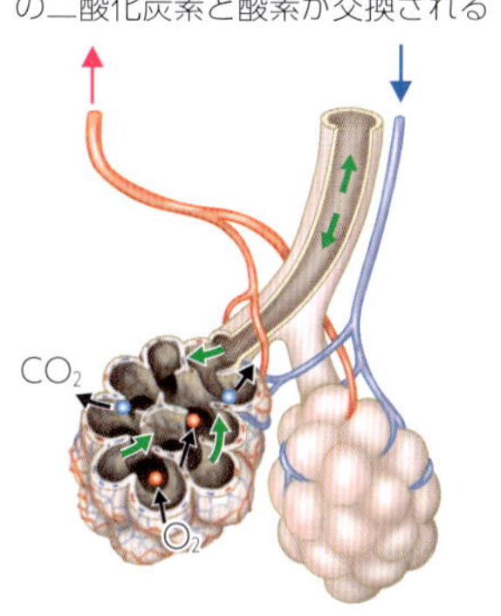

COPD の肺胞

COPD では気管支の閉塞と肺胞自体の破壊によって換気機能が低下する

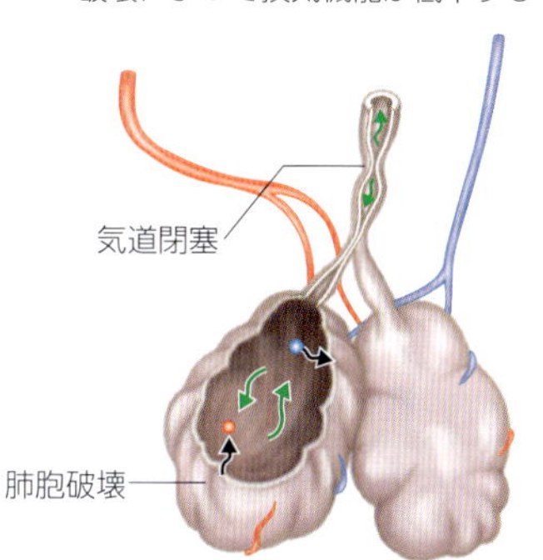

■図 6-1　末梢気道と肺胞の病変

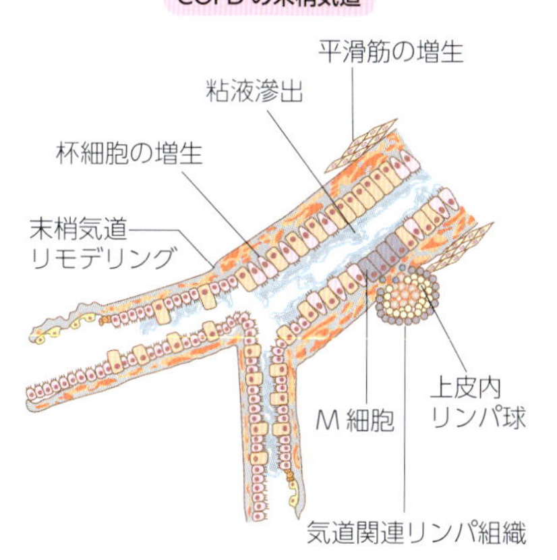

■図 6-2　末梢気道の病理学的変化

COPD の末梢気道では，粘液の滲出や末梢気道のリモデリングによる気道閉塞が生じる．

病態生理

慢性閉塞性肺疾患（chronic obstructive pulmonary disease：COPD）は，タバコ煙や粉塵などの有害物質に長期的に曝露することによって発症し，進行性の気流閉塞を呈する肺の炎症性疾患である．

- COPD では中枢気道，末梢気道，肺胞領域などにタバコ煙や粉塵などに起因する炎症性病変が生じ，炎症は禁煙後も長期間持続する．
- COPD の特徴である気流閉塞は，末梢気道病変と肺胞の破壊（肺気腫）が複合的に作用して生じる．末梢気道の慢性的な炎症は気道狭窄と構造的な変化を生じ，また，炎症に起因する肺胞の破壊によって換気能の低下が生じる．末梢気道は肺胞に付着して支持されているが，肺胞の破壊によって支持体を失い，虚脱して閉塞しやすくなる．

病因・増悪因子

- COPD の発症に関与する危険因子として，喫煙，大気汚染などの外因性因子と，遺伝素因などの内因性因子がある．タバコ煙は最大の危険因子であるが，COPD を発症するのは喫煙者の一部であることから，喫煙感受性を規定する遺伝素因の存在が示唆されている．その他の内因性因子としては気道過敏性，COPD や喘息の家族歴，老化などがある．
- COPD は進行性の疾患であり，COPD の増悪がその病態を悪化させることから，増悪を回避することが重要である．

疫学・予後

- 2010 年において，COPD は世界の死因の第 4 位とされている[1]．日本では 2017 年において COPD は死因の第 11 位であり，75 歳以上では第 10 位であった．
- 国内で実施された Nippon COPD Epidemiology study（NICE study）では，日本人の COPD 有病率は 8.6％ で 40 歳以上の国民の約 530 万人，70 歳以上では約 210 万人が COPD に罹患していると推計されている[2]．
- COPD は潜在的にはさらに多くの患者がいるが，治療されている患者は一部であり，COPD に対する認識が低いことが課題とされている．

症状

COPD は初期は無症状か咳，痰などのみであるが，徐々に労作時の呼吸困難（息切れ）が顕在化し，進行すると安静時にも呼吸困難を生じる．

- COPD の一般的な臨床所見としては，呼吸困難，慢性の咳・痰，喘鳴，体重減少，食欲不振などがある．
- 身体所見としては，呼気延長，口すぼめ呼吸，樽状胸郭，胸鎖乳突筋の肥大，チアノーゼ，ばち指，聴診上の呼吸音の減弱などがある．
- COPD を疑う特徴として，①喫煙歴あり（とくに 40 歳以上），②咳，痰，喘鳴，③労作時の息切れ，④風邪に伴う②および③，⑤風邪の反復や回復に時間がかかる，などがある．

診断・検査値

スパイロメトリーで 1 秒率が 70％ 未満であることが，COPD 診断の必要条件である．

- 長期の喫煙歴などの曝露因子があり，気管支拡張薬吸入後のスパイロメトリーで 1 秒率*が 70％ 未満であり，他の気流閉塞をきたしうる疾患が除外される場合に COPD と診断される．
- 鑑別すべき疾患としては，喘息，びまん性汎細気管支炎，副鼻腔気管支症候群，気管支拡張症，閉塞性細気管支炎，肺結核などがある．

*1 秒率：可能な限りの空気を吸い込み，一気に吐き出した時の量を努力性肺活量（FVC）と呼び，この時の最初の 1 秒間で吐き出した量が 1 秒量（FEV_1）で，FVC に対する FEV_1 の割合を 1 秒率という．

合併しやすい症状

- COPD では喫煙や加齢に伴う全身の併存症が多く，QOL や予後に影響を及ぼす．COPD による全身への影響として全身性炎症，栄養障害，骨格筋機能障害，心・血管疾患，骨粗鬆症，不安，抑うつ，糖尿病など様々なものがある（表 6-1）．

■表 6-1　COPD の併存症

骨格筋	筋力の低下，サルコペニア，フレイル
心血管	高血圧，心筋梗塞，狭心症，脳血管障害
骨塩量	骨粗鬆症，脊椎圧迫骨折，大腿骨頸部骨折
精神・神経	不安，抑うつ，認知機能障害
内分泌代謝・栄養	糖尿病，メタボリックシンドローム，低栄養

- COPD では呼吸困難に対する不安から，日常生活における活動や運動量の低下が生じ，これに伴って身体的な脆弱化が進展することで様々な合併症や併存症のリスクが増加すると考えられている．

治療法

●COPD の管理目標

- COPD の管理目標は，現状の改善と将来リスクの低減である．COPD の管理目標を達成することで，疾患の進行抑制や生命予後の改善につながることが期待されている．
- 現状の改善には，①症状および QOL の改善と，②運動耐容能と身体活動性の向上および維持がある．将来リスクの低減には，③増悪の予防と④全身併存症および肺合併症の予防・診断・治療がある．
- 管理目標の達成に向けて，禁煙指導，薬物療法，呼吸リハビリテーション，酸素療法などの他，全身併存症や肺合併症に対する治療を含めて包括的な管理が行われる．

●禁煙

- ほとんどの COPD が禁煙によって予防可能であり，すべての COPD の病期において禁煙を奨めるべきである．COPD 患者の禁煙は 1 秒量の低下を鈍化させる．

●薬物療法

- 薬物療法の中心は気管支拡張薬であり，閉塞性換気障害の程度，症状，増悪，重症度に応じて段階的に使用する．薬剤の選択にあたっては，患者ごとに治療反応性や副作用に注意する．
- 気管支拡張薬は，作用と副作用のバランスから吸入剤が推奨され，治療効果が不十分な場合には単剤を増量するよりも多剤併用が奨められる．安定期における薬物療法では，長時間作用型抗コリン薬(long-acting muscarinic antagonist：LAMA)や長時間作用型 β_2 刺激薬(long-acting β_2 agonist：LABA)が用いられ，単剤で不十分な場合は，これらの併用(または LAMA/LABA 配合薬)が行われる．また，必要な場合には，上記に加えて，短時間作用型 β_2 刺激薬(short-acting β_2 agonist：SABA)や短時間作用型抗コリン薬(short-acting muscarinic antagonist：SAMA)の頓用を行う．
- COPD に喘息を合併する場合は，吸入ステロイド薬(inhaled corticosteroids：ICS)の併用が考慮される．

Px 処方例　軽症または中等症の場合(外来)

- スピリーバレスピマット 2.5 μg　1 回 2 吸入　1 日 1 回(朝)　← LAMA

または

- オンブレス吸入用カプセル 150 μg　1 回 1 カプセル　1 日 1 回吸入(朝)　← LABA

症状に応じて

- スピオルトレスピマット　1 回 2 吸入　1 日 1 回(朝)　← LAMA/LABA 配合剤

※外来における処方例であり，入院患者には必ずしも対応しない．

●呼吸リハビリテーション

- 呼吸リハビリテーションは，呼吸困難の軽減，運動耐容能の改善，QOL の改善に有効である．薬物療法，酸素療法など他の治療に加えて呼吸リハビリテーションを実施することで上乗せ効果が期待できる．
- 現在の身体活動レベルを維持し，廃用症候群による身体機能・呼吸機能の低下を招かないことが重要である．

●栄養管理

- 重症の COPD では約 40% に体重減少がみられる．軽度の体重減少は脂肪の減少によるものであるが，中等度以上の体重減少は筋蛋白量の減少によるもので，その背景には栄養障害がある．

■表 6-2　COPD の主な治療薬

分類	一般名	主な商品名	薬の効くメカニズム	主な副作用
抗コリン薬	チオトロピウム臭化物水和物	スピリーバ	気道平滑筋の弛緩作用によって肺の過膨張を改善し，運動時の呼吸困難感を軽減	心不全，心房細動，期外収縮
β_2 刺激薬	インダカテロールマレイン酸塩	オンブレス	従来の吸入 β_2 刺激薬より長時間持続し，作用の発現が遅い	重篤な血清 K 値低下，動悸，不整脈
	サルメテロールキシナホ酸塩	セレベント		重篤な血清K値低下，ショック，アナフィラキシー様症状など
	ツロブテロール	ホクナリン		アナフィラキシー様症状，重篤な血清K値低下，過敏症など
合剤(抗コリン薬・β_2 刺激薬)	チオトロピウム/オロダテロール	スピオルト	抗コリン薬ないし β_2 刺激薬単剤で治療効果不十分な場合に使用．単剤よりも気管支拡張効果が増大される	心不全，不整脈，口内乾燥，動悸
キサンチン誘導体	テオフィリン	テオドール，ユニフィル LA	気道平滑筋の弛緩作用のほか，低用量でも抗炎症効果が期待できる	痙攣，意識障害，急性脳症など
喀痰調整薬	ブロムヘキシン塩酸塩	ビソルボン	気道分泌促進	胃部不快感，アナフィラキシー症状，過敏症状など
	アセチルシステイン	ムコフィリン	気道粘液溶解	気管支閉塞，過敏症，発疹，血痰など
	カルボシステイン	ムコダイン	気道粘液修復	肝障害，食欲不振，発疹など

- 体重減少は気流閉塞とは独立した予後因子であり，栄養障害を認めた場合は，栄養補給療法を考慮すべきである．栄養指導における行動療法は，栄養士，医師，看護師などによるチーム医療が望ましい．

●酸素療法

- 血中酸素分圧の低下がみられる COPD 患者に対する長期酸素補充療法や在宅酸素療法が生命予後を改善することが示されている．薬物療法および呼吸リハビリテーションなどが適切に実施されたうえで必要な場合には酸素療法の導入が検討される．

●ワクチン接種

- インフルエンザワクチンの接種は COPD 患者の呼吸不全のリスクを有意に低下させ[3]，肺炎球菌ワクチンの接種は COPD 患者の肺炎による入院リスクを約 45% 減少させることが報告されている[4]．また，インフルエンザワクチンと肺炎球菌ワクチンの両方の接種により，高齢者のインフルエンザまたは肺炎による入院と肺炎による院内死亡リスクがいずれも有意に低下する[5]．COPD の増悪予防に向けて，インフルエンザワクチンおよび肺炎球菌ワクチンの接種はきわめて重要である．

慢性閉塞性肺疾患の病期・病態・重症度別にみた治療フローチャート

COPDの病期は，予測1秒量*に対するスパイロメーターで測定した実際の1秒量の比率（% FEV_1）を用いて決定され，以下の4段階に区分される．

- Ⅰ期：軽度の気流閉塞（% FEV_1≧80%）
- Ⅱ期：中等度の気流閉塞（50%≦ % FEV_1＜80%）
- Ⅲ期：高度の気流閉塞（30%≦ % FEV_1＜50%）
- Ⅳ期：きわめて高度の気流閉塞（% FEV_1＜30%）

また，COPDの重症度は病期のみならず運動耐容能や身体活動性の障害程度，息切れの強度や増悪の頻度と重症度より総合的に判断する．

禁煙，身体活動の維持，栄養維持はすべての病期において実施し，そのうえで重症度に応じた薬物療法，呼吸リハビリテーション，酸素療法などを考慮する．

＊予測1秒量は年齢および身長から以下の式で算出される．
成人男性：0.036×身長（cm）－0.028×年齢－1.178（L）
成人女性：0.022×身長（cm）－0.022×年齢－0.005（L）

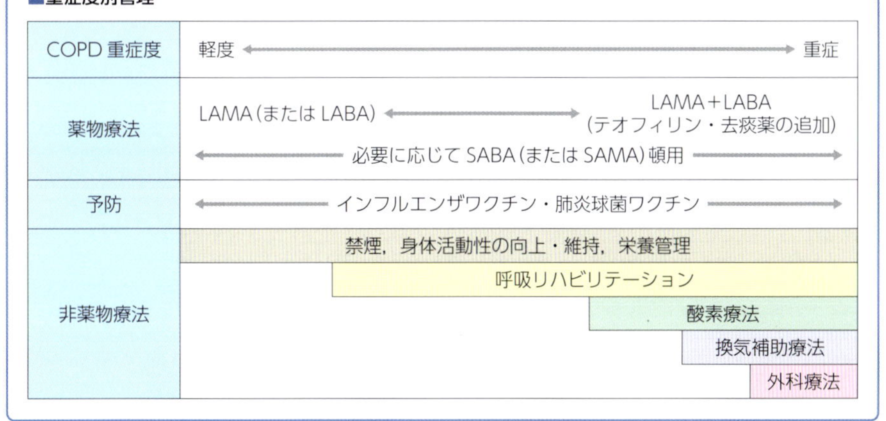

●参考文献
1) López-Campos JL, Tan W, Soriano JB : Global burden of COPD. Respirology 21 (1) : 14-23, 2016
2) Fukuchi Y, Nishimura M, Ichinose M, et al : COPD in Japan : the Nippon COPD Epidemiology study. Respirology 9 (4) : 458-465, 2004
3) Froes F, Roche N, Blasi F : Pneumococcal vaccination and chronic respiratory diseases. Int J Chron Obstruct Pulmon Dis 12 : 3457-3468, 2017
4) Christenson B, Hedlund J, Lundbergh P, et al : Additive preventive effect of influenza and pneumococcal vaccines in elderly persons. Eur Respir J 23 (3) : 363-368, 2004

慢性閉塞性肺疾患をもつ高齢者の看護

澤田　知里

看護の視点

● 高齢者は，進行性・不可逆性という疾患のイメージによって，予後への悲嘆や恐怖を抱くことがある．また，呼吸障害自体の苦痛や不安によって活動が縮小し，生活への楽しみや生きる希望を見失ってしまうこともある．しかし，呼吸法や動作の工夫によって，症状とうまく向き合いながら日常生活を主体的に送ることができること，そして，栄養療法・運動療法を取り入れることによって，身体活動性を維持しながら趣味や好きな活動を限られた範囲で楽しむことが可能であるため，疾患とともに自分の人生を前向きに生きることへの支援を行う．

※日常生活の看護のポイントは以下のとおりである．

1. 安楽な呼吸を維持しながら，高齢者のペースで日常生活動作を遂行できるように支援する．
2. 呼吸困難や栄養不良による身体活動性の低下を招くことなく，好きな活動を楽しめるよう支援する．
3. 急性増悪への予防行動をとることができるように支援する．
4. 症状による苦痛や不安，予後への悲嘆などを緩和し，生活のなかに楽しみや生きがいをもちながら高齢者が望む生活を送ることができるように支援する．

病期に応じた長期的な看護の視点

【Ⅰ期】 禁煙や感染予防行動（ワクチン接種）を遂行し，必要時は薬物療法を行いながら，身体活動性の向上と維持ができるように支援する．

【Ⅱ期】 労作時の息切れなどに対応できるように，呼吸法や動作の工夫の習得に向けて支援する．また，身体活動性の向上または維持のために運動療法や栄養療法を検討し，生活行動全般の縮小化を防ぐ．

【Ⅲ期】 Ⅲ期以上の慢性閉塞性肺疾患（COPD）では約 40% に体重減少がみられる．栄養障害を認める場合は栄養療法を行い，運動療法も併用しながら，高齢者の望む生活が維持できるように支援する．

【Ⅳ期】 在宅酸素療法（HOT）や非侵襲的換気（NPPV）の導入は，生活に大きな変化をもたらすためストレスを感じることも多い．その思いに寄り添い，酸素療法をしながらその人らしい生活を送ることができるように支援していく．また，終末期のあり方について，高齢者や家族の思いを聞き，ともに考えていくことも必要である．

STEP 1 アセスメント　STEP 2 看護の焦点の明確化　STEP 3 計画　STEP 4 実施

情報収集・情報分析

	必要な情報	分析の視点
疾患関連情報	**現病歴と既往歴** ・COPD の病歴，経過 ・急性増悪の有無 ・COPD の病期（気流閉塞に基づく病期分類） ・併存症（気管支喘息，骨粗鬆症，フレイル，不眠症，糖尿病，心不全，不整脈，虚血性心疾患，高血圧，動脈瘤，消化性潰瘍，胃食道逆流症，栄養障害，不安，抑うつ，閉塞性睡眠時無呼吸） ・合併症（肺がん，肺高血圧症，肺炎，気胸，間質性肺炎）	□発症から現在までの病状と治療の経過はどうか □急性増悪の経験がある場合，その誘因はなにか．主な原因としての感染症，大気汚染，有害物質（喫煙，粉塵）などがあるか □急性増悪を繰り返していないか．いままで増悪期はどのように対処していたか □ COPD に併存・合併する疾患の有無と症状および治療の状況はどうか

	必要な情報	分析の視点
疾患関連情報	**症状** ・呼吸困難(息切れ),咳嗽,痰の量・性状,喘鳴,肺雑音,呼吸音の減弱,SpO_2,発熱,チアノーゼ,下肢の浮腫,体重減少,食欲不振,不安,抑うつ	□現在の症状,身体所見の有無,程度,症状による生活への影響 □急性増悪の徴候はないか(咳や痰の増加,発熱,呼吸困難の悪化などの症状が急激に出現したか)
	身体所見 ・口すぼめ呼吸,呼吸補助筋の緊張,樽状胸郭,フーバー徴候,ばち指	□進行していないか(口すぼめ呼吸,樽状胸郭,フーバー徴候などの症状は進行例でみられる)
	検査 ・胸部単純X線,胸部CT,スパイロメトリー,動脈血ガス分析,パルスオキシメーター,運動負荷試験,心電図,血液検査	□気流閉塞やガス交換障害の程度はどうか(増悪の重症度は検査結果に基づいて評価する) □運動耐容能の評価はどうか □急性増悪の徴候が出現していないか
	治療 ・禁煙 ・ワクチン接種(インフルエンザワクチン,肺炎球菌ワクチン) ・薬物療法(吸入薬,経口薬) ・食事療法 ・呼吸リハビリテーション(呼吸訓練,リラクセーション,胸郭可動域訓練,上下肢筋力トレーニング,日常生活動作訓練)	□喫煙はCOPDの増悪因子である.禁煙ができているか □インフルエンザワクチン,肺炎球菌ワクチンの接種により,COPDの増悪頻度は低下するため接種を勧める □吸入薬(気管支拡張薬,ステロイド薬など)は指示どおりに使用できているか □経口薬(気管支拡張薬,去痰薬など)は飲み忘れなく服用できているか □摂取カロリー,蛋白質摂取量,水分摂取量に不足はないか □必要エネルギーや蛋白質が摂取できないことで,筋力が減少し,活動に影響が出ていないか □食欲不振時など,栄養補助食品を利用しているか □呼吸リハビリテーションの必要性を理解できているか □継続的に呼吸リハビリテーションを実施できているか
身体的要因	**呼吸状態** ・呼吸数,呼吸音,SpO_2,咳・痰の有無,息切れの有無・程度,活動時の息切れの状況	□どのような動作で息切れが増強するか,SpO_2がどの程度低下するか □息切れによって,できない動きなどがあるか
	運動機能 ・歩行状態 ・日常生活動作の自立度	□息切れによって活動が縮小し,筋力が低下していないか
	認知機能 ・記憶力,理解力,判断力,薬物使用への理解	□認知機能の低下がある場合,治療への理解や指示どおりの服薬などを行うことができているか □認知機能の低下により,自分の状況を言葉でうまく伝えることができない場合,表情や行動などで苦痛のサインを発していないか

	必要な情報	分析の視点
身体的要因	**言語機能** ・歯・義歯の状態 ・構音障害，失語症	□症状による苦痛や不安，予後への苦悩，療養生活上の悩みなどを伝えることができるか □歯の欠損などにより話しにくいことはないか □構音障害などにより，思いがうまく伝えられないことはないか
心理・霊的要因	**健康知覚** ・疾患，治療に対する受け止め ・生活上での困難 ・息切れを予防する対処法 ・息切れ増強時の対処法	□疾患や治療をどのように受け止めているか □息切れによる生活の活動制限や我慢していることなどはないか □息切れにどのように対処しているか
	気分，情動，ストレス耐性 ・現在の症状への苦痛や不安 ・予後への悲嘆や恐怖 ・ストレスへの対処法	□1人で不安や苦悩を抱え込んでいないか □普段ストレスを感じたときはどのように対処しているか
	価値，信念 ・生きるうえでのよりどころ	□心の支えや，生きるうえで大切にしていることは何か
社会・文化的要因	**役割** ・社会や家庭での役割	□これまで，社会や家庭でどのような役割を担ってきたか □疾患によって，これまで培ってきた役割に変化が生じていないか □役割を喪失したことによって高齢者が自身の存在を否定的にとらえていないか
	仕事・社会参加 ・仕事・社会活動の内容 ・他者との交流関係	□息切れによって活動範囲が縮小し，社会的孤立や孤独感が生じていないか □友人や近隣との交流機会が減少していないか
睡眠・休息	**睡眠・休息のリズム** ・日中の覚醒状態や仮眠の程度 ・夜間の睡眠状態，呼吸状態	□夜間の呼吸困難や咳嗽，痰などによって，眠りの浅さや睡眠不足はないか □日常生活の制限や予後への不安などの心理的ストレスが，夜間の睡眠に影響を及ぼしていないか □呼吸が安楽となる体位をとることができているか
	睡眠・休息の質 ・疲労感の程度	□息切れから身体の疲労が増強していないか □適度に休息を取り入れながら日常生活を送ることができているか
	心身の回復・リセット ・ストレス対処法，リラックス法 ・ストレッチや運動の実施状況	□息切れによって不安や恐怖が増強し，穏やかな気持ちで過ごす時間が減少していないか □心理的にリラックスできる方法や気分転換を図る方法はあるか □呼吸補助筋の緊張が強い時，頸部や肩のストレッチを行うことができているか
覚醒・活動	**覚醒** ・日中の覚醒状態	□日中の傾眠傾向が強く，日常生活に支障をきたしていないか
	活動の意欲 ・日常生活動作の様子 ・活動に対する思い	□自力で行える動作は何か，自力で行おうという意欲はあるか □息切れによって行いたい活動に制限が出ていないか，あきらめた活動がないか □息切れが増強しないように，活動時に工夫していることはあるか □何かやりたい活動はあるか

	必要な情報	分析の視点
覚醒・活動	**活動の個人史・意味** ・罹患前の活動状況	□罹患前はどのような活動が好きだったのか，趣味は何か
	活動の発展 ・罹患後の活動状況 ・症状に合わせた活動の展開	□呼吸状態から，どのような活動ができそうか □酸素療法を行っている場合，医師の指示のもと活動時の酸素流量の調整はできているか
食事	**食事準備** ・食事の準備状況 ・火気使用の制限(酸素使用時)	□買い物や食事の支度は誰が行っているのか □酸素療法を行っている場合，火気の使用が制限されていないか
	食思・食欲 ・食事前の十分な休息 ・食欲の有無，程度 ・嗜好品 ・息切れによる食欲への影響 ・腹部膨満感	□食事前に十分休息をとることができているか □酸素療法を行っている場合，医師の指示のもと食事中の酸素流量の調整はできているか □息切れにより食欲が低下していないか □好きな食べ物を取り入れているか □食事のたびに腹部膨満感を生じる場合は，1回の摂取量を少なくして分割しながら食事ができているか □ガスが発生しやすい食物は避けているか
	姿勢・摂食動作 ・食事時の姿勢 ・使用しやすい食器や自助具	□テーブルに肘をつくなど，横隔膜を圧迫しない姿勢で食事ができているか □軽い食器を使用しているか □休み休み食事をとることができているか
	咀嚼・嚥下機能 ・口腔内の状態 ・咀嚼・嚥下の状態 ・咀嚼嚥下時の息切れの程度	□ステロイド吸入薬を使用している場合，口腔カンジダ症などがないか，口腔内に痛みなどがないか □むせはないか □咀嚼嚥下時に，息切れが増強していないか
	栄養状態 ・食事の摂取量 ・食事メニュー(高蛋白質・高カロリー) ・栄養補助食品の利用状況 ・分割食の取り入れ状況 ・体重の増減，BMI，%IBW(標準体重比) ・全身の筋肉の萎縮 ・浮腫の有無	□必要なカロリーや栄養素を摂取できているか □食欲がないとき，高蛋白質・高カロリーの食品から優先的に摂取できているか □栄養補助食品を利用できているか □分割食にするなど，1日に必要なエネルギーが摂取できるよう工夫をしているか □定期的に体重測定を行い，経時的な体重変化を確認しているか □筋肉の萎縮や浮腫など，低栄養の徴候はみられていないか

	必要な情報	分析の視点
排泄	**尿・便をためる，尿意・便意** ・排尿回数，排便回数	□便秘にならないような調整(水分摂取量，食事摂取量・食事内容，活動量など)ができているか
	姿勢・排泄動作 ・トイレまでの移動動作，トイレまでの移動距離 ・排便時の姿勢	□トイレから居室や寝室，病室までの移動距離は近いか □トイレまでの歩行で息切れが生じる場合，ポータブルトイレの使用などを検討しているか □排便時の姿勢は，極端な体幹前屈になっていないか □排便後，呼吸を整えてから次の動作に移ることができているか
	尿・便の排出，尿・便の状態 ・努責時の呼吸法 ・便の性状，便秘	□口すぼめ呼吸で呼吸を整え，息を吐きながらいきむことができているか □便の硬さはどうか．便秘による努責によって呼吸困難が増強していないか
身じたく	**清潔** ・感染予防行動 ［口腔ケア］ ・歯磨き，うがいの実施状況 ・義歯の洗浄 ・ステロイド吸入後のうがい実施状況 ・口腔ケア実施時の姿勢 ・口腔ケア実施時の酸素流量の調整 ［入浴］ ・湯量，湯の温度 ・身体や頭髪を洗う時の姿勢 ・衣服の着脱時の姿勢 ・酸素流量の調整	□外出後にはうがい手洗いを行い，感染予防行動をとることができているか □毎食後，歯磨き，うがいを実施できているか □義歯を使用している場合，毎食後義歯洗浄を行っているか □口腔カンジダ症が生じないよう，吸入ステロイド使用後は毎回うがいを行っているか □歯磨きをするときは，洗面台に両肘をつき前かがみにならないような姿勢で行っているか □酸素療法を行っている場合，口腔ケア時の酸素流量の調整はできているか □上肢の反復する動きが息切れにつながるため，電動歯ブラシの使用を検討しているか □身体洗いや衣服の着脱は椅子に座って行っているか．洗髪時はシャンプーハットを使用するなど，前かがみの姿勢にならないよう道具を使用しながら動作を工夫しているか □酸素療法を行っている場合，医師の指示のもと，入浴時の酸素流量の調整はできているか
	身だしなみ，おしゃれ ・着脱が容易な衣服の選択 ・衣服の着脱時，前かがみにならないための道具の使用	□前開きの衣服など，腕を上げずにすむ衣服を選択できているか □ソックスエイドなど道具を使用し，前かがみにならずに衣服の着脱ができる動作を工夫しているか □息切れにより，身だしなみに気を遣うことが困難となっていないか
コミュニケーション	**伝える・受け取る，コミュニケーションの相互作用・意味，発展** ・会話時の息切れや疲労の有無 ・他者との交流 ・孤独感	□会話をすることで息切れが増強していないか □息切れにより人とのかかわりが減少していないか □他者とのかかわりを避けることで，孤独を感じていないか

アセスメントの視点(病態・生活機能関連図へと導くための指針)

COPDをもつ高齢者は，動くと息切れが生じやすいため，その不安や恐怖から活動の機会が減少する傾向にある．このような状態になることで，体力や筋力が低下して動けなくなり，息切れも悪化するという悪循環に陥る危険性がある．また，息切れや活動量の減少によって食欲が低下し，栄養障害を起こすと，さらなる筋力の低下や易感染状態，骨粗鬆症など，全身状態にも影響が及ぶことになる．このため，交友関係，趣味，付き合いなど，社会との接点や人との交流機会も減少し，社会からの孤立，孤独感，楽しみや生きがいの喪失から未来に希望をもてなくなることもある．

しかし，治療を遵守しながら呼吸法と動作の工夫を生活に取り入れ，運動療法と栄養療法を併用することによって息切れが増強することなく活動できる機会が増え，もとの普通の暮らしを取り戻すことが十分可能である．疾患をもちながらも自分らしい生活をいきいきと送ることができるよう看護展開する．

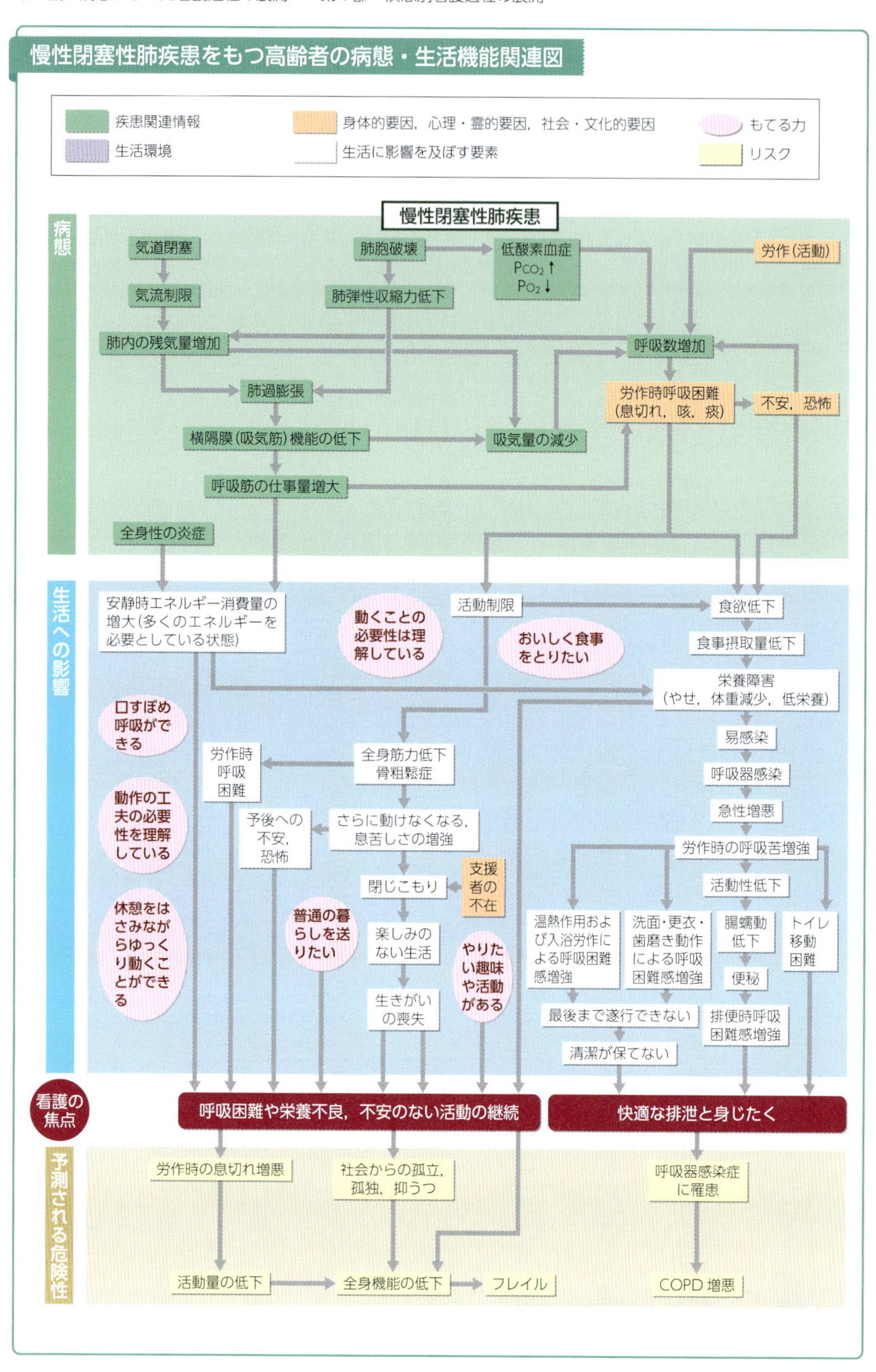
慢性閉塞性肺疾患をもつ高齢者の病態・生活機能関連図
疾患関連情報
生活環境
身体的要因，心理・霊的要因，社会・文化的要因
生活に影響を及ぼす要素
もてる力
リスク
病態
慢性閉塞性肺疾患
気道閉塞
気流制限
肺内の残気量増加
肺胞破壊
肺弾性収縮力低下
低酸素血症
PCO2↑
PO2↓
労作(活動)
呼吸数増加
肺過膨張
横隔膜(吸気筋)機能の低下
吸気量の減少
労作時呼吸困難
(息切れ，咳，痰)
不安，恐怖
呼吸筋の仕事量増大
全身性の炎症
生活への影響
安静時エネルギー消費量の増大(多くのエネルギーを必要としている状態)
動くことの必要性は理解している
活動制限
おいしく食事をとりたい
食欲低下
食事摂取量低下
栄養障害
(やせ，体重減少，低栄養)
口すぼめ呼吸ができる
労作時呼吸困難
全身筋力低下
骨粗鬆症
易感染
呼吸器感染
急性増悪
動作の工夫の必要性を理解している
予後への不安，恐怖
さらに動けなくなる，息苦しさの増強
労作時の呼吸苦増強
閉じこもり
支援者の不在
活動性低下
休憩をはさみながらゆっくり動くことができる
普通の暮らしを送りたい
楽しみのない生活
やりたい趣味や活動がある
温熱作用および入浴労作による呼吸困難感増強
洗面・更衣・歯磨き動作による呼吸困難感増強
腸蠕動低下
便秘
トイレ移動困難
生きがいの喪失
最後まで遂行できない
排便時呼吸困難感増強
清潔が保てない
看護の焦点
呼吸困難や栄養不良，不安のない活動の継続
快適な排泄と身じたく
予測される危険性
労作時の息切れ増悪
社会からの孤立，孤独，抑うつ
呼吸器感染症に罹患
活動量の低下
全身機能の低下
フレイル
COPD 増悪

看護の焦点の明確化

#1　呼吸困難・栄養不良による身体活動の低下や不安を招くことなく，好きな活動を楽しむことができる
#2　急性増悪することなく，快適に排泄や身じたくができる

1 看護の焦点	看護目標
呼吸困難・栄養不良による身体活動の低下や不安を招くことなく，好きな活動を楽しむことができる	1) 呼吸法を実践でき，息切れが増強しない 2) 動く習慣が身につき，身体活動性を維持できる 3) 労作時の呼吸困難が軽減し，主体的に好きな活動を楽しむことができる 4) おいしい食事により，必要エネルギーを維持できる 5) 不安や悲嘆が軽減できる 6) 役割や楽しみを持ちながら生活することができる

具体策（支援内容）	根拠
1．安楽な呼吸を維持するための支援 **1) 呼吸法：口すぼめ呼吸** ・吸気は鼻から吸い，呼気は口をすぼめて行う ・吸気と呼気の比は 1：2〜5 を目安にする ・30 cm 程度前方にかざした自分の手に口をすぼめて息を吹きかける（図 6-3）．この息が感じられる程度の強さでよい	●COPD では，末梢気道が狭窄しており，呼気時に気管支がつぶれ，息を十分に吐ききれない．肺に空気が溜まることで新しい空気を吸うことも難しくなり息苦しくなる．口すぼめ呼吸で呼気終末に陽圧をかけることで，息の吐き残しが減少し，吸気もしっかり行うことができるようになる（図 6-4）．口すぼめ呼吸では，呼吸パターンの改善，1 回換気量の増加，酸素飽和度の増加，呼吸困難感の軽減が期待できる

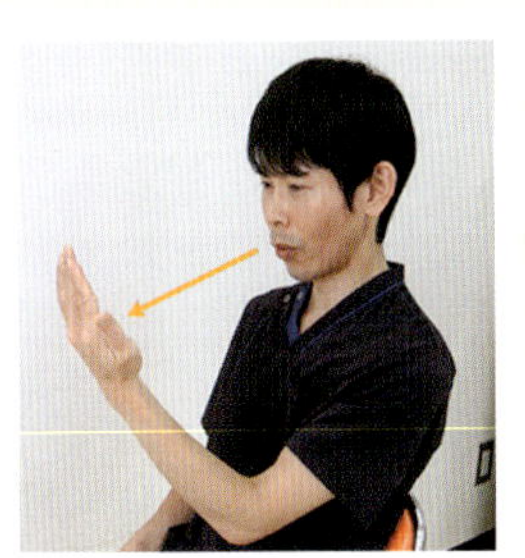

■図 6-3　呼気の強さの確認

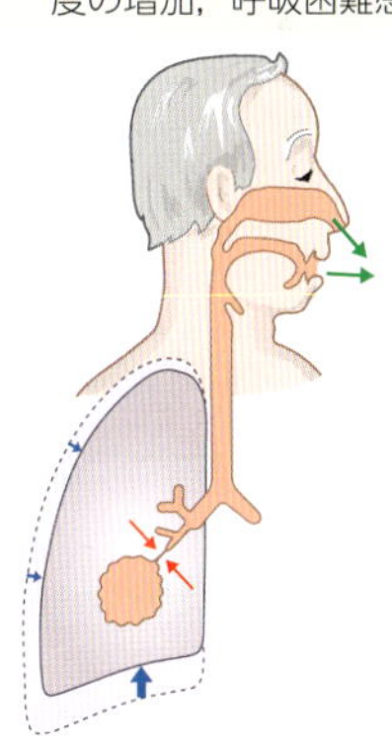

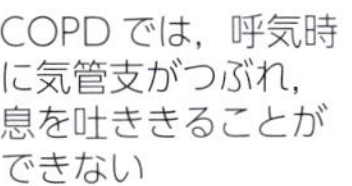

COPD では，呼気時に気管支がつぶれ，息を吐ききることができない

口すぼめ呼吸をすることで気管支に陽圧がかかり，気管支がつぶれないため十分に息を吐くことができる

■図 6-4　口すぼめ呼吸

2) 安楽な体位

・**セミファウラー位**：上半身を15～30度挙上し，両膝の下に枕を入れて下肢を軽く曲げる
・**座位**：膝の上やテーブルに上肢を置き，前傾姿勢をとる．あるいは，丸めた毛布などにもたれかかる前傾姿勢をとり，力を抜く(図6-5)
・**立位**：上肢を壁につけ，前傾姿勢で壁にもたれかかる(図6-6)

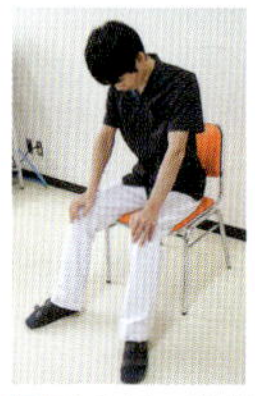

図6-5　座位

●前傾姿勢で上肢を支持し，肩甲骨を固定することで，頸部の呼吸補助筋への負担が軽減し，呼吸仕事量の低下をもたらすことができる

図6-6
立位

3) 呼吸補助筋マッサージ(僧帽筋・背部マッサージ)

・椅子に座り，上半身は枕などにもたれかかる前傾姿勢をとる
・僧帽筋に対して筋線維に直行する方向に指腹で5～6秒間圧迫する(図6-7)
・筋の伸張性を高めるため，マッサージ実施前に温タオルなどで筋肉を温める
・強すぎる刺激は，筋緊張を増強し疼痛を引き起こすため注意する

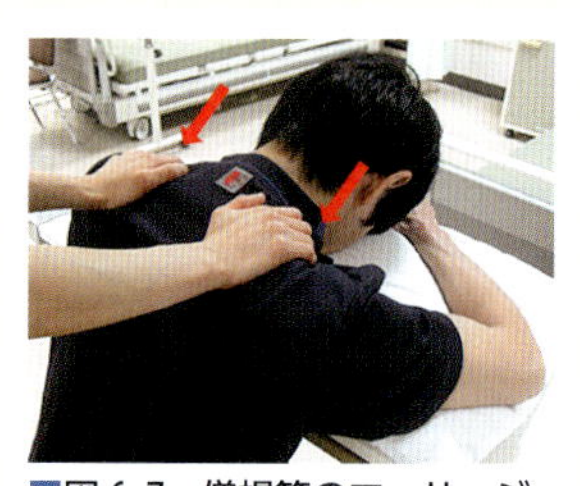

図6-7　僧帽筋のマッサージ

●呼吸困難によって呼吸補助筋(斜角筋，僧帽筋，胸鎖乳突筋，広背筋，腰方形筋など，図6-8)が過緊張状態となり筋疲労が生じる．この状態は，不必要に酸素を消費することになり，呼吸運動に無駄が生じるため，息切れを増悪させる原因となる

〈頸部〉

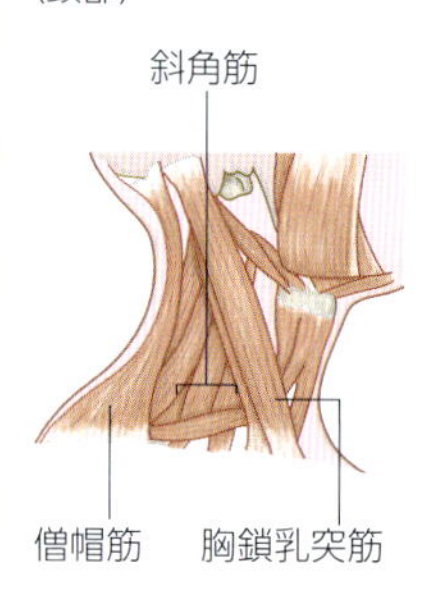

〈背部〉

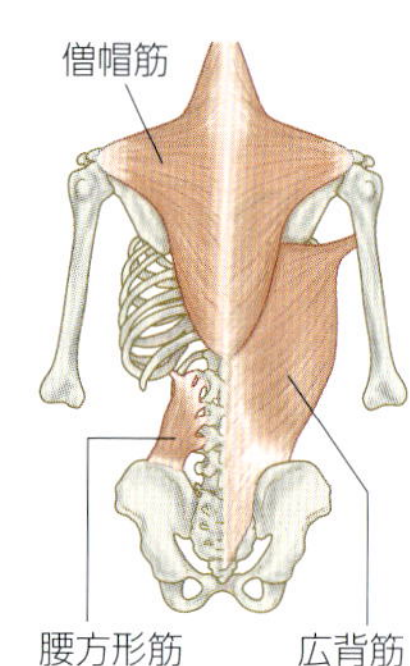

図6-8　呼吸補助筋

4) 呼吸補助筋のストレッチ

・口すぼめ呼吸をしながら頸部の前屈・後屈・側屈ストレッチを行う
①正面を向く(息を吸う)→②息を吐きながら前屈→息を吸いながら正面に戻る→③息を吐きながら後屈→息を吸いながら正面に戻る→④息を吐きながら右の側屈→息を吸いながら正面に戻る→⑤息を吐きながら左の側屈→またはじめから繰り返す

●呼吸補助筋のマッサージやストレッチは，筋緊張を緩和し，不必要な酸素消費量を減少させ，呼吸困難を軽減する
●背部全体も手のひらで円を描くようにマッサージをすることで，背部・腰部の筋緊張が緩和し，精神的なリラックス効果が得られる

2. 呼吸困難をもたらさない日常生活動作の工夫

〈息苦しくならないための 8 つの基本動作〉

①動作の前に呼吸を整える
②口すぼめ呼吸をしながら，動作は「息を吐きながら」ゆっくりと行う
③動作中に息を止めない
④動作の合間に適宜休憩を入れる

●息苦しさのために日常生活を縮小するのではなく，呼吸法と動作の工夫で息切れをコントロールし，日常生活を快適に過ごせるように支援することが重要である．労作時は，口すぼめ呼吸で「呼気時に合わせて」動作を行うことで，息切れの増悪を防ぐことができる．不安なく動ける機会が増えることで，日常生活動作能力や QOL の改善も期待できる

⑤上肢をなるべく挙上しない
⑥上肢の反復運動は避ける

●上肢を挙上する動作や上肢を反復する動きは，呼吸補助筋を持続的に緊張させるため，筋疲労や呼吸リズムの乱れが生じ息切れにつながるおそれがある

⑦腹部を圧迫する動作を避ける

●かがむなどの腹部を圧迫する動作は，横隔膜の動きが制限されるため息切れにつながるおそれがある

⑧酸素を使用している場合，労作時は指示された酸素流量を必ず調整する．労作後は Spo_2 の回復を確認してから酸素流量を元に戻す

●実際に日常生活動作を練習する際には，Spo_2 を計測しながら行い，低酸素血症には十分注意する．動作中の Spo_2 が 85% を下回った場合には必ず動作を止めて休息を挟み，Spo_2 の回復を待つ

1) 平地歩行，階段昇降

・歩き出す前に呼吸を整える．酸素を使用している場合は，労作時の酸素流量に調整する
・鼻から息を吸い，口すぼめ呼吸で息を吐きながら「1，2，3，4」とゆっくり 4 歩進む．「5，6」で鼻から息を吸いながら 2 歩進む．階段昇降の場合は，「5，6」で息を吸いながら休むとよい
＊これで息切れが増強する場合は，無理せず上記以外のリズムで練習をしてみる必要がある．大事なことは，歩くリズムと呼吸のリズムを常に同調させることである

●呼吸のリズムと歩くリズムを合わせることで動作も自然にゆっくりとなり，身体への負担も軽減する
●息切れが増強せずにできるだけ長く歩けることを目標とするが，息切れが生じてきた場合は，無理せず適宜休憩を入れる
●歩行器を使用する場合，歩行器に前腕をのせて前傾姿勢をとることで，呼吸困難や疲労度の軽減が期待できる
●階段昇降は平地歩行に比べ 3 倍の体力を使い，酸素消費量も増えることから息切れを生じやすい．そのため，昇降の動作は歩くスピードよりもゆっくりにする

2) 起き上がり

・起き上がる前に呼吸を整える．両膝を軽く立ててから横に倒し，横向きになる．下側の肘と，反対側の手のひらでベッドマットを押し，口すぼめ呼吸で息を吐きながらゆっくり身体を起こす (図 6-9)

●起き上がる際に反動をつけたり，息を止めたりすることによって息切れが増強することを防ぐ

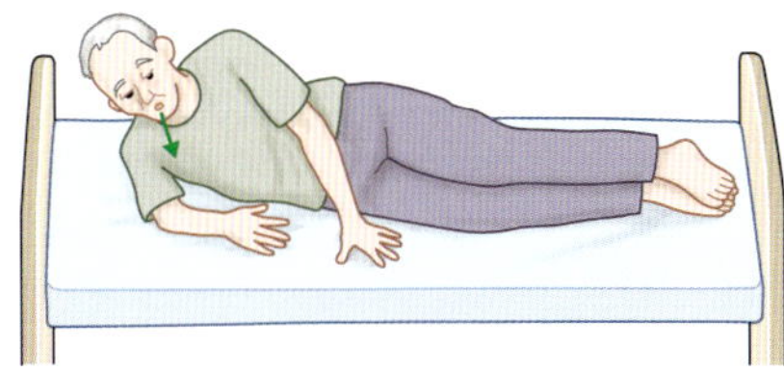

①仰向けの状態で両膝を立てて，膝を横に倒し，横向きになる
②下になった腕と上になった手のひらでマットを押し，口すぼめ呼吸で息を息を吐きながら起き上がる．反動はつけない

■図 6-9　起き上がり

3) 立ち上がり

・立ち上がる前に呼吸を整える．足を肩幅程度に開き，上体を軽く前傾し，口すぼめ呼吸で息を吐きながら立ち上がる．座る時も息を吐きながら腰を下ろす

●大腿部前面の膝あたりに手をつきながら立ち上がる，または手すりにつかまりながら立ち上がると負担が少なくなる

3. 身体活動性の向上および維持に向けた支援

1) 胸郭可動域運動

〈呼吸筋ストレッチ体操：肩の上げ下げ〉

・足を肩幅程度に開き，背筋を伸ばしてリラックスする（椅子に座りながら行ってもよい）．鼻から息を吸いながら両肩をゆっくり上げ，息を吸いきる．口をすぼめて息を吐きながら両肩をゆっくり降ろす（3〜5 回行う）

●胸郭の可動域に制限があると，胸郭の弾性抵抗に抗する力がより必要となり，エネルギー効率が悪くなる．胸郭の可動性や柔軟性を改善し，呼吸運動に伴う呼吸仕事量を軽減させるために，定期的に胸郭可動域運動を取り入れるとよい

〈呼吸筋ストレッチ体操：身体をねじる体操〉

・棒を背中と両肘で挟む．鼻から息を吸い，口すぼめ呼吸でゆっくり息を吐きながら身体を片方にひねる．鼻からゆっくり息を吸い，息を吐きながら正面に戻る．これを左右で繰り返す（図 6-10）

●棒は新聞紙を数枚重ねてきつめに巻くなどしてつくることが可能

●無理せず楽にできる程度から始め，筋肉や関節の痛みを感じないように行う

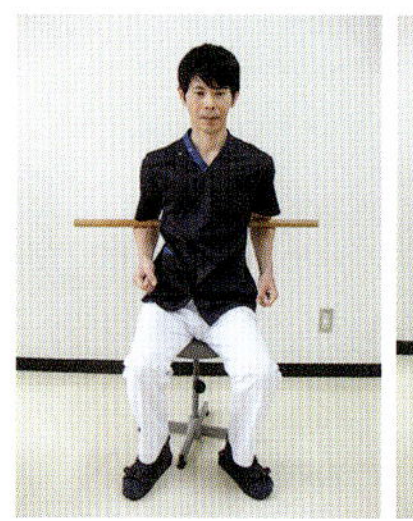
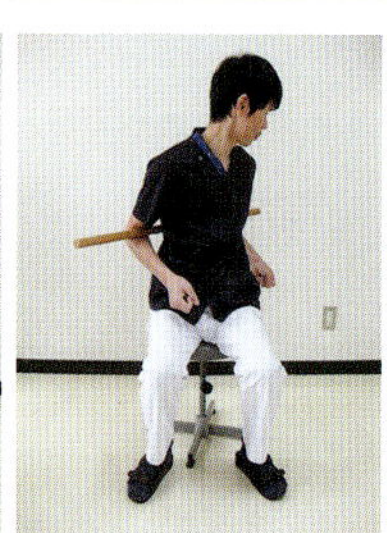
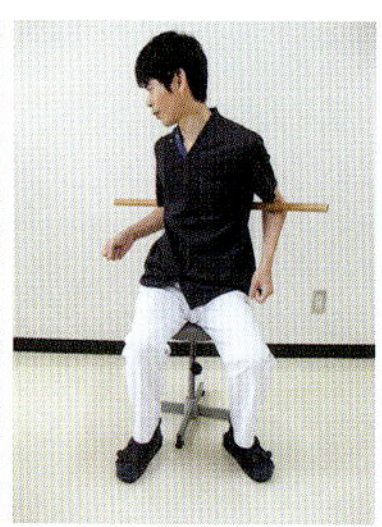

■図 6-10　身体をねじる呼吸筋ストレッチ体操

2) 上下肢筋力トレーニング

・**上肢：**座位や臥位の状態で，ペットボトル（水入り）を用いた上肢挙上運動を行う（図 6-11）

・**下肢：**座位の状態で膝伸展運動を，臥位の状態で下肢伸展挙上運動を行う（図 6-12）．可能であれば重錘ベルト（0.5〜1.0 kg）を使用し，無理のない範囲で徐々に負荷量を上げていくとよい

※1 セット（10 回程度）を少なくとも 2〜3 回/週，実施できるとよい

●呼吸不全のある高齢者は，加齢による骨格筋量の減少や低酸素血症，栄養障害，電解質異常などが原因で筋力が低下していることが多い．とくに四肢筋力の低下は，身体運動能力や日常生活動作の低下につながるため，できる限り筋力トレーニングを取り入れたほうがよい

●筋力トレーニングは，筋力の向上，運動耐用能の向上，呼吸困難の改善などの効果をもたらす

※運動と休息のバランスをみて，疲労が増強しないよう適宜休憩をはさみながら行う

■図 6-11 上肢筋力トレーニング

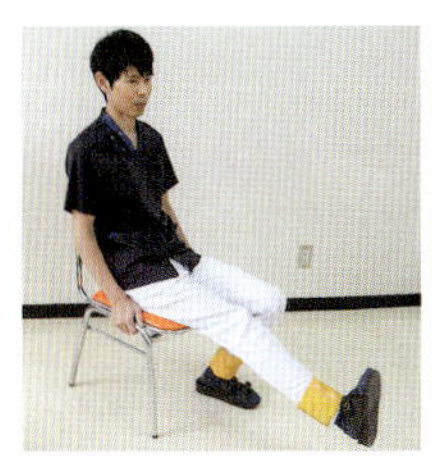

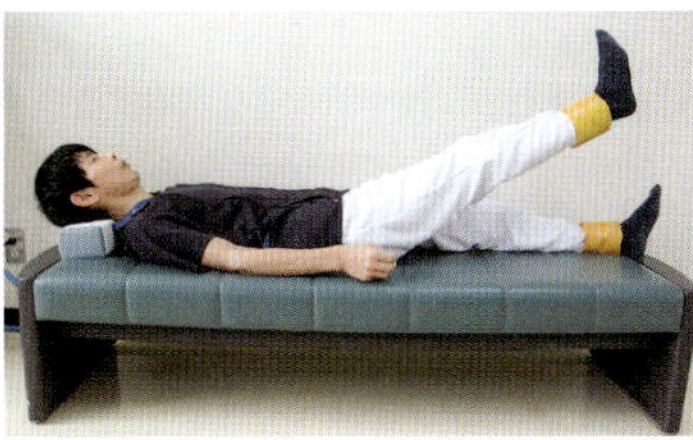

■図 6-12　下肢筋力トレーニング

4. 主体的に活動を楽しむための支援

- 好きな活動や行いたい活動は何か，高齢者の思いを聞き，息切れが増強せずに活動を楽しむための工夫を検討する．SpO_2 の変動をみながら活動時間，活動内容を調整していく
- 他者とのつながりを感じられるよう，複数名で楽しめるレクリエーションなどを検討し，他者と交流できる機会を設ける
- 身体の動きの程度，認知機能の程度，呼吸状態から，高齢者に合った新たな活動を見出す

●動作の工夫や酸素流量の調整を行うことで，呼吸困難が増強せずに活動を楽しむことができることを実感してもらい，さらなる活動への意欲，活動の拡大につなげられるように支援する

●社会からの孤立を予防し，人とつながることでの安心感や生活への楽しみがもてるよう支援する

●活動に伴う疲労増強には注意し，十分な休息を取り入れながら活動を楽しめるよう支援する

5. 十分な栄養を摂取するための支援

- 食事は，高エネルギー・高蛋白質（とくに分枝鎖アミノ酸を多く含む牛乳，鶏卵，鶏肉，牛肉，魚など）を基本とし，蛋白質は必要エネルギー量の 15～20% を目標とする
- 呼吸筋の機能維持に必要な，リン，カリウム，カルシウム，マグネシウムを摂取する．また，COPD をもつ高齢者は骨粗鬆症の合併頻度が高いためカルシウムも積極的に摂取する

●COPD をもつ高齢者の安静時エネルギー消費量は，予測値の 120～140% に増大している．その理由として，気流閉塞や肺過膨張による呼吸筋のエネルギー消費量の増加，全身性炎症による代謝亢進が考えられる．さらに，呼吸困難による食欲低下や必要なエネルギー摂取不足によって，高頻度に体重減少が認められ，安定期 COPD をもつ高齢者の 15% がサルコペニアに罹患している．身体活動性の向上および維持のためには，運動と栄養療法を併用することが望ましい

1) 食欲不振に対する支援

- 好きな食品を取り入れるなど，おいしく食べられるように食事メニューを工夫する
- 蛋白質やエネルギーの高い食品から摂取する

●% IBW（標準体重比）90% 未満の場合は，栄養障害の存在が示唆される．とくに進行性の体重減少や食欲低下がみられる場合は，定期的な栄養管理が必要である

2) 息切れがある場合の支援

- 食事前は十分休息をとる
- 酸素を使用している場合，医師の指示に基づいて酸素流量を調節する
- 食事中は，テーブルに両肘を置き，背筋を伸ばした姿勢で摂取する
- 休みをあいだに入れながらゆっくり食べる．食事中に息切れが増強したときは，いったん箸を置き，口すぼめ呼吸により呼吸を整える
- 軽い食器を利用する

●前かがみの姿勢で食べると横隔膜が圧迫され息苦しくなるため，肘をテーブルにつきながら背筋を伸ばす．クッションなどを使って椅子の座面を上げて高さを調節するとよい

3) すぐに満腹・腹満感が生じる場合の支援 ・1回量を減らし，分割食で食事回数を増やす，間食や栄養補助食品を利用する ・炭酸飲料を避ける ・消化管内でガスを発生するような食品は，できるだけ避ける(イモ類，豆類，ゴボウなどの食物繊維の多いもの，納豆やキムチなどの発酵食品など)	●肺の過膨張によって横隔膜が下がり胃を圧迫するため，COPDをもつ高齢者では満腹を感じやすい
6. 高齢者の心情の理解 ・進行性，不可逆性という疾患の特徴から，呼吸困難という生命危機に対する恐怖や，日常生活の制限によるストレスを抱えながら生活していることを理解し，不安や悲嘆を表出できるようにかかわる	●他人に迷惑をかけたくないという思いから，不安や悩みを表出せずに我慢しながら生活している高齢者もいる．表情や日常生活の様子から高齢者の心情を推察し，話しやすい雰囲気をつくっていくことも重要である
7. 疾患とともに生きることへの支援 ・どのような生活を送りたいか高齢者の思いを聞き，高齢者にとって意味のある活動が可能な限り継続できるように支援する ・不安や抑うつから，活動の縮小や社会的孤立に陥らないよう支援する	●COPDを抱えていても，自分らしい生活を送ることができるということを実感してもらう関わりが必要である
・呼吸法や動作の工夫に関する指導を並行して行い，動けることに自信がつくような支援を行う	●心理社会的支援のみでは，精神心理症状の改善は十分でないため，呼吸法や運動療法，栄養療法といった包括的なケアが重要である

2 看護の焦点	看護目標
急性増悪することなく，快適に排泄や身じたくができる	1) 感染予防行動をとることができる 2) 急性増悪の徴候に気づき，早期に治療を受けることができる

具体策(支援内容)	根拠
1. 感染予防行動への支援 ・うがい手洗いを行い，人混みではマスクを着用する ・室内の湿度は50〜70%を維持し，定期的に換気を行う	●呼吸器感染症への罹患は，COPDの増悪を招き，QOLの低下，呼吸機能低下，生命予後悪化につながる．とくに高齢者は免疫力が低下しており感染しやすいため，感染予防行動をしっかりとることが重要である
・インフルエンザワクチン，肺炎球菌ワクチン接種を推奨する	●ワクチン接種は増悪予防と死亡率低下に有効である
・口腔ケアの実施状況を確認する	●呼吸苦から口腔ケアを十分に行えないことがある．とくにステロイド含有の吸入薬の使用時には，口腔カンジダ症を発症する危険性があるため，適切に口腔ケアが実施できるよう支援する
・服薬，吸入が確実に行えているかを確認する	●服薬や吸入のし忘れは増悪を招く．忘れてしまう場合は，薬カレンダーやタイマーの使用などを検討する

2. 歯磨き，洗顔時における工夫

・歯磨きは，椅子に座り洗面台やテーブルに肘をのせて行う（図 6-13）

・洗顔は，口すぼめ呼吸で息を吐きながら行う．あるいは，息を止めないように顔の一部ずつ洗うか，濡らしたタオルで顔を拭く

● 上肢の反復動作や息を止めてしまうことで息切れが増強するため，それらの動作を避ける

● 上肢の反復動作を避けるため，電動歯ブラシの使用を検討する

● 台などに肘を置いて肩甲帯を固定させることで，呼吸補助筋への負担を軽減できる

■図 6-13　洗面，歯磨き

3. 更衣時における工夫

〈ズボン，靴下〉

・前かがみの動作は息苦しくなるため，座りながら着脱できるよう座面の高い椅子を用意しておく

● 上肢の挙上は呼吸補助筋に負担がかかること，また，腹部を圧迫する前かがみの姿勢は横隔膜の動きを制限することから息切れが生じやすくなるため，それらの動作は避けるようにする

・衣類は，椅子に座ったままで取りやすい位置（テーブルの上など）にセッティングしておく

・パンツやズボンは一度で履けるように重ねて準備をしておく

● 酸素消費量を最小限に抑えるために，動作の無駄を省く必要がある．そのため，動作の組み立てを考えてから動くようにするとよい

・椅子に座り，更衣前に口すぼめ呼吸で呼吸を整える

・息を吐きながら片足ずつズボンに通す

・両足を通し終えたら，座ったまま一度呼吸を整える

・口すぼめ呼吸で息を吐きながら立ち上がり，腰までズボンを引き上げる．靴下・靴を履くときは，足を組むと履きやすい

● 靴下を履く際に前かがみにならないよう，ソックスエイドなどの自助具の使用も検討する

〈上衣〉

・上肢を肩より挙げる動作は息切れが生じやすくなるため，前開きの服を着用する

4. 心地よい入浴のための工夫

・脱衣所に椅子を置き，衣服の着脱は椅子に座りながら行う

・浴室にも座面の高い椅子を用意し，座りながら洗髪，洗身を行う

・口すぼめ呼吸で息を吐きながら洗う動作をとり，休憩を挟みながら行う

● 入浴は，衣服の着脱，洗髪，洗身，浴槽に入る，湯につかる，浴槽から出る，身体を拭くなど，やるべき動作が非常に多い．また，湯につかることで代謝も上がることから，息切れが強くなりやすく低酸素血症を生じやすい．これらの動作は休憩をはさみ，口すぼめ呼吸で息を吐きながらゆっくり行う

・洗髪は，シャンプーハットを使用し，頭を横に傾けながら腕を上げずに頭部を片側ずつ洗う (図 6-14)

●前かがみの姿勢，上肢を挙上する動作，水しぶきが顔にかかることでの息止めなどによって，息苦しさが出現するため，それらの動作は避ける

首を横に傾け，半分ずつ片手で洗う

図 6-14　洗髪

・背部を洗う時は，長いタオルや柄の長いブラシを使用する．足を洗う時は，柄の長いブラシを使用するか，または片足ずつ膝にのせて洗う

・湯船をまたぐ時は，口すぼめ呼吸で息を吐きながらまたぐ

・胸まで湯につかることで呼吸困難が増強する場合は，湯船の中に椅子を置き，湯の高さがみぞおちぐらいになるようにする．湯につかっている間も口すぼめ呼吸を行う

●湯船は膝を伸ばせる大きさであることが望ましい．湯船が狭いと膝を抱え込むような姿勢となり，呼吸困難が生じやすくなる

5. 快適な排泄のための工夫

・便座での姿勢は，手すりに手を置くか，または両膝の上に手を置く姿勢をとり，極端な体幹前屈姿勢にならないようにする (図 6-15)

●便座で極端な体幹前屈・骨盤後傾の座位姿勢になると胸郭拡張制限を生じるため，息切れが増強する

・息を吐きながらいきむようにする

●排便時，いきむ際に息を止めると息苦しさが増強する

・排泄後，口すぼめ呼吸で呼吸を整えてから，後始末や下着・ズボンの着衣を行う

●呼吸苦が増強しやすく，トイレまでの移動が負担になる場合，車椅子で移動する，トイレに近いベッド配置にする，ポータブルトイレを使用するなど，負担を軽減するための検討も行う

〈よい例〉　〈悪い例〉

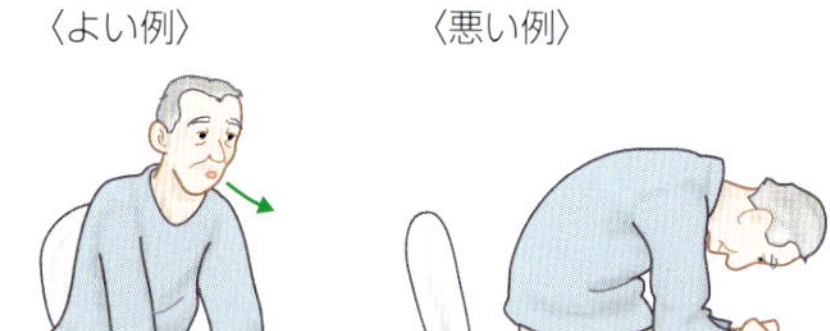

図 6-15　排泄

6. 急性増悪時の早期受診

・発熱，痰や咳の増加，呼吸苦の増悪などが認められた場合は，早期に受診し治療につなげられるよう調整する

・食欲不振や倦怠感の増強など，いつもと違う様子がみられる場合は急性増悪のサインと捉え，早期に対応する

- 増悪を繰り返すことで，QOL の低下，呼吸機能の低下，生命予後の悪化を招く
- 高齢者は，咳嗽反射の低下や気道の線毛運動の低下によって，咳や痰などの症状が出にくい場合がある

関連項目

※もっと詳しく知りたいときは，以下の項目を参照しよう．

COPD に関連したリスク

- 「28 フレイル（→ p.491）」：活動量の低下や食事摂取量の減少が認められる場合は，フレイル，サルコペニアの合併がないか確認しよう
- 「16 低栄養（→ p.323）」：呼吸苦によって食欲低下が生じている場合，栄養障害に陥っている危険性がないか確認しよう
- 「7 心不全（→ p.164）」：肺血管抵抗やコンプライアンス上昇による肺高血圧から右心不全の合併が生じていないか確認しよう
- 「21 睡眠障害（→ p.394）」：夜間の呼吸困難や，症状や予後に対する不安などから睡眠障害が生じていないか確認しよう

COPD をもつ高齢者への看護

- 「25 抑うつ状態（→ p.451）」：呼吸苦に対する恐怖や日常生活の制限によるストレスなどによって抑うつ状態がみられる場合は，精神心理症状に対する看護の視点と方法について確認しておこう

心不全（慢性うっ血性心不全）

小島　太郎

目でみる疾患

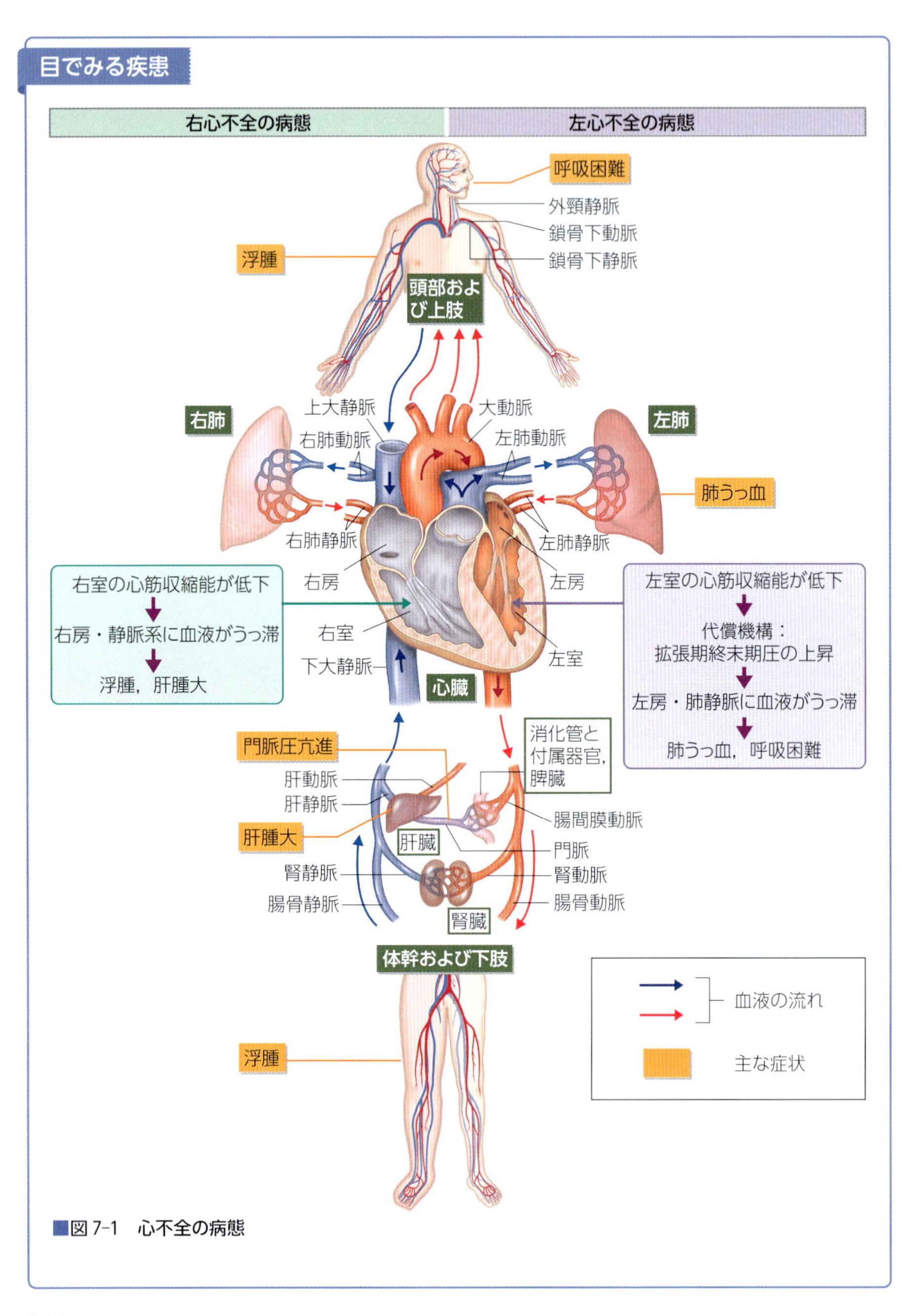

■図 7-1　心不全の病態

病態生理

心臓のポンプ機能の異常のために血液循環に障害が生じている状態であり，しばしば生命の危険にさらされる．様々な疾患により心不全に至る．

- 心不全には，心機能の急激な悪化が起こり発症する急性心不全と，心不全の状態が慢性的に持続する慢性心不全がある．急性心不全では，発症後に生命の危険を伴うことがある一方，慢性心不全では日常生活が送れるように病状を安定化することができる．
- 両者とも心臓が全身の需要に対して適切な量の血液（酸素およびエネルギー物質）を供給できない病態である．左心室の障害による左心不全が重症化すると，肺循環系に血液のうっ滞（うっ血）をきたす．左心不全によって肺動脈圧が上昇し，それが右心室への負荷になると右心不全を併発し，両心不全（うっ血性心不全）となる．右心不全は右室の心筋梗塞や慢性肺疾患，肺血栓塞栓症などにより発症する．

病因・増悪因子

- 基礎疾患として，冠動脈疾患や心房細動，弁膜症，拡張型心筋症などを罹病している患者に起こりやすい．高齢者で決して多いわけではないが，肥大型心筋症，拘束型心筋症，収縮性心膜炎，高心拍出性心不全などが原因となることもある．これらを背景に慢性心不全の状態から急性増悪をきたすが，急性心筋梗塞をきっかけに急性心不全を発症する場合もある．
- 増悪因子として，感染症や飲水多量，脱水，貧血，薬の飲み忘れなどがある．

疫学・予後

- 重症度により予後は変わるが，年齢とともに死亡率や再入院率は増加する．

症状

全身や肺へのうっ血による症状と，心拍出量の低下に伴う症状がある．

- 全身や肺へのうっ血による症状（呼吸困難，起座呼吸，息切れ，浮腫など）と，心拍出量の低下に伴う臓器血流障害による症状（全身倦怠感，食欲低下）とが出現する．
- 脳血管障害や悪性腫瘍のような慢性疾患の患者や認知症など，活動度が比較的低く意思表示のしにくい患者では，発症しても病院に来られなかったり，症状を正確に伝達できなかったりすることもある．呼吸困難や息切れを認めなくても，ADL の低下の際には心不全も鑑別疾患の 1 つと想定して検査を行う必要がある．

診断・検査値

症状と基礎疾患の聴取から心不全を疑い，低酸素血症や浮腫などの所見をもとに，胸部 X 線や心エコー検査，血液 BNP 値（または NT-proBNP 値）測定を行い診断する．

- 労作時息切れや起座呼吸などの自覚症状の聴取を行い，背景となる基礎疾患の病歴調査を行う．胸部 X 線での胸水やうっ血の所見，血液ガスでの低酸素血症，心エコー検査における左心機能の低下や右心負荷などが重要である．

●検査値

- 血液 BNP 値（または NT-proBNP 値）の上昇も診断に有用である．
- 図 7-2 のようなフローチャートで心不全の有無，重症度を診断していく．

合併しやすい症状

- 他の心疾患を合併していることが多く，その心疾患の病状悪化に伴い心不全を発症する．

治療法

●治療方針

- 原則は若年者と変わりはない．
- 非薬物療法では，酸素吸入や水分・塩分制限が有効であり，投与水分量（飲水量，点滴量）と尿量の出入バランスの確認が必須である．出入バランスは体重変化にも現れるため，可能であれば毎日計測する．

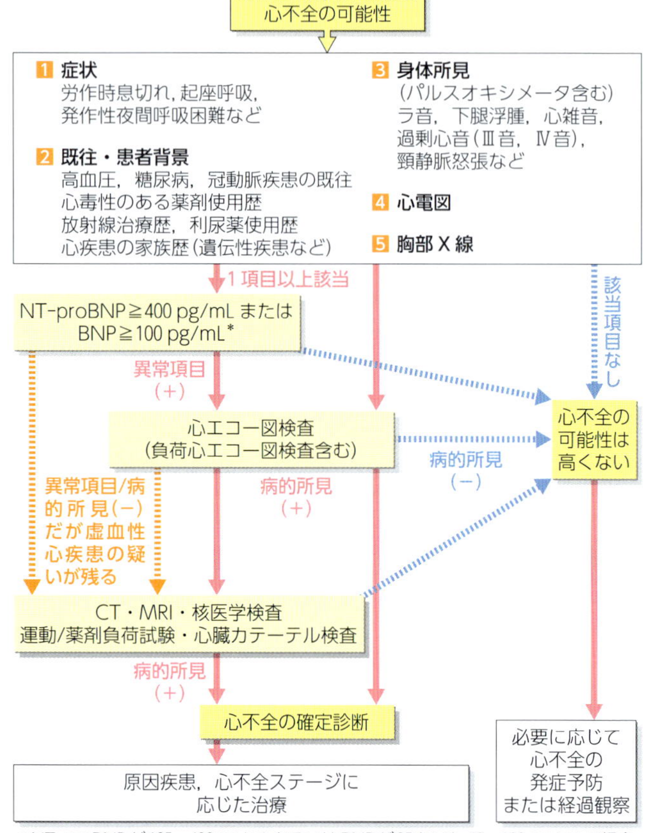

■図 7-2　慢性心不全の診断フローチャート
〔日本循環器学会/日本心不全学会：急性・慢性心不全診療ガイドライン（2017 年改訂版）．p.16，図 4，2018〕
https://www.j-circ.or.jp/old/guideline/pdf/JCS2017_tsutsui_h.pdf（2020/08/28 閲覧）

〈急性心不全〉

- 水分量の管理を行う目的で食事を制限することがあるが，低栄養に注意が必要である．
- 長期の点滴や尿道カテーテル留置はせん妄やカテーテル感染症の原因となるため，使用を必要最小限にとどめる．

〈慢性心不全〉

- 急性増悪をきたさないようにすることが必要である．摂取した 1 日水分量の確認は重要であるが，できなければ毎日定時に体重測定を行い，急激な変化があった場合には受診を勧める．体重増加や食欲不振，呼吸困難，浮腫，動悸，などが急性増悪の際の症状となりうる．
- 服薬アドヒアランスの低下は安定化している病状を悪化させかねないため，服薬管理を介護者とともに行うよう指導する．

- 厳格な飲水制限や塩分制限は，摂食意欲を低下させ低栄養となる危険性もあり，注意する．風邪や肺炎，尿路感染症などの感染症は増悪因子となるため，インフルエンザ予防接種は勧めたい．

●薬物療法

- 高齢者では薬物の中毒や副作用を生じやすいため，初期量は少なめに開始し，脱水などの副作用に注意しながら慎重に増量する．
- 主な治療薬に関する高齢者の適応について簡潔にまとめる．
- **ループ利尿薬**：浮腫や胸水など余剰水分を排出する．急性心不全ではフロセミドの内服のみならず，点滴や注射で使用される．用量が過剰な場合には，副作用である脱水を起こす．
- **β 遮断薬**：交感神経 β 受容体を阻害することで，心拍数減少や血圧低下をきたし，心負荷を軽減する．急性心不全を悪化させる可能性があり，急性期の投与は慎重に行うが，冠動脈疾患や慢性心不全の生命予後を改善するため，病状安定後早期に処方を開始する．副作用では，低血圧や徐脈のほか，気管支喘息患者では重症発作を起こす危険性があり禁忌である．
- **ACE 阻害薬(アンジオテンシン変換酵素阻害薬)，ARB(アンジオテンシンⅡ受容体拮抗薬)**：昇圧作用をもつアンジオテンシンⅡの産生を抑制する ACE 阻害薬，アンジオテンシンⅡの受容体との連結を阻害する ARB が心不全治療に使用される．急性期・慢性期を問わず使用され，高カリウム血症の副作用に注意が必要である．ACE 阻害薬では空咳も出る．
- **アルドステロン拮抗薬**：ミネラルコルチコイド受容体拮抗薬とも呼ばれ，昇圧作用をもつアルドステロンの作用を阻害する．内服薬として使用されることが多く，心収縮不全の慢性心不全患者の急性増悪予防に効果がある．副作用として高カリウム血症がある．
- **ジギタリス製剤**：心拍数低下と心収縮力増強の作用を併せもち，心房細動を合併する心不全に使用される．高齢者では，腎機能障害などの合併によりジギタリス中毒(嘔吐，食欲不振，意識障害)を起こす危険性があり，血中濃度の測定を定期的に行い，投与量に注意する．
- **亜硝酸薬**：血管拡張作用による心負荷軽減が期待できるため，急性心不全の治療では持続点滴で使用される．過度な血圧低下のほか，頭痛や悪心などの副作用がある．

Px 処方例 外来通院中，心房細動を合併した慢性心不全

- ラシックス錠 10 mg　1 回 1 錠　1 日 1 回　朝食後　←利尿薬
- ディオバン錠 80 mg　1 回 1 錠　1 日 1 回　朝食後　← ARB
- メインテート錠 2.5 mg　1 回 1 錠　1 日 1 回　朝食後　←β 遮断薬
- エリキュース錠 5 mg　1 回 1 錠　1 日 2 回　朝夕食後　←抗凝固薬

●外科療法

- 高齢者においても若年者同様に手術により病状が改善するケースはある．とくに，虚血性心疾患に対する PCI(経皮的カテーテルインターベンション)や CABG(冠動脈バイパス術)は有用性がある．しかしながら，80 歳以上の急性心筋梗塞患者に対する緊急 PCI と保存的治療との比較を行ったランダ

■表 7-1　心不全の主な治療薬

分類	一般名	主な商品名	薬の効くメカニズム	主な副作用
利尿薬	フロセミド	ラシックス	余剰水分を尿で排出	脱水，めまい
β 遮断薬	カルベジロール	アーチスト	交感神経を抑制し，脈拍や血圧を下げ，心臓を休ませる	低血圧，徐脈 ※急性心不全は禁忌
	ビソプロロールフマル酸塩	メインテート		
ACE 阻害薬	エナラプリルマレイン酸塩	レニベース	血圧上昇ホルモンの抑制	咳，高カリウム血症
ARB	バルサルタン	ディオバン	血圧上昇ホルモンの抑制	高カリウム血症
アルドステロン拮抗薬	スピロノラクトン	アルダクトン A	血圧上昇ホルモンの抑制	高カリウム血症
ジギタリス製剤	ジゴキシン	ジゴシン，ハーフジゴキシン	心拍数低下，心収縮力増強	ジギタリス中毒
亜硝酸薬	ニトログリセリン	ミリスロール	血管拡張作用	低血圧，頭痛

ム化比較試験では，必ずしも緊急 PCI によりその後の心不全発症率や死亡率を低下させるわけでなかった.

●侵襲的な治療は合併症も多いことから，高齢者では身体機能や認知機能など，多面的な要素を含めて手術治療を選択する.

心不全の病期・病態・重症度別にみた治療フローチャート

心不全の重症度と治療目標については，以下のような図にまとめられる.「症候性心不全」がいわゆる心不全の病状であり，とくに身体機能の低下に注意をしながら治療を選択するべきである.

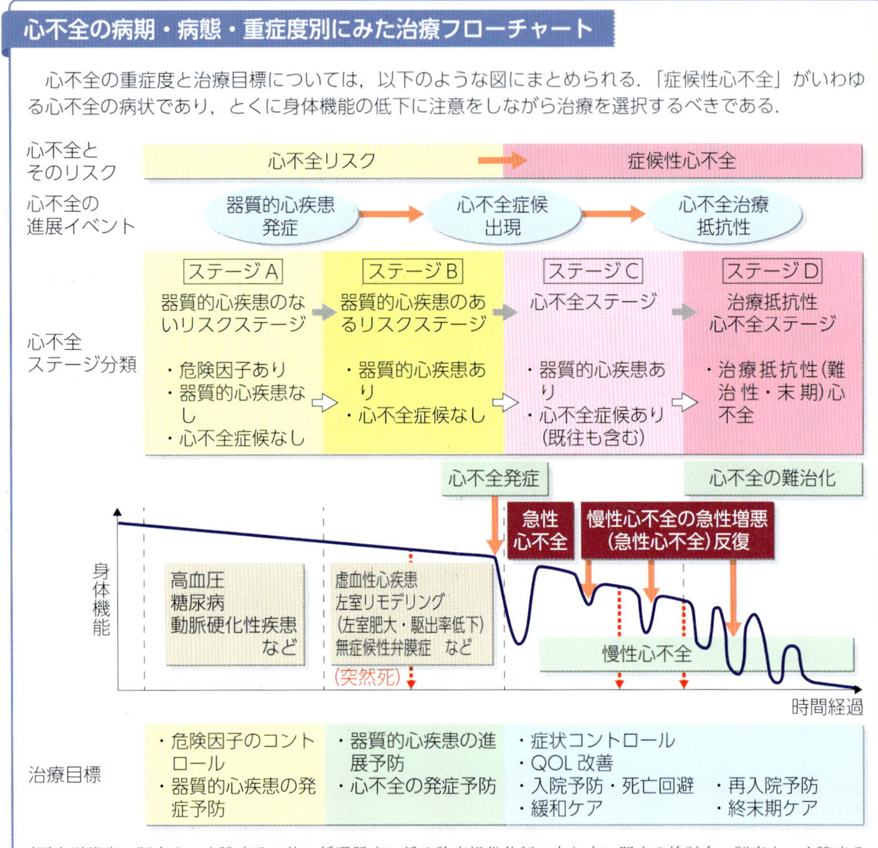

〔厚生労働省：脳卒中，心臓病その他の循環器病に係る診療提供体制の在り方に関する検討会．脳卒中，心臓病その他の循環器病に係る診療提供体制の在り方について（平成 29 年 7 月）．p.35，図 20，2017〕
http://www.mhlw.go.jp/file/05-Shingikai-10901000-Kenkoukyoku-Soumuka/0000173149.pdf（2020/08/28 閲覧）より改変

心不全をもつ高齢者の看護

菅谷　清美

看護の視点

- 心臓のポンプ機能の障害のため，全身が必要とする血液量を供給できず，生活全般に制限をきたす．他者の手を借りて生活することで，自信を喪失したり，自分らしく生きられないと考える人もいる．そのため心機能に合わせた自立への支援が必要となる．
- 慢性心不全は寛解と増悪を繰り返し，そのたびに徐々に身体機能が制限され，療養場所と治療方法の意思決定が求められる．しかし，心不全における予後予測は困難である．そのため，高齢者がどのような治療と生き方を望んでいるのか，アドバンス・ケア・プランニング(ACP)を含めた看護を実践し，本人の望む人生を生きることができるような支援が必要である．
- 心不全の悪化防止には継続した自己管理が必要であり，今までの生活様式や習慣を変更せざるをえないことも多い．しかし，高齢者の療養支援は，医療者が必要だと考える療養内容をただ伝えるのではなく，どのように折り合いをつけながら生活をしてきたのか，疾患に対する受け止め方を知ったうえで，自己管理が継続できるように，高齢者の生活に即した実践可能な療養支援を行う．

※そのため，以下のような看護のポイントに留意しながら支援していく．

1. 心機能の状態に合わせ，もてる力を活用しながらできることが増えるように支援する．
2. 生活に即した療養行動が継続できるように支援する．
3. 高齢者の望む生き方を尊重し，QOLが維持・向上するように支援する．

STEP 1 アセスメント　STEP 2 看護の焦点の明確化　STEP 3 計画　STEP 4 実施

情報収集・情報分析

	必要な情報	分析の視点
疾患関連情報	**現病歴** ・心不全の病歴，経過 ・進行程度(ACCF/AHA心不全分類) ・重症度分類(NYHAの心機能分類)	□心不全の急性増悪による治療の時期と内容はどうか □ACCF/AHA心不全分類ではどのステージか □NYHAの心機能分類による重症度はどうか
	既往歴 ・心筋梗塞，狭心症，弁膜症，心筋・心膜疾患，先天性心疾患，高血圧，不整脈，肺疾患，腎疾患，貧血などの有無	□心不全の原因となる疾患は何か □心不全の増悪の原因となる疾患の有無，疾患のコントロール状況はどうか
	症状 ・息切れ，動悸，咳嗽，喀痰，喘鳴，呼吸困難，起座呼吸，ピンク色の泡沫痰，四肢冷感，チアノーゼ，頻脈 ・全身倦怠感，食欲不振，腹部膨満感，便秘 ・体重増加，浮腫 ・頸静脈の怒張 ・肝腫大，腹水	□症状の種類と部位はどうか □症状はどのようなときに増強するのか □症状の出現パターンはあるか □症状を増悪させる要因は何か □症状を緩和させる要因は何か

	必要な情報	分析の視点
疾患関連情報	**検査** ・心音，胸部 X 線写真，心電図，心エコー，動脈血ガス分析，BNP（脳性ナトリウム利尿ペプチド）/NT-proBNP	□心不全が改善または悪化している徴候はないか □異常心音は聴取されるか □胸部 X 線写真から，肺うっ血，心肥大（心胸郭比，cardiothoracic ratio：CTR），胸水貯留はあるか □心エコー：左室駆出率（LVEF）はどのくらいか □動脈血ガス分析から，低酸素血症はどうか □心電図から，虚血性変化や不整脈はあるか
	治療 ・食事療法 ・運動療法 ・薬物療法 ・酸素吸入，非侵襲的陽圧換気（NPPV） ・非薬物療法（大動脈内バルーンパンピング，経皮的心肺補助など）　※急性期での治療	□食事療法の指示内容はどうか □運動療法の指示内容はどうか □薬剤の種類，用法，用量，多剤併用はないか □薬物療法による有害事象はないか □薬剤を忘れずに飲めているか □治療に対する本人の思いや希望はどうか □治療を妨げる要因はないか □薬物療法以外の治療の必要性はあるか
身体的要因	**呼吸状態** ・呼吸数，心拍数，肺音，酸素飽和度，呼吸器症状	□呼吸器症状はないか □どのような時に呼吸器症状が出るか
	運動機能 ・活動の範囲 ・歩行状態	□心不全の症状から困難になっている動作はないか □運動耐容能はどのくらいか
	認知機能 ・記憶力，理解力	□もの忘れの有無と程度はどのくらいか □認知機能の低下が，日常生活に影響を及ぼしていないか
心理・霊的要因	**健康知覚** ・疾患の受けとめ ・心不全が悪化しないように気をつけていること	□疾患をどのように受けとめているか，治療に伴う制限をどのように感じているか □心不全悪化を防ぐために，どのようなことに気をつけて生活していたか
	意向，自己知覚 ・他者の手を借りて生活することに対する思い ・どのような生活を送りたいか	□介助を受けることで，気兼ねや自尊心が低下していないか □心不全を抱えながら，どのような生活を送りたいと思っているか
	気分・情動，ストレス耐性 ・症状に対する不安 ・気分の変動	□呼吸困難による不安はないか □気分の落ち込みはないか □悲観的な言葉や焦燥感の訴えはないか
	価値・信念 ・生きるうえでのより所	□心の支え，生きるうえで大切にしていることは何か □治療，生き方について望んでいることは何か

	必要な情報	分析の視点
社会・文化的要因	**役割・関係** ・役割の内容	□役割は何か，これまでの役割を継続できているか
	仕事・家事・学習・遊び，社会参加 ・仕事内容 ・活動量 ・友人，近隣との関係 ・心不全の悪化を防ぐための知識 ・療養生活をサポートする人の存在	□仕事や家事における活動量はどの程度か □仕事や家事への制限はないか，退職を余儀なくされていないか □疾患により家族との関係性に変化はないか □ソーシャルサポートを受けにくい状況はないか □友人，近隣との交流が減っていないか □心不全の悪化を防ぐための方法について，どのように理解しているか □療養生活をサポートしてくれる存在は誰か
睡眠・休息	**睡眠・休息のリズム，質** ・睡眠障害の有無 ・生活環境の変化による影響 ・排尿回数 ・休息時間 ・心配や不安について	□息切れ，呼吸困難により入眠困難や中途覚醒，熟眠障害などの睡眠障害を起こしていないか □利尿薬の使用が睡眠や休息を妨げていないか □点滴や酸素吸入の治療が睡眠や休息を妨げていないか □夜間の排泄の心配が睡眠の妨げとなっていないか □入院後の生活(寝具，照明，洗面，歯磨きなど)の変化が睡眠や休息に影響を与えていないか □適切な活動が維持されず，臥床傾向となっていないか □身体的な状況から休息がとれていない状況はないか □他者との関係，心配事・不安などにより睡眠や休息がとれていない状況はないか
	心身の回復・リセット ・休息方法 ・睡眠，休息の効果	□今までどのような休息(お茶を飲む，テレビを見る，本を読む)のとり方をしていたのか □リラックスできる方法は何か □睡眠や休息がどのような効果を及ぼしているか
覚醒・活動	**覚醒** ・覚醒の時間と時間帯 ・覚醒して活動する意欲	□日中，過度に眠ったりせず覚醒できているか □心不全に伴う活動の制限はないか □呼吸困難などから活動への意欲が低下していないか □気分の落ち込みから活動への意欲が低下していないか
	活動の個人史・意味，発展 ・活動内容 ・活動の意味 ・興味ある事柄	□心負荷につながる動作になっていないか □現在まで，どの時間にどのような活動をしてきたか □活動から何を得て，どのような意味を見出してきたか □これから，どのような活動を行いたいと思っているのか
食事	**食事準備，食思・食欲** ・味付けと食欲 ・活動と食欲 ・疲労と食欲 ・食事制限に対する思い ・口腔粘膜の状態	□心不全の症状が食欲に影響を及ぼしているか □味付けが食欲に影響を及ぼしているか □活動量の低下が食欲に影響を及ぼしているか □塩分・水分制限をどのように感じているか □味覚障害はないか □口腔粘膜の状態が影響していないか
	姿勢・摂食動作，咀嚼・嚥下機能 ・食事による疲労 ・食事にかかる時間 ・むせ	□摂食動作，咀嚼・嚥下が呼吸に影響を及ぼしていないか □倦怠感，呼吸困難が姿勢の崩れに影響していないか □安静臥床が嚥下機能に影響を及ぼしていないか

	必要な情報	分析の視点
食事	**栄養状態** ・食事摂取量 ・栄養状態 ・水分摂取量	□低栄養状態になっていないか □１日の食事摂取量，水分摂取量はどのくらいか □治療食が食事摂取量に影響を及ぼしていないか □排尿回数を心配し水分を控えていないか
排泄	**尿・便をためる** ・尿量 ・便量	□尿・便の量はどのくらいか，回数はどうか
	尿意・便意 ・尿意切迫感，尿失禁 ・便意の消失	□利尿薬の内服で尿失禁はないか □便秘が続くことで便意が消失していないか
	姿勢・排泄動作，尿・便の排出，状態 ・トイレまでの移動動作 ・排泄動作時の呼吸状態 ・排便困難感 ・排尿による疲労感 ・排泄への気兼ね	□トイレまでの歩行が心臓に負担をかけていないか □排泄の動作が心臓に負担をかけていないか □排便時に排便困難感はないか □自然排便が可能か，下剤の使用や浣腸をしているか □努責することで心臓に負担をかけていないか □排尿回数の多さが，疲労をもたらしていないか □気兼ねし，排泄を我慢していないか
身じたく	**清潔** ・清潔動作時の呼吸困難の有無 ・清潔動作の方法 ・口腔内の状態	□入浴，洗面，更衣時に息切れ・呼吸困難はないか，あればどの程度か □浴室と脱衣所の温度，入浴時間，湯の温度，入浴の仕方はどうか，心不全の増悪因子となっていないか □口腔内の汚れや乾燥はどうか □いままでのように清潔を保てない場合，ストレスを感じていないか
	身だしなみ，おしゃれ ・おしゃれに対する関心	□おしゃれをすることが困難になっていないか □化粧やおしゃれをあきらめていないか
コミュニケーション	**伝える・受け取る，コミュニケーションの相互作用・意味，発展** ・会話時の息切れ，疲労 ・会話の相手の存在 ・希望や思いの表出	□心不全の症状から，会話することが負担になっていないか □活動の制限からコミュニケーション相手がいない，関わりをもちたいのにもてないなど，対人交流に影響していないか □コミュニケーションの成立が困難なため，希望や思いを伝えられない状況はないか

アセスメントの視点（病態・生活機能関連図へと導くための指針）

慢性心不全は，急性増悪により心機能が低下するため，長期にわたる療養生活が必要になってくる．長期療養のなかで，自分なりの療養行動を行っており，心不全が悪化せずに自分らしい生活ができることを望んでいる．制限があるなかでも，高齢者が送りたいと考えている生活が継続できるように，食事と活動，療養行動に焦点をあてて看護を展開していく．

ここでは，回復期の看護展開を行う．

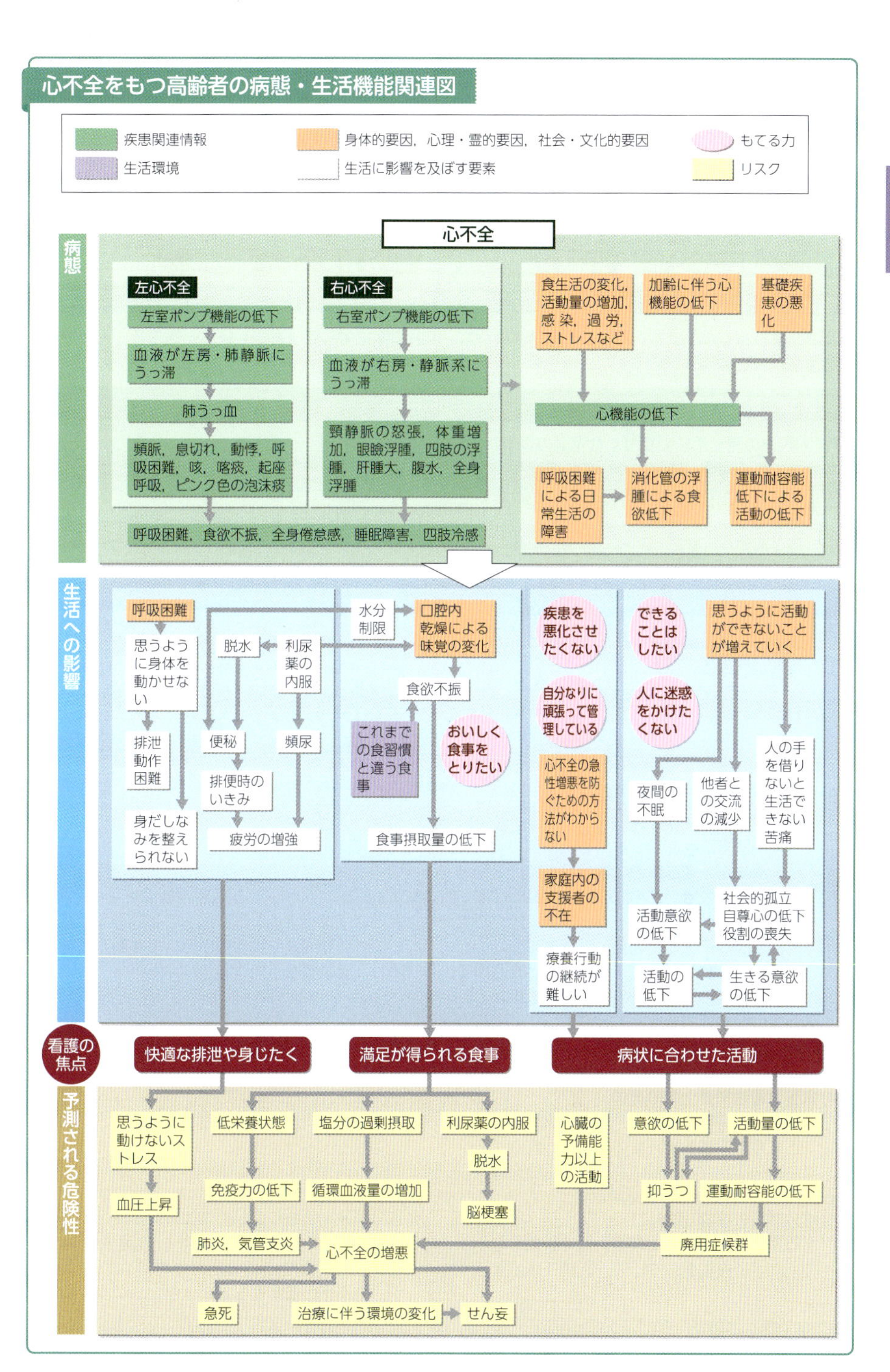
心不全をもつ高齢者の病態・生活機能関連図
疾患関連情報
身体的要因，心理・霊的要因，社会・文化的要因
もてる力
生活環境
生活に影響を及ぼす要素
リスク
心不全
病態
左心不全
左室ポンプ機能の低下
血液が左房・肺静脈にうっ滞
肺うっ血
頻脈，息切れ，動悸，呼吸困難，咳，喀痰，起座呼吸，ピンク色の泡沫痰
右心不全
右室ポンプ機能の低下
血液が右房・静脈系にうっ滞
頸静脈の怒張，体重増加，眼瞼浮腫，四肢の浮腫，肝腫大，腹水，全身浮腫
呼吸困難，食欲不振，全身倦怠感，睡眠障害，四肢冷感
食生活の変化，活動量の増加，感染，過労，ストレスなど
加齢に伴う心機能の低下
基礎疾患の悪化
心機能の低下
呼吸困難による日常生活の障害
消化管の浮腫による食欲低下
運動耐容能低下による活動の低下
生活への影響
呼吸困難
思うように身体を動かせない
排泄動作困難
身だしなみを整えられない
脱水
利尿薬の内服
便秘
頻尿
排便時のいきみ
疲労の増強
水分制限
口腔内乾燥による味覚の変化
食欲不振
これまでの食習慣と違う食事
おいしく食事をとりたい
食事摂取量の低下
疾患を悪化させたくない
自分なりに頑張って管理している
心不全の急性増悪を防ぐための方法がわからない
家庭内の支援者の不在
療養行動の継続が難しい
できることはしたい
人に迷惑をかけたくない
思うように活動ができないことが増えていく
夜間の不眠
他者との交流の減少
人の手を借りないと生活できない苦痛
活動意欲の低下
社会的孤立
自尊心の低下
役割の喪失
活動の低下
生きる意欲の低下
看護の焦点
快適な排泄や身じたく
満足が得られる食事
病状に合わせた活動
予測される危険性
思うように動けないストレス
血圧上昇
低栄養状態
免疫力の低下
肺炎，気管支炎
塩分の過剰摂取
循環血液量の増加
利尿薬の内服
脱水
脳梗塞
心臓の予備能力以上の活動
心不全の増悪
意欲の低下
活動量の低下
抑うつ
運動耐容能の低下
廃用症候群
急死
治療に伴う環境の変化
せん妄

STEP❶ アセスメント　STEP❷ 看護の焦点の明確化　STEP❸ 計画　STEP❹ 実施

看護の焦点の明確化

#1　食事制限があるなかでも，おいしく満足が得られる食事ができる
#2　心臓に負担がかからない方法で，快適な排泄や身じたくができる
#3　心不全が急性増悪することなく，病状に合わせた活動ができる

STEP❶ アセスメント　STEP❷ 看護の焦点の明確化　STEP❸ 計画　STEP❹ 実施

1 看護の焦点	看護目標
食事制限があるなかでも，おいしく満足が得られる食事ができる	1) 食事に対して「おいしい」と感じることができる

具体策（支援内容）	根拠
1. 本人との話し合いに基づく食生活の見直し	
1) 今までの食習慣，嗜好についての確認 ・生活のなかで，塩分制限など難しいと感じていることについて表出してもらう 例：漬物が好きでやめられない	●塩分の過剰摂取は，循環血液量を増加させ，心負荷を増大させる
2) 塩分・水分制限に関する本人の理解の確認 ・適正な塩分摂取量（6g未満/日）と塩分制限の必要性について，本人の理解を確認する	
・水分制限の有無と必要性について，本人の理解を確認する	●心不全の重症度により水分制限が必要かどうか変わってくるため，医師に確認する．口渇により過剰に水分を摂取したり，逆に排泄を気にして水分を控え脱水になったりすることもある．水分過剰は心負荷となり，脱水は梗塞のリスクを高める
3) 食欲不振からの低栄養の予防 ・塩分制限で難しいと感じていることについて，解決方法とともに考える 例：漬物が好きな場合，塩分の少ない漬物をあらかじめ少量だけ小皿にとっておくなど	
・減塩食をおいしく食べられる方法について本人と相談し，選択できるよう支援する 例：出汁，酢などの調味料や香辛料を活用する．一品のみをふつうの味付けにするなど ・麺類のつゆは飲まない．汁物は具だくさんにして汁を少なくする ・1滴ずつ出るしょうゆさしを使用する	●無理な減塩が食欲不振を招くこともある．減塩しながらも嗜好や食習慣にあった食事方法を説明し，低栄養を予防する
4) 家族や管理栄養士との連携 ・嗜好や食習慣に配慮し，減塩が継続できるように食事方法を本人を中心に話し合う	
2. おいしく食事がとれる工夫	
1) 塩分制限の確認（医師に） ・心不全の重症度などの高齢者の状態像をふまえた塩分摂取量について，医師に確認する	●塩分の過剰摂取により循環血液量が増えて心臓に負担がかかる．心不全をもつ高齢者は，6g/日以下程度の塩分制限が推奨されているが，心不全の重症度などによりさらに少ない場合もある

2)味付けの工夫 ・酢の活用 ・香辛料の活用 ・好みのメニューに重点的に塩分を配分	●今までの食習慣とは違う塩分制限食や，消化管の浮腫により食欲が低下しやすい．酢の酸味や香辛料を活用したり，食べたいものが食べられるように，塩分制限内で調整することで，食欲が出たり，食事の楽しみを得やすい
3)メニューの工夫 ・どのような食品なら塩分制限のなかでも食べられるか，高齢者とメニューを検討する ・食べたいものがあれば，塩分量を確認し，1日の塩分制限内で食事内容を調整する	●一方的に制限を伝えるのではなく，高齢者の楽しみが維持できるように，おいしく食べられる方法がないか，高齢者とともに考えることが大切である ●心不全による食欲低下や腸管浮腫に伴う吸収障害，透過性の亢進から，低栄養状態を引きおこす．低栄養状態は生命予後を悪化させる
4)適切な水分量がとれる工夫 ・医師に水分制限について確認する ・水分量が測定できるように目盛りのついたコップを用意する ・1日の摂取可能な水分をあらかじめポットに入れておく ・好きな飲み物を取り入れる	●心不全における水分の過剰摂取は，心不全の増悪を招き，一方，水分不足は利尿薬の内服の影響もあり脱水になりやすい
・とくに，起床後，活動後，入浴後に水分摂取を促す	●高齢者は口渇中枢の機能が低下するため，のどの渇きを感じにくい．そのため，起床後，活動後，入浴後など脱水になりやすい時に水分摂取を促す
5)食事中の姿勢の工夫 ・食事中に疲労や呼吸困難などがないか確認する ・疲労感，呼吸困難などがあれば，ギャッチアップを行い，安楽な姿勢が保てる工夫を行う	●食事により，呼吸困難が強くなることがある．食事中の疲労や呼吸困難などがないか確認する
6)食事環境の工夫 ・テーブルなど，お膳を置く場所を清潔に保つ ・部屋の換気を行う	●食事の環境も食欲に影響する
3. おいしく食べるための口腔機能を高める支援 **1)食後や就寝前の歯磨き実施** **2)義歯の場合，洗浄** **3)唾液腺マッサージの実施** ・食事の前などに取り入れる ・耳下腺マッサージ，舌下腺マッサージ，顎下腺マッサージを行う **4)口の体操の実施**	●口腔内を清潔にすることで，食べるための機能を維持する ●唾液の分泌を促すとともに，舌・口唇・頬などの機能を維持する

2 看護の焦点	**看護目標**
心臓に負担がかからない方法で，快適な排泄や身じたくができる	1)活動と休息のバランスをとることができる 2)息苦しさを増強させることなく自分でできることが継続できる

具体策(支援内容)	根拠
1. 休息と活動のバランス調整	
1)休息	
・食後1〜2時間は安静にする	
・夜間眠れるように，安楽な体位を工夫する ・環境の調整(温度，湿度，照明，音など)	●不眠やストレスは，交感神経を刺激し心拍出量の増加や血圧上昇を招き，心負荷を増大させる
・末梢に冷感がある場合は，足浴などを行う ・リラックス(足浴，入浴など)できる時間がとれるように工夫する	●循環不全のために，末梢の冷感を起こしやすいので保温に努める
2)休息とのバランスを考慮した活動 ・倦怠感の増強，息切れ，呼吸困難の症状が現れない範囲でできることを行ってもらう	●活動により身体組織の酸素必要量が増すため，心臓に負荷がかかる．活動中に症状が出現した場合は，心臓の予備能力以上の負荷がかかっていると考えられるため，休息をとるようにする
・1つの動作を行った後は休んでから次の動作を行うように伝える	●続けて動作を行うと心臓に負担がかかるので，動作の間に休息を入れる ●活動の制限は，下肢静脈のうっ滞から静脈血栓をおこしやすいので，できる範囲で動くようにする
2. 心臓に負担のかからない排泄の工夫	
1)トイレまでの移動の支援 ・トイレまでの距離を確認し，心臓に負担のかからない距離か確認する ・トイレまでの歩行がつらい場合は，車椅子で介助を行う ・トイレが寒い場合，暖かくして行く	●利尿薬内服により排尿回数が増える．トイレまでの距離が遠いと疲労につながる
2)便秘の予防	●いきむことにより，血圧を上昇させ心臓に負荷がかかる
・排便のリズムを確認する	●排便した時間や量，食事量や飲水量を継続して記録することで，高齢者の排便リズムを把握することができる
・便意の有無にかかわらず，排便の多い時間や胃・結腸反射が起こる時間にトイレに座ってみる ・好きな飲み物がとれるように援助する ・腹部マッサージを行う	●便意がなくても，時間を決めて便座に座るようにする．便座に座ることで，腹圧がかけやすく，重力の関係から排便がしやすくなる
・腰部，背部に温罨法を行う ・水溶性繊維と非水溶性繊維をバランスよく摂取する	●仙骨部の温罨法により，腸蠕動が亢進する
・発酵食品(ヨーグルト，納豆など)を摂取する	●発酵食品は，腸内常在菌の乳酸菌を増やす働きがある
3)心理的支援 ・排泄介助を受けることで感じる気兼ねを軽減できるように，思いを表現できる時間をもつ	●支援者が忙しいだろうと遠慮している場合もある
3. 心臓に負担のかからない清潔の工夫 ・体調に合わせて，シャワーや清拭を検討する	●入浴動作は，シャワー浴より心臓に負担がかかる
・食事や散歩などの労作前後には入浴をしないようにする	●食後は，消化のための血液量が増え，心臓に負担がかかる

・湯の温度は40～41℃程度にし，鎖骨下までの半座位浴で，入浴時間は10分以内を目安とする．寒く感じる時は，肩にタオルをかけ保温する	●熱い湯は交感神経を緊張させ，深く湯につかると静水圧による静脈還流量が増加して心内圧を上昇させるため，心負荷がかかりやすい
・脱衣室と浴室は暖めておく ・シャワーをかける時は，足元からかける ・入浴後は，脱水予防のために水分補給を行う ・入浴後は，十分に休息する ・体調の変化がないか確認する	●気温差により血管が収縮し，血圧が上昇しやすい

3 看護の焦点	看護目標
心不全が急性増悪することなく，病状に合わせた活動ができる	1) 具体的な自己管理の方法を知ることができる 2) 体調が悪い時の対処方法を知ることができる 3) 実践可能な療養方法について見出すことができる

具体策(支援内容)	根拠
1. 今後の療養に関する本人の意向の確認	
・日常生活で気をつけていること，症状の悪化につながった背景について，考えていることを話してもらう	●今までの生活のなかで行ってきた療養行動を知り，心不全の悪化につながった背景をともに考えることで，実践可能な療養方法を検討する
・誰とどこでどのように過ごしたいか，治療やケアに関する心配，希望する治療，望まない治療などについて高齢者，家族，医療・福祉職など多職種で話し合い，考える	●慢性心不全は寛解と増悪を繰り返し徐々に進行していくため，予後予測が不確実である．そのため，高齢者が望む人生を生きられるように，継続的に話し合っていくことが必要である
2. 心不全の増悪・寛解に合わせた活動の調整	
・病状に合わせ，医師の指示のもと理学療法士と連携し，日常生活動作を行う	●過剰な安静は，筋肉萎縮，筋力低下，呼吸機能低下，起立性低血圧など廃用症候群につながり，運動耐容能の低下を助長する
・心不全が寛解したら，医師からの運動処方に従い，リハビリテーションを開始する ・急激な運動負荷により心不全が悪化しないよう注意をはらう	●適度な運動は，運動耐容能を増して日常生活上の症状を改善し，QOLの向上につながる
・医師や理学療法士と連携し，指示範囲で，高齢者の生活に即した具体的な活動について，本人と話し合う．例えば，日常生活においてどの程度の活動が可能であるか，メッツ(METs)を使用して具体的に説明し，本人の理解を確認しながら，話し合いを進める	●心肺予備力の程度に応じた具体的な生活活動が指示されると，高齢者が退院後の活動量をイメージすることができる(表7-2)
・入院前に大切にしていた生活習慣や，楽しみを感じる生活習慣を活動範囲内で継続できるように工夫する	●減塩食や活動制限により，長年の生活習慣の変更を余儀なくされ生きる意欲が減退しやすい．楽しいと思える活動や大切にしていた生活習慣が継続できることで，その人らしい生活に近づくことができる
・食事や入浴，排泄など，連続的に生活動作を行う場合，あいだに休憩をとるようにする ・呼吸器症状や動悸などの症状が出現した場合は，休息をとるようにする ・疲労を感じる場合は無理せず休息をとる	●生活動作や運動を続けて行うと，心臓に負担がかかる

■表 7-2　生活活動のメッツ表

メッツ	生活活動の例
1.8	立位(会話，電話，読書)，皿洗い
2.0	ゆっくりした歩行(平地，非常に遅い＝53 m/分未満，散歩または家の中)，料理や食材の準備(立位，座位)，洗濯，子どもを抱えながら立つ，洗車・ワックスがけ
2.2	子どもと遊ぶ(座位，軽度)
2.3	ガーデニング(コンテナを使用する)，動物の世話，ピアノの演奏
2.5	植物への水やり，子どもの世話，仕立て作業
2.8	ゆっくりした歩行(平地，遅い＝53 m/分)，子ども・動物と遊ぶ(立位，軽度)
3.0	普通歩行(平地，67 m/分，犬を連れて)，電動アシスト付き自転車に乗る，家財道具の後片付け，子どもの世話(立位)，台所の手伝い，大工仕事，梱包，ギター演奏(立位)
3.3	カーペット掃き，フロア掃き，掃除機，電気関係の仕事(配線工事)，身体の動きを伴うスポーツ観戦
3.5	歩行(平地，75〜85 m/分，ほどほどの速さ，散歩など)，楽に自転車に乗る(8.9 km/時)，階段を下りる，軽い荷物運び，車の荷物の積み下ろし，荷造り，モップがけ，床磨き，風呂掃除，庭の草むしり，子どもと遊ぶ(歩く/走る，中強度)，車椅子を押す，釣り(全般)，スクーター(原付)・オートバイの運転
4.0	自転車に乗る(≒16 km/時未満，通勤)，階段を上る(ゆっくり)，動物と遊ぶ(歩く/走る，中強度)，高齢者や障がい者の介護(身支度，風呂，ベッドの乗り降り)，屋根の雪下ろし
4.3	やや速歩(平地，やや速めに＝93 m/分)，苗木の植栽，農作業(家畜に餌を与える)
4.5	耕作，家の修繕
5.0	かなり速歩(平地，速く＝107 m/分)，動物と遊ぶ(歩く/走る，活発に)
5.5	シャベルで土や泥をすくう
5.8	子どもと遊ぶ(歩く/走る，活発に)，家具・家財道具の移動・運搬
6.0	スコップで雪かきをする
7.8	農作業(干し草をまとめる，納屋の掃除)
8.0	運搬(重い荷物)
8.3	荷物を上の階へ運ぶ
8.8	階段を上る(速く)

(宮地元彦ほか：健康づくりのための運動基準2006改定のためのシステマティックレビュー．健康づくりのための身体活動基準2013．厚生労働科学研究費補助金(循環器疾患・糖尿病等生活習慣病対策総合研究事業)総括研究報告書，参考資料2-1，2006．http:/www.mhlw.go.jp/stf/houdou/2r9852000002xple-att/2r9852000002xpqt.pdf，2020/08/28閲覧)

3. 今後の生活に即した療養行動への支援

1)服薬に対するアドヒアランス向上

・薬剤名，薬効，投与量，投与回数，内服の必要性，有害事象についての説明
・薬剤師と連携し，ポリファーマシーを避ける
・飲み忘れがないように内服方法を検討する
　例：1包化や服用方法の簡便化(3回服用から2回あるいは1回への切り替え)，服薬カレンダー使用など

●内服の中断は，心不全の増悪誘因の1つである．内服が継続できるような具体的方法を説明することで，療養行動が継続できるように支援する

2) セルフモニタリング

・心不全の症状について説明する

・体重測定(毎朝，排尿後)や血圧・脈拍の測定，下腿の浮腫の見方について説明し，毎日評価・記録する方法について本人と話し合う

・心不全手帳の活用方法を説明する

・心不全の増悪が疑わしい場合は活動制限，塩分制限を強化し，すみやかな受診を勧める

●日単位での 2 kg 以上の体重増は，心不全の急性増悪を示唆する

●高齢者は自覚症状が非典型的であり，心不全の増悪が見逃されやすい．体重，浮腫，尿量の減少など客観的に判断する方法や，食思不振や悪心，腹部膨満感，倦怠感なども心不全の症状であることを伝える

3) 家族の協力や社会資源の活用

・自己管理が難しい場合，家族やサポートできる人に療養方法について説明し協力を得る

・必要な場合，介護保険制度や社会資源の活用を検討する

●高齢者の場合，認知機能の低下などから自己管理が難しくなる場合もある

●身体機能の低下に合わせ，介護保険制度の利用を検討する．多職種で連携し，本人の希望する療養場所で療養できるように社会資源の活用を検討する

4. 心不全の急性増悪を防ぐための生活の見直し

1) 禁煙

・喫煙による心臓への影響について話し合う

・散歩などで気分転換が図れるようにする

●ニコチンは血圧を上昇させ，心臓に負担をかける

2) 感染予防

・手洗いや含嗽の習慣化について話し合う

・感冒罹患時は早期に受診するよう伝える

・インフルエンザワクチンの接種を検討する

・肺炎予防のため，食後に歯磨きする

●肺うっ血があると肺炎や気管支炎を起こしやすい

●呼吸器感染症は，酸素消費量の増大や代謝亢進を招き，心不全増悪のリスクとなる

関連項目

※もっと詳しく知りたいときは，以下の項目を参照しよう．

既往歴

●「5 肺炎(→ p.129)」「13 尿路感染症(→ p.272)」：感染が心不全に影響していないか確認しよう

●「6 慢性閉塞性肺疾患(→ p.143)」「27 高血圧・低血圧(→ p.478)」：慢性閉塞性肺疾患，高血圧と心不全の関係について確認しよう

心不全の症状

●「18 浮腫(→ p.352)」：浮腫と心不全の関係を確認しよう

●「19 排尿障害(→ p.364)」：排尿障害と心不全の関係を確認しよう

●「20 排便障害(→ p.378)」：排便障害と心不全の関係を確認しよう

●「21 睡眠障害(→ p.394)」：睡眠障害と心不全の関係を確認しよう

心不全に関連したリスク

●「17 脱水(→ p.340)」：利尿薬の投与と脱水の関連について確認しよう

●「11 褥瘡(→ p.229)」「28 フレイル(→ p.491)」：過度の安静による褥瘡やフレイルの危険性はないか確認しよう

●「26 せん妄(→ p.465)」：生活環境の変化と心不全の増悪によるせん妄の危険性がないか確認しよう

心不全をもつ高齢者への看護

●「第 1 編」の「1 睡眠・休息(→ p.2)」「2 覚醒・活動(→ p.10)」：心機能に応じた活動と休息を整える看護の視点について確認しよう

●「第 1 編」の「3 食事(→ p.18)」：制限があってもおいしく食事が摂取できるような看護の視点について確認しよう

●「第 1 編」の「4 排泄(→ p.27)」「第 2 編」の「19 排尿障害(→ p.364)」「20 排便障害(→ p.378)」：楽に排泄できるような看護の視点と方法について確認しよう

不整脈

菅谷　清美

不整脈の種類や危険度を判断して，すみやかに適切な支援を行うことが重要

定義

心臓は，心筋にわずかな電流が流れ興奮することで動く．この電流の流れる道を刺激伝導系といい，その起点は洞房結節である．洞房結節から始まった電気的興奮は規則的に生成され，房室結節，ヒス束，左脚・右脚，プルキンエ線維へと正常に伝導し，心室の筋細胞全体に伝わる(図)．これを正常洞調律といい，この正常洞調律以外の調律を不整脈という．

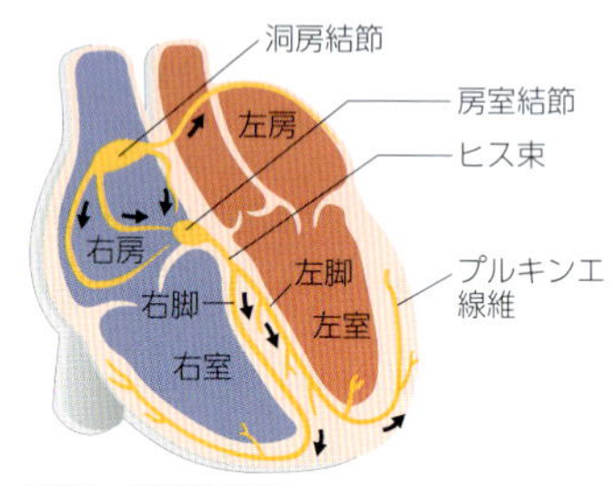

■図　刺激伝導系

不整脈は徐脈性不整脈，頻脈性不整脈に大別され，発生機序が異なる．徐脈は，洞房結節の機能低下や刺激伝導系の伝導異常によって発生する．頻脈は，本来自動能をもたない細胞が自動能をもったり自動能が亢進したりする「異常自動能」，活動電位が誘因となって異常な脱分極がおこり不整脈が生じる「撃発活動」，一度起こった興奮が他の部位に伝わった後，消失せずに元の部位に戻って心臓を再興奮させる「リエントリー」によって発生する．

症状・検査

症状がまったくみられないこともある．症状がある場合は，動悸，めまい，息苦しさ，悪心，胸部の違和感，胸痛，心不全症状，眼前暗黒感，アダムス-ストークス症候群(心臓に由来する脳血流減少から，めまい，失神，痙攣などの症状を引き起こした病態)などがみられる．

主な検査は，標準12誘導心電図やモニター心電図，ホルター心電図である．

治療

治療には，抗不整脈薬などによる薬物療法や電気的除細動，人工ペースメーカ治療，植込み型除細動器(ICD)，心臓再同期療法(CRT)，カテーテルアブレーション，手術などがある．

●**人工ペースメーカ治療**

人工ペースメーカは，刺激伝導系の機能を補い人工的に心臓に電気刺激を与えることで規則的な調律とポンプ機能を保つ．一時的に体外式に用いられる一時的ペースメーカと恒久的に体内に埋め込む恒久的ペースメーカがある．対象となる主な疾患は，洞不全症候群や房室ブロック，徐脈性心房細動である．

適切な脈拍を保つために，ペースメーカ挿入後は，心電図や脈拍をみながら作動状況を確認する必要がある．また，血腫や気胸，感染，ペースメーカ症候群，リードの位置異常などの合併症が起きることもあるため，治療にあたってはインフォームドコンセントを十分に行う．電磁波の影響を受け誤作動が起こる可能性もあるため，日常生活での注意事項を伝えていくことが大切である．

定期健診の際は，治療や症状の経過をペースメーカ手帳に記録する．この手帳には機種や設定の詳細も記入されており，外来診察時や緊急時に必要となるため，常に携行するように説明する．

最近は，ペースメーカなどの植込み型機器の情報を，電話回線を介して医療施設へ送ることが可能になった．不整脈の発生や機器異常の早期発見に役立っている．

看護の視点

不整脈は生命に危険を及ぼすこともあるため，高齢者の症状と心電図の波形から，緊急対応が必要かどうかアセスメントするとともに，生命を守るための適切な対応が必要になる．

不整脈は心臓の疾患であり，命を失うかもしれないという不安感が大きいため，安心して治療が受けられるよう十分な説明が必要である．治療によっては自動車の運転禁止など日常生活の制限がある．また，ICDでは意識下での作動による衝撃が強く，心理的支援が必要となる．支援者は高齢者の思いを傾聴し，治療方法についての意思決定支援を行う．

閉塞性動脈硬化症

菅原　昌子

加齢とともに進行するので，経過観察を継続しつつ原疾患の治療が重要

定義・診断

閉塞性動脈硬化症(arteriosclerosis obliterans：ASO)は，動脈硬化により主幹動脈(とくに下肢)の狭窄や閉塞により生じる血流障害で，様々な虚血症状を引き起こす．上肢に生じることもあるが頻度は低い．ASO の発症リスクとして，加齢，性別(男性)，喫煙，高血圧，糖尿病，脂質異常症などがあげられる．

臨床において ASO は足関節上腕血圧比(ABI)0.90 以下といわれている(日本循環器学会ほか『末梢閉塞性動脈疾患の治療ガイドライン 2015 年改訂版』)．虚血症状の重症度分類として Fontaine 分類が用いられる(1 度：冷感，しびれ感，2 度：間欠性跛行，3 度：安静時疼痛，4 度：潰瘍，壊死)．

好発年齢は 60 歳以上で，年齢とともに有病率は上昇し，男性に多い．加齢は ASO の重要なリスクファクターで，喫煙も深く関与する．心疾患，不整脈などの既往歴の把握が重要である．

症状・検査

間欠性跛行：下肢の虚血により，ある程度の距離を歩くと下肢痛が出現する．疼痛は 5〜10 分ほどで安静にすると軽減・改善する．

安静時疼痛：夜間就寝時に疼痛を自覚することが多く，痛みにより不眠を訴えるようにもなる．進行すると昼間にも疼痛が出現するようになる．

潰瘍や壊死：足趾，足部，足関節，脛骨前面に生じることが多い．激しい疼痛を伴うことが多く，潰瘍の大きさや形状は様々で，感染を伴う場合もある．糖尿病をもつ高齢者では，疼痛の程度が軽い，あるいは疼痛を有さない例もあり，いきなり潰瘍や壊死を発症することもまれではない．

血行動態検査として ABI を測定する．画像検査として血管造影を行うが，CT，MRI のほか，超音波検査も有効である．動脈触知確認や血管雑音の聴取，血液検査での凝固系の異常の有無も重要な診断材料である．

治療

動脈硬化の原因である糖尿病，高血圧，脂質異常症の治療を行う．喫煙者は禁煙も重要である．

治療法には，薬物療法や運動療法，血管内治療，外科的バイパス手術がある．初期の手足の冷感やしびれ感には血管拡張薬や血液を固まりにくくする薬(抗血小板薬)を用いることがある．また歩くことによって，側副血行路が発達し血流が改善する報告があるため，日常の適度な運動も必須である．

看護の視点

現疾患の管理を継続して行い，血圧・不整脈の管理，血糖コントロールのほか，生活習慣の改善も行う．しびれ感，冷感，痛みなどの症状に対しては，保温，マッサージ，鎮痛薬を使用し，症状の軽減に努める．

日常生活の中で下肢の清潔を保つことが重要であり，フットケアを行う必要がある．潰瘍，壊死に対しては創部を毎日観察し，感染徴候を確認する．また，創部の清潔を保ち症状進行の把握，動脈触知やドプラでの血流確認も重要である．

ASO をもつ高齢者本人の望む暮らしに向けて，QOL を維持するために社会福祉士とも相談しながら，社会資源の活用についても検討する．

8 糖尿病

矢可部満隆

目でみる疾患

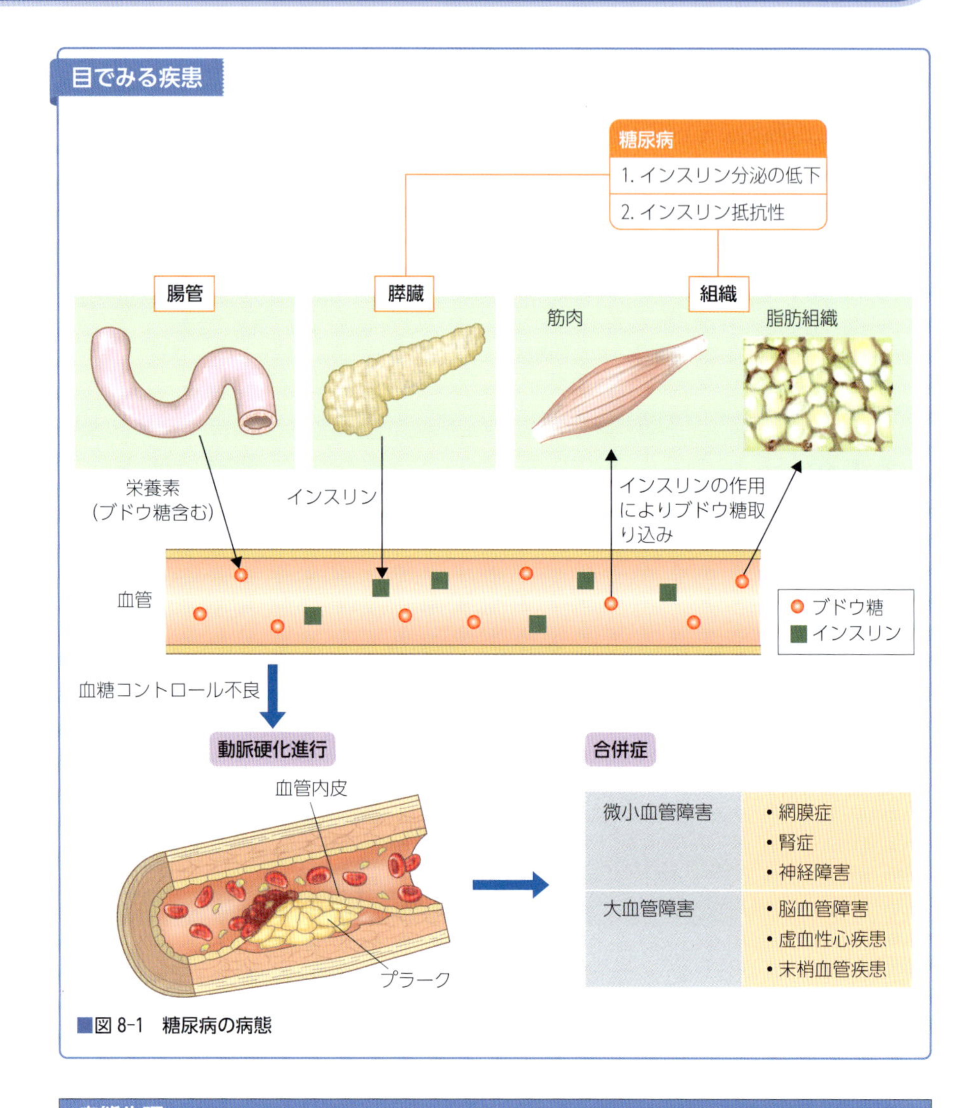

■図 8-1 糖尿病の病態

病態生理

糖尿病とは，インスリン作用不足による慢性の高血糖状態を主徴とする代謝疾患群である．

- インスリンは膵臓から分泌されるホルモンの 1 つである．膵臓のランゲルハンス島の β 細胞で生成され，血液を介して全身に送られる．そして筋肉や脂肪組織などで細胞膜上のインスリン受容体に結合し，ブドウ糖の細胞内への取り込み，エネルギーとしての利用を促進する．
- 糖尿病ではインスリンの相対的または絶対的な作用不足が生じる．1 型糖尿病，2 型糖尿病，妊娠糖尿病，その他の特定の機序・疾患によるものに大別される．2 型糖尿病が 90% 以上を占めるとされる．

- 1 型糖尿病では，膵 β 細胞が破壊されインスリンの枯渇をきたす．自己免疫性と特発性に大別され，肥満とは関係がなく，小児や思春期での発症が多いが中高年でも認められる．ウイルス感染などを契機として急性に発症することが多いが，緩徐に進行するタイプもある．
- 2 型糖尿病では，インスリン抵抗性により相対的にインスリン作用が不足する．インスリン抵抗性とは，肥満や骨格筋量低下などにより臓器へのインスリン作用が低下した状態をいう．
- 高齢者は加齢によるインスリン分泌能の低下，骨格筋量減少，脂肪組織量の増加，身体活動量の低下などにより，糖尿病を発症しやすい．

病因・増悪因子

- 原因として遺伝要因と環境要因が指摘されている．とくに 2 型糖尿病では，遺伝要因により家系内発症が多い．環境要因として，過食，肥満，運動不足，ウイルス感染などがある．
- 2 型糖尿病は遺伝要因に環境要因が加わり，インスリン抵抗性が増大して生じる．インスリン分泌は初期には増加することもあるが，病状の進行に伴い低下することが多く，その結果血糖コントロールは悪化する．
- とくに高齢者では，服薬アドヒアランス不良や他疾患の合併(感染症，脱水など)により血糖コントロールの悪化をきたしやすい．

疫学・予後

- 厚生労働省の平成 28 年「国民健康・栄養調査」によると，「糖尿病が強く疑われる者」の割合は 12.1% (男性 16.3%，女性 9.3%)，約 1,000 万人であり，平成 9 年以降増加している．そのうち 76.6% が現在治療を受けている．「糖尿病の可能性を否定できない者」の割合は 12.1% (男性 12.2%，女性 12.1%)，約 1,000 万人であるが，こちらは減少傾向である．
- 70 歳以上の高齢者では，「糖尿病が強く疑われる者」が男性の 23.2%，女性の 16.8% であり，年齢区分の中で最も高い．
- 血糖コントロール不良の状態が長期にわたると合併症(後述)が生じ，一般に臓器障害が重篤なほど予後不良である．

症状

初期には無症状であることが多い．著明な高血糖では，口渇，多飲，多尿を認める．

- 発症初期には無症状のことが多い．血糖が高値になると，口渇，多飲，多尿，体重減少，倦怠感などが生じる．
- 高齢者では高血糖の症状が現れにくい．

診断・検査値

血糖値と HbA1c を組み合わせて診断する．

- 糖尿病は，高血糖が慢性的に持続していることを証明することにより診断する．
- HbA1c (hemoglobin A1c，グリコヘモグロビン) は，過去 1, 2 か月の平均血糖値を反映する．健常者では 4.6〜6.2% である．
- 75 g OGTT (75 g 経口ブドウ糖負荷試験) では，空腹時に 75 g のブドウ糖を飲用させ，2 時間後の血糖値を測定する．

検査値

- 以下のいずれかが確認された場合，「糖尿病型」と判定する．
  - 早朝空腹時血糖値 126 mg/dL 以上
  - 75 g OGTT で 2 時間値 200 mg/dL 以上
  - 随時血糖値 200 mg/dL 以上
  - HbA1c 6.5% 以上
- 初回検査で「糖尿病型」と判定し，別の日の再検査でも「糖尿病型」であれば糖尿病と診断できる．ただし，初回検査と再検査の少なくとも一方では血糖値の基準を満たしていることが必要である．
- 初回検査で血糖値が「糖尿病型」を示し，かつ口渇，多飲，多尿などの典型的な糖尿病の症状がみられるときは，初回検査のみで糖尿病と診断できる．

■表 8-1　血糖値による判定区分

	血糖測定時間			判定区分
	空腹時		負荷後 2 時間	
血糖値（静脈血漿値）	126 mg/dL 以上	または	200 mg/dL 以上	糖尿病型
	糖尿病型にも正常型にも属さないもの			境界型
	110 mg/dL 未満	および	140 mg/dL 未満	正常型

（日本糖尿病学会編・著：糖尿病治療ガイド 2020-2021．p.24，図 2，文光堂，2020）

- 血糖値による判定区分を表 8-1 に示す．「境界型」は糖尿病に準ずる状態である．
- 高齢者は空腹時血糖値が正常でも食後血糖値が高値を示すことが多いので，積極的に 75 g OGTT を行うか，食後血糖を測定した方がよい．

合併しやすい症状

- 糖尿病の合併症は急性代謝性合併症と慢性合併症に分類される．
- 急性代謝性合併症としてケトアシドーシス，高浸透圧性高血糖症候群があり，いずれも顕著な高血糖をきたし，意識障害を伴うこともある．
- 慢性合併症として血管合併症があり，微小血管障害と大血管障害に大別される．微小血管障害は，三大合併症といわれる糖尿病網膜症，糖尿病腎症，糖尿病神経障害を指す．大血管障害には，脳血管障害，虚血性心疾患，末梢血管障害が含まれる．
- 糖尿病ではメタボリックシンドロームをしばしば合併する．メタボリックシンドロームとは，内臓肥満，インスリン抵抗性，脂質代謝異常，血圧上昇といった，動脈硬化性疾患と 2 型糖尿病の発症リスクが集積した病態である．
- 他に，白内障，皮膚病変（下肢の潰瘍），感染症（白癬など）も合併しうる．

治療法

●治療方針

- 治療は食事療法，運動療法，薬物療法を組み合わせて行う．糖尿病では患者への教育，生活指導がとくに重要である．
- 治療の目標は血糖値の正常化であるが，高齢者では達成が困難なことが多い．薬物治療に伴う重症低血糖は，認知機能障害や心血管疾患のリスクとなる．日本糖尿病学会と日本老年医学会が提案した，高齢者糖尿病の血糖コントロール目標（図 8-2）を参考にする．

●食事療法

- 食事療法により摂取エネルギーを適正化させる．肥満があれば減量に努める．摂取カロリーの目安は理想体重 1 kg あたり 25～30 kcal であるが，活動度により調節する．糖質，蛋白質，脂質の熱量比は 60：15～20：20～25 とする．砂糖や果糖を含む食品は血糖値の上昇をきたしやすいため控える．

●運動療法

- ウォーキングなどの有酸素運動は筋肉への血糖取り込みを促進するとされる．高齢者では 1 日 5,000～10,000 歩程度の歩行が推奨される．ただし糖尿病網膜症，糖尿病性腎症，心血管障害などの合併症によっては運動を禁止すべき場合もあり，主治医が個別に判断する．

●薬物療法

- 食事療法と運動療法を行っても目標を達成できない場合，薬物治療の適応となる．治療薬には主に，経口治療薬（表 8-2）とインスリン製剤（表 8-3）がある．他の注射薬に GLP-1（グルカゴン様ペプチド-1）受容体作動薬がある．
- 1 型糖尿病，妊娠糖尿病，高血糖性昏睡のように，絶対的なインスリン治療の適応となる病態もある．
- 2 型糖尿病では重症度に応じて処方例のような処方を行う．治療フローチャートも参照のこと．
- 治療中に低血糖をきたすことがある．低血糖では発汗，震え，動悸，倦怠感，不快な空腹感などが生じ，重症例では意識障害に至ることもある．低血糖症状を認めた場合はすぐに食事やブドウ糖を摂取するよう指導する．とくにスルホニルウレア薬（SU 薬）やインスリン製剤では低血糖のリスクが高い．

		カテゴリーⅠ		カテゴリーⅡ	カテゴリーⅢ
患者の特徴・健康状態[注1]		①認知機能正常 かつ ②ADL自立		①軽度認知障害～軽度認知症 または ②手段的ADL低下，基本的ADL自立	①中等度以上の認知症 または ②基本的ADL低下 または ③多くの併存疾患や機能障害
重症低血糖が危惧される薬剤(インスリン製剤，SU薬，グリニド薬など)の使用	なし 注2)	7.0%未満		7.0%未満	8.0%未満
	あり 注3)	65歳以上75歳未満 7.5%未満(下限6.5%)	75歳以上 8.0%未満(下限7.0%)	8.0%未満(下限7.0%)	8.5%未満(下限7.0%)

治療目標は，年齢，罹病期間，低血糖の危険性，サポート体制になどに加え，高齢者では認知機能や基本的ADL，手段的ADL，併存疾患なども考慮して個別に設定する．ただし，加齢に伴って重症低血糖の危険性が高くなることに十分注意する．

注1) 認知機能や基本的ADL(着衣，移動，入浴，トイレの使用など)，手段的ADL(IADL：買い物，食事の準備，服薬管理，金銭管理など)の評価に関しては，日本老年医学会のホームページ(http://www.jpn-geriat-soc.or.jp/)を参照する．エンドオブライフの状態では，著しい高血糖を防止し，それに伴う脱水や急性合併症を予防する治療を優先する．
注2) 高齢者糖尿病においても，合併症予防のための目標は7.0%未満である．ただし，適切な食事療法や運動療法だけで達成可能な場合，または薬物療法の副作用なく達成可能な場合の目標を6.0%未満，治療の強化が難しい場合の目標を8.0%未満とする．下限を設けない．カテゴリーⅢに該当する状態で，多剤併用による有害作用が懸念される場合や，重篤な併存疾患を有し，社会的サポートが乏しい場合などには，8.5%未満を目標とすることも許容される．
注3) 糖尿病罹病期間も考慮し，合併症発症・進展阻止が優先される場合には，重症低血糖を予防する対策を講じつつ，個々の高齢者ごとに個別の目標や下限を設定してもよい．65歳未満からこれらの薬剤を用いて治療中であり，かつ血糖コントロール状態が図の目標や下限を下回る場合には，基本的に現状を維持するが，重症低血糖に十分注意する．グリニド薬は，種類・使用量・血糖値等を勘案し，重症低血糖が危惧されない薬剤に分類される場合もある．

【重要な注意事項】糖尿病治療薬の使用にあたっては，日本老年医学会編「高齢者の安全な薬物療法ガイドライン」を参照すること．薬剤使用時には多剤併用を避け，副作用の出現に十分に注意する．

■図8-2　高齢者糖尿病の血糖コントロール目標(HbA1c値)
(日本老年医学会・日本糖尿病学会編・著：高齢者糖尿病診療ガイドライン2017．p.46，南江堂，2017)

- 家庭でインスリン自己注射を行う場合は，自己検査用グルコース測定器を使用し，より厳密な血糖コントロールを目指すことができる．しかし高齢者では認知機能や身体機能の低下により自己注射が困難な場合も多い．その場合家族へ指導を行い，注射を代わりに行ってもらう必要がある．

Px 処方例 低血糖などの副作用をきたしにくく，高齢者の糖尿病でよく用いられる処方
- ジャヌビア錠50 mg　1回1錠　1日1回　朝食後　← DPP-4阻害薬

Px 処方例 DPP-4阻害薬単独では空腹時にも高血糖を認め，ある程度膵臓のインスリン分泌能が保たれている場合

■表 8-2　糖尿病の主な経口治療薬

分類		一般名	主な商品名	薬効薬理と作用特性	副作用と対応
インスリン抵抗性改善系	ビグアナイド薬	メトホルミン塩酸塩	メトグルコ，グリコラン	肝臓での糖新生抑制 単独投与では，低血糖を起こす可能性は低い	乳酸アシドーシスに注意．高齢者慎重投与
	チアゾリジン薬	ピオグリタゾン塩酸塩	アクトス	骨格筋・肝臓でのインスリン抵抗性改善 単独投与では，低血糖を起こす可能性は低い	心不全，浮腫，肝機能障害など．体重が増加しやすい
インスリン分泌促進系	スルホニルウレア系(SU 薬)	グリクラジド	グリミクロン	膵 B 細胞に直接作用してインスリン分泌を促進	コントロール改善後の低血糖に注意
		グリメピリド	アマリール		
	速効型インスリン分泌促進薬	ナテグリニド	スターシス，ファスティック	SU 薬より速やかにインスリン分泌を促進し，食後の高血糖を改善する	低血糖に注意(必ず食直前に服用のこと)
	DPP-4 阻害薬	シタグリプチンリン酸塩水和物	ジャヌビア，グラクティブ	血糖依存性のインスリン分泌促進とグルカゴン分泌抑制．単独投与では，低血糖を起こす可能性は低い	SU 薬との併用では重篤な低血糖を起こす可能性あり 便秘や悪心などの消化器症状
		ビルダグリプチン	エクア		
		アログリプチン安息香酸塩	ネシーナ		
糖吸収・排泄調節系	αグルコシダーゼ阻害薬	ボグリボース	ベイスン	糖質の分解を阻害し，吸収を遅延させることにより食後の高血糖を改善する．単独投与では，低血糖を起こす可能性は低い	腹部膨満感，放屁の増加，腸閉塞様症状 低血糖時にはブドウ糖を経口投与
	SGLT2 阻害薬	イプラグリフロジン	スーグラ	腎での糖再吸収阻害による尿中ブドウ糖排泄促進	脱水症，頻尿，尿路・性器感染症，ケトーシス．高齢者慎重投与

- アマリール錠 1 mg　1 回 1 錠　1 日 1 回　朝食後　←スルホニルウレア系

Px 処方例 インスリン分泌能が比較的保たれ，肥満などでインスリン抵抗性が高血糖の主因と考えられる場合

- メトグルコ錠　1 回 1 錠　1 日 2 回　朝夕食後　←インスリン抵抗性改善薬
  ただし高齢者では慎重投与であり，腎機能，肝機能を定期的に確認する．

Px 処方例 空腹時血糖や HbA1c の異常は軽度で，食後高血糖がみられる場合　下記のいずれかを用いる．

- ベイスン錠 0.2 mg　1 回 1 錠　1 日 3 回　朝昼夕食直前　←αグルコシダーゼ阻害薬
- ファスティック錠 90 mg　1 回 1 錠　1 日 3 回　朝昼夕食直前　←速攻型インスリン分泌促進薬

Px 処方例 複数の経口糖尿病薬を組み合わせても血糖コントロール不良な場合，またはインスリン分泌能が低下している場合

- トレシーバ注　1 日 1 回　朝食後または眠前皮下注　←持効型インスリン
- インスリン 1 回打ちではコントロール困難な場合や，1 型糖尿病の場合は上記に加え，ノボラピッド注 300 フレックスペン　1 日 3 回　朝昼夕食直前皮下注を追加する．投与量は自己血糖測定や HbA1c を確認しながら調節する．

■表 8-3　インスリン製剤の種類

分類	一般名	主な商品名	K	C	V	作用発現時間	最大作用時間	持続時間	特徴
超速効型	インスリンアスパルト	ノボラピッド	○	○	○	10〜20分	1〜3時間	3〜5時間	いずれも遺伝子組み換えによってつくられたヒトインスリンアナログ製剤である 血中への移行が速やかで短時間で血糖降下作用を示す 強化インスリン療法*で使われる
	インスリンリスプロ	ヒューマログ	○	○	○	15分未満	30分〜1.5時間	3〜5時間	
	インスリングルリジン	アピドラ	○	○	○	15分未満	30分〜1.5時間	3〜5時間	
速効型	レギュラーインスリン	ノボリンR	○		○	約30分	1〜3時間	約8時間	食後血糖上昇を速やかに抑えるので，強化インスリン療法*で使われる バイアル製剤は静注が可能 ケトーシスに対して少量持続静注を行う 術中・術後の輸液に添加して使用する
		ヒューマリンR	○	○	○	30〜60分	1〜3時間	5〜7時間	
中間型	NPH	ノボリンN	○			約1.5時間	4〜12時間	約24時間	投与(皮下注)後1〜3時間で作用し，5〜7時間後にピークとなる 初期は朝食前に皮下注，ときに投与回数を増やしたり，他のインスリン製剤と併用する
		ヒューマリンN	○	○	○	1〜3時間	8〜10時間	18〜24時間	
混合型	レギュラーとNPHの混合製剤	ノボリン30R	○			約30分	2〜8時間	約24時間	速効型インスリンと中間型インスリンの混合製剤で，患者の血糖パターンに合わせて選択できる 検査値をみながら適宜増減 1日2回(朝・夕)の食前投与
		イノレット30R	○						
		ヒューマリン3/7	○	○	○	30〜60分	2〜12時間	18〜24時間	
	インスリンアスパルト製剤	ノボラピッドミックス30	○	○		10〜20分	1〜4時間	約24時間	インスリンアスパルト(遺伝子組換え)30%と中間型70%の混合製剤
	インスリンリスプロ混合製剤	ヒューマログミックス25，50	○			5〜15分	25：0.5〜6時間 50：0.5〜4時間	18〜24時間	ヒューマログ(遺伝子組換え)と中間型の混合比率が25%あるいは50%のもの
持効型溶解	インスリングラルギン	ランタス	○	○	○	1〜2時間	ピークなし	約24時間	皮下注後，徐々に血中に移行し，24時間にわたってほぼ一定の血中濃度を示すので，血糖効果作用が長時間持続する 明らかな血糖降下作用のピークがなく，ヒトの基礎分泌に近いので，基礎分泌を補う目的で使用できる 1日1回投与
	インスリンデグルデク	トレシーバ	○	○		−	ピークなし	> 42時間	
	インスリンデテミル	レベミル	○	○		約1時間	3〜14時間	約24時間	

K：プレフィルド/キット製剤　C：カートリッジ製剤　V：バイアル製剤　NPH：neutral protamine hagedorn，商品名の末尾のR，Nはそれぞれレギュラー，NPHの略

*強化インスリン療法：主に1型糖尿病で採用されている療法で，インスリンの頻回注射に血糖自己測定を併用し，患者自身がインスリン注射量を医師の指示で決められた範囲内で調節しながら，良好な血糖コントロールを目指すものである

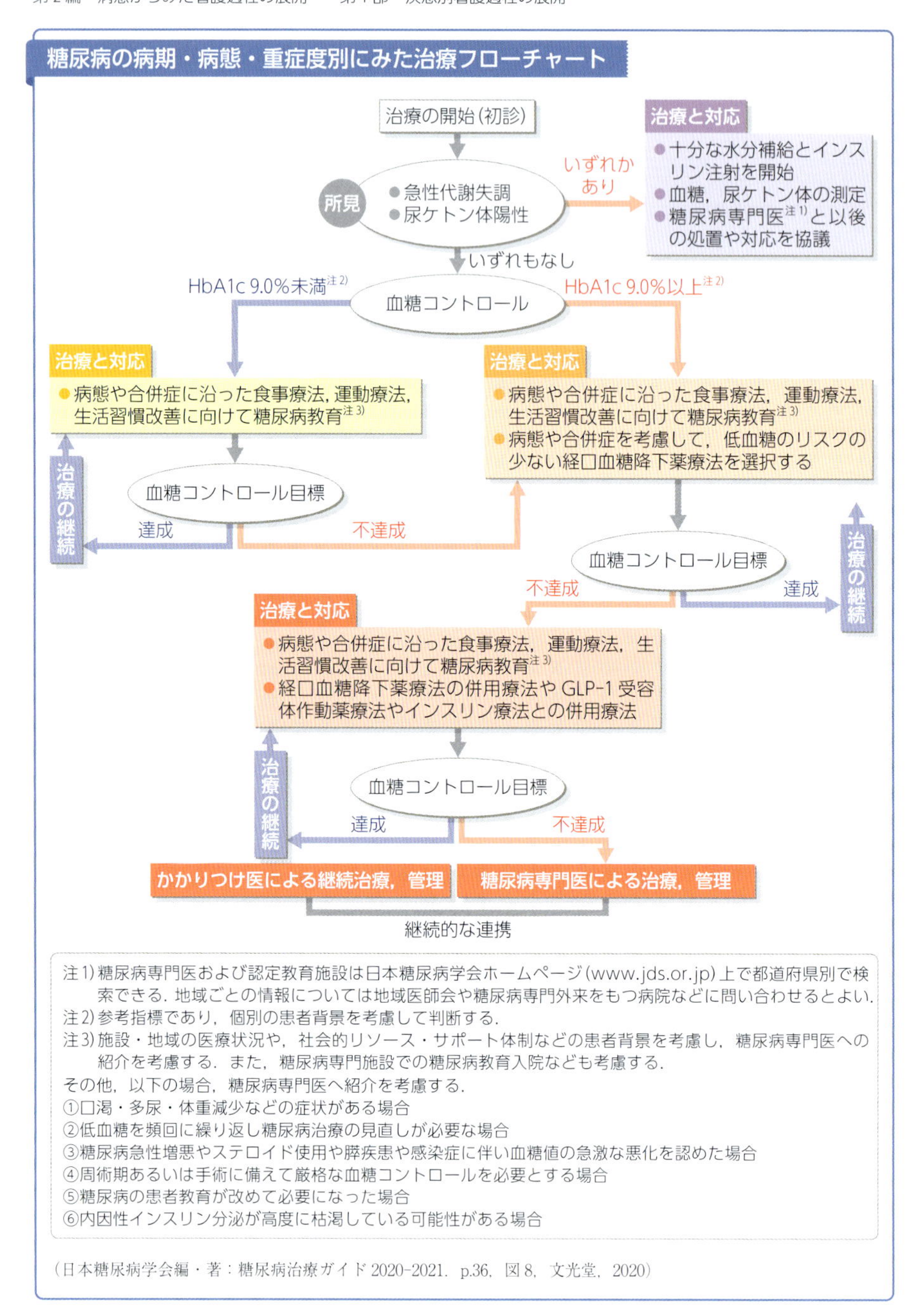

注 1) 糖尿病専門医および認定教育施設は日本糖尿病学会ホームページ（www.jds.or.jp）上で都道府県別で検索できる．地域ごとの情報については地域医師会や糖尿病専門外来をもつ病院などに問い合わせるとよい．
注 2) 参考指標であり，個別の患者背景を考慮して判断する．
注 3) 施設・地域の医療状況や，社会的リソース・サポート体制などの患者背景を考慮し，糖尿病専門医への紹介を考慮する．また，糖尿病専門施設での糖尿病教育入院なども考慮する．

その他，以下の場合，糖尿病専門医へ紹介を考慮する．
①口渇・多尿・体重減少などの症状がある場合
②低血糖を頻回に繰り返し糖尿病治療の見直しが必要な場合
③糖尿病急性増悪やステロイド使用や膵疾患や感染症に伴い血糖値の急激な悪化を認めた場合
④周術期あるいは手術に備えて厳格な血糖コントロールを必要とする場合
⑤糖尿病の患者教育が改めて必要になった場合
⑥内因性インスリン分泌が高度に枯渇している可能性がある場合

（日本糖尿病学会編・著：糖尿病治療ガイド 2020-2021．p.36．図 8．文光堂．2020）

糖尿病をもつ高齢者の看護

長瀬　亜岐

看護の視点

- 糖尿病をもつ高齢者は，身体機能，認知機能，心理状態，生活背景の個人差が大きく，また併存疾患によっても健康状態が変化することから，QOL に焦点をあてて個別的に療養生活を継続して支援していくことが大切である．
- 認知機能や身体機能の低下により，服薬管理や食事療法，運動療法の継続が困難になるが，食べることの楽しみや高齢者のもてる力，その人らしさを大切にした血糖コントロールを行う．
- 糖尿病をもつ高齢者は高浸透圧性高血糖症候群や重症低血糖を起こしやすいため，シックデイ（体調の悪い日）の対応や感染予防を介護支援者とともにサポートできる連携体制を構築する必要がある．

●日常生活における看護の視点

1. 食事療法，運動療法は「もてる力」を活用しながら生活状況に合わせて調整し，QOL の維持・向上を目指す．
2. QOL 低下につながる重症低血糖，高血糖，脱水を予防する．
3. 高血糖により易感染状態であるため，清潔を保ち感染を予防する．

STEP 1 アセスメント　STEP 2 看護の焦点の明確化　STEP 3 計画　STEP 4 実施

情報収集・情報分析

	必要な情報	分析の視点
疾患関連情報	**現病歴と症状** ・糖尿病発症の原因，経過（糖尿病の入院歴） ・糖尿病合併症の有無 ・低血糖の出現頻度，自覚症状	□糖尿病を引きおこす環境因子はないか：肥満や過食，運動不足，ストレスなど □糖尿病の診断を受けてからの経過年数，治療状況はどうか，糖尿病に対する知識や理解の程度はどれくらいか，教育入院をしたことがあるか □微小血管障害（神経障害，網膜症，腎症）や大血管障害（虚血性心疾患，脳血管疾患，閉塞性動脈硬化症）の合併症はあるか □低血糖の頻度，低血糖の自覚症状はあるか，低血糖時に対処できているか
	検査と治療 ・血液検査，尿検査 ・栄養状態，BMI（体重変化・筋肉量） ・食事療法 ・運動療法 ・薬物療法〔血糖自己測定（SMBG）の有無〕 ・シックデイの対応	□定期的な血液検査（血糖値，腎機能），尿検査（アルブミン，蛋白）の結果の推移と血糖コントロールの状態はどうか □血糖コントロールが悪いと認知機能の低下が起こりやすく，また認知機能低下がさらなる血糖コントロール不良をまねくことがあるため，認知機能の低下が治療に影響していないか □食事療法の内容（エネルギー摂取量，蛋白質・食塩・カリウム制限の有無），実施状況はどうか □運動療法の内容，実施状況はどうか □糖尿病治療薬（経口・インスリン製剤）の種類・回数・量と服薬，コンプライアンスはどうか □シックデイの対応方法を理解しているか，または支援者がいるか
	既往歴，合併症，併存疾患 ・既往歴 ・合併症の有無と経過 ・併存疾患の薬物治療	□どのような疾患に罹患したことがあるか □合併症を併発しているか．進行状況や治療はどうなっているか □合併症により生活や治療に支障をきたしていないか □どのような併存疾患をもっているか（悪性腫瘍，認知症，骨粗鬆症，呼吸器感染症，尿路感染症，歯周病など） □併存疾患による侵襲や薬物が血糖値に影響していないか

	必要な情報	分析の視点
身体的要因	**運動機能** ・手指の巧緻性 ・握力，運動能力，歩行状況 ・活動範囲	□薬物治療（内服やインスリン注射，SMBG）の手技が可能か □運動療法を行うにあたって，どの程度の負荷がかけられるか，運動や動作はどの程度行えているか
	認知機能 ・記憶障害，実行機能障害，注意障害はないか	□認知症はないか．認知機能低下により服薬アドヒアランスや生活に影響はないか □高血糖や低血糖によるせん妄や認知機能の変化はないか
	感覚・知覚 ・手足の感覚障害はないか ・視力低下（白内障，網膜症）の有無	□糖尿病神経障害による感覚障害（触覚・痛覚・温度覚）はないか，神経障害が生活に支障を及ぼしていないか，リスクはないか □視力低下による日常生活への影響はないか
心理・霊的要因	**健康知覚・意向，自己知覚** ・疾患や治療，症状の受け止め ・他者の手を借りて生活することへの思い ・疾患管理に気をつけていること	□疾患や症状をどのように受け止め，現在の治療についてどのように理解しているか □他人から支援を受けることで，気持ちが落ち込んでいないか □糖尿病をもちながらどのような生活を送りたいと思っているのか □悪化させないためにどのようなことを心がけているか
	価値・信念 ・治療，療養生活に対する希望 ・生きがい	□何を大切に生きてきたのか，大切にしていることは何か □どのような治療方法と生活スタイルを希望しているか
	気分・情動，ストレス耐性 ・症状や治療に対する不安や悩みの程度と対処方法 ・無気力，無関心，うつの有無	□疾患や症状に対する不安や悩みにどのように対処しているか □食事療法や運動療法が行える心理・精神状態であるか □治療に対するストレスはないか．気分転換を図っているか
社会・文化的要因	**役割・関係** ・家族構成・関係，キーパーソン ・同居家族や支援者の存在	□家族関係はどうか □療養生活をサポートしてくれる支援者の存在はあるか □自己の役割と社会参加，人間関係の変化に対してどのような希望をもっているか
	仕事・家事・学習，遊び，社会参加 ・友人や近隣者との関係 ・社会参加への影響 ・介護保険の申請・利用サービス	□仕事や家事における活動量はどのくらいか □食事療法や薬物療法のために社会的な交流を制限し，QOL を低下させていないか □介護認定を受けているか，必要な利用サービスを受けているか，支援を受けることに遠慮や抵抗はないか
睡眠・休息	**睡眠・休息のリズム** ・不眠の有無 ・夜間の排泄回数	□睡眠時間は十分にとれているか □睡眠薬を服用しているか，服薬している薬物の影響で生活のリズムが崩れていないか □夜間の頻尿によって睡眠が妨げられていないか

	必要な情報	分析の視点
睡眠・休息	**睡眠・休息の質** ・日中の休息時間 ・疲労感 ・睡眠に影響する環境変化	□十分な睡眠がとれているか □日中の傾眠により夜間の睡眠が妨げられていないか □入院やショートステイなどの環境変化により睡眠が妨げられていないか □日中の活動状況はどうか
	心身の回復・リセット ・休息のとり方	□活動量に応じて適切な休息がとれているか
覚醒・活動	**覚醒** ・覚醒の時間と時間帯	□日中は覚醒し，活動しているか □生活リズムが整っているか
	活動の個人史・意味 ・趣味や楽しみ ・運動習慣	□趣味や楽しみを活動に活かせているか □運動療法が現在の身体機能や楽しみに合っているか
	活動の発展 ・活動の意欲 ・日中の眠気，集中力	□心理的な要因で活動意欲が低下していないか □日中の眠気が活動に影響していないか
食事	**食事準備** ・買い物 ・調理担当 ・宅配食の利用	□買い物や調理にサポートが必要か □食事内容，嗜好品(菓子・飲料)，外食，市販惣菜などの利用，宅配食サービスの利用状況はどうか
	食思・食欲 ・食欲不振・食欲過多の有無 ・食習慣(嗜好品) ・味付け ・疲労と食欲 ・活動と食欲 ・食事制限に対する思い	□食欲があるか，偏った食事をしていないか □食習慣が食欲に影響を及ぼしていないか □味付けが食欲に影響を及ぼしていないか □疲労が食欲に影響を及ぼしていないか □活動量が食欲に影響を及ぼしていないか □食事療法に対してどのような思いでいるか
	姿勢・摂食動作 ・食事にかかる時間	□早食いになっていないか □手指の巧緻性や握力の低下によって食事に時間がかかっていないか
	咀嚼・嚥下機能 ・口腔内の異常の有無 ・嚥下障害，味覚障害，嗜好の変化 ・過栄養・低栄養ではないか ・食事に対する価値観	□ドライマウス，味覚低下，う歯，歯牙欠損，義歯不適合はないか □摂食・咀嚼・嚥下障害はないか □食事療法に対してどのような思いでいるか □食事に対してどのような価値観をもっているか
	栄養状態 ・食事療法の内容と実践 ・栄養状態 ・水分摂取量	□欠食，間食，夜食，早食いをしてないか．アルコールを摂取してないか □指示エネルギー量(kcal)，蛋白質・塩分量の摂取状況はどうか □血糖値の変化，体重変化はどうか □必要な水分摂取ができているか
排泄	**尿・便をためる**	□便秘をしていないか □自律神経症状に伴う便秘，神経因性膀胱はないか □尿路感染症の徴候はないか，起こしやすい要因はないか

	必要な情報	分析の視点
排泄	**尿意・便意** ・尿失禁・便失禁の有無	□尿意・便意を伝えられているか □羞恥心から排泄動作の支援を言い出せないことはないか
	姿勢・排泄動作，尿・便の排出 ・トイレまでの移動動作・排泄動作 ・尿道カテーテルや自己導尿など ・おむつ，尿とりパッドの使用の有無	□トイレの移動や排泄動作に支援が必要か □尿道カテーテルや自己導尿など医療処置はないか □おむつ，尿とりパッドの使用状況，交換頻度はどうか
	尿・便の状態 ・尿：回数，量，性状，臭気，排尿困難感，残尿の有無 ・便：回数，量，性状，下剤や浣腸の使用の有無	□夜間の頻尿はないか □高血糖に伴う多尿はないか □尿や便の漏れはないか □便の性状はどうか，下痢・便秘はしていないか
身じたく	**清潔** ・入浴や保清の習慣・頻度 ・口腔ケアの習慣・頻度 ・保清のための介助の必要性	□1 人でも清潔動作ができるか □口腔内の汚れ，口腔内の乾燥はないか □口腔ケアに支援が必要か □感染症を起こさないように清潔が保たれているか
	身だしなみ ・爪切り，髭剃りなどの習慣・頻度 ・更衣の頻度 ・履物	□爪切りができているか □高齢者自身で足（爪，白癬症，陥入爪，胼胝，傷）の観察が行えているか □身だしなみやおしゃれを楽しめているか □傷をつくらない靴を選択できているか
コミュニケーション	**伝える・受け取る** ・言語機能と認知機能 ・支援者の支援体制 ・他者関係，交流	□認知機能の低下や難聴はないか □医療者や家族，ケア提供者とのコミュニケーションは良好にとれているか □食事療法などの制限があっても，友人や仲間との交流はできているか

アセスメントの視点（病態・生活機能関連図へと導くための指針）

糖尿病は，合併症予防のためにも血糖管理が重要である．糖尿病を長年患っている場合には，合併症をすでに発症している場合もあるため，現在の身体機能，認知機能，心理状態，栄養状態，活動の状況，社会・経済状況を総合的にアセスメントすることが必要になる．

とくに食事療法は，食事摂取量の低下や意欲・活動量の低下により，低栄養（p.323）やフレイル，サルコペニア（p.491）に移行しやすいため，高齢者の食への楽しみを喪失しないよう，食事に焦点をあてて看護を展開していく．また，合併症を考慮しながらも，もてる力を引き出し，QOL を損なうことなく運動療法や薬物療法が行えるように「活動」と「身じたく」に焦点をあてて，療養生活におけるリスク管理をふまえた看護を展開する．

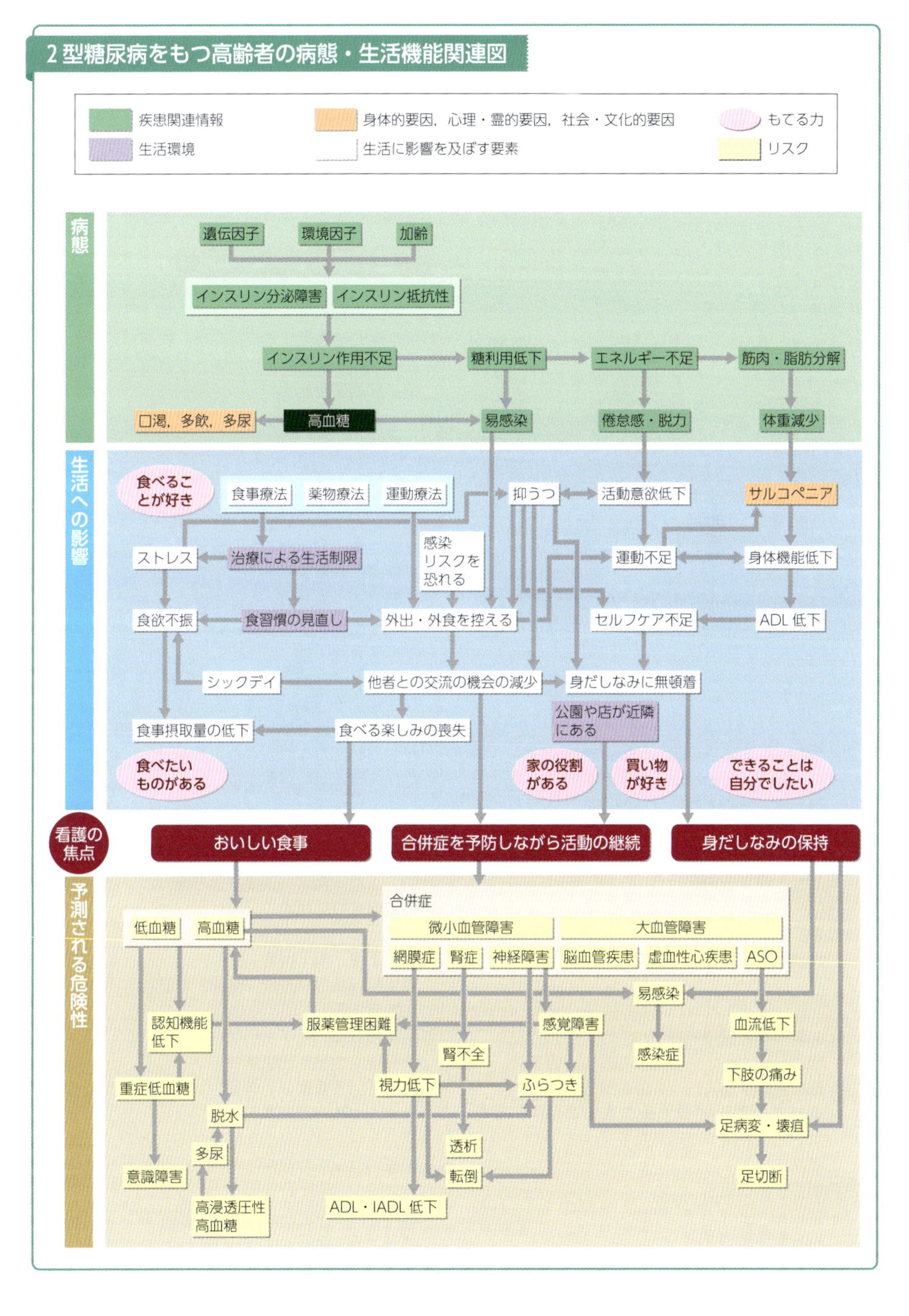

2型糖尿病をもつ高齢者の病態・生活機能関連図
疾患関連情報
身体的要因，心理・霊的要因，社会・文化的要因
もてる力
生活環境
生活に影響を及ぼす要素
リスク
病態
遺伝因子
環境因子
加齢
インスリン分泌障害
インスリン抵抗性
インスリン作用不足
糖利用低下
エネルギー不足
筋肉・脂肪分解
口渇，多飲，多尿
高血糖
易感染
倦怠感・脱力
体重減少
生活への影響
食べることが好き
食事療法
薬物療法
運動療法
抑うつ
活動意欲低下
サルコペニア
ストレス
治療による生活制限
感染リスクを恐れる
運動不足
身体機能低下
食欲不振
食習慣の見直し
外出・外食を控える
セルフケア不足
ADL 低下
シックデイ
他者との交流の機会の減少
身だしなみに無頓着
公園や店が近隣にある
食事摂取量の低下
食べる楽しみの喪失
食べたいものがある
家の役割がある
買い物が好き
できることは自分でしたい
看護の焦点
おいしい食事
合併症を予防しながら活動の継続
身だしなみの保持
予測される危険性
合併症
低血糖
高血糖
微小血管障害
大血管障害
網膜症
腎症
神経障害
脳血管疾患
虚血性心疾患
ASO
易感染
認知機能低下
服薬管理困難
感覚障害
血流低下
腎不全
感染症
重症低血糖
視力低下
ふらつき
下肢の痛み
脱水
足病変・壊疽
透析
多尿
意識障害
転倒
足切断
高浸透圧性高血糖
ADL・IADL 低下

STEP 1 アセスメント　STEP 2 看護の焦点の明確化　STEP 3 計画　STEP 4 実施

看護の焦点の明確化

#1　無理なく血糖コントロールしながら，おいしく食べることができる
#2　血糖値が安定し，合併症を予防しながら活動を継続できる
#3　脱水による皮膚・粘膜の乾燥から生じる不快感や感染を起こすことなく，心地よい身じたくができる

STEP 1 アセスメント　STEP 2 看護の焦点の明確化　STEP 3 計画　STEP 4 実施

1 看護の焦点	看護目標
無理なく血糖コンロールしながら，おいしく食べることができる	1) 好きなものを取り入れながら，食事が楽しめる 2) 過不足なく必要なエネルギーが摂取でき，血糖値が安定する

具体策(支援内容)	根拠
1．高齢者の楽しみを取り入れた食事療法の支援	
・食事療法で指示されているカロリーと実際の食事内容，摂取量に差はないか	
・管理栄養士と連携をとり，食習慣や嗜好を取り入れる工夫をする	●管理栄養士と連携をとりながら，高齢者の生活に基づいた食事療法について検討する
・食事量の過不足がある場合は，管理栄養士や家族・ヘルパーと高齢者に合わせた支援を検討する	●食事療法や運動療法を重視するあまり，低栄養や筋肉量が低下するサルコペニアにならないようにする． ●いままでの食習慣や嗜好を取り入れ，食事療法が苦痛にならないように工夫する
・食事の準備や調理が困難であれば支援(給食サービスや生活介護)の導入を相談する	●料理が億劫となりやすいため，買い物に行くことも運動につながるように習慣づけ，毎日，その日食べる分を料理する
・栄養バランスのとれた食事ができるように，過不足があるときには実践可能なアドバイスを行う	
・おいしく食事摂取ができるように姿勢を正したり，環境調整を行う	●食事の時の姿勢が傾いていると食事をとりにくい．また，食事の環境が落ち着かないと，食欲の減退につながる
1) 食事摂取量が少ない場合	
・食欲低下の原因を検討する	●体調不良，嚥下困難，口腔内の痛み・違和感，消化器症状，心理的・精神的な変化などが食欲に影響する
・栄養補助食品の利用	●食事摂取量の低下から低栄養にならないよう，栄養補助食品を利用する
・環境調整(場所，空間，におい，明るさ，一緒に食事する人)	●落ち着いて食事ができるよう環境を整備することで，食欲が改善することがある
・高齢者が買い物や調理をする場合は，宅配サービス制度や市販惣菜を活用するなど情報提供をする	●買い物や調理の負担を軽減することで，食事の栄養バランスが改善されることがある
2) 食事量が多い場合	
・摂取量が多くなる原因を検討する(咀嚼回数や食事摂取のスピード)	●食べるスピードが速いと，満腹を感じる前に食べ過ぎてしまう
・だしやレモンを使用して，塩分摂取が多くならないように味付けを工夫する	●味付けが濃いと食べ過ぎやすいので，味付けに注意する

3)食事を楽しむ工夫	
・楽しみにしている外食や間食の取り方の工夫について医師・管理栄養士と連携をとりながらメニューの選択方法を説明する	●食品交換表の理解が困難な場合は，高齢者の理解状況にあわせた媒体で説明する
2. 血糖値の測定，全身状態の観察	
・血糖値の観察：血液検査データ，尿検査の把握 ・血糖自己測定(SMBG)や持続血糖モニター(CGM)を行っている場合は血糖値の測定と実施状況の把握 ・バイタルサインの把握	●血糖値，HbA1c，グリコアルブミンを測定し，血糖コントロールの状態を把握する ●高血糖症状・低血糖症状の有無を確認する
・栄養状態(体重測定，BMI・筋肉量，アルブミン，総蛋白)の把握	●急激な体重増加・減少はないか．体重減少がある場合はエネルギー摂取不足，活動量の増加，高血糖，悪性腫瘍やうつ病が背景にないか確認する

2 看護の焦点	看護目標
血糖値が安定し，合併症を予防しながら活動を継続できる	1)毎日の活動を意欲的に維持・継続できる 2)体調不良時や低血糖時に対応・予防ができる 3)服薬アドヒアランスが維持でき，血糖値が安定する

具体策(支援内容)	根拠
1. 活動の維持・継続への支援	
1)役割・活動の維持	
・生活習慣，楽しみ，趣味活動を把握し，体調に合わせて役割活動や趣味活動を日課に取り入れていく	●加齢や疾患，合併症で困難なこともあるが，役割や活動を継続し，生活リズムを整えることが重要である
・高齢者の気持ちを十分に表現できる場面をつくり，希望や不安などを傾聴する	●高齢者はできなくなることに対して悲観的になることもあるため，もてる力を活用して自立できることを維持していく
2)運動療法	
・運動療法の禁止や制限がないか確認する ・室内運動や近所の散歩，レクリエーションなど身体機能に合わせて，毎日継続できる運動を取り入れる ・日常生活でできていることの継続が大切であることを説明し，毎日買い物に出かけるなど用事をみつけて身体を動かすことを勧める ・適度な運動を心がける．「きつい」と感じない，頑張りすぎないように説明する 【例】 ・有酸素運動(歩行，水泳，水中ウォーキング等) ・レジスタンス運動(腹筋，ダンベル，スクワット) ・バランス運動(片足立位保持，体幹バランス運動など)	●運動療法を禁止あるいは制限した方がよい場合について，日本糖尿病学会・日本老年医学会の『高齢者糖尿病治療ガイド 2018』では「糖尿病の代謝コントロールが極端に悪い場合」「増殖網膜症による新鮮な眼底出血がある場合」「腎不全の状態にある場合」「虚血性心疾患や心肺機能に障害のある場合」「骨・関節疾患がある場合」「急性感染症」「糖尿病壊疽」「高度の糖尿病自律神経障害」をあげている ●高齢者は運動器疾患が併存していることが多い．腰部や膝部に負担がかからないよう，併存疾患が悪化しないよう理学療法士と話し合い，具体的な運動量と方法を説明する ●定期的な運動は代謝異常の是正だけでなく，ADL の維持や認知機能低下予防にも有効である

・運動時は運動に適した体温調整できる服装やウォーキングシューズを着用し，準備運動や整理運動を行う

2. 体調不良時や低血糖の予防・対応

1)低血糖予防・対応

・低血糖時の自覚症状を確認する
・早朝空腹時・夕食前のような低血糖が起こりやすい時間の活動は避ける
・運動時にはブドウ糖を含むもの(例：飲料，錠剤，ゼリーなど)を携帯し，万一のときに糖尿病であることが周囲の人にわかるものを身につけておく
・低血糖の症状を理解し，普段と何か違うというときには血糖測定をする
・経管栄養中の場合は発見が遅れる場合があるので，注意して観察する

●低血糖を起こしていても，高齢者本人が気づいていないこともあるので把握する
●低血糖を避けることが重要で，1日のうちどの時間帯に起こりやすいかを説明する．高齢者は低血糖症状に気づきにくく，気づいた時には重度の低血糖になっていることがある
●高齢者は発汗，動悸，手の震えといった低血糖症状が出現しにくく，非典型的な症状(頭がくらくらする，フラフラする，めまい，脱力，目のかすみなど)やせん妄，人格変化，無気力といった精神症状が出現する場合もある
●低血糖により片麻痺や構音障害など脳血管障害のような症状をきたすこともあるので注意する

2)シックデイ(体調不良時)

・下痢や脱水，発熱などといった体調不良時(シックデイ)の対応について，かかりつけ医や訪問看護師への連絡体制や早期受診の方法の体制を決め，高齢者や家族，介護者などと共有する

●高齢者は口渇に気づきにくく，身体機能の低下から水分摂取が十分にできないため，発熱や急性疾患から脱水を起こしやすく高浸透圧性高血糖症候群をきたしやすい

【シックデイ時の対応(2型糖尿病)】
・経口血糖降下薬は原則中止する．インスリン治療中の場合は，食事がとれなくても自己判断でインスリン注射を中止せず主治医の指示を受ける
・十分な水分摂取により脱水を予防する
・食欲低下時は口当たりがよく，消化のよい食べ物を摂取し，絶食しないようにする

●シックデイのときは，特別の注意が必要である．普段からシックデイの時は主治医に連絡して指示を受けるよう高齢者・家族に指導しておく

3. 服薬アドヒアランスへの支援

・薬の内服時間や効果，食事摂取量を把握し，服薬状況を確認する
・服薬の考えや価値や生活に適した処方内容か．アドヒアランスが低下している場合はその原因を探り，改善できることはないか医師と相談する
・飲み忘れの工夫として服薬カレンダー，ピルボックス，タイマーの利用，一包化の導入を検討するほか，家族・ヘルパーに服薬確認を依頼する

●アドヒアランス低下の原因を探り，工夫することで改善できることはないか高齢者と検討する
●加齢や血糖変動によって認知機能の低下がみられると服薬管理が困難になるため，服薬管理支援者の存在が重要になる

【インスリン注射使用時】
・インスリン注射の手技が困難になる場合もあるため，定期的に手技を確認する
・視力や巧緻性の低下を補助するインスリンの目盛りが見やすいものや，血糖測定時に手動

●インスリンの種類やデバイスなどを高齢者の機能に合わせて変更する場合には，慣れたものから変更することのリスクも考慮する必要がある

具体策(支援内容)	根拠
けするデバイスを高齢者に合わせて活用する ・インスリン接種回数が多く，適切な支援が得られない場合は，週1回タイプへの切り替えなど，医師や薬剤師と検討し，必要時は訪問看護の導入を検討する	●高齢者の身体状況に合わせた工夫が必要である

3 看護の焦点	看護目標
脱水による皮膚・粘膜の乾燥から生じる不快感や感染を起こすことなく，心地よい身じたくができる	1) 足病変を予防するための自己管理ができる 2) 感染の予防，早期発見ができる 3) 口腔内の清潔が保持できる 4) 脱水を起こさない

具体策(支援内容)	根拠
1. 足病変予防	
1) フットケア	
・足に傷や乾燥，血流不全がないか観察を行う．変形・腫れ・爪・皮膚を観察し，必要時は爪を切る 【足部の観察項目】 ・足趾関節の変形の有無 ・下肢末梢冷感や浮腫の有無 ・疼痛・しびれ感の有無 ・足白癬，爪白癬，胼胝(べんち)，鶏眼の有無 ・入浴，足浴，清拭などを行い，足の清潔を保ち，マッサージを行う ・皮膚の乾燥予防のために保湿剤を塗布し，必要時は軟膏処置を行う	●清潔の保持とともに，下肢末梢循環の促進が得られる ●閉塞性動脈硬化症(ASO)や神経障害の有無を観察することで，足病変の早期発見につなげる ●神経障害があると靴ずれや陥入爪による痛みに気づけない ●自律神経障害による発汗機能の低下や動静脈シャント血流量の増大で，足が乾燥しやすくなり，角質が肥厚し，亀裂は感染症や壊疽の原因になる ●胼胝，鶏眼は足潰瘍の形成につながる
2) 環境調整	
・靴の選択(ウォーキングシューズ)	●靴の幅が狭くないものを選ぶ．靴紐やマジックテープで，むくんできた時に緩めることができるものを選択する
・感覚障害がある場合は電気アンカや温風ヒーター，カイロで熱傷を起こさないように調整する	●足の感覚障害によって自覚症状が乏しくなるため，温度覚・痛覚が低下することにより熱傷が起こりやすい．一度起こすと感染しやすく治癒が遷延するため予防が大切である
2. 感染症予防	
・肺炎やインフルエンザが重症化しないようにワクチン接種を促す ・尿路感染症の予防(「13 尿路感染症」参照) ・手洗いの励行	●高血糖は易感染である．また感染症によっても高血糖をきたしやすいことから異常の早期発見，予防が重要となる
3. 口腔ケア	
・口腔内の観察，義歯の使用状況，口腔ケアの実施・方法について観察・把握する ・定期的な歯科受診・訪問歯科などの利用を推奨する	●糖尿病では歯周病のリスクが高くなる ●口腔機能が低下すると食のQOLが低下するので，オーラルフレイルを予防することが大切である ●誤嚥性肺炎予防のため，寝る前の口腔ケアが重要である

4. 脱水予防

- 皮膚，口腔内，腋窩の乾燥がないかを観察する
- 水分摂取量を把握し，脱水予防のために好みの温度の水分が摂取できるように援助する

●糖尿病は高血糖により脱水になりやすく，また血液の粘稠度を高めるため，血栓の発生につながりやすく注意が必要である

- 季節や気候・気温に合わせた着心地のよい衣類を選択できるように支援する

●気候・気温に合った衣類の着用は，快適に過ごすために大切である

- 外気温や室温・湿度，睡眠環境を調整する

●高齢者は寒がりであることが多い．また反対に室温が高い状況でもエアコンをつけず過ごし，重ね着していることもあるため環境調整が必要である

関連項目

※もっと詳しく知りたいときは，以下の項目を参照しよう．

糖尿病に関連したリスク

●「17 脱水（→ p.340）」：高血糖が血液の浸透圧を高めて脱水になりやすい機序を理解し，その前兆，観察，具体的な予防策について考えてみよう

●「13 尿路感染症（→ p.272）」「白癬（→ p.257）」：糖尿病は易感染状態であるため，高齢者がかかりやすい感染症のリスクを確認し，予防策を考えてみよう

●「29 転倒（→ p.504）」：低血糖や合併症（神経障害や視力障害）により転倒のリスクがないかを確認し，転倒予防に向けた環境調整をしよう

●「1 認知症（→ p.56）」：糖尿病はアルツハイマー型認知症や血管性認知症の発症リスクが高いため，認知機能低下による症状について確認しよう

●「3 脳卒中（→ p.93）」：合併症である大血管障害の１つ

9 前立腺肥大症

秋下　雅弘

目でみる疾患

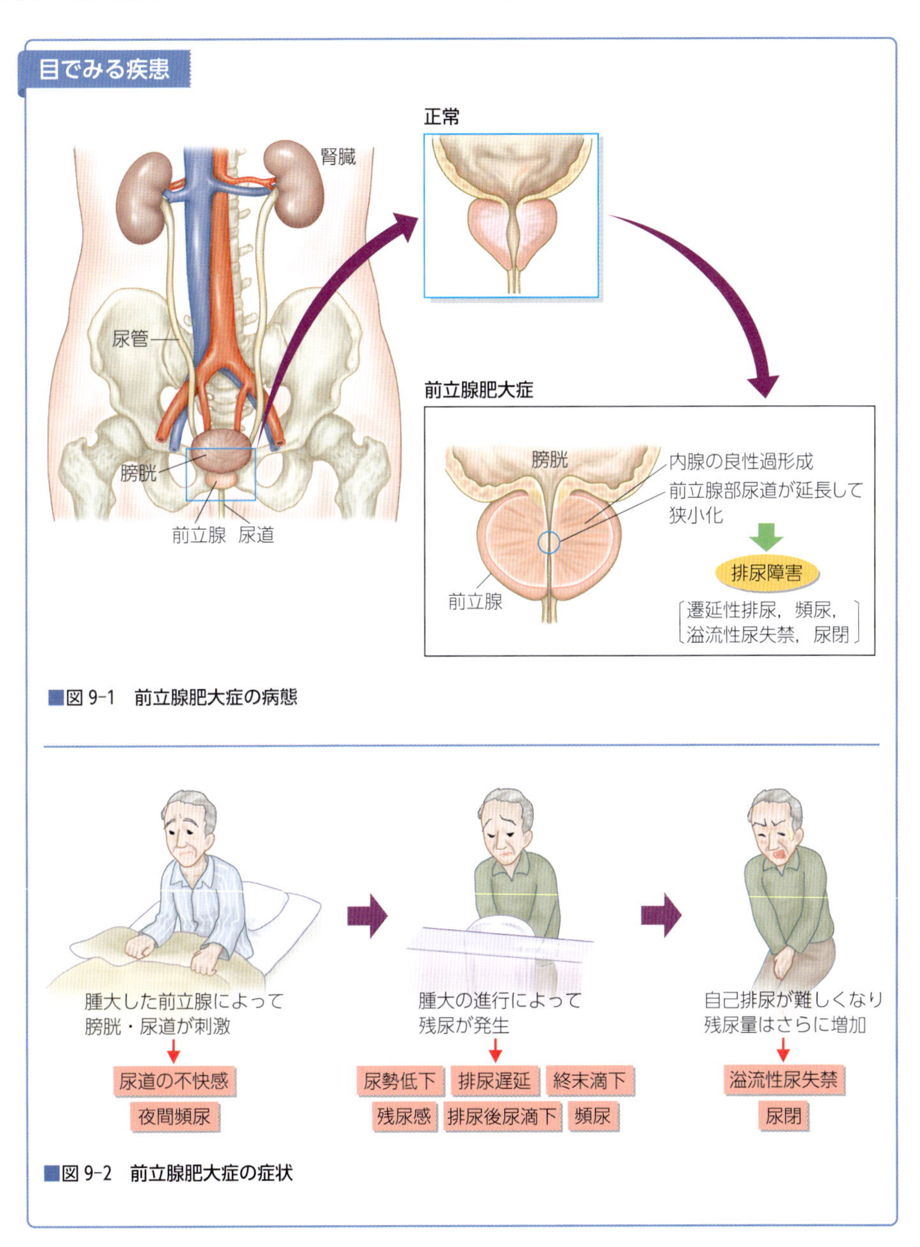

■図 9-1　前立腺肥大症の病態

■図 9-2　前立腺肥大症の症状

病態生理

前立腺肥大症とは，「前立腺の良性過形成による下部尿路機能障害を呈する疾患で，通常は前立腺腫大と膀胱出口部閉塞を示唆する下部尿路症状を伴う」と定義されている（男性下部尿路症状・前立腺肥大症診療ガイドライン）．

- 前立腺肥大症は内腺の良性過形成（組織学的には細胞数の増加で，肥大というより過形成ないし増殖）で，平滑筋と結合織からなる間質，腺上皮，その内腔から構成される．
- 前立腺肥大症の病態は，前立腺腫大と下部尿路症状，膀胱出口部閉塞の3つの要素が複合的に関係したもので，前立腺体積より平滑筋収縮による機能性閉塞や肥大結節の膀胱内突出が閉塞と関係する場合もある．

病因・増悪因子

- 前立腺の加齢変化に加えて，内分泌環境の変化（エストラジオールの増加がテストステロンと協調して関与），炎症と虚血，前立腺平滑筋のアドレナリン α 受容体活性化，NO/cGMP系の低下などが病態形成に関与しているとされる．
- 増悪因子としては，加齢，肥満，高血圧，高血糖，脂質異常症，メタボリック症候群，前立腺腫大，PSA高値などがある．

疫学・予後

- 組織学的な前立腺肥大は30歳代より認められ，その頻度は加齢に従って増加し，80歳代では約90%になる．
- 前立腺肥大症の有病率は症状・所見の設定条件により変動するが，上記ガイドラインでは，40歳代2%，50歳代2%，60歳代6%，70歳代12%とされる．
- 時間経過に伴って，前立腺体積，下部尿路症状，医療機関受診，尿閉の発生リスクは総じて増加し，薬物療法や手術療法へ移行する例が多い．

症状

排尿困難，残尿感，頻尿，尿意切迫感，尿閉がみられる．

- 下部尿路症状（lower urinary tract symptoms：LUTS）のうち，排尿症状と排尿後症状が先行し，進行期あるいは病態によって蓄尿症状を認める．
- 排尿症状としては，尿勢低下，排尿遅延（排尿開始までに時間がかかる），腹圧排尿（いきまないと排尿が持続しない），終末滴下（尿の切れが悪い），排尿後症状としては，残尿感，排尿後尿滴下（排尿後に着衣内などで尿がたらっと漏れる状態）がみられる．
- 進行して残尿量が多くなると，あるいは過活動膀胱などの膀胱障害を伴うと，頻尿（とくに夜間頻尿），尿意切迫感などの蓄尿症状がみられるようになる．
- さらに進行すると，溢流性尿失禁や尿閉も出現する．

診断・検査値

症状と病歴の聴取，身体所見，尿検査，血清PSA測定に加え，専門医では質問票による症状・QOL評価，尿流測定，残尿測定，前立腺超音波検査などを施行する．

- LUTSの内容と程度および経過，病態に影響を与える併存疾患や手術歴を聴取する．
- 腹部，骨盤，外陰部の診察を行い，神経学的所見を確認する．直腸診では，前立腺を触知し，大きさ・硬さ・硬結の有無を評価する．
- 国際前立腺症状スコア（International Prostate Symptom Score：IPSS）とQOLスコア（IPSS-QOL）（表9-1）で，前立腺肥大症に伴うLUTSの重症度診断，治療選択，治療効果の評価が行える．

●検査値

- 尿検査は尿路感染症，膀胱がん，尿路結石などを鑑別するために行う．
- 血清前立腺特異抗原（prostate specific antigen：PSA）測定は前立腺がんのスクリーニング目的に行う．
- 尿流測定はLUTSの客観的な評価に有用であるが，特殊機器を必要とする．

■表 9-1　国際前立腺症状スコア(IPSS)と QOL スコア質問票

どれくらいの割合で次のような症状がありましたか	全くない	5回に1回の割合より少ない	2回に1回の割合より少ない	2回に1回の割合くらい	2回に1回の割合より多い	ほとんどいつも
この1か月の間に，尿をしたあとにまだ尿が残っている感じがありましたか	0	1	2	3	4	5
この1か月の間に，尿をしてから2時間以内にもう一度しなくてはならないことがありましたか	0	1	2	3	4	5
この1か月の間に，尿をしている間に尿が何度もとぎれることがありましたか	0	1	2	3	4	5
この1か月の間に，尿を我慢するのが難しいことがありましたか	0	1	2	3	4	5
この1か月の間に，尿の勢いが弱いことがありましたか	0	1	2	3	4	5
この1か月の間に，尿をし始めるためにお腹に力を入れることがありましたか	0	1	2	3	4	5

	0回	1回	2回	3回	4回	5回以上
この1か月の間に，夜寝てから朝起きるまでに，ふつう何回尿をするために起きましたか	0	1	2	3	4	5

IPSS＿＿＿＿＿＿＿＿＿＿点

	とても満足	満足	ほぼ満足	なんともいえない	やや不満	いやだ	とてもいやだ
現在の尿の状況がこのまま変わらずに続くとしたら，どう思いますか	0	1	2	3	4	5	6

QOL スコア＿＿＿＿＿＿＿＿＿＿点

IPSS 重症度：軽症(0〜7点)，中等症(8〜19点)，重症(20〜35点)
QOL 重症度：軽症(0，1点)，中等症(2，3，4点)，重症(5，6点)

(日本泌尿器科学会編：男性下部尿路症状・前立腺肥大症診療ガイドライン．p.84，表7，リッチヒルメディカル，2017より転載)

- 残尿測定はカテーテルによる導尿，あるいは超音波検査により行う．超音波検査による残尿量測定が推奨され，操作が容易な残尿測定専用の超音波機器もある．
- 超音波検査は残尿測定の他に，前立腺の形態や体積，膀胱，上部尿路の評価が可能である．経腹的検査の他に，経直腸的，経尿道的検査もある．

合併しやすい症状

- 前立腺肥大症の合併症・併存症として，前立腺・下部尿路疾患(前立腺炎，前立腺がん，尿道狭窄など)，脳神経疾患(脳血管障害，認知症，パーキンソン病など)，薬物有害事象などがある．
- 認知症や脳血管障害は，下部尿路機能自体に大きな影響はないが，トイレに行けない，場所や排尿動作がわからない，尿意を訴えられないなどの理由から尿失禁(機能性尿失禁)となることがあり，病態を悪化させる．
- 過活動膀胱や不整脈，パーキンソン病などの治療に用いられる抗コリン系薬物は，膀胱収縮を抑制するため尿閉の原因となることがあり，注意を要する．

治療法

●治療方針

- 治療法は，経過観察(無治療)，行動療法，薬物療法，手術療法，その他に分けられ，治療法の特性と患者の病態を考慮して適用する．
- 行動療法は食事・運動などの生活指導，膀胱訓練などの理学療法で，広く適用される．
- 薬物療法でも十分な改善が得られない前立腺肥大症に対しては手術療法が適応となる．
- その他，尿道カテーテルを用いる管理方法があるが，留置カテーテルは尿路感染のリスクが高いので可能な限り避け，専門医に相談する．

●薬物療法

- 前立腺肥大症の治療薬は α_1 遮断薬あるいはホスホジエステラーゼ 5 (PDE5) 阻害薬が第一選択薬である．

■表 9-2　前立腺肥大症の主な治療薬

分類	一般名	主な商品名	薬の効くメカニズム	主な副作用
α_1 遮断薬	タムスロシン塩酸塩	ハルナール	膀胱頸部，前立腺尿道に存在する交感神経 α_1 受容体の遮断を介して尿道内圧を低下させ，前立腺肥大症に伴う排尿障害を改善する	ふらつき・起立性低血圧，肝機能障害，黄疸など
	シロドシン	ユリーフ		
	ナフトピジル	フリバス		肝機能障害，黄疸，過敏症など
	テラゾシン塩酸塩水和物	ハイトラシン，バソメット		ふらつき・起立性低血圧，肝機能障害，黄疸など
	ウラピジル	エブランチル		精神神経症状，循環器症状，消化器症状など
	プラゾシン塩酸塩	ミニプレス		ふらつき・起立性低血圧，狭心症など
5α 還元酵素阻害薬	デュタステリド	アボルブ	5α 還元酵素阻害作用により，テストステロンからジヒドロテストステロンへの変換を抑制する	勃起不全，リビドー(性欲)減退，乳房障害(女性化乳房，乳房痛など)
ホスホジエステラーゼ 5 (PDE5) 阻害薬	タダラフィル	ザルティア	血管平滑筋弛緩に関わる cGMP を分解する PDE5 を阻害し，平滑筋内 cGMP 濃度を上昇させることで血管拡張・血流改善に働く	消化器症状，動悸，頭痛など
抗アンドロゲン薬	クロルマジノン酢酸エステル	プロスタール	アンチアンドロゲン作用(直接的抗前立腺作用)を有する	うっ血性心不全，血栓症，劇症肝炎など
	アリルエストレノール	コバレノール，メイエストン	前立腺の肥大抑制または肥大結節の縮小効果が認められる	過敏症，肝臓症状，電解質異常
抗コリン薬(ムスカリン受容体拮抗薬)	フェソテロジンフマル酸塩	トビエース	膀胱のムスカリン受容体におけるアセチルコリンの働きを阻害し，過剰な膀胱収縮を抑制する	便秘，口腔乾燥，尿閉
	コハク酸ソリフェナシン	ベシケア		
	プロピベリン塩酸塩	バップフォー		
	オキシブチニン塩酸塩	ネオキシ		
β_3 作動薬	ミラベグロン	ベタニス	膀胱平滑筋の β_3 受容体に作用し，蓄尿期のノルアドレナリンによる膀胱弛緩作用を増強することで，膀胱容量を増大させ，尿道を収縮させる	心臓刺激作用，尿閉，高血圧

- α_1 遮断薬は，受容体選択性によって効果や副作用が異なり，尿道選択性の低いタイプは起立性低血圧や転倒のリスクがあるため，高齢者では可能な限り使用を控える．
- PDE5 阻害薬は，一酸化窒素（NO）の作用増強を介する尿道平滑筋弛緩作用，前立腺血流改善作用などにより効果を発揮する．狭心症などに用いる硝酸薬との併用は禁忌．
- 5α 還元酵素阻害薬は，前立腺体積 30 mL 以上の場合に変更ないし追加を検討する．テストステロンの作用を減弱し，前立腺縮小効果が期待できるが，効果発現までに長期間の使用が必要となる．
- 過活動膀胱症状に対してはムスカリン受容体拮抗薬ないし交感神経 β_3 作動薬の追加を検討するが，前者は抗コリン作用による便秘，口腔乾燥，尿閉，後者は心臓刺激作用といった副作用に注意する．

Px 処方例　α_1 遮断薬のうち尿道選択性の高い下記のいずれかを用いる．
- ユリーフ OD 錠 2・4 mg　1 回 1 錠　1 日 2 回　朝夕食後　←α_1 遮断薬
- ハルナール D 錠 0.1・0.2 mg　1 回 1 錠　1 日 1 回　食後　←α_1 遮断薬
- フリバス OD 錠 25・50・75 mg　1 回 1 錠　1 日 1 回　食後　←α_1 遮断薬

Px 処方例　作用時間の長い PDE5 阻害薬
- ザルティア錠 5 mg　1 回 1 錠　1 日 1 回　朝ないし夕食後　← PDE5 阻害薬

Px 処方例　5α 還元酵素阻害薬
- アボルブカプセル 0.5 mg　1 回 1 カプセル　1 日 1 回　朝ないし夕食後　← 5α 還元酵素阻害薬

Px 処方例　過活動膀胱症状の改善目的で，以下のいずれかを併用する．
- トビエース錠 4・8 mg　1 回 1 錠　1 日 1 回　食後　←ムスカリン受容体拮抗薬
- ベシケア錠 2.5・5 mg　1 回 1 錠　1 日 1 回　食後　←ムスカリン受容体拮抗薬
- バップフォー錠 20 mg　1 回 1 錠　1 日 1 回　食後　←ムスカリン受容体拮抗薬
- ネオキシテープ 73.5 mg/枚　1 回 1 枚　1 日 1 回　貼付　←ムスカリン受容体拮抗薬

Px 処方例　過活動膀胱症状の改善目的で，以下を併用する．
- ベタニス　25～50 mg　1 回 1 錠　1 日 1 回　食後　←β_3 作動薬

●外科療法
- 手術療法は，薬物療法の効果が不十分，中等度から重度の症状，尿閉・尿路感染症・血尿・膀胱結石などの合併症がある（または危惧される）場合に考慮される．
- 手術療法は，組織の切除や蒸散を主体とする術式，組織の熱凝固・変性を主体とする術式，その他に大別される．
- 経尿道的前立腺切除術（transurethral resection of the prostate：TURP）が標準的術式である．

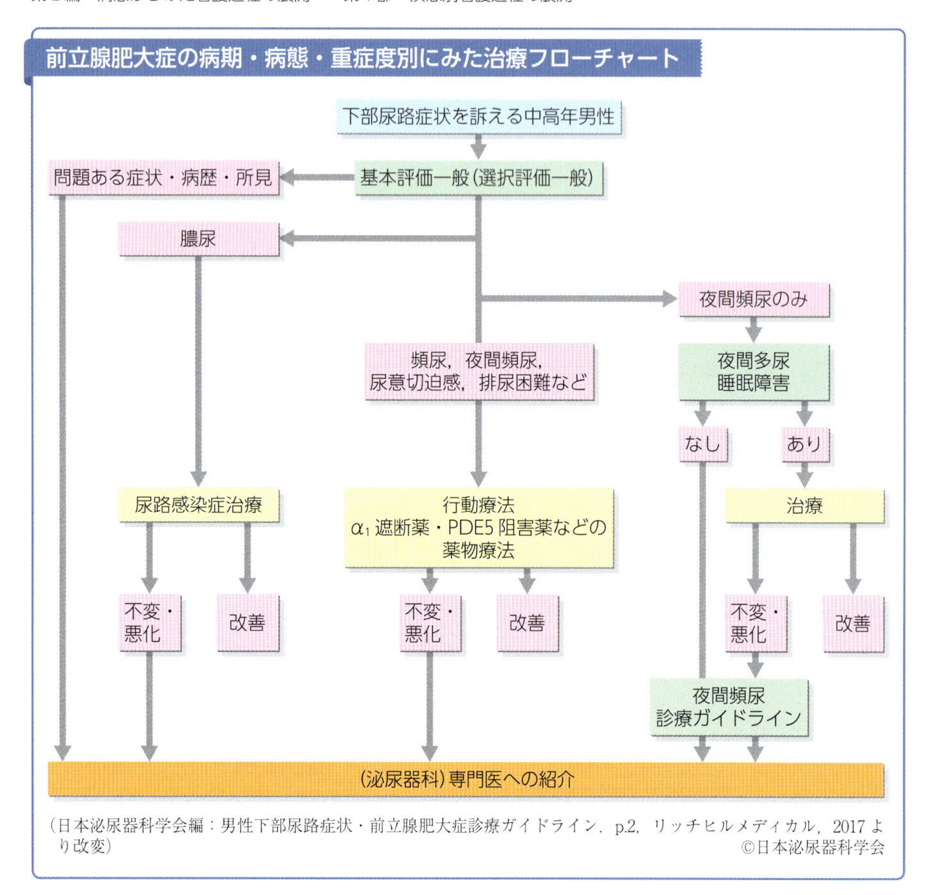

(日本泌尿器科学会編：男性下部尿路症状・前立腺肥大症診療ガイドライン．p.2，リッチヒルメディカル，2017より改変)

前立腺肥大症をもつ高齢者の看護

内ヶ島伸也

看護の視点

- 前立腺肥大症に伴う排尿障害は，前立腺の大きさと単純に比例するわけではなく，前立腺が肥大していても尿路閉塞による排尿困難などの症状が出現していなければ治療の必要はない．また，前立腺肥大に伴う自覚症状は，単に加齢変化によるものや他の疾患や障害によっても生じるため，その鑑別が必要となる．
- 前立腺肥大症の自覚症状は，その人の主観的な経験であるため，障害の程度を把握するのが難しい面もある．問診による症状の評価法である国際前立腺症状スコア（I-PSS）や各種検査結果および排泄援助の際の観察を通して，症状や障害の程度を把握し，それに応じた看護を展開しなければならない．

●前立腺肥大症の進行度に応じた看護の視点

【第 1 期：刺激症状期】前立腺が膀胱頸部や後部尿道を刺激することで，頻尿，尿意切迫，下腹部不快感などの症状が出現する．残尿はほとんどないが，排尿困難〔遷延性排尿・苒延(ぜんえん)性排尿〕が軽度にみられ，尿失禁の不安を伴い，活動や睡眠を妨げることとなり，これまでの生活の継続を困難にする．そのため，このような日常生活への影響と不安へのケアが必要である．

【第 2 期：残尿発生期】前立腺による尿道圧迫が増大して排尿困難が強くなり，残尿が出現する．残尿が出現すると，尿路感染症を起こしやすくなる．排尿に努責を要することや排尿にかかる時間が延長すること，残尿が多くなることによる苦痛，不安，ストレスへのケアと，手術も含めた治療に対する支援が必要となる．

【第 3 期：慢性尿閉期】常に尿閉の状態であり，多量の残尿による尿路感染症や膀胱結石を発症し，残尿で膀胱が過拡張した結果，溢流性尿失禁が出現し，水腎症や水尿管症となって腎機能低下へとつながっていく．導尿や外科的治療といった対応が求められ，治療や処置に伴う身体的・心理的苦痛へのケアが必要となる．

※ここでは，第 1 期から第 2 期にあって，薬物による内科的治療を受ける高齢者への看護を中心に焦点を当てる．

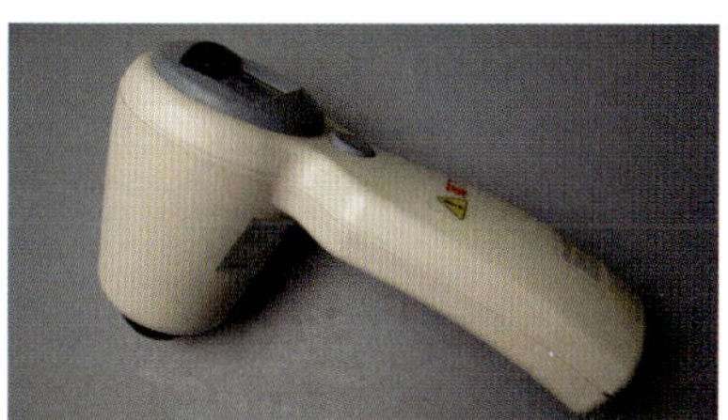

■図 9-3　膀胱用超音波画像診断装置 BladderScan® BVI6100

導尿をしなくても膀胱内尿量を計測できる．

STEP① アセスメント　STEP② 看護の焦点の明確化　STEP③ 計画　STEP④ 実施

情報収集・情報分析

	必要な情報	分析の視点
疾患関連情報	**現病歴，症状** ・排尿回数・間隔（日中・夜間） ・尿量（1 回量，1 日量） ・遷延性排尿，苒延性排尿 ・尿線の性状 ・残尿感，残尿量，溢流性尿失禁 ・下腹部の不快感，重圧感 ・感染症や腎機能への影響 ・薬物の効果と有害事象	□前立腺肥大症による膀胱刺激症状や尿路閉塞症状の有無と程度を，高齢者の訴えや排尿動作の観察，検査結果から把握する □尿量，残尿量の測定，高齢者の訴えから排尿困難と残尿に伴う不快や苦痛をとらえる □排尿回数，排尿に要する時間，尿量，残尿量の変化を把握して，定期的に薬物療法の効果を評価する □尿路感染症や膀胱結石，水腎症，水尿管症などの徴候を見逃さない □ α_1 遮断薬使用に伴う起立性低血圧や倦怠感，抗アンドロゲン薬使用に伴う性欲減退や勃起不全などの有害事象の有無，生活への影響をアセスメントする

	必要な情報	分析の視点
身体的要因	**運動機能** ・移動能力 ・座位保持能力 ・手指の巧緻性	□トイレまでの移動方法（歩行や車椅子）と移動できる距離に制限がないか □トイレでの排尿姿勢保持に問題はないか □衣服の上げ下げや後始末などの動作に支障はないか
	認知機能，感覚・知覚 ・尿意や症状の知覚 ・トイレの場所の認識	□尿意や症状をどれくらい正確に知覚・認識できるか □排泄動作に支障をきたすような認知障害や視覚障害はないか
	言語機能 ・語彙，声量，筆談などの伝達能力	□尿意や自覚症状を支援者に伝えて必要な支援を求められるか
心理・霊的要因	**健康知覚・意向，自己知覚** ・疾患・症状をどのようにとらえているか	□疾患や症状をどのように受けとめ，現状で何を問題として認識しているか
	価値・信念 ・治療，療養生活に対する希望	□どのような治療方法と生活スタイルを希望しているか
	気分・情動，ストレス耐性 ・症状や治療に伴う不安や悩みと対処方法	□頻尿や尿意切迫症状，尿失禁への不安などから生じる落ち着かなさに悩んでいないか □治療による気分の落ち込みはないか □症状に伴う悩みや不安を表現できているか □症状や治療に伴う不安や悩みに対してどのように対処しているか
社会・文化的要因	**役割・関係，社会参加** ・生じている変化 ・生じた変化の受け止めと希望	□家庭内や社会での役割，人間関係にどのような影響が生じているか □自己の役割と社会参加，人間関係の変化にどのように向き合っているか □自己の役割と社会参加，人間関係の変化に対してどのような希望をもっているか
	仕事・家事・学習，遊び ・生じている変化 ・継続したいこと，新たに見出した希望	□ライフワークや楽しみとしている活動の継続に影響が生じていないか □症状や治療に伴って生じた活動の変化をどのように受け止めているか □これまでのつながりを保つことや，新たな楽しみを見出すためにどのような希望をもっているか
睡眠・休息	**睡眠・休息のリズム，睡眠・休息の質** ・夜間の排尿回数，熟眠感	□夜間頻尿による睡眠への影響（中途覚醒など）はあるか □熟眠感が得られずストレスを感じていないか
	心身の回復・リセット ・動作の緩慢さ，疲労感 ・表情のかたさ，落ち着かない様子	□頻尿や排尿時間の延長で，排泄に伴う疲労をためていないか □尿失禁への不安から常に緊張状態にあったり，1 日のなかで排尿にかかわる時間が増大することで，心理的な休まりを得られない状況にないか
覚醒・活動	**覚醒** ・日中の強い眠気，集中力の変動	□夜間頻尿による睡眠不足が，日中の覚醒に影響していないか □頻尿などに伴うストレスや疲労で，集中力が変動していないか

	必要な情報	分析の視点
覚醒・活動	**活動の個人史・意味** ・これまでの活動が継続できているか	□頻尿や尿意切迫症状によって，活動意欲が低下していないか □頻尿や尿意切迫，尿失禁などの症状によって，活動の範囲や内容が縮小していないか □薬物療法の有害事象による活動意欲や活動内容への影響はないか
	活動の発展 ・ライフワーク，楽しみ	□今後の活動に対してどのような希望をもっているか
食事	**食事準備，食思・食欲** ・食べ物の嗜好，摂取量の変化	□利尿作用の高い食品や水分を多く摂取していないか □不十分な睡眠や活動量の低下が食欲に影響を及ぼしていないか □頻尿や尿意切迫症状が食事への集中を妨げていないか □頻尿や尿失禁が心配で，食事や水分の摂取を制限していないか
	姿勢・摂食動作，咀嚼・嚥下機能，栄養状態 ・食事に要する時間，食事環境，血液データや体重の変動，脱水の徴候	□水分摂取量や摂取する時間に影響するような嚥下障害はないか □食欲減退や排尿による食事の中断が，摂取量や栄養状態に影響していないか
排泄	**尿・便をためる，尿意・便意** ・尿意切迫，頻尿 ・尿失禁 ・尿意の知覚や支援者への伝え方	□どれくらいの頻度・間隔で尿意を感じているか，規則性はあるか □尿意を感じてから何分間くらい排尿をがまんできるか □尿失禁する場合，時間帯や状況などに決まったパターンがあるか □感じた尿意を支援者に伝えにくい状況はないか
	姿勢・排泄動作 ・トイレへの移動，排泄姿勢，トイレ環境	□トイレへ行くまでの移動動作に制限はないか □部屋とトイレの位置関係や距離は適切か □排尿を誘発するような排尿姿勢，皮膚刺激や腹部圧迫ができるか □薬物療法の有害事象が排尿動作に影響していないか □リラックスして排尿できるトイレ環境になっているか
	尿・便の排出，尿・便の状態 ・排尿に要する時間，尿線，尿量，尿の濃淡 ・排便状況（便秘の有無）	□排尿に時間がかかったり，十分な尿量を排出できずに残尿が生じたりしていないか □蓄尿や排尿に影響するような便秘はないか
身じたく	**清潔，身だしなみ** ・排尿に伴う陰部・殿部や衣服の尿汚染 ・身だしなみへの関心・意欲	□排尿後の尿滴下や尿失禁による陰部・殿部と衣服の尿汚染はないか □頻尿による疲労や日中の眠気が，身じたくへの関心・意欲と実践に影響していないか
	おしゃれ ・選択できる衣服の制限 ・おしゃれへの関心・意欲	□おむつや尿とりパッドを使用することによって，下着と衣服の選択に制限が生じていないか □頻尿や尿失禁への不安が，おしゃれへの関心・意欲と実践に影響していないか

	必要な情報	分析の視点
コミュニケーション	**伝える・受け取る，コミュニケーションの相互作用・意味，コミュニケーションの発展** ・言語機能と認知機能 ・支援者の支援体制 ・他の高齢者との関係・交流	□尿意や排泄に関する希望を表現できているか □疾患と症状を理解して付き合ってくれる仲間がいるか □頻尿や尿意切迫症状に伴うあせりや苦痛，尿失禁への不安が他者との交流を縮小させていないか

アセスメントの視点(病態・生活機能関連図へと導くための指針)

排泄に関する症状は，羞恥心や尊厳にかかわる問題であることは容易に想像できる．前立腺肥大症の高齢者に対しては，その問題へ十分に配慮しながら，少しでも安楽に排尿できるような援助と環境調整が必要となる．同時に，高齢者の「睡眠・休息」と「覚醒・活動」を中心とした社会生活全般に生じている変化を捉え，高齢者がその変化に対してどのような悩みや希望をもっているのかを踏まえた支援も並行して進める必要がある．さらに，前立腺肥大症は，重篤な腎機能障害や前立腺がんを合併することを常に念頭において，適切な治療やケアが受けられるように支援していくことも忘れてはならない．

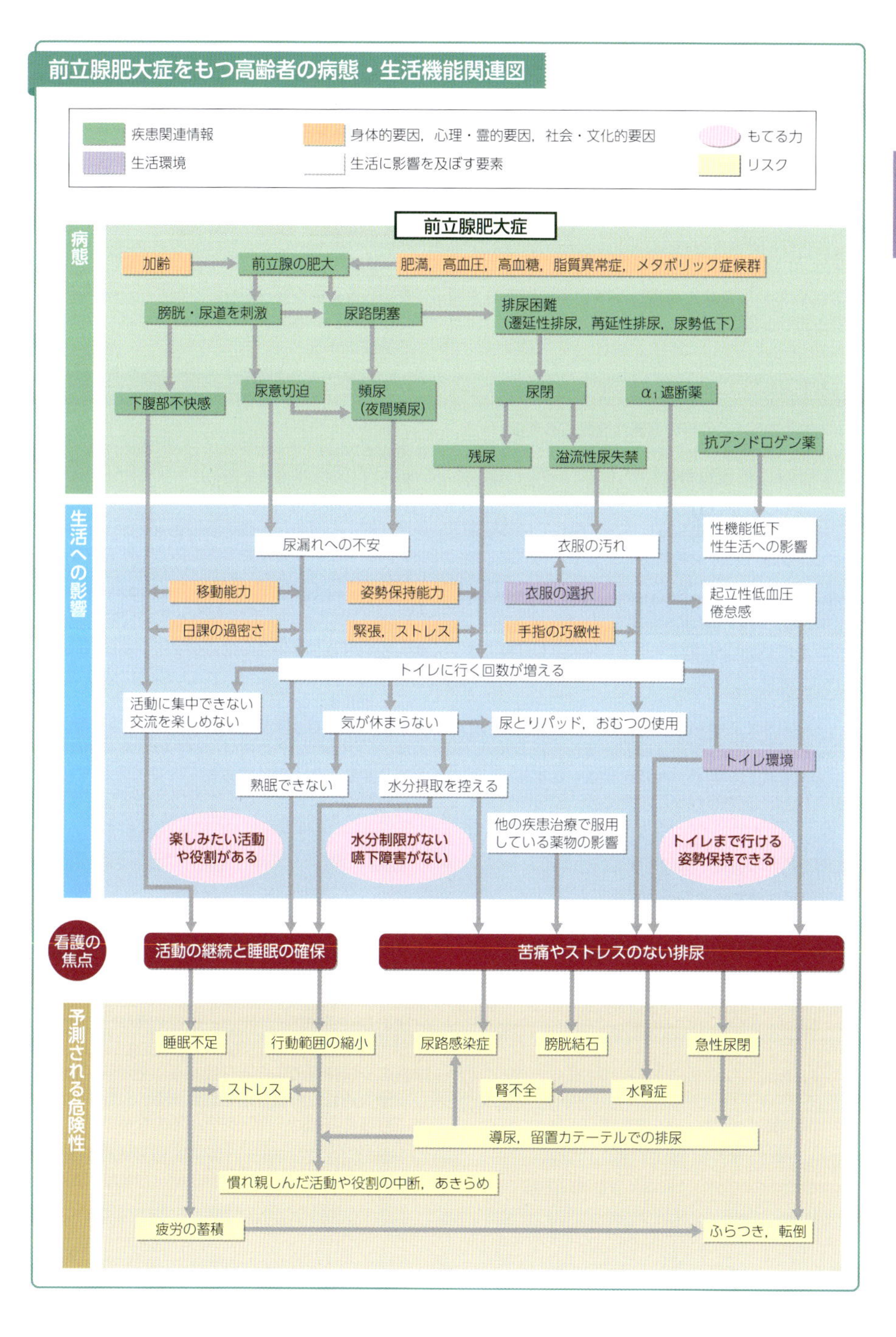
前立腺肥大症をもつ高齢者の病態・生活機能関連図
疾患関連情報
身体的要因，心理・霊的要因，社会・文化的要因
もてる力
生活環境
生活に影響を及ぼす要素
リスク
前立腺肥大症
病態
加齢
前立腺の肥大
肥満，高血圧，高血糖，脂質異常症，メタボリック症候群
膀胱・尿道を刺激
尿路閉塞
排尿困難
(遷延性排尿，再延性排尿，尿勢低下)
下腹部不快感
尿意切迫
頻尿
(夜間頻尿)
尿閉
α1遮断薬
残尿
溢流性尿失禁
抗アンドロゲン薬
生活への影響
尿漏れへの不安
衣服の汚れ
性機能低下
性生活への影響
移動能力
姿勢保持能力
衣服の選択
起立性低血圧
倦怠感
日課の過密さ
緊張，ストレス
手指の巧緻性
トイレに行く回数が増える
活動に集中できない
交流を楽しめない
気が休まらない
尿とりパッド，おむつの使用
トイレ環境
熟眠できない
水分摂取を控える
他の疾患治療で服用している薬物の影響
楽しみたい活動や役割がある
水分制限がない
嚥下障害がない
トイレまで行ける
姿勢保持できる
看護の焦点
活動の継続と睡眠の確保
苦痛やストレスのない排尿
予測される危険性
睡眠不足
行動範囲の縮小
尿路感染症
膀胱結石
急性尿閉
ストレス
腎不全
水腎症
導尿，留置カテーテルでの排尿
慣れ親しんだ活動や役割の中断，あきらめ
疲労の蓄積
ふらつき，転倒

STEP 1 アセスメント　STEP 2 看護の焦点の明確化　STEP 3 計画　STEP 4 実施

看護の焦点の明確化

#1　苦痛やストレスなく排尿しやすい姿勢がとれ，すっきりと排尿できる
#2　頻尿や排尿困難に伴う不安や悩みを 1 人で抱えず，これまでの活動と必要な休息を確保できる

STEP 1 アセスメント　STEP 2 看護の焦点の明確化　STEP 3 計画　STEP 4 実施

1 看護の焦点	看護目標
苦痛やストレスなく排尿しやすい姿勢がとれ，すっきりと排尿できる	1) 安定した姿勢ですっきり排尿することができる 2) プライバシーが確保された環境でリラックスして排尿できる

具体策(支援内容)	根拠
1. 排尿に向けて心身の準備性を高める支援	
・他の疾患から生じている身体症状(疼痛，瘙痒感など)を緩和する	●苦痛や不安などに伴う身体的・心理的な緊張を和らげ，副交感神経を優位にできれば排尿もスムーズにできる
・身体症状や療養生活によって生じている緊張や不安，ストレスを緩和する	●身体的・心理的な苦痛を緩和することで，トイレへの移動や姿勢保持の安定化，気分的なゆとりをもたらすことができる
2. 排尿しやすい姿勢の支援	
・トイレもしくはポータブルトイレで排尿できるように，必要な移動をサポートする	●臥位やベッドサイドのポータブルトイレではうまく排尿できなくても，トイレに行けばできることがある
・これまでの習慣も考慮して，トイレでは，立位もしくは座位の姿勢で排尿できるように，必要に応じて姿勢保持をサポートする	●立位や座位では腹圧をかけやすいうえ，膀胱や尿道口の解剖学的位置関係からみても，残尿を解消するのに効果的である
・排尿に時間がかかる場合には，ふらつきや排尿後の疲労，脱力による転倒がないように注意する	●長時間の立位保持や腹圧をかけての排尿では，疲労や血圧の変動でふらつくことがある
3. 排尿を誘発するための支援	
・排尿が始まらなかったり，排尿後に残尿感が残るといった場合には，以下の方法を試してみる	●マッサージや温罨法には，リラックスをもたらす効果もある．高齢者にとってどの方法が効果的なのかを判断して用いる
①仙骨部のマッサージ，温罨法	●仙骨部の皮膚は，仙髄 S_2～ S_5 の支配領域で膀胱の副交感神経の中枢と一致し，腰骨から鼠径部付近の皮膚は，腰髄 L_1・L_2 の支配領域で膀胱の交感神経の中枢と一致することから，皮膚刺激を通して膀胱反射を誘発する
②腹部のマッサージ，温罨法 ③下腹部(恥骨上部)の圧迫	●下腹部の圧迫は，腹圧を高めるのを補助するためのものであり，尿を押し出すような強い圧力をかけないように注意する

具体策（支援内容）	根拠
4. 安心して排尿できる環境づくり	
・プライバシーが確保できるように，扉やスクリーンを調整し，音やにおいに伴う羞恥心にも配慮する ・排尿に時間がかかる場合には，時間的なゆとりをもって臨めるようにスケジュールを調整する	●排尿行為や排泄物にまつわる羞恥心，時間的なあせりは，余計な緊張や不安をもたらして排尿を困難にさせるため，場所と時間の両面から安心できるトイレ環境を確保する
・トイレに通いやすいように，居室との距離やベッドの位置，ベッドの高さ，履物などを調整する	●頻尿や尿意切迫あるいは残尿感から，トイレに何度も通うことが起こりうるため，すみやかかつ安全な移動ができるような居室環境，道具を整える
5. 合併症の予防	
・1日尿量が1,000～1,500 mL程度で維持できるように，必要な水分摂取を勧める	●頻尿や尿失禁を心配して水分摂取を控える人が多いが，水分摂取を制限して尿量を抑えると，尿路感染症や尿路結石症などの合併症発症につながるため注意しなければならない
・多量のアルコール摂取は避け，十分な休息をとる ・他の疾患治療で服用中の薬物を把握する	●多量のアルコール摂取や一部の薬物によって，急性尿閉を引き起こす場合があるので注意しなければならない
・状態の変化が把握しやすいように，排尿時間や回数，排尿量などを記録する（排尿日誌）	●状態の変化を客観的に把握できるように，記録可能なデータを残していくことが重要である
・症状に応じて，これまでの排尿方法や環境を見直して改善すべき点を高齢者と一緒に検討する	●病期の進行によって症状が変化するため，その状態に応じて排尿方法や環境を変えていく必要がある
・尿閉症状が強くなり残尿量が増えた場合は，薬物の見直し，導尿や留置カテーテル，外科的治療の適応を検討する	●症状と苦痛の程度，高齢者の希望や生活状況を十分に考慮して，治療や処置の内容・方法を検討する

2 看護の焦点

看護の焦点	看護目標
頻尿や排尿困難に伴う不安や悩みを1人で抱えず，これまでの活動と必要な休息を確保できる	1）症状の変化や生活上の悩みを家族や医療関係者に相談できる 2）仕事や趣味の活動を継続できる 3）夜間の睡眠を確保できる

具体策（支援内容）	根拠
1. 不安や悩みを表出しやすい環境づくり	
・ゆっくり話ができる時間と場所を確保する ・検査の実施や結果に伴う不安を表出しやすいようなコミュニケーションの場を整える	●プライバシーと羞恥心には十分に配慮し，あせらずに細かい訴えができるような場づくり，関係づくりが大切である
・病期特有の症状や経過，治療方法などが十分に理解できるように必要な説明を行う	●病期の進行に伴って出現する症状が変化するため，現状を把握するためには症状に対する知識の習得が必要である
・微妙な変化でも把握しやすいように，表出した自覚症状は記録に残して高齢者と共有する	●記録してきた微妙な表現の違いから症状の変化や治療の効果をとらえる
・家族にも状況を理解してもらい，ゆっくりと見守ってもらえるように働きかける	●水分のとり方や外出先での注意点などをふまえた家族のかかわりが，高齢者の苦痛緩和やストレス軽減に必要である

2. 安心して活動を楽しむための支援

・水分は少量ずつこまめにとるようにする ・飲食時間と排尿パターンを把握して，排尿する時間を予測した早めの対処を心がける	●頻尿や尿意切迫，残尿による尿失禁への不安が，活動内容や行動範囲を縮小させる要因となるため，水分出納のパターン把握と対応方法を高齢者の生活に適したかたちで整えていく
・外出先などでは，あらかじめトイレの位置を確認しておくように心がける	●安心して活動に専念できるように，トイレの位置や支援者への連絡手段を確認しておく
・尿失禁が心配であれば，尿とりパッドやおむつを検討する	●尿とりパッドやおむつの使用で，安心して活動できる場合がある

3. ゆっくり睡眠できるための支援

・夕食での過剰な塩分摂取，就寝前の多量の水分摂取やカフェインの摂取は控える ・就寝前に，ゆとりをもってしっかり排尿する	●夜間頻尿への心配から水分摂取を控える人が多いが，夕方以降の摂取量と利尿作用の強い飲み物の摂取には注意して，１日の水分摂取量を減らさないようにする
・尿失禁が心配であれば，尿とりパッドやおむつを検討する	●尿とりパッドやおむつの使用で，安心して眠れる場合がある

関連項目

※もっと詳しく知りたいときは，以下の項目を参照しよう．

前立線肥大症に影響を及ぼす障害・状態

●「29 転倒（→ p.504）」：移動や姿勢保持の障害が排尿動作に影響していないか確認しよう

前立線肥大症に関連したリスク

●「13 尿路感染症（→ p.272）」：残尿量の増加で尿路感染症につながる危険性はないか確認しよう
●「17 脱水（→ p.340）」：頻尿や尿失禁が心配で水分摂取を控えてしまい，脱水に至る危険性はないか確認しよう
●「21 睡眠障害（→ p.394）」：夜間頻尿で熟眠を妨げられていないか確認しよう
●「27 高血圧・低血圧（→ p.478）」：治療薬の影響で起立性低血圧症状が現れていないか確認しよう

前立線肥大症をもつ高齢者への看護

●「第１編」の「1 睡眠・休息（→ p.2）」：単に睡眠だけでなく，排尿障害に伴う不安や緊張にも注目して，必要な休息を支援しよう
●「第１編」の「2 覚醒・活動（→ p.10）」：排尿障害によって活動が縮小してしまわないように，活動の意欲や内容・方法について支援しよう
●「第１編」の「4 排泄（→ p.27）」：生活行動として，どのように観察，アセスメント，支援するのかを確認し，効果的に支援しよう
●「第１編」の「5 身じたく（→ p.36）」：清潔を保つことはもちろん，身だしなみやおしゃれがもたらす効果も大切にしよう

慢性腎臓病(CKD)

中川真奈美

進行を遅らせる生活習慣の改善と薬物療法が重要

定義・診断

CKD(慢性腎臓病，chronic kidney disease)とは，腎臓のはたらき(糸球体濾過量：GFR)が健康な人の60%以下に低下する(60 mL/分/1.73 m^2 未満)か，あるいは蛋白尿が出るといった腎臓の障害の両方，またはどちらかが3か月以上続く場合をいう．

重症度によってG1，G2，G3a，G3b，G4，G5の6つのステージに分類され(表)，腎臓のはたらきが低下する(GFRが少なくなる)ほどステージが高くなる．年齢が高くなると腎機能は低下していき，高齢者になるほどCKDが多くなる．

高血圧，糖尿病，コレステロールや中性脂肪が高い(脂質代謝異常)，肥満やメタボリックシンドローム，腎臓病，家族に腎臓病の人がいる場合は注意を要する．さらに悪化すると透析が必要となることや，心筋梗塞や脳卒中といった心血管疾患の重大な危険因子となる．

■表　CKD重症度分類

原疾患		蛋白尿区分		A1	A2	A3
糖尿病		尿アルブミン定量(mg/日) 尿アルブミン/Cr比(mg/gCr)		正常	微量アルブミン尿	顕性アルブミン尿
				30未満	30〜299	300以上
高血圧 腎炎 多発性嚢胞腎 移植腎 不明 その他		尿蛋白定量(g/日) 尿蛋白/Cr比(g/gCr)		正常	軽度蛋白尿	高度蛋白尿
				0.15未満	0.15〜0.49	0.50以上
GFR区分(mL/分/1.73 m^2)	G1	正常または高値	≧90	緑	黄	オレンジ
	G2	正常または軽度低下	60〜89	緑	黄	オレンジ
	G3a	軽度〜中等度低下	45〜59	黄	オレンジ	赤
	G3b	中等度〜高度低下	30〜44	オレンジ	赤	赤
	G4	高度低下	15〜29	赤	赤	赤
	G5	末期腎不全(ESKD)	<15	赤	赤	赤

重症度は原疾患・GFR区分・蛋白尿区分を合わせたステージにより評価する．CKDの重症度は死亡，末期腎不全，心血管死発症のリスクを緑■のステージを基準に，黄■，オレンジ■，赤■の順にステージが上昇するほどリスクは上昇する．(KDIGO CKD guideline 2012を日本人用に改変)

注：わが国の保険診療では，アルブミン尿の定量測定は，糖尿病または糖尿病性早期腎症であって微量アルブミン尿を疑う患者に対し，3か月に1回に限り認められている．糖尿病において，尿定性で1+以上の明らかな尿蛋白を認める場合は尿アルブミン測定は保険で認められていないため，治療効果を評価するために定量検査を行う場合は尿蛋白定量を検討する．

(日本腎臓学会編：エビデンスに基づくCKD診療ガイドライン2018．p.3，東京医学社，2018)

症状・検査

CKDは症状が出ないまま進行することも多く，腎機能が低下してくると，夜間尿，貧血，倦怠感，浮腫，息切れなどの症状が現れる．

早期発見のためには，定期的な検査が有効で，血液検査や尿検査だけでなく，CTやエコー検査などの画像診断，病理診断を実施して腎障害の有無と重症度を確認する．

CKDや腎臓の障害をもたらす危険因子や生活習慣を把握する必要がある．

治療

可能な限り，原疾患の治療を十分に行い，規則正しい生活，食事管理，血圧管理などを行う．
・生活習慣の改善（禁煙や肥満の解消など）
・食事指導（食塩・蛋白質制限など）
・高血圧の治療
・尿蛋白，尿アルブミンの改善
・糖尿病の治療
・脂質異常症（血液中のコレステロールや中性脂肪が高い）の治療
・貧血の治療
・骨やミネラル代謝異常の治療
・高尿酸血症の治療
・尿毒症毒素に対する治療
CKD の原因が明らかであれば，その治療を併せて行う．ステージ G5 まで進行し，自身の腎臓のはたらきでは生活が困難な場合，透析や腎移植などの治療（腎代替療法）を検討する．

看護の視点

高齢者が自身の疾患を受け止め，CKD ステージにより生活習慣の改善や薬物療法を理解したうえで治療に取り組み，進行を遅らせることが必要になる．生活の質（QOL）の維持に向け，食事療法と運動療法によりフレイル，サルコペニアを予防することも重要である．

高齢者の全身状態や生活環境に合わせた体調管理および生活指導を行うとともに，自己決定を尊重した治療とケアを，関係する専門医，管理栄養士，薬剤師などの多職種と情報を共有し，連携・協働しながら支援する．

10 老人性皮膚瘙痒症(老人性乾皮症)

山中　崇

目でみる疾患

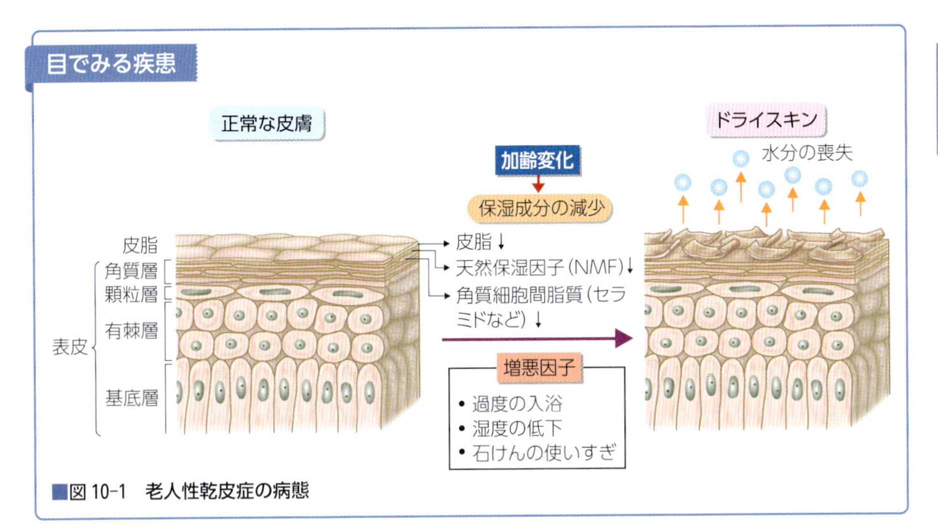

■図 10-1　老人性乾皮症の病態

病態生理

老人性皮膚瘙痒症とは，加齢に伴い表皮角質層で脂質や水分が減少し(老人性乾皮症)，皮膚の乾燥とともにかゆみの閾値が低下し，皮膚病変がなくてもかゆみを生じる状態である．

- 皮膚は表皮，真皮，皮下組織の3層から構成され，有害物質の侵入を防ぎ，水や栄養分を保持する役割を果たす．表皮の最外層(角質層)は死んだ細胞や水で構成され，天然保湿因子(NMF)，角質細胞の隙間を埋める細胞間脂質，皮膚表面に分泌される脂質膜などが吸水性，保湿性を高め，水分を保持している．肌の弾力性は角質層の水分により保たれていて，水分含有量が10%以下になると角化やひび割れを起こし，かゆみを生じやすくなる．空気が乾燥しやすい冬に皮膚も乾燥しやすくなる．
- 高齢者は若年者と比べ表皮は厚くなるが，細胞間に隙間ができて整然と並ばなくなり，角質細胞数は増加し大型になる．加齢により発汗や皮脂腺から分泌される皮脂が減少し，角質層の水分を維持するのに不可欠なスフィンゴ脂質，遊離ステロール，リン脂質，セラミドが減少するため，水分保持能が低下する．天然保湿因子である遊離アミノ酸や塩類も減少する．さらに皮膚にしわが増えるため皮膚の面積が広がり，水分が蒸発しやすくなる．このような変化の結果，加齢に伴い表皮角質層で脂質や水分が減少し，皮膚の乾燥や角化を生じやすくなる．皮膚が乾燥するとかゆみの閾値が低下し，皮膚に炎症などがなくても乾燥しているだけでかゆくなる(老人性皮膚瘙痒症)．

病因・増悪因子

加齢に伴う保湿機能の低下に加え，空気が乾燥している冬季に生じやすい．

- 入浴して皮膚を洗いすぎると表皮の皮脂膜，角質の細胞間脂質，角質細胞を破壊し天然保湿因子を失い，症状が悪化する．
- 電気毛布を使用すると，皮膚が乾燥して皮膚温が上昇し，かゆみが強くなる．

疫学・予後

- 50歳代以降からみられ，加齢に伴い増加する．
- 空気が乾燥する冬季に生じやすく，湿度が高くなる夏季には軽減する．
- かゆみのため掻破すると，湿疹化して皮脂欠乏性湿疹を生じる．

症状

- 皮膚は乾燥，粗造化し，粉がふいたかのような細かな鱗屑を付着する．
- かゆみを生じ掻破すると紅斑，丘疹，色素沈着が混在し，掻破痕や点状痂皮，網目状の亀裂を認めるようになる（皮脂欠乏性湿疹）．
- 下腿前面，側腹部から腰部，大腿などに好発する．
- これらの症状は空気が乾燥する冬季に生じやすく，湿度が高く発汗が多くなる夏季には軽減する．1日のなかでは入浴や電気毛布を使用して皮膚が乾燥して皮膚温が上昇する夜間，就寝時にかゆみが強くなりやすい．

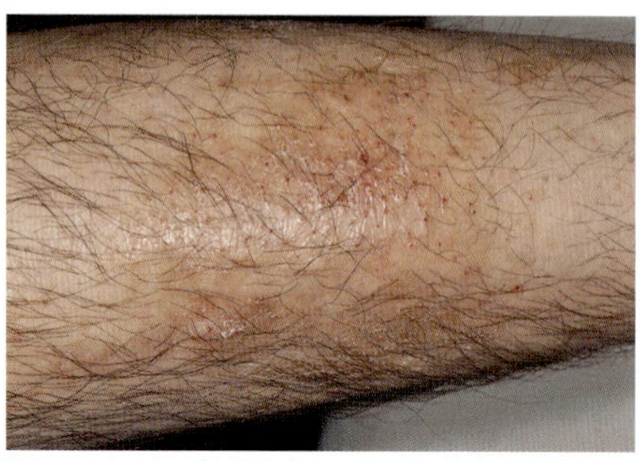

■図10-2　老人性乾皮症でみられる皮脂欠乏性湿疹
下腿に光沢を有する乾皮症と点状の紫斑，鱗屑を伴う局面
（相場節也：湿疹および皮膚炎．標準皮膚科学　第11版．p.140．医学書院，2020）

診断・検査値

- 老人性皮膚瘙痒症（老人性乾皮症）以外にかゆみの原因になる疾患がないことを診断する．
- かゆみの原因になる疾患は皮膚疾患以外に，糖尿病，甲状腺機能低下症，黄疸，慢性腎不全，白血病，悪性リンパ腫，悪性腫瘍などの内臓疾患，薬剤や食品によるかゆみなどがあるため，これらの疾患や状態がないか確認する．

合併しやすい症状

- かゆみを掻破すると紅斑，丘疹，色素沈着が混在し，掻破痕や点状痂皮，網目状の亀裂を認めるようになる（皮脂欠乏性湿疹）．

治療法

●治療方針

- 増悪因子を除去するため日常生活の指導を行い，そのうえで必要な薬剤治療を行う．

〈日常生活の指導〉

・空気が乾燥する冬季は，加湿器を使用するなどして加湿に努める．
・電気毛布の使用を避ける．
・通気性のよい平織りの下着を着用する．
・よく眠り疲労を蓄積しない．
・バランスよく食事する．アルコール，香辛料などを避ける．
・入浴する時は，ぬるめの湯に短時間つかり，1日に何度も入浴しない．
・石けんはできるだけ使用を控える．石けんを使用する際には弱酸性の乾燥肌用石けんを使用する．
・ナイロンタオルは使用せず，手ぬぐいなど柔らかい布でこする．または手に直接石けんをつけて泡立て，なでるように洗う．
・温泉の素などに含まれる硫黄成分は皮脂の分泌を抑制し，皮膚を乾燥させるので避ける．

●薬物療法

1）皮膚の乾燥に対する治療

- 白色ワセリンはべたつくものの，刺激がほとんどなく使用しやすい．
- 尿素軟膏（商品名：ウレパール，ケラチナミン，パスタロン）は加齢により欠乏した天然保湿因子である尿素を補うために用いられる．
- ヘパリン類似物質（商品名：ヒルドイド）はコンドロイチン硫酸の多硫酸化物であり保湿を目的に用いられる．
- 尿素軟膏とヘパリン類似物質含有軟膏は水分が多いクリーム基剤のため，使用する時にはピリピリする刺激感がないか注意する．

■表 10-1 老人性皮膚瘙痒症(老人性乾皮症)の主な治療薬

分類	一般名	主な商品名	薬の効くメカニズム	主な副作用
皮膚保護剤	白色ワセリン	プロペト	皮脂の補給による皮膚の乾燥防止	接触皮膚炎
角化症治療剤	尿素軟膏	ウレパール,ケラチナミン,パスタロン	水分保持作用による皮膚の乾燥防止	ピリピリ感,紅斑,瘙痒,疼痛,丘疹
血行促進・皮膚保湿剤	ヘパリン類似物質	ヒルドイド	皮膚に対する保湿効果	皮膚刺激感,皮膚炎,瘙痒,発赤,発疹,潮紅
ヒスタミン H_1 拮抗薬	フェキソフェナジン塩酸塩錠	アレグラ	鎮痒作用	頭痛,眠気,悪心,倦怠感,口渇,肝機能障害
	オロパタジン塩酸塩	アレロック		
	エピナスチン塩酸塩	アレジオン		

●これらの外用薬は入浴直後,皮膚が水分を十分に含んでいる時に塗布する.

2) かゆみに対する治療

●ヒスタミン H_1 拮抗薬(抗ヒスタミン薬,抗アレルギー薬)を用いる.

●これらの薬剤は抗コリン作用を有する場合が多く,緑内障や前立腺肥大症では禁忌.

3) 湿疹に対する治療

●かゆみのため皮膚を掻破し,湿疹化(皮脂欠乏性湿疹)を生じる場合は,ミディアムもしくはストロングクラスのステロイド外用薬を用いる.

Px 処方例 保湿薬 下記のいずれかを用いる.

●白色ワセリン 1日数回 塗布 ←皮脂の補給

●ケラチナミンクリーム 1日数回 塗布 ←皮膚の乾燥防止

●ヒルドイドソフト軟膏 1日数回 塗布 ←経皮複合消炎薬

Px 処方例 かゆみの治療薬 下記のいずれかを用いる

●アレグラ錠 60 mg 1回1錠 1日2回 朝夕食後 ←ヒスタミン H_1 拮抗薬

●アレロック錠 5 mg 1回1錠 1日2回 朝食後,就寝前 ←ヒスタミン H_1 拮抗薬

●アレジオン錠 20 mg 1回1錠 1日1回 就寝前 ←ヒスタミン H_1 拮抗薬

老人性皮膚瘙痒症の病期・病態・重症度別にみた治療フローチャート

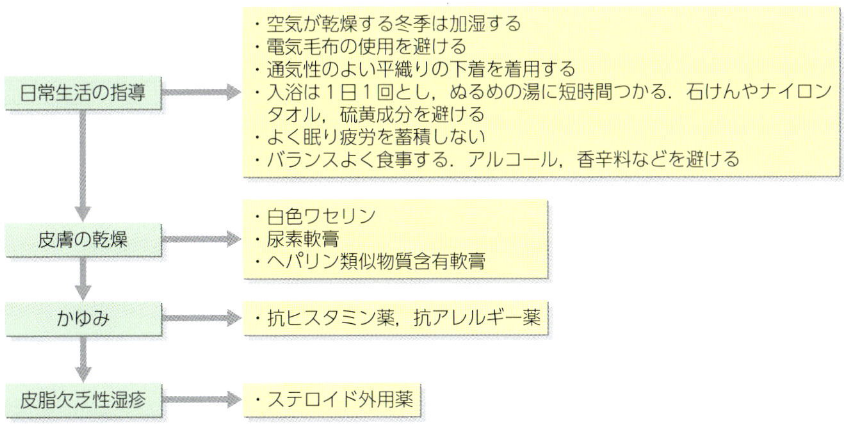

日常生活の指導 →
・空気が乾燥する冬季は加湿する
・電気毛布の使用を避ける
・通気性のよい平織りの下着を着用する
・入浴は1日1回とし,ぬるめの湯に短時間つかる.石けんやナイロンタオル,硫黄成分を避ける
・よく眠り疲労を蓄積しない
・バランスよく食事する.アルコール,香辛料などを避ける

↓

皮膚の乾燥 →
・白色ワセリン
・尿素軟膏
・ヘパリン類似物質含有軟膏

↓

かゆみ →
・抗ヒスタミン薬,抗アレルギー薬

↓

皮脂欠乏性湿疹 →
・ステロイド外用薬

老人性皮膚瘙痒症をもつ高齢者の看護

三浦　直子

看護の視点

- 老人性皮膚瘙痒症は，「かゆみ」の訴えを主訴とする皮疹がない皮膚疾患であり，加齢に伴い角質水分量が減少し皮膚が乾燥した状態（老人性乾皮症）を基盤に発症する．
- かゆみは主観的な感覚であり，「皮膚や粘膜を掻破したくなるような不快な感覚」である．
- かゆみにより日常の行動や睡眠が著しく妨げられている場合には，かゆみの程度は重症であると認識すべきである．
- かゆみは皮膚疾患のみならず全身性疾患に伴うことも多く，かゆみに伴う掻破行動が皮膚のバリア機能をますます脆弱にし，皮膚炎や湿疹などの二次的な皮膚病変を引き起こす．
- 老人性皮膚瘙痒症のかゆみの原因は，皮膚の乾燥（ドライスキン），透析患者を含む腎疾患，肝疾患（胆汁鬱滞性），悪性腫瘍（悪性リンパ腫など），神経疾患（脳血管疾患など），代謝疾患（主に糖尿病），薬剤性（主にモルヒネなど），心因性などがあげられる．その中で最も多いのがドライスキンであり，ミクロレベルでの皮脂欠損状態を指す．
- 皮膚瘙痒症では，皮膚の保湿が何より重要である．
- ドライスキンでは，皮膚のバリア機能が低下するために，外部からの軽微な刺激にも敏感に反応し，容易にかゆみが誘発される．外部刺激から皮膚を保護する対策を講じることが必要である．

※以上のことから，以下の日常生活の看護のポイントに留意し援助することが必要である．また，高齢者とその家族が日常生活における注意点を理解し，セルフケアできるよう支援していく．

1. 皮膚の乾燥を予防し保湿する．
2. かゆみの要因を除去する．
3. 外部刺激から皮膚を保護する．

STEP 1 アセスメント　STEP 2 看護の焦点の明確化　STEP 3 計画　STEP 4 実施

情報収集・情報分析

	必要な情報	分析の視点
疾患関連情報	**現病歴，症状** ・皮膚瘙痒症を起こす原因疾患，薬物による影響 ・かゆみの有無 ・皮膚の状態（乾燥，落屑） ・掻破痕，出血の有無 ・掻破行動の自己抑制の有無 ・薬剤アレルギーや食物アレルギーの既往の有無 ・低栄養	□かゆみをきたす疾患（腎疾患，肝疾患，悪性腫瘍，神経疾患，代謝疾患）はあるか □薬物による影響はあるか □かゆみの部位，範囲はどこか □いつ，どんな場合にかゆみを感じるか □かゆみが強くなる時間と程度はどうか □皮膚の状態（乾燥，落屑）はどうか □掻破痕や出血はないか □過去に，薬剤アレルギーや食物アレルギーを生じたことはあるか □かゆみを増強する因子，軽減する因子は何か
	検査と治療 ・検査：パッチテスト，スクラッチテスト，プリックテスト，内服テスト，誘発テスト，血液検査 ・治療：薬物療法，スキンケア法，セルフケア，生活指導	□皮膚の乾燥を引き起こす薬物は使用していないか □有害事象としてかゆみが出現する薬物は使用していないか □外用薬は適切に塗布しているか（強くこすっていないか）

	必要な情報	分析の視点
身体的要因	**運動機能** ・身体の可動性 ・臥床時の寝返りの有無 ・上下肢の可動域と柔軟性，手指の巧緻性	□同一姿勢による同一部位のベッドとの密着性と時間はどうか □スキンケアを行うための運動機能はあるか
	認知機能，感覚・知覚 ・予防や治療継続の必要性に対する理解度 ・皮膚の乾燥とバリア機能 ・白内障，老眼	□薬物療法時の必要性，スキンケアの方法と予防の必要性を理解しているか □掻破することで悪化することを理解しているか □角質の水分量の有無など，皮膚のバリア機能はどうか □掻破行動を抑えることができるか □皮膚のバリア機能を確認できる視覚機能の程度はどうか
心理・霊的要因	**健康知覚・意向，自己知覚** ・清潔習慣，清潔に対する意識 ・室内湿度 ・冷暖房，電気こたつ，電気毛布使用の有無 ・ペットとの接触	□入浴中および入浴後にかゆみが誘発されているか □室内の湿度により症状が現れていないか(とくに冬季) □冷暖房の風が直接皮膚にあたっていないか □電気こたつや電気毛布を長時間使用していないか □ペットによるアレルギーはないか
	気分・情動，ストレス耐性 ・かゆみに対するつらさ ・苦痛や耐えがたいかゆみに影響する情動 ・精神的ストレス時の様子 ・リラックス時の様子	□かゆみを意識せずにいられる方法を得ているか □かゆみによるイライラはないか □掻く行為によりイライラを鎮めていないか □イライラしている時に掻く行為をしていないか □気分的にゆったりとしているときに無意識に掻く行為をしていないか □周囲がかゆみの原因を精神的なものと受け止めてはいないか
社会・文化的要因	**仕事・家事・学習・遊び，社会参加** ・かゆみによる活動への影響	□かゆみによって阻害されている活動はあるか
睡眠・休息	**睡眠・休息のリズム，質** ・かゆみによる睡眠障害や中途覚醒の有無 ・寝具，寝衣の影響	□かゆみにより睡眠が障害されていないか □睡眠不足を感じていないか □寝具や寝衣の材質がかゆみを誘発していないか
	心身の回復・リセット ・気分転換 ・かゆみを落ち着かせるリラックス法	□かゆみの苦痛から気分転換できるか □副交感神経優位となるリラックス法を取り入れているか(音楽療法，アロマテラピーなど)
覚醒・活動	**覚醒** ・日中の眠気	□ヒスタミン H_1 拮抗薬の内服が影響していないか □かゆみによる夜間の睡眠障害が日中に影響していないか □日中の活動へのリセットが図れるか
	活動の個人史・意味，発展 ・活動への集中，趣味活動	□かゆみが影響し活動に集中できないことがあるか □かゆみを忘れることができる活動はあるか □活動の中で「自分らしさ」を表出できているか

	必要な情報	分析の視点
食事	**食事準備** ・食事の支度への影響	□食事の支度に影響を及ぼしていないか
	食思・食欲，姿勢・摂食動作，咀嚼・嚥下機能 ・食事摂取に与える影響 ・倦怠感の有無 ・眠気による影響(むせこみ，咀嚼運動)	□必要な食事量を摂取できているか □ヒスタミン H_1 拮抗薬を内服していることで，日中の眠気を引き起こし，食思・食欲，姿勢・摂食動作を低下させてはいないか □倦怠感を引き起こしている原因は何か □夜間の睡眠障害が影響していないか
	栄養状態 ・血液データ(総蛋白，アルブミン値) ・嗜好品による影響 ・食物アレルギーの有無 ・末梢性の直接的・間接的起痒物質であるヒスタミン・コリン等の遊離物質含有食品の有無 ・香辛料，アルコールの摂取量 ・水分摂取量	□かゆみが誘発される食品を多く摂取しているか □水分は適切な量を摂っているか □アルコールの摂取状況はどうか
排泄	**尿意・便意，姿勢・排泄動作** ・尿意・便意の有無 ・排泄状況(失禁の有無) ・排泄に伴う一連の行動(下衣の上げ下ろし，後始末動作，手洗いの有無と動作)	□ヒスタミン H_1 拮抗薬を内服していることで，日中の眠気を引き起こし，排泄行動を低下させているか □かゆみによる影響はあるか
	尿・便の排出，状態 ・尿・便の性状と量 ・外陰部や肛門部の瘙痒の有無	□水分摂取量が少ないことによる尿量の減少はあるか □水分摂取量が少ないことによる便秘症状はあるか □下着や下衣の汚れはないか □限局性のかゆみが排泄に及ぼす影響はないか
身じたく	**清潔** ・入浴習慣と入浴へのこだわり ・洗身方法，使用物品 ・入浴剤使用の有無	□入浴サイクルと，入浴の時間はどれくらいか □入浴の湯船の温度はどのくらいか □使用している入浴剤の成分はどうか □洗身時，洗髪時の石けんやシャンプーの成分はどうか □使用している石けんの成分はどうか □石けんは過度な使い方をしていないか □垢すりの習慣はあるか □洗身時に使用している道具の素材はどうか □乾布摩擦を行う習慣があるか
	身だしなみ，おしゃれ ・スキンケアの有無と内容 ・衣類の材質 ・爪の長さ	□入浴後の保湿ケアはしているか □直接肌に触れる肌着は木綿製や絹製で，通気性があり柔らかい素材か □刺激が強い化学繊維の肌着などは避けているか □肌にフィットする肌着ではなく，少しゆとりのあるものを着用しているか

	必要な情報	分析の視点
身じたく		□下着の装飾物が皮膚刺激になっていないか □爪が伸びていることで，皮膚を傷つける可能性はないか
コミュニケーション	伝える・受け取る，コミュニケーションの相互作用・意味，発展 ・言語機能 ・かゆみのサイン，訴えの有無 ・表情(苦痛表情，顔面紅潮) ・タッチングによる皮膚湿潤の程度	□かゆみを訴えられるか □かゆみの訴えは言葉か，サインか □かゆみが誘発されると思われる症状はあるか □かゆみに対する患者のつらさを多職種で共有できる評価ツールを用いているか

アセスメントの視点(病態・生活機能関連図へと導くための指針)

高齢者は，加齢に伴い皮脂や汗の分泌が減少し，角層の水分保持機能が低下することにより，皮膚が乾燥した状態，いわゆる老人性皮膚瘙痒症を発症しやすい．かゆみが発生する原因には，加齢による皮膚機能の低下に加え生活環境も大きく影響する．かゆみを助長・悪化させる生活習慣の是正を図り，乾燥が要因となるかゆみの苦痛緩和と対処法に焦点をあてた看護を展開する．

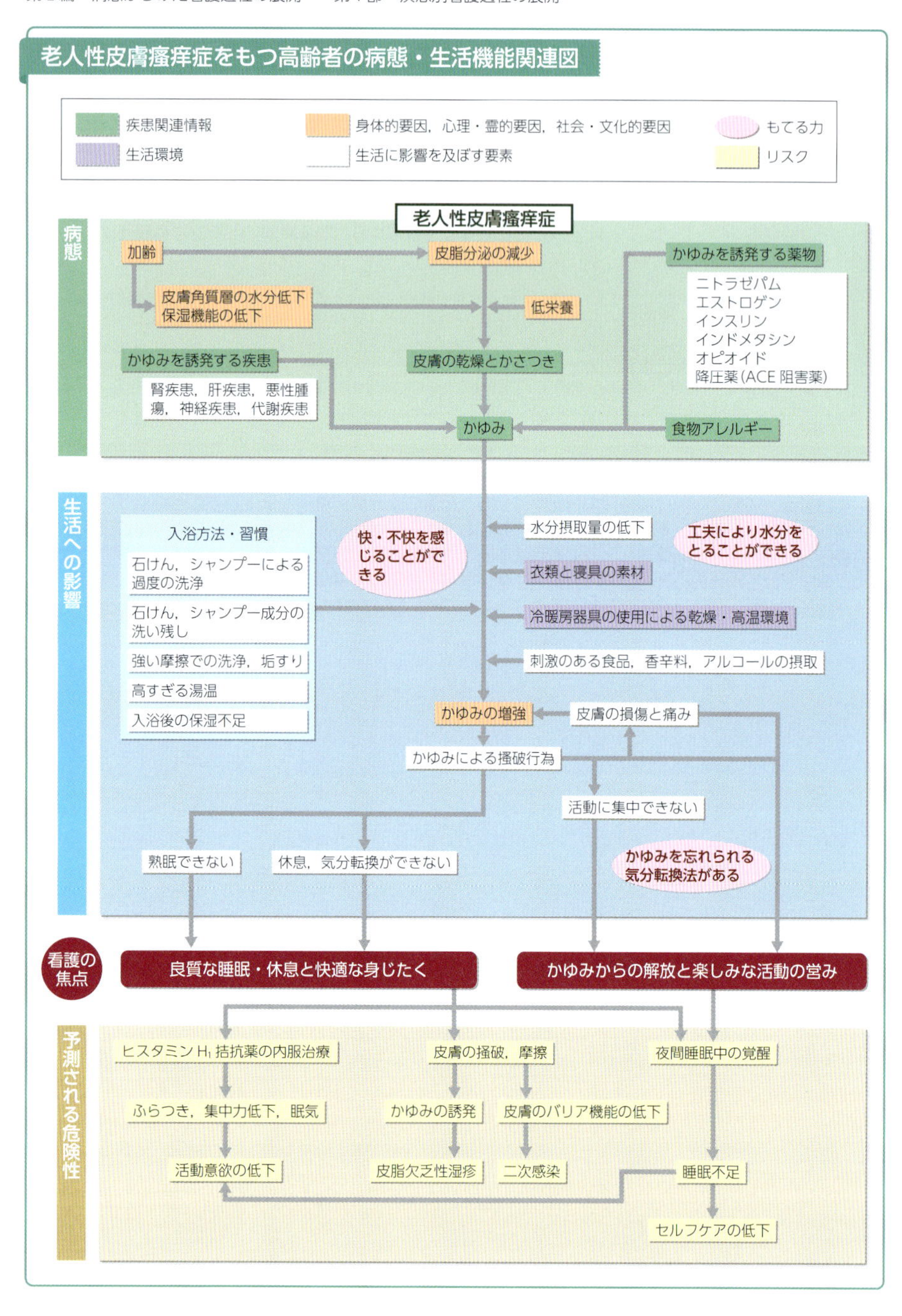
老人性皮膚瘙痒症をもつ高齢者の病態・生活機能関連図
疾患関連情報
身体的要因，心理・霊的要因，社会・文化的要因
もてる力
生活環境
生活に影響を及ぼす要素
リスク
老人性皮膚瘙痒症
病態
加齢
皮脂分泌の減少
かゆみを誘発する薬物
ニトラゼパム
エストロゲン
インスリン
インドメタシン
オピオイド
降圧薬（ACE 阻害薬）
皮膚角質層の水分低下
保湿機能の低下
低栄養
かゆみを誘発する疾患
腎疾患，肝疾患，悪性腫瘍，神経疾患，代謝疾患
皮膚の乾燥とかさつき
かゆみ
食物アレルギー
生活への影響
入浴方法・習慣
石けん，シャンプーによる過度の洗浄
石けん，シャンプー成分の洗い残し
強い摩擦での洗浄，垢すり
高すぎる湯温
入浴後の保湿不足
快・不快を感じることができる
水分摂取量の低下
工夫により水分をとることができる
衣類と寝具の素材
冷暖房器具の使用による乾燥・高温環境
刺激のある食品，香辛料，アルコールの摂取
かゆみの増強
皮膚の損傷と痛み
かゆみによる掻破行為
活動に集中できない
熟眠できない
休息，気分転換ができない
かゆみを忘れられる気分転換法がある
看護の焦点
良質な睡眠・休息と快適な身じたく
かゆみからの解放と楽しみな活動の営み
予測される危険性
ヒスタミン H_1 拮抗薬の内服治療
皮膚の掻破，摩擦
夜間睡眠中の覚醒
ふらつき，集中力低下，眠気
かゆみの誘発
皮膚のバリア機能の低下
活動意欲の低下
皮脂欠乏性湿疹
二次感染
睡眠不足
セルフケアの低下

STEP 1 アセスメント STEP 2 看護の焦点の明確化 STEP 3 計画 STEP 4 実施

看護の焦点の明確化

#1 皮膚の保湿機能を保ち，かゆみを誘発することなく良質な睡眠・休息と身じたくができる
#2 かゆみから解放され，楽しみとする活動を営める

STEP 1 アセスメント STEP 2 看護の焦点の明確化 STEP 3 計画 STEP 4 実施

1 看護の焦点	看護目標
皮膚の保湿機能を保ち，かゆみを誘発することなく良質な睡眠・休息と快適な身じたくができる	1) 皮膚の保湿が保たれ，かゆみが誘発されない 2) 疲労感がなく，意欲的に身じたくを整えることができる

具体策(支援内容)	根拠
1. かゆみの程度の把握	
・VAS (visual analogue scale) による自己評価票を用いてかゆみの程度を把握する	●ヒスタミン H_1 拮抗薬などの様々な止痒治療を適正に評価するには，主観的なかゆみの症状に対する客観的指標が必要である
2. 皮膚の乾燥を予防するための支援	
1) 入浴時の留意点と環境調整	
・石けんやシャンプーの過度な使用は避けるように説明する	●過度の洗浄により皮脂膜が破壊される
・石けんは皮膚の pH に大きく影響を与えるため，極力弱酸性の製品を選択する	●高齢者の皮膚はアルカリ性に傾きやすく，石けんでの洗浄後は正常な pH に戻りにくい
・洗髪→洗身→湯船の順とし，肌に残ったシャンプー成分を洗い流し，皮脂膜を守る	●シャンプーや石けん成分が肌に残っていると皮膚刺激となる
・シャンプーの二度洗いは避けるように心がける	
・石けんの泡によるクッション効果で，皮膚との摩擦を避ける．ナイロン製の垢すりは避け，十分な泡をつくり手でなでるように洗いよく流す	●ナイロン製は，皮膚の摩擦が生じやすく皮脂を過度に除去する危険性がある
・洗浄剤の大量使用は，すすぎ残りなどから接触皮膚炎などの原因となることを説明する	
・毎日入浴が不可能な場合，腋窩，頸部，陰部，足，耳介周囲など，発汗・汚染の多い部分を選択的に洗浄するように勧める	
・上腕，腰部，下腿の皮膚分泌が少ない部分は，毎日石けん洗浄をする必要性がないことを説明する	
・入浴温度は 38℃ くらいに設定する．また，かゆみを生じるほどの高い温度の湯は避ける	●高温・長時間入浴により皮脂膜や角質細胞間脂質が溶解する
・入浴剤を使用する場合は，イオウ成分の入らない保湿効果のあるものを勧める．また，ほてりを感じる入浴剤も避ける	●イオウには角質層を破壊する働きがあり，皮膚が乾燥しやすい状態になる ●ほてり感を感じた後に，かゆみが増強する
2) 入浴後のスキンケア(保湿方法)	
・バスタオルでゴシゴシと身体を拭かず，皮膚についている水分を押さえるようにバスタオルをあてるよう説明する	●バスタオルでこすることで浸軟した皮膚が傷つきやすくなる ●入浴後の皮膚の水分の蒸発を保湿剤で防ぎ，乾

- 入浴後は皮膚がある程度浸軟状態にあり，保湿成分を含んだローションが浸透しやすい．軟膏やクリームは油膜で皮膚を覆うため，保護効果が高くなることを説明する
- 保湿は入浴後 15 分以内，皮膚がやや湿った状態で塗るのが効果的であることを説明する
- 入浴後など清潔にした手に保湿剤をとり，そのまま塗り広げるのではなく何か所かに少しずつ点在させ，手のひら全体でやさしく広げ，できるだけ広範囲に伸ばし塗布する

燥を予防する
● 保湿剤で皮膚の表面に人工的な膜をつくることにより，外部からの異物の侵入を防ぐ
● 保湿剤によるケアを続けることで，角質層のバリア機能が回復し，皮膚の乾燥を防ぐ
● 入浴後の皮膚は，清潔で水分を含み角質層が浸軟し，保湿剤の成分が皮膚の奥まで浸透しやすい最適なタイミングである

- できるだけ皮溝に沿って塗布し，皮膚がややしっとりする程度に量を調整する
- 上肢の可動性や柔軟性，手指の巧緻性，視覚機能の低下がある際は，適宜介助する

● 皮膚の表面には皮溝とよばれる多数の溝があるため，それらに沿って横方向に塗布すると成分の浸透率が高まり，効果が得やすくなる

3) 必要な水分摂取量を保つための支援

- 1,500 mL/日を目安に水分を摂取できるように，飲み物の種類や 1 回量，時刻，器などを工夫する

● 脱水による乾燥を防ぐ

4) 冷暖房器具を適切に使うための支援

- 過度な冷暖房は避ける
- 空気が乾燥している場合は，加湿器の使用を考慮する（湿度は 50〜60% に保つ）
- 電気毛布や電気こたつの長時間の使用はなるべく避け，過度な高温にしない
- エアコンの風を直接皮膚にあてない

● 快適と感じる温度は 24〜26℃ である
● 冷暖房の使用により空気が乾燥し，皮膚の水分が奪われやすい

3. かゆみの誘発因子を取り除くための調整

1) 食事の調整

- 香辛料やアルコール，コーヒーは身体を温め，かゆみを増強するため控える
- かゆみが生じる可能性がある食品の摂取は，できるだけ控える
- ヒスタミン含有の食品はできるだけ避ける

● 体温が上昇すると，末梢血管が拡張することで皮膚の血流が良好となるため，皮膚温が上昇しかゆみが誘発される

2) 皮膚の清潔と保護

- 頻回な入浴やシャワー，高湯温，長風呂，イオウ成分や岩塩入りの入浴剤は避ける
- 発汗時は洗い流す程度のこまめな洗浄と清拭を行う
- 清拭時はナイロン製品の使用は避け，柔らかい素材のものを使用し，ゴシゴシこすらない

● 汗は塩分濃度が高く，かゆみを誘発する．また細菌により汗がアンモニアに分解されると，皮膚の pH がアルカリ性に傾き，皮膚の生理的防御能の低下，さまざまな刺激物質の侵入を容易にする．その結果，皮膚刺激に対し敏感となり，かゆみや炎症を引き起こす

3) 室温・湿度の調整

- 夏季で 23〜26℃，冬季で 20〜24℃ が望ましい．エアコン使用時は空気が乾燥しやすい．また，暖房器具の使用は空気を乾燥させる危険性があるため，状況に応じて加湿器を使用する

● 冬季は低気温や暖房使用により空気乾燥を生じやすく，かゆみが誘発される．加湿器使用時の湿度は 40〜60% に保つことが望ましく，とくに 40% 以下にならないように注意が必要である

4) 衣類，寝具等の調整

- かゆみを誘発するウールや化学繊維(レーヨン，ナイロン，ポリエステル)などの素材の衣類は避ける
- シーツやベッドカバーなどの寝具も同様である

●通気性，吸湿性のある衣類や寝具を用いる

- 木綿製や絹製で，ガーゼ，タオル，ネルなど，柔らかい素材のものを着用するよう心がける

●肌に刺激の少ない素材を選択する

- 毛羽立った衣類や静電気を起こしやすい下着，チクチクと刺激のある下着は避ける

●糊のきいた衣類や肌に触れるものもかゆみを誘発する

- 新しい肌着は，使用前に水洗いする

●付着した糊を落とし，吸湿性と肌あたりを改善する

- 衣類に洗濯洗剤が残っているとかゆみを誘発するため，よくすすぐ

5) 薬物の調整

- かゆみを誘発する薬物を内服している際は，高齢者が医師に内服中止や他剤への変更などの相談をできるよう支援する
- かゆみの軽減を目的として処方された内服薬や外用薬が逆にかゆみを誘発していると考えられる際も，上記と同様の対応を行う

●かゆみを誘発する薬物はかゆみを増強するだけではなく，緊張作用をもたらし，寝つきが悪くなったり，眠りが浅くなる

4. 良質な睡眠・休息に向けた支援

1) 良質な睡眠・休息のための環境調整

- カフェインの多い飲み物やアルコールは，夕食後は控える
- 室内の照明は，適度な暗さ(明るさ)に調整する
- シワがなく，清潔な寝具に整える
- 睡眠時や休息時は，密着性がある，圧迫感がある，発熱性があるなどのかゆみを誘発する衣類は避ける．とくに睡眠時は，肌触りがよく，吸湿性・放湿性の高い寝衣(パジャマ)を着用する

●ジャージやスウェットなどは気軽な部屋着として着用され，睡眠時に利用されることも多いが，化学繊維が使われているものが多く，パジャマより吸湿性が低い．また，袖口や裾口などのゴムがきついものも多く，汗をかく睡眠中の衣服としては適していない

- 発汗が原因となるかゆみの増強により，入眠困難や中途覚醒がある際は，汗をやさしく拭き取り，保湿剤や乳液，またはクリームや外用薬を塗布し，かゆみを鎮める

●入浴後などの身体が温まった時や入眠時は，とくにかゆみが強く出やすい

2) リラックスできるような支援

- ストレスは不安，緊張，怒りを生じさせ掻破することで気分を鎮めるという行為を招くので，できるだけ気分転換によって情緒の安定を図る
- 局部を冷却することで気分を休める
- リラックス効果のあるアロマテラピーや音楽鑑賞などを取り入れる

●かゆみに意識が集中しないようにする

●副交感神経が優位になると心身を休められるが，交感神経・副交感神経のバランスが崩れるとストレスを引き起こす

具体策（支援内容）	根拠
3) 薬物の調整 ・かゆみを抑えるための対症療法では，抗ヒスタミン成分配合薬の外用，あるいはヒスタミン H_1 拮抗薬や抗アレルギー薬の内服を検討する	
・掻破による炎症や湿疹病変がある際は，ステロイド製剤の外用薬を検討する	●湿疹化して貨幣状湿疹となった場合には，ステロイド製剤の外用，自家感作湿疹となった場合にはステロイド製剤の内服が必要である
・かゆみが強くイライラ感がある際は，ヒスタミン H_1 拮抗薬の内服を検討する	
・治療抵抗性で，季節に関係なくかゆみを訴える場合は，内服中の薬物や基礎疾患の存在を考え精査する必要がある	●高齢者は複数の薬を内服していることが多いため，有害事象としてかゆみがないか，薬物のチェックを行うことは大切である
・ヒスタミン H_1 拮抗薬の内服は，有害事象として眠気を引き起こす危険性があるため，日常生活に支障がない量を，高齢者が医師に相談し調整できるよう支援する	●日中の眠気の誘発は，生活が阻害される
・かゆみによる入眠困難や中途覚醒が生じないよう，高齢者が医師に相談し調整できるよう支援する	
・ヒスタミン H_1 拮抗薬の内服中は，眠気によるふらつきの有無，転倒の危険性の有無に注意を払う	●有害事象として眠気やふらつきが生じることがある

2 看護の焦点	看護目標
かゆみから解放され，楽しみとする活動を営める	1) かゆみによる掻破行動がない 2) かゆみが生じないようセルフケアを継続できる 3) かゆみがなく楽しみと思える活動が継続できる

具体策（支援内容）	根拠
1. 掻破による皮膚損傷を予防するための支援 ・掻破痕や紫斑がみられた際は，掻破によって生じる二次的な症状の皮疹や苔癬化，色素沈着が生じていないかを確認する	●皮膚損傷の部分から細菌感染しやすい状態となる
・皮疹や苔癬化が生じている場合は，医師に相談するよう促す ・かゆみを誘発する因子をアセスメントし，除去するための工夫を行う	●皮膚が感染した際は，知覚神経を刺激し激烈なかゆみを引き起こす．掻く行為によって皮膚をさらに損傷し，細菌繁殖によい条件となる悪循環が成立する ●皮膚表面の感染症として，ブドウ球菌などの細菌感染が最も多くみられる
・爪は短くし，掻破して皮膚が損傷することを防ぐ ・かゆみが生じている際は，軽く皮膚をたたく，または優しくなでる ・睡眠時にかゆい部分に触れてしまう場合，また掻破してしまう場合は，薄手の木綿製手袋の着用を勧める	
2. セルフケア継続とかゆみ軽減のための支援 ・皮膚の乾燥を予防し保湿を維持するためのケアや，かゆみの誘発因子を取り除く調整やケアが実施できるように支援する	

・高齢者が困難な場合は，高齢者を支える家族に説明し協力を得る
・皮膚の乾燥予防に関しては，看護の焦点#1の「2. 皮膚の乾燥予防」，誘発因子の調整やケアに関しては，看護の焦点#1の「3. かゆみの誘発因子を取り除くための調整」を参照する

3. 楽しみな活動を継続するための支援

・かゆみを忘れられるほどに集中できる趣味活動などの機会をつくる

●かゆみへの意識の集中を避ける

・外出時は，直射日光に直接あたらないよう，日傘，帽子，UV ケア用の手袋などを着用し出かけるよう説明する

●直射日光は紫外線による炎症を起こし，かゆみを引き起こす．また，皮膚免疫能を低下させ皮膚感染症を助長する．雪による紫外線の反射にも注意する

関連項目

●※もっと詳しく知りたいときは，以下の項目を参照しよう．

老人性皮膚瘙痒症の原因・誘因

●第 1 編の「5 身じたく（→ p.36）」：入浴の習慣が，皮膚の保湿に影響を及ぼしていないか，衣類の洗濯やかゆみの増強に影響してないか確認しよう
●「17 脱水（→ p.340）」：水分摂取量の低下が，皮膚の保湿に影響を及ぼしていないか確認しよう
●「25 抑うつ状態（→ p.451）」：心理的なストレスが瘙痒を増悪させていないか確認しよう

老人性皮膚瘙痒症に関連したリスク

●「29 転倒（→ p.504）」：ヒスタミン H_1 拮抗薬の使用による眠気やふらつきが，転倒の危険性をもたらしていないか確認しよう
●「21 睡眠障害（→ p.394）」：かゆみの増強によって睡眠が中断されていないか確認しよう

帯状疱疹

大久保抄織

早期発見・早期治療が重要で，疼痛管理と二次感染予防に努める

定義・診断

水痘・帯状疱疹ウイルスの初感染により水痘に罹患した後，ウイルスが三叉神経や脊髄後根神経節内に潜伏する．これが再活性化し発症するのが帯状疱疹である．

誘因は，ストレスや過労，悪性腫瘍，手術などにより免疫能が低下することにあり，高齢者に多くみられる．

診断は神経の走行に沿った疼痛と皮膚病変の臨床症状，水痘の罹患歴，発症誘因の確認によって行われる．単純ヘルペスや接触皮膚炎，虫刺されなどとの鑑別が必要となることがある．

症状・検査

症状は，まず片側の神経支配領域に一致した疼痛が先行して出現する．ほぼ同時から数日後に浮腫性の紅斑が出現し小水疱が多発する．水疱は帯状に広がり，一部は膿疱となり破れてびらんや潰瘍を形成する．これらは数日で痂疲となり自然に脱落する．

疼痛は軽いものから夜眠れない程度まで様々であり，多くは皮膚病変の治癒に伴いやがて消失する．治癒後3か月以上続く疼痛を帯状疱疹後神経痛という．

頬部や下顎から肩に帯状疱疹が出現した場合，三叉神経第3枝から第3頸髄神経の領域であるため，顔面神経麻痺や味覚障害，内耳障害が出現することがある．これをラムゼイ=ハント症候群という．炎症が脊髄の前角まで及ぶと運動麻痺が起こることもある．

確定診断のための検査には，ツァンク（Tzanck）試験やウイルス抗原検出法などがある．

治療

診断後，可能な限り早期に抗ウイルス薬の投与を開始することが重要である．これはウイルスの増殖を抑え早期回復をめざすとともに帯状疱疹後神経痛に移行するリスクを軽減することにつながる．一般的には内服治療が行われるが，重症化した場合は入院し，点滴静注を行うことがある．

皮膚病変に対して，初期は非ステロイド性抗炎症薬（NSAIDs），水疱が破れた場合は細菌の二次感染を予防するために化膿性皮膚疾患薬，潰瘍形成した場合は潰瘍治療薬（外用薬）が使用される，

疼痛に対しては，消炎鎮痛薬や抗うつ薬，副腎皮質ステロイドが使用される．激しい痛みに対しては神経ブロックを行うこともある．ラムゼイ=ハント症候群に対しては副腎皮質ステロイドの全身投与が必要となる．

看護の視点

症状は疼痛が先行し，遅れて皮膚病変が出現すること，早期の診断と早期の治療開始が早期回復にもつながることから，疼痛出現時は可能性の1つとして帯状疱疹を疑い，皮膚の観察を継続して早期発見に努める．

診断後は抗ウイルス薬の確実な投与と適切な疼痛コントロールが必要となる．鎮痛薬については訴えや表情から疼痛の程度を把握し，医師とその量を調整する．認知症がある場合は苦痛を表現できないため疼痛の程度を把握することが困難で，せん妄を起こすこともあるため配慮が必要である．疼痛により睡眠や食事，活動など生活に与える影響がないかを見極めてケアを工夫すること，疼痛に対する不安や恐怖を軽減するためのリラクセーション法を含めたケアが求められる．

皮膚の二次感染予防に対しては，指示の外用薬を使用し，皮膚や滲出液の観察と保清を行う．また，水痘に罹患していない小児や妊婦への感染に留意する．

11 褥瘡

山中　崇

目でみる疾患

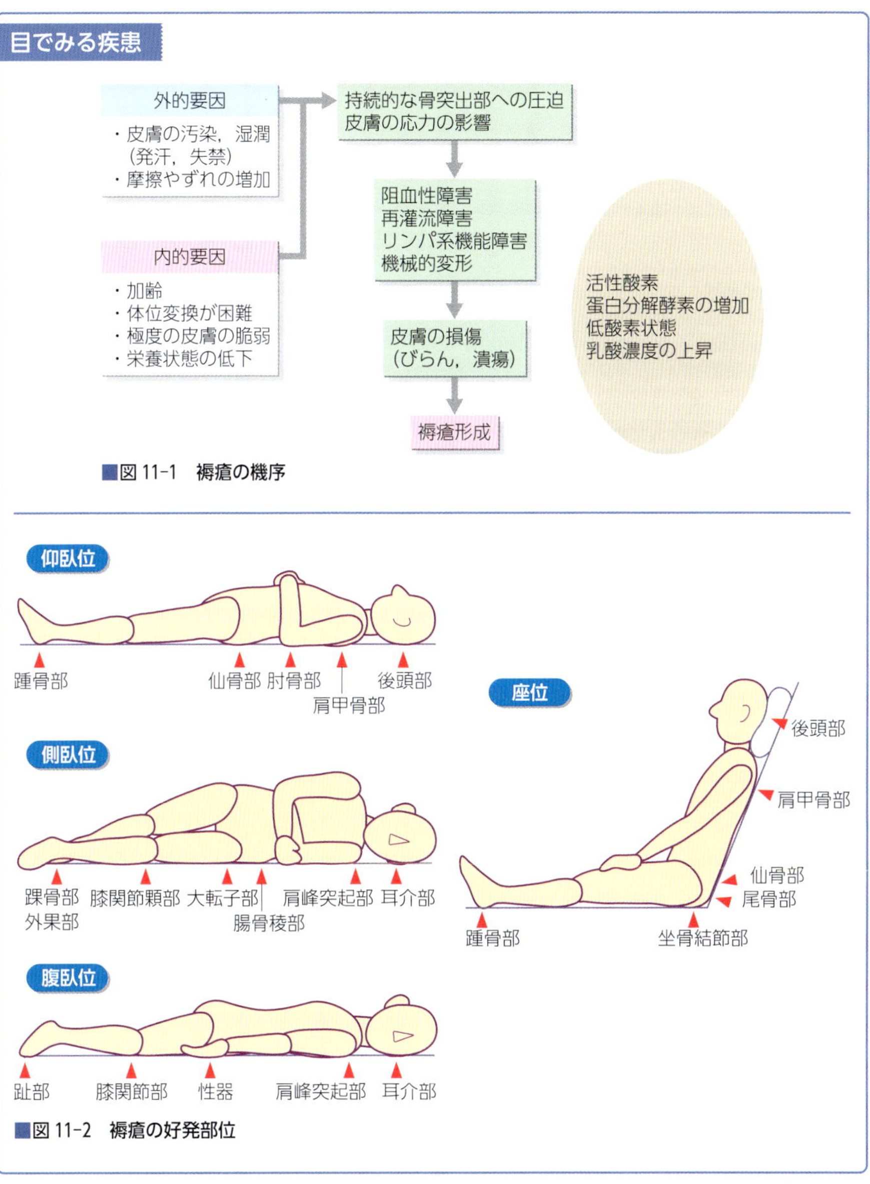

■図 11-1　褥瘡の機序

■図 11-2　褥瘡の好発部位

病態生理

褥瘡とは，身体に加わった外力が一定時間にわたり，骨と皮膚表層の間の軟部組織の血流を低下あるいは停止させたことにより，組織が不可逆的な阻血性障害に陥った状態をいう．

- 持続的な圧迫や皮膚の応力(ずれ，ひっぱる力)により皮膚に阻血性障害，再灌流障害，リンパ系機能障害，機械的変形を生じ，皮膚のびらん，潰瘍などの損傷をきたした結果，褥瘡を形成する．この過程では，活性酸素，蛋白分解酵素の増加，低酸素状態，乳酸濃度の上昇などの変化が複雑に関与する．
- 褥瘡の好発部位は仙骨部，踵骨部，大転子部，腸骨稜部，尾骨部など圧迫を受けやすい骨突出部であり，座位では坐骨結節部にも生じやすい．
- 褥瘡を発生させる要因である持続的な圧迫や皮膚の応力の影響を生じやすい状態には，日常生活機能の低下，知覚認知の障害があり，外的因子として失禁や発汗などによる皮膚の汚染や湿潤，摩擦やずれの増加，内的要因として加齢，栄養状態の低下などが存在する．これらの要素が複合的に作用した結果，褥瘡を形成する．

●創傷の治癒過程

- 急性創傷の治癒過程は，出血凝固期，炎症期，増殖期，成熟期に分けられる．褥瘡はこの過程が障害されたものであり，多くは炎症期から増殖期への移行が遷延している状態である．細胞の老化，滲出液の異常，細胞外マトリックスの異常などが組み合わさって生じる．炎症期から増殖期への移行を促進するために，創面環境調整を行う．

病因・増悪因子

- 褥瘡は同一部位の持続的圧迫および皮膚の応力(ずれやひっぱる力)により生じる．褥瘡を発生するリスクとして，寝たきりなどで体位変換ができず長時間同じ姿勢をとるような基本的日常生活動作の低下，病的骨突出，関節拘縮，栄養状態の低下，発汗や失禁など湿潤，極度の皮膚の脆弱，鎮痛・鎮静薬の使用などがある．
- 褥瘡の発生リスクが高い疾患として，脳血管疾患，脊髄損傷，うっ血性心不全，骨盤骨折，糖尿病，慢性閉塞性肺疾患ではとくに注意が必要である．そのほかにも悪性腫瘍，認知症，関節リウマチ，骨粗鬆症，深部静脈血栓症，パーキンソン病，末梢血管疾患，尿路感染症を認める時には褥瘡の発生を考慮する．また，睡眠薬や抗精神病薬の服用，長時間の全身麻酔などにより発生することもある．

疫学・予後

- 褥瘡の有病率は病院 0.46～2.20%，介護保険施設 0.89～1.27%，訪問看護ステーション 2.61% とされる(日本褥瘡学会，2013 年)．褥瘡の有病率は高齢者で高く，悪性新生物，脳血管疾患，骨・関節疾患患者に生じやすい．
- 褥瘡の発生を予防することが最善策であるが，褥瘡を形成しても適切な褥瘡治療・ケアにより多くの場合，治癒可能である．しかし，なかには悪性腫瘍の末期，老衰状態のように，褥瘡の治癒が困難な場合もあり，その時は QOL に配慮して治療・ケアを継続する．

症状

消退しない発赤から始まり，組織の欠損に至る．

- 初期症状は発赤，疼痛であることが多い．硬結，熱感，冷感を伴うこともある．進行すると水疱，潰瘍を生じる．
- 褥瘡の深達度分類として NPUAP (National Pressure Ulcer Advisory Panel) 分類の 2007 年改訂版が用いられ，カテゴリ／ステージⅠ：消退しない発赤，Ⅱ：部分欠損，Ⅲ：全層皮膚欠損，Ⅳ：全層組織欠損に分類される(表 11-1)．カテゴリ／ステージⅠの褥瘡は反応性充血と同じように発赤を示すため，両者を見分けるにはガラス板圧診法または指押し法を用いる．3 秒間発赤部を圧迫し，消退しない紅斑(発赤)は褥瘡と判断できる．
- 治療，ケアの現場では，褥瘡の色調で黒色期，黄色期，赤色期，白色期の病期に分類する色分類が用いられている．黒色期や黄色期は炎症期，赤色期は増殖期，白色期は成熟期にほぼ対応する(図 11-3)．

■表 11-1　褥瘡の深達度分類(NPUAP)

病期	症状・所見
カテゴリ／ステージⅠ：消退しない発赤	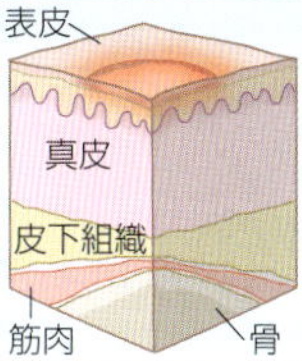 通常，骨突出部に限局した領域に消退しない発赤が認められ，皮膚に損傷はない．病変部は周辺と比較して疼痛，硬さ，軟らかさ，熱感，冷感が生じることがある．
カテゴリ／ステージⅡ：部分欠損	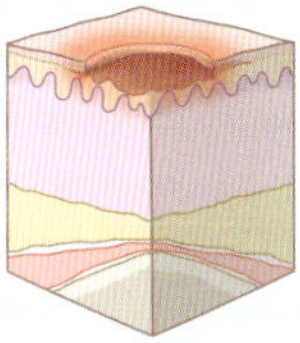 創底が薄赤色の浅い潰瘍として現れる真皮の部分層欠損．黄色壊死組織(スラフ)または皮下出血を伴わない．
カテゴリ／ステージⅢ：全層皮膚欠損	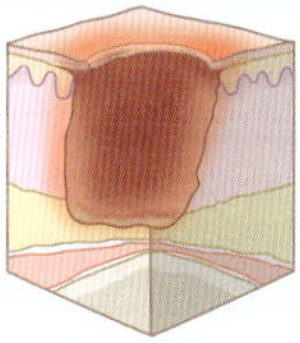 全層にわたる組織欠損．皮下脂肪は確認できるが，骨，腱，筋肉の露出はない．組織欠損の深度がわからなくなるほどではないが，スラフ付着を認めることがある．
カテゴリ／ステージⅣ：全層組織欠損	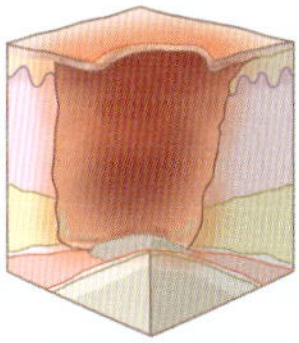 骨，腱，筋肉の露出を伴う全層にわたる組織欠損．スラフまたは黒色壊死組織(エスカー)を創底に認めることがある．
判定不能：深さ不明	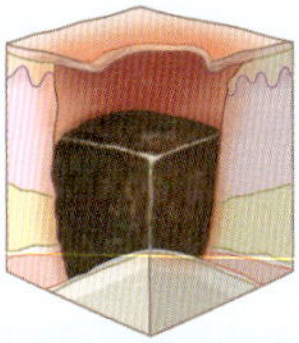 潰瘍底が壊死組織で完全に覆われた，全層にわたる組織欠損．壊死組織を十分除去しないかぎり褥瘡の深達度は判定不能である．
深部損傷褥瘡(deep tissue injury：DTI)疑い：深さ不明	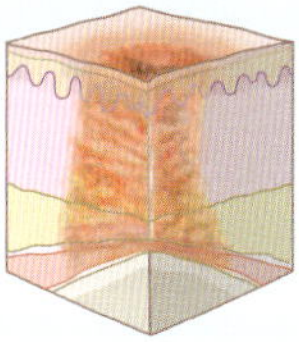 圧力や剪断力によって生じた皮下軟部組織の損傷に起因する，限局性の皮膚変色(紫色または栗色)または血疱．

(National Pressure Ulcer Advisory Panel, European Pressure Ulcer Advisory Panel, Pan Pacific Pressure Injury Alliance : Prevention and treatment of pressure ulcers : clinical practice guideline. National Pressure Ulcer Advisory Panel, 2014 をもとに作成)

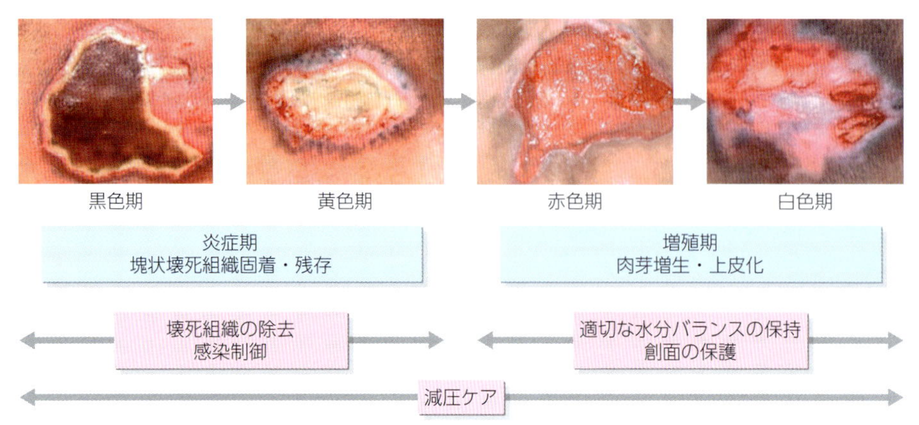

■図 11-3　慢性期褥瘡の病期分類と治療目標
（茂木精一郎：特集　高齢者の褥瘡；褥瘡治療の実際—創を評価する．日老医誌 50：594，図 2，2013）

診断・検査値

●褥瘡発生リスクの評価

- 褥瘡発生には個体要因と環境・ケア要因および両者に共通する要因が関与する．褥瘡発生のリスクが高い者に対して，これらの要因を評価（リスクアセスメント）し，褥瘡の発生予防に努める．
- ブレーデンスケールはよく用いられている褥瘡のリスクアセスメント・スケールであり，知覚の認知，湿潤，活動性，可動性，栄養状態，摩擦とずれの 6 つの評価項目で構成されている．褥瘡のリスクアセスメント・スケールにはこのほかにも，寝たきり入院高齢者に K 式スケール，寝たきり高齢者に OH スケール，高齢者全般に厚生労働省の褥瘡危険因子評価表，在宅療養者に在宅版褥瘡発生リスクアセスメント・スケールなどが用いられる．

●褥瘡の評価

- NPUAP 分類（前掲表 11-1）により褥瘡の深さは把握できるが，深さ以外の要素を経時的に評価しながら褥瘡治療・ケアを実施するには不十分である．また，色分類（前掲図 11-3）はわかりやすく，褥瘡の状態を大まかに把握して治療法を選択するうえで参考になるが，主観的評価であるため観察者により評価が異なり，創傷の状態を客観的に表現することが困難である．
- 褥瘡の経過を評価して適切な治療・ケアを行うため，2008 年に改定された DESIGN-R®が用いられる（表 11-2）．創面の性状から重症度，経過を評価する方法であり，褥瘡の深さ（depth），滲出液の量（exudate），大きさ（size），炎症（inflammation）/感染（infection）の有無，肉芽組織（granulation tissue），壊死組織（necrotic tissue）の有無の 6 項目により創面評価を行い，ポケット（pocket）が存在するものには末尾に「-P」と記載する．褥瘡の重症度が高いほど点数が高くなる．点数化することにより重症度および治療経過が評価できる．重症度の低い項目を小文字で，重症度の高い項目を大文字で表すことにより褥瘡の状態を容易に把握できるようになっている．また治療が遅れている項目を浮かび上がらせ，治療を促進することができる．当初深さが 6 段階で評価されていたが，2008 年に改定された DESIGN-R®では d の判定不能例を加えて 7 段階評価に変更された．

合併しやすい症状

- 褥瘡の潰瘍面の細菌感染，皮膚深部から皮下脂肪にかけて細菌感染を生じる蜂窩織炎，骨髄炎，壊死性筋膜炎，敗血症をきたす場合もある．これらの状態では抗菌薬の全身投与を考慮する．

治療法

●治療方針

- 褥瘡のケアでは，体圧分散寝具の使用や，定期的な体位変換とポジショニングによる除圧が基本である．

■表 11-2　DESIGN-R® 褥瘡経過評価用スケール

カルテ番号（　　　）
患者氏名　（　　　　　）

					月日	/	/	/	/	/	/
Depth 深さ　創内の一番深い部分で評価し，改善に伴い創底が浅くなった場合，これと相応の深さとして評価する											
d	0	皮膚損傷・発赤なし	D	3	皮下組織までの損傷						
	1	持続する発赤		4	皮下組織を越える損傷						
	2	真皮までの損傷		5	関節腔，体腔に至る損傷						
				U	深さ判定が不能の場合						
Exudate 滲出液											
e	0	なし	E	6	多量：1 日 2 回以上のドレッシング交換を要する						
	1	少量：毎日のドレッシング交換を要しない									
	3	中等量：1 日 1 回のドレッシング交換を要する									
Size 大きさ　皮膚損傷範囲を測定：［長径(cm)×長径と直交する最大径(cm)］*3											
s	0	皮膚損傷なし	S	15	100 以上						
	3	4 未満									
	6	4 以上　16 未満									
	8	16 以上　36 未満									
	9	36 以上　64 未満									
	12	64 以上　100 未満									
Inflammation/Infection 炎症/感染											
i	0	局所の炎症徴候なし	I	3	局所の明らかな感染徴候あり(炎症徴候，膿，悪臭など)						
	1	局所の炎症徴候あり(創周囲の発赤，腫脹，熱感，疼痛)		9	全身的影響あり(発熱など)						
Granulation 肉芽組織											
g	0	治癒あるいは創が浅いため肉芽形成の評価ができない	G	4	良性肉芽が，創面の 10% 以上 50% 未満を占める						
	1	良性肉芽が創面の 90% 以上を占める		5	良性肉芽が，創面の 10% 未満を占める						
	3	良性肉芽が創面の 50% 以上 90% 未満を占める		6	良性肉芽が全く形成されていない						
Necrotic tissue 壊死組織　混在している場合は全体的に多い病態をもって評価する											
n	0	壊死組織なし	N	3	柔らかい壊死組織あり						
				6	硬く厚い密着した壊死組織あり						
Pocket ポケット　毎回同じ体位で，ポケット全周(潰瘍面も含め)［長径(cm)×短径*1(cm)］から潰瘍の大きさを差し引いたもの											
p	0	ポケットなし	P	6	4 未満						
				9	4 以上 16 未満						
				12	16 以上 36 未満						
				24	36 以上						
部位［仙骨部，坐骨部，大転子部，踵骨部，その他(　　　　　)］					合計*2						

*1："短径"とは"長径と直交する最大径"である　*2：深さ(Depth：d．D)の得点は合計には加えない　*3：持続する発赤の場合も皮膚損傷に準じて評価する　©日本褥瘡学会/2013

〔日本褥瘡学会．http://www.jspu.org/jpn/member/pdf/design-r.pdf(2020/08/28 閲覧)〕

- 褥瘡の全身管理と局所管理の両面からケアを行う．

全身管理

- 栄養状態の改善や疾患の治療，リハビリテーションを実施する．
- 栄養評価の方法には，血清アルブミン値，体重減少率，食事摂取率および主観的包括的栄養評価(subjective global assessment：SGA)，簡易栄養状態評価表(mini nutritional assessment：MNA®)，CONUT(controlling nutritional status)などの栄養スクリーニングツールが用いられる．
- 低栄養状態を認める高齢者には，高エネルギー，高蛋白質の栄養補給を考慮する．褥瘡患者では亜鉛，アスコルビン酸，アルギニン，L-カルノシン，n-3系脂肪酸，コラーゲン加水分解物などの微量栄養素の補給が有効とされる．栄養は食事として摂取する以外に半消化態栄養剤や消化態栄養剤が用いられ，必要に応じて経鼻胃管や胃瘻などから投与する場合もある．経口摂取が不可能な者では末梢静脈栄養および中心静脈栄養を検討する．管理栄養士や栄養サポートチームと連携しながら栄養管理を実施する．

局所管理

- 排泄物などを十分な量の生理食塩水または水道水を用いて洗い流し，皮膚を清潔に保つ．消毒は，明らかな創部の感染を認め，滲出液や膿苔が多いとき以外は通常不要である．
- 壊死組織は除去し，感染の治療など治療阻害要因の除去および創傷の湿潤環境を維持する．
- 潰瘍面を乾燥させすぎると創傷治癒が遷延するので適当な湿潤環境を保つ．
- 創面の治療・ケア方法として軟膏塗布，ドレッシング材の貼付がある．DESIGN-R®を用いて褥瘡の経過を評価し，褥瘡の状態に応じてドレッシング材と外用薬を選択する．
- **急性期褥瘡**：適度な湿潤環境を維持しながら創面保護を図り，頻回に創部を観察する．
- **慢性期褥瘡**
  - ・発赤・びらん・真皮までの浅い褥瘡：適度な湿潤環境を維持しながら創面保護を図る．
  - ・滲出液が多い場合：滲出液吸収作用を有する外用薬を使用して湿潤環境を適正化する．
  - ・感染・炎症がある場合：壊死組織の除去，ポケット内の清浄化に努める．感染徴候が明らかな場合は消毒し，外用薬を用いる．蜂窩織炎，筋膜炎，骨髄炎，敗血症が疑われるときは抗菌薬を全身投与する．
  - ・壊死組織がある場合：外科的デブリードマンや化学的デブリードマンにより壊死組織を除去する．
  - ・ポケットがある場合：外科的デブリードマンや化学的デブリードマンにより壊死組織を除去し，ポケット内を洗浄する．
  - ・増殖期(肉芽形成期)
    肉芽形成を促進するとき：肉芽形成促進作用を有する外用薬を用いる．陰圧閉鎖療法を行ってもよい．
    創を縮小するとき：滲出液を吸収しながら創面の湿潤環境維持を図り，外用薬を選択する．
  - ・保存的治療で治癒に長期間要すると予測される場合：皮弁手術による外科的創閉鎖で治癒までの期間を短縮できる可能性があるため，褥瘡の局所と全身状態と患者の希望を考慮して形成外科医や皮膚科医に相談する．

薬物療法

- DESIGN-R®を用いて褥瘡の経過を評価し，褥瘡の状態に応じて外用薬とドレッシング材を選択する(表11-3，4)．
- **急性期褥瘡**：[外用薬] 白色ワセリン，酸化亜鉛，ジメチルイソプロピルアズレン，スルファジアジン銀
  [ドレッシング材] ポリウレタンフィルム
- **慢性期褥瘡**
  - ・発赤・びらん・真皮までの浅い褥瘡：[外用薬] 白色ワセリン，酸化亜鉛，ジメチルイソプロピルアズレン
    [ドレッシング材] ポリウレタンフィルム，ハイドロコロイド
  - ・滲出液が多い場合：[外用薬] カデキソマー・ヨウ素，合剤(白糖，ポビドンヨード配合)
    [ドレッシング材] ポリウレタンフォーム
  - ・感染・炎症がある場合：[外用薬] カデキソマー・ヨウ素，スルファジアジン銀，合剤(白糖，ポビドンヨード配合)
    [ドレッシング材] 銀含有ハイドロファイバー，アルギン酸Ag

・壊死組織がある場合：[外用薬] カデキソマー・ヨウ素，スルファジアジン銀，ブロメライン，合剤(白糖，ポビドンヨード配合)，ヨードホルム
[ドレッシング材] デキストラノマー，ハイドロジェル
・ポケットがある場合：[外用薬] 合剤(白糖，ポビドンヨード配合)，トラフェルミン(遺伝子組換え)，トレチノイントコフェリル
[ドレッシング材] アルギン酸塩，ハイドロファイバー，アルギン酸 Ag
・増殖期(肉芽形成期)
肉芽形成を促進するとき：[外用薬] アルクロキサ，トラフェルミン(遺伝子組換え)，トレチノイントコフェリル，合剤(白糖，ポビドンヨード配合)
[ドレッシング材] アルギン酸 Ag，アルギン酸塩，ハイドロコロイド，ハイドロポリマー，ポリウレタンフォーム，ポリウレタンフォーム／ソフトシリコン，ハイドロファイバー，ハイドロファイバー／ハイドロコロイド
創を縮小するとき：[外用薬] アルクロキサ，アルプロスタジルアルファデクス，トラフェルミン(遺伝子組換え)，ブクラデシンナトリウム，合剤(白糖，ポビドンヨード配合)
[ドレッシング材] 銀含有ハイドロファイバー，アルギン酸 Ag，アルギン酸塩

●物理療法
●感染・壊死がコントロールされ，肉芽組織が少ない場合，陰圧閉鎖療法を行うことがある.
●感染・炎症の制御や壊死組織の除去を目的に，水治療法，パルス洗浄，吸引療法を行うことがある.
●創の縮小を図るために，電気刺激療法，近赤外線療法，超音波療法，電磁波刺激療法を行ったり，また臥床時に体圧分散マットレスに加えて加振装置を用いることがある.

●外科療法
●ポケットがある場合は外科的デブリードマンを行う.
●保存的治療で改善しない皮下組織より深層の褥瘡には，外科的再建術(皮弁形成術，植皮術)を行う.

■表 11-3　褥瘡の主な治療薬(外用薬)

分類	一般名	主な商品名	薬の効くメカニズム	主な副作用
皮膚保護剤	白色ワセリン	プロペト	皮脂の補給による皮膚の乾燥防止	接触皮膚炎
外用局所収れん剤	酸化亜鉛	亜鉛華軟膏	収れん，消炎，保護	過敏症状，発疹，刺激感
炎症性皮膚疾患治療薬	ジメチルイソプロピルアズレン	アズノール軟膏	抗炎症作用，創傷治癒促進作用	熱感，瘙痒感，ヒリヒリ感など皮膚の刺激症状
褥瘡・皮膚潰瘍治療剤	カデキソマー・ヨウ素	カデックス	滲出液などの吸収効果による潰瘍治癒促進効果	疼痛，刺激感，発赤
	合剤(白糖，ポビドンヨード配合)	ユーパスタ軟膏	創傷治癒作用および殺菌作用	疼痛，刺激感，皮膚炎
	トラフェルミン(遺伝子組換え)	フィブラストスプレー	創傷治癒促進作用，血管新生作用，肉芽形成促進作用	刺激感・疼痛，発赤，瘙痒感
	トレチノイントコフェリル	オルセノン軟膏	創傷治癒促進作用，肉芽形成促進作用，血管新生促進作用	発赤，感染，疼痛・刺激感
	アルプロスタジルアルファデクス	プロスタンディン軟膏	皮膚血流増加作用，血管新生作用，表皮角化細胞増殖作用による肉芽形成および表皮形成促進	疼痛，刺激感，出血，接触皮膚炎
	ブクラデシンナトリウム	アクトシン軟膏	潰瘍縮小・治癒促進作用，肉芽形成促進作用，表皮形成促進作用	疼痛，発赤，刺激感
壊死組織除去剤	ブロメライン	ブロメライン軟膏	痂皮除去効果，壊死組織除去効果	出血，疼痛，創縁のエロジオン

(つづく)

■表 11-3　褥瘡の主な治療薬(外用薬)(つづき)

分類	一般名	主な商品名	薬の効くメカニズム	主な副作用
外皮用殺菌消毒剤	ヨードホルム	ヨードホルムガーゼ	創傷・潰瘍から出る血液や分泌液に溶けて分解し，ヨウ素を遊離することによる殺菌作用	ヨード中毒，瘙痒感，ヨード疹，蕁麻疹様発疹，紅斑，丘疹，水疱
外用感染治療剤	スルファジアジン銀	ゲーベンクリーム	抗菌作用	疼痛，白血球減少，発疹
びらん・潰瘍組織修復材	アルクロキサ	アルキサ軟膏	角質の水分保持作用，組織修復作用	瘙痒，刺激感

■表 11-4　褥瘡の主な治療薬(ドレッシング材)

目的・用途	一般名	主な商品名	薬の効くメカニズム
創面保護	ポリウレタンフィルム	テガダーム，オプサイトウンド，バイオクルーシブ	片面が粘着面の透明なフィルム，水蒸気や酸素が透過し中が蒸れない．創部の被覆および保護作用を有する
創面閉鎖と湿潤環境	ハイドロコロイド	デュオアクティブ，コムフィール，アブソキュア	親水性コロイド粒子が滲出液を吸収して創部に浸潤環境をつくり，組織新生を助け治癒を促進する
滲出液が少ない場合	ハイドロジェル	ビューゲル，グラニュゲル	本品に含まれる水分が壊死組織を浸軟，融解させデブリードマンを促進する．創部に湿潤環境を形成し組織新生を助け治癒を促進する
滲出液が多い場合	ポリウレタンフォーム	ハイドロサイト	最外側が水分を通さないポリウレタンフィルム，最内側が非固着性の薄いポリウレタン，その間に厚い親水性吸収フォームが挟まれている．中層は高い吸水性を有し滲出液を吸収し，適度の水分を保持して湿潤環境を保つ
	アルギン酸塩	カルトスタット，ソーブサン	アルギン酸は自重の 15～20 倍の水分を吸収し，滲出液など Na イオンを含む水分を吸収するとゲル化し，湿潤環境を保つ．ゲル化する際に Ca イオンを放出し，極めて強力な止血効果を有する
	ハイドロファイバー	アクアセル	ハイドロファイバーが滲出液を吸収，保持し創傷治癒を促進する
	ハイドロポリマー	ティエール	滲出液を吸収して滲出液の方向に向かって膨らむ．親水能が高い
感染・炎症がある場合	銀含有ハイドロファイバー	アクアセル Ag	滲出液を吸収・保持してゲルを形成し，創部を外部から保護し，湿潤環境を形成する．滲出液を吸収・保持した時，滲出液中に銀イオンを遊離し，細菌に対して抗菌効果を示す
	アルギン酸 Ag	アルジサイト銀	滲出液と接するとゲル化して創部を保護し，皮下脂肪組織までの創傷の治癒を促進する湿潤環境を形成する．銀を含有し抗菌性を有する
	デキストラノマー	デブリサンペースト	滲出液，壊死組織，細菌を吸収して創面を清浄化し，二次的に肉芽形成，表皮形成を促進する

褥瘡の病期・病態・重症度別にみた治療フローチャート

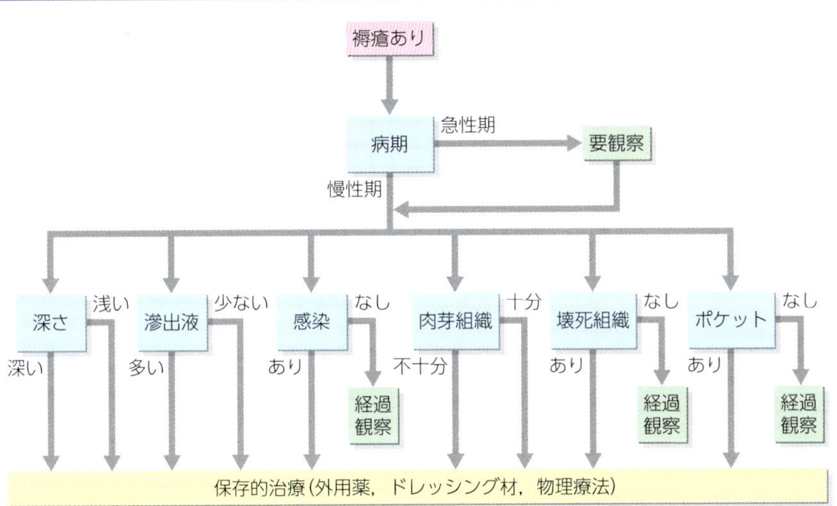

褥瘡の病期と DESIGN-R®による褥瘡状態をアセスメントし，保存的治療（外用薬，ドレッシング材，物理療法）を選択・実施する．

（日本褥瘡学会教育委員会 ガイドライン改訂委員会：褥瘡予防・管理ガイドライン 第4版．褥瘡会誌17：498，図2，2015）

褥瘡をもつ高齢者の看護

上野　澄恵

看護の視点

- 高齢者の皮膚は，新陳代謝の低下．角質層の菲(ひ)薄化．皮脂の分泌減少，細胞間脂質（セラミド）の減少による水分保持機能の低下などによって，皮膚のバリア機能が脆弱な状態にある．こうした加齢変化により，皮膚が硬化して皮下組織の弾力性低下やドライスキンをもたらす（図 11-4）．
- さらに高齢者では皮下脂肪が減少し，毛細血管が脆弱になるうえに，表皮内に散在するランゲルハンス細胞が減少し，皮膚の免疫反応が低下する．
- このように高齢者では，皮膚のバリア機能と組織耐久性が低下するため，圧迫やずれ・摩擦といった物理的刺激（外力）が加わると，褥瘡を生じやすい．

※しかし，褥瘡は予防可能であり，早期対応によって治癒できることを念頭において，以下に示す日常生活の看護のポイントに留意して支援する．

1．脆弱な皮膚への外力を防ぎながら，健常な皮膚を保つ身じたくや活動への支援

皮膚の組織耐久性を維持・改善するために，基礎疾患や加齢変化による皮膚の特徴を理解したうえで，褥瘡の原因となる脆弱な皮膚への外力を防ぐような活動や，マイクロクライメット（皮膚表面または組織の温度，身体表面の湿潤）を調整できるように，心地よい身じたくを支援する．

2．合併症の予防と褥瘡治癒を促進するためのおいしい食事による低栄養の改善

二次損傷や感染などの合併症を予防しながら褥瘡の治癒を促進するために，おいしく食べることで必要な栄養素を摂取し，低栄養を改善できるよう支援する．

●発生からの時間に応じた長期的な看護の視点

- 日本褥瘡学会編『褥瘡ガイドブック（第 2 版）』（2015）に沿ってケアの視点を整理する．

【急性期】 発生後おおむね 1～3 週間で，発赤，紫斑，浮腫，水疱，びらん，浅い潰瘍などの多彩な病態が短時間に現れる．治癒を促進するためには，褥瘡の発生原因を追究することが重要なポイントとなる．発生原因を除去し，適度な湿潤環境を保ちながら創面を保護し，創部の変化を注意深く観察していく（図 11-5）．

【慢性期】 感染，炎症，循環障害などの急性期反応が消退し，組織障害の程度が定まった状態である．深さが真皮までに留まる「浅い褥瘡」と，真皮を超えて深部組織まで及ぶ「深い褥瘡」とに分け，深さを見極めたうえで，創面環境調整（wound bed preparation：WBP）を実施する（図 11-6）．

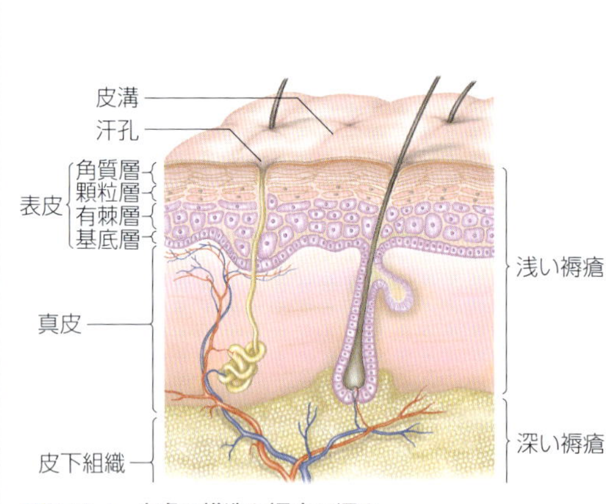

■図 11-4　皮膚の構造と褥瘡の深さ

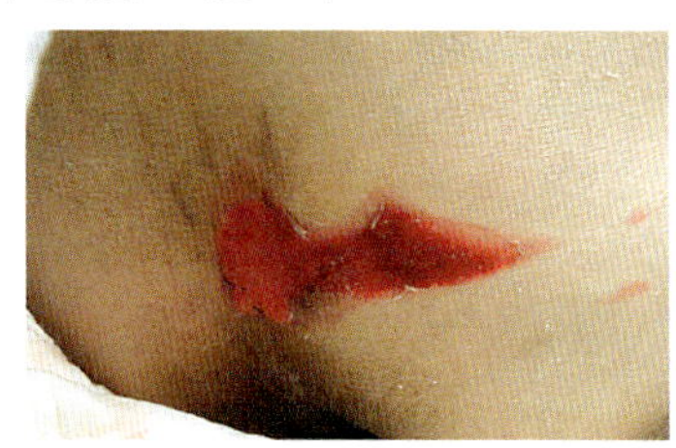

■図 11-5　急性期

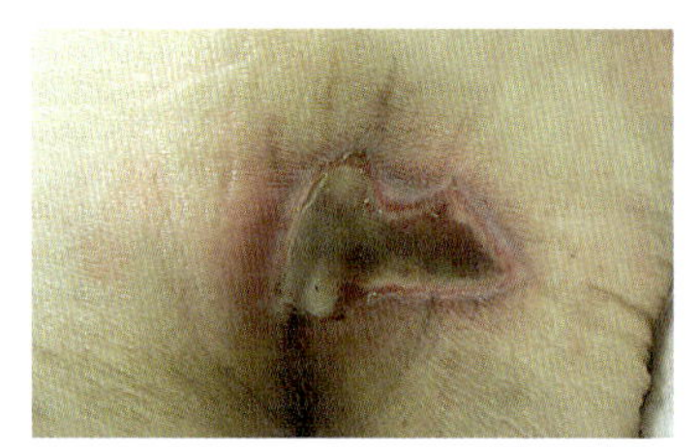

■図 11-6　慢性期

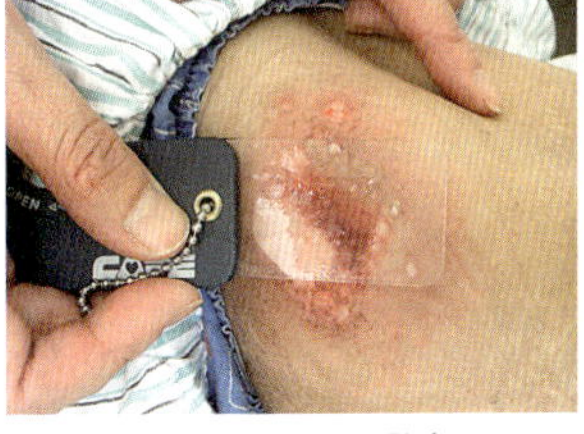

■図 11-7　消退しない発赤

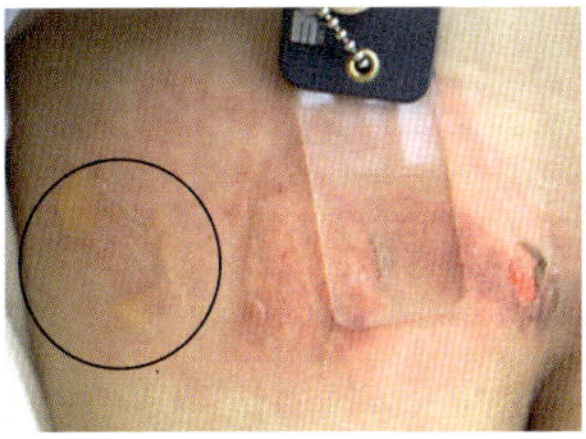

■図 11-8　水疱

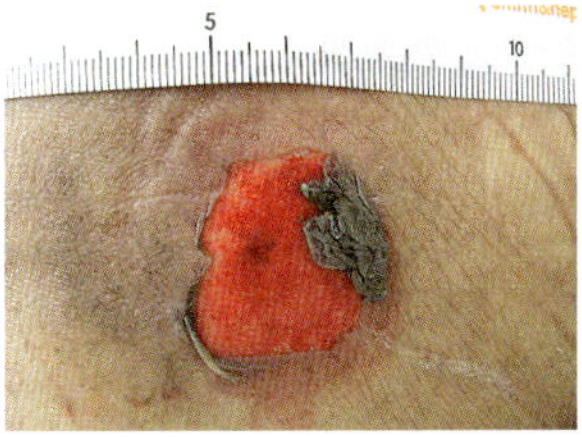

■図 11-9　びらん

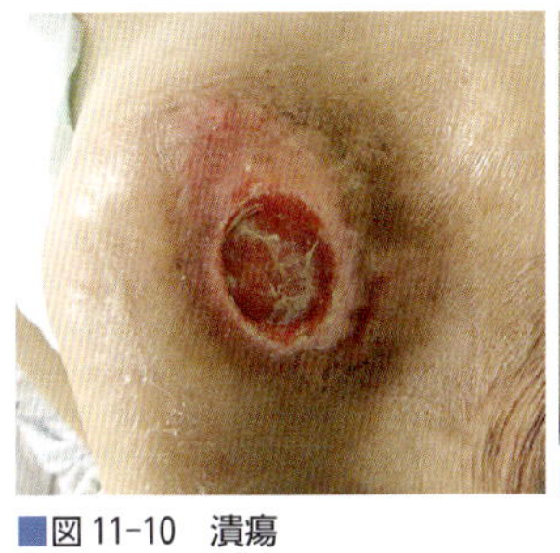

■図 11-10　潰瘍

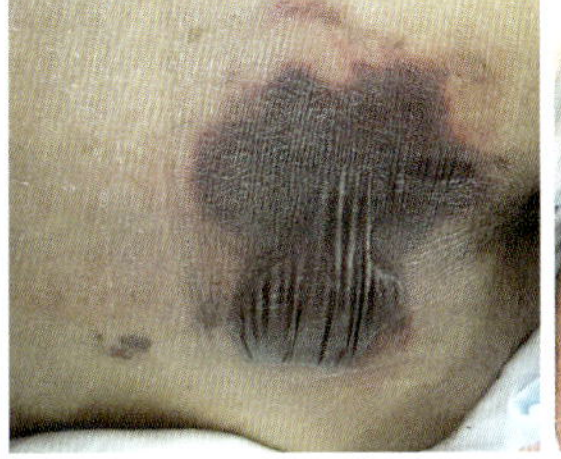

■図 11-11　血疱

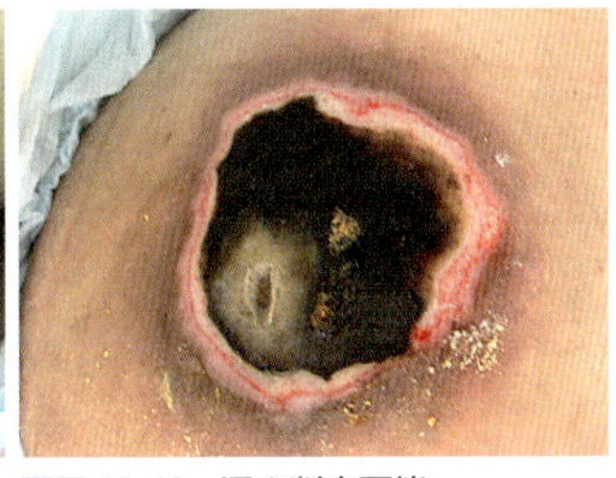

■図 11-12　深さ判定不能

STEP 1 アセスメント　STEP 2 看護の焦点の明確化　STEP 3 計画　STEP 4 実施

情報収集・情報分析

	必要な情報	分析の視点
疾患関連情報	**現病歴と既往歴** ・褥瘡の発生要因となる疾患やその治療方法	□脳卒中，脊髄損傷，骨折，パーキンソン病，関節リウマチなどの身体可動性が低下する疾患はないか □糖尿病，ASO(閉塞性動脈硬化症)，うっ血性心不全などの低栄養や循環不全をきたす疾患はないか □フレイルや認知症などの活動性の低下をもたらす状態はないか □現病歴や既往歴の治療が，褥瘡の発生や治癒の遅れに影響していないか．例えば，物理的外力(牽引，ギプス・シーネ固定，弾性ストッキング，ドレーンやチューブなど)，手術後の安静や鎮静薬使用による長時間の臥床など
	症状 ・褥瘡の部位 ・褥瘡の形，サイズ ・褥瘡の深さ ・滲出液，肉芽組織，壊死組織，ポケット* *ポケットとは，創周囲の皮膚の下に広がる組織の破壊により生じた腔をいう	□仙骨部，大転子部，坐骨結節部の骨突出はないか．骨突出部が褥瘡発生に影響していないか □褥瘡経過評価用スケール DESIGN-R® での評価はどうか □褥瘡の形は円形か不整形か．サイズは長径・短径が各何 cm か □褥瘡の深さは，持続する発赤，紫斑，水疱，びらん，皮下組織までの損傷，皮下組織を超える損傷のいずれか．関節腔・体腔に至る損傷の有無はどうか(図 11-7〜12) □滲出液の量，色，臭いはどうか □炎症/感染の有無と，局所の炎症徴候，発熱，白血球・CRP 高値がみられないか □肉芽組織のうち良性肉芽・不良肉芽の占める割合はどうか □壊死組織があるか．その状態は軟らかいか，厚く密着して硬いか．ポケットはあるか．その場合，サイズはどうか

	必要な情報	分析の視点
疾患関連情報	**治療** ・創部の治療(ドレッシング剤，軟膏・クリーム，デブリードマンなど)	□褥瘡の経過に応じて，どのような治癒が行われているか □壊死組織，不良肉芽に対する外科的デブリードマンは行われているか．デブリードマン前後の外用薬による感染予防や創部の水分コントロールはどうなっているか
身体的要因	**運動機能** ・日常生活自立度 ・身体可動性，活動性 ・関節拘縮，病的骨突出	□日常生活の過ごし方はどうか(ベッドから離れているか，車椅子での生活が可能か) □寝返り，起き上がり動作ができるか □座位姿勢を保持できるか，姿勢が崩れることはないか □同一体位での臥床時間・座位時間が長くなっていないか □関節拘縮や骨突出によって同一部位に圧迫が生じていないか □関節拘縮によって，寝返りや起き上がり動作時に骨突出部にずれ・摩擦が生じていないか
	認知機能，言語機能，感覚・知覚 ・意識レベル，麻痺 ・身体的変化	□予防，治療の必要性を理解できるか □コミュニケーションは図れるか □鎮静薬の使用によって伝える力や知覚が低下していないか
	皮膚の脆弱化 ・組織耐久性の低下 ・マイクロクライメット	□浮腫，浸軟，菲薄化，バリア機能の低下，ドライスキン，弾力性・張力の低下があるか □体温の上昇はないか □ベッド内の湿度は上がっていないか
心理・霊的要因	**健康知覚・意向，自己知覚** ・療養生活に対する思い	□どのような生活を送りたいと思っているか □「褥瘡があるので安静が必要」「入浴や清拭をしないほうがよい」「傷は消毒する」などの誤った考え方を信じていないか
	価値観・信念，信仰，気分・情動，ストレス耐性 ・治療に対するストレス	□治療に対して，ストレスを感じていないか
社会・文化的要因	**社会参加** ・他者との交流 ・サポートしてくれる家族	□他者との交流が減少していないか □ベッドで過ごす時間が長くなっていないか □これまでの生活パターンが阻害されていないか □サポートしてくれる家族などはいるか
睡眠・休息	**睡眠・休息のリズム** ・睡眠障害	□体位変換やおむつ交換により，夜間中途覚醒していないか □昼夜逆転していないか □痛みなどで，睡眠が阻害されていないか
	睡眠・休息の質 ・寝具や部屋の環境 ・体位	□使用している寝具に不快感はないか □部屋の環境が睡眠や休息の質を低下させていないか □ポジショニングは適切か(体圧分散クッションや体位の角度) □好む体位で過ごす時間が長くなり，褥瘡を発生させていないか
覚醒・活動	**覚醒** ・覚醒時間	□日中の覚醒に影響する薬物を使用していないか □生活している環境が活動を妨げていないか □活動意欲はあるか
	活動の個人史・意味 ・活動性，可動性	□ベッドでの寝たきり状態になっていないか □長時間，同一体位をとるようなスケジュールになっていないか

	必要な情報	分析の視点
食事	**食事準備，食思・食欲** ・食事の場所 ・食欲，嗜好，食形態	□食欲を低下させるような環境ではないか □食欲を低下させるような服薬や食形態になっていないか □味覚異常はないか
	姿勢・摂食動作，咀嚼・嚥下機能 ・食事にかかる時間 ・摂食動作	□食事姿勢はどうか．食事中に姿勢が崩れることで，食事時間が長くなり，褥瘡にも影響を及ぼしていないか □自力での摂取は可能か □咀嚼や嚥下は，スムーズに行えているか □義歯を装着しているか，また適合しているか □水分摂取量は十分か，水分摂取時に誤嚥をしていないか
	栄養状態 ・食事摂取量，栄養素 ・血液データ，BMI，体重減少率，上腕三頭筋皮下脂肪厚(TSF) ・消化器症状，浮腫，脱水	□平常時と比較して食事摂取量は低下していないか □必要な栄養素を摂取できているか □低栄養はみられないか．アルブミン値の変化に，炎症，脱水，肝疾患，腎疾患などの要因が影響していないか □消化器症状(悪心・嘔吐，下痢，食欲不振)や浮腫・脱水はないか
排泄	**姿勢・排泄動作** ・排泄場所 ・排泄方法	□トイレで排泄できるか □ポータブルトイレに移動することは可能か □おむつを使用しているか．おむつを重ねて当てていることによって，むれを生じていないか □座位姿勢の保持が可能か
	尿・便の排出，状態 ・尿失禁，便失禁 ・尿・便の量 ・便の性状	□腹圧をかけることができるか □尿意や便意を訴えることは可能か □失禁による陰部・殿部の発赤やびらんはないか □使用しているおむつは，排泄物の性状や量に適しているか □下剤の使用により，便の性状が軟便や水様便になっていないか □排泄障害を発症するような薬物を内服していないか □おむつ内に便が少量ずつ頻回に排泄されることによる化学的刺激がないか
身じたく	**清潔** ・発汗量 ・入浴 ・口腔ケア	□発汗で皮膚が湿潤していないか □皮膚の清潔は保たれているか □入浴後，保湿剤を使用しているか □使用している洗浄剤は適しているか □洗浄方法や清拭方法で皮膚のバリア機能を低下させていないか □かゆみや痛みはないか □口腔内の汚染はないか．自分で口腔ケアをすることが可能か
	身だしなみ ・着用している衣類	□通気性のある衣類を着ているか □衣類の重ね着でむれを生じていないか □肌触り(接触感，接触温冷感)は適しているか
コミュニケーション	**伝える・受け取る，コミュニケーションの相互作用・意味，コミュニケーションの発展** ・発語の明確さ ・他者との交流	□痛みやかゆみなどを訴えることは可能か □活動が縮小し，他者との交流が減少していないか □ジェスチャー(上肢や手指などの動き)やしぐさ，表情で思いを伝えることができるか

アセスメントの視点（病態・生活機能関連図へと導くための指針）

褥瘡は，加齢や疾患の影響による身体の可動性・活動性の低下，低栄養に伴う骨突出や浮腫などの個体要因に，臥位・座位での同一体位による圧迫および寝返り・起き上がり動作時のずれ・摩擦などの外力といった環境・ケア要因が加わることによって生じる．このため，褥瘡の発生リスクが高い高齢者は，身体機能が低下し，日常生活全般に支援を必要としている場合が多い．

したがって，皮膚の状態を良好に保つための支援と，外力を最小限にするための支援を基本として，おいしい食事によって栄養状態を改善し，楽しみな活動によって身体の可動性・活動性を向上しながら，褥瘡の合併症を予防し，治癒を促進することが重要となる．ここからは，身体の可動性・活動性が低下し，低栄養状態にある褥瘡を発生した高齢者に対する看護を展開する．

褥瘡をもつ高齢者の病態・生活機能関連図

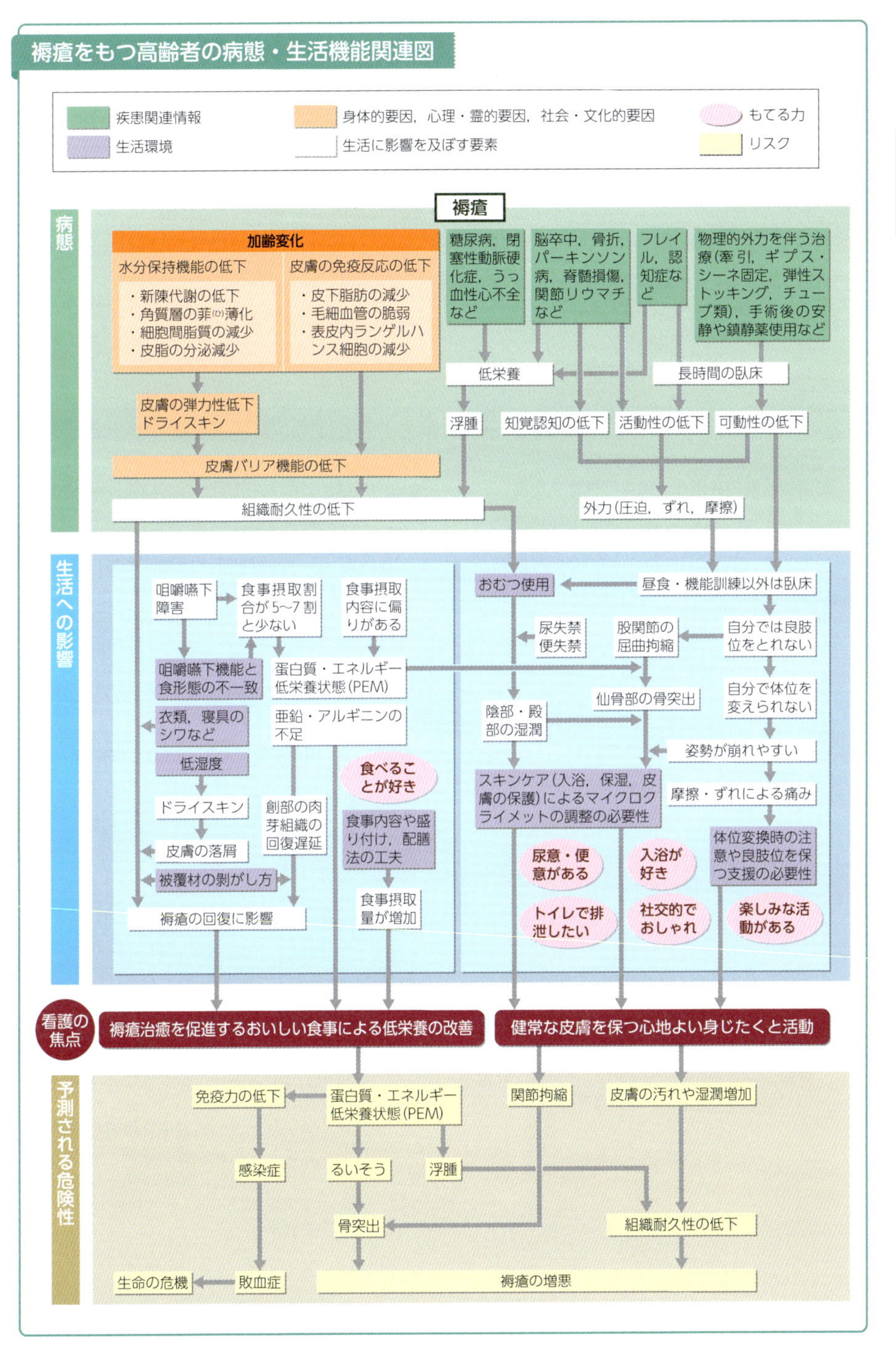

STEP① アセスメント　STEP② 看護の焦点の明確化　STEP③ 計画　STEP④ 実施

看護の焦点の明確化

#1　合併症を発生せずに褥瘡の治癒に向けて，おいしく食べながら低栄養を改善できる
#2　健常な皮膚を保ち，心地よい身じたくのもと活動を楽しむことができる

STEP① アセスメント　STEP② 看護の焦点の明確化　STEP③ 計画　STEP④ 実施

1 看護の焦点

合併症を発生せずに褥瘡の治癒に向けて，おいしく食べながら低栄養を改善できる

看護目標

1) 低栄養が改善する
2) おいしく食べることができる（食事の際に「おいしい」などと笑顔がみられる）
3) 二次損傷や感染などの合併症を起こさずに褥瘡が治癒する

具体策（支援内容）

1. 急性期の褥瘡治癒を促進するケア

1) 栄養状態の評価と治癒を促進する食事（表11-5）

・エネルギー必要量を算出する
・NPC/N（非蛋白カロリー/窒素）比を計算し，蛋白質が十分であるか評価する

$$\text{NPC/N 比} = \frac{\text{総エネルギー摂取量 (kcal)} - \text{蛋白質摂取量 (g)} \times 4}{\text{蛋白質摂取量 (g)} \div 6.25}$$

根拠

●蛋白質は十分なエネルギーがないと，体蛋白合成に利用されないため，その指標としてNPC/N比が用いられる．NPC/N比は通常（非侵襲下）では150～200に設定するが，褥瘡がある場合は肉芽形成など蛋白質が必要となるため80～150と低値に設定する（ただし，腎不全では蛋白質の異化亢進を改善するためにエネルギーを多く必要とすることから300以上とする）．窒素（N）1gは蛋白質（アミノ酸）6.25gに相当する．

表11-5　褥瘡治療に必要とされる栄養素

鉄	15 mg/日
亜鉛	15 mg/日
銅	1.3～2.5 mg/日
カルシウム	650～700 mg/日
ビタミンA	650～800 μgRAE/日
ビタミンC	150～500 mg/日
水分	30～35 mL/kg/日

2) 局所ケア

①創の保護と湿潤環境の保持
・毎日，創部の観察を行う
・発赤や紫斑の場合は，油脂性軟膏（酸化亜鉛軟膏，ジメチルイソプロピルアズレン軟膏，ワセリンなど）を塗布し保護する

●褥瘡発生直後は，急性炎症反応が強く，紅斑（持続する発赤），紫斑，浮腫，硬結（湿潤），水疱，びらん，浅い潰瘍など多彩な症状が次々に出現し，変化しやすい
●二重発赤や紫斑は，深部組織まで障害している場合があるため，注意深く観察する
●骨突出部よりずれた部位に褥瘡が発生した場合は，ポケットを形成している危険性があるため，注意深く観察する

・水疱やびらん，潰瘍の場合は，ドレッシング材を貼付する

●粘着力のあるドレッシング材は，剝がすときに表皮を傷つけるため，剝離刺激の少ない粘着力の低いドレッシング材や創に固着しないものを選択する

・貼付しているドレッシング材が，よれたりずれたりしていないか観察する．ドレッシング材の表面にベビーパウダーなどを散布して，ずれによる摩擦を軽減し，ドレッシング材のよれを防止する

●ドレッシング材のよれやずれは皮膚の摩擦や圧迫の原因となる（図 11-13）

②創部とその周囲のスキンケア

・洗浄は以下の順番で行う．創周囲の皮膚を洗浄する→創内を創部用の洗浄液（人肌に温めた生理食塩液や水道水）で洗浄する→周囲の皮膚に付着した創洗浄液を軽く流す

●創部の洗浄は，細菌数をコントロールするために，十分な量で洗浄する

・洗浄のポイントは，p.253「1）皮膚の保清」参照

・水分は皮膚を軽く押さえるようにして除去する

・清拭時は強くこすらない

・保湿剤を塗布する

●消退する発赤は毛細血管の充血反応によるもので褥瘡ではないが，褥瘡の前段階のハイリスク状態として観察しケアを行う（図 11-14）

3）痛みの軽減

・痛みの原因をアセスメントし，対応する

・洗浄液は温めておく

・ドレッシング材を剝がすときや，創部や周囲の皮膚に触れる際は，表皮を傷つけないよう慎重に行う

●ドレッシング材の端の一部を少しめくり，そこから皮膚と平行に，創から外に向かって引っ張りながら，少しずつやさしく剝がす

・痛みが強いときは医師に相談し，鎮痛薬の使用などを検討する

●褥瘡およびその周囲の皮膚は，脆弱になっていることが多いため，創部や周囲の皮膚を傷つけないようにやさしくケアを行う

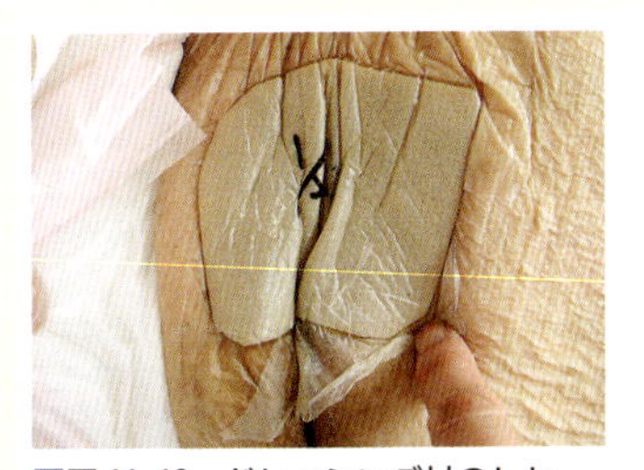

■図 11-13　ドレッシング材のしわ

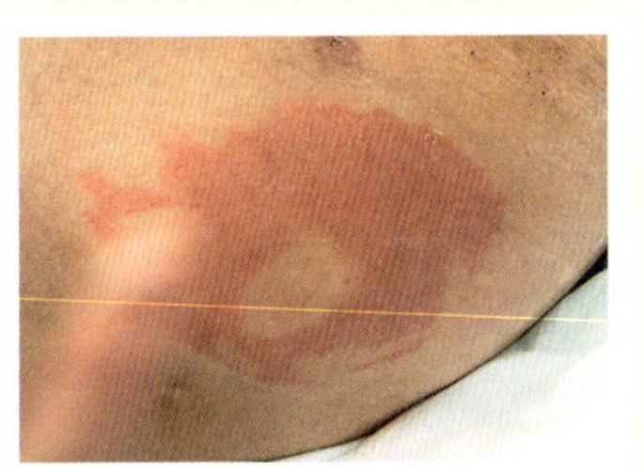

■図 11-14　消退する発赤

2. 慢性期の褥瘡治癒を促進するケア

1）栄養状態の評価と治癒過程に応じた食事（表 11-5，11-6）

・全身状態や褥瘡の深さ，治癒過程に応じて，必要なエネルギー量や栄養素を摂取できるよう工夫する

●発熱や褥瘡からの滲出液が多い場合は，脱水や低栄養になりやすい

■表 11-6　褥瘡の状態と栄養管理

	栄養素	欠乏症状
炎症期（黒色期・黄色期）	炭水化物	白血球機能低下 炎症期の遅延
増殖期（赤色期）	蛋白質，亜鉛，銅，ビタミン A・C	線維芽細胞機能低下 コラーゲン合成能低下
成熟期（白色期）	カルシウム，亜鉛，ビタミン A・C	コラーゲン架橋形成不全 コラーゲン再構築不全 上皮形成不全

（褥瘡予防・治療ガイドライン，1998）

2) 浅い褥瘡のケア

①創部とその周囲のスキンケア

・創部とその周囲の皮膚を洗浄して，創表面に付着した細菌数を減らすとともに，周囲の皮膚の清潔を保つ

●創表面に定着したバイオフィルム（細菌と糖・蛋白からできている物質）は創傷治癒を阻害する

・明らかな感染徴候がみられないときは，消毒の必要はない

●表皮がない場合には，消毒薬が細胞を損傷することがあり，創傷治癒遅延につながる

・洗浄方法は，急性期の「②創部とその周囲のスキンケア（p.245）」と同様である

②創部のケア

・発赤や紫斑，水疱には，創面保護を目的としてポリウレタンフィルムを貼付する

●創周囲の皮膚は浸軟せず，創面の保護と適切な湿潤環境を保持することで上皮化を促進させることができる

・外用薬を使用する場合は油脂性基材を選択する

●貼付後も創が観察できるドレッシング材を用いる

・水疱が破れた場合は，びらん・浅い褥瘡としてケアする

●水疱は原則として，水疱蓋を破らない

・びらん・浅い褥瘡には，ハイドロコロイドを貼付する

●びらん・浅い褥瘡に用いるドレッシング材はハイドロコロイドが主体となる

・びらん・浅い褥瘡には，油脂性基材や上皮形成促進が期待できる外用薬を使用する

●DESIGN-R® を用いての深い褥瘡の局所治療の優先順位（各項目の大文字を小文字へと改善するような治療・ケアを行う）
壊死組織（N）の除去→肉芽（G）形成の促進→大きさ（S）の縮小の順で計画を立てる．治癒過程のなかで炎症/感染（I）の制御，滲出液（E）の制御，ポケット（P）の解消は創傷治癒を促進するため，これらの治療を優先する

・クリティカルコロナイゼーションが疑われるときは，スルファジアジン銀やポビドンヨード・シュガー，カデキソマー・ヨウ素を使用する

●クリティカルコロナイゼーションとは，感染徴候はないが，細菌数が増えて創の治癒遅延をきたしている状態をいう

3) 深い褥瘡のケア

①創部とその周囲のスキンケア

・浅い褥瘡のケアに準ずる

②創部のケア

・壊死組織(N)：薬物を使用し，化学的・自己融解的にデブリードマンを行う

・炎症/感染(Ⅰ)を有する場合は，外科的デブリードマンを行う

・肉芽組織(G)：肉芽形成作用を有する外用薬を使用する

・クリティカルコロナイゼーションが疑われるときは，抗菌作用を有する外用薬やドレッシング材を使用する

・滲出液の量によって，ドレッシング材を選択する

●膿汁や悪臭を伴う感染巣や壊死組織と周囲の健常皮膚との境界が明瞭になった時期に外科的デブリードマンを実施する(図 11-15)

●感染が鎮静化している場合でも，創傷治癒の妨げとなるため，適宜壊死組織を取り除くことが必要である

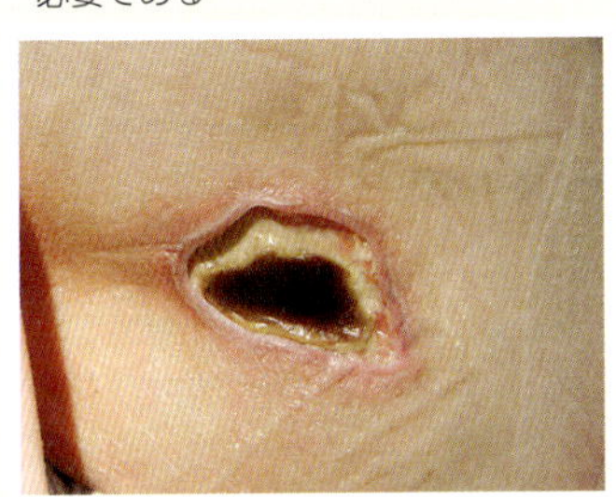

■図 11-15　境界が明瞭となった褥瘡

・大きさ(S)：適切な湿潤環境と閉鎖環境を保持できるドレッシング材を使用し，上皮化を図る

●酸素が透過しない閉鎖環境により，創面が低酸素状態に陥ることで血管新生を促すとともに，湿潤環境を適度に整えることで，肉芽形成が促進される

4)痛みの軽減

・「1. 急性期の褥瘡治癒を促進するケア」の「3)痛みの軽減(p.245)」と同様である

3. 栄養状態を改善するための支援

1)必要な栄養素をおいしく食べるための工夫

・栄養状態を評価し，表 11-7 や「16 低栄養(p.323)」の看護を参考に，管理栄養士と効果的に栄養状態を改善するための方法を検討する

・必要に応じて，高エネルギー，高蛋白質のサプリメントによる補給も検討する

●経口摂取のみでは必要なエネルギーと蛋白質を補えない場合にはサプリメントによる補給を行う

・経口摂取が可能な場合には，本人の嗜好などを取り入れたり，盛り付けなどを工夫したりしながら，急性期・回復期ともに高エネルギー，高蛋白質の食事をおいしく食べられるための盛り付けや彩り，配膳法などを工夫する

●経口摂食が不可能な場合は，経腸栄養や静脈栄養による栄養補給を行う

■表 11-7　褥瘡患者のエネルギーおよび蛋白質の補給量

	褥瘡予防・管理ガイドライン	NPUAP/EPUAP ガイドライン
エネルギー	BEE の 1.5 倍以上	30～35 g/kcal/日
蛋白質	必要に見合った量	1.25～1.5 g/kcal/日
アルギニン	9 g/日	9 g/日

(National Pressure Ulcer Advisory Panel, European Pressure Ulcer Advisory Panel, Pan Pacific Pressure Injury Alliance：Prevention and treatment of pressure ulcers：clinical practice guideline. National Pressure Ulcer Advisory Panel, 2014 と日本褥瘡学会教育委員会ガイドライン改訂委員会：褥瘡予防・管理ガイドライン(第 4 版)，褥瘡会誌 17(4)：487-557，2015 をもとに作成)

＊NPUAP：National Pressure Ulcer Advisory Panel，米国褥瘡諮問委員会
＊EPUAP：European Pressure Ulcer Advisory Panel，ヨーロッパ褥瘡諮問委員会

具体策(支援内容)	根拠
・疾患を考慮したうえで，褥瘡治癒を促進するとされる亜鉛(7～9 mg/日)やアルギニン(9 g/日)，コラーゲン加水分解物などの栄養素を必要量摂取できるように，医師や管理栄養士と相談しながら食べ方を工夫する	●亜鉛は，核酸や体蛋白の合成，味覚・免疫機能の維持，各細胞や組織の代謝促進に必要な栄養素で創傷治癒を促進するとされている．アルギニンは，蛋白質，コラーゲンの合成促進，血管拡張作用，免疫細胞の賦活化などの効果が期待され，アルギニンを含んだ栄養補助食品の摂取によって褥瘡治癒が進んだという報告がある．コラーゲン加水分解物は，コラーゲン合成を促進する作用があるとされている．
2)咀嚼・嚥下障害や動作障害がある場合の低栄養改善に向けた支援	
・補助食品は，ゼリーやヨーグルトなどの食形態にする	●味や舌触りなど，好みに合わせて調整を行う
・食形態を咀嚼・嚥下機能に応じて調整する ・道具の調整：摂食動作に応じて自助具を活用する，器を持ちやすい大きさにする，器の底に滑り止めを付ける ・座位姿勢を整える ・落ち着いて，楽しく食べられる環境をつくる	●咀嚼・嚥下障害や摂食動作障害があると，食事摂取量が低下しやすく，低栄養に至りやすいため，咀嚼・嚥下機能に応じた食形態や姿勢など環境を整える
3)おいしく食べるための本人との話し合い	
・食事中に本人の食べる様子，食後に食事に対する満足感や意向を確認し，必要な栄養素をよりおいしく食べるための工夫について本人と話し合い，今後の食事に反映する	●医療チームがよかれと考えて環境を整えても，食べる主体者である高齢者本人がおいしいと思えなければ食べることはできない．本人の食事に対する意向をこまめに確認しながら，日々の食事に反映できるように工夫し，高齢者主体の食事環境を整える

2 看護の焦点	看護目標
健常な皮膚を保ち，心地よい身じたくのもと活動を楽しむことができる	1)活動を楽しむことができる 2)外力(圧迫・ずれ・摩擦)に注意して活動できる 3)皮膚の湿潤がない 4)ドライスキンの悪化による落屑がない

具体策(支援内容)	根拠
1. 褥瘡の急性期における全身ケア	
1)摩擦とずれの発生要因の評価	
・臥床時の身体の移動や背上げの際には，圧抜きグローブやスライディングシートを用いて摩擦・ずれを防止する	●局所治療を行っても，発生原因を除去することができなければ改善するどころか，悪化を招くおそれがある
・体位変換後には，体幹がよじれていないか確認し，良肢位を保てるよう支援する	●高齢者の体型や褥瘡発生部位など状態に応じた体位を選択する ●30度側臥位や30度背上げにこだわる必要はない
・車椅子乗車時，体幹が左右に傾いていないか確認する	●上半身の動きを調整できるよう肘の下にクッションなどを置く工夫をする
・自力で体位変換ができず座位保持が困難な場合は，背上げの方法を見直し，摩擦とずれを解消する	●ねじれや傾きがあると，体圧分散が不十分になると同時にずれが生じる

・起き上がり動作を支援する際には，身体を側臥位にし，側臥位の姿勢が安定した状態で，ゆっくりと背上げを行う．背上げの際は骨盤の上に高齢者の上半身が載るように，大転子部を支点に大腿や下腿に重みを移しながら，上半身が正面を向くように回転させる．左右の坐骨部にかかる上半身の重さが均等になるように整える(図 11-16)

●起き上がり動作時は骨突出部の皮膚の摩擦やずれに注意し，座位では体圧が分散できるように姿勢を整える

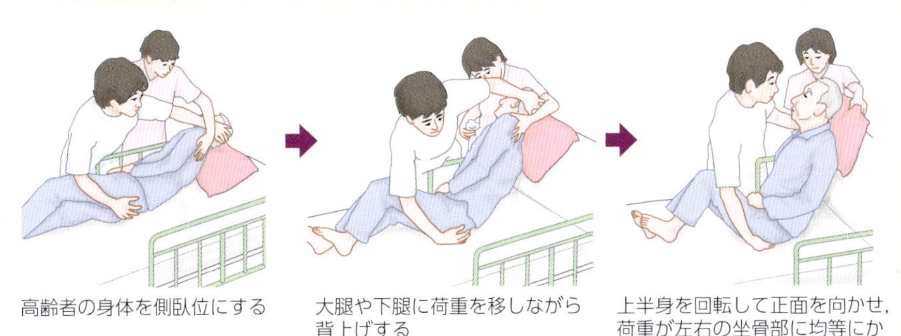

高齢者の身体を側臥位にする
大腿や下腿に荷重を移しながら背上げする
上半身を回転して正面を向かせ，荷重が左右の坐骨部に均等にかかるようにする

■図 11-16　側臥位からの起き上がり

2) 入浴

・湿潤やドライスキンに対するケアを評価する
・全身状態が安定している場合は，シャワー浴や入浴を行う

●新たな褥瘡を発生させないためにも，シャワー浴や入浴による清潔保持と血行促進で，皮膚の状態を良好に保つ

2. 褥瘡の慢性期における全身ケア

・マットレス，クッションの選択が圧力・ずれ力の軽減につながっているか見直す
・体位変換やポジショニング，シーティングによる摩擦やずれが生じていないか見直す
・スキンケアを見直す(ドライスキン，湿潤へのケアや保清方法)
・全身状態が安定している場合は，シャワー浴や入浴を行う

●個体要因と環境・ケア要因の両面から，褥瘡の悪化・合併症を予防する

3. 組織耐久性を保つ環境づくり

1) 体圧分散寝具の選択

・マイクロクライメット(皮膚局所の温度，湿度)のコントロールを意識し，温度・湿度管理機能がついているものを選択する
・カバーなどは，温度・湿度管理ができるような素材のものを選択する

●体温が 1℃ 上昇すると組織の代謝が 10% 亢進するため，酸素や栄養素の消費が増加し，必要量が増える．温度が高いと組織が損傷を受けやすく，体温上昇は組織耐久性を低下させ，褥瘡のリスクを上げる
●皮膚と接触するものは，通気性，放熱性を考慮し選択する

2) ベッド内環境を整える

・加温装置(湯たんぽ，カイロ，ヒーターなど)の使用は控える

●加温装置の使用は，新陳代謝を上げ，発汗を促進し，組織耐久性が低下するため控える

●ベッド内環境は 33±1℃，湿度は 50±10% に近いほど快適である

4. 圧力・ずれ力を軽減するための環境づくり

1) 体圧分散寝具の使用

①体圧分散寝具の選択

・自力での体位変換能力，骨突出の有無，ベッド頭側挙上の角度によって，使用する寝具を選択する

●ブレーデンスケールの可動性 3 点以下，OH スケールの自力体位変換能力が「どちらでもない」「できない」の場合，体圧分散寝具を使用する

●皮膚のたるみ，病的骨突出，円背や関節拘縮がある場合には，多層式エアマットレスを使用する

・使用しているカバーやリネンの使用方法や素材を検討する

●伸縮性のないカバーやリネンを使用するとハンモック現象が生じ，体圧分散寝具の機能を十分生かせない

・ベッドメイキングの際，シーツのしわを伸ばすが，高齢者の臥床時に身体の重みでシーツがたわむように側面にマチをつくる

●シーツにしわができないよう，ピンと張ってベッドメイキングを行うと，高齢者の身体が沈む距離が減少し，体圧が分散されないおそれがある

②圧管理の評価

・簡易体圧測定器（図 11-17）を用いて骨突出部にかかる体圧を測定し，40 mmHg 以上のときは体圧分散寝具を使用する

●仰臥位では仙骨，側臥位では大転子部を測定する

●体圧分散寝具導入後は，どの程度圧力が減ったかを再評価する

・反応性充血の有無を確認する

●発赤部位を指で押したときに，発赤部位が白く退色してから再び赤くなる現象（前掲図 11-14）がみられた場合は，圧管理が不十分であるため，体圧分散寝具を再検討する

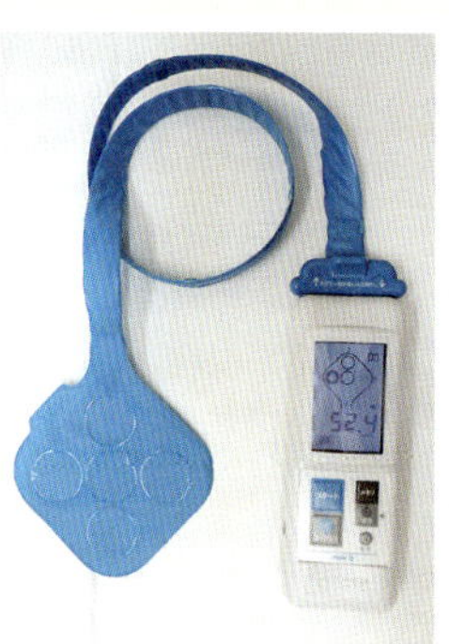

・センサー部のパッドを，仙骨部や踵部など褥瘡好発部位に当てて測定する
・褥瘡好発部位に体圧が集中していないか，数値で確認できる

■図 11-17　携帯型接触圧力測定器

2) 体位変換

・基本的には 2 時間未満の間隔で，体位変換を行う

●褥瘡好発部位や得手体位の部位の皮膚の観察を行い，発赤を認めた場合は，体位変換方法や時間を再検討する

・体圧分散寝具を使用する場合には，4 時間以内の間隔で体位変換を行う

・上半身と下半身の相対的な位置関係を評価し，脊柱が上半身と下半身をまっすぐ結ぶように体位を整える

●身体がねじれると，身体のどこかが支点となって体勢を支えることになり，そこには圧と同時にずれが生じている．また，ねじれは筋緊張を高め，筋萎縮の要因の 1 つとなる

・左右の肩を結んだ線と，左右の上前腸骨棘を結んだ線が，平行になるように体位を整える

・クッションやピローを面として使用し，隙間をつくらないようにすることで，安楽な体位

●接触面積を広げ，部分圧迫の増加を回避するとともに，筋緊張を和らげることができる

を確保する
・体位変換後は，部分圧迫の減圧とずれ力の解除を行う

●骨突出，関節拘縮，浮腫，褥瘡の有無を考慮し，個々に合った体位変換を行う

3) 臥位時

①仰臥位
・踵部がマットに触れないように，下肢の下にクッションやピローを使用する（図 11-18）

●圧が分散するよう下肢後面全体で支える

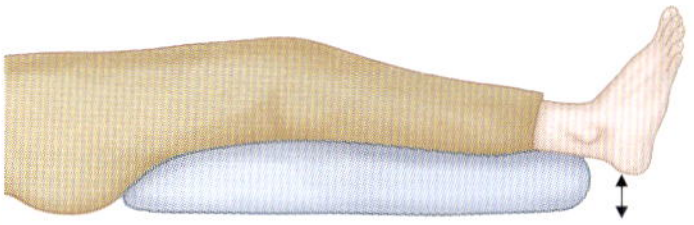

かかとを浮かせる

■図 11-18　仰臥位時の下肢への枕の入れ方

②側臥位
・30 度側臥位，90 度側臥位とする（図 11-19，11-20）．左右の肩を結ぶ線と左右の上前腸骨棘を結ぶ線が平行になり，脊柱が上半身と下半身をねじれなく結ぶことを確認する

●30 度側臥位をとっても，殿筋が乏しい場合は，仙骨と腸骨部の圧が高くなる
●必ずしも 30 度や 90 度ではなく，高齢者の状態に応じた体位を選択する

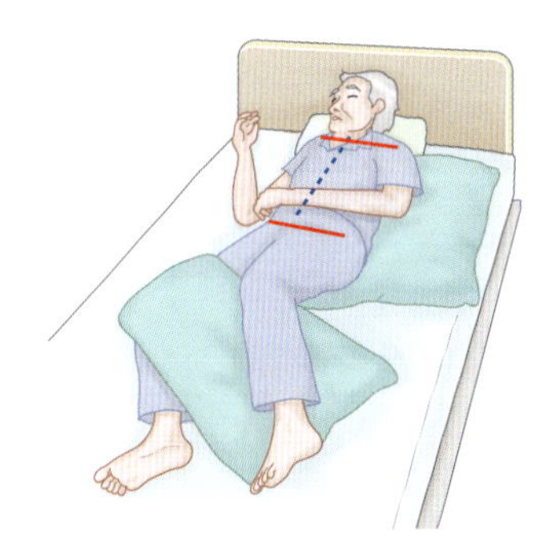

■図 11-19　30 度側臥位

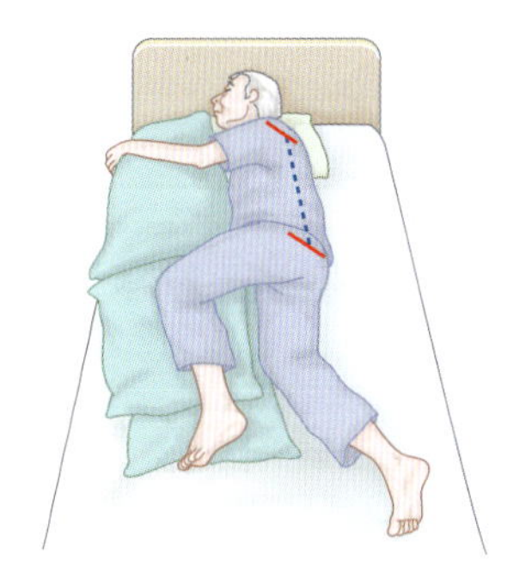

■図 11-20　90 度側臥位

4) 座位時

①ベッド上（背上げ）での方法
・上前腸骨棘とベッドの屈曲部位を合わせる
・下肢を挙上してから頭側を挙上する
・背抜きをする（図 11-21）
・足抜きをする（図 11-21）
・腰抜きをする（図 11-22）
・背下げは，頭側→下肢の順に下げる
・足底部に枕を入れる

●背上げをした際，身体にかかるずれを最小限にする

●身体後面にかかったずれを排除する
●後傾になっている骨盤をニュートラルな位置に戻す
●適宜，観察を行い姿勢が崩れていないか評価する
●背下げ時は，側臥位にし，ずれを排除する

②車椅子
・自力で姿勢変換ができない場合は，連続座位時間を 2 時間以内に制限する
・自力で姿勢変換ができる場合は，15 分ごとに姿勢変換を行う

●座り心地，日常生活，生理機能，容姿などと関係するため，それらの評価を行い，適切な姿勢をとる
●大きめのクッションを足底部に入れて安定を図る

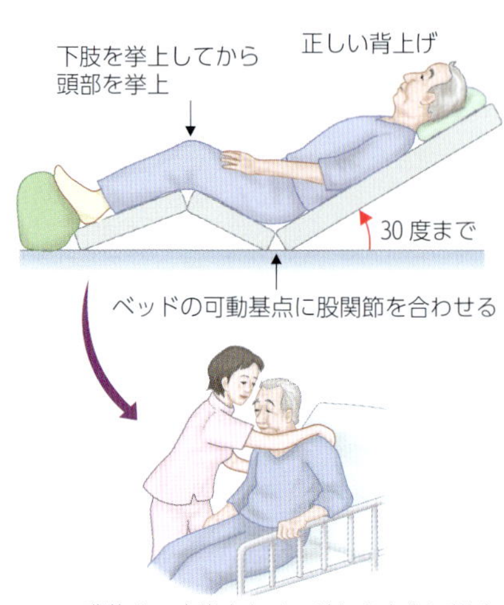

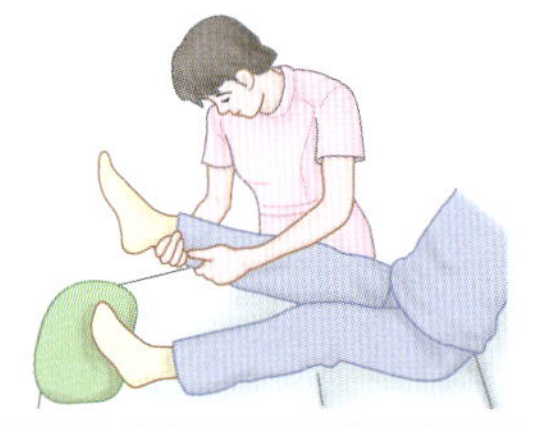
背抜き：上半身をベッドから完全に離す

足抜き：大腿から足関節に向けて，下腿後面のしわを伸ばす

■図 11-21　正しい背上げと背抜き・足抜き

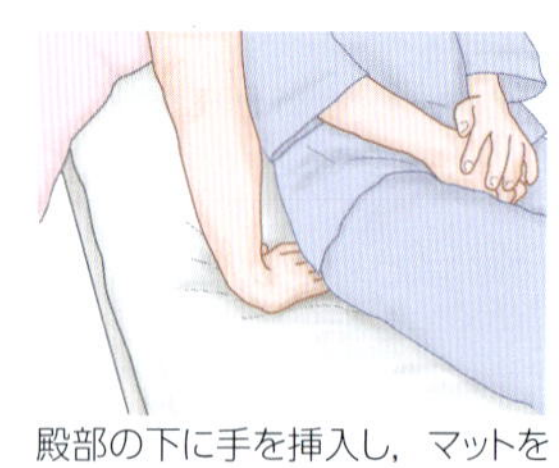
殿部の下に手を挿入し，マットを押す

■図 11-22　腰抜き

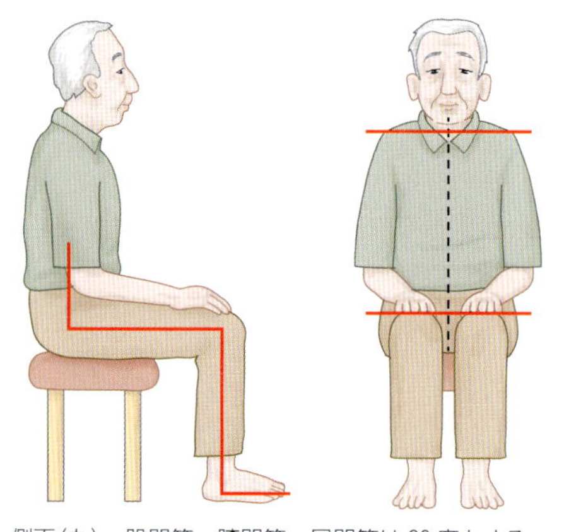
側面（左）：股関節，膝関節，足関節は 90 度とする
正面（右）：左右の肩を結ぶ線と，左右の上前腸骨棘を結ぶ線が平行になり，脊柱はまっすぐ

■図 11-23　90 度座位

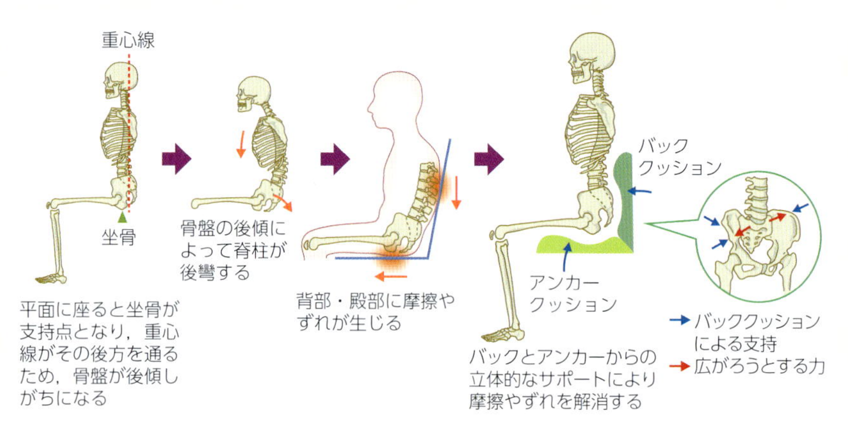

■図 11-24　座位での摩擦とずれへの対応（背部・殿部）

・クッションは骨盤全体を包み込むものを選択する
・股関節，膝関節，足関節が 90 度になるように調整する(図 11-23)
・高齢者は身体的変化として，骨盤の後傾，腰椎部の後彎から前座り状態になり，背部・殿部への摩擦とずれが生じるため，アンカークッションやバッククッションでのサポートが必要となる(図 11-24)
・円座は周囲の皮膚軟部組織を圧迫するため使用しない

●アライメントやバランスを考慮しながら，クッションやピローを用いることを検討する

5) 皮膚の保護

・骨突出部の摩擦・ずれ予防にポリウレタンフィルムドレッシング材，低摩擦性褥瘡予防用ドレッシング材，ポリウレタンフォーム/ソフトシリコンドレッシング材を貼付する
・骨突出部へのマッサージは行わない

●貼付した後も毎日観察を行う
●マイクロクライメットの管理能力を考慮する

5. 健常な皮膚を保つための支援

1) 皮膚の保清

・全身状態を評価し，問題がなければ定期的に入浴を行う
・弱酸性洗浄剤の泡をしっかり立て，厚みのある泡をつくり，皮膚に置き，圧をかけないように広げる
・決してこすらず，泡で包むように洗浄する
・皮膚に泡を置いて 10〜20 秒ほど待ってから静かに洗い流す
・シャワーボトルなどの水流で洗浄剤が残らないように洗い流す
・皮膚を軽く押さえるようにして水分を除く
・清拭時には，強くこすらない
・保湿剤を塗布する

●血流の改善が図れる
●汚れが皮膚から浮き上がり，洗い流すだけで汚れが落ちる
●加齢のため皮膚の柔らかさや滑らかさが失われるため，外的刺激に対して損傷しやすくなる
●熱い湯での長湯は，ドライスキンを助長するため控える

2) 湿潤の予防・改善

・湿潤の原因を明らかにする
①失禁時のケア
・排尿障害，排便障害の原因を明らかにする
・尿・便失禁：排泄ケア用具の選択
・尿のみ：陰茎固定型収尿器
・便のみ：貼付式採便袋，トイレでの排泄
・発赤や小さいびらんがあるときは，はっ水性クリーム(はっ水性オイル，非アルコール性皮膜剤)やスプレーを排尿ごとに塗布する
・広範囲の発赤やびらんを認め感染がない場合は，薄型ハイドロサイドドレッシング材の貼付やストーマ用粉状皮膚保護材を散布する
②発汗時のケア
・通気性と吸水性のあるシーツを使用する

●皮膚が湿潤すると，角層が水分により膨潤し浸軟状態となる
●浸軟すると摩擦による力が 5 倍になり，皮膚障害を発症しやすくなる
●排泄物や排泄量，体型に合ったおむつを使用して陰部・殿部の湿潤を予防するとともに，可能な限りトイレでの排泄を支援する
●頻回の洗浄は皮膚障害を助長する
●蓄尿機能がある場合には，活動性の向上を支援してトイレでの排泄を目指す
●朝食後にトイレに座る機会をつくるなど，排便リズムを整えることを検討する
●バスタオルは吸水性があっても温度が上昇して発汗しやすく，湿潤の原因となる

3) ドライスキンの予防・改善

・皮膚の保清後，保湿剤を塗布する
・室内は温度のみならず湿度も調整する
・電気毛布などの使用は皮膚が乾燥しやすいため，ベッド内環境も配慮する

●保湿剤はこすらず，手のひら全体でやさしく伸ばすように塗布する
●湿潤とドライスキンは，摩擦係数を増加させる

4) 足部のスキンケア

・1日1回，靴下を脱いで皮膚の観察を行う
・血行を促進させる(足浴，炭酸入浴剤の使用，医療用振動器)
・圧痕が残らないしめつけない靴下を着用する

●衰弱，ASO，糖尿病で末梢に循環障害を伴う高齢者は足趾の冷感が起こりやすく，褥瘡発生の危険性が高くなる
●足趾に関節拘縮があると，関節部が屈曲することで皮膚が伸展し，足趾の血流が悪くなる
●改善した血行状態を維持し，外傷を予防する

6. 筋力・身体機能の低下予防のための支援

1) リハビリテーションの介入

・他動運動により関節拘縮や筋萎縮を予防する
・必要に応じて，電気刺激療法を取り入れる

●関節拘縮や筋萎縮の予防・進行を防ぐことで，褥瘡発生リスクが低下する
●個々に応じた生活を再構築することで，身体機能の低下予防，日常生活動作の拡大につながる

2) 痛みの軽減

・体位変換時，移動時など皮膚・皮下組織に摩擦やずれが生じないよう介助する

3) 他者との交流

●他者とのかかわりが苦痛とならないよう工夫する

7. 楽しみとする活動による褥瘡発生予防

・褥瘡の発生要因，今後の見通し，必要とされる介護力と創傷管理，体圧分散寝具などの情報を高齢者・家族に説明し，QOL向上につながるような選択ができるよう支援する
・リハビリテーションの介入
・楽しみな活動の継続や新たな活動へのチャレンジ，他者との交流などを通じて，活動参加の機会をもてるようにサポートする

●楽しみとする活動の機会が増えることにより，臥床時間が減少し，そのことが同一体位での外力を防ぎ，結果として褥瘡発生予防になるように支援する

関連項目

※もっと詳しく知りたいときは，以下の項目を参照しよう．

褥瘡の原因・誘因

●「1 認知症(→ p.56)」「2 パーキンソン病(→ p.73)」「3 脳卒中(→ p.93)」「25 抑うつ状態(→ p.451)」「28 フレイル(→ p.491)」「29 転倒(→ p.504)」：活動性を低下させていないか
●「3 脳卒中(→ p.93)」「28 フレイル(→ p.491)」「29 転倒(→ p.504)」：身体の可動性を低下させていないか
●「1 認知症(→ p.56)」「3 脳卒中(→ p.93)」「15 摂食嚥下障害(→ p.304)」「16 低栄養(→ p.323)」「28 フレイル(→ p.491)」：栄養状態を低下させていないか．るいそうによる病的骨突出を引き起こしていないか
●「19 排尿障害(→ p.364)」「20 排便障害(→ p.378)」：皮膚の浸軟を引き起こしていないか
●「10 老人性皮膚瘙痒症(→ p.251)」「17 脱水(→ p.340)」「18 浮腫(→ p.352)」「28 フレイル(→ p.491)」：皮膚の組織耐久性が低下していないか

スキンテア（皮膚裂傷）

上野　澄恵

高齢者の脆弱な皮膚は軽い外力で裂傷を生じるので予防が大切！

定義・要因

スキンテアとは，摩擦・ずれによって，皮膚が裂けて生じる真皮深層までの損傷（部分層損傷）を指す．臨床では，患者の四肢がベッド柵にすれて皮膚が裂けたり，絆創膏を剥がす時に皮膚が裂けるなどの創傷を見かけることが多い．なお，持続する圧迫やずれで生じた創傷と，失禁によって起こる創傷は除外する．

高齢者の皮膚は，各層の接合部が扁平化し脆弱になり，膠原線維（コラーゲン線維）や弾性線維は変性・萎縮し，皮膚の弾力性が失われ，皮下組織の脂肪組織が減少し薄くなるため，摩擦やずれによって，裂けて損傷を起こしやすい．

とくに注意したいのは，ステロイド薬や抗凝固薬，抗血小板薬を使っている人である．ステロイド薬は長く服用すると皮膚が薄くなる有害事象があり，抗凝固薬などは皮下出血が起こりやすく，いずれもスキンテアになりやすい．リスクアセスメント表を下記に示す．

■表 1　個体要因のリスクアセスメント表

全身状態	皮膚状態
加齢（75 歳以上） 治療（長期ステロイド薬使用，抗凝固薬使用） 低活動性 過度な日光曝露歴（屋外作業・レジャー歴） 抗がん剤・分子標的薬治療歴 放射線治療歴 透析治療歴 低栄養状態（脱水含む） 認知機能低下	乾燥・鱗屑 紫斑 浮腫 水疱 ティッシュペーパー様（皮膚が白くカサカサして薄い状態）

＊計 14 項目中 1 項目でも該当すると個体要因におけるリスクありとなる．

（日本創傷・オストミー・失禁管理学会編：ベストプラクティス　スキン-テア（皮膚裂傷）の予防と管理．p.19，日本創傷・オストミー・失禁管理学会，2015）

■表 2　外力発生要因のリスクアセスメント表

患者行動（患者本人の行動によって摩擦・ずれが生じる場合）	管理状況（ケアによって摩擦・ずれが生じる場合）
痙攣・不随意運動 不穏行動 物にぶつかる（ベッド柵，車椅子など）	体位変換・移動介助（車椅子，ストレッチャーなど） 入浴・清拭等の清潔ケアの介助 更衣の介助 医療用テープの貼付 器具（抑制具，医療用リストバンドなど）の使用 リハビリテーションの実施

＊計 9 項目中 1 項目でも該当すると外力発生要因におけるリスクありとする．

（日本創傷・オストミー・失禁管理学会編：ベストプラクティス　スキン-テア（皮膚裂傷）の予防と管理．p.19，日本創傷・オストミー・失禁管理学会，2015）

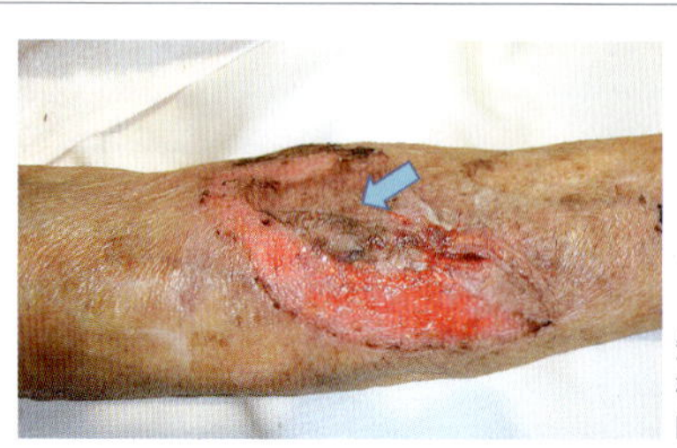

矢印は被覆材の除去方向を示す

■図1　テープ剥離によるスキンテア

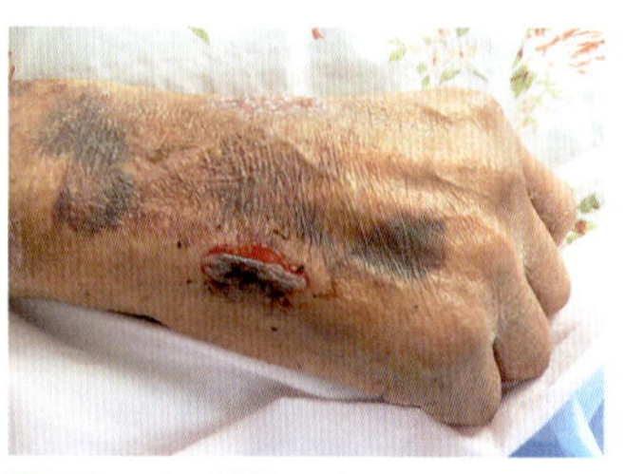

■図2　ベッド柵にぶつけたことによるスキンテア

治療

医療処置が必要な時は，医師あるいは皮膚・排泄ケア認定看護師，診療看護師に相談する．創傷管理の手順と注意点は次のとおりである．

1) 止血し，創部を洗浄する．
2) 皮弁（血流のある皮膚）を元の位置に戻す．
3) 創傷被覆材の選択：非固着性の被覆材を使用し，外用薬は創面保護効果の高い油脂性基剤の軟膏を選択する．固定はテープではなく包帯を使用し，医療用テープを使用する場合は，シリコーン系の粘着剤を選択する．
4) 鎮痛処置：いつどのような時に痛みが生じるかを確認する（剥離剤の使用，洗浄液の変更，薬物の変更など）．
5) 創傷被覆材を交換する．創傷被覆材を使用して数日は，皮弁の生着をうながすためそのままにしておく．交換時は，新たなスキンテアが生じないよう創傷被覆材を図1の矢印方向にゆっくり剥離する．

看護の視点

褥瘡予防同様，スキンテアも予防が重要である．皮膚への摩擦・ずれが発生しないように環境を整える．栄養を管理し，安全な環境（ベッド環境，車椅子環境，寝具などの角を緩衝材で保護）を整え，安全なケア技術（四肢をつかむのではなく，手のひら全体で下から支えるように保持しながらの体位変換・移乗介助），安全な医療用具など（すね当て，創傷被覆材や医療用テープの選別と剝がし方，前掲図1）を使用し，スキンケア（皮膚の保湿，皮膚の洗浄）の実施，寝衣を選択するなどのアセスメントとケアが重要となる．包帯やアームカバー，レッグウォーマーなどによる保護も予防には有用である．

白癬

三浦　直子

高齢者に多い足白癬や爪白癬は自覚症状が乏しく，見落とされやすいため，毎日の患部の保清と乾燥が重要

定義・診断

白癬とは，皮膚糸状菌という真菌(カビ)によって生じる角質，爪，毛髪の感染症である．真菌は，皮膚の角層や毛髪に含まれる蛋白質のケラチンを栄養にして寄生し病変をつくる．病変部位によって，足白癬(水虫)，爪白癬(爪水虫)，頭部白癬(シラクモ)，顔面白癬，体部白癬(タムシ)，股部白癬(インキンタムシ)などに分かれる．なかでも足白癬は最も頻度が高く，ついで高いのは爪白癬である．足白癬の2人に1人が爪白癬を伴うともいわれ，一度発症すると治癒するまで時間を要するのが特徴である．

白癬は頻度の高い疾患であるが，臨床像が類似する疾患も多く，誤った診断を避けるためにも鏡検の重要性が強調されている．

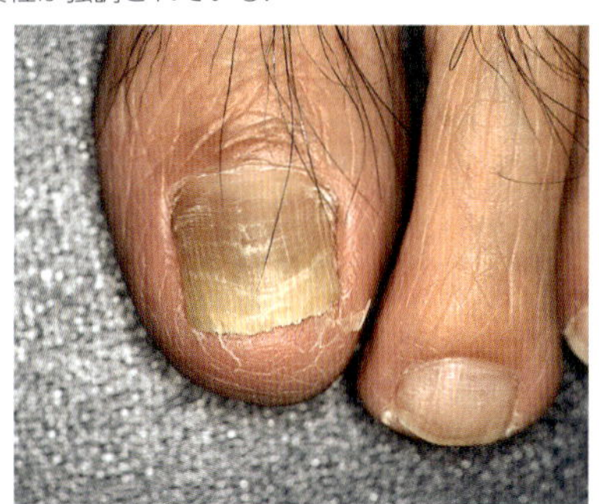

■図1　爪白癬
〔加藤卓朗(塩原哲夫ほか編)：今日の皮膚疾患治療指針 第4版．p.840，図28-4，医学書院，2012〕

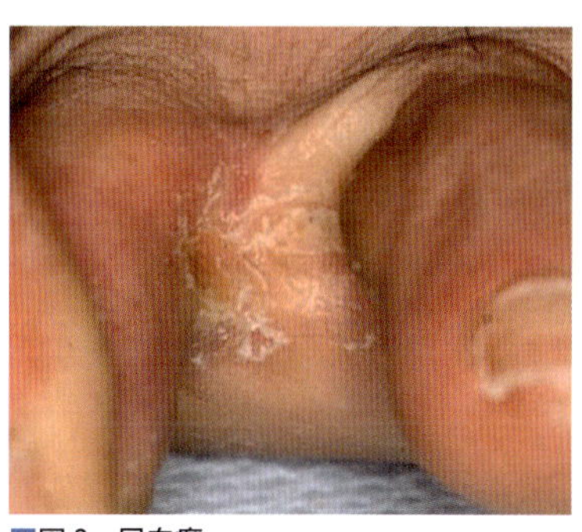

■図2　足白癬
〔望月隆(岩月啓氏監，照井正ほか編)：標準皮膚科学 第11版．p.445，図27-8，医学書院，2020〕

症状・検査

- **足白癬**：以下の3つのタイプに分けられる．好発部位は足蹠，足趾根，足縁である．
  - **趾間びらん型**：足白癬のなかで最も多いタイプで，足趾の第4〜第5趾間に生じやすく，むずがゆさを伴う場合が多い．趾間に鱗屑を生じ，やがて白く浸軟し，皮膚がびらんし湿潤する．しばしば夏に細菌の二次感染をきたし，痛みを伴う場合もある．
  - **小水疱型**：足蹠や足縁に小水疱ができ，非常にかゆくなる．初夏から梅雨時に症状が増悪する．
  - **角質増殖型**：足蹠全体，特に踵部の皮膚が硬く肥厚するびまん性の角質増殖と落屑性紅斑が生じ慢性型に経過，爪白癬の合併も稀ではない．かゆみはほとんどないのが特徴であり，冬になると角質の乾燥が増強し，亀裂(ひび，あかぎれ)を生じ，痛みを伴う場合がある．
- **爪白癬**：第1趾の爪が好発部位で，中年以降に多い．爪甲の混濁と肥厚が主にみられ変形するのが特徴であり，自覚症状が乏しいため難治性に移行しやすい．
- **体部白癬**：輪状の紅色小丘疹が特徴．体幹部・顔・腕・脚などに出現．丘疹や水疱がみられ，強いかゆみを伴う．
- **股部白癬**：鼠径部から大腿内側に円状の紅斑が拡大していく．中心部は治癒したように見えるが，股部周辺は丘疹や化膿性水疱が生じ，色素沈着をきたす．
- **手白癬**：角層の厚い手掌に生じるのが特徴であり，手掌全体が角化し乾燥が目立ち，亀裂が生じる．

KOH直接鏡検法は，真菌症の診断にきわめて有用であり，最もよく用いられる検査法である．

真菌培養法は，頭部白癬ではKOH法で菌が検出しにくく，また体部白癬では原因菌により感染源への対策が異なるため，この2つの白癬のタイプでは，とくに診断を確定するには重要である．

治療

薬物療法として，抗真菌薬の外用療法を行うが，爪白癬や角化型足白癬の治療の第１選択は内服である．また，趾間を常に清潔に保ち，高温多湿を回避し乾燥を心がける．バスマットやスリッパなどの共有を避ける．

看護の視点

患部の清潔を保つため，毎日，部分浴または入浴を行う．洗浄後は皮膚の乾燥に努める．靴下や下着等は通気性のよいものを着用し，毎日交換する，

外用薬は部分浴や入浴後に，水分をよく拭き取ったうえで外側から内側に向けて塗布する（白癬菌を広げない）．

感染の拡大予防のために白癬菌の散布を防ぐよう，バスマットやタオル，爪切り，スリッパ等は個人専用のものを用意する．また，こまめに掃除機をかける．患部は清潔を保ち，高温多湿を避け，患部に触れた際は手指をよく洗う．

高齢者は，視力や巧緻性・身体の柔軟性の低下により，患部の観察が十分ではなく，また清潔を保つことが困難となりやすいため，介助が必要な点を観察し支援する．

●参考文献
1）日本皮膚科学会皮膚真菌症診療ガイドライン改訂委員会：日本皮膚科学会皮膚真菌症診療ガイドライン 2019．日皮内誌 129(13)：2639–2673，2019

12 白内障

矢可部満隆

目でみる疾患

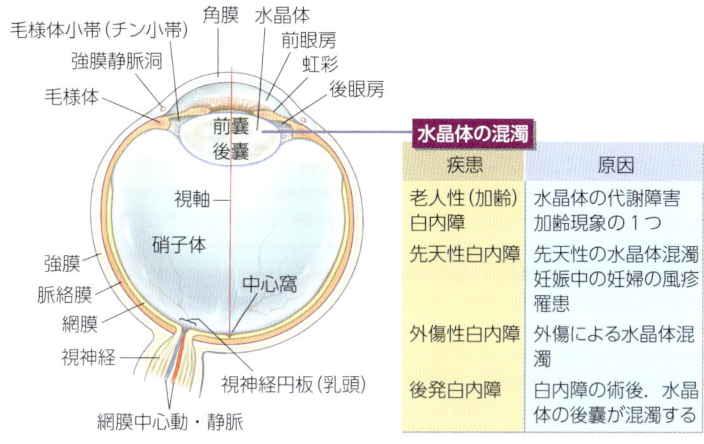

疾患	原因
老人性(加齢)白内障	水晶体の代謝障害 加齢現象の1つ
先天性白内障	先天性の水晶体混濁 妊娠中の妊婦の風疹罹患
外傷性白内障	外傷による水晶体混濁
後発白内障	白内障の術後．水晶体の後嚢が混濁する

■図 12-1　眼球の構造(右眼を上側からみた図)と白内障の原因

病態生理

白内障とは水晶体が混濁した状態の総称であり，視力低下の原因となる．

- 水晶体はカメラのレンズの役割を果たす器官であり，毛様体，毛様体小帯(チン小帯)の収縮，弛緩によりピント調節を行う．
- 白内障では，水晶体の蛋白質の変性，線維の膨化，破壊により，水晶体が混濁する．
- 水晶体の混濁は部位によって，皮質型，核型，前・後嚢下型に分けられる．
- 白内障には，生まれつき水晶体が混濁している先天性白内障と，何らかの原因で後天的に水晶体の混濁が生じる後天性白内障がある．
- 先天性白内障には，遺伝性疾患のほか，先天性風疹症候群(妊娠初期の母体の風疹感染)によるものが含まれる．後天性白内障では，老人性白内障，眼疾患に併発する白内障，糖尿病やアトピー性皮膚炎などの全身疾患に伴う白内障，外傷性白内障，ステロイド白内障などがある．
- 老人性白内障は白内障の中で最も多いタイプで，40 歳代以降にみられる．

病因・増悪因子

- 老人性白内障は水晶体が加齢変化により混濁して発症する．水晶体の蛋白質が変性することが原因と考えられているが，その機序は明らかになっていない．

疫学・予後

- 老人性白内障は加齢に伴い有病率が増加し，女性に多い．進行した水晶体混濁の有所見率は，50 歳代で 10～13%，60 歳代で 26～33%，70 歳代で 51～60%，80 歳以上では 67～83% であったとの報告がある[1]．
- 以前はわが国で失明の原疾患であったが，手術により視力の回復が期待できる．

症状

羞明(まぶしさ)と視力低下が主症状である.

- 老人性白内障の初期症状の多くは羞明である. 視力障害, 霧視(霧の中にいるように見える), 眼精疲労, 青紫色の寒色系の識別困難などである.
- 混濁の部位によっては, 日当たりのよい場所や車のヘッドライトに対し, 強いまぶしさを感じることがある. また視力障害は緩徐に進行し, 遠方と近方の視力も同時に低下する.
- 核が褐色を帯びてくる核型は, 硬化の初期に近視が強くなり視力が低下する. 後嚢下型は初期に羞明と近見視力の低下がみられる. 皮質型は老人性白内障によくみられる.

診断・検査値

散瞳後に細隙灯顕微鏡で水晶体を観察する.

- 散瞳薬を用いて散瞳後に細隙灯顕微鏡で水晶体の混濁を確認する.
- 視力低下が白内障によるものかどうかは, 水晶体のみの観察では判断が難しい. 眼圧測定や眼底検査により白内障以外の眼疾患の有無を調べ, 水晶体の混濁程度と視力が一致するか判断する.

合併しやすい症状

- 糖尿病などの代謝疾患, 内分泌疾患, アトピー性皮膚炎, 筋強直性ジストロフィーなどの疾患を伴うことがある.

治療法

●治療方針

- 点眼薬で進行を予防できる可能性はあるが, 視力低下の改善は期待できない. 進行した場合は手術を行う.

●薬物療法

Px 処方例　**下記のいずれかを用いる.**

- カリーユニ点眼液 0.005%　5 mL/本　1日4回　点眼　←白内障治療薬
- カタリン点眼用(錠) 0.75 mg (15 mL/本)　1日4回　点眼　←白内障治療薬
- タチオン点眼用 100 mg (5 mL/本)　1日4回　点眼　←白内障治療薬

●外科療法

- 視力障害が生活に支障をきたすようになった場合に, 手術を考慮する. 矯正視力 0.1～0.2 以下がおよその目安となる. 自覚症状, 日常生活で必要とされる視力などを考慮し, 患者が希望すれば手術適応になる.
- 白内障の手術は短時間で行われ, 侵襲が少なく安全であるため, 高齢者であること自体はリスクにならない. しかし, 高血圧, 糖尿病, 認知症などの併存疾患の重症度によっては手術が困難な場合もある.
- 現在のところ, 超音波水晶体乳化吸引術が標準的術式である. 手術は局所麻酔下に顔面神経をブロックし, 超音波で水晶体内容物を乳化・破砕吸引しながら除去し, 水晶体嚢スペースを確保して眼内レンズを挿入する. 眼内レンズはアクリル素材やシリコーン素材の折りたためるレンズを使用する. 切開創(約 2 mm)が小さいので術後の回復は早い.
- 非球面眼内レンズ, 多焦点眼内レンズ, 着色眼内レンズなど付加価値のついたものが増えてきている.

■表 12-1　白内障の主な治療薬

分類	一般名	主な商品名	薬の効くメカニズム	主な副作用
白内障治療薬	ピレノキシン	カリーユニ, カタリン	水晶体の透明性を維持させることで白内障の進行を抑制する	過敏症, 眼症状
	グルタチオン	タチオン	眼組織の代謝改善を通じて治癒機転の促進に役立つと考えられる	眼症状

白内障の病期・病態・重症度別にみた治療フローチャート

薬物療法 → 点眼薬

↓ 白内障が進行し日常生活に支障をきたした場合

外科的治療 → 超音波水晶体乳化吸引術＋眼内レンズ挿入術

●参考文献
1）佐々木洋：人種，生活環境の異なる地域での白内障疫学研究．日本白内障学会誌 13：13-20，2001

白内障をもつ高齢者の看護

高岡　哲子

看護の視点

- 白内障は，水晶体の混濁により視覚障害をきたす．視覚障害があると，危険回避能力が低下し，事故に遭いやすくなる．そのため，活動への恐怖心を抱きやすい．また視覚障害は，役割や楽しみの継続を困難にすることや日常生活の自立に支障をきたすことで，自尊感情が低下し，心理的な落ち込みを引き起こす．このことから，高齢者は自ら活動の場を狭めてしまう危険性がある．
- 白内障は昨今，日帰り手術ができるようになっているが，手術までの期間や手術をしないことを選択している場合もあるため，高齢者が安全で安心して過ごせる生活環境づくりが重要となる．
- 高齢者が安全に過ごせるように環境を整えることは，視覚障害による危険を回避することにつながるばかりではなく，役割や楽しみが継続できることや活動の場が広がることで自信回復にもつながる．

※そのために，以下のような日常生活の看護のポイントに留意して支援する．

1. 白内障に伴う視覚障害によって生じる危険を回避し，活動の場が拡大するように環境を整える．
2. 自信をもって，役割や楽しみが継続できるように支援する．

●生活機能障害度に応じた長期的な看護の視点

【視覚障害への対応】視覚障害に伴う活動への恐怖心が最小となり，危険が少ない慣れた生活環境で，必要な支援を受けながら，不自由なく日常生活が送れるように支援する．

【落ち込みの予防】視覚障害により，自尊感情を低下させ一時的に狭められた生活の場が，再度拡大し，自信をもって役割や楽しみが継続できるように支援する．

STEP 1 アセスメント　STEP 2 看護の焦点の明確化　STEP 3 計画　STEP 4 実施

情報収集・情報分析

	必要な情報	分析の視点
疾患関連情報	**症状** ・視力低下，霧視，羞明感，眼精疲労 ・症状に対する言動 ・寒色系の識別困難の有無	□症状が日常生活にどのような影響を及ぼしているか □症状の出現に伴う活動量や活動範囲はどうか □活動範囲が広がる可能性はどうか □色の見え方はどうか（どんな色が見えやすいのか，見えづらいのか）
	治療 ・薬剤，手術	□薬剤を使用している場合，使用薬剤の種類と使用回数が適切か □白内障手術が可能か
身体的要因	**運動機能** ・歩行状態 ・移動に使用する道具	□つまずく，ぶつかるなど，危険回避能力の低下はないか □移動に使用している道具が適切か
	認知機能 ・知能・認知	□視覚からの刺激が低下することで，認知機能が低下する危険はないか □誘導に対する理解状況はどうか □危険を認知する能力はどうか
	感覚・知覚 ・視覚障害，聴覚障害，嗅覚障害，味覚障害 ・触覚の感受性低下（手などで触れてわかる）	※疾患関連情報を参照 □視覚障害を補うための暮らしに必要な情報を，どのように得ているか □視覚障害を補うために適した情報収集方法は何か

	必要な情報	分析の視点
心理・霊的要因	**健康知覚・意向** ・視覚障害に対する思い	□視覚障害に伴い，日常生活に支障をきたすほどの落ち込みはないか □視力回復に対する期待はあるか
	自己知覚 ・環境の変化	□環境の変化に適応できているか
	価値・信念 ・他者の手を借りることへの思い	□自尊感情の低下はないか
	気分 ・落ち込み ・危険に対する恐怖の有無と程度 ・気分転換の方法	□落ち込みによる日常生活への影響はないか □恐怖心が活動範囲を狭めてはいないか □気分転換が効果的に行われているか □気分転換方法を変更する必要はあるか
	ストレス耐性 ・ストレスへの対処方法	□いままでのストレス対処方法は有効か
社会・文化的要因	**役割・関係** ・役割の内容 ・役割に対する思いと継続意思	□視覚障害をもちながら役割の継続は可能か，または継続に必要な条件は何か
	仕事・家事・学習 ・仕事や家事，学習の内容と思い	□視覚障害をもちながら仕事，家事，学習の継続は可能か，または継続に必要な条件は何か
	遊び ・遊びの内容 ・遊びに対する思いと継続意思	□視覚障害をもちながら遊びの継続は可能か，または継続に必要な条件は何か
	社会参加 ・社会参加の内容 ・社会参加に対する思いと継続意思	□視覚障害をもちながら社会参加は可能か，または継続に必要な条件は何か
睡眠・休息	**睡眠・休息のリズム** ・睡眠時間 ・他者との関係	□睡眠時間は適切か □昼寝をとりすぎていないか □他者に介助を頼むときに気がねして疲労していないか
	睡眠・休息の質 ・日中の休息方法	□休息が十分にとれているか
	心身の回復・リセット ・疲労と程度	□見えない状態で生活することでの疲れやすさはないか □疲労回復の方法は適切か
覚醒・活動	**覚醒** ・覚醒状態	□誘導を受け入れられる覚醒状態か
	活動の個人史・意味 ・趣味・楽しみの内容と継続意志 ・興味の対象	□視力障害をもちながら，趣味・楽しみを継続することは可能か，または継続に必要な条件は何か □ライフイベントが活動のきっかけになるか（コンサート，孫の誕生日，結婚式など）

	必要な情報	分析の視点
覚醒・活動	**活動の発展** ・現在の活動に対する思い ・社会参加の内容と思い ・活動に関する希望 ・活動内容 ・活動する空間(家具の配置，段差，狭い通路，通行の障害になる物品) ・決まった順路の有無 ・危険を回避する方法	□視覚障害に伴い，活動意欲が低下していないか □活動への意欲を支えられる身体状態か □１日の活動量や活動範囲に変化はないか □社会参加をあきらめていないか □希望から活動の場が広げられる可能性があるか □高齢者が活動しやすい家具の配置など，環境の整備がされているか □決まった順路や活動している環境に危険はないか(トイレや食事)
食事	**食事準備** ・摂取に必要な道具 ・食べ残し ・食器の配置 ・食堂までの移動方法	□視力低下に合わせたセッティングができているか(食器だけではなく付属の調味料なども含む) □食べやすい食形態になっているか(高齢者の希望を取り入れて主食をおにぎりにするなど) □安全に移動できているか
	食思・食欲 ・食欲の低下 ・食事による疲労と程度 ・食事の内容の理解	□食事を目で楽しむことが難しいことで食欲を低下させていないか □見えづらい状態で，食事をすることに疲労していないか □食事の内容の説明は必要か(食事の内容がわからないことが，食欲や食事摂取量に影響するため)
	栄養状態 ・食事摂取量	□食事摂取量や水分摂取量は適切か □視力低下が栄養状態に影響していないか
排泄	**尿意・便意** ・尿意・便意を知覚してから排泄までの時間 ・誘導方法	□尿意・便意はあるか □時間に余裕をもってトイレへ行けるか □トイレ移動の際に予測される危険はないか □誘導方法が視覚障害の程度に合っているか
	姿勢・排泄動作 ・後始末	□水を流すレバーや，トイレットペーパーなどの物品の位置は確認できるか □陰部や殿部を拭いた後の清潔の程度を確認することができるか □視力障害により移動に時間がかかるため，排泄を気にしすぎてはいないか
身じたく	**清潔** ・入浴，シャワー浴，口腔ケアの方法 ・清潔を確認する方法	□手すりや棚の位置など安全を阻害する危険因子はあるか □物品の位置が確認できるか □身体や口腔内，顔の汚れの確認方法は適切か
	身だしなみ ・衣服の汚れ ・更衣方法 ・着ている衣服 ・洗面，整容	□衣服の汚れの確認方法が適切か □着脱ができるか(とくに後ろ前に着るなどの着間違いに注意する) □状況に合った衣服を選択でき，必要なときに着替えられているか □使用しているひげそりなどの道具は適切か(とくにひげそりは刃物を使用するため，危険がないかに注目する)
	おしゃれ ・おしゃれに対する関心や疲労	□視力障害により，おしゃれをあきらめていないか □自分のおしゃれを楽しめているか

	必要な情報	分析の視点
コミュニケーション	伝える・受け取る ・コミュニケーション方法 ・相手 ・内容 ・環境	□話しかけられたことに気がついているか(相手の視線が見えづらいため，話しかけられたことに気づかない場合がある) □コミュニケーションの相手を正確に把握できているか □周囲の会話に入れず孤立感をもっていないか □視力障害を補うコミュニケーション手段はあるか □照明が明るすぎることで，より見えづらくしていないか □見えづらいことで，人と話すことが億劫になっていないか

アセスメントの視点(病態・生活機能関連図へと導くための指針)

ここでは手術を受けず，保存療法中の高齢者を想定して看護展開を行う．視覚障害があっても，できるだけ安心した環境で，役割や楽しみが継続でき，かつ高齢者の希望ができるだけかなえられるような生活が継続できることが重要である．

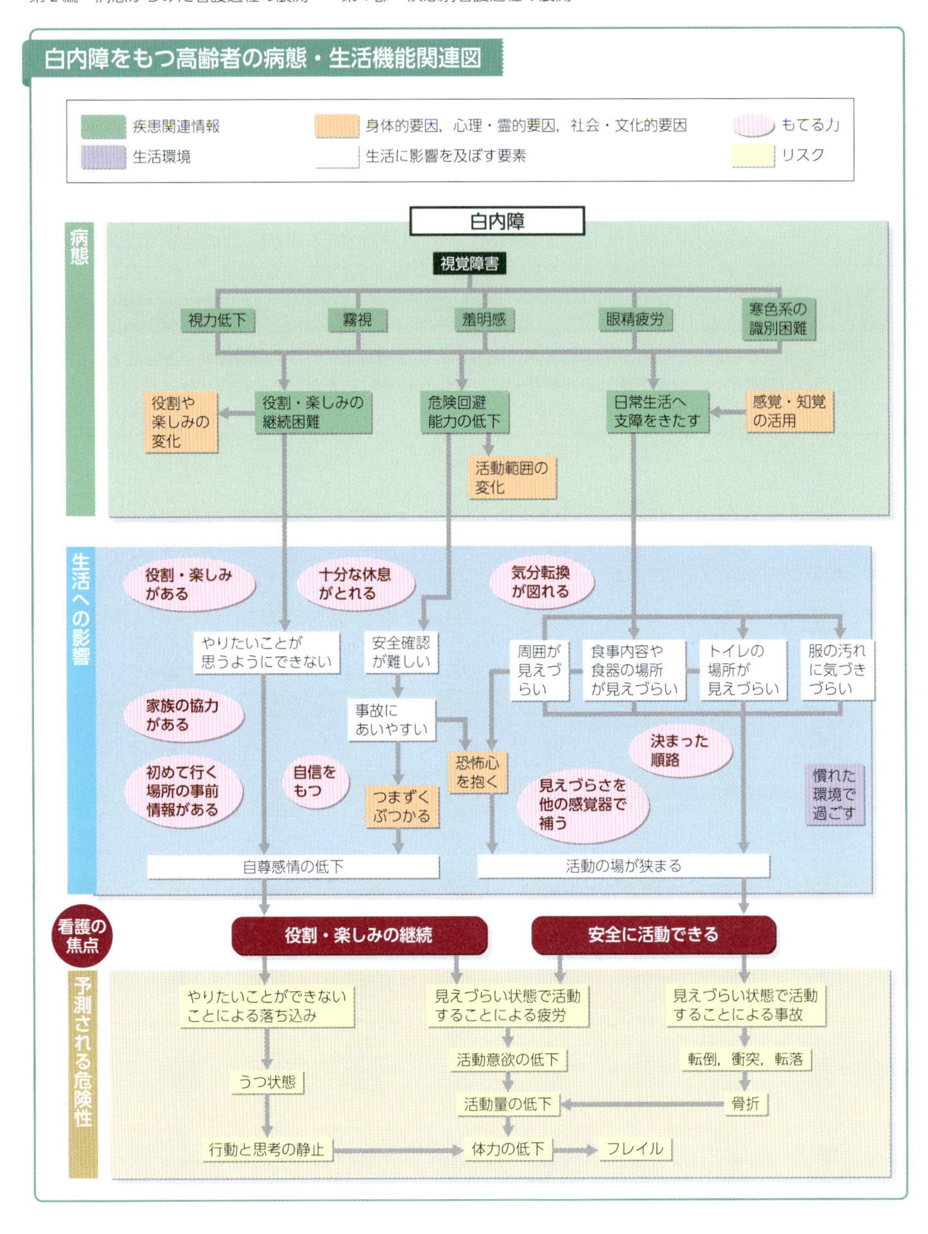
白内障をもつ高齢者の病態・生活機能関連図
疾患関連情報
身体的要因，心理・霊的要因，社会・文化的要因
もてる力
生活環境
生活に影響を及ぼす要素
リスク
病態
白内障
視覚障害
視力低下
霧視
羞明感
眼精疲労
寒色系の識別困難
役割や楽しみの変化
役割・楽しみの継続困難
危険回避能力の低下
日常生活へ支障をきたす
感覚・知覚の活用
活動範囲の変化
生活への影響
役割・楽しみがある
十分な休息がとれる
気分転換が図れる
やりたいことが思うようにできない
安全確認が難しい
周囲が見えづらい
食事内容や食器の場所が見えづらい
トイレの場所が見えづらい
服の汚れに気づきづらい
家族の協力がある
事故にあいやすい
決まった順路
初めて行く場所の事前情報がある
自信をもつ
恐怖心を抱く
見えづらさを他の感覚器で補う
慣れた環境で過ごす
つまずくぶつかる
自尊感情の低下
活動の場が狭まる
看護の焦点
役割・楽しみの継続
安全に活動できる
予測される危険性
やりたいことができないことによる落ち込み
見えづらい状態で活動することによる疲労
見えづらい状態で活動することによる事故
活動意欲の低下
転倒，衝突，転落
うつ状態
活動量の低下
骨折
行動と思考の静止
体力の低下
フレイル

STEP 1 アセスメント　STEP 2 看護の焦点の明確化　STEP 3 計画　STEP 4 実施

看護の焦点の明確化

#1　視覚障害に伴う恐怖心が最小となり，安全に活動することができる
#2　視覚障害に伴う意欲低下を起こすことなく，役割や楽しみが継続できる

STEP 1 アセスメント　STEP 2 看護の焦点の明確化　STEP 3 計画　STEP 4 実施

1 看護の焦点	看護目標
視覚障害に伴う恐怖心が最小となり，安全に活動することができる	1)病棟内(施設内)，ベッド周囲を把握できる 2)混乱せず誘導を受けられる 3)日常生活動作が自立できる

具体策(支援内容)	根拠
1. 病棟内(施設内)，ベッド周囲を把握するための支援	
1)移動順路と方法の説明 ・病室，病棟内(施設内)の移動	●視力が低下していることで，移動などが不便になる危険性が高いため，事故を回避するためにも把握してもらう必要がある
2)物の位置の確認 ・ベッドやナースコールの位置 ・床頭台の上と引き出しの中 ・洗面台周囲	●日ごろ使う物の場所を把握することで安心感をもってもらう
3)見やすくなるための工夫 ・病室の入り口などは大きめの字で表示する	●迷わず目的の場所へ行けるようになるため，自立につながる
・目印となる飾りをつける	●青紫色などの寒色系の識別は難しいため使用しない
2. 混乱せず，誘導を受けられるための支援	
1)移動するための誘導 ①歩行時 ・同じ順路を通る	●何度か通ることで，通路の感覚を覚え安心できる
・介助者の肘か肩をつかんで半歩後ろを歩いてもらう	●肘や肩をつかむことで，段差などがわかりやすい．また，片手があくため自由がきく．両手を引いて誘導したり手を引くと恐怖心をもつ場合があるので気をつける
・段差，右折，左折，その他周囲の状況は適時，声に出して説明する	●何が起こるか，起こっているのかを適切に説明することで，安心できる
・立位のまま待つ場合は，壁や手すりをつかんでもらう	●よりどころがあることで安心できる．また，他者とぶつかるなどの事故を予防できる
②車椅子使用時 ・誘導内容は上記「①歩行時」と同様である(ただし「介助者の肘か肩をつかんで半歩後ろを歩いてもらう」は除く)	
・出発時，止まるときは事前に声に出して説明する	●突然動くことや止まることで，恐怖心をもつ危険性がある
2)周囲の物の位置を確認するための誘導 ・高齢者の周囲を整理整頓する	●高齢者の安全を守るため

・了承を得てから，手を持って目的の物を触ってもらう	●視覚からの情報が少ないため，手で触ってもらう．ただし声をかけずに突然手をつかむと，驚かせてしまうため注意する
・触ってもらうときには，置き場所がわかるように場所と位置，目印になるものを声に出して説明しながら手で触ってもらう	●具体的に説明することで，物の位置がイメージしやすい
・物の位置は，勝手に変えずできるだけ同じ場所に置く	●物の位置を固定することで，自力で取ることができるようになる．勝手に物の場所を変えると混乱を起こす

3. 日常生活動作が自立できるための支援

1) 食事が自立できるための支援

・必要時，食事の説明をする	●食事を見て楽しむことが難しくなることを補い，イメージをもってもらう
・視力に合わせたセッティングを行う	●スプーン，滑らないトレイなどの必要な道具を準備することで自立につながる
・視力に合わせた食形態にする	●嚥下障害がなければ，主食をおにぎりにするなどの工夫で自力摂取が可能となる場合がある．ただし，高齢者の嗜好は必ず確認する必要がある

2) 排泄が自立できるための支援

・使用するトイレはできるだけ統一する	●場所に慣れることで，ぶつかるなどの事故防止になる
・使用するトイレの中を説明する(便器の方向，空間の広さをさわって確認してもらう)	●とくに個室は，身体を壁にぶつける危険性が高いため，事故を防ぐためにも，空間を理解してもらう必要がある

3) 身じたくが自立できるための支援

・高齢者に合った清潔の確認法を活用する	●自分でできることが自信につながるとともに，他者に頼むことで気を使わなくてすむ
・ひげそりなど，刃物を使用するときは自立度に合わせて，介助もしくは見守りを行う	●刃物類は，慎重に取り扱わなければけがをする危険性が高い
・下着や衣服などは必ず同じ場所に置く	●混乱を避ける．また，必要時に自分で取り出すことができるようになる

4) コミュニケーション時の工夫

・必ず名前を呼んでから話しかける	●コミュニケーション相手が誰に話しかけているのかがわからず，不安になる
・集団で会話をするときは，参加者などの情報を伝える	●事前に情報をもつことで，話に参加しやすくなる．誰が参加しているのかを知ることで，周囲との関係性が保てる
・ゆっくりと座って話せる場を設ける	●立ち話などの場合，人にぶつかるなど，他のことに気が向き，話に集中できない危険性がある

2 看護の焦点	看護目標
視覚障害に伴う意欲低下を起こすことなく，役割や楽しみが継続できる	1) 役割や楽しみを自分のペースで実施できる 2) 自尊感情を保つことができる 3) 活動意欲を保つことができる

具体策（支援内容）	根拠
1. 役割や楽しみを自分のペースで実施できるための支援	
1) 役割や楽しみを継続できるための環境整備	
・分析で明らかとなった，役割や楽しみを継続するための環境を整える	
・個人史を知る	
・高齢者が望んでいる活動を実施できるように環境を整える	●高齢者が望んでいないことを行うことは，次の活動の機会をなくしてしまう危険性がある
2) 安全に実施できるための支援	
・物品の場所や順路を覚えられず，心配なときは無理をしないで支援者を呼んでもらう	●いつでも一緒に行動できるという安心感をもってもらう
・共用スペースにあるナースコールの位置を確認する	●人の手助けが必要になったときに，いつでも呼べる
・事前に付き添う人を明らかにする．付き添う人と調整をとる	●事故を防止し，安心感をもってもらう
・高齢者が初めて行く場所は，イメージできるように説明する	●イメージすることで，安心感につながる
2. 自尊感情を保つための支援	
・できたことは称賛する	●活動に自信をもってもらう
・行動に対してねぎらいの言葉をかける	●行動へのモチベーションを上げることにつながる
・高齢者の生活リズムを把握し，事前に声をかける	●遠慮により自分から声かけができないことがある
3. 活動意欲を保つための支援	
1) 活動意欲を保つための環境整備	
・実際に歩いたり，触ったりして場所を確認する	●視覚からの情報が少ないため，他の身体感覚で補う方法がわかることで活動意欲につながる
・必要時は付き添い，段差があるところは事前に声をかける	●つまずいたりぶつかったりするなどの事故を防止することで，次の活動につながる
・天気のよい日は，部屋のカーテンを閉めたり，サングラスを使用する	●明るすぎると見えにくくなる状態を改善することで，活動意欲につながる
2) 活動意欲の維持・向上を目指すための支援	
・事前準備を行い，疲労を最小限にする	●疲労することで，次の行動意欲につながらない危険性がある
・高齢者の希望に合わせた予定を立てる	●高齢者が希望することを行うことは，次の活動意欲につながる

関連項目

※もっと詳しく知りたいときは，以下の項目を参照しよう．

生活への影響と看護の視点

- 「第 1 編」の「2 覚醒・活動（→ p.10）」：視覚障害をもつ高齢者が行動拡大できるよう支援するために，必要な基礎的知識を確認しておこう
- 「第 1 編」の「3 食事（→ p.18）」：とくに食思・食欲に関連した知識を確認しよう
- 「第 1 編」の「4 排泄（→ p.27）」：視覚障害をもつことで排泄動作が困難となるため，適切な援助を行うために知識の確認をしよう
- 「第 1 編」の「5 身じたく（→ p.36）」：身じたくに関する基本的な知識を確認しよう

予測される危険

- 「29 転倒（→ p.504）」：見えづらさから起こりうる危険を回避するために確認しておこう
- 「25 抑うつ状態（→ p.451）」：抑うつ状態を予防するための援助を詳しくみてみよう
- 「28 フレイル（→ p.491）」：フレイルを予防するための援助を詳しくみてみよう

緑内障

中川真奈美

早期発見と治療の継続により進行を抑え，十分な視野・視力を維持することが重要

定義

緑内障は，房水の分泌と排出のバランスが崩れて眼圧が高くなり，網膜に広がっている視神経の束である視神経乳頭を圧迫し，視神経が障害され，視野欠損が認められる疾患である（図）．眼圧が上昇する原因によって，主に以下に分類される．

原発開放隅角緑内障：隅角に問題はなく，線維柱帯という房水を流出させる部分が詰まることで眼圧が上昇する．眼圧が正常でも視神経に障害が起こる正常眼圧緑内障では，近視や高齢，乳頭出血が発症に影響していると考えられている．

原発閉塞隅角緑内障：隅角の狭小化・閉塞により房水が流出できなくなり，眼圧が上昇する．

続発緑内障：他の疾患や薬物により眼圧上昇が起こる．開放隅角の場合も，閉塞隅角の場合もある．

発達緑内障：隅角に生まれつきの構造異常があり，眼圧が上昇する．

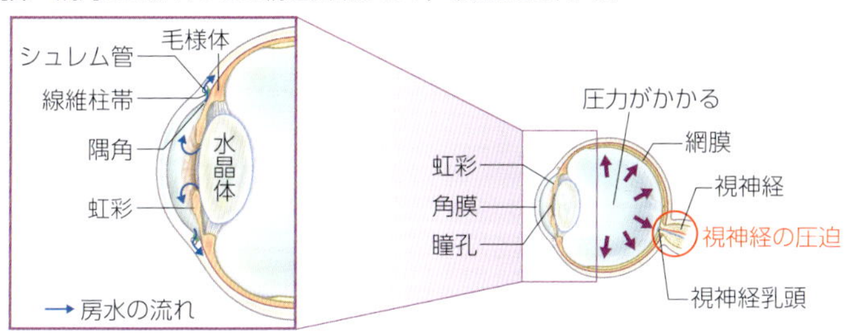

■図　眼球の構造と緑内障

症状・検査

自覚症状としては，視野狭窄や見えない場所（暗点）の出現が一般的である．非常にゆっくりと進行するため初期の段階では気づきにくく，知らないうちに日常生活に支障をきたす．急性緑内障発作では，急激な眼圧上昇により激しい眼痛，頭痛，悪心が出現し，嘔吐を伴うことも特徴的である．この場合，急速に視力が低下し失明のリスクがあるため，すぐに治療を受ける必要がある．

視野検査，眼圧検査，隅角検査，眼底検査，細隙灯顕微鏡検査，網膜断層検査（OCT）などを行う．

治療

一度障害された視神経を回復する方法はなく，眼圧低下により進行を抑えることが治療の基本である．

点眼薬による治療：房水の排出を促進する効果や房水の産生を抑制する効果により眼圧を低下させる．緑内障のタイプ・重症度・眼圧の高さに応じ，交感神経遮断薬，副交感神経刺激薬，プロスタグランジン製剤，炭酸脱水酵素阻害薬などを使用する．一種類の点眼薬だけで効果が低いと判断された場合は複数を組み合わせる．

レーザー治療，外科的手術：点眼薬でも十分に眼圧が下がらない場合や，眼圧がある程度下がっても視野障害などが進行する場合には，レーザー治療（隅角光凝固術）や手術を行うことがある．手術には，房水の流れ出る線維柱帯を開く線維柱帯切開術，別の房水の出口をつくる線維柱帯切除術などがある．

看護の視点

多くは，点眼薬により良好な眼圧コントロールが可能である．そのため，高齢者が疾患を正しく理解し，定期的に検査を受け，治療アドヒアランスを高める支援が必要である．

眼圧上昇作用のある抗コリン薬，パーキンソン薬治療薬のレボドパや狭心症治療薬の硝酸薬，昇圧薬のアメジニウムメチル硫酸塩などは，緑内障のタイプによっては使用禁忌なため，薬剤師と連携する．

13 尿路感染症

秋下　雅弘

目でみる疾患

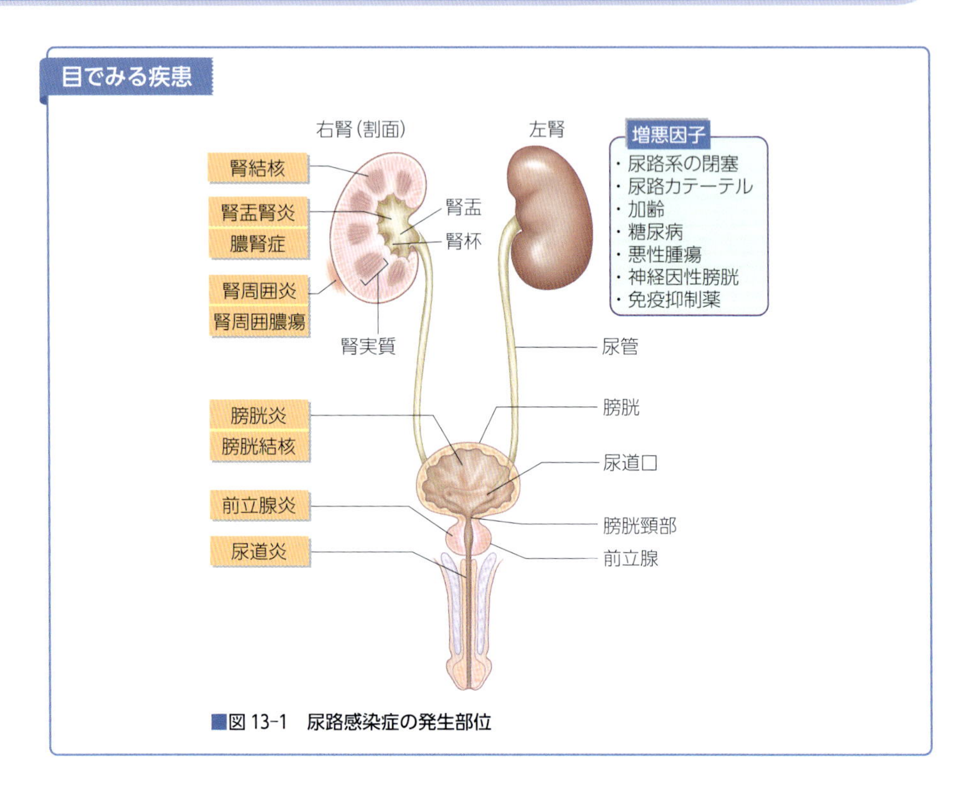

■図 13-1　尿路感染症の発生部位

病態生理

尿道，膀胱または腎臓で発生した感染症を指し，一般的には下部尿路感染症(膀胱炎など)と上部尿路感染症(腎盂腎炎など)とに分けられる．

- 上部・下部尿路の他，基礎疾患のない単純性と基礎疾患を有する複雑性とに分類され，抗菌薬の使い方など治療法が異なる．
- 尿路感染症の多くが，直腸常在菌(大腸菌を中心とするグラム陰性桿菌)による尿道からの上行性尿路感染である．複雑性では，グラム陽性球菌や緑膿菌など起炎菌も多彩である．
- 閉経後女性の急性膀胱炎起炎菌は，グラム陽性球菌の頻度が若年女性より低く，また大腸菌のキノロン耐性率が高い．
- 腎盂腎炎は尿路の逆行性感染により惹起され，血流感染を併発しやすい．

病因・増悪因子

- 女性は男性より尿道が短いため尿路感染のリスクが高い．
- 複雑性尿路感染症では，尿路や全身性の基礎疾患を有し，再発・再燃が多い．
- 局所増悪因子には，尿路カテーテル，尿路系の閉塞，悪性腫瘍や神経因性膀胱が多い．
- 全身性増悪因子としては，加齢，糖尿病，悪性腫瘍，免疫抑制薬の使用などがある．

疫学・予後

- 急性単純性膀胱炎に罹患する患者の多くは性的活動期の女性であるが，男性および高齢女性は難治で，再発率も高い．
- 膀胱炎は外来治療で軽快することが多いが，難治例や重症の腎盂腎炎では入院治療を要することもある．
- 高齢者の腎盂腎炎は菌血症，敗血症合併例も多く，入院治療の適応となる場合が多い．

症状

膀胱炎では，頻尿，排尿痛，尿混濁，残尿感など，腎盂腎炎では発熱，腰背部痛など．

- 膀胱炎の臨床症状は，頻尿，排尿痛，尿混濁，残尿感，膀胱部不快感などで，通常，発熱は伴わない．
- 腎盂腎炎では，先行する膀胱炎症状に加え，発熱，全身倦怠感などの全身症状と患側の腰背部痛（叩打痛）が出現する．
- 腎盂腎炎では，敗血症性ショックで低血圧，せん妄などの意識障害を呈することもある．

診断・検査値

症状と病歴の聴取，身体所見，尿検査，さらに複雑性尿路感染症や腎盂腎炎では尿・血液培養，血液検査，必要に応じて腹部超音波検査や CT 検査を行う．

- 尿路感染症状とその経過，尿路感染の既往，併存疾患について聴取する．
- 腹部，腰背部，必要があれば陰部についても視診，触診，叩打痛の確認を行う．

検査値

- 尿検査：採取した尿検体で混濁と血尿を肉眼的に確認し，尿一般，沈渣に提出する．無尿・尿閉では導尿により検体を採取する．複雑性尿路感染症，腎盂腎炎では尿培養は必須．再発性または難治性尿路感染症の場合には，抗菌薬投与を一旦終了し，2～3 日間の休薬期間をおいて尿培養検査を施行し，原因菌の検索を行う．
- 血液検査：急性単純性膀胱炎では不要．腎盂腎炎では，血液培養，血算，CRP，腎機能（BUN，クレアチニン）など．
- 腹部超音波検査，CT 検査：腎膿瘍，水腎症（尿路結石や腫瘍による尿路閉塞の合併）が疑われる場合に実施．造影剤の使用は腎機能を確認したうえで慎重に行う．

合併しやすい症状

- 腎盂腎炎には，菌血症・敗血症の他，腎実質の感染により腎膿瘍，気腫性腎盂腎炎を合併することがある．
- 尿路系悪性腫瘍，尿路結石，前立腺肥大症などによる尿路閉塞が感染の原因となっていることがあり，これらの原疾患の検索と治療についても考慮する．

治療法

治療方針

- 無症候性細菌尿（泌尿器科処置前は抗菌薬使用を検討）を除けば，すべての尿路感染症は抗菌薬による薬物療法の適応となる．
- 細菌を洗い出し，脱水を予防するため，水分摂取を多めにする．

薬物療法

- 急性単純性膀胱炎：セフェム系薬または β-ラクタマーゼ阻害薬（BLI）配合ペニシリン系薬を第一選択とする．グラム陽性球菌が確認されている場合にはキノロン系薬を選択する．
- 複雑性膀胱炎：起炎菌が多岐にわたるため，抗菌スペクトルが広く抗菌力に優れている薬剤を選択し，その後は薬剤感受性検査の結果に基づいて薬剤選択を行う．投与期間は 1 週間以上．難治例では点滴による抗菌薬投与も考慮する．
- 急性単純性腎盂腎炎：主治医が外来治療可能と判断した症例を「軽症・中等症」，入院加療が必要な症例を「重症」とし，入院では抗菌薬の点滴投与を行う．empiric therapy（経験的治療）として腎排泄型の薬剤で，β-ラクタム系薬，キノロン系薬などが推奨される．3 日目を目安に効果を判定し，培養と薬剤感受性検査の結果に基づいて薬剤切り替えを検討する．

■表 13-1　急性単純性膀胱炎の主な治療薬

分類	一般名(略語)	主な商品名	主な有効菌種
セフェム系抗菌薬(内服)	セファクロル(CCL)	ケフラール	大腸菌，ブドウ球菌，レンサ球菌，肺炎球菌，クレブシエラ
	セフカペンピボキシル塩酸塩水和物(CFPN-PI)	フロモックス	
ペニシリン系抗菌薬(内服)	アモキシシリン水和物/クラブラン酸カリウム(AMPC/CVA)	オーグメンチン	大腸菌，ブドウ球菌，クレブシエラ
キノロン系抗菌薬(内服)	レボフロキサシン水和物(LVFX)	クラビット	大腸菌，ブドウ球菌，レンサ球菌，肺炎球菌，クレブシエラ，緑膿菌

■表 13-2　急性単純性腎盂腎炎の主な治療薬

分類	一般名(略語)	主な商品名	主な有効菌種
キノロン系抗菌薬(内服)	レボフロキサシン水和物(LVFX)	クラビット	大腸菌，ブドウ球菌，レンサ球菌，肺炎球菌，クレブシエラ，緑膿菌
	シプロフロキサシン(CPFX)	シプロキサン	
セフェム系抗菌薬(注射)	セフォチアム塩酸塩(CTM)	パンスポリン，ハロスポア	大腸菌，ブドウ球菌，レンサ球菌，肺炎球菌，クレブシエラ，エンテロバクター
	セフトリアキソンナトリウム水和物(CTRX)	ロセフィン	

Px 処方例　第一選択はセフェム系薬または BLI 配合ペニシリン系薬とする．
- ケフラールカプセル 250 mg　1 回 1 カプセル　1 日 3 回　3～7 日間　←セフェム系薬
- フロモックス錠 100 mg　1 回 1 錠　1 日 3 回　5～7 日間　←セフェム系薬
- オーグメンチン錠 125・250 mg　1 回 1 錠　1 日 3 回　3～7 日間　← BLI 配合ペニシリン系薬

Px 処方例　グラム陽性球菌が疑われる，もしくは確認されている場合にはキノロン系薬を用いる．
- クラビット錠 500 mg　1 回 1 錠　1 日 1 回　3 日間　←キノロン系薬

Px 処方例　軽症・中等症にはキノロン系薬を内服する．
- クラビット錠 500 mg　1 回 1 錠　1 日 1 回　7～14 日間　←キノロン系薬
- シプロキサン錠 200 mg　1 回 1 錠　1 日 3 回　7～14 日間　←キノロン系薬

Px 処方例　重症には β-ラクタム系薬を点滴静注する．
- パンスポリン注　1 回 1～2 g　1 日 3～4 回　3 日間で効果判定　←β-ラクタム系薬
- ロセフィン注　1 回 1～2 g　1 日 1～2 回　3 日間で効果判定　←β-ラクタム系薬

●外科療法
- 腎膿瘍，気腫性腎盂腎炎，水腎症の場合には，ドレナージなど泌尿器科的な処置も必要となる．

尿路感染症の病期・病態・重症度別にみた治療フローチャート

■急性単純性膀胱炎

症状：頻尿，排尿痛，残尿感，膀胱部不快感など（発熱は伴わない）
尿検査：試験紙，沈渣検鏡，フローサイトメトリーなど

- 血尿
  - なし → 膀胱がん，尿路結石，ウイルス性膀胱炎，薬剤性膀胱炎，放射線性膀胱炎などの疾患を除外
  - あり ↓
- 膿尿
  - なし → 感染症以外の疾患：間質性膀胱炎など
  - あり ↓
- 細菌尿
  - なし → 無菌性膀胱炎：尿路結核など
  - あり ↓
- 下部尿路感染症
  - 尿路基礎疾患・男性 → 複雑性膀胱炎：画像検査を含め精査・治療
  - 女性 ↓
- 再発・3か月以内の抗菌薬投与歴
  - あり → 尿培養・抗菌薬感受性試験 → ・抗菌薬感受性試験の結果を参照し抗菌薬変更 ・尿路疾患の精査
  - なし ↓
- 急性単純性膀胱炎
  桿菌：BLI配合ペニシリン系またはセフェム系
  球菌：キノロン系
  菌形態不明：BLI配合ペニシリン系またはセフェム系
  ↓
- 効果判定：症状，膿尿，細菌尿の改善
  - なし → ・抗菌薬感受性試験の結果を参照し抗菌薬変更
    ・尿路疾患の精査
  - あり ↓
- 治癒

〔山本新吾（門脇孝ほか編）：日常診療に活かす診療ガイドラインUP-TO-DATE 2020-2021. p.49, メディカルレビュー社, 2020〕

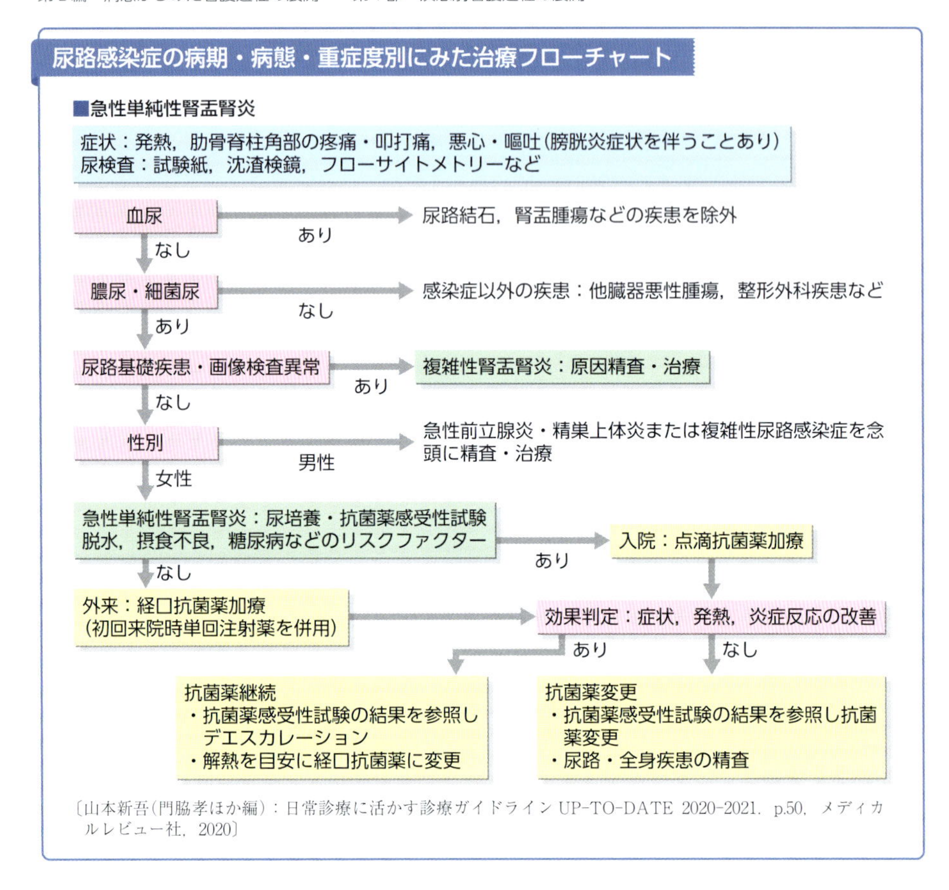
尿路感染症の病期・病態・重症度別にみた治療フローチャート
■急性単純性腎盂腎炎
症状：発熱，肋骨脊柱角部の疼痛・叩打痛，悪心・嘔吐（膀胱炎症状を伴うことあり）
尿検査：試験紙，沈渣検鏡，フローサイトメトリーなど
血尿
あり
尿路結石，腎盂腫瘍などの疾患を除外
なし
膿尿・細菌尿
なし
感染症以外の疾患：他臓器悪性腫瘍，整形外科疾患など
あり
尿路基礎疾患・画像検査異常
あり
複雑性腎盂腎炎：原因精査・治療
なし
性別
男性
急性前立腺炎・精巣上体炎または複雑性尿路感染症を念頭に精査・治療
女性
急性単純性腎盂腎炎：尿培養・抗菌薬感受性試験
脱水，摂食不良，糖尿病などのリスクファクター
あり
入院：点滴抗菌薬加療
なし
外来：経口抗菌薬加療
（初回来院時単回注射薬を併用）
効果判定：症状，発熱，炎症反応の改善
あり
なし
抗菌薬継続
・抗菌薬感受性試験の結果を参照しデエスカレーション
・解熱を目安に経口抗菌薬に変更
抗菌薬変更
・抗菌薬感受性試験の結果を参照し抗菌薬変更
・尿路・全身疾患の精査
〔山本新吾（門脇孝ほか編）：日常診療に活かす診療ガイドライン UP-TO-DATE 2020-2021．p.50，メディカルレビュー社，2020〕

尿路感染症をもつ高齢者の看護

内ヶ島伸也

看護の視点

- 高齢者では，感染に伴う膀胱刺激症状や発熱などの典型的な徴候・症状よりも，全身倦怠感や軽度の精神症状といった非定型的な徴候・症状を呈することが少なくない．また，尿道カテーテルを留置している場合は，尿の混濁以外の症状がみられないこともある．異変の発見や診断が遅れないように，日頃から注意深く観察することが求められる．
- 高齢者にみられる尿路感染症の多くは，尿道口から上行性（尿路逆行性）に入り込んだ腸内細菌の単純性感染であり，尿道が短く，尿道口と肛門が近接する女性に感染のリスクが高い．一方，高齢男性では前立腺肥大症などに伴う尿の停滞が原因で発症する場合が多く，基礎疾患を治療しなければ再燃を繰り返す．再発予防や感染のリスクを回避するためにも，陰部・殿部の清潔状態や清潔行為の実践状況，基礎疾患の有無など，発症の原因となる要因をアセスメントすることが重要となる．
- 尿路感染症は，廃用症候群の１つとしても位置づけられている．運動機能や活動性の低下による，清潔保持の困難，水分摂取量の低下，残尿量の増加，尿道カテーテル留置などといった状態が感染のリスクを高めることになる．そのため，単に清潔・衛生という視点のみでとらえず，活動性を高めることや水分出納を把握することなど，生活全体に目を向ける必要があり，その意味で看護が果たすべき役割は大きい．

●尿路感染症の治療と予防に関する看護の視点

【治療中の看護】 尿路感染症の治療では，主に抗菌薬の投与と十分な水分補給，体力回復のための休息が必要となる．これらが十分確保できるように療養生活を支援すると同時に，感染の原因となった基礎疾患や生活行動上の課題を明らかにして，再発予防に向けた対策を講じなければならない．

【予防に関する看護】 予防のキーワードは，清潔と活動性の維持・向上である．基本的に感染が成立，拡大する経路は上行性（尿路逆行性）であることから，陰部・殿部の清潔を保つことが重要となる．必要な清潔行為がどの程度実践できているかを，排泄行為とも関連させながらとらえなければならない．一方，活動性が著しく低下して寝たきりに近い状態にあって，おむつや尿道カテーテルを使用しての臥床排尿が常となっている場合には，残尿が発症の引き金となる．段階を踏んで可能な限り活動性を高めるとともに，残尿をなくすために，座位で排尿できるように動作を援助したい．尿道カテーテルを留置している限り，常に感染のハイリスク状態であり，再燃を繰り返す場合が多いので，必要最低限の使用にとどめなければならない．

尿の流出には尿路を洗浄し細菌の定着・繁殖を防ぐ効果があり，尿量が十分に確保されれば尿浸透圧を下げて細菌を増殖させる尿中の栄養価を低くすることも期待できる．そのため，尿量を確保できるように，日頃から水分摂取をしっかり支援することが重要となる．

STEP 1 アセスメント　STEP 2 看護の焦点の明確化　STEP 3 計画　STEP 4 実施

情報収集・情報分析

	必要な情報	分析の視点
疾患関連情報	**症状** ・排尿痛や膀胱刺激症状（頻尿・残尿感など），残尿量，尿の混濁・血尿・異臭 ・発熱や全身倦怠感，精神症状 ・泌尿器系疾患，運動機能や呼吸・循環機能の障害	□排尿に関連する自覚症状や尿の性状を観察して，感染の徴候・症状およびその経過を把握する □高齢者は，典型的な症状を必ずしも呈さず，元気がない，落ち着かないなどの形で変調を示すことが少なくないので，普段と違う様子がないかを注意深く観察する □泌尿器系疾患で排尿困難がある場合や，運動機能障害，呼吸・循環機能障害，疼痛などのために活動性が低下している状態では，尿の停滞を招きやすく感染のリスクが高まる

	必要な情報	分析の視点
身体的要因	**運動機能** ・移動能力 ・座位保持能力 ・手指の巧緻性	□移動方法（歩行や車椅子）と移動できる距離に制限がないか □残尿を出し切るための排尿姿勢保持は可能か □陰部・殿部の清潔保持にかかわる上下肢の運動制限，座位・立位保持に支障はないか □1日のなかで，あるいは日によってできることが変動していないか
	認知機能，感覚・知覚 ・尿意の知覚 ・トイレの場所の認識 ・運動機能に応じた危険回避の判断	□尿意や症状をどれくらい正確に知覚・認識できるか □排泄動作に支障をきたすような認知障害や視覚障害はないか □1日のなかで，あるいは日によってできることが変動していないか
	言語機能 ・語彙，声量，筆談などの伝達能力	□尿意や自覚症状を支援者に伝えて必要な支援を求められるか
心理・霊的要因	**健康知覚・意向，自己知覚** ・疾患・症状をどのようにとらえているか	□疾患や症状をどのように受けとめ，現状で何を問題として認識しているか
	価値・信念 ・治療，療養生活に対する希望	□どのような治療方法と生活スタイルを希望しているか
	気分・情動，ストレス耐性 ・症状や治療に伴う不安や悩みと対処方法	□排尿痛や頻尿などの膀胱刺激症状から生じる不安や，不快感に悩んでいないか □予防行動の実践に対する悩みや，入院・治療に伴う生活の変化による気分の落ち込みはないか □陰部・殿部の清潔保持を支援されることへの羞恥心，嫌悪感はないか □症状や治療に伴う不安や悩みに対してどのように対処しているか
社会・文化的要因	**役割・関係，社会参加** ・生じている変化 ・生じた変化の受け止めと希望	□家庭内や社会での役割，人間関係にどのような影響が生じているか □自己の役割と社会参加，人間関係の変化にどのように向き合っているか □自己の役割と社会参加，人間関係の変化に対してどのような希望をもっているか
	仕事・家事・学習，遊び ・生じている変化 ・継続したいこと，新たに見出した希望	□ライフワークや楽しみとしている活動の継続に影響が生じていないか □症状や治療に伴って生じた活動の変化をどのように受け止めているか □これまでのつながりを保つことや，新たな楽しみを見出すためにどのような希望をもっているか
睡眠・休息	**睡眠・休息のリズム，睡眠・休息の質** ・夜間の排尿回数，熟眠感	□夜間の頻尿や排泄ケアによる睡眠への影響（中途覚醒など）はあるか □熟眠感が得られずストレスを感じていないか

	必要な情報	分析の視点
睡眠・休息	**心身の回復・リセット** ・動作の緩慢さ，疲労感 ・表情のかたさ，落ち着かない様子	□治療，体力回復に必要な休息を確保できているか □排尿痛への不安や膀胱刺激症状によって，心理的な休まりを得られない状況にないか
覚醒・活動	**覚醒** ・日中の強い眠気，集中力の変動	□夜間の頻尿や排泄ケアによる睡眠不足が，日中の覚醒に影響していないか □膀胱刺激症状や発熱，倦怠感によって集中力が変動していないか
	活動の個人史・意味 ・これまでの活動が継続できているか	□膀胱刺激症状や発熱，倦怠感によって活動意欲が低下していないか □膀胱刺激症状や発熱，倦怠感によって活動の範囲や内容が縮小していないか □倦怠感や疲労によって，移動や姿勢保持に危険はないか □感染のリスクを高めるような不活発な生活になっていないか
	活動の発展 ・ライフワーク，楽しみ	□今後の活動に対してどのような希望をもっているか
食事	**食事準備，食思・食欲** ・摂取量の変化	□感染に伴う発熱や倦怠感が食欲や水分摂取に影響を及ぼしていないか □不十分な睡眠や活動量の低下が食欲に影響を及ぼしていないか □感染のリスクを高めるような食事摂取量や水分摂取量の低下はないか
	姿勢・摂食動作，咀嚼・嚥下機能，栄養状態 ・食事に要する時間，食事環境，血液データや体重の変動，脱水の徴候	□水分摂取量や摂取する時間に影響するような嚥下障害はないか □食欲減退や排尿による食事の中断が，摂取量や栄養状態に影響していないか
排泄	**尿・便をためる，尿意・便意** ・膀胱刺激症状 ・尿失禁 ・尿意の知覚や支援者への伝え方	□膀胱刺激症状や残尿感などに伴う苦痛はないか □尿失禁がみられる場合，時間帯や状況などに決まったパターンがあるか □尿意を支援者に伝えにくい状況はないか
	姿勢・排泄動作 ・トイレへの移動，排泄姿勢，トイレ環境	□どのように排泄しているか（トイレ，おむつ，尿道カテーテル留置） □トイレへ行くまでの移動動作に制限はないか □部屋とトイレの位置関係や距離は適切か □排尿を誘発するような排尿姿勢，皮膚刺激や腹部圧迫ができるか □排尿痛に伴う苦痛や排尿への不安はないか □排泄後の陰部・殿部の清潔を十分に保てているか □リラックスして排尿できるトイレ環境になっているか
	尿・便の排出，尿・便の状態 ・排尿痛，残尿量，尿の混濁，血尿，異臭 ・排便状況（便秘の有無）	□感染の徴候や症状の改善・悪化を示す変化はないか □尿の停滞を招くような便秘や宿便による腹部膨満はないか

	必要な情報	分析の視点
身じたく	**清潔，身だしなみ** ・排尿に伴う陰部・殿部や衣服の尿汚染 ・身だしなみへの関心・意欲	□おむつの使用や排泄後の清潔行為が不十分なために，陰部・殿部が汚染していないか □陰部・殿部の清潔を保つために必要な清拭や入浴に支障はないか □下着や衣服，清拭，洗浄道具の不備が清潔を保つのを困難にしていないか □トイレや浴室，居室やベッド周囲の環境が，清潔行為を困難にしていたり，プライバシーが守られない状況にないか
	おしゃれ ・選択できる衣服の制限 ・おしゃれへの関心・意欲	□膀胱刺激症状や全身倦怠感が，身じたくやおしゃれへの関心・意欲と実践に影響していないか
コミュニケーション	**伝える・受け取る，コミュニケーションの相互作用・意味，コミュニケーションの発展** ・言語機能と認知機能 ・支援者の支援体制 ・他の高齢者との関係・交流	□尿意や排泄に関する希望を表現できているか □排尿痛や膀胱刺激症状に伴う苦痛や全身疲労感が他者との交流を縮小させていないか □交流のある友人や知人が少ないために不活発な生活になっていないか

アセスメントの視点（病態・生活機能関連図へと導くための指針）

高齢者における尿路感染症の最大のリスクは，寝たきりのような活動性の低下であるといっても過言ではない．裏を返せば，活動性を低下させている要因を解決しない限りは，いつまでも発症と再燃の危険性があることを意味する．そのため，感染経路となる陰部・殿部の清潔保持に努めながら，高齢者の活動性を高めていける可能性を探ることを重要視しなければならない．身体を起こして覚醒を高め，十分な水分と栄養をとり，残尿なく排尿する．尿路感染症の治療過程においても予防の過程においても，この一連の生活動作を安全に繰り返しながら，高齢者らしい活動へと発展していけるように支援していきたい．

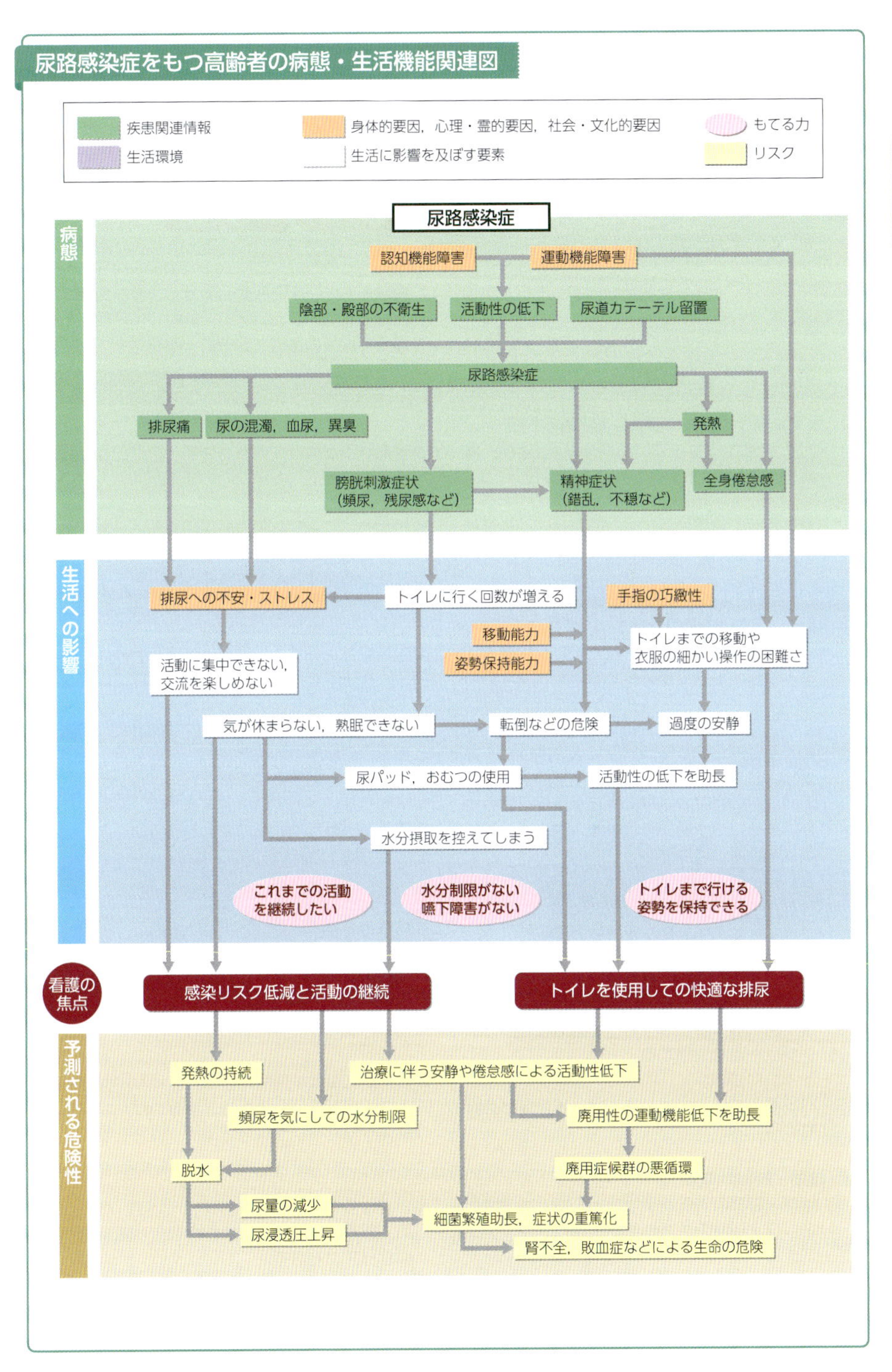

尿路感染症をもつ高齢者の病態・生活機能関連図
疾患関連情報
身体的要因，心理・霊的要因，社会・文化的要因
もてる力
生活環境
生活に影響を及ぼす要素
リスク
病態
尿路感染症
認知機能障害
運動機能障害
陰部・殿部の不衛生
活動性の低下
尿道カテーテル留置
尿路感染症
排尿痛
尿の混濁，血尿，異臭
発熱
膀胱刺激症状
(頻尿，残尿感など)
精神症状
(錯乱，不穏など)
全身倦怠感
生活への影響
排尿への不安・ストレス
トイレに行く回数が増える
手指の巧緻性
移動能力
姿勢保持能力
トイレまでの移動や
衣服の細かい操作の困難さ
活動に集中できない，
交流を楽しめない
気が休まらない，熟眠できない
転倒などの危険
過度の安静
尿パッド，おむつの使用
活動性の低下を助長
水分摂取を控えてしまう
これまでの活動
を継続したい
水分制限がない
嚥下障害がない
トイレまで行ける
姿勢を保持できる
看護の焦点
感染リスク低減と活動の継続
トイレを使用しての快適な排尿
予測される危険性
発熱の持続
治療に伴う安静や倦怠感による活動性低下
頻尿を気にしての水分制限
廃用性の運動機能低下を助長
脱水
廃用症候群の悪循環
尿量の減少
尿浸透圧上昇
細菌繁殖助長，症状の重篤化
腎不全，敗血症などによる生命の危険

STEP① アセスメント　STEP② 看護の焦点の明確化　STEP③ 計画　STEP④ 実施

看護の焦点の明確化

#1　体調にあわせてトイレを使用し，すっきりと排尿できる
#2　感染のリスクを低減して体力を維持・向上することで，活動を楽しむことができる

STEP① アセスメント　STEP② 看護の焦点の明確化　STEP③ 計画　STEP④ 実施

1 看護の焦点	看護目標
体調にあわせてトイレを使用し，すっきりと排尿できる	1)安全にトイレまで移動してすっきり排尿することができる 2)陰部・殿部の清潔を保つことができる

具体策(支援内容)	根拠
1. 排尿に向けて心身の準備性を高める支援	
・他の疾患から生じている身体症状(疼痛，瘙痒感など)を緩和する	●苦痛や不安などに伴う身体的・心理的な緊張が和らぐことで，トイレでの排尿がスムーズにできる
・身体症状や療養生活によって生じている緊張や不安，ストレスを緩和する	●身体的・心理的な苦痛を緩和することで，トイレへの移動や姿勢保持の安定化，気分的なゆとりをもたらすことができる
2. 排尿しやすい姿勢の支援	
・トイレもしくはポータブルトイレで排尿できるように，必要な移動をサポートする	●臥位やベッドサイドのポータブルトイレではうまく排尿できなくても，トイレに行けばできることがある
・これまでの習慣も考慮して，トイレでは立位もしくは座位の姿勢で排尿できるように，必要に応じて姿勢保持をサポートする	●立位や座位では腹圧をかけやすいうえ，膀胱や尿道口の解剖学的位置関係からみても，残尿を解消するのに効果的である
・トイレへの移動や排尿に時間がかかる場合には，ふらつきや排尿後の疲労，脱力による転倒がないように注意する	●活動性が低下している高齢者では，移動時や排尿後に，疲労や血圧の変動でふらつくことがある
3. 安心して排尿できる環境づくり	
・プライバシーが確保できるように，扉やスクリーンを調整し，音やにおいに伴う羞恥心にも配慮する ・トイレへの移動や排尿に時間がかかる場合には，時間的なゆとりをもって臨めるようにスケジュールを調整する	●排尿行為や排泄物にまつわる羞恥心，時間的なあせりは，余計な緊張や不安につながるため，場所と時間の両面から安心できるトイレ環境を確保する
・トイレに通いやすいように，居室との距離やベッドの位置，ベッドの高さ，履物などを調整する	●膀胱刺激症状や残尿感から，トイレに何度も通うことが起こりうるため，すみやかかつ安全な移動ができるような居室環境，道具を整える
4. 陰部・殿部の清潔	
・陰部・殿部の清潔を保つための排泄後の清拭および入浴時の洗浄動作を観察，アセスメントする ・必要に応じて，陰部・殿部の状態を直接観察する	●とくに女性は尿道口と肛門が近接しているため，陰部・殿部の清潔状態の悪化が感染の直接的なリスクとなる

・清潔動作に支障がある場合は，身体を支えたり清拭・洗浄を支援する	●陰部・殿部の清潔状態を高齢者本人が確認するのは難しく，運動機能に障害がある場合は十分な清拭・洗浄も難しいので，必要な確認や動作のサポートが重要となる
・尿道カテーテルを留置している場合は，抜去の可能性を探ることに努め，それが不可能であれば無菌操作を徹底する	●カテーテルの挿入時はもちろん，蓄尿バッグとの接続部や開口部は細菌進入経路となるので，必要最小限の使用に努めると同時に，衛生管理に十分留意しなければならない

2 看護の焦点	看護目標
感染のリスクを低減して体力を維持・向上することで，活動を楽しむことができる	1) 必要な水分と休息を確保し，楽しみとする活動を遂行できる 2) 感染リスクを特定し，発症を予防できる

具体策(支援内容)	根拠
1. 必要な水分補給の支援	
・水分摂取を妨げるような嚥下障害や運動機能の障害，認知障害などの有無・程度をアセスメントする	●感染予防のためには十分な水分補給が必要であるが，感染のリスクが高い人は，脳神経疾患による嚥下障害や運動機能の障害をもっている場合が少なくないため，具体的・直接的な水分摂取の方法を検討する必要がある
・一度にたくさん飲もうとせず，こまめに水分がとれるように準備しておく ・好きなものを用意したり，温かいものと冷たいものを用意するなど，無理なく飲める工夫をする ・必要に応じて，飲水しやすい姿勢を支援する	●水分補給の必要性を十分に説明し，高齢者の嗜好や排泄への不安軽減に配慮しながら，少しずつでも水分を補給できるような環境づくりが必要である
2. 必要な休息の支援	
・休みたいときに休めるような，静かで暖かいベッド環境を用意する	●頻尿や残尿感で頻繁にトイレへ通うような場合には，まとまった睡眠や休息を得ることが難しいので，体力の消耗をできるだけ抑えられるような環境づくりが求められる
・過度の安静を避け，また残尿を出しきるためにも，できるだけトイレで排泄できるように移動，姿勢保持を支援する	●立位や座位は腹圧をかけやすいうえ，膀胱や尿道口の解剖学的位置関係からみても，残尿を解消するのに効果的である
・排尿痛や膀胱刺激症状，発熱，倦怠感によって生じている緊張や不安を緩和する	●緊張や不安は休息を阻害する要因となるため，心理面も十分にサポートする必要がある
3. 活動を楽しむための支援	
・日中の活動状況，活動量を確認する	●活動性の低下は，尿の停滞と残尿の増大を招くばかりか，廃用性の機能低下を増悪させて活動性をいっそう低下させ，排泄動作や清潔動作をより困難にさせてしまう
・活動を妨げるような身体的・心理的・社会的要因についてアセスメントする ・覚醒の問題で活動性が低下している場合は，必要な睡眠や休息が得られるように支援する	●痛みやかゆみ，不安，ストレス，対人関係や生活環境の問題は活動意欲の低下に結びつくため，必要な支援がないか分析する

・楽しめること，集中できることが得られるように高齢者の希望を聞きながら活動を準備する

4. 原因の特定と発症予防

・陰部・殿部の清潔状態や排泄後の後始末方法などを確認し，必要に応じて支援する	●洗浄や入浴によって陰部・殿部の清潔を保つことが重要となる
・尿道カテーテルの留置や泌尿器疾患が感染の原因になっていないか確認し，改善の可能性を検討する	●これまでは感染に至らずに潜在的状態にあったリスクが，加齢や障害，疾患の治療によって表面化してきた場合，高齢者や家族には，何がリスクになるのかわからないことが多い
・しっかり水分補給し，便秘にならないように気をつける	●便秘の場合，便が直腸にたまることで，大腸菌などの腸内細菌が増殖して膀胱内に入り込みやすくなる
・臥床がちの生活を避け，適度に運動する	●残尿は細菌繁殖の温床となるので，膀胱内に尿を停滞させないように排尿姿勢を整え，そのための身体活動性を維持・向上できるように支援する
・排尿困難を引き起こす疾患を有している場合は，しっかりと治療を進める	●排尿困難や排尿動作の障害を引き起こすような基礎疾患がある場合には，一度治癒しても再発の危険性が常に残るので，治療もしくは症状のコントロールが必要である

関連項目

※もっと詳しく知りたいときは，以下の項目を参照しよう．

尿路感染症の原因・誘因

- 「1 認知症（→ p.56）」：失行や失認，注意障害などが治療や感染予防に影響を及ぼしていないか調べてみよう
- 「2 パーキンソン病（→ p.73）」「3 脳卒中（→ p.93）」「5 肺炎（→ p.129）」「7 心不全（→ p.164）」「29 転倒（→ p.504）」「25 抑うつ状態（→ p.451）」「28 フレイル（→ p.491）」：運動機能の障害や活動性の低下，治療に伴う活動制限が感染のリスクを高めることについても詳しくみておこう
- 「9 前立腺肥大症（→ p.199）」「19 排尿障害（→ p.364）」：残尿量の増加や尿道カテーテル使用が感染のリスクとなることも調べておこう

尿路感染症に影響を及ぼす障害・状態

- 「15 摂食嚥下障害（→ p.304）」：脳血管障害や神経疾患に伴う嚥下障害で，水分摂取量に影響はないか確認しよう
- 「19 排尿障害（→ p.364）」：尿失禁や残尿，排泄動作の問題が感染のリスクを高めていないか調べておこう
- 「20 排便障害（→ p.378）」：便秘に伴う排尿障害，下痢による陰部・殿部の不衛生が感染のリスクを高めていないか確認しておこう
- 「29 転倒（→ p.504）」：移動や姿勢保持の障害が排尿動作に影響していないか確認しておこう
- 「28 フレイル（→ p.491）」：運動機能や活動性の低下が，水分摂取量の低下や残尿量の増加につながっていないか確認しておこう

尿路感染症に関連したリスク

- 「17 脱水（→ p.340）」：発熱による水分喪失や倦怠感による水分摂取困難で脱水に至る危険性はないか確認しておこう
- 「21 睡眠障害（→ p.394）」：炎症に伴う疼痛，頻尿や残尿感などで熟眠を妨げられていないか確認しておこう

- 「29 転倒(→ p.504)」：疼痛や倦怠感，軽度の精神症状(錯乱，不穏など)による転倒の危険性はないか確認しておこう
- 「26 せん妄(→ p.465)」：発熱や脱水，睡眠障害が原因となってせん妄に至る危険性はないか確認しておこう

尿路感染症をもつ高齢者への看護

- 「第 1 編」の「1 睡眠・休息(→ p.2)」：過度の安静に注意しながらも，体力回復やしっかりとした覚醒のために必要な休息を支援しよう
- 「第 1 編」の「2 覚醒・活動(→ p.10)」：活動性を高めることが予防につながるので，日頃から高齢者が好む活動を大切に支援しよう
- 「第 1 編」の「4 排泄(→ p.27)」：感染経路となる陰部・殿部の清潔を保てるように，排泄機能や動作，生活環境を確認しよう
- 「第 1 編」の「5 身じたく(→ p.36)」：清潔を保つための支援と同時に，身だしなみやおしゃれから活動性の向上も支援しよう

14 口腔機能低下症

會田　英紀

目でみる疾患

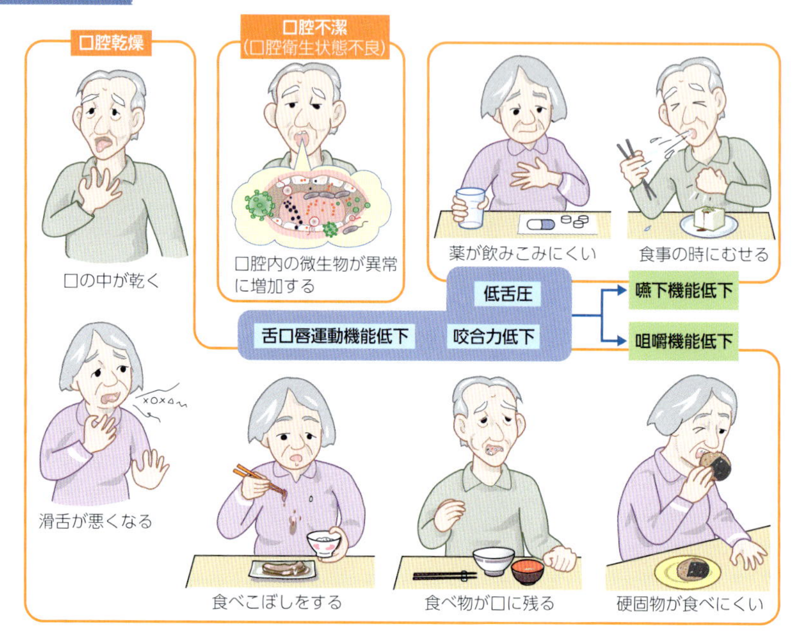

■図 14-1　口腔機能低下症の病態

〔日本老年歯科医学会学術委員会：口腔機能低下症；保険診療における検査と診断．http://www.gerodontology.jp/committee/file/oralfunctiondeterioration_document.pdf(2020/08/28 閲覧)をもとに作成〕

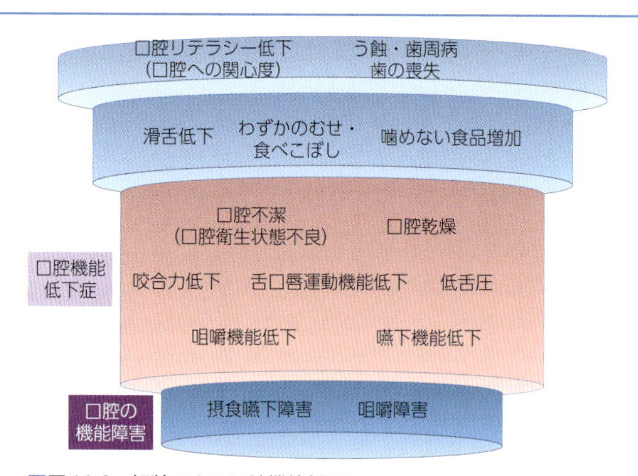

■図 14-2　加齢による口腔機能低下

（日本老年歯科医学会学術委員会：口腔機能低下症の検査と診断―改訂に向けた中間報告―．老年歯科医学 33：303，図 6，2018）

病態生理

口腔機能低下症とは，一度獲得した口腔の機能が複合的に低下している状態をいう．

- 口腔機能低下症は，出生後に獲得した口腔機能が成長・発育とともに成熟した後に，加齢だけでなく疾患や障害など様々な要因によって低下している状態をいう．2016年に日本老年歯科医学会が提唱し[1]，2018年4月の診療報酬改定で正式な病名として認められた新しい概念である．2018年に改訂に向けた中間報告が公表され[2]，今後も継続的に改訂が予定されている．
- 以下に示す7項目のうち，3項目以上に該当する場合に口腔機能低下症とされる(図14-1)[3]．

〈口腔衛生状態不良(口腔不潔)〉

- 口腔内の微生物が異常に増加した状態であり，歯牙や口腔粘膜だけでなく唾液中の微生物数の増加を招くことより，誤嚥性肺炎や口腔感染症などを引き起こすリスクのある状態である．

〈口腔乾燥〉

- 口腔内が異常に乾燥した状態であり，唾液腺の器質的な障害や多剤服用の有害事象としての唾液分泌量減少だけでなく，加齢などによる組織の保湿能や水分量の減少，口呼吸などによる口腔内水分量の蒸発などの複合的な要因が考えられている．

〈咬合力低下〉

- 噛みしめる力が異常に低下した状態であり，口腔内に残っている歯の数や圧負担能力，義歯などの補綴装置の状態に強く影響されるが，咀嚼筋の筋力にも影響を受ける．

〈舌口唇運動機能低下〉

- 構音や摂食嚥下に必要な舌や口唇の運動機能が異常に低下した状態である．フレイルやサルコペニアなどが舌口唇運動機能を低下させることがある．さらに，舌運動は舌下神経，口唇や頬は顔面神経の支配を受けているため，舌と口唇を構成する筋に器質的障害がなくても，脳血管疾患や認知症などの神経系疾患が舌や口唇の運動の巧緻性を低下させることがある．

〈低舌圧〉

- 舌圧(舌と口蓋や食物との間に発生する圧力)が異常に低下した状態である．前述の舌口唇運動機能低下と同様にフレイルやサルコペニアなどによる舌の器質的障害だけでなく，脳血管疾患や認知症などの神経系疾患が舌圧を低下させることがある．

〈咀嚼機能低下〉

- 咀嚼機能(摂取した食物を切断，破砕，粉砕し，唾液との混和を行いながら食塊を形成する過程)が異常に低下した状態であり，厳密には「切断，破砕，粉砕」する機能と「唾液と混和」して食塊を形成する機能は区別されるべきである．前者は歯牙や補綴装置の機能形態や咬合力に影響を受け，後者は唾液分泌量，舌口唇運動機能，舌圧の影響を受ける．

〈嚥下機能低下〉

- 嚥下機能(咀嚼によって形成した食塊を胃に送り込む過程)が異常に低下した状態であり，明らかな嚥下障害を呈する前段階の状態である．主に加齢に伴う嚥下関連筋の筋力低下や神経筋機構の軽度の不調和などが要因と考えられる．

●各項目の関連

- 上記の7項目のうち，個別的機能にあたる咬合力低下，舌口唇運動機能低下，低舌圧の3項目は，総合的機能となる咀嚼機能低下ならびに嚥下機能低下に関連している．

●「口腔機能低下症」と「オーラルフレイル」との違い

- 口腔機能低下症に関連して，口腔に現れる虚弱を示すオーラルフレイルは，老化に伴う様々な口腔の状態(歯数・口腔衛生・口腔機能など)の変化に，口腔健康への関心の低下や心身の予備能力低下も重なり，口腔の脆弱性が増加し，食べる機能障害へ陥り，さらにはフレイルに影響を与え，心身の機能低下にまで繋がる一連の現象および過程と定義されている．口腔機能低下症が歯科的介入を要する病態であるのに対し，オーラルフレイルは社会に対する啓発活動の標語であり，国民一人ひとりの行動変容につながることを期待している点で区別されている[4,5]．

病因・増悪因子

加齢だけでなく，疾患や障害など様々な要因によって，口腔機能が複合的に低下する．

- 口腔の要因としては，う蝕，歯周病，義歯不適合などの歯科疾患がある．
- 全身の要因としては，加齢，廃用症候群，脳血管疾患や認知症などの神経系疾患などがあり，低栄養や薬剤の副作用などによっても修飾されてさらに複雑な病態を呈することが多い．

疫学・予後

- 新しい病名であるため現時点で大規模な疫学調査の報告はないが，地域歯科診療所（東京都）の外来成人患者 189 名（平均年齢 51±16 歳）では約半数が口腔機能低下症と診断された．また，該当者の年齢層は 20 歳代から 80 歳代まで全年代に幅広く分布し，年齢層が上がるとともに罹患率が増える傾向が認められた（図 14-3）[6]．
- 口腔機能低下症が進行すると摂食嚥下障害や咀嚼障害といった口腔の機能障害に至るが，可逆性の疾患であるため，適切な治療や生活改善により口腔機能が改善すると考えられている．

症状

口腔内の微生物の増加，口腔乾燥，咬合力の低下，舌や口唇の運動機能の低下，舌の筋力低下，咀嚼や嚥下機能の低下など複数の口腔機能の低下がみられる．

- 舌苔の付着：口腔内の微生物が増加することにより，舌背に舌苔が付着し舌乳頭が不明瞭になる．舌苔とは擦過により一部が除去可能なものであり，舌表面の角化により白色を呈している状態とは区別される．
- 口腔乾燥：口腔内の異常な乾燥が客観的に認められる状態，あるいは乾燥感などの自覚症状を訴える状態を指す．唾液分泌量の低下は，他の口腔機能（口腔衛生状態，舌口唇運動機能，咀嚼機能，嚥下機能）の低下にもつながる．
- 咬合力の低下：口腔内に残っている歯や補綴装置によって発揮される咬合力が低下した状態を指す．自覚症状として，硬固物や食物繊維を多く含む野菜などが普通に食べられないと感じる．また，後述の咀嚼機能の低下とも相関が強い．
- 舌や口唇の運動機能の低下：舌や口唇の運動の速度，可動範囲，巧緻性が低下した状態を指す．臨床症状として発語障害，食べこぼし，食物残渣などがあり，舌苔付着や嚥下機能にも影響がある．
- 舌の筋力低下：舌の筋力が低下すると食塊形成や食塊移送が不十分となり，嚥下後に口腔内に食物残渣が認められる．さらに嚥下圧が低下するために嚥下困難にもつながる．
- 咀嚼機能の低下：咀嚼機能が低下することにより，普通に食べられないと感じる食品が増えるため食品摂取の多様性も低下する．また，咀嚼時間の延長に伴い食塊形成も遅延するため，嚥下困難にもつながる．

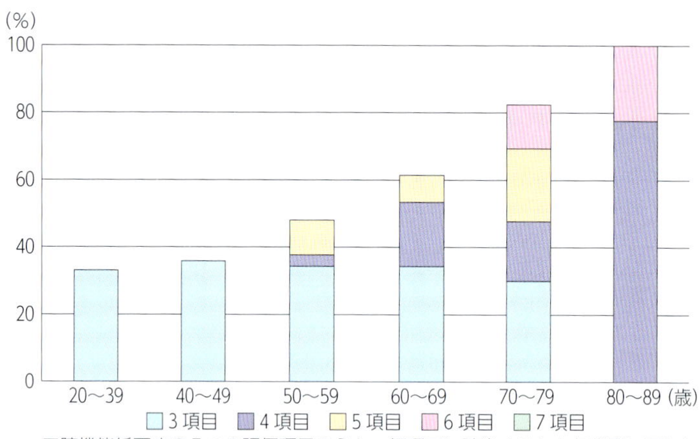

口腔機能低下症の 7 つの評価項目のうち，何項目に該当するかを年代別に示した（7 項目は該当者なし）

図 14-3　年代別の口腔機能低下症の割合

（太田緑，上田貴之，小林健一郎ほか：地域歯科診療所における口腔機能低下症の割合．老年歯科医学 33：82，図 2，2018）

●嚥下機能の低下：口腔内に取り込んだ固形物または液体を胃に送り込む過程に問題があり，嚥下困難，食物残渣，鼻腔逆流，咽頭部違和感，食事中・食後のむせ，嗄声などを呈する．また，経口摂取量の低下に伴い低栄養にもつながる．

診断・検査値

下記の7項目の口腔機能について臨床検査を行い，3項目以上で低下が認められた場合に口腔機能低下症と診断する．

●検査法（表14-1）[7]

●口腔衛生状態不良の検査：視診によりTongue Coating Index（TCI）を用いて，舌苔の付着程度を評価する．舌表面を9分割し，それぞれのエリアに対して舌苔の付着程度を3段階（スコア0，1または2）で評価し，合計スコアを算出する．TCIが50％以上（合計スコアが9点以上）ならば口腔衛生状態不良とする．

●口腔乾燥の検査：口腔粘膜湿潤度または唾液量で評価する．

・口腔粘膜湿潤度は，口腔水分計（ムーカス®，株式会社ライフ）を使用して，舌尖から約10 mmの舌背中央部において計測する．測定値27.0未満を口腔乾燥とする．

・唾液量計測は，サクソンテストによる．タイプⅢ医療ガーゼを舌下部に置き，2分後の重量と比較する．2分間で2 g以下の重量増加を口腔乾燥ありとする．

●咬合力低下の検査：咬合圧検査または残存歯数により評価し，検査結果は咬合圧検査を優先する．

・咬合圧検査は，感圧フィルム（デンタルプレスケールⅡ，株式会社ジーシー）を用いて，咬頭嵌合位における3秒間クレンチング時の歯列全体の咬合力を計測し，咬合力が500 kPa未満を咬合力低下とする．

・残存歯数による評価は，残存歯数が残根歯と動揺度3の歯を除いて20本未満を咬合力低下とする．

●舌口唇運動機能低下の検査：舌口唇運動の巧緻性をオーラルディアドコキネシスにより評価する．1秒当たりの/pa/，/ta/，/ka/それぞれの音節の発音回数を計測する．/pa/，/ta/，/ka/のいずれかの1秒当たりの回数が6回未満を舌口唇運動機能低下とする．

●低舌圧の検査：舌圧測定器（JMS舌圧測定器，株式会社ジェイ・エム・エス）につなげた舌圧プローブを，舌と口蓋との間で随意的に最大の力で数秒間押しつぶしてもらい，最大舌圧を計測する．舌圧が30 kPa未満を低舌圧とする．

●咀嚼機能低下の検査：咀嚼能力検査または咀嚼能率スコア法により評価する．

・咀嚼能力検査は，2 gのグミゼリー（グルコラム，株式会社ジーシー）を20秒間自由咀嚼させた後，10 mLの水で含嗽させ，グミと水を濾過用メッシュ内に吐き出させ，メッシュを通過した溶液中の溶出グルコース濃度を咀嚼能力検査システム（グルコセンサーGS-Ⅱ，株式会社ジーシー）にて測定する．グルコース濃度が100 mg/dL未満を咀嚼機能低下とする．

■表14-1　口腔機能低下症の下位症状の検査法および代替法

下位症状	検査法	代替法
口腔衛生状態不良	Tongue Coating Indexスコアで9以上	―
口腔乾燥	口腔水分計（ムーカス®）にて27.0未満	サクソンテストで2分間で2 g以下の重量増加
咬合力低下	感圧フィルムを用いた測定で500 kPa未満	残根歯，動揺度3の歯を除いた残存歯数が20歯未満
舌口唇運動機能低下	オーラルディアドコキネシス（pa，ta，ka）の連続発音のいずれかが6回/秒未満	―
低舌圧	舌圧測定器にて30 kPa未満	―
咀嚼機能低下	グミゼリー咀嚼でグルコース濃度100 mg/dL未満	グミゼリー30回咀嚼後の粉砕度がスコア2以下
嚥下機能低下	EAT-10（The 10-item Eating Assessment Tool）で3点以上	聖隷式嚥下質問紙でAの項目が1つ以上

〔松尾浩一郎（日本老年歯科医学会監）：かかりつけ歯科医のための口腔機能低下症入門．p.72，デンタルダイヤモンド社，2019〕

- 咀嚼能率スコア法は，グミゼリー(咀嚼能率検査用グミゼリー，UHA味覚糖・アズワン株式会社)を30回咀嚼後，粉砕度を視覚資料と照合して評価する．スコア0，1，2の場合，咀嚼機能低下とする．

●嚥下機能低下の検査：嚥下スクリーニング検査(EAT-10)または自記式質問票(聖隷式嚥下質問紙)のいずれかの方法で評価する．
- 嚥下スクリーニング検査は，嚥下スクリーニング質問紙(The 10-item Eating Assessment Tool，EAT-10)を用いて評価する．合計点数が3点以上を嚥下機能低下とする．
- 自記式質問票は，聖隷式嚥下質問紙を用いて評価する．15項目のうちAの項目が1つ以上ある場合を嚥下機能低下とする．

合併しやすい症状

●口腔機能低下症は，進行すると摂食嚥下障害や咀嚼障害といった口腔の機能障害に至る．また，経口摂取量の低下に伴い低栄養にもつながる．
●口腔衛生状態不良と嚥下機能の低下により，不顕性誤嚥，誤嚥性肺炎につながるリスクがある．
●口腔乾燥は，う蝕などの歯科疾患のリスクを高める．また，味覚障害の原因になることもある．

治療法

●治療方針

●口腔機能のさらなる悪化を予防し，口腔機能を維持，回復することを目的とする．栄養状態や口腔機能が維持・回復しているかを臨床的観点から評価を行う．そして，管理計画に基づき，患者本人と家族に対して，状況に応じた動機づけ，療養上必要な訓練指導や生活指導および栄養指導を実施する．さらに，おおむね6か月ごとの再評価時には，栄養状態や口腔機能の検査結果に応じて管理計画の見直しを行い，管理を継続していく(図14-4)[8]．

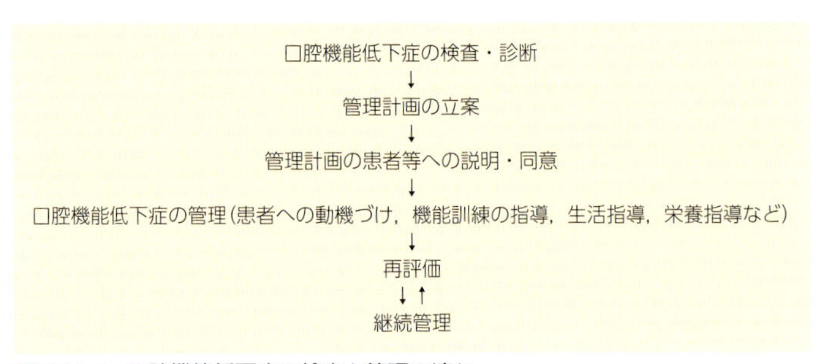

■図14-4　口腔機能低下症の検査と管理の流れ
〔日本歯科医学会：口腔機能低下症に関する基本的な考え方．https://www.jads.jp/basic/pdf/document-200401-2.pdf(2020/08/28閲覧)〕

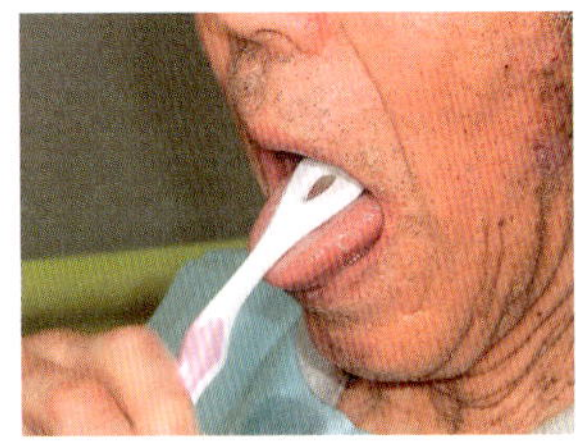
舌ブラシ

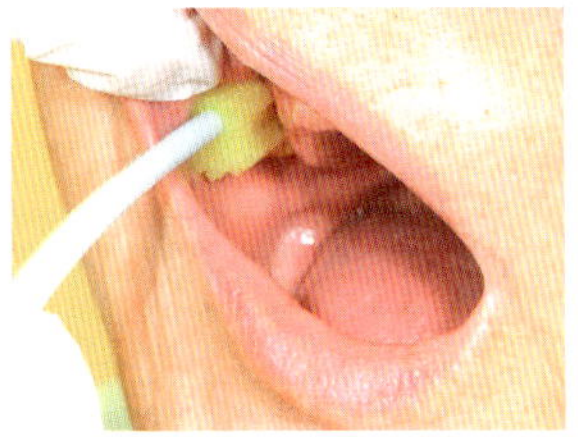
スポンジブラシ

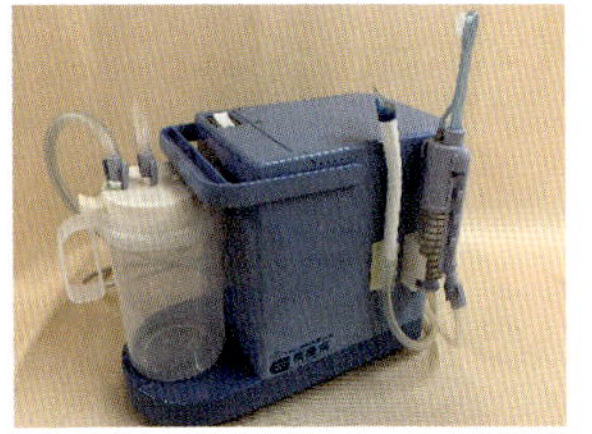
吸引付き歯ブラシ

■図14-5　各種口腔清掃器具

●口腔衛生状態の改善・維持(図 14-5)

●歯ブラシなどによる歯面清掃だけでなく，舌ブラシによる舌清掃を継続的に行うことが肝要である．

●患者の口腔清掃に対する自立度に応じて，介護者がスポンジブラシや吸引付き歯ブラシを用いて口腔ケアを行う必要がある．

●口腔乾燥の改善[9]

●高齢者では加齢に伴う器質的障害だけでなく，多剤服用の有害事象として口腔乾燥が発現する場合も多く，原因が複数にわたることを踏まえて治療を行うことが肝要である．

●器質的障害による唾液分泌量の低下に対しては，唾液分泌治療薬(ピロカルピン塩酸塩，セビメリン塩酸塩水和物)や漢方薬(五苓散，白虎加人参湯)を用いた薬物療法，唾液腺マッサージ，口腔保湿剤の使用が効果的である．

●薬剤性の口腔乾燥に対しては，原因と考えられる薬剤の処方医に薬剤の変更あるいは減量を依頼する．

●咬合力低下・咀嚼機能低下の改善

●咬合力と咀嚼機能は相関が高く，とくに歯質や歯列の欠損ならびに口腔内の治療状態に影響を受けるため，器質性障害に対しては歯科治療により適切な形態を回復させることが第一選択となる．

●咀嚼関連筋の筋力低下や不調和による機能性障害に対しては，咀嚼筋訓練などのリハビリテーションが効果的である．

●上記の歯科治療と訓練に加えて，代償的に食形態の工夫などの栄養指導を適宜行うことで，低栄養にならないように管理すべきである．

●舌口唇運動機能低下の改善

●/pa/, /ta/, /ka/の繰り返し発音訓練を行い，舌口唇運動の巧緻性を改善する．

●抵抗訓練器具(りっぷるとれーなー，株式会社松風)を用いた筋力増強訓練を行い，口唇閉鎖力を改善する．

●舌訓練(可動域訓練)を行い，舌の運動範囲の拡大をはかる．

●低舌圧の改善

●抵抗訓練器具(ペコぱんだ®，株式会社ジェイ・エム・エス)を用いた筋力増強訓練を行い，舌圧を改善する．

●嚥下機能低下の改善[10]

●さらに嚥下機能検査を行い，嚥下障害が認められた場合にはリハビリテーションを行う．嚥下障害の治療に関しては，「15 摂食嚥下障害」を参照のこと．

●参考文献

1) 日本老年歯科医学会学術委員会：高齢期における口腔機能低下—学会見解論文　2016 年度版—．老年歯科医学 31：81-99，2016
2) 日本老年歯科医学会学術委員会：口腔機能低下症の検査と診断—改訂に向けた中間報告—．老年歯科医学 33：299-303，2018
3) 日本老年歯科医学会学術委員会：口腔機能低下症；保険診療における検査と診断．http://www.gerodontology.jp/committee/file/oralfunctiondeterioration_document.pdf (2020/08/28 閲覧)
4) 日本歯科医師会：歯科医診療所におけるオーラルフレイル対応マニュアル 2019 年版．https://www.jda.or.jp/dentist/oral_flail/pdf/manual_all.pdf (2020/08/28 閲覧)
5) 日本老年歯科医学会監：2020 年保険改定対応 かかりつけ歯科医のための口腔機能低下症入門．デンタルダイヤモンド社，2020
6) 太田緑，上田貴之，小林健一郎ほか：地域歯科診療所における口腔機能低下症の割合．老年歯科医学 33：79-84，2018
7) 日本老年歯科医学会監：かかりつけ歯科医のための口腔機能低下症入門．デンタルダイヤモンド社，2019
8) 日本歯科医学会：口腔機能低下症に関する基本的な考え方．https://www.jads.jp/basic/pdf/document-200401-2.pdf (2020/08/28 閲覧)
9) 伊藤加代子，井上誠：口腔乾燥症の基本的な診査・診断と治療．老年歯科医学 32：305-310，2017
10) 日本摂食嚥下リハビリテーション学会医療検討委員会：訓練法のまとめ(2014 版)．日摂食嚥下リハ会誌 18：55-89，2014

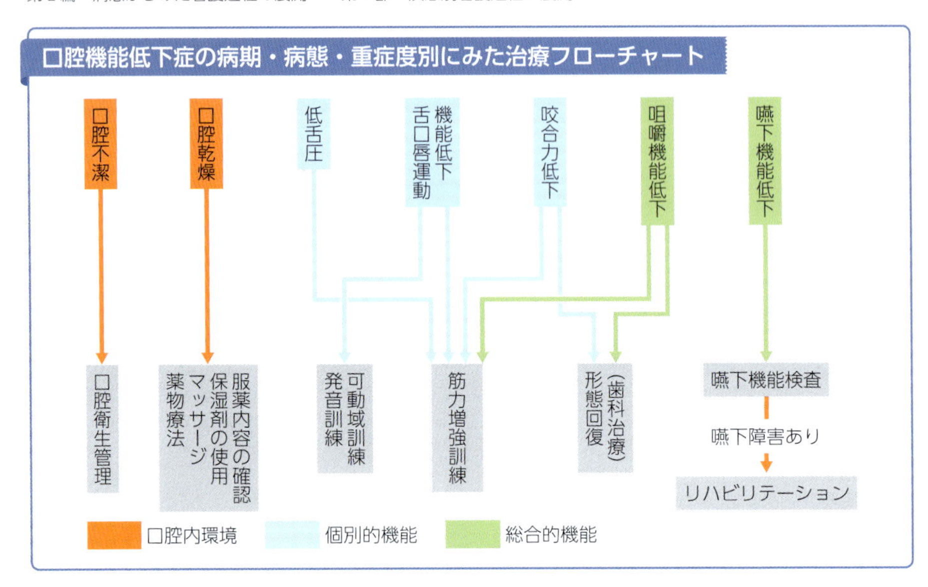
口腔機能低下症の病期・病態・重症度別にみた治療フローチャート
口腔不潔
口腔乾燥
低舌圧
舌口唇運動機能低下
咬合力低下
咀嚼機能低下
嚥下機能低下
口腔衛生管理
服薬内容の確認
保湿剤の使用
マッサージ
薬物療法
可動域訓練
発音訓練
筋力増強訓練
(歯科治療)
形態回復
嚥下機能検査
嚥下障害あり
リハビリテーション
口腔内環境
個別的機能
総合的機能

口腔機能低下症をもつ高齢者の看護　山田　律子

看護の視点

1. 多職種協働によって，口腔機能を維持・向上し，食べる喜びを支える

口腔機能低下症は，食生活の営みに影響を及ぼす．歯科医師や歯科衛生士をはじめ多職種と協働して，7つの口腔機能「口腔衛生状態」「口腔乾燥」「咬合力」「舌口唇運動機能」「舌圧」「咀嚼機能」「嚥下機能」のどこに支障をきたしているのかアセスメントし，高齢者の食生活史や食への思いを大切に，口腔機能を維持・向上するリハビリテーションや生活環境を整えることで，食べる喜びを保てるように支援する．

2. 社会的交流や楽しみある活動の維持・発展に向けて環境を整える

口腔機能低下症による口臭や滑舌の悪さなどによって，社会的交流にも影響が及ぶことがある．これまで楽しみとしてきた活動が狭小化しないように，高齢者が気にしていることや思いに目を向け，ともに改善策を考え，活動を継続できるように，また新たな活動にもチャレンジできるように支援する．

STEP 1 アセスメント　STEP 2 看護の焦点の明確化　STEP 3 計画　STEP 4 実施

情報収集・情報分析

	必要な情報	分析の視点
疾患関連情報	**現病歴と既往歴** ・口腔機能低下症	□歯科受診の結果「口腔機能低下症」の診断の有無，もしくは「口腔衛生状態不良」「口腔乾燥」「咬合力の低下」「舌・口唇運動機能の低下」「舌圧の低下」「咀嚼機能の低下」「嚥下機能の低下」のいずれかがないか
	口腔要因 ・う蝕，歯周病，義歯不適合などの歯科疾患	□う蝕，歯周病，義歯不適合などの歯科疾患と口腔機能低下症との関係はどうか
	全身要因 ・加齢変化と廃用症候群，脳血管疾患や認知症などの神経系疾患，低栄養，薬物の有害事象	□加齢変化に加えて，廃用症候群，神経系疾患，さらには低栄養や薬物の有害事象などによって口腔機能低下が修飾されていないか
	症状 ・舌苔の付着 ・口腔乾燥 ・咬合力の低下 ・舌や口唇の運動機能の低下 ・舌筋力（舌圧）の低下 ・咀嚼機能の低下 ・嚥下機能の低下	□口腔内の微生物が増加して舌背に舌苔が付着し，舌乳頭が不明瞭になっていないか．舌苔は，擦過により一部除去が可能で，舌表面の角化により白色を呈している状態とは区別する □口腔内に乾燥を認めたり，乾燥感などの自覚症状はないか □唾液分泌量の低下によって，他の口腔機能（口腔衛生状態，舌口唇運動機能，咀嚼機能，嚥下機能）の低下にも影響していないか □歯や義歯と咬合力低下との関係はどうか．自覚症状として，硬固物や食物繊維を多く含む野菜などを普通に食べられないと感じていたり，食べられる食品数の減少や食形態の変化はないか □舌や口唇の運動が遅い，可動範囲が少ないなどの状態はないか．発語障害，食べこぼし，食物残渣がないか．さらに，舌苔付着や嚥下機能にも影響を及ぼしていないか □舌圧の低下により食塊形成や移送が不十分となり，嚥下後に口腔内の食物残渣がないか，さらに嚥下圧が低下して嚥下に影響していないか

	必要な情報	分析の視点
疾患関連情報		□咀嚼機能の低下により普通に食べられないと感じる食品が増えたり，食塊形成の遅延による咀嚼時間の延長や嚥下困難はないか □嚥下困難，食物残渣，鼻腔逆流，咽頭部違和感，食事中・食後のむせ，嗄声などを呈していないか
	検査と治療 ・残存歯数 ・舌口唇運動の低下：オーラルディアドコキネシス ・嚥下機能のスクリーニング検査「EAT-10」 ・口腔機能の維持・向上のためのリハビリテーション	□残存歯数(残根歯や動揺度が大きい歯を除く)が20本未満であることにより，咬合力の低下を認めないか □舌口唇運動の巧緻性をオーラルディアドコキネシス(pa，ta，ka)で評価し，1秒当たりの/pa/, /ta/, /ka/の各音節の発音回数を計測した結果，6回/秒未満となり，舌口唇運動機能の低下を認めないか □観察評価が可能な嚥下スクリーニング検査「EAT-10」で合計点数が3点以上に該当する嚥下機能の低下はないか □口腔機能の維持・向上のために，本人が無理なく暮らしの中に取り込めるリハビリテーションはあるか．例えば，食形態の工夫による咀嚼回数の増加や，歌うことによる舌口唇運動の向上など
身体的要因	**運動機能** ・手指の巧緻性や上肢の運動障害，姿勢(円背)と保持力 ・舌・喉頭の下垂，嚥下反射	□手指の巧緻性や上肢の運動障害，姿勢の保持力が，口腔衛生状態を保つための口腔ケアに影響をもたらしていないか □舌・喉頭の下垂や嚥下反射の低下が，舌口唇運動機能や舌圧の低下，咀嚼機能や嚥下機能の低下をもたらしていないか
	認知機能 ・記憶障害，失認，失行，実行機能障害，見当識障害，注意障害	□認知機能障害により，口腔ケアに支障をきたしていないか
	言語機能，感覚・知覚 ・歯・義歯の状態，構音障害や失語	□歯・義歯の状態や義歯装着の有無が会話に影響していないか □言語障害(失語症や構音障害)がある場合，食物の奥舌への送り込みなど口腔運動の障害はないか
心理・霊的要因	**健康知覚・意向，自己知覚 価値・信念，信仰** ・食生活史や活動史と価値・信念	□口腔機能低下症をどのように認識して，対処しようとしているか．今後の暮らしにどのような意向をもっているか □食生活史や活動史に反映された価値・信念はどうか．幸せを感じる思い出の食事はどうか
	気分・情動，ストレス耐性 ・思うよう話したり，食べたりできないことによるストレスなど	□食べたいものを思うように食べられないことや，うまく話せないことがストレスになって食欲を減じたり，社会的交流が狭小化していないか
社会・文化的要因	**役割・関係**	□社会的活動における役割や関係に，口腔衛生状態不良による口臭の発生や会話への影響から変化が生じていないか
	仕事・家事・学習・遊び，社会参加 ・仕事，家事，学習，遊びの機会，社会参加の機会	□好みの食物や心を豊かにする食事などが，咀嚼・嚥下機能の低下によって影響を受けていないか．楽しみとしている文化的活動(花見や祭り，宴会など)や役割の遂行に支障をきたしていないか

	必要な情報	分析の視点
睡眠・休息	睡眠・休息のリズム 睡眠・休息の質 ・口呼吸（口腔内水分蒸発）	□睡眠や休息のリズムや質が，嚥下機能に影響を及ぼしていないか □睡眠時の口呼吸が口腔乾燥をもたらしていないか
	心身の回復・リセット	□疲労の回復につながる十分な休息・睡眠をとっているか
覚醒・活動	覚醒	□食後の口腔ケアまで体力がもつか．十分な覚醒状態にあるか
	活動の個人史・意味，発展	□社会・文化的交流など活動の個人史をふまえた楽しみとなる活動は何か．口腔衛生状態不良による口臭や，舌口唇運動低下による滑舌の悪さが，その活動に影響していないか
食事	食事準備，食思・食欲 ・食物の嗜好 姿勢・摂食動作 咀嚼・嚥下機能	□口腔衛生状態不良が，食欲に影響していないか □食欲を高める食物（好み，量，盛り付けなど）が用意されているか □不適切な姿勢や口腔乾燥が咀嚼・嚥下機能に影響を及ぼし，口腔機能低下を助長していないか
	栄養状態 ・食事・水分摂取量，栄養状態	□食事の摂取量とバランスはどうか □口腔機能低下によって水分量が不足していないか □口腔機能低下によって低栄養に至っていないか
排泄	尿意・便意 姿勢・排泄動作 尿・便の排出，状態	□口腔機能低下により尿意・便意をうまく伝えられず，排泄を我慢していないか □咬合力低下による姿勢の崩れが，排泄動作に影響していないか □口腔機能低下により必要な水分量・食事量が摂取できないことが，尿路感染や便秘などの尿・便の排出や状態に影響していないか
身じたく	清潔 口腔ケア	□手指の巧緻性低下によって，口腔ケアが不十分になっていないか □適切な口腔ケアにより，誤嚥性肺炎を予防できているか
	身だしなみ，おしゃれ	□舌口唇運動機能の低下に伴う食べこぼしが，身だしなみや自己尊厳に影響していないか
コミュニケーション	伝える・受け取る，コミュニケーションの相互作用・意味，発展 ・口腔機能低下に伴う思いや伝える力への影響	□舌口唇運動機能の低下により滑舌が悪く，思うように話せないなどはないか，伝える力や思い，受け取る力はどうか □口腔乾燥や口腔衛生状態不良による口臭により，社会的交流や会話の機会が狭小化していないか

アセスメントの視点（病態・生活機能関連図へと導くための指針）

口腔機能低下症は，加齢変化を基盤に多様な疾患・障害によって生じるため，高齢者の誰にも起こりやすい．一方で，食べる喜びや活動など暮らしへの影響が大きいため，予防が重要になる．ここでは口腔機能低下症と診断された高齢者に対して，歯科医師や歯科衛生士をはじめとする多職種協働により口腔機能を維持・向上し，食生活や活動を狭小化することなく豊かに営めるように看護を展開する．

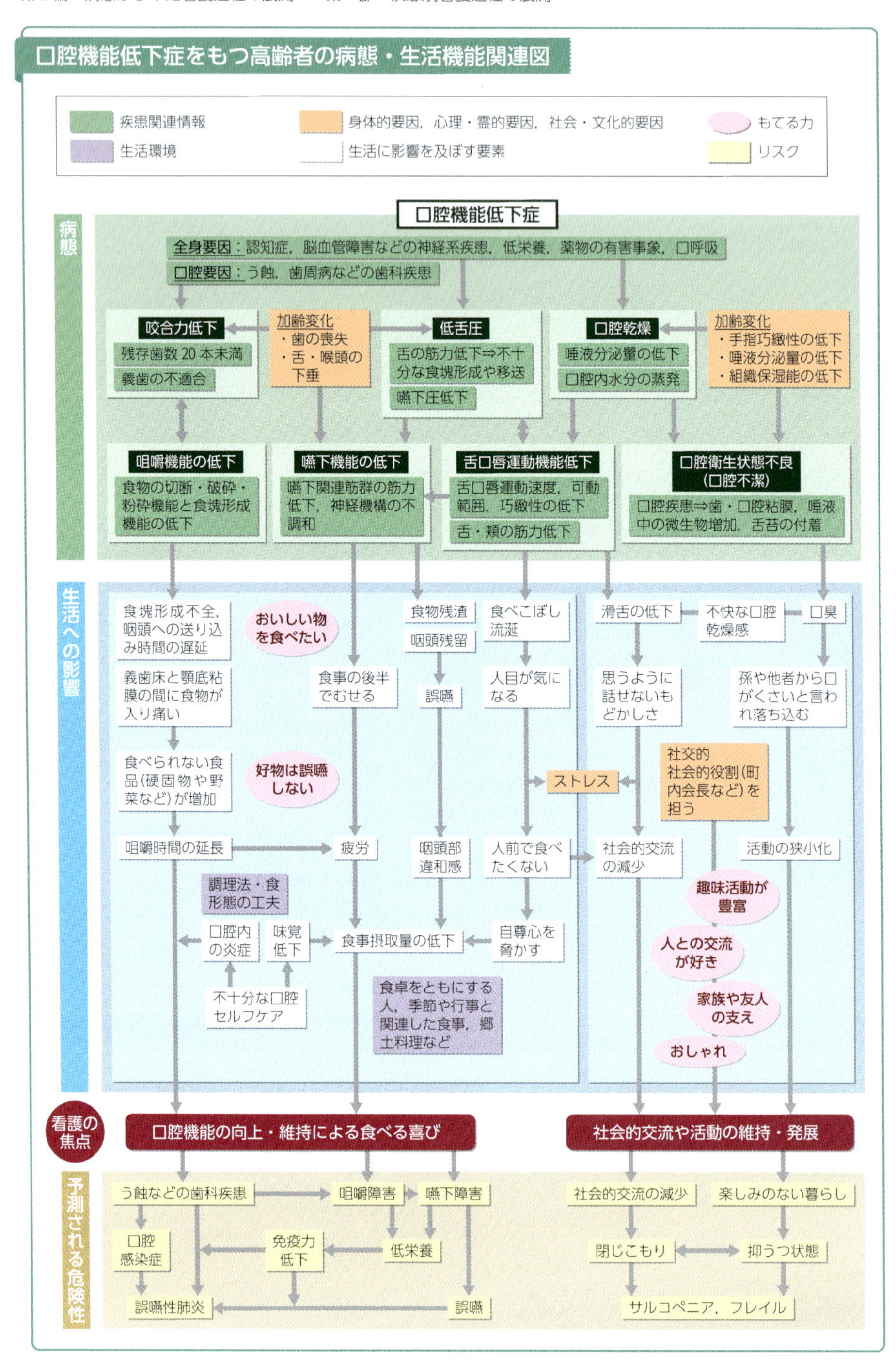
口腔機能低下症をもつ高齢者の病態・生活機能関連図
疾患関連情報
身体的要因，心理・霊的要因，社会・文化的要因
もてる力
生活環境
生活に影響を及ぼす要素
リスク
病態
口腔機能低下症
全身要因：認知症，脳血管障害などの神経系疾患，低栄養，薬物の有害事象，口呼吸
口腔要因：う蝕，歯周病などの歯科疾患
咬合力低下
残存歯数 20 本未満
義歯の不適合
加齢変化
・歯の喪失
・舌・喉頭の下垂
低舌圧
舌の筋力低下⇒不十分な食塊形成や移送
嚥下圧低下
口腔乾燥
唾液分泌量の低下
口腔内水分の蒸発
加齢変化
・手指巧緻性の低下
・唾液分泌量の低下
・組織保湿能の低下
咀嚼機能の低下
食物の切断・破砕・粉砕機能と食塊形成機能の低下
嚥下機能の低下
嚥下関連筋群の筋力低下，神経機構の不調和
舌口唇運動機能低下
舌口唇運動速度，可動範囲，巧緻性の低下
舌・頬の筋力低下
口腔衛生状態不良（口腔不潔）
口腔疾患⇒歯・口腔粘膜，唾液中の微生物増加，舌苔の付着
生活への影響
食塊形成不全，咽頭への送り込み時間の遅延
おいしい物を食べたい
食物残渣
咽頭残留
食べこぼし流涎
滑舌の低下
不快な口腔乾燥感
口臭
義歯床と顎底粘膜の間に食物が入り痛い
食事の後半でむせる
誤嚥
人目が気になる
思うように話せないもどかしさ
孫や他者から口がくさいと言われ落ち込む
社交的
社会的役割（町内会長など）を担う
食べられない食品（硬固物や野菜など）が増加
好物は誤嚥しない
ストレス
咀嚼時間の延長
疲労
咽頭部違和感
人前で食べたくない
社会的交流の減少
活動の狭小化
調理法・食形態の工夫
趣味活動が豊富
口腔内の炎症
味覚低下
食事摂取量の低下
自尊心を脅かす
人との交流が好き
不十分な口腔セルフケア
食卓をともにする人，季節や行事と関連した食事，郷土料理など
家族や友人の支え
おしゃれ
看護の焦点
口腔機能の向上・維持による食べる喜び
社会的交流や活動の維持・発展
予測される危険性
う蝕などの歯科疾患
咀嚼障害
嚥下障害
社会的交流の減少
楽しみのない暮らし
口腔感染症
免疫力低下
低栄養
閉じこもり
抑うつ状態
誤嚥性肺炎
誤嚥
サルコペニア，フレイル

看護の焦点の明確化

#1　口腔機能の向上・維持により，食べる喜びを保つことができる
#2　舌口唇運動機能や口腔衛生状態が良好になり，社会的交流や楽しみとする活動を維持・発展できる

1 看護の焦点	看護目標
口腔機能の向上・維持により，食べる喜びを保つことができる	1) 口腔乾燥による不快感がない 2) 食事の際に口腔内の痛みが生じない 3) 食べる喜びを表出する（食べた際に笑みがこぼれるなど） 4) 好物の○○を食べることができる

具体策（支援内容）	根拠
1. 口腔機能を向上・維持するための支援	
1) 咬合力，咀嚼機能の確認と歯科治療 ・残存歯数や義歯の適合性を確認し，部分床義歯の必要性や義歯が適合していない場合には，高齢者と家族にも相談のうえで，歯科と調整する	●咬合力と咀嚼機能は相関が高く，とくに歯や歯列の欠損ならびに口腔内の治療状態に影響を受ける．器質性障害に対しては適切な形態を回復するために歯科治療が必要になる ●上顎義歯が会話中や食事中に外れたり，義歯床に食物残渣が付着している場合は，義歯が適合していないことが考えられる
2) 咀嚼筋のリハビリテーション 【口のストレッチ】 ・舌を出したり，引っ込めたりする ・頬をふくらませたり，へこませたりする ・舌先を左右の口角，唇の上と下につける	●咀嚼するためには，歯のみならず，舌や頬の動きも大切である．舌や頬の動きがよくないと，歯があってもうまく噛めず，口の中でモグモグするだけとなる．さらに，食塊形成や咽頭への送り込みにも支障をきたすため，口のストレッチや舌圧の改善に向けたリハビリテーションが大切である
3) 低舌圧の改善に向けた支援 ・抵抗訓練器具〔ペコぱんだ®，株式会社ジェイ・エム・エス〕を用いた筋力増強訓練を行う（図 14-6）	

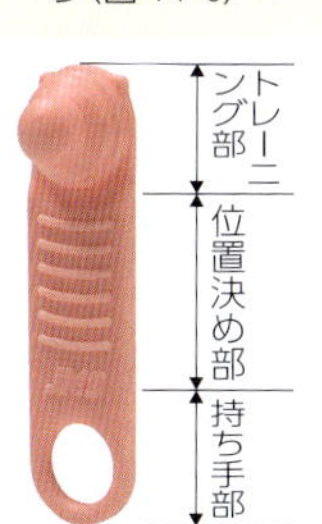

（写真提供：株式会社ジェイ・エム・エス）

持ち手部の穴に指を入れて持ち，トレーニング部を舌の方に向けて口の中に入れる

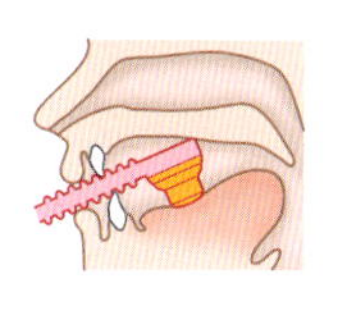
トレーニング部を舌の上に乗せ，位置決め部を前歯で軽く噛んで固定する

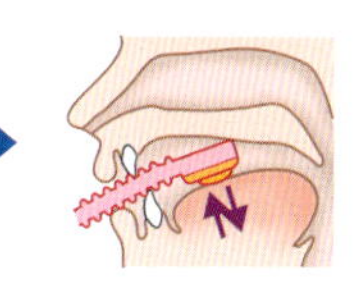
舌でトレーニング部を繰り返し押し上げ，押しつぶす

■図 14-6　舌圧増強訓練

2. 口腔乾燥の改善に向けた支援

1) 唾液分泌を促進するための支援

【唾液腺マッサージ】

・とくに食前に唾液腺(耳下腺，顎下腺，舌下腺)をマッサージする(図 14-7)

●唾液分泌量が少なく口腔が乾燥していると，食塊形成が不十分になり，誤嚥の原因にもなるほか，味覚にも影響を及ぼす．食前の唾液腺マッサージによって唾液分泌を促進する

両耳の下あたりを両手で円を描くようにする

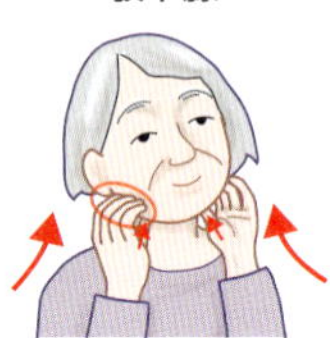

親指を顎の骨の内側の軟らかい部分に当て，耳の下から顎の下までを順番に押す

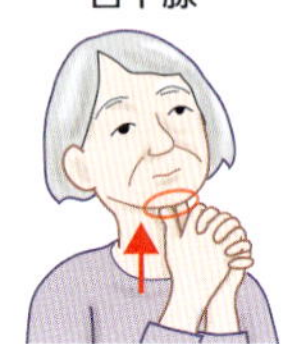

両手の親指を揃えて顎の下から軽く押す

■図 14-7　唾液腺マッサージ

【薬物治療】

・唾液分泌治療薬(ピロカルピン塩酸塩，セビメリン塩酸塩水和物)や漢方薬(五苓散，白虎加人参湯)

2) 薬物の有害事象としての口腔乾燥の検討・調整

・薬物性の口腔乾燥の場合，原因と考えられる薬物について，治療の優先度をふまえたうえで処方医に薬物の変更・減量に関する相談を行う

3) 口腔保湿剤の使用

・口腔ケア後に口腔保湿剤を塗布する

4) 適切な湿度を保つための環境調整

・定期的に湿度を確認し，とくに冬季など湿度が 50% 以下では加湿器を設置する

●高齢者は加齢に伴う器質的障害だけでなく，多剤併用の有害事象として口腔乾燥が発現する場合も多い

●口腔乾燥の状態に応じて，歯科関係者とも連携して，口腔保湿剤(スプレータイプやジェルタイプなど)を選択する．なお，高齢者の口腔乾燥の原因は，複数にわたることをふまえておく

5) 口呼吸から鼻呼吸へ切り替えるための支援

・「あいうべ体操」の実施．図 14-8 の 4 つの動きを一度に 10 回程度，1 日 30 回程度を目標に毎日実施

・睡眠時の口唇テーピング(図 14-9)

●口呼吸は，口唇閉鎖力や舌位置の低下によって生じ，口が開いたままになっていることがある．口呼吸により，口腔内の水分の蒸発による口腔乾燥が考えられる．鼻呼吸に切り替える支援として，「あいうべ体操」や口唇のテーピングなどがある

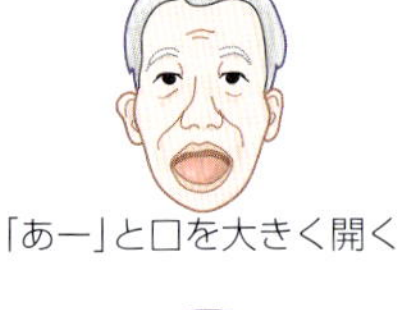

「あー」と口を大きく開く

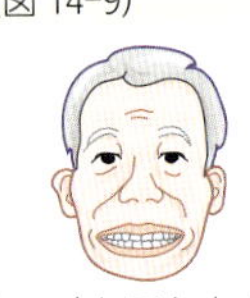
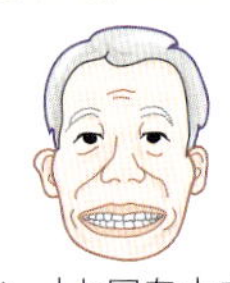

「いー」と口を大きく横に広げる

「うー」と口を強く前に突き出す

「べー」と舌を突き出して下に伸ばす

■図 14-8　あいうべ体操

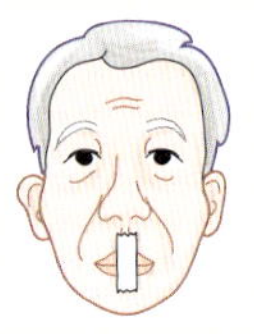

■図 14-9　口唇テーピング

3. 食べる喜びを高める支援

1) 好みの食物と盛り付け

・高齢者の食生活史や意向をふまえて，好物を食事に取り入れたり，好みの味付けにする
・見た目のおいしさ(食物の彩り，食材と食器とのコントラストや盛り付け，量)にも配慮する

● 嫌いな食物はむせを誘発する．高齢者の好物や好む食事量などを把握し，食事に取り入れることで楽しみや食べる意欲にもつながる．味覚・嗅覚はもとより，視覚的なおいしさにも配慮する

2) 献立(メニュー)を伝える

3) 食物の温度の調整

・温かい食物は温かく，デザートなどの冷たい食物は冷たく，料理に応じた適温とする
・好みの温度とその調整

● 体温と異なる温度の食物は，嚥下反射を誘発して嚥下しやすい
● 個々人によって好む温度が異なる．各高齢者の価値観に沿って食物の温度を調整する

4) おいしさを高めるための嗅覚への支援

・嗅覚によるおいしさのセンサーが機能するために，鼻づまりがあれば解消する

● 人間にとってのおいしさは，鼻から抜ける風味(嗅覚)も重要である．もしも鼻づまりがある場合には，鼻をかんでもらってから食事をすることも大切である

4. 低栄養や脱水の予防

1) 好みをふまえた咀嚼・嚥下機能に応じた食形態

・高齢者の好みや意向を取り入れ，咀嚼・嚥下機能をふまえた食形態を工夫(管理栄養士や言語聴覚士と調整)する

● 咀嚼・嚥下機能が低下した高齢者，なかでも認知機能障害がある場合には低栄養に陥りやすいため留意する

2) 栄養状態の評価

・身体計測：体重減少率，BMI，皮下脂肪厚
・血液検査：血清アルブミン値，など
・1日の食事摂取量(kcal/日)
・MNA-SF(3か月ごと評価)

● 体重減少率はPEMの指標の1つとなる．一時点ではなく，1か月間ないし6か月間における体重の変化を評価する
● 1日に必要なエネルギー量を計算して目安とする．間食なども含めるほか，目安に対する実際の摂取量(摂食率)を算出する．なお，栄養状態の評価は変動もあるため1週間単位で行う

3) 水分量の評価

・1日の水分摂取量(mL/日)
・水分の摂取時間，1回量，飲み物の種類・温度，トロミもしくはゼリーの必要性

● 1日に必要な食事量や水分量を計算して，現在の摂取量と比較してアセスメントを行う

5. 誤嚥性肺炎の予防(「5 肺炎」参照)

● 誤嚥性肺炎は，免疫力が低下しているところに，食物などと一緒に口腔内細菌を誤嚥することで発生するため，十分な口腔ケアと免疫力を高めておくことが重要である

1) 口腔ケアによる口腔衛生状態の改善

・加齢に伴い手指の巧緻性が低下し，ブラッシングが不十分な場合には電動歯ブラシを活用する
・口腔ケアでは，十分なブラッシングとリンシングを行い，汚水をしっかりと吐き出せるように支援する

● 唾液分泌量の低下により自浄作用が低下しているため，口腔ケアが重要になる．適切な口腔ケアは誤嚥性肺炎を予防できるエビデンスがあるが，ブラッシング後の汚染水の吐き出しが不十分だと誤嚥性肺炎の発症をもたらすことがある
● 嚥下機能が低下した高齢者は，食後の胃食道逆流が起こりやすいため，逆流物の窒息や誤嚥に細心の注意をはらう

2) バランスのよい食事により免疫力を高める支援
・咀嚼・嚥下機能をふまえた食形態と免疫力を高める食事内容（大豆製品，乳製品，青魚，きのこ類など）

2 看護の焦点	看護目標
舌口唇運動機能や口腔衛生状態が良好になり，社会的交流や楽しみとする活動を維持・発展できる	1) 舌背に舌苔が付着していない（舌背の舌乳頭が明瞭になる） 2) 食後に口腔内に食物残渣がない 3) 他者との交流の機会がある 4) 楽しみとする活動に参加できる

具体策（支援内容）	根拠
1. 舌口唇運動機能の改善に向けた支援 ・歯科関係者や言語聴覚士と協働し，次の支援を行う	●口腔周囲筋（舌，口唇，顎，頬）は随意筋であることから，舌・口唇運動機能の向上は，食塊形成や咽頭への送り込みを円滑にする
1) 舌口唇運動の巧緻性を高める支援 ・/pa/, /ta/, /ka/の繰り返し発音訓練を行う **2) 口唇閉鎖力を高める支援** ・抵抗訓練器具〔りっぷるとれーなー，株式会社松風〕を用いた筋力増強訓練を行う **3) 舌の運動範囲の拡大に向けた支援** ・舌訓練（可動域訓練）を行う	●オーラルディアドコキネシスは，口腔機能（とくに口唇，舌）の巧緻性と速度を評価する．被験者が「パ」「タ」「カ」の単音節を各10秒間ずつできるだけ速く繰り返し発音し，1秒あたりの発音回数を測定する．正常値は「パ」が6.4回/秒，「タ」が6.1回/秒，「カ」が5.7回/秒である．評価の際には，無理のないように，途中で息継ぎをしてもよいことを伝える
2. 口腔衛生状態を良好に保つための支援 **1) もてる力を活かした口腔ケア** ・認知機能障害がある場合，洗面所で歯ブラシを持つなど手続き記憶を活かして行為の始まりを支援し，口腔セルフケアを行う．また，仕上げを支援する	●認知機能障害がある高齢者では，口腔セルフケアが低下しやすい．認知症が中等度以降では，どこまで環境を整えると口腔セルフケアが開始できるかアセスメントし，高齢者の主体性を大切に引き出す支援を行うとともに，不十分な部分は支援して，日々の口腔衛生状態を良好に保つ
・食後や就寝前のみならず，必要に応じて口臭予防から活動前の口腔ケアを行う	●口腔疾患が口臭の原因となっていることがある．早期治療とともに，定期的な口腔アセスメントが不可欠である
2) う蝕や歯周病などの歯科治療 ・口臭の原因となる歯科疾患を治療につなげる **3) 口腔乾燥の予防** ・#1の「2. 口腔乾燥の改善に向けた支援」を参照	

3. 社会的交流，活動の継続性や発展への支援

1) 活動に際しての心配事や困り事への支援

・社会的交流をはじめ活動に際して，口臭や話しにくさなどの心配事や困り事がないか尋ね，解決に向けて本人と話し合い，内容に応じて多職種と連携し対応する

2) 休息と活動のバランスに配慮した支援

●高齢者の活動耐性をふまえて，活動を継続できるように，休息と活動とのバランスにも配慮する．日課表（午前・午後と曜日のマトリックス）を作成して，視覚的にどこで休息をとり，どこで活動するのがよいのか具体策に取り入れてみるとわかりやすい

3) 活動前の身じたくと楽しい気分に向けた支援

・活動前に髪をとかし，服を選び，おしゃれに着飾ったり，女性では化粧をするなど，身だしなみを整える支援を通して，楽しい気分を高めることを支援する

●とくに認知機能障害があると，身だしなみが主体的に整えられなかったり，気分も変動しやすい．人との交流前におしゃれをしたり，女性では化粧をして周囲からきれいと言われることが，気分を高めることにつながり，活動意欲によい影響をもたらす

4) 社会的交流，活動の継続性や発展に向けた支援

・高齢者がこれまで行ってきた社会的交流とそこでの役割，楽しみとする活動の継続や方法を変えて取り入れたり，新たな楽しみを創造できないか検討する

・見たいテレビ番組，談話（得意な話題），読書など

・アクティブな活動：散歩，詩吟・囲碁など趣味活動

●体力の温存が必要なときには，テレビや読書などの静的な活動を，体力づくりや気分転換を兼ねるときにはアクティブな活動など，その人らしく豊かに生きるための活動を大切に支援する

5) 家族や知人たちとの交流の機会や場づくり

・セミプライベート空間などで，家族や知人と交流できる機会や場を整える

関連項目

※もっと詳しく知りたいときは，以下の項目を参照しよう．

口腔機能低下症の原因・誘因

●「1 認知症（→ p.56）」：失行や注意障害，記憶障害などが口腔セルフケアや摂食動作に影響を及ぼしていないか確認しよう

●「2 パーキンソン病（→ p.73）」：疾患特有の症状が咀嚼機能や嚥下機能に影響を及ぼしていないか明確にしておこう

●「3 脳卒中（→ p.93）」：偽性球麻痺による嚥下障害，片麻痺などによる口腔ケアへの影響が背景にないか確認しよう

口腔機能低下症に影響を及ぼす障害・状態

●「15 摂食嚥下障害（→ p.304）」：口腔機能低下症の背景や，進行した結果としての摂食嚥下障害がないか確かめておこう

口腔機能低下症に関連したリスク

●「5 肺炎（→ p.129）」：誤嚥性肺炎をもたらす危険性はないか確認しよう

●「16 低栄養（→ p.323）」：蛋白質やエネルギー摂取量の低下により低栄養の危険性はないか確認しよう

●「17 脱水（→ p.340）」：嚥下機能低下により 1 日に必要な水分摂取量が確保できず，脱水に陥る危険性はないか確認しよう

口腔機能低下症をもつ高齢者への看護

●「第 1 編」の「2 覚醒・活動（→ p.10）」：口腔機能低下症をもつ高齢者が楽しみとする活動を継続できるような看護の視点を広げよう

●「第 1 編」の「3 食事（→ p.18）」：口腔機能低下症をもつ高齢者が豊かな食生活を営めるように，食に対する看護の視点を広げよう

第2部

症状・機能障害別
看護過程の展開

15 摂食嚥下障害

山田　律子

病態生理

●摂食嚥下障害とは

●食物を認知し，口へ運び，咀嚼によって形成した食塊を，口腔→咽頭→食道→胃の順に送り込む(嚥下)までの過程における障害である．

※参考：摂食障害とは，本来，図 15-1 のように嚥下障害も包括した食べること全般の障害を意味する用語である．精神科領域の神経性食思不振症や過食症に代表される心因性の摂食障害(狭義)と区別するため，「摂食嚥下障害」と表現されている．

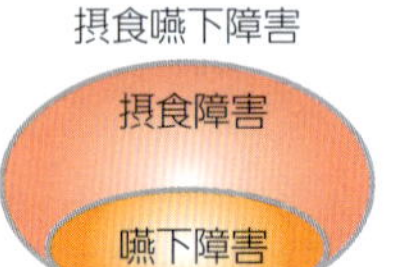

■図 15-1　摂食嚥下障害の概念

病因，症状

高齢者の摂食嚥下障害を理解するためには，まずは正常時の摂食嚥下のメカニズム(図 15-2)を知る必要がある．そのうえで，加齢変化と疾患によって，摂食嚥下過程のどこに障害があり，どのような症候・徴候を呈するのか，根拠に基づく丁寧なアセスメントが，有効な看護実践に結びつく．

●嚥下障害の原因

- **球麻痺**：延髄(嚥下中枢)の運動核の障害による弛緩性麻痺．原因疾患はワレンベルク症候群や筋萎縮性側索硬化症など．構音障害，嚥下反射の障害，舌萎縮，嗄声(声帯麻痺)の症状を呈する．球麻痺の「球」は，延髄が球の形状に見えることに由来する．
- **偽性(仮性)球麻痺**：延髄よりも上の脳幹部や大脳皮質の障害による舌，軟口蓋・咽頭，喉頭などの運動麻痺．原因疾患は多発性脳血管障害(血管性認知症)や進行性核上性麻痺など．口唇閉鎖不全，食塊形成不全，食塊の送り込み障害，嚥下反射の遅延などの症状を呈する．

	食物の認知 食物を口へ運ぶ動作・速さ 噛む力 硬さ 味 温度 におい	前歯 食物 舌 下口唇 硬口蓋 軟口蓋 食塊 喉頭蓋 舌 舌骨
摂食嚥下の5期	**1. 先行期**：食物を認知し口まで食物を運ぶ	**2. 準備期**：食物を口腔内に取り込み(捕食)，噛み切り，つぶし，唾液と混ぜて食塊をつくり，飲み込むための準備をする［随意運動］
加齢変化	手指の巧緻性の低下，視聴覚の低下	歯の欠損(義歯の不適合)，舌の運動機能の低下，咀嚼機能の低下，唾液分泌の低下，顔面筋の機能低下，嗅覚・味覚の低下
原因疾患，障害	認知症，脳血管障害，パーキンソン病，白内障など	口腔機能低下症，口腔・咽頭の炎症(口内炎，扁桃炎)，脱水症，パーキンソン病，レビー小体型認知症，脳血管障害など
症状・徴候	食物を認知できない，摂食開始困難，摂食中断，食べこぼすなどの摂食動作上の困難	食物が口からこぼれ落ちる，流涎，食塊形成が不十分，口の中に食物が残る，味やおいしさを感じにくい

■図 15-2　摂食嚥下のメカニズム

影響因子

●**生活環境**

- 食物の選択：食形態，温度，味，一口量（表 15-1）
- 食器・食具（自助具を含む）の選択
- 姿勢の整え方：椅子の形状，食卓の高さなど（図 15-3）
- 食事の場の整え方：視聴覚刺激の調整，食卓を共にする人々
- 食事介助の方法：介助者の座る位置，ペース，食べ物を口へ運ぶタイミングなど

●**薬物**（図 15-4）

- 口腔乾燥（ドライマウス）や嚥下反射の低下などをもたらす薬物

■表 15-1　嚥下しやすい食物の特徴

			例：
特性	変形性	変形性が高いもの（複雑な形状の咽頭で，形を変えて移動できる食塊）	 プリン
	均一性	水分と固形物が混ざっていないもの．均一であるもの	ゼリー
	非付着性	付着性が低いもの，べたつかずのどごしがよいもの	豆腐
	湿性	パサパサしていないもの	ヨーグルト
	凝集性	口中でバラバラにならないもの	
温度	冷たいものは嚥下反射を誘発しやすい（体温と同温では刺激が少なく嚥下反射を誘発しにくい）		
好み	嗜好を考慮．好みに合わない食品は，誤嚥することがある		
味	酸味のある食物，から過ぎる食物は誤嚥の原因になりやすい		
一口量	2～10 mL（多すぎると誤嚥しやすく，逆に少ないと嚥下反射が起こりにくい．少量から開始し，その人が嚥下しやすい一口量をさがす）		

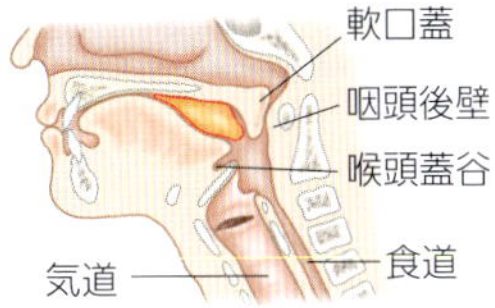 3. **口腔期**：舌を使って食塊を口腔から咽頭へ送り込む［随意運動］	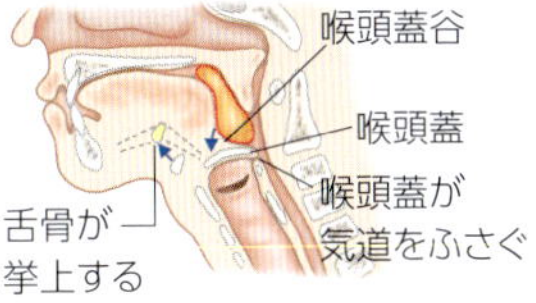 4. **咽頭期**：喉頭を挙上し喉頭蓋で気道を閉鎖，食塊を咽頭から食道へ送り込む［不随意運動］	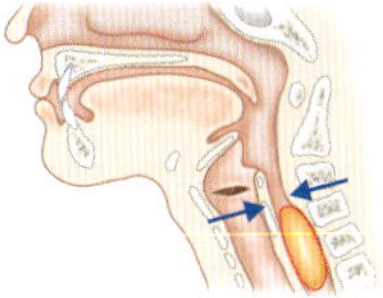 5. **食道期**：食塊を食道から胃へ送り込む［不随意運動］
舌・軟口蓋の下垂，舌の運動機能低下	喉頭の下垂，舌骨・喉頭の挙上減少，喉頭の閉鎖不全，嚥下反射の低下	蠕動運動の低下（食物移送の遅延），食道拡張
口腔機能低下症，舌萎縮，脳血管障害，パーキンソン病など	偽性球麻痺（嚥下反射の遅延，喉頭閉鎖不全），球麻痺（嚥下反射の障害）など	食道炎，食道潰瘍，食道癌，食道アカラシア，食道狭窄など
飲み込めない，嚥下後に口腔内（舌，硬口蓋，軟口蓋）に食物残渣	のどがつかえた感じ，食塊が鼻腔や口腔へ逆流，水分の誤嚥，食事中・食後のむせ，嗄声	食物の逆流，食道残留

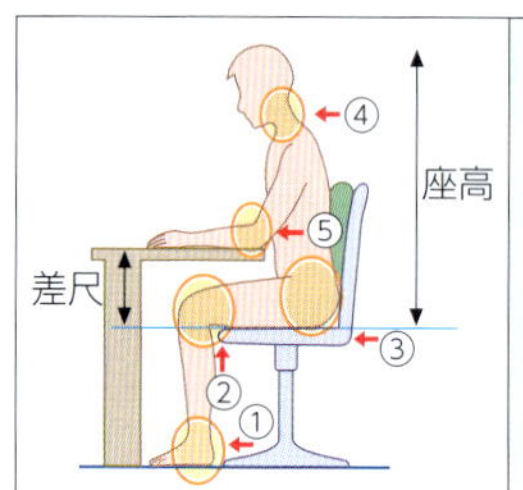

1. 食事の基本姿勢

①足底が床にしっかりと着く
②奥行き：深く腰かけたときに，足と座面の隙間に手掌が入るくらい
③姿勢の崩れを防ぐため，骨盤が立つように，身体の重心を前方におく
④頸部はやや前傾
⑤テーブルの高さ：肘を 90 度に屈曲後，前腕をやや前方に出した時に，真下にテーブルが位置する高さ（差尺/座高≦1/3），または肘が楽につく高さ

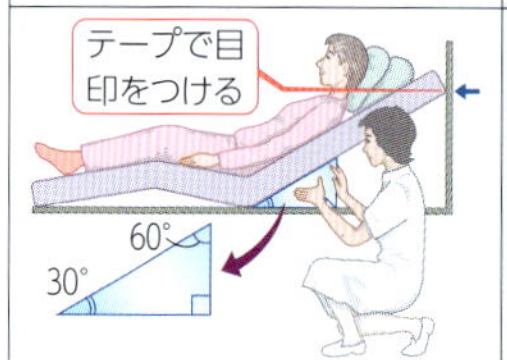

2. 30 度仰臥位

適応：食物の送り込みの障害，嚥下反射の遅延などの咽頭期に障害のある場合
根拠：気道よりも後ろに食道が位置することから重力の働きで食物を送り込み，誤嚥を防止する

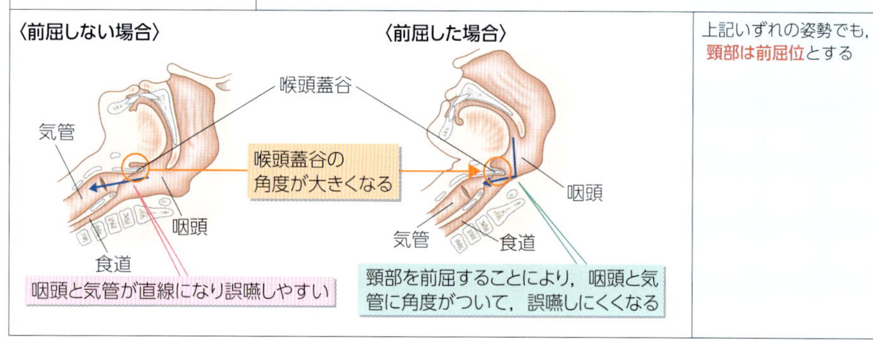

上記いずれの姿勢でも，**頸部は前屈位**とする

図 15-3　食事の姿勢

随伴症状

●誤嚥を伴う症状・徴候（才藤，1988 を一部改変）

- ◎**肺炎（発熱）を繰り返す**
- ◎**食後に嗄声（ガラガラ声）になる**
- ◎**痰の増加**
- ◎**血液検査で CRP の上昇**
- 食事中や食後にむせや咳が多い
- 脱水症状（口中の乾燥，少ない尿量）
- 低栄養（徐々に体重減少）
- 食欲不振，水分を飲みたがらない
- 夜間に咳き込む
- 食事時間が 1 時間以上

◎は不顕性誤嚥（silent aspiration）を疑う症状・徴候．不顕性誤嚥とは，むせを伴わない誤嚥のこと

診断・検査値

●問診

- ・自覚症状（飲み込みにくい，飲み込めないなど）や随伴症状（むせなど）
- ・現病歴，既往歴と治療（摂食嚥下障害の原因・誘因となる疾患，薬物）
- ・日常生活動作

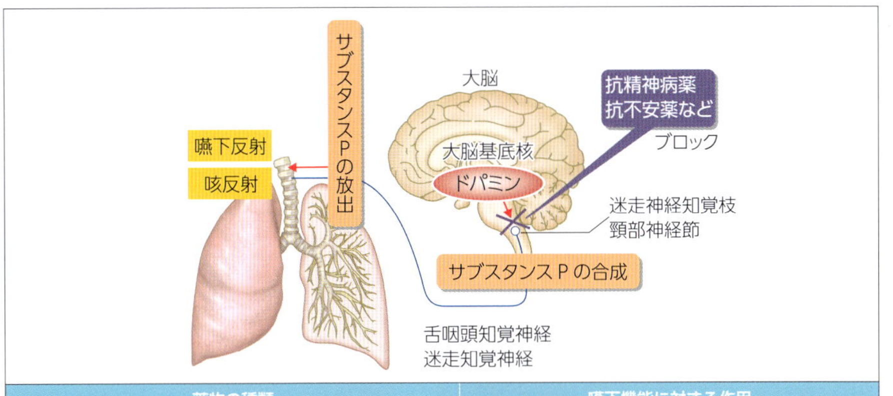

薬物の種類	嚥下機能に対する作用
抗精神病薬(メジャートランキライザー) 抗不安薬(マイナートランキライザー) 抗うつ薬	ドパミン拮抗薬として働き，サブスタンスP濃度の低下による嚥下反射の低下 口腔乾燥
消化性潰瘍治療薬，制吐薬	錐体外路系の副作用(有害事象)
パーキンソン病治療薬，利尿薬，抗ヒスタミン薬，抗不整脈薬	口腔乾燥
抗コリン薬(流涎の治療薬として用いることがある)	唾液分泌量の低下，口腔乾燥 下部食道内圧の低下

■図15-4　高齢者によく使われる薬物と嚥下機能への悪影響

●他覚的所見
- 他覚的症状(構音障害，嗄声など)
- 全身状態(口腔内，姿勢，上肢の運動機能，体力・体格，理解力)

●嚥下障害の検査

1)スクリーニング検査(表15-2)
- 反復唾液嚥下テスト(RSST：repetitive saliva swallowing test)
- 改訂水飲みテスト(MWST：modified water swallowing test)
- 食物テスト(FT：food test)
- 頸部聴診法

2)画像検査
- 嚥下造影検査(VF：video fluolography)
- 嚥下内視鏡検査(VE：videoendoscopic examination of swallowing)
- CT，MRI検査

●摂食場面の観察
- 摂食嚥下能力(表15-3)，重症度(表15-4)
- 姿勢(体幹の安定性，頸部の角度)，食形態など含む食事環境

●栄養状態のスクリーニング検査

蛋白質・エネルギー低栄養(PEM：protein energy malnutrition)とは，人が生きるために重要な栄養素である蛋白質と，活動するために必要なエネルギーが不足した状態をいう．PEMは，摂食嚥下障害をもつ高齢者に多く，病状からの回復遅延などとも関連することから，看護に際して留意する必要がある．表15-5にPEMをスクリーニングするための指標を示す．

■表 15-2　嚥下障害のスクリーニング検査

検査	判定方法
RSST	30秒間で3回以上の空嚥下(唾液の嚥下)ができれば正常．2回以下は嚥下障害の疑い
MWST	水3mLを2回続けて嚥下できれば正常．嚥下の有無・呼吸・むせの状態も同時に評価
FT	ティースプーン1杯(約4g)のプリンを摂取してもらい，嚥下の有無・むせ・呼吸変化・湿性嗄声・口腔内残留を評価
頸部聴診法	嚥下前後の呼吸音の変化と，嚥下音によって判定

■表 15-3　摂食嚥下能力のグレード(改訂版)

重症度	Grade	判定基準
Ⅰ 重症 (経口不可)	Gr. 1 Gr. 2 Gr. 3	嚥下困難または不能，嚥下訓練適応なし 基礎的嚥下訓練のみ適応あり 条件が整えば誤嚥は減り，摂食訓練が可能
Ⅱ 中等症 (経口と補助栄養)	Gr. 4 Gr. 5 Gr. 6	楽しみとしての摂食は可能 一般(1，2食)経口摂取が可能 3食とも経口摂取が可能だが，補助栄養が必要
Ⅲ 軽症 (経口のみ)	Gr. 7 Gr. 8 Gr. 9	嚥下食で3食とも経口摂取可能 特別嚥下しにくい食品を除き3食経口摂取可能 常食の経口摂取可能，臨床的観察と指導を要する
Ⅳ 正常	Gr. 10	正常の摂食嚥下能力
食事介助(assist)が必要な場合はAをつける(例：Gr.7Aなど)		

(藤島一郎編著：新版 ナースのための摂食・嚥下障害ガイドブック，p.13，中央法規出版，2013より一部改変)

■表 15-4　摂食嚥下障害の臨床的重症度分類(DSS：dysphagia severity scale)

分類		定　義
誤嚥なし	7 正常範囲	臨床的に問題なし
	6 軽度問題	主観的問題を含め何らかの軽度の問題がある
	5 口腔問題	誤嚥はないが，主として口腔期障害により摂食に問題がある
誤嚥あり	4 機会誤嚥	時々誤嚥する，もしくは咽頭残留が著明で臨床上誤嚥が疑われる
	3 水分誤嚥	水分は誤嚥するが，工夫した食物は誤嚥しない
	2 食物誤嚥	あらゆるものを誤嚥し嚥下できないが，呼吸状態は安定
	1 唾液誤嚥	唾液を含めてすべてを誤嚥し，呼吸状態が不良．あるいは，嚥下反射が全く惹起されず，呼吸状態が不良

(日本摂食嚥下リハビリテーション学会編：日本摂食嚥下リハビリテーション学会eラーニング対応　第3分野　摂食嚥下障害の評価 Ver. 2. p.92，表1，医歯薬出版，2016)

■表 15-5　低栄養の指標

指標	高リスク	中等度リスク	低リスク
体重減少率 *	6か月で10% 以上	6か月で3% 以上 10% 未満	3% 未満
血清アルブミン値	2.9 g/dL 以下	3.0～3.5 g/dL	3.6 g/dL 以上

*体重減少率(%LBW)＝(平常時体重－現在の体重)÷平常時体重×100
　平常時体重とは，6～12か月にわたって安定している体重
　LBW : loss of body weight

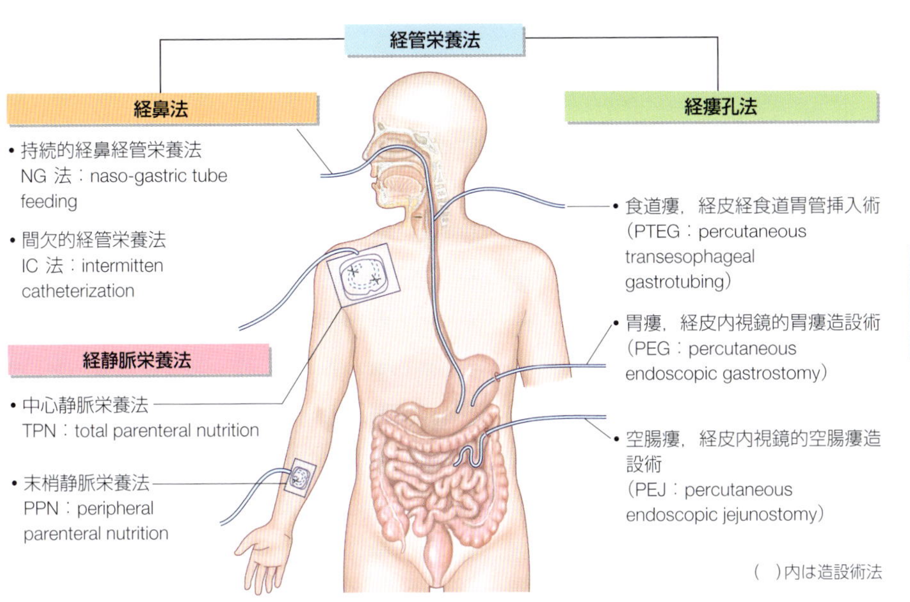

■図 15-5　栄養管理法と経管栄養ルート

治療法

●栄養管理法（図 15-5）

経口摂取に勝る栄養法はないが，経口摂取ができない場合，消化管が機能していれば第一選択として経管栄養法が用いられる．この理由は，経管栄養法が経静脈栄養法に比べ腸管を使うことで機能低下を防ぎ，生理的で栄養学的，免疫学的にも優れているためである．

経管栄養ルートの１つである胃瘻(ろう)は，経皮内視鏡的胃瘻造設術〔percutaneous endoscopic gastrostomy，略して PEG(ペグ)と呼ぶ〕という内視鏡を用いた手術で，経皮的(非開腹)に胃の内腔と腹壁の皮膚との間に瘻孔を形成したもので，胃管を胃内に留置することで栄養素を補給する．

●リハビリテーション

1) 摂食嚥下訓練

口腔周囲筋(顎，頬，口唇，舌)は自分の意思で動かすことが可能(随意運動)である．摂食嚥下訓練は，口腔の運動能力を向上し，食塊をスムーズに咽頭へ送り込むことにより誤嚥を防止する目的で行われる．

間接訓練(基礎訓練)：食物を用いない訓練(嚥下体操，アイスマッサージ，メンデルゾーン手技など)
直接訓練(摂食訓練)：食物を用いた訓練(段階的摂食訓練，姿勢・体位，横向き嚥下，交互嚥下など)

2) 生活の再建

姿勢の保持力など高齢者のもてる力を強めるとともに，活動，休息，排泄など生活リズムを整える．

●薬物の確認

摂食嚥下障害の背景に，嚥下反射を低下させたり，口腔乾燥をもたらすような悪影響を及ぼす薬物の服用がないかどうかの点検が必要である．

摂食嚥下障害をもつ高齢者の看護

看護の視点

1. 高齢者のもてる力(摂食力，咀嚼・嚥下力)を高めるリハビリテーションと生活環境づくり

多職種と協働しながら摂食嚥下過程のどこに障害があるのか見極め，高齢者の摂食力や咀嚼・嚥下力を高めるためのリハビリテーションの展開と生活環境を整える．

2. 口から食べる喜びと安全性の確保

高齢者が口から食べる喜びや幸せによって，心を満たす豊かな食生活が広がるように支援することを目指し，潜在する摂食嚥下障害に伴うリスク(誤嚥性肺炎，窒息，脱水，低栄養)によって食べる楽しみを脅かされないように細心の注意を払う．

●病期に応じた長期的な看護の視点

【急性期】 脳血管障害などの急性期治療のために非経口的な栄養法を用いる場合，摂食嚥下障害の程度に応じて段階的に摂食嚥下訓練を導入し，誤嚥性肺炎，窒息，脱水，低栄養に至らぬよう安全にも十分に配慮しながら，計画的に経口摂取に向けた看護展開を行う(図 15-6)．

【回復期】 口から食べることができるようになっても，リスク管理を継続しながら，摂食嚥下障害の程度に応じた適切な食形態の選択，正しい姿勢保持をはじめ摂食嚥下障害を補完する生活環境を整え，高齢者の最も望む食生活を再構築できるよう支援する．

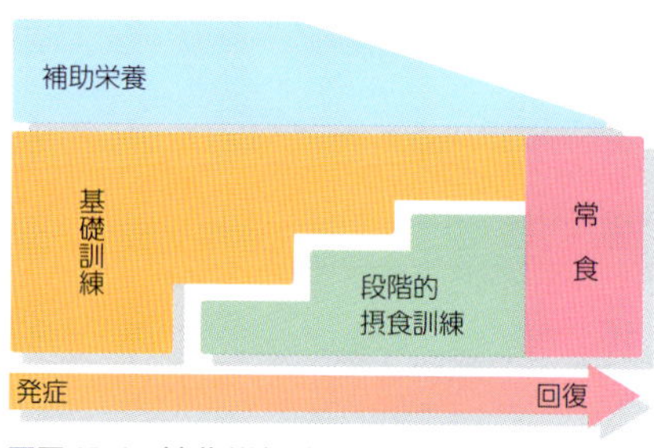

■図 15-6　基礎訓練と摂食訓練の関係

STEP 1 アセスメント　STEP 2 看護の焦点の明確化　STEP 3 計画　STEP 4 実施

情報収集・情報分析

	必要な情報	分析の視点
疾患関連情報	**現病歴と既往歴** ・原因疾患(脳血管障害，認知症，パーキンソン病など)と加齢変化，影響を及ぼす疾患 ・摂食嚥下過程(先行期，準備期，口腔期，咽頭期，食道期)の障害部位・程度	□摂食嚥下障害を引き起こしている現病歴や既往歴は何か．病期はどの段階か □口腔機能低下症や口内炎，うつ病など摂食嚥下に影響を及ぼす疾患はないか □原因疾患や加齢変化が，摂食嚥下過程のどこに，どの程度の影響を及ぼしているのか
	症状 ・摂食嚥下障害の症状(飲み込めない，むせ，湿性嗄声など) ・摂食嚥下に影響を及ぼす症状(睡眠障害，幻覚，抑うつなど)の有無	□いつ，どのような摂食嚥下障害の症状が出現するか □摂食嚥下過程の5期に沿って，具体的にどのような症状があるか □摂食嚥下障害と生活環境(食形態，姿勢など)との関係はどうか □摂食嚥下に影響を及ぼす症状はあるか
	検査と治療 ・嚥下障害のスクリーニング検査と嚥下機能評価	□嚥下障害の有無．嚥下障害がある部位や程度はどうか □摂食嚥下能力の重症度(グレード)やDSSはどうか □サブスタンスP濃度の低下や口腔乾燥などをもたらす薬の有無，

	必要な情報	分析の視点
疾患関連情報	(VF, VE など), 摂食嚥下能力のグレード, DSS ・内服薬の内容と服薬時刻 ・栄養管理法 ・摂食嚥下訓練(直接訓練, 間接訓練)を含むリハビリテーション	薬の効果発現時間, 作用時間と摂食嚥下障害との関係はどうか □どのような栄養管理法を行っているか □リハビリテーションによる摂食嚥下機能の維持・向上の可能性はあるか. リハビリテーションに関与する各職種と役割, どのように協働しているか
身体的要因	**運動機能** ・手指の巧緻性や上肢の運動障害, 姿勢(円背)と保持力, 舌・喉頭の下垂, 嚥下反射	□上肢や口腔・咽頭の運動機能の障害, さらには姿勢がどのように摂食嚥下障害をもたらしているか
	認知機能 ・記憶障害, 失認, 失行, 実行機能障害, 見当識障害, 注意障害	□実行機能障害や記憶障害により, 食事準備(献立を考え, 料理をつくるなど)に支障をきたしていないか □食事の場所や時刻を認知できるか □すべての食物を認知でき, 自ら食べ始めることができるか, 失行によって食具の使い方がわからないことはないか □注意障害があることで, 食事の場の過剰な視聴覚刺激が摂食中断に結びついていないか
	言語機能, 感覚・知覚 ・歯・義歯の状態, 構音障害や失語 ・味覚, 嗅覚, 視覚, 聴覚, 触覚	□「食べたい」「食べたくない」といった意思表示が可能か. 言語表現が難しい場合に, 表情やしぐさなど非言語的サインによる意思表示は可能か □言語障害(失語症や構音障害)がある場合, 食物の奥舌への送り込みなど舌運動の障害はないか □歯・歯茎の状態や加齢に伴う感覚・知覚の変化が, おいしさや摂食・咀嚼・嚥下に影響を及ぼしていないか
心理・霊的要因	**健康知覚・意向, 自己知覚** ・現在や今後の食生活に対する意向・希望	□疾患や症状をどのように受けとめ, 対処しようとしているか □どのような食生活を望んでいるのか
	価値・信念, 信仰 ・食へのこだわり, 思い出の食事	□食に対して, どのようなこだわりや価値, 信念をもっているか □高齢者にとって幸せを感じる思い出の食事とはどのようなものか
	気分・情動, ストレス耐性 ・食事が思うように食べられないことによるストレスなど	□食前の霊的な祈りなど, 大切にしていることはあるか □信仰による食物の制限や断食期間などはあるか □不安や悲しみが摂食嚥下障害に影響を及ぼしていないか □摂食嚥下障害による心理的ストレスはあるか
社会・文化的要因	**役割・関係** ・食事準備の経験, 役割 ・食事のスタイル, 食文化	□好みの食物(嫌いな食物はむせを誘発する), 食欲をそそる食事, 思い出を運び, 心を豊かにする家庭料理や郷土料理などはあるか □食べ方の作法や, 記憶を呼び覚ます食器など, これまで築き上げてきた食文化として, どのような特徴があるか
	仕事・家事・学習・遊び, 社会参加 ・仕事, 家事, 遊びの機会の減少, 社会参加の機会の減少, 経済的影響	□摂食嚥下障害によって, 楽しみにしている文化的活動(花見や祭り, 宴会など)への参加の機会が減少していないか □経済的問題が, 食べることに影響を及ぼしていないか

	必要な情報	分析の視点
睡眠・休息	**睡眠・休息のリズム，質** ・休息と活動のバランス，ストレス ・臥床・睡眠時間(熟眠感)，薬物の影響	□心理的・社会的ストレスが，食欲に影響を及ぼしていないか □食後の霊的休息につながるような満足のいく食事となっているか □薬物による影響はないか
	心身の回復・リセット ・日中の疲労感や眠気	□睡眠・休息により，心身が回復し，食事の際にすっきりと目覚めているか □夜間の不十分な睡眠が食事中の居眠りをもたらしていないか □不十分な休息による疲労が，摂食嚥下障害を増悪させていないか
覚醒・活動	**覚醒** ・活動時の居眠りの有無	□食べるための前提として，十分な覚醒状態にあるか
	活動の個人史・意味，発展 ・活動全般に対する意欲の低下 ・現在の楽しみ，日中の過ごし方についての希望	□食を通じた社会・文化的交流など，活動の個人史が活かされているか □経管栄養法や経静脈栄養法によって動きが制限され，楽しみとする活動が制約されていないか □高齢者にとって楽しみとなる活動は何か．低栄養による体力低下によって，活動が狭小化していないか
食事	**食事準備，食思・食欲** ・食事を待っている時間 ・空腹感，食欲，食物の嗜好，食べ方の好み	□痛みや便秘など体内環境が整っていないことや疾患・治療薬が，食欲に影響していないか □食欲を高めるような食物(好み，温度，量，盛りつけ，香り)が用意されているか
	姿勢・摂食動作，咀嚼・嚥下機能 ・食事時間，摂食動作，食事姿勢，食形態，流涎	□不適切な食事環境が，摂食嚥下障害を増悪していないか □食事の摂取量とバランスはどうか
	栄養状態 ・食事・水分摂取量，栄養状態，栄養管理法	□摂食嚥下障害が，水分量の不足や低栄養をもたらしていないか □高齢者の意向や身体機能に見合った栄養管理法か
排泄	**尿・便をためる** ・自律神経症状(便秘)や尿路感染，食事・水分摂取量と摂取時刻，排尿・排便リズム	□便秘や尿路感染など体内環境が整っていないことが，食欲に影響を及ぼしていないか □食事前に排泄を終えて，すっきりとした気分になっているか □便秘などの排泄リズムの乱れが，食事に影響を及ぼしていないか □摂食嚥下障害によって必要な水分量・食事量が摂取できないことが，尿や便を苦痛なく排泄することに影響していないか
	尿意・便意 ・尿意・便意の有無(時間帯，知らせ方)	□尿意・便意を上手く伝えられず，食事中に排泄をがまんしていないか
	姿勢・排泄動作 ・手洗い動作の状態	□食事前や食事途中で排泄した場合，手洗いなど後始末をすませたか
	尿・便の排出，状態 ・残尿感，腹部の緊満や下痢	□尿や便をすっきりと排出できていないことが，食欲に影響を及ぼしていないか □便秘が食生活にまで影響を及ぼしていないか

	必要な情報	分析の視点
身じたく	清潔 ・瘙痒感，口腔ケア	□かゆみなどの苦痛のために，食事に専心できない状況はないか □嚥下障害がある場合に，食事前の口腔ケアによって唾液の分泌促進や誤嚥の予防などに配慮できているか．さらに，食後や就寝前の口腔ケアにより，誤嚥性肺炎を予防できているか
	身だしなみ，おしゃれ ・更衣，整容 ・おしゃれに対する希望	□食事をこぼすことによる身だしなみの崩れに対処しているか，食事をこぼすことが自己尊厳に影響していないか □おしゃれして食事に出かけるような希望や機会はあるか
コミュニケーション	伝える・受け取る，コミュニケーションの相互作用・意味，コミュニケーションの発展 ・食事に関する意思表示	□食事に対する希望を伝えるために，どのようなコミュニケーション手段を用いるか □経鼻栄養法によって，コミュニケーションを妨げていないか □食事をともに楽しめる仲間の存在や，食事を通した交流はあるか

アセスメントの視点（病態・生活機能関連図へと導くための指針）

摂食嚥下障害をもちながらも，再びおいしく安全に口から食べたいという願いは高齢者の多くがもっている．摂食嚥下障害により経管栄養や経静脈栄養のみで栄養管理を行っている場合には，チーム医療によって誤嚥性肺炎を起こすことなく段階的に経口摂取へと移行できる可能性はあるか検討が必要である．以下では，摂食嚥下障害をもち，経管栄養法から経口摂取への移行を目指す高齢者への看護を展開する．その人に見合った環境を段階的に整えていくことで，主体的においしくかつ安全に口から食べることができるように支援するとともに，栄養状態の回復に従って活動も拡大していくことで，食べることが生きる喜びにつながるように焦点を当てる．

摂食嚥下障害をもつ高齢者の病態・生活機能関連図

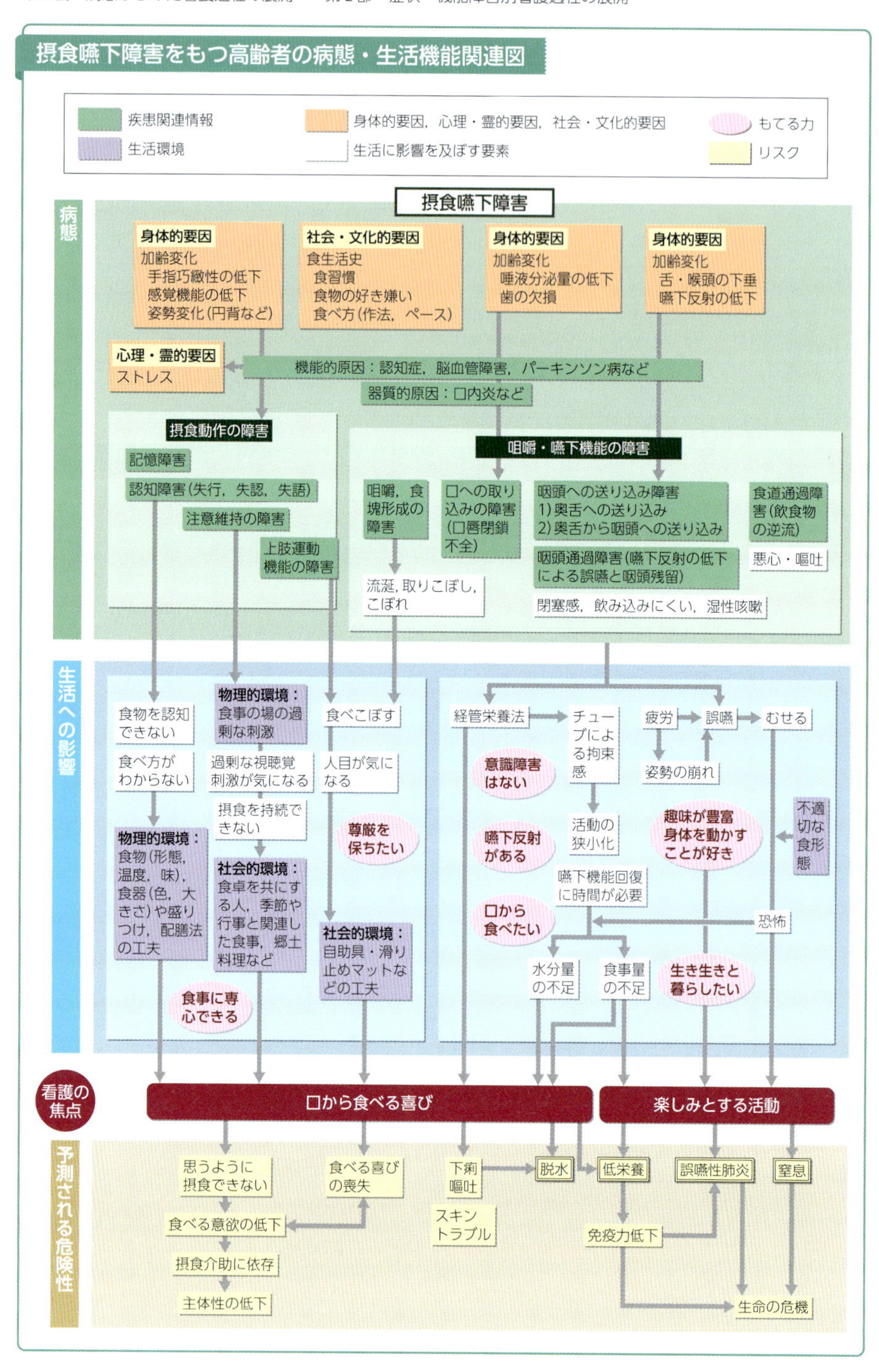

STEP 1 アセスメント　STEP 2 看護の焦点の明確化　STEP 3 計画　STEP 4 実施

看護の焦点の明確化

#1　咀嚼・嚥下機能の向上により，再び口から食べる喜びをもてる
#2　誤嚥性肺炎や低栄養など危険な状態に陥ることなく体力を維持・向上することで，楽しみとする活動を遂行できる

STEP 1 アセスメント　STEP 2 看護の焦点の明確化　STEP 3 計画　STEP 4 実施

1 看護の焦点	看護目標
咀嚼・嚥下機能の向上により，再び口から食べる喜びをもてる	1) 口から食べることができる 2) 食べることによる喜びを表出する(例：「おいしい」などの発言や，笑みがこぼれるなど) 3) (目安：食事○割程度)自力で摂食できる 4) 食事をこぼすことによる気分の落ち込みがない

具体策(支援内容)	根拠
1. 摂食嚥下機能を向上するための摂食嚥下訓練 **1) 間接訓練(基礎訓練)※食前に実施する** ①嚥下体操 ・楽しく継続的に実施できるように，イラスト入りのポスターや冊子を作成する ・メニュー： 「深呼吸」「頸部の運動」「肩の運動」 「両手を挙げて背筋を伸ばす運動」 「頬の運動」「舌の運動」「呼気の保持」 「構音(発音)器官の運動」 ②口腔内のアイスマッサージ(図 15-7)	●摂食嚥下訓練は，摂食嚥下にかかわる器官を刺激したり動かすことで，摂食嚥下機能の向上を図るリハビリテーションである ●摂食嚥下訓練のメニューは，高齢者の状態に応じて決める ●間接訓練は，食物を用いないため安全であり，急性期から導入することが可能である ●口腔周囲筋(顎，頬，口唇，舌)は自分の意思で動かすことが可能な随意運動であることから，嚥下体操により口腔の運動能力を向上し，食塊をスムーズにのどへ送り込むことによって誤嚥を防止することを目的とする

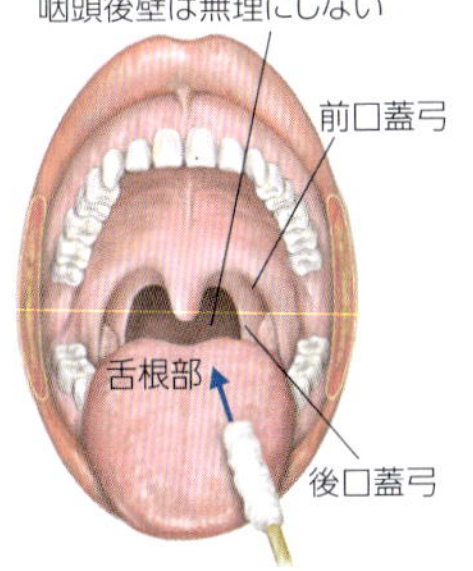

■図 15-7　アイスマッサージの部位

具体策(支援内容)	根拠
・アイス棒で口唇，舌に触れ徐々に口の中に挿入し，前口蓋弓と舌根部を 2 往復触れる ・アイス棒を口腔から取り出し，空嚥下を指示し，指で喉頭の挙上を確認する ③氷なめ ・小さな氷片をなめてもらう	●口腔内のアイスマッサージは，食事前にアイス棒で前口蓋弓や舌根部に触れ，嚥下反射を誘発させることを目的とする．急に前口蓋弓や舌根部に触れると悪心・嘔吐を誘発するので注意する ●氷なめは空嚥下が困難な認知症の人でも，少量の水と寒冷刺激により，嚥下を誘発する

2) 直接訓練(摂食訓練)
①段階的摂食訓練
・摂食嚥下機能の回復状態に応じて，以下のように段階的に摂食訓練を行う
〈嚥下調整食学会分類 2013〉
↓
嚥下訓練食品 0 j(ゼリー)
嚥下訓練食品 0 t(とろみ水)
嚥下調整食 1 j(ゼリー・プリン・ムース状)
嚥下調整食 2-1(ピューレ・ペースト・ミキサー食で均質)
嚥下調整食 2-2(ピューレ・ペースト・ミキサー食で不均質)
嚥下調整食 3(離水に配慮した粥など)
嚥下調整食 4(軟飯・全粥など)
②状態に応じて，「横向き嚥下」「うなずき嚥下」「交互嚥下」などを実施する

●直接訓練は実際に食物を用いる訓練である
●経管栄養から経口栄養への移行を進めていく際は，高齢者の摂食嚥下機能の回復に応じて，食形態や量などを段階的に変えながら慎重に進めていく(段階的摂食訓練)必要がある
●ピューレ食は，いわゆるミキサー食で，粘性の高い流体であり，増粘剤で粘性をつけた液体も含む．ペースト食は，マヨネーズのように外力に対して変形するが，外力がないとその形を保つ半固形体のことである

2. 口から食べる喜びをもてる支援

1) 嗜好品(好物)の取り入れと盛りつけ
・高齢者の好物を，食事に取り入れる

●どのような摂食嚥下機能の回復段階にあっても，人としての食べる喜びを感じられるケアを検討することが大切である
●嫌いな食物はむせを誘発する．高齢者の好物を把握し，食事に取り入れることで楽しみや食べる意欲にもつながる

・見た目のおいしさ(食物の色合い，器とのコントラスト)にも配慮する

●味覚・嗅覚はもとより，視覚的なおいしさにも配慮する

2) 食物の温度の調整
・温かい食物は温かく，デザートなどの冷たい物は冷たく，料理に応じた適温とする

●食物の温度と体温との差によって，嚥下反射が誘発され，嚥下しやすくなる

・温かさと冷たさの適温は，高齢者が好む温度に調整する

●高齢者によって好む温度が異なる．嚥下反射も考慮しつつ，高齢者の価値観に沿って食べ物の温度を調整する

3. 生活リズムを築くための支援

・食事時間中，十分に覚醒しているか確認する

●食べるためには，覚醒していることが前提である．眠気によって嚥下反射が低下しているときは，十分な覚醒が得られてから食事を提供する

・睡眠・覚醒リズムに乱れがある場合には整える〔「21 睡眠障害」(p.394) 参照〕

●睡眠・覚醒リズムと摂食リズムは連動する

4. 嚥下障害を補う生活環境づくり

1) 正しい姿勢の保持(p.306 の図 15-3 参照)
①頸部は前屈位にする
②嚥下障害の回復過程に応じて姿勢を選択する
・通常の食事姿勢：座位
・嚥下障害の回復過程：30 度→45〜60 度→90 度(座位)
・重度の嚥下障害がある場合：30 度仰臥位

●正しい姿勢は摂食嚥下機能を助ける
●頸部を前屈することで，咽頭と気管に角度がつき誤嚥しにくくなる
●30 度仰臥位は，気道よりも食道が後ろに位置することを活用して重力の働きで食物を送り込み，誤嚥を防止する．重度の嚥下障害のある高齢者に有効な体位である

2) 嚥下しやすい食物の選択

・嚥下しやすい食物(p.305の表15-1参照)を選択する

●嚥下しやすい食物とそうでない食物があるため，特性を把握して，高齢者の状態に応じて適切な食形態を選択する

・水分には増粘剤を使用する．増粘剤の濃度は1～3%とする．増粘剤は時間とともに粘性が増すので注意する

●水分は固形物に比べ咽頭を通過する速度が速いため，喉頭蓋が閉鎖する前に水分が流れ気道に入り，むせを生じる

●増粘剤は水分の通過速度を遅くする働きがあるが，使用量が多すぎるとべたつき，咽頭に残留し誤嚥につながる

・ゼリーを長時間室温で放置すると溶けるため，食べる直前まで冷蔵庫に入れておく

・固形物と水分が混合した食物は避ける

●固形物と水分が混合すると咽頭への落下速度に差が生じるため，喉頭蓋閉鎖のタイミングがずれて誤嚥につながる

・酸味が強い食物，高齢者の嫌いな食物を避ける

3) 誤嚥を防ぐ食事介助の方法

・支援者の位置：食事介助は座って行う

●立ったまま食事を介助すると，座っている高齢者の目線が上方へ向き，頸部が後屈する

・一口量：高齢者が嚥下しやすいスプーンの一口量(目安：2～10 mL)を探り，介助する

●一口量が多すぎると誤嚥するが，少なすぎても嚥下反射が起こりにくい

・スプーンの口もとへの運び方：スプーンは，下口唇のやや斜め下側から運ぶ

●支援者がスプーンを口唇よりも上側や真正面から運ぶと，高齢者の頸部が後屈しがちになる

・食物の口への入れ方：食物は舌の中央に置き，口唇を閉じてもらう

●食物を咽頭にスムーズに送るために，食塊を形成する位置(舌の中央)に食べ物を置く．口唇が閉じないと，誤嚥につながる

・摂食ペース：口中の食物残留がなく，嚥下(喉頭挙上や嚥下音)したことを確認したうえで，次の一口を運ぶ

・嚥下中に不用意に話しかけない

●嚥下していないと，口中や咽頭内に食物が残留していることになる．そのような状態で次の一口を運んだり，不用意に話しかけると，誤嚥を誘発する

4) 安全な服薬支援

・服薬の際に使用する水には，増粘剤を使用したり，嚥下ゼリーを用いる

・重度の嚥下障害者には，スライスゼリーに錠剤を縦に埋め込み，服薬を支援する(図15-8)

●食後薬が口腔や咽頭に残留すると，誤嚥の原因や薬効にも影響が及ぶ．薬の嚥下確認と水分補給は必ず実施する

●ゼリーを用いた服薬介助では，ゼリーを崩したり，スライスゼリーの上に単に錠剤をのせるだけでは，口中で薬物やゼリーがバラバラになり意味をなさない

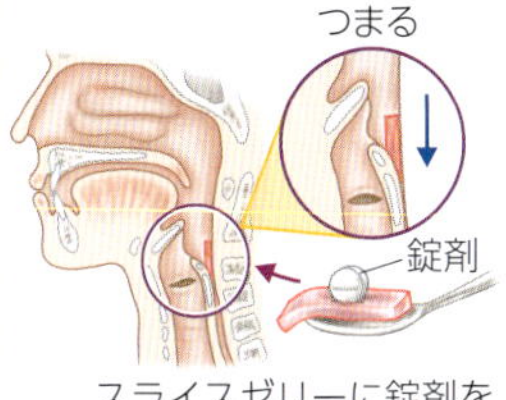

■図15-8　スライスゼリーによる服薬

・経管栄養法では，薬物を約55℃の湯に溶かして湯温を39℃に調整したうえでチューブから注入する．チューブの閉塞を防ぐため，薬物注入後には必ず水を注入する

●経管栄養時の薬物注入では，薬物を湯に溶かす方法(簡易懸濁法)は砕くよりも簡便であり，チューブの閉塞防止にも効果がある

・薬物が新たに処方された場合には，摂食嚥下障害との関連について注意する

●服用中の薬物の摂食嚥下障害への作用や，嚥下しやすい薬物の形状など，必要に応じて医師や薬剤師と調整する

5. 認知障害に対する食環境づくり

1) 食事時間や場の認知を助ける食環境づくり

・食事場所や食事をともにする仲間，高齢者の座る位置を検討し，心地よい関係が定まったら一定にする
●記憶障害や見当識障害があっても，心地よい空間に毎日繰り返し通うことでなじみの場となり，食事への認知を助ける

・食卓の上に食事関連以外の物品を置かない
・食品数が多く混乱する場合には，コース料理風に一品ずつ出したり，ワンプレート，弁当，丼など，配膳方法を工夫する
●多くの情報を一度に処理することが難しいため，必要な情報が確実に届くように環境内の情報を調整する

・食事のおいしいにおいは香り立つように，逆に排泄物などの食欲を阻害するにおいは排除する
●五感に響くよい刺激は大切にするとともに，不要・過剰な刺激を調整する

・高齢者にとって過剰な視聴覚刺激を調整し，食事に専心できる環境をつくる
●食事への選択性注意や注意持続を高めるような環境かどうか見直す

2) 食物の認知を助ける食環境づくり

・なじみの食器や好物を用意する
●なじみの物は記憶を呼び覚ます手がかりになる

・高齢者の座った視線で食器のなかの食物が見えるか，食卓と椅子の高さや距離を調整する
●身長の低い高齢者では，食卓が高すぎて食器のなかの食物が見えないことがある

・半側空間無視がある場合には，高齢者が認知できる空間に食事を配膳する
●片側半分の食事を残す場合，高齢者にとって認知しやすい位置に食事を置く

6. 上肢の運動機能を高める食環境づくり

高齢者にとっての「食べにくさ」を観察し，環境を調整する
●環境が整っていないことが，高齢者の食べにくさを増強する．改善すべき環境はないか常に見直す必要がある

・補助具や補助食器，滑り止めマットなどを活用する
●道具の活用は，摂食の自立を助け，人から介助を受けるという心理的負担を軽減する

・おにぎり，サンドイッチなど道具を使わずに手に持って食べられる食物を用意する
●道具の使用が難しい場合，手に持って食べることのできる食物を用意することも大切である

・姿勢が崩れないよう骨盤の位置を安定させる．食事中に崩れた場合には補整する
・食卓の高さ，食卓と体幹との距離を調整する
●不自然な姿勢で食事をすることは，摂食動作に支障をきたすばかりでなく，疲労や嚥下運動にも影響を及ぼし，誤嚥につながる

・こぼしても落ち込まないような精神的支援と環境づくり
●こぼしても他者から指摘され落ち込むことがないよう，人間関係をふまえた座席位置にも配慮する

7. 摂食力を引き出す食事介助の方法

高齢者が自分の手を動かし食べる感覚を大切に，食事介助は以下の手順に従って必要最小限にとどめる

・Step 1：高齢者が食べ始めることを待つ
・Step 2：セッティングを工夫し，非言語的・言語的に摂食を促す
・Step 3：食器や箸を持ち，食べる構えを支援
・Step 4：高齢者の手に支援者の手を添えて，「食物をすくう」から「口まで運ぶ」までのできない動作を支える
・Step 5：高齢者はスプーンを持ったまま，支援者は別のスプーンで介助する

●認知障害があると，失行によって食べ始めることができなかったり，注意が食事からそれて摂食を中断したりすることがある．しかし，摂食の始まりを支援するだけで，食べることができる者も多い．食事をすべて介助することで，高齢者のもてる力を奪わないように注意する

2 看護の焦点	看護目標
誤嚥性肺炎や低栄養など危険な状態に陥ることなく体力を維持・向上することで，楽しみとする活動を遂行できる	1) 楽しみとする活動を遂行できる 2) 低栄養，誤嚥性肺炎，窒息，脱水に至らない

具体策（支援内容）	根拠
1. 体力維持に必要な栄養摂取（低栄養の予防）	
1) 栄養状態の評価	●摂食嚥下障害がある高齢者は蛋白質・エネルギー低栄養（PEM）に陥りやすい
・身体計測：体重減少率，BMI，皮下脂肪厚 ・血液検査：血清アルブミン値（g/dL），など	●体重減少率はPEMの指標の1つとなる．一時点ではなく，1か月間ないし6か月間における体重の変化を評価する
2) 経管栄養法の管理（経口摂取へ移行するまで） ①チューブ管理：チューブ挿入法（頸部回旋法），固定法 ②流動食の管理：注入量，速度，濃度，温度	●経管栄養法は一時的な栄養管理法である．常に経口摂取への移行を念頭におき，経鼻栄養法のチューブ挿入にあたっては頸部回旋法によりチューブが咽頭を斜めに通ることを防ぎ，喉頭蓋の働きを妨げないようにする
③体位：注入中および注入後1時間以上は座位（もしくは30度仰臥位）を保持する	●胃・食道逆流は嘔吐，誤嚥によって生命の危機につながるため，食後は1時間の座位保持による逆流予防と，悪心などの徴候に注意する
④合併症やトラブルの予防と早期発見・対応 【PEGによるトラブルの観察ポイント】 呼吸器（喘声など）や消化器（嘔吐，下痢）の合併症 ・自覚症状：痛み，熱感，腹部膨満感，引きつる感じなど ・胃瘻部の状態：胃瘻カテーテルの位置・長さ・ボタンのはずれ，瘻孔からの漏れなど	●経鼻栄養法の不適切な管理は，合併症やトラブルをもたらす．正しい実施と観察による異常の早期発見によって，合併症やトラブルを未然に防ぐことが重要である
・瘻孔周囲の皮膚の状態：発赤，びらん，水疱，腫脹，潰瘍，壊死 ・ストッパーの弛緩：適度に緩んでいるか	●瘻孔周囲の皮膚の観察では，ストッパーや腹壁固定具に隠れている皮膚部分の観察も見落とさないようにする
【PEGによるトラブルの予防策】 ・胃壁や皮膚の圧迫・摩擦による潰瘍発生を防ぐため，バンパーとストッパーを適度に緩める ・胃壁へのバンパー埋没を防止するため，1日1回はカテーテルを回転させ可動性を確認する（図15-9） ・チューブ抜去を防止するため，バルーン型の場合はバルーン内の蒸留水（固定水）が蒸発していないか，週1回は確認する	●とくに胃瘻を造設して1週間ほどは，バンパーが腹壁に埋没する危険性も高いため，ストッパーを回転させ癒着を防ぐ
3) おいしく食べるための支援 ・#1の「2. 口から食べる喜びをもてる支援」～「7. 摂食力を引き出す食事介助の方法」参照	

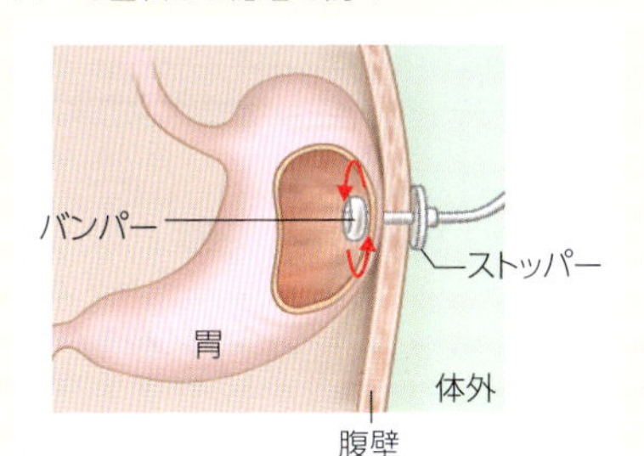

■図15-9　PEG

2. 摂食嚥下障害に伴うリスク予防

1) 誤嚥性肺炎の予防〔「5 肺炎」(p.129) 参照〕

・口腔ケア (不顕性誤嚥の予防)
・食事による誤嚥予防 (顕性誤嚥の予防)
・経管栄養法による胃食道逆流の防止
・薬物による悪影響の点検

●誤嚥は，食事中のみならず，食事前・後にも起こる
●口腔ケアの実施で，不顕性誤嚥による肺炎が半減したという実証的研究もある．とくに経管栄養法では，食べていないことで口腔ケアを忘れがちだが，唾液分泌が低下し口腔内の自浄作用が低下するため，必ず口腔ケアを実施する

2) 窒息の予防

・食事の際の窒息予防：食物の調整，痰喀出・吸引
・食後の胃食道逆流による窒息予防：食後は 30 分～ 1 時間，座位またはファウラー位

●食形態や大きさの調整により窒息を予防する
●咽頭や口腔内に痰が貯留している場合には，必ず食事の前に，痰の喀出や吸引を行う
●摂食嚥下障害のある高齢者では，食後の胃食道逆流が起こりやすいため，逆流物による窒息や誤嚥に細心の注意をはらう

3) 脱水の予防〔「17 脱水」(p.348) の「具体策 (支援内容)」参照〕

3. 楽しみとする活動の継続性への支援

・生活に取り入れる活動を高齢者と検討する
・体力温存期：見たいテレビ番組の視聴・鑑賞，談話，読書など静的活動
・体力回復期：高齢者の好みとするアクティブな活動 (散歩，陶芸，詩吟)

●高齢者の状態に応じて，体力の温存が必要なときには，テレビや読書などの静的な活動を，体力回復期には体力づくりも兼ねてアクティブな活動など，その人らしく豊かに生きるための活動に対する支援を大切にしたい

関連項目

※もっと詳しく知りたいときは，以下の項目を参照しよう．

摂食嚥下障害の原因・誘因

●「1 認知症 (→ p.56)」：失行や失認，注意障害などが摂食動作に影響を及ぼしていないか確認しよう
●「2 パーキンソン病 (→ p.73)」：疾患特有の症状が摂食動作や嚥下障害に影響を及ぼしていないか明確にしておこう
●「3 脳卒中 (→ p.93)」：偽性球麻痺による嚥下障害，片麻痺・拘縮による摂食動作への影響はないか確認しよう
●「28 フレイル (→ p.491)」：易疲労により姿勢の崩れや嚥下筋の疲労をもたらし，誤嚥につながっていないか調べてみよう

摂食嚥下に影響を及ぼす障害・状態

●「21 睡眠障害 (→ p.394)」：食事中に居眠りする背景に睡眠障害はないか確かめておこう

摂食嚥下障害に関連したリスク

●「5 肺炎 (→ p.129)」：誤嚥性肺炎をもたらす危険性はないか確認しよう
●「17 脱水 (→ p.340)」：嚥下障害により必要水分量が確保できず，脱水の危険性がないか確認しよう
●「11 褥瘡 (→ p.229)」「18 浮腫 (→ p.352)」：低栄養による浮腫や褥瘡の危険性はないか確認しよう

摂食嚥下障害をもつ高齢者への看護

●「第 1 編」の「3 食事 (→ p.18)」：高齢者が豊かな食生活を営めるように，食事に対する看護の視点を広げよう
●「第 1 編」の「2 覚醒・活動 (→ p.10)」：摂食嚥下障害があっても生活に楽しみをもてるようにしよう

胃食道逆流症（逆流性食道炎）

鈴木真理子

高齢になると発症リスクが高い．食後に胃内容物の逆流を防ぐ体位に調整することがポイント！

定義・診断

胃食道逆流症とは，胃から食道への胃酸，消化液の逆流により生じる逆流症状や，それに伴う合併症のために健康な生活が障害されている状態をさす．

高齢者は，下部食道括約筋の加齢変化により胃食道逆流が起こりやすく，逆流液が停滞することで食道粘膜が傷害されやすい．そのほか，食道裂孔ヘルニア，前かがみ姿勢による腹圧の上昇が要因となる．また，経管栄養を行っている場合も胃食道逆流が起こりやすく，逆流した栄養剤が気管に侵入することで誤嚥性肺炎の原因となる場合がある．

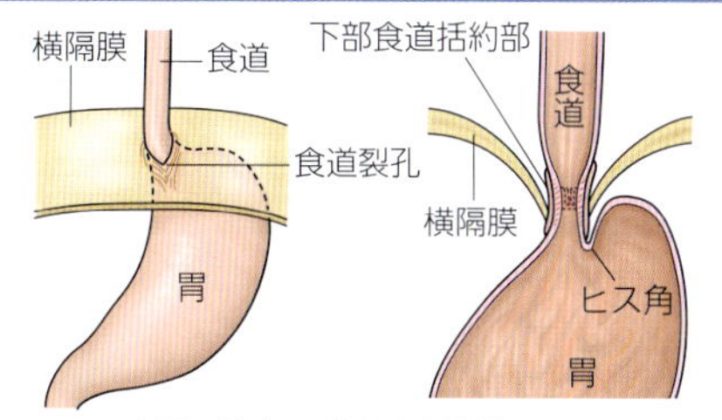

■図　**食道胃接合の逆流防止機構**

加齢に伴い胃の噴門圧が弱まり，胃液の逆流を防ぐ括約筋が緩む

症状・検査・治療

胃食道逆流症の特徴的な症状として，胸やけ，げっぷ，口の中が酸っぱくなる感じがあげられるが，慢性的な胸痛や咳嗽，喘息様症状，嗄声，耳痛などのさまざまな症状を呈することがある．

診断は，内視鏡検査によって食道粘膜のびらんや潰瘍などの合併症を確認するほか，必要に応じて食道の pH（酸性度）測定などが行われる．合併症の有無にかかわらず自覚症状の強さには差があるため，症状を重視して診断される．

薬物療法として，胃酸分泌抑制薬（PPI：プロトンポンプ阻害薬，H_2 受容体拮抗薬）が用いられる．

看護の視点

症状の軽減や再発予防のため，以下のような生活を支援する．

1) **食生活**：胃酸の分泌を高める食品（脂肪の多い食物，チョコレートなどの甘いもの，柑橘類，コーヒー，アルコール類）の摂取を控え，暴飲暴食をしないことや，寝る直前に食事しないことの必要性と工夫など，本人が実施可能な方法についてともに考える．胃内様物の停滞時間を長くしないよう摂取量や食事回数を調整する．経管栄養を実施している場合は，栄養剤の形状について検討するほか，食道の機能低下を防ぐために嚥下機能に応じて経口摂取を進めていく（p.304「15 摂食嚥下障害」参照）．
2) **逆流を予防する体位の調整**：食後 30 分程度は仰臥位にならないことや，横になるときは左を下にすることの必要性について本人と話し合う．寝たきりの場合は食後 30 度のリクライニング位とする．そのほか，長時間にわたり前かがみの姿勢をとらないよう姿勢を調整し，腹圧を高めないようにする．

胃瘻のケア

鈴木真理子

毎日の観察と皮膚のケアによって合併症を予防！　観察はカテーテルの特徴をふまえて

胃瘻の適応

経口摂取は困難であるが消化機能が正常であり，1か月以上経腸栄養の必要がある場合に，胃瘻が適用される．高齢者は，脳血管障害およびパーキンソン病などの神経変性疾患による摂食嚥下障害の場合に実施されることが多い．胃瘻の造設にあたっては，医学的に有効であることを十分検討したうえで，高齢者と代理人の意思を確認し，慎重に造設を判断する．

胃瘻カテーテルの種類と特徴

カテーテルは外部ストッパーと内部ストッパーのタイプにより，4種類に分けられる(図)．

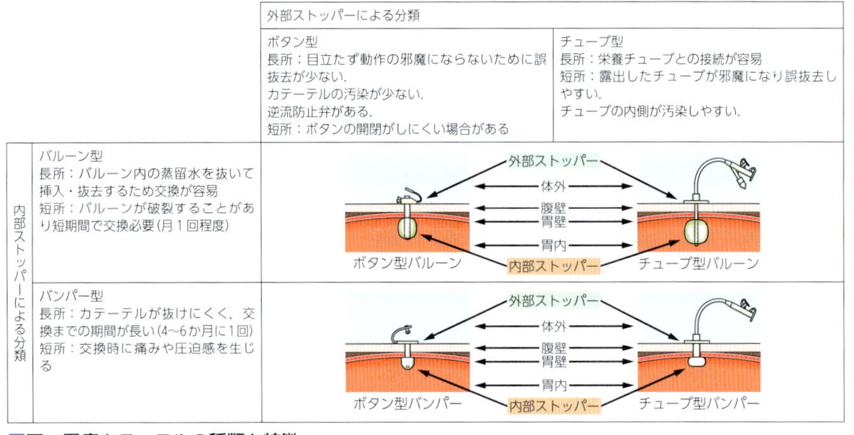

■図　胃瘻カテーテルの種類と特徴

合併症

胃瘻カテーテルと瘻孔はピアスとピアスの穴の関係にたとえられる．ストッパーの圧迫，引き込み，カテーテルの向きによる部分的圧迫などが原因で接触性皮膚炎，潰瘍，不良肉芽などの皮膚トラブルや栄養剤漏れが起こりやすく，下痢や胃食道逆流などの症状を伴う場合がある．

看護の視点

1) **皮膚の清潔**：瘻孔周囲の皮膚は，毎日，微温湯と石けんで洗浄するか，微温湯で湿らせたガーゼや綿棒で丁寧に清拭する．
2) **合併症の観察**：毎日，瘻孔周囲の発赤，腫脹，滲出液，出血，痛みの有無などを観察する．嘔吐，下痢がある場合，栄養剤の温度や注入速度，体位を見直すほか，固形化経腸栄養剤の導入を検討する．
3) **カテーテルの位置とストッパーの調節**：毎日カテーテルの向きを変え，皮膚とストッパーの接触部位をずらす．バンパー型の場合は，外部ストッパーと皮膚の間に1〜1.5 cmのゆとりをもたせるようストッパーを調節する(バンパー埋没症候群の予防)．チューブ型の場合は，カテーテルが皮膚面と垂直になるよう，切れ込みを入れたスポンジなどで固定する．
4) **誤抜去の予防**：カテーテルが気にならないようにチューブの固定方法を工夫する．腹帯で保護する場合もある．栄養注入時は頻繁に観察を行うほか，体位変換や排泄ケア時など定期的に観察する機会を設ける．誤抜去した場合，数時間で瘻孔が閉鎖するため，発見したらただちに医師に連絡する．

16 低栄養

船橋久美子

病態生理

●低栄養とは

人が活動するうえで必要なエネルギーや蛋白質・ビタミンなどの栄養素が不足した状態をいい，感染症や創傷治癒の遅延，褥瘡などの合併症のリスクを増加させ，生命予後にも大きく影響する．

低栄養の病態には，慢性の蛋白質・エネルギー低栄養状態(protein-energy malnutrition：PEM)であるマラスムス，急性の蛋白質不足状態であるクワシオルコル，もしくは2つの混合型(マラスムス-クワシオルコル型)がある．多数の疾患を有する高齢者の低栄養の背景には，疾患に起因する炎症があることに留意する必要がある．

病因・分類

●低栄養の要因

高齢の夫婦のみの世帯や単独世帯が増加している背景に加えて，社会的な役割の喪失により他者との交流や社会とのつながりが希薄になったり，認知機能が低下すると栄養が偏りやすい．高齢者の低栄養の要因を考えるとき，加齢による身体的・精神的な変化や社会的背景をふまえたうえで，多数の疾患を有していることや，使用中の薬剤，生活環境を含めた広い視点でのアセスメントが重要である(表16-1)．

●低栄養の病因別分類のメカニズム

臨床現場における低栄養診断の標準化を目的に，以下の分類が提言されている．

- **急性疾患，外傷に関連する低栄養(侵襲)**
  侵襲により不足したエネルギーを補うために，骨格筋の分解によりアミノ酸を放出することによる低栄養(筋蛋白の異化亢進)．
  例：重症感染症，熱傷，外傷，閉鎖性頭部損傷などによる急性炎症
- **慢性疾患に関連する低栄養(悪液質)**
  慢性消耗性疾患が関連した全身の衰弱状態(悪液質*)に加えて，炎症性サイトカインによる食欲不振や慢性疾患の症状による活動性の低下，不適切な食事管理，治療に伴う薬物の有害事象など多様な要因がもたらす低栄養．＊悪液質は，がんに限らず慢性疾患が関連した全身の衰弱状態．
  例：がん，慢性閉塞性肺疾患(COPD)，心不全，糖尿病，腎臓病など
- **飢餓に関連する低栄養(飢餓)**(表16-2)
  炎症を伴わない慢性的な飢餓による低栄養．
  例：純粋な慢性飢餓，神経性やせ症(神経性無食欲症)など

■表16-1　高齢者の低栄養の要因

	個人要因	環境要因
身体的要因	・嗅覚，味覚の低下 ・摂食嚥下機能低下 ・口腔内環境の悪化，義歯の不適合 ・食欲低下 ・消化管運動の減退 ・日常生活動作の低下 ・様々な基礎疾患 ・薬物の有害事象，ポリファーマシー	・摂食嚥下能力に合わない食形態 ・不適切な食事環境(姿勢，椅子やテーブルの高さが合わない，など) ・不十分な口腔ケア ・おいしさを感じられない食事の盛り付け ・身体機能に合わない食器の使用
精神的要因	・認知機能低下，認知症 ・うつ ・誤嚥・窒息の恐怖 ・せん妄	・穏やかに生活できない暮らしの場 ・不眠時の向精神薬の使用
社会的要因	・貧困 ・独居または高齢夫婦のみの世帯 ・家事能力の低下	・介護力不足，ネグレクト ・他者との交流機会の減少 ・社会とのつながりの希薄化

■表 16-2　マラスムスとクワシオルコル

	マラスムス	クワシオルコル
原因	慢性の蛋白質・エネルギー不足状態	急性の蛋白質不足状態
病態	エネルギーの摂取不足により糖新生のために骨格筋や脂肪が分解され体重減少が生じる	蛋白質摂取量の不足と蛋白質合成低下により血清蛋白(アルブミン)が低下する
主な症状	体重減少は著明だが血清アルブミン値は正常	体重は標準あるいは肥満傾向だが，低アルブミン血症の傾向にある．浮腫，腹水，脂肪肝を認める

実際にはマラスムス-クワシオルコル型が大部分を占める

診断・検査値

栄養スクリーニングは，低栄養あるいはそのリスクがある高齢者を抽出することを目的とする．

栄養アセスメントは，スクリーニングによって抽出された高齢者に対して，より詳細な栄養状態の評価を行うことを目的とする．

●栄養スクリーニング

1) 高齢者用のスクリーニングツール

・Mini Nutritional Assessment (MNA®)，簡易版 MNA®-SF (Short-Form)

MNA®-SF は，6 つの項目「食事量の変化」「体重の変化」「歩行状態」「精神的ストレスや急性疾患の有無」「神経・精神的問題の有無」「body mass index (BMI) もしくは下腿周囲長 (calf circumference：CC)」で構成され，総合得点をもとに栄養状態良好 (12～14)，低栄養のおそれあり (8～11)，低栄養 (0～7) を判定する．「食事量の変化」「体重の変化」「精神的ストレスや急性疾患の有無」については，過去 3 か月の状態をもとに評価する．

2) 成人一般用のスクリーニングツール

・主観的包括的栄養評価 (subjective global assessment：SGA)

・CONUT (controlling nutritional status)，など

CONUT は，生化学検査である「血清アルブミン値」「総リンパ球数」「総コレステロール値」をスコア化した総合得点をもとに正常 (0～1)，軽度栄養不良 (2～4)，中等度栄養不良 (5～8)，高度栄養不良 (9～12) を判定する．

●栄養アセスメント

アセスメントに用いる栄養指標として以下がある (表 16-3)．

1) 長期的な栄養状態をみるための静的栄養指標：全般的な栄養状態を定量的に評価

①**身体計測**：体重の変化，BMI，皮下脂肪量・筋肉量．なお BMI は，加齢による身長の短縮の影響を受けるため解釈には注意する．

②**血液検査データ**：代表的なものを以下に挙げる．

・血清アルブミン (albumin：Alb)：半減期が約 20 日と長く，約 3 週間前の栄養状態を反映する．最も基本的な栄養状態の指標だが，炎症により合成が低下するため，解釈には検査データの総合的な判断が必要．

・血中尿素窒素 (blood urea nitrogen：BUN)：蛋白質摂取量の評価に用いられ，低値で摂取不足を疑う．

・総コレステロール (total cholesterol：T-Cho)：蛋白質が肝臓に運ばれて合成されるため，低値の場合，蛋白質の摂取不足か肝臓の合成能の低下を疑う．

・コリンエステラーゼ (cholinesterase：ChE)：肝臓で合成される酵素であり，肝臓での蛋白合成の指標となる．

・C 反応性蛋白 (C reactive protein：CRP)：代表的な急性期蛋白質であり，炎症により増加する．

・総リンパ球数 (total lymphocyte count：TLC)：免疫能の指標．低栄養時には免疫能が低下する．

2) 直近の栄養状態をみるための動的栄養指標：血中半減期が短く，現在の栄養状態を反映

①**血液検査データ**：以下はリアルタイムでの栄養状態の指標であり，血清中の蛋白量を示す．代謝亢進や炎症，肝機能障害がある場合，正しく反映されない．

・トランスサイレチン (transthyretin：TTR)

・トランスフェリン(transferrin：Tf)
・レチノール結合蛋白(retinol-binding protein：RBP)

●栄養状態を改善するためのエネルギーと栄養必要量の算出(表 16-4)

栄養アセスメント後は，栄養状態を改善するのために必要なエネルギー量と栄養素の必要量を算出する.

■表 16-3　栄養評価の指標

1. 身体計測

1)体重の変化

体重減少率＝(通常時体重－現在の体重)/通常時体重×100

	低リスク	中リスク	高リスク
1か月	変化なし(減少 3% 未満)	3〜5% 未満	5% 以上
3か月		5〜7.5% 未満	7.5% 以上
6か月		3〜10% 未満	10% 以上

2)BMI(kg/m^2)＝体重(kg)/〔身長(m)〕^{2}

・**身長**(測定が困難な場合は推定値を用いる)

【膝高による身長の推定】〈男性〉身長(cm)＝64.19－(0.04×年齢)＋〔2.02×膝高(cm)〕
〈女性〉身長(cm)＝84.88－(0.24×年齢)＋〔1.83×膝高(cm)〕

やせ	普通	肥満
18.5 未満	18.5 以上 25 未満	25 以上

高齢者の BMI の目標値	
65〜74 歳	21.5〜24.9
75 歳以上	

(厚生労働省：2020 年版「日本人の食事摂取基準」より)

3)皮下脂肪量や筋肉量の判定(日本人の身体計測基準値 JARD2001 を基準とする)

・**脂肪量の指標**
上腕三頭筋部皮下脂肪厚(TSF)(mm)
・**筋肉量の指標**
上腕周囲長(AC)(cm)
上腕筋周囲長(AMC)(cm)＝AC－0.314×TSF
上腕筋面積(AMA)(cm^2)＝$(AC-0.314\times TSF)^2/4\pi$
下腿周囲長(CC)(cm)

【栄養障害の判定基準】
標準値の 60% 未満…高度
60〜80% 未満………中等度
80〜90% 未満………軽度
90% 以上……………正常

2. 血液検査データ

	基準値	低栄養基準値
1)蛋白質の指標		
アルブミン(albumin：Alb)	4.1〜5.1 g/dL	3.5 g/dL 以下
トランスサイレチン(transthyretin：TTR)	22〜40 mg/dL	15 mg/dL 以下
トランスフェリン(transferrin：Tf)	190〜320 mg/dL	190 mg/dL 以下
レチノール結合蛋白(retinol-binding protein：RBP)	2.4〜7.0 mg/dL	2.0 mg/dL 以下
2)肝臓で合成される蛋白質の指標		
コリンエステラーゼ(cholinesterase：ChE)	男性：240〜486 U/L 女性：201〜421 U/L	100 U/L 以下
3)尿中に排泄された蛋白質の指標		
血中尿素窒素(blood urea nitrogen：BUN)	8〜20 mg/dL	150 mg/dL 以下
4)脂質の指標		
総コレステロール(total cholesterol：T-Cho)	142〜248 mg/dL	140 mg/dL
5)炎症の指標		
C 反応性蛋白(C reactive protein：CRP)	0.00〜0.14 mg/dL 以下	高値で蛋白質の合成が低下
6)免疫能の指標		
総リンパ球数(total lymphocyte count：TLC)	2,000/μL 以上	1,500/μL 以下

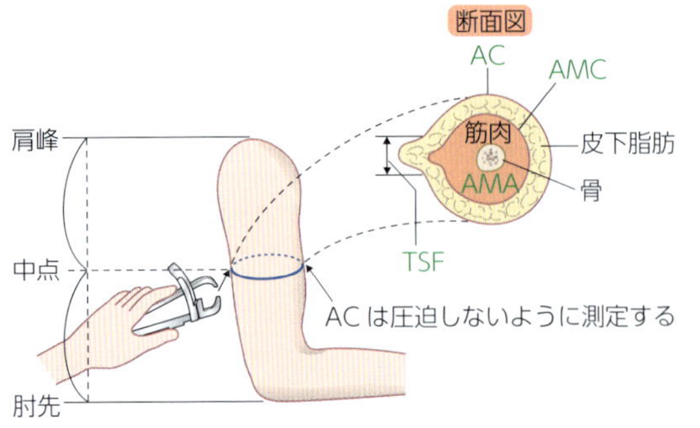

■図 16-1　AC の測定部位と断面図
AC：上腕周囲長　AMC：上腕筋周囲長　AMA：上腕筋面積
TSF：上腕三頭筋部皮下脂肪厚

CC
下腿の最も太い
部分を測定する

■図 16-2　CC の測定部位
CC：下腿周囲長

■表 16-4　エネルギーと各栄養素の算出方法

1. エネルギー

1) エネルギー必要量(kcal/日)
　＝基礎エネルギー消費量(basal energy expenditure：BEE)×活動係数×ストレス係数

【BEE の求め方(Harris-Benedict の式)】
BEE(男性)＝66.47＋13.75×体重(kg)＋5.0×身長(cm)－6.76×年齢(歳)
BEE(女性)＝665.1＋9.56×体重(kg)＋1.85×身長(cm)－4.68×年齢(歳)

・活動係数(activity factor：AF)
　寝たきり 1.0～1.1，ベッド上安静 1.2，ベッド外活動 1.3～1.4
・ストレス係数(stress factor：SF)
　侵襲度や重症度に応じて 1.0～2.0 に設定する(表 16-5).

2) 推定エネルギー必要量(第 1 編「3 食事」，p.25，表 3-A 参照)
3) 簡易式：エネルギー必要量(kcal/日)＝25～30 kcal/日×体重(kg)
ただし，ストレスの程度により増減する.

2. 蛋白質

蛋白質(アミノ酸)必要量(g/日)＝体重(kg)×ストレス係数(SF)
※もしくは，総エネルギー量の 15～20%

3. 脂質

脂質必要量(g/日)＝脂質 0.5～1.0 g×体重(kg)
※もしくは，総エネルギー量の 20～30%

4. 糖質

糖質必要量(g/日)＝{総エネルギー量(kcal)－蛋白質エネルギー量(kcal)－脂質エネルギー量(kcal)}÷4
※もしくは，総エネルギー量の 50～65%

5. 電解質(2020 年版「日本人の食事摂取基準」より)

ナトリウム(Na)必要量	＝600 mg/日	
カリウム(K)必要量	＝(男性)2,500 mg/日	(女性)2,000 mg/日
カルシウム(Ca)必要量	＝(男性)600 mg/日	(女性)500～550 mg/日
マグネシウム(Mg)必要量	＝(男性)270～290 mg/日	(女性)220～230 mg/日
リン(P)必要量	＝(男性)1,000 mg/日	(女性)800 mg/日

6. 水分

水分必要量(mL)＝30～40 mL/日×体重(kg)

■表16-5　ストレス因子とストレス係数(SF)

ストレス因子	ストレス係数(SF)
飢餓状態	0.6～0.9
術後(合併症なし)	1.0
小手術	1.2
中等度手術	1.2～1.4
大手術	1.3～1.5
長管骨骨折	1.1～1.3
多発外傷	1.4
腹膜炎・敗血症	1.2～1.4
重症感染症	1.5～1.6
熱傷　60% 未満 　　　60% 以上	1.2～2.0 2.0
発熱(1℃ごと)	+0.1

(日本静脈経腸栄養学会編：静脈経腸栄養ハンドブック．p.151，表8，南江堂，2011をもとに作成)

合併しやすい症状

低栄養はさまざまな合併症を生じ，多くの疾患の生命予後に影響する．

- 免疫能の低下，易感染性
- 筋肉量の減少(サルコペニア)，フレイル
- 転倒，骨折
- 創傷治癒遅延，褥瘡

治療法

●栄養療法

栄養療法により低栄養を改善することは，基礎疾患や合併症の予防と治療につながり，生命予後や全身状態の改善，生活の質(quality of life：QOL)の向上にもつながる．栄養療法は，低栄養の原因を明らかにしたうえで，原因に応じて適切に行う必要がある．

1)種類

・経静脈栄養法(parenteral nutrition：PN)：末梢静脈栄養法，中心静脈栄養法

・経腸栄養法(enteral nutrition：EN)：経口栄養法，経管栄養法

2)低栄養の原因に応じた治療の方向性

・急性疾患，外傷に関連する低栄養(侵襲)

急性疾患や外傷による侵襲時に多くのエネルギーを投与しても，筋肉の蛋白質の分解は抑制できないため，異化期は栄養状態の悪化防止を目標とし，侵襲の原因疾患の治療を優先する必要がある．炎症反応が減少傾向を示した際に必要栄養量を摂取しながら積極的なリハビリテーションを行うことで，蛋白質を効果的に取り込むことができる．

・慢性疾患に関連する低栄養(悪液質)

栄養状態の悪化をできる限り遅らせる必要があるが，栄養療法単独での栄養改善は困難なため，多職種による支援が必要とされる．多職種で協働しながら適切な栄養摂取と軽度な活動による体力の維持を図る．ただし，終末期にある不可逆的悪液質の場合には，積極的な栄養を控えることが推奨されている．

・飢餓に関連する低栄養(飢餓)

慢性的な飢餓状態が認められる場合は，高エネルギーの栄養摂取によりリフィーディング症候群*(refeeding syndrome：RFS)が生じるため注意が必要である．急激な栄養摂取は避け，ゆるやかに増量していく．この場合，適切な栄養管理を行うことで体重や筋肉量は回復できる．

■表 16-6　褥瘡や創傷の治癒を促進する栄養素と推奨量

栄養素	推奨量	含有量が多い食品例
亜鉛	男性 10～11 mg/日 女性 8 mg/日	牛肉(赤身)，豚レバー，かき，納豆など
ビタミン C	100 mg/日	キウイフルーツ，アセロラ，いちごなどの果実類，ピーマン，ブロッコリーなど
アルギニン	5～7 g/日*	大豆，大豆製品，鶏肉，ナッツ類，牛乳など

〔厚生労働省：2020 年版「日本人の食事摂取基準」より抜粋．ただし，*は世界保健機関(WHO，1985)による基準〕

＊リフィーディング症候群とは，慢性的な低栄養状態に対して，急激な栄養補給を行うことで生じる細胞内移動に伴う代謝合併症である．心不全や呼吸不全，腎不全などの多彩な症状を呈する．

●リハビリテーションの併用

筋肉の減少や筋力低下に対する栄養介入の効果は明らかであるが，栄養単独介入よりも運動との併用がより有効であることが多く報告されている．

●効果的な栄養摂取のタイミング

・蛋白質：食後 2 時間以内の運動開始と，運動終了後(2 時間以内)の摂取が望ましいとされる．とくに，分岐鎖アミノ酸(branched chain amino acid：BCAA)を 2 g 以上含んだ栄養剤などを摂取することで，効率よく運動の効果を得ることができる．
・糖質：運動後 1 時間以内に摂取することで，筋肉内のグリコーゲンの貯蔵量が増加し，持久力を高めることができる．

●褥瘡や創傷の治癒を促進する栄養素の摂取(表 16-6)

以下の栄養素が十分に摂取できるように，含有量の多い食品の優先的な摂取や栄養補助食品の活用を検討する．

・亜鉛：蛋白質や核酸の合成に必要な微量元素で，創傷治癒に重要な肉芽形成や創部の再上皮化に関わる．
・ビタミン C：創傷治癒に重要なコラーゲン(肉芽組織の構造の主成分)の合成に関わる．体内で合成されないため，食品から摂取する必要がある．
・アルギニン：免疫反応の活性化やコラーゲンの合成に関わる．

低栄養状態にある高齢者の看護

看護の視点

1. 低栄養の原因となっている疾患や症状をふまえた多職種協働による支援

基礎疾患により低栄養を改善するのためのケアは異なる．栄養素の取り込みを阻害している要因，もしくは栄養素を消費している要因の 2 側面から低栄養の原因をアセスメントし，多職種協働により適切な栄養療法を検討したうえで，低栄養を改善するためのケアを展開する．

2. 適切な食事環境により摂食力を高め，口からおいしく食べ続けるための支援

高齢者は加齢や疾患により摂食嚥下障害が生じやすいが，いつまでも好きな食べものをおいしく食べたいと願っている．誤嚥したからと食形態をすぐに変更するのではなく，まずは適切な食事姿勢なのか，食事に集中できる覚醒状態と環境か，嗜好品を取り入れているかなどを見直したうえで，摂食力が高まる食事環境を整えながら経口摂取が十分に行えるよう支援していく．

3. 栄養状態に応じた活動の拡大により低栄養を改善するための支援

低栄養の状態で高負荷な運動を行うことは，二次性サルコペニアを引き起こし，さらなる低栄養の悪化をもたらす．栄養状態の改善を図りながら，高齢者の入院前の生活習慣に沿った心地よい活動を生活に取り入れることができるように支援することから始め，栄養状態の改善とともにもてる力を発揮しながら徐々に活動を拡大していく．

●病期に応じた長期的な看護の視点

【急性期】 高齢者は，加齢変化や認知症などの基礎疾患により，入院時すでに低栄養である可能性が高い．また，大腿骨近位部骨折などの急性期医療の現場では，疾患に起因する疼痛などの症状や，突然の環境の変化によるせん妄の出現など，多くの要因が影響し食事摂取量が減少しやすいことに留意する．さらに，周術期は身体的な侵襲による骨格筋蛋白質の異化亢進により低栄養が進行するため，入院時から早期に栄養状態を評価したうえで，栄養状態を改善するための適切なケアを多職種協働で実施していく．急性期は，ベッド上での安静が強いられる場合も多く，活動性の低下から食欲が低下しやすいため，高齢者の嗜好を考慮しながら栄養補助食品の提供を検討するなど，少ない摂取量でも栄養素を十分に取り入れられるような食事の工夫も必要となる．

【回復期】 回復期リハビリテーション病棟に入院中の高齢者の低栄養の割合は 4 割以上と報告されている．低栄養は退院後の日常生活動作に影響を及ぼすことから，回復期においても栄養状態の評価と栄養状態を改善するためのケアが重要となる．筋肉量減少によるサルコペニアなどにより，フレイルのリスクが高い状態であることに留意しながら，高齢者の摂食嚥下能力に応じた食形態の選択や，入院前の日常生活動作をふまえ，もてる力を発揮しながら活動を拡大できるような日常生活支援の実施が必要となる．

STEP 1 アセスメント ＞ STEP 2 看護の焦点の明確化 ＞ STEP 3 計画 ＞ STEP 4 実施

情報収集・情報分析

	必要な情報	分析の視点
疾患関連情報	**現病歴と既往歴** ・低栄養に至る加齢変化 ・急性疾患，慢性疾患，飢餓 ・食事摂取に影響を及ぼす疾患	□低栄養に至る加齢変化による要因はどの程度か □低栄養に影響する急性疾患や慢性疾患はないか □経口からの食事摂取が困難となる疾患はないか □摂食嚥下障害を引き起こす疾患はないか
	症状 ・摂食嚥下障害 ・睡眠障害	□摂食嚥下障害があるか．あればどの程度か □摂食嚥下能力に応じた食形態が提供されているか □睡眠障害が活動性の低下に影響してはいないか
	検査，治療 ・身体計測，血液検査データ	□栄養スクリーニングとアセスメントによる低栄養の判定と重症度はどうか

	必要な情報	分析の視点
疾患関連情報	・薬物療法 ・安静の程度 ・栄養補給の状況 ・リハビリテーション	□薬物の有害事象(食欲不振，悪心，眠気，味覚障害，嚥下機能低下など)が食事摂取に影響していないか □疾患の治療による過度な安静状態になっていないか □不適切な禁食状態が継続されていないか □機能訓練時の動作を活かした日常生活支援が行われているか
身体的要因	**運動機能** ・移動能力，麻痺，手指の巧緻性 ・筋力，体力・持久力	□麻痺や手指の巧緻性の低下が摂食動作に影響していないか □筋力や体力の保持に必要な活動が行えているか □運動機能の障害がないにもかかわらず運動の機会が失われていないか
	認知機能 ・せん妄，うつ病 ・誤嚥や窒息の恐怖	□認知機能の低下やせん妄，うつ病などが，食事時間の覚醒や摂食動作に影響していないか □誤嚥や窒息への恐怖が食事摂取への意欲に支障をきたしていないか
	言語機能，感覚・知覚 ・歯や義歯の状態，咬合力 ・味覚，嗅覚，視覚，聴覚 ・消化・吸収機能	□歯の喪失や義歯の不適合，咬合力の低下が食事摂取量や食形態に影響していないか □感覚機能障害が食欲や食事のおいしさに影響していないか
心理・霊的要因	**健康知覚・意向，自己知覚** ・食事に対する考え方，食事の嗜好 ・活動に対する思い	□低栄養状態にあることに対する認識と思いはどうか □低栄養状態に対してどのように対処しようとしているのか □筋力の維持に必要な活動に対してどのような思いをもっているか
	価値・信念，信仰 ・食事や活動へのこだわり	□食べたいものや日中の活動に対して，どのような希望をもっているか
	気分・情動，ストレス耐性 ・食事が食べられないことや動けないことによるストレス	□治療により食べられないことや，安静の指示により動くことができないことに対してストレスを感じているか，どのような希望をもっているか
社会・文化的要因	**役割・関係** ・孤独 ・人間関係	□食事の時間をともに楽しみたい家族や仲間がいるか □生き生きと活動するための仲間はいるか □配偶者の不在が，食事の準備や活動に影響していないか
	仕事・家事・学習・遊び，社会参加 ・交通手段 ・経済的困窮	□他者とのかかわりや移動手段が制限されることで，食事の楽しみや活動に支障をきたしていないか □経済的な困窮により，必要な食事量を確保できない状況にないか
睡眠・休息	**睡眠・休息のリズム，睡眠・休息の質** ・睡眠時間(日中・夜間) ・中途覚醒，目覚め方，残眠感 ・薬物の使用状況	□日中の活動が行えるための休息がとれているか □夜間・日中を通した休息のパターンはどうか □中途覚醒が睡眠の質や量に影響していないか □薬物の使用による睡眠への影響はどうか □向精神薬の内服により薬剤性の摂食嚥下障害を生じていないか
	心身の回復・リセット ・睡眠に対する思い ・暮らしのうえでの気がかり	□満足のいく睡眠がとれているか □睡眠に影響するような気がかりが食事時間の集中や食欲，日中の活動に影響していないか

	必要な情報	分析の視点
覚醒・活動	**覚醒** ・活動時の居眠り ・日中の覚醒時間と必要な休息 ・薬物の使用状況	□臥床安静や禁食などにより低活動の状態にないか □不十分な休息により，日中の食事や運動などの活動に影響が出ていないか □薬物の使用により，日中の活動に影響が出ていないか
	活動の個人史・意味，活動の発展 ・趣味，生きがい ・日中の過ごし方や活動量 ・活動への意欲	□これまでの生活をふまえたその人らしい日中の活動が，食欲によい影響をもたらしているか □実施する内容や他者とのかかわりなど活動に対する意欲はどうか □栄養状態に応じた活動が行えているか．低栄養の状態で過度に活動していることはないか
食事	**食事準備，食思・食欲** ・食への関心，食事の場 ・食欲不振，食事への思い ・食事制限	□食事をともにする家族やその他の人との関係性はどうか □疾患や薬物による有害事象が食欲に影響していないか □おいしさを引き立てる盛り付けや嗜好に合った食事が提供されているか
	姿勢・摂食動作，咀嚼・嚥下機能 ・運動機能，姿勢 ・食事時間，身体的疲労 ・咀嚼機能，嚥下機能 ・唾液分泌量，口腔内の状態	□上肢の運動機能に適した食具が選択されているか □安定した食事姿勢を保つことができているか □食事時間の延長とそれに伴う疲労はみられないか □摂食嚥下障害がある場合は，その程度に応じた食形態が提供されているか □口腔内の状態が食事摂取量に影響していないか
	栄養状態 ・1日の食事摂取量，回数，内容 ・栄養摂取量，水分摂取量 ・栄養補助食品(BCAA，亜鉛，ビタミンC，アルギニンなど)	□1日の食事摂取量や回数，内容に変化はないか □必要な栄養と水分が摂取できているか □食事摂取量が少ない場合は，蛋白質を優先的に摂取できているか □食事摂取量が少ない場合は，栄養補助食品の活用など食事内容の工夫が行えているか
排泄	**尿・便をためる** ・尿量(1回量・1日量)，排尿間隔 ・尿・便の漏れや自覚症状	□食事や飲水のin-outバランスはどうか □食事中に排泄を我慢してしまうことや失禁による不快感が食事摂取に影響していないか
	尿意・便意 ・尿意や便意，伝達方法 ・活動性の低下，休息	□尿意や便意を伝えることができているか □切迫した尿意や便意が活動性の低下や食事の集中に影響していないか
	姿勢・排泄動作 ・トイレへの移動，ズボンの上げ下げ，手洗いまでの一連の排泄動作 ・介助状況	□介助による羞恥心が活動意欲の低下やあきらめにつながっていないか
	尿・便の排出，状態 ・排尿回数，排便回数 ・便秘，下痢 ・おむつの使用	□便秘が食欲や食事摂取量に影響していないか □便の性状に適した下剤が使用されているか □食事や水分摂取の状況，嗜好品などが，尿量の増減や便の性状に影響していないか □おむつ使用への気がかりが食事に影響していないか

	必要な情報	分析の視点
身じたく	**清潔** ・瘙痒感 ・入浴 ・口腔内の状態，唾液分泌量 ・口腔ケア(回数・タイミング)	□身体的な不快感が食事摂取に影響していないか □さっぱりと心地よい状態で食事を摂取できているか □歯の欠損，義歯，動揺歯，口内炎，う歯，舌苔はないか □おいしさを感じながら食事がとれるよう，口腔内が清潔に保たれているか □咀嚼力や嚥下力を高めるため，食前の口腔ケアが行われているか □誤嚥性肺炎を予防するため，食後や就寝前の口腔ケアが行われているか
	身だしなみ，おしゃれ ・更衣，整容 ・おしゃれに対する思い，満足度	□低栄養でやせてしまった見た目の変化が，おしゃれに対する思いに影響していないか
コミュニケーション	**伝える・受け取る** ・失語，構音障害 ・記憶障害，感覚障害(視力・聴力) ・伝える手段，受けとる手段	□認知機能や聴力に応じた方法で，食事に関するコミュニケーションが図れているか □情報を適切に伝えられない，受け取れないことによるストレスやあきらめが食事摂取に影響していないか
	コミュニケーションの相互作用・意味 ・コミュニケーションの場 ・食事や活動に関する意思表示	□心地よく思いを伝えられ安心できる場が確保されているか □他者とかかわり，一緒に食事を楽しもうとする意欲はあるか □生活史や価値観をふまえた食事や活動に関する好みをどのように伝えているか
	コミュニケーションの発展 ・交流に対する意向 ・他者や社会とのつながり	□他者との良好なかかわりが活動への意欲につながっているか □役割を感じながら他者との関係性を築くことができているか

アセスメントの視点(病態・生活機能関連図へと導くための指針)

高齢者の低栄養は，加齢変化による身体的・精神的・社会的要因に加えて，疾患による要因が複雑に絡み合って存在している．以下では，急性疾患によって一時的に安静状態にあった高齢者の回復期における看護を展開する．高齢者の栄養状態を早期に評価したうえで，改善のために必要とされる食事内容や摂取方法を工夫する．十分な経口摂取が難しい場合は栄養補助食品の使用なども視野に入れ，口から食べ続けることができるための支援を行う．さらに，二次性サルコペニアの予防も念頭におきながら，栄養状態の改善に応じたもてる力を発揮できる段階的な活動拡大への支援を多職種協働で行い，低栄養を改善していく．

低栄養状態にある高齢者の病態・生活機能関連図

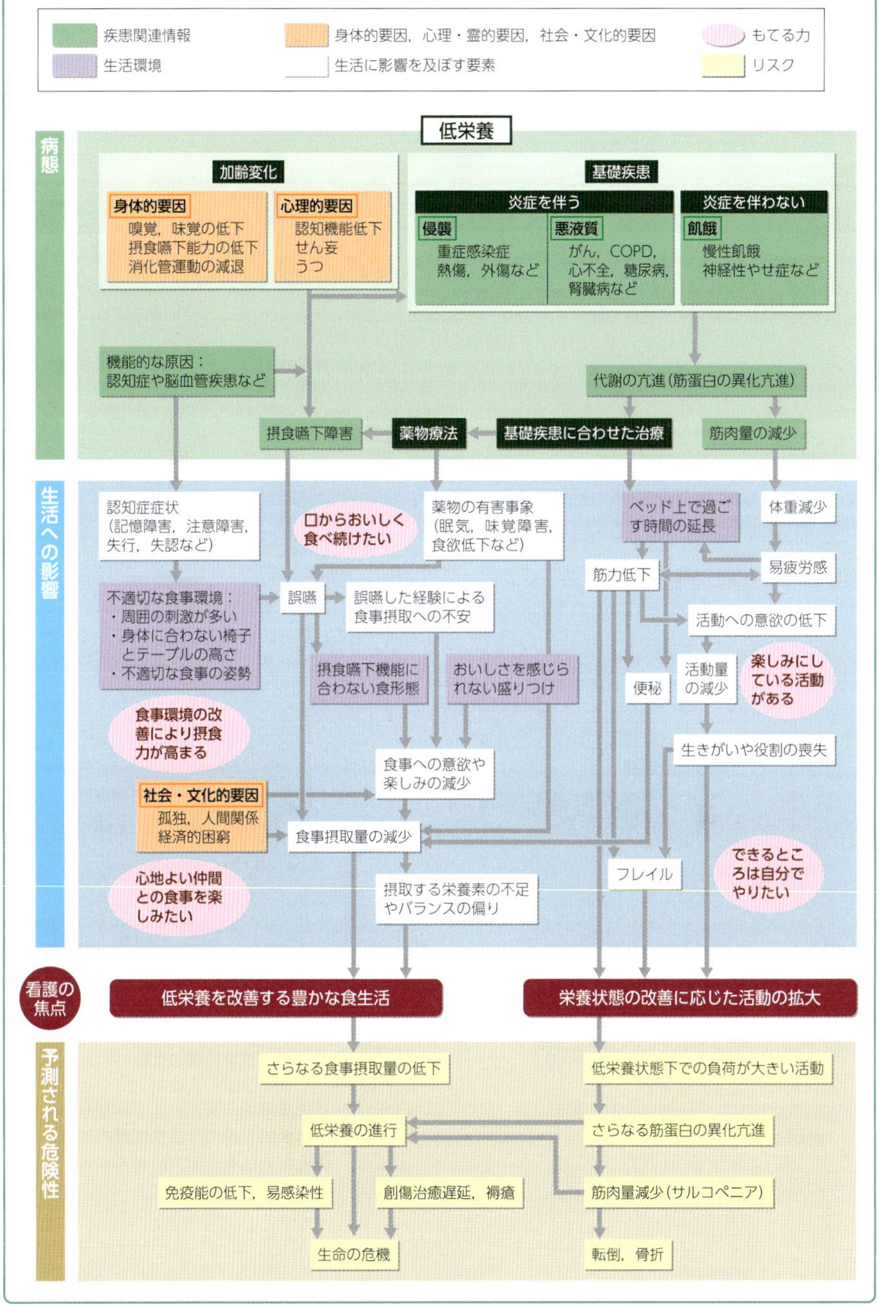

疾患関連情報
身体的要因，心理・霊的要因，社会・文化的要因
もてる力
生活環境
生活に影響を及ぼす要素
リスク

病態

低栄養

加齢変化
- 身体的要因：嗅覚，味覚の低下／摂食嚥下能力の低下／消化管運動の減退
- 心理的要因：認知機能低下／せん妄／うつ

基礎疾患
- 炎症を伴う
  - 侵襲：重症感染症／熱傷，外傷など
  - 悪液質：がん，COPD，心不全，糖尿病，腎臓病など
- 炎症を伴わない
  - 飢餓：慢性飢餓／神経性やせ症など

機能的な原因：認知症や脳血管疾患など
代謝の亢進（筋蛋白の異化亢進）
摂食嚥下障害
薬物療法
基礎疾患に合わせた治療
筋肉量の減少

生活への影響

認知症症状（記憶障害，注意障害，失行，失認など）
口からおいしく食べ続けたい
薬物の有害事象（眠気，味覚障害，食欲低下など）
ベッド上で過ごす時間の延長
体重減少
筋力低下
易疲労感
不適切な食事環境：
・周囲の刺激が多い
・身体に合わない椅子とテーブルの高さ
・不適切な食事の姿勢
誤嚥
誤嚥した経験による食事摂取への不安
活動への意欲の低下
摂食嚥下機能に合わない食形態
おいしさを感じられない盛りつけ
便秘
活動量の減少
楽しみにしている活動がある
食事環境の改善により摂食力が高まる
食事への意欲や楽しみの減少
生きがいや役割の喪失
社会・文化的要因：孤独，人間関係／経済的困窮
食事摂取量の減少
心地よい仲間との食事を楽しみたい
摂取する栄養素の不足やバランスの偏り
フレイル
できるところは自分でやりたい

看護の焦点

低栄養を改善する豊かな食生活
栄養状態の改善に応じた活動の拡大

予測される危険性

さらなる食事摂取量の低下
低栄養状態下での負荷が大きい活動
低栄養の進行
さらなる筋蛋白の異化亢進
免疫能の低下，易感染性
創傷治癒遅延，褥瘡
筋肉量減少（サルコペニア）
生命の危機
転倒，骨折

STEP① アセスメント　STEP② 看護の焦点の明確化　STEP③ 計画　STEP④ 実施

看護の焦点の明確化

#1　加齢や疾病に起因する食事摂取量の減少がみられるが，食べたいものを食べられる形態で摂取でき，栄養状態を良好に保つことができる

#2　疾患による一時的な安静状態によりサルコペニアのリスクが高い状態にあるが，栄養状態に応じて楽しみな活動を徐々に拡大できる

STEP① アセスメント　STEP② 看護の焦点の明確化　STEP③ 計画　STEP④ 実施

1 看護の焦点	看護目標
加齢や疾病に起因する食事摂取量の減少がみられるが，食べたいものを食べられる形態で摂取でき，栄養状態を良好に保つことができる	1) おいしさを感じながら食べることができる 2) 体重を維持または増加することができる 3) 1週間の平均エネルギー摂取量が○○ kcal以上になる 4) 十分な食事量を摂取できない場合は，蛋白質を選択的に摂取できる 5) 栄養状態が良好になる(血清アルブミン値>3.5 g/dL)

具体策(支援内容)	根拠
1. 栄養状態の評価と栄養改善に向けた多職種協働による支援	
1) 栄養状態の評価 ・栄養スクリーニングツールを使用し，低栄養の有無を判定する ・身体計測，血液検査データによる栄養アセスメントの結果から低栄養の重症度を判定する	●高齢者の低栄養は，入院期間の延長や退院後の生活に大きく影響する．そのため，入院後速やかに栄養状態を評価し栄養管理を行うことで，合併症が出現することなく，早期の退院を迎えられ，もとの生活の場に戻れるよう支援することが大切である
2) 多職種協働による栄養必要量の算出と摂食嚥下障害に応じた食形態の選択 ・栄養アセスメントにもとづき，管理栄養士とともにエネルギー必要量や蛋白質など各栄養素の必要量を算出する ・薬物の有害事象による食欲低下や味覚異常，眠気などが食事摂取量に影響していないかを医師・薬剤師とともに確認し，影響がみられる場合は，薬物の見直しを行う ・言語聴覚士による摂食嚥下障害の評価をもとに適切な食形態の食事を提供する ・摂食嚥下障害がみられる場合は，嚥下調整食の提供を検討する	●管理栄養士や言語聴覚士，医師を含めた多職種協働により，栄養状態や全身状態の総合的な評価を行い適切な栄養必要量を算出することで，早期に栄養状態を回復することにつなげる ●高齢者は複数の薬物を内服していることが多いため，その有害事象が食事摂取に影響を及ぼしている可能性がある．よって入院時の早期に医師・薬剤師とともに薬物の見直しを行う必要がある ●嚥下調整食は通常の食形態よりも栄養価が低くなるため，食事環境の見直しを行ったうえで，言語聴覚士による摂食嚥下障害の評価のもと適切な食形態を選択する必要がある
3) 栄養状態のモニタリング ・栄養状態を身体計測や血液検査データにより評価する ・定期的な評価(1〜2週間ごと)を行うことで栄養管理の目標の再設定を行う	●栄養状態をモニタリングすることで，全身状態や栄養状態の予後を予測することができる ●栄養療法の基本的な目標は理想体重の維持であるため，体重の変化を定期的に測定することが重要である

2. 低栄養の分類に応じた食事摂取への支援

1) 急性疾患や外傷による侵襲が低栄養の背景にある場合

・根本的な原因である疾患の治療を優先的に行いながら，炎症反応が減少傾向を示した際に積極的な栄養摂取を開始する

・蛋白質を優先的に摂取できるように食事環境を整える

●侵襲時は，筋蛋白の異化が亢進するにもかかわらず，摂取した栄養素が筋肉の同化に使用されずに高血糖が増悪するため，栄養素の過剰な負荷は避ける必要がある

●炎症反応の減少とともに積極的な栄養摂取(とくに蛋白質)を行うことで，効果的な蛋白質の合成を促す

2) 慢性疾患による悪液質が低栄養の背景にある場合

・必要栄養量(とくに蛋白質)を摂取できるように，食事環境を調整する(栄養補助食品の活用の検討や，食欲が増進するような食事の盛り付けなど)

●慢性疾患による食欲不振が生じやすいため，少量でも栄養素を十分に摂取できるような工夫が必要となる

●慢性的な炎症が背景にあるため，蛋白質を十分に摂取できるように食事内容や配膳方法を工夫する必要がある

3) 飢餓による低栄養が背景にある場合

・栄養必要量の 1/4 程度から開始して，数日ごとに増量し，7～10 日で必要量に達するように調整する

●慢性的な飢餓状態にある高齢者への高エネルギーの栄養摂取は，RFS (p.327 参照) による身体への悪影響が生じるため注意が必要である

3. 低栄養を改善する豊かな食事環境づくり

1) 食事の場の調整

・食事をともにする仲間との心地よい時間となるように，なじみの場で食事を提供する

●認知症による記憶障害や見当識障害などがある場合，なじみの場や人がいる環境で食事とることは，食事の認知を助け，食事摂取量の増加につながる

2) 食事に専心できるための調整

・認知症による注意障害がみられる場合は，食事に集中できるような食事の場を調整する(テレビを消す，食卓の上に食事に関係する物品以外は置かないなど)

●食事の中断の要因となりうる視覚，聴覚からの刺激を調整することで，食事時間の延長がなく摂取できる

●食事時間の延長は，嚥下筋群の疲労にもつながり誤嚥しやすくなるため，食事に専心できる環境づくりは口から食べ続けることを支援するためにも重要である

・適切な食事姿勢で食事をとることができているかを作業療法士とともに確認する

●姿勢の崩れは，誤嚥や疲労感の増加をもたらし食事摂取量の減少につながる．食事中の誤嚥は，食形態の変更が検討されるきっかけにもなるため，まずは誤嚥しやすい姿勢となっていないかを見直すことが重要である

3) おいしさを感じるための食事の工夫

・高齢者の食事摂取量を把握し，一品ごとの量の調整や配膳方法を工夫する

・食事の見た目や食器とのコントラストを意識した盛り付け，はっきりとした味付けをすることで食欲の低下を防ぐ

・温かさや冷たさの違いにより嚥下反射を誘発するなど摂食嚥下機能を高める調理法の選択や，嗜好に合った食品や味付けとなるよう工夫する

●高齢者が見た目に多いと感じるような食事量が配膳されるだけで食欲が低下することがある．高齢者が 1 回に摂取可能な食事量をふまえた盛り付けや，コース料理のように配膳方法を工夫することで，食べてみたいと思えるように支援する

●馴染みのある食器や食材の彩りを引き立てる食器の選択，盛り付け方の工夫により，見た目からも食事を楽しむことができ，食欲の増加にもつながる

●嗜好品を取り入れたおいしい食事は，摂食嚥下機能を高めることにつながる

4) 経口摂取が継続できるための口腔ケア

・口腔スクリーニングおよび食前・食後の口腔ケアの実施により口腔環境を整える

●口腔ケアは，唾液の分泌促進や舌運動の機会にもなるため摂食嚥下機能を高めることが期待できる

●経口からの食事摂取を継続できることは，単に栄養を補給するだけではなく，精神的満足感や食事を通じたコミュニケーションの広がりにより生活を豊かにするため，生きるうえで大きな意味をもつことを忘れてはならない

4. 快適な排便習慣により食欲を増進するための支援

1) 排便姿勢の保持と下剤の内服による規則的な排便

・適切な排便姿勢が保持できるようなリハビリテーションを実施する

●座位の前傾姿勢を保持することで，便が排出しやすくなる．そのためには座位保持のための筋力が重要となる

・便秘がある場合は，排便間隔と便の性状に合わせた下剤を選択する

●便の性状に合わせた下剤を選択することで快適な排泄につながる

2) 食事による排泄しやすい便性の調整

・食物繊維を多く取り入れた食事と，水分補給ができるよう嗜好にあった飲みものを提供する

●脱水があると便は硬くなり便秘の原因になりやすく，食欲不振につながる

5. 必要な栄養摂取を補うための支援

1) 蛋白質を選択的に摂取できる配膳方法の工夫

・十分な食事量を摂取できない場合は，副食(とくに蛋白質)を中心に摂取できるように盛り付けや食事の配膳方法を工夫する

●筋肉を形成するためには蛋白質の摂取が不可欠である

2) 効果的な栄養摂取を目的とした栄養補助食品の活用

●高齢者は様々な要因により食欲が低下しやすく，活動性の低下から成人期と比較し食事摂取量が減少する．そのため，少量でも栄養価が高くなるような栄養補助食品の活用が有効である

・栄養状態に応じた適切な活動量を多職種で検討する

・必要に応じて栄養補助食品の活用を管理栄養士と相談・調整する

・蛋白質摂取のタイミング：バリン，ロイシン，イソロイシンの3つのBCAAを含む栄養補助食品をリハビリテーション後に摂取できるよう提供する

●食後2時間以内の運動開始と，運動終了後(2時間以内)の摂取が望ましいとされる．とくに，BCAAを2g以上含んだ栄養剤などを摂取することで効率よく運動の効果を得ることができ，疲労の回復にもつながる

・糖質摂取のタイミング：リハビリテーション後1時間以内に摂取できるよう提供する

●糖質は筋肉中のエネルギー源であるため，運動後1時間以内に摂取することで筋肉内のグリコーゲンの貯蔵量が増加し持久力を高めることにつながる

3) 褥瘡や創傷の治癒を促進する栄養素の摂取

・褥瘡や創傷がある場合，亜鉛，ビタミンC，アルギニンが十分に摂取できるように含有量の多い食品の提供や，必要に応じて栄養補助食品の活用を検討する

●亜鉛は肉芽形成や創部の再上皮化に関わり，ビタミンCやアルギニンは肉芽組織の主成分となるコラーゲンの合成に関わるため，褥瘡や創傷を治癒する過程において重要な役割を果たす

2 看護の焦点	看護目標
疾患による一時的な安静状態によりサルコペニアのリスクが高い状態にあるが，栄養状態に応じて楽しみな活動を徐々に拡大できる	1) 低栄養状態からの回復段階にある場合には，負荷の少ない楽しみな活動が行える(音楽を聴く，会話を楽しむなど) 2) 栄養状態の改善の程度に合わせて，段階的に活動を拡大できる(趣味を考慮したアクティブな活動など) 3) 適切な休息により疲労感の持続がない 4) もてる力を発揮した日常生活動作が営める

具体策(支援内容)	根拠
1. 低栄養の分類に応じた活動への支援	
1) 急性疾患や外傷による侵襲が低栄養の背景にある場合 ・根本的な原因である疾患の治療を優先的に行いながら，炎症反応が減少傾向を示した際に積極的な栄養摂取とともにリハビリテーションを行う	●侵襲時に負荷が大きい活動を行うことは，筋蛋白のさらなる異化亢進をもたらし二次性サルコペニアを引き起こす．よって，炎症反応の減少に伴って積極的な栄養療法とともに活動を拡大していく必要がある
2) 慢性疾患による悪液質が低栄養の背景にある場合 ・体力の消耗を最小限にしながら活動を拡大する(ボディメカニクスを活用した起き上がり動作を取り入れるなど)	●慢性疾患により，軽度の活動で容易に消耗しやすい状況にある．体力の消耗を最小限とした日常生活動作が行えるように，ボディメカニクスを活用した動きを取り入れる
・増悪期は，体力の消耗を最小限にするため，リハビリテーションの時間を調整しながら負荷を最小限にした日常生活動作への支援を行う	●増悪期は炎症による筋蛋白の異化も亢進するため，負荷の大きな活動は避け，体力の維持を図る必要がある
・症状コントロールが良好なときには，アクティブな活動を日常生活に取り入れる	●体力の維持と回復を図る
3) 飢餓による低栄養が背景にある場合 ・易疲労感に配慮した軽負荷な活動から開始する	●慢性的な飢餓状態により疲労を感じやすい状態である．軽負荷な活動から始め，体力の回復をみながら状況に応じた活動への支援が必要となる
2. 二次性サルコペニアを予防しながら栄養状態の改善に応じて段階的な活動の拡大ができるための支援	
1) 栄養状態の改善に応じた段階的な活動の拡大 〈低栄養状態からの回復段階にある場合〉 ・活動による疲労を考慮し，負担とならない範囲でできるところ，できないところを見極めながら生活機能が低下しないよう日常生活動作を支援する	●低栄養の状態で高負荷な活動を行うことは，筋蛋白の異化が持続することから二次性サルコペニアにつながり，さらなる低栄養を招く．そのため，低栄養のときには，趣味などの楽しめる静的な活動を取り入れながら豊かな生活を送ることができるように支援する必要がある
・人との交流の時間や趣味を取り入れた軽負荷な活動を日常に取り入れる 例)椅子に座ってのテレビや音楽の視聴，デイルームでの楽しみながらの会話，椅子に座っての食事摂取	●日常生活動作への過剰な介助は，高齢者のもてる力を発揮する機会を奪うのみならず，活動量の減少により二次性のサルコペニアをもたらす．日常生活動作において，高齢者ができないところを補うように支援することで，筋力を維持することにつながる

〈栄養状態の改善がみられた場合〉

・高齢者の生活史を参考にし，趣味やレクリエーションなど楽しみながら行える活動を取り入れる

・日常生活に機能訓練を取り入れながら活動量を徐々に拡大する
例）趣味に合わせたレクリエーション，散歩や売店での買い物，端坐位での清拭時にもも上げや立ち上がり動作の取り入れ，トイレでの排泄

●栄養状態の改善とともに，趣味に合わせた楽しめる活動やレクリエーションなど，徐々に活動を拡大することが効果的に栄養状態を改善することにつながる

●日常生活支援の中にリハビリテーションを取り入れることで筋力を維持することにつながる

●入院前の日常生活活動を取り戻すことは，高齢者が元の生活に戻れることにつながる．元の住み慣れた環境に戻ることができるためにも，入院前の日常生活活動の再獲得を目指して支援する必要がある

2）心地よい活動を行うための体内リズムの調整と休息

・日中の覚醒と活動を高めるために，朝は自然光にあたる機会をつくり，他者と交流をもつ時間をつくる

・日中に適度な休息をとる（20～30 分程度）

●概日リズムを考慮した生活習慣を送ることで，夜間の良質な睡眠につながり，ひいては日中の活動の拡大にもつながる

●他者との交流は概日リズムの同調因子であることに加えて，コミュニケーションの相手がいることは覚醒する機会にもなり，活動への意欲が高まる

3）疲労度の把握

・疲労をうかがわせる表情や言動，姿勢の傾き，座りながら目を閉じているなどの様子がみられた場合には，休息をとることができるように調整する

・疲労がみられた場合は，バイタルサインに変化がないかを確認する

●低栄養は体力を低下させ活動による疲労感を感じやすくする．栄養状態を改善しながら活動の拡大を図ることは重要であるが，活動への意欲につなげることができるよう適切な休息をとることも必要である

3. もてる力を発揮した自立的な日常生活活動の営みへの支援

・機能の回復に応じて，理学療法士・作業療法士と調整しながらリハビリテーションでの動きを日常生活に段階的に取り入れる

・入院前の日常生活活動が行えるように，もてる力を発揮できる環境を整えて，生活機能の維持と向上を図る

●疾患の治療による一時的な安静状態は，高齢者にとって日常生活活動が大きく低下することにつながるとともに，筋肉量の減少から低栄養をもたらす．その結果，退院後の生活の場の選択に大きく影響し，元の住み慣れた環境へ戻ることを困難にする．このため，生活機能が低下しないように，高齢者の能力を見極めながらもてる力を発揮した日常生活活動が行えるように支援することが重要となる

関連項目

※もっと詳しく知りたいときは，以下の項目を参照しよう．

低栄養の誘因・原因

- 「1 認知症（→ p.56）」「4 大腿骨近位部骨折（→ p.111）」「6 慢性閉塞性肺疾患（→ p.143）」「7 心不全（→ p.164）」：加齢変化に加えて多くの疾患が低栄養につながるが，栄養状態を改善するためのケアと同時に基礎疾患の治療を行うことが重要であるため，基礎疾患がどのように低栄養につながるのかを確認しておこう

低栄養に関連したリスク

- 「5 肺炎（→ p.129）」「11 褥瘡（→ p.229）」「13 尿路感染症（→ p.272）」「28 フレイル（→ p.491）」：低栄養によりこれらの合併症の危険性が生じていないかを確認しよう

低栄養状態にある高齢者への看護

- 「15 摂食嚥下障害（→ p.304）」「20 排便障害（→ p.378）」「21 睡眠障害（→ p.394）」「26 せん妄（→ p.465）」：これらの障害は，食事摂取に重要な影響を及ぼす．したがって，食事摂取量を確保するためにもこれらの障害に対する看護を確認しよう

17 脱水

木島　輝美

病態生理

●脱水とは

脱水とは，身体に必要な水分と身体から排泄される水分とのバランスが崩れて，体液が不足した状態をいう．体液には水と電解質が含まれているため，正確には水と電解質(とくにNa)の不足ともいえる．水とNaの不足の割合によって，高張性脱水と低張性脱水とに分類されるが，臨床的には混合性の脱水が多い．普段と様子が違っていたら，まず脱水を疑ってよいほど高齢者に多くみられる状態である．

脱水の原因は，水分摂取の不足，発汗，多尿，嘔吐，下痢などさまざまである(表17-1)．高齢者は身体に占める体液の割合が50%程度で成人の60%に比べて低く，体内の水分が不足していても口渇を感じにくいといった特徴から，より脱水を生じやすいといえる．

一般的に脱水になると，口渇，皮膚・粘膜の乾燥，尿量減少，全身倦怠感などが出現するが，高齢者はそのような特徴的な症状がみられずに，活動性の低下や認知力の低下などの変化が先行する場合もある．また，脱水が重度になると，血圧低下，意識障害，昏睡，そしてときには生命の危機を招くこともある．したがって，日常から高齢者の脱水予防に向けた援助が重要である．

病因・増悪因子

脱水は大きく3つに分類される(表17-2)．多くは混合性であるが，どちらのタイプに近い脱水であるか見極めることで治療方針が違ってくる．

●高齢者が脱水を起こしやすい背景

1) **体内水分量**：高齢者は成人期に比べ，筋肉細胞の減少や脂肪の増加により，体内の水分割合が低下しているため，脱水を生じやすい．

2) **渇中枢**：脱水状態になると，視床下部の渇中枢が刺激され，のどの渇きを感じる．しかし高齢者ではこの渇中枢の機能が低下して，渇きの感覚が減少する．

3) **腎機能**：高齢者では下垂体から分泌される抗利尿ホルモンに対する腎臓の感受性が低下しており，尿量が減少せず脱水を起こす．

4) **消化吸収**：高齢者は，水分を吸収する消化管の機能低下や免疫力の低下から消化管の炎症が起こりやすく，水分吸収が障害される．

■表17-1　高齢者における脱水の発生因子

タイプ	病態	発生因子・機序
水分排泄の増加	嘔吐	急性胃炎，頭蓋内圧亢進などに伴う嘔吐により，体外への水分排泄量が増加
	下痢	細菌・ウイルス性腸炎，過敏性腸症候群に伴う下痢により，体外への水分排泄量が増加
	発汗	発熱，気温の上昇，活動増加などにより，発汗量が増加
	多尿	利尿薬，腎機能低下，糖尿病などにより，排尿量が増加
水分摂取の不足	渇中枢機能低下	のどの渇きを感じないため，自ら水分を摂取する機会が減少
	意図的な制限	夜間排尿や頻尿を避けるために意図的に水分摂取を制限
	身体可動性低下	口渇があっても，自力で水分を準備・摂取できない
	嚥下機能低下	飲み込みが困難なため摂取量が減少
	認知力低下	水分の必要性の認識や自力での水分確保ができない
	うつ状態	食欲低下，活動性の低下により，水分摂取量が減少

■表 17-2　脱水の種類と特徴

種類	高張性脱水（水欠乏性）	低張性脱水（Na 欠乏性）	混合性脱水（等張性）
特徴	水分喪失＞電解質（Na）喪失 細胞外液の血清浸透圧上昇（高張） 細胞外液の増加 細胞内液の減少	水分喪失＜電解質（Na）喪失 細胞外液の血清浸透圧低下（低張） 細胞外液の減少 細胞内液の増加	水分喪失≧電解質（Na）喪失 細胞外液の血清浸透圧≧細胞内液の浸透圧 細胞外液の減少 細胞内液の減少
原因	水分摂取量の不足 水分の喪失：発汗，多尿	消化液の喪失：嘔吐・下痢 皮膚・粘膜から喪失：発汗，熱傷 Na 喪失疾患：腎障害，アジソン病	※通常，水と Na は同時に喪失するため，すべての脱水は混合性脱水といえる
症状	口渇 唾液・涙の減少 乏尿，濃縮尿（尿比重の上昇） 尿中 Naの増加 体温上昇 精神症状 Ht，Alb 著変なし 血清 Naの増加 BUN，BUN/Cr やや上昇	口渇（顕著ではない） 乏尿（顕著ではない）， 尿比重の低下 尿中 Naの減少 全身倦怠感 低血圧，立ちくらみ 頭痛，嘔吐，痙攣，意識消失 Ht，Alb 著増 血清 Naの減少 BUN，BUN/Cr 著増	口渇 全身倦怠感，脱力感 尿量減少など ※喪失した水と Na の程度によって高張性・低張性両方の症状が出現する

症状

●高齢者の脱水の特徴

- 脱水の特徴的な症状が出現しにくいため発見が遅れやすい．
- 渇きを感じにくいため自覚症状が少ない．
- 支援者への遠慮や認知症により症状を周囲に伝えない．
- もともと体内の水分が少ないため重症化しやすい．

診断・検査値

1）問診

既往歴，現病歴，生活状況．自覚症状など（高齢者は症状に乏しく，失語症や認知症などにより正確な情報を得にくい場合も多いため，家族や援助者などからも聴取する必要がある）．

・脱水の誘因となる既往歴の有無：脳血管疾患，腎臓疾患，糖尿病，利尿薬の服用，認知症など
・脱水の誘因となる病態の有無：発熱，発汗，嘔吐，下痢，嚥下障害，意識障害など

2）診察

・水分出納，体重，バイタルサイン（体温，脈拍，血圧，呼吸）
・脱水症状の観察：表 17-2 および図 17-1 に示す症状の有無と程度，推移を観察する．

3）検査

・血液検査：ヘマトクリット（Ht），アルブミン（Alb），血清ナトリウム濃度，尿素窒素（BUN），BUN/Cr 比，血清浸透圧など
・尿検査：尿量，尿比重，尿中ナトリウム濃度など
・検査内容と病歴・症状とを併せて総合的に判断する．高齢者は，尿濃縮力の低下により脱水が高度になっても乏尿を示さなかったり，平常時から貧血や低栄養があると血液濃縮により Ht や Alb が上昇しても値が基準範囲内で収まる場合もあるため注意が必要である．

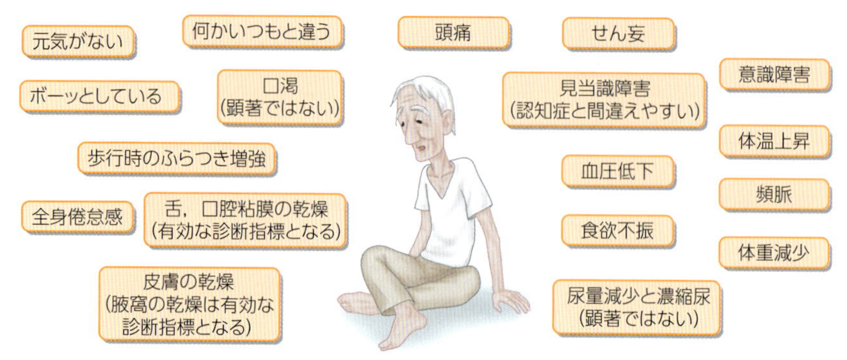

図 17-1　高齢者に多い脱水の症状・様子(混合性脱水の場合)

合併しやすい症状

- 脱水の重症化によりショック状態を起こし，腎不全，意識障害，昏睡などがみられる．最悪の場合は死亡する危険がある．
- 皮膚や粘膜の乾燥により，瘙痒感が増強し掻破したり，唾液の粘稠性が高まり口腔内が不潔になりやすい．
- 脱水による全身倦怠感のため臥床状態が続くと，筋力や心肺機能の低下を招く危険性がある．

治療法

●水・電解質の補給

1) **輸液療法：**最初は末梢静脈から 1 日 2,000 mL の 5% ブドウ糖液または生理食塩液を基本とし，血中 Na を測定しながら輸液の Na 量を調整する．過剰輸液による心臓や腎臓への負担を防ぐために，量と速度に注意する．
2) **経口補給：**嘔吐や下痢がない場合は経口摂取を促すが，食欲不振や意識障害により有効な摂取量が確保できないことが多いため，治療の初期は輸液療法の補助的な方法と考える．その後，体力の回復とともに経口摂取に切り替える．

●皮膚・粘膜の保護

- 皮膚の清潔と保湿に努め，損傷を防ぐ．
- 定期的な口腔ケアや含嗽により口腔内を清潔に保つ．

●活動性低下の予防のための支援

- 体調に合わせて自分でできることはしてもらうなど，離床する機会を増やす．
- 低張性脱水では末梢循環不全を伴うため，圧迫による褥瘡を形成しやすく注意が必要である．

脱水のある高齢者の看護

看護の視点

- 脱水は早期発見が重要であるが，高齢者は脱水の症状が非定型的であり発見が遅れることも多い．平素から高齢者の水分出納に注意し，脱水の誘因となる状態や高齢者の微妙な変化をとらえる．
- 高齢者は，体内水分量の減少や腎機能の低下などに加え，口渇を感じにくいため水分摂取量が少なくなり脱水に陥りやすい．水分摂取の重要性の理解や水分摂取方法の工夫による予防が重要である．
- 高齢者は皮膚・粘膜が脆弱であり，全身の予備力が低下しているため，脱水による症状や長期の安静を強いられることにより，皮膚損傷や筋力低下など二次的な障害を生じる危険性が高い．そのため，皮膚・粘膜の保護や日常生活動作低下を防ぐための援助が重要となる．

●脱水の改善と二次障害予防のための看護の視点

【水分補給と全身状態の管理】 脱水は，水分摂取の不足もしくは水・電解質の喪失により発生し，その治療は輸液療法による水・電解質の補給が主となる．輸液の内容・量・速度は，脱水の種類（高張性または低張性），高齢者の身体状況や基礎疾患などによって慎重に調整する必要がある．しかし，治療開始直後は全身状況の詳しい情報が得られない場合も多い．したがって，治療開始後の支援者による全身状態の観察がその後の適切な治療へ結びつける鍵となる．また回復期には，高齢者自身に水分摂取の重要性を理解してもらい，水分摂取の方法を工夫するなど今後の脱水予防のための援助が重要となる．

【皮膚・粘膜の保護】 脱水状態に陥ると，皮膚・粘膜が乾燥する．高齢者は日頃から皮膚の乾燥がみられる場合が多いが，脱水により乾燥が強くなると瘙痒感が出現しやすくなる．高齢者の皮膚は薄く脆弱であるうえに，脱水により乾燥し，緊張度も低下しているためさらに傷つきやすく，損傷の予防が必要である．また口腔粘膜の乾燥も顕著であり，唾液量の減少により自浄作用も低下し口腔内が不潔になりやすいため，口腔ケアが重要になる．

【活動性低下の予防】 脱水の随伴症状により，全身倦怠感や四肢脱力感が著明であったり，意識障害を伴ったりすると日常生活動作は著しく低下する．一般に輸液療法による細胞内液の回復には 2 日間程度かかるが，高齢者は身体状況や基礎疾患により，さらに回復が遅れる場合も少なくない．長期臥床は身体可動性低下や心肺機能低下，精神機能低下などを引き起こす可能性がある．とくに身体可動性の低下と脱水による皮膚の脆弱化は，褥瘡の温床となりやすいため注意が必要である．したがって，早期に脱水発生前の生活に戻ることができるよう援助が必要である．

STEP 1 アセスメント　STEP 2 看護の焦点の明確化　STEP 3 計画　STEP 4 実施

情報収集・情報分析

	必要な情報	分析の視点
疾患関連情報	**現病歴と既往歴** ・脱水の誘因となる既往歴や病態	□脳血管疾患，腎臓疾患，糖尿病，利尿薬の使用，認知症など，脱水の誘因となる既往歴はないか □発熱，下痢，嚥下障害，意識障害など，脱水の誘因となる病態はないか
	症状 ・倦怠感，口渇，皮膚・粘膜の乾燥，血圧低下，見当識障害などの有無 ・意識状態	□脱水症状の出現時期と経過はどうか（高齢者では典型的な症状が現れない場合も少なくないため，その他の変化もみられないか確認する） □意識状態の変化はないか（脱水が重度な場合，意識障害をきたすことがある）
	検査と治療 ・バイタルサイン，水分出納，血液検査，尿検査，心電図検査など ・水・電解質の補給状態	□水・電解質の補給において輸液の内容や量，速度は適切か（過剰輸液により心臓や腎臓への負担がかかる場合もあるため）

	必要な情報	分析の視点
身体的要因	**運動機能** ・脱水による運動機能への影響	□脱水による全身倦怠感や血圧の低下などで，動作が緩慢だったり，ふらつきがみられたりしていないか □倦怠感や意欲低下に伴う安静により，運動機能の低下はないか
	認知機能，言語機能，感覚・知覚 ・脱水による認知機能への影響 ・皮膚・粘膜の乾燥状態	□脱水により集中力の低下，記憶力の低下，見当識障害などの変化がないか □水分摂取の重要性を理解できるか □皮膚の乾燥はみられないか（とくに腋窩の湿潤状態） □舌・口腔粘膜の乾燥はみられないか □皮膚の瘙痒感はみられないか
心理・霊的要因	**健康知覚・意向，自己知覚，価値・信念，信仰** ・症状の自覚 ・水分摂取に対する認識	□脱水の症状を自覚できているか □水分摂取に対してどのような思いをもっているか
	気分・情動，ストレス耐性 ・水分摂取が減少した背景 ・意図的な水分制限とその理由	□水分や食事の摂取量の減少に影響するような心理的ストレスはないか □水分摂取を制限する理由は何か（独自のこだわり，頻尿予防など） □水分摂取や排泄などの介助を受けることへの遠慮はないか
社会・文化的要因	**仕事・家事・学習・遊び，社会参加** ・水分摂取の習慣 ・好みの水分摂取方法 ・脱水症状による役割や楽しみ継続への影響	□これまでの水分摂取の習慣はどうだったか □好みの飲み物は何か □水分摂取が進む場面はどのようなときか（会話をしながら，お茶菓子があるとき，レクリエーションのあとなど） □倦怠感のためにこれまでの役割遂行や楽しみを継続できなくなっていないか
睡眠・休息	**睡眠・休息のリズム** ・認知機能の低下による睡眠への影響	□脱水により，せん妄や見当識障害がみられる場合，昼夜逆転などの睡眠リズムの崩れはないか
	睡眠・休息の質 ・水分摂取への負担	□水分摂取の習慣がない場合，頻繁に水分摂取を勧められることに負担を感じていないか
	心身の回復・リセット ・水分摂取のタイミング	□倦怠感や疲労が強い時に無理に水分を摂取しようとしていないか
覚醒・活動	**覚醒** ・意識状態	□意識は清明か（脱水が重度な場合，意識障害をきたすことがある）
	活動の個人史・意味 ・脱水症状や治療による活動制限	□倦怠感や治療により行動が制限されていないか，長時間同一体位（座位や臥位など）をとっていないか □倦怠感や血圧低下などの状況からどのくらいの活動が可能なのか □これまでの楽しみや得意な活動はあるか
	活動の発展 ・水分制限増加につながる活動	□他者との会話や歌をうたうなど，自然に水分摂取が進む活動はあるか
食事	**食事準備** ・水分摂取力や環境	□自力で水分を準備することができるか □好きな時に水分摂取できるような環境にあるか

	必要な情報	分析の視点
食事	**食思・食欲** ・飲食物の嗜好	□口渇感や食欲はあるか □好きな飲み物は何か □飲み物以外にも水分を多く含む食品(かゆ，ゼリー，ヨーグルトなど)で好きなものはあるか
	姿勢・摂食動作 ・自力摂取できるか	□自力で水分を摂取できるか □自力で摂取しやすくなる食具や姿勢の工夫はあるか
	咀嚼・嚥下機能 ・食形態による影響の有無	□水分摂取時にむせはみられないか □水分の形態により嚥下に影響はないか(とろみ付けの必要性の有無)
	栄養状態 ・水分・食事摂取量 ・水分出納，電解質バランス，栄養状態，体重など	□１日の水分(輸液量や食事中の水分も含む)は必要量を摂取できているか □食事摂取の状況や栄養状態はどうか(脱水状態に陥る高齢者では食事摂取も十分にできていない場合が多いため)
排泄	**尿意・便意，姿勢・排泄動作** ・排泄に関する問題が水分摂取に与える影響の有無	□水分摂取を意図的に控えていないか(頻尿による排泄への負担や排泄に介助を要することによる遠慮があるため)
	尿・便の排出，状態 ・排尿・排便量，性状 ・発汗，不感蒸泄	□水分出納はどうか □排尿・排便の量，回数，性状はどうか(利尿薬や下剤との関連も考慮する) □発汗や不感蒸泄の状態はどうか(活動量や発熱の有無なども考慮する)
身じたく	**清潔** ・皮膚・粘膜の保清，保湿の状態 ・皮膚症状の有無	□倦怠感により，入浴，更衣，手洗い，口腔ケア，ひげそりなどの動作に影響がでていないか □皮膚・粘膜の清潔が保たれているか(入浴や清拭などの状況，使用している洗浄料の種類，口腔ケアの状況など) □皮膚・粘膜の乾燥状態と保湿のためのケアはどうなっているか(保湿クリームの塗布や部屋の湿度など) □皮膚にかゆみや発赤，掻破したあとなどはないか □長時間の同一体位により，褥瘡の好発部位に発赤などはみられないか
	身だしなみ，おしゃれ ・乾燥やかゆみを助長するような衣服の有無	□皮膚への刺激の少ない衣服を選択できているか
コミュニケーション	**伝える・受け取る，コミュニケーションの相互作用・意味，コミュニケーションの発展** ・人間関係が飲水量に与える影響の有無	□飲水や食事に関する希望を伝えることができるか □かゆみや痛みなどの症状を伝えることができるか □支援者に頻回に「お水を飲みましょう」などと声をかけられることで負担を感じていないか □一緒にお茶を楽しむ仲間の存在などにより，飲水量に変化はみられないか

アセスメントの視点(病態・生活機能関連図へと導くための指針)

脱水からの回復期にある高齢者は，輸液などの治療を受けながらも，徐々に経口による水分摂取を中心に切り替えていく．そのなかで高齢者が水分摂取の必要性を理解し，継続的な水分摂取を実施できるようサポートすることが必要である．また，高齢者は長期安静による二次的な障害(筋力低下，外傷，褥瘡など)を起こす者も多い．そのため，早期から体調に合わせて日常生活動作を拡大し，脱水前の生活に戻れるよう援助する必要がある．それらに焦点をあてて看護を展開していく．

脱水のある高齢者の病態・生活機能関連図

疾患関連情報
身体的要因，心理・霊的要因，社会・文化的要因
もてる力
生活環境
生活に影響を及ぼす要素
リスク
脱水
病態
加齢変化
体内水分量減少
腎機能低下
渇中枢機能低下
消化吸収力低下
身体的要因
発熱，発汗
下痢，嘔吐
嚥下障害
利尿薬服用
心理・霊的要因
食欲低下
意図的な水分制限
支援者への遠慮
社会・文化的要因
水分摂取の習慣
水分摂取に関する誤った情報
水分を手軽に確保できない環境
高齢者の脱水症状は非定型的
口渇
全身倦怠感，脱力感
皮膚・粘膜の乾燥
認知力低下
生活への影響
順調に経口摂取に移行しつつある
治療・処置
輸液療法（水分・電解質の補給）
膀胱留置カテーテル
経口水分摂取
口渇感が乏しい
水分でむせやすい
好きな飲み物はすすんで飲む
水分の必要性を理解できる
意識的に水分を摂取する習慣がない
頻回な水分摂取の勧めに負担がある
自分で飲み物を準備できない
体動の制限がある
室内が乾燥している
自力で保清，保湿が困難
皮膚の乾燥による瘙痒感がある
かゆみや痛みを伝えることができる
倦怠感から活動困難
移動時にふらつきがある
活動意欲の低下
活動量の減少
倦怠感が少ない時は身の回りのことができる
看護の焦点
安楽な水分摂取
皮膚の乾燥を防ぐ身じたく
症状にあわせた活動の拡大
予測される危険性
食事摂取量不足
水分摂取量不足
水・電解質異常
皮膚掻破，外傷
活動性の低下
栄養状態低下
脱水の増悪
皮膚・粘膜の乾燥増強
倦怠感，脱力感増強
皮膚の脆弱化
感染
ショック，昏睡
血圧低下
褥瘡
筋力低下

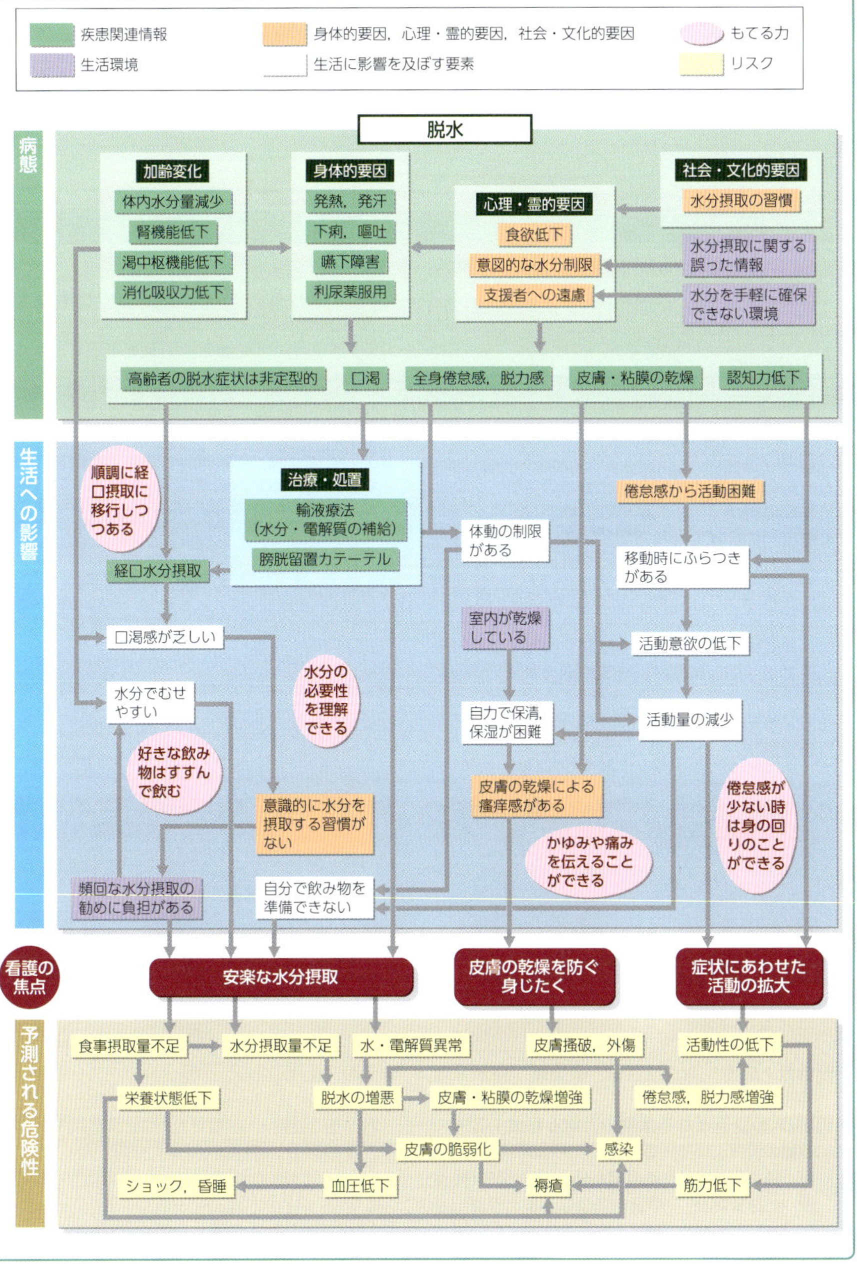

STEP① アセスメント　STEP② 看護の焦点の明確化　STEP③ 計画　STEP④ 実施

看護の焦点の明確化

#1　脱水から回復するための治療を受けながら，好みの飲み物をおいしく摂取することができる
#2　脱水による皮膚・粘膜の乾燥から生じる不快感や感染を起こすことなく，心地よい身じたくができる
#3　脱水による倦怠感などの症状にあわせながら，徐々に活動を拡大していくことができる

STEP① アセスメント　STEP② 看護の焦点の明確化　STEP③ 計画　STEP④ 実施

1 看護の焦点

脱水から回復するための治療を受けながら，好みの飲み物をおいしく摂取することができる

看護目標

1) 脱水が改善する
2) 嚥下機能に合った形態・種類により苦痛なく水分を摂取することができる
3) 飲料や食事から必要な水分量を摂取できる

具体策（支援内容）／根拠

1. 脱水症状の変化を早期に発見する支援

1) 口渇の有無
2) 皮膚の乾燥：とくに腋窩の乾燥の有無
3) 粘膜の乾燥：舌，口腔粘膜，陰部など
4) その他の症状：全身倦怠感，四肢脱力感，見当識障害，ふらつき，頭痛，食欲不振，体重減少，体温上昇，尿量減少，元気がない，集中力の低下，など
5) 高齢者自身，家族による観察：自分たちで脱水症状を早期に見つけ，医療機関を受診できるように話し合う

●高齢者は，脱水の特徴的な症状が出現しにくく発見が遅れやすい．ボーッとしている，会話がかみ合わないなど「普段と何か違う」と感じたら脱水を疑うことも重要である
●高齢者では，日頃から皮膚の乾燥がみられるため脱水による乾燥を見極めにくい．しかし腋窩は通常湿っているため，腋窩が乾燥している場合には脱水を疑う

6) バイタルサイン：血圧，脈拍，呼吸，体温
7) 体重測定

●脱水の症状と全身状態の観察，各種検査結果などから総合的に判断して，脱水の程度や種類を判断する

8) 水分出納：飲水量，食事量，輸液量，代謝水，尿量，発汗，便の性状・量，排液量，不感蒸泄・呼気など

●脱水時は正確な水分出納の把握のため，膀胱留置カテーテルを挿入して正確な尿量を測定する必要がある

■表 17-3　高齢者の水分出納

水分供給量（mL）		水分排出量（mL）	
代謝水	200	汗	200
食物中	1,000	不感蒸泄	700
飲料水	800～1,300	便	100
		尿	1,000～1,500

9) 検査：血液検査，尿検査，心電図，胸部X線検査など
10) 脱水の誘因となる病態の有無と程度：発熱，多量の発汗，下痢・嘔吐，水分摂取障害（嚥下障害，意識障害など），腎臓からの過剰喪失（腎疾患，利尿薬など），褥瘡や熱傷などからの滲出液

●貧血や低蛋白血症，血清クレアチニン濃度低下などがあっても，脱水による血液濃縮が起こり，値が上昇して見かけ上は基準範囲内となることもあるため注意が必要である

2. おいしく必要水分量を摂取するための支援

1) 水分摂取量の目安

高齢者の必要水分量の簡易計算式（体重別）
25〜30 mL×体重 kg＝1 日の必要水分量

●簡易計算式で算出される量はあくまでも目安であり，必要最低限の量と考える．発熱などがある場合は必要量も増加する．また，るいそうがある場合は，標準体重をかけて計算する

2) 水分摂取の重要性に関する説明

・水分の必要性と必要量を説明
・水分摂取についての誤解の有無と説明
・意図的な水分制限の有無，など

●夜間尿を避けるために，意図的に水分摂取を控える高齢者が多い．高齢者は夜間の臥床による腎血流量の増加や腎臓の抗利尿ホルモンへの感受性低下などにより夜間尿が増加しやすい．このような背景から日中の水分制限では夜間尿のコントロールは難しく，水分制限による危険のほうが大きいといえる
●脱水による血液濃縮は，動脈硬化の進んだ高齢者にとっては血栓や塞栓症を起こす危険性が高まるといわれている

3) おいしく水分を摂取するための工夫

・常に水分を摂取できるようにそばに用意しておく
・摂取量が明確になるように決まった容器に一定量を入れる
・飲みやすい形態や種類の工夫：とろみをつける，好みの飲み物や飲みやすい温度，おいしさを高めるコップの選択などを工夫する

●これまで水分をとる習慣のなかった人にとって，頻回に水分摂取を勧められることが苦痛に感じる場合もあるため配慮が必要である

3. 栄養状態改善の支援

・食欲の有無
・食事摂取量：とくに食事中水分含有量
・嚥下しやすい形態や調理法を工夫する
・口当たりがよく水分を多く含む食品を患者の好みに合わせて工夫する：かゆ，豆腐，ゼリーなど
・少量でも高栄養の食品を選択する

●脱水時は食欲が低下することが多いが，食事から摂取する水分量は経口摂取する水分量の1/3〜1/2 を占めるため，食事の十分な摂取が脱水予防や回復の基本である

4. 輸液療法

・輸液の内容，量，速度を確認し，正確に投与する

●輸液内容，量，速度は，経口摂取量，尿量，血圧，血液検査による脱水の程度や種類を判断して修正する

・輸液開始後の全身状態を観察する

●過剰輸液により心臓や腎臓への負荷がかかる可能性もあるため慎重に投与する

・全身状態に応じて医師と相談し，輸液内容を検討する
・抜針などの事故予防のため，刺入部位の工夫や頻回の観察を行う

●脱水時は意識レベルの低下や認知力の低下により，抜針などの事故につながることもあるため注意する

5. 発汗や乾燥を防ぐ環境調整

・過度の発汗を防ぐために，室温を調整する
・皮膚・粘膜の乾燥を防ぐために，適度な湿度を保つ

●夏季は室温だけでなく日当たりや風通し，湿度などにも配慮する．クーラーを嫌う高齢者も少なくないため，冷風が直接当たらないような工夫も必要である

・リラックスできるような環境づくりを心がける

●精神的緊張から不感蒸泄や発汗量が増加することがある

2 看護の焦点	看護目標
脱水による皮膚・粘膜の乾燥から生じる不快感や感染を起こすことなく，心地よい身じたくができる	1) 皮膚・粘膜の清潔を保つことができる 2) 皮膚・粘膜の乾燥から生じる不快感がない 3) 外傷や感染などを起こさない

具体策(支援内容)	根拠
1. 皮膚・粘膜の保清・保湿と心地よい身じたくのための支援	
・皮膚・粘膜(口腔，陰部)の清潔を保つ ・清拭や洗浄時は皮膚を強くこすらない ・洗浄料は皮膚に刺激の少ない弱酸性で，保湿効果の高い無添加のものを使用する ・保清後には低刺激のクリームなどで保湿を行う ・口腔ケアには軟らかい歯ブラシを使用する ・口腔内乾燥時には含嗽を促す ・口唇の乾燥にはリップクリームを使用する ・室内の湿度を適度に保つ ・本人に不快感がないか確認する	●脱水状態にある表皮は乾燥し，弾力がなく，刺激に対して損傷を受けやすい ●口腔内は唾液分泌の減少により粘稠度が増し，自浄作用が低下して不潔になりやすい ●乾燥により皮膚はひび割れたり，かゆみの原因にもなるため，保湿は重要である
2. 外傷予防と快適な身じたくのための支援	
・皮膚を掻破しないように爪を短く切る ・柔らかい寝衣・寝具の選択 ・移動・移乗時の打撲や擦過傷に十分注意する ・歩行や移乗時の転倒予防に努める	●外傷部位に感染を続発して，回復が遅れる可能性がある ●脱水症状による起立性低血圧や四肢脱力感により，歩行が不安定になる場合もあるため，注意が必要である

3 看護の焦点	看護目標
脱水による倦怠感などの症状にあわせながら，徐々に活動を拡大していくことができる	1) 体調に合わせて自力で日常生活動作を行える 2) 圧迫や摩擦の防止により褥瘡を発生させない 3) 倦怠感があっても自分で行おうとする意欲を維持できる

具体策(支援内容)	根拠
1. 日常生活活動を維持するための支援	
・脱水の急性期には輸液療法と安静を確保する	●適切な水分補給がなされた場合，一般的には 2 日程度で脱水の危機的状況は脱することが多い．しかし，高齢者は基礎疾患や身体状況によって回復時期の差が大きいため，全身状態をよく観察しつつ活動を増やしていく必要がある
・脱水の状態が安定したら，徐々に日常生活活動を脱水前の状況に近づけていく(排泄，食事，入浴，洗面・口腔ケア，更衣など) ・離床時間を徐々に増やしていく ・脱力感やふらつきによる転倒を防ぐために，とくに移動開始時は常に見守る	●脱水を発症する前の日常生活動作の状況について，高齢者や家族から情報収集し，回復の目標を立てることも大切である

2. 褥瘡を予防するための支援

1) 圧迫や摩擦の除去

・安楽な体位をとる
・長時間の同一体位(座位や臥位)は避けて，定期的に体位変換をする
・衣服や寝具のしわをなくす
・ずれや摩擦を起こさないように注意する

2) 皮膚の清潔保持と保湿：とくに褥瘡好発部位

3) 除圧マットレスの使用：ベッドや車椅子

4) 全身の皮膚状態を観察する

● 低張性脱水では末梢循環障害を伴い褥瘡になりやすい．脱水の種類も見極めつつ援助を工夫する必要がある
● 脱水に陥る高齢者は水分だけでなく食事も十分に摂取できていないことも多い．栄養低下が基礎にあることで褥瘡を形成しやすい状態にあることが予測される
● 褥瘡発生の大きな原因は活動性の低下であるため，日常生活動作の向上は褥瘡予防にも有効である

3. 活動意欲を高める支援

・倦怠感が強いときは，ベッド上でできる気分転換を工夫する
・活動や離床への意欲を高めるような声かけを工夫する
・頻回に訪室し，会話する機会を増やす

● 脱水では倦怠感が強く，ベッド臥床が多くなりがちである．そのため，ストレス解消や精神機能低下を予防するための援助も重要である
● 本人や家族から生活歴や趣味・特技などの情報収集を行い，興味をもってできそうなことから勧める

関連項目

※もっと詳しく知りたいときは，以下の項目を参照しよう．

脱水に影響を及ぼす障害・状態

● 「15 摂食嚥下障害(→ p.304)」：食事摂取量の減少を引き起こす嚥下障害はないか確認しよう

脱水に関連したリスク

● 「28 フレイル(→ p.491)」，「11 褥瘡(→ p.229)」：倦怠感や意識障害による活動性の低下からフレイルや褥瘡を発生させる危険はないか確認しよう
● 「10 老人性皮膚瘙痒症(→ p.215)」：皮膚の乾燥によるかゆみの増強はみられないか確認しよう

浮腫

木島　輝美

病態生理

●浮腫とは

身体の水分量(体液)は，成人では体重のおよそ60%を占め，高齢者では50%と少なくなるといわれている．60%の体液は，40%が細胞内にあり(細胞内液)，残り20%が細胞外にある(細胞外液)．さらに，細胞外液のうち4%は血漿，1%はリンパ液・脳脊髄液，15%が細胞と細胞の間の間質に存在する組織間液(間質液)として貯留している．

浮腫とは，細胞外液のなかでもとくに組織間液が異常に増加した状態である．血液やリンパ液と組織間液の間では絶えず体液の流出と吸収による移動があり，正常な状態では組織間液は一定に保たれている．この体液の流れに障害が起こると，間質に体液がたまって浮腫が起こる．体重が2〜3kg以上増加すると，皮膚の緊張や指圧による圧痕などがみられ，浮腫が客観的に認められるようになる．

浮腫の背景には，全身管理を必要とする疾患が隠れている場合が少なくない．また浮腫のある皮膚は損傷を受けやすく，局所的なケアも重要である．

高齢者は心機能や腎機能の低下，低栄養，組織圧の低下，運動量の減少など，さまざまな要因から浮腫を起こしやすい状態にある．このため，日常から浮腫の原因の早期発見や予防，緩和ケアなどが必要となる．

病因・増悪因子

浮腫の発生因子には，毛細血管と間質との体液の移動に関する局所性因子と，体液と電解質を排泄し体内の水分量を調節する腎臓やホルモンの働きによる全身性因子の2つが関与する(表18-1)．

■表18-1　浮腫の発生因子

分類		発生機序
局所性因子	毛細血管内圧の上昇	毛細血管の静脈側の血管内圧が上昇することで，組織間液が血管内に還流できず浮腫が発生する
	血漿膠質浸透圧低下と組織間液膠質浸透圧上昇	血漿中の蛋白質の減少や毛細血管の内皮細胞の透過性亢進により，血漿から組織間液へ蛋白質が透過することで，水分を引き止めておく力となる膠質浸透圧が血漿側で低下し，組織間液側では上昇するため浮腫が起こる
	組織圧の低下	組織間液から血管内に体液を戻す力として，皮下組織の弾力線維などによる組織圧がある．組織が粗く弾力線維の少ない眼瞼，足背などに浮腫が起こりやすい．高齢者は一般に組織圧が低い
	リンパ液のうっ滞，リンパ管閉塞	組織間液の10%はリンパ管を通り還流する．リンパ管が閉塞すると組織間隙にリンパ液が漏出し組織間液の膠質浸透圧が上昇して浮腫を招く
全身性因子	腎機能の低下	糸球体の水・Naの濾過機能や尿細管における再吸収機能の障害などによる水分代謝障害が起き，浮腫が発生する
	水・Na代謝に関与するホルモンの分泌異常	Naと水の再吸収とKの排泄を促進するアルドステロンと，水の再吸収を促進するADH(抗利尿ホルモン)が多量に分泌されると循環血液量が増えて浮腫が起こる
	腎臓の血流分布異常	ネフロンの血流が減少すると，レニン分泌が促進され，アルドステロンの分泌を増加させる

■表 18-2　浮腫の種類と特徴

浮腫の種類		原因疾患	浮腫の特徴	浮腫以外の症状
局所性	静脈性浮腫	血栓性静脈炎，静脈瘤，悪性腫瘍など	静脈炎では緊満性が強く，発赤，熱感，痛みを伴う	静脈の怒張，色素沈着，潰瘍の形成，皮膚炎
	リンパ性浮腫	リンパ節切除，リンパ管炎，放射線など	四肢の体幹に近い部位に発生し，びまん性に腫脹する	徐々に悪化し，慢性化すると象皮病をきたすことがある
	炎症性浮腫	炎症，リウマチ，アレルギーなど	炎症発生部位を中心とした腫脹	発赤，熱感，圧痛などの炎症反応
全身性	心性浮腫	心不全，心筋梗塞，弁膜症など	重力に影響され，下肢または臥位では腰背部に強い	咳嗽，呼吸困難，起座呼吸，肝腫脹など
	腎性浮腫	腎不全，ネフローゼ症候群など	重力の影響を受けず全身に出現する．眼瞼など顔面に強い	倦怠感や食欲不振，蛋白尿，高血圧など
	肝性浮腫	肝硬変，肝炎，肝がんなど	肝硬変では腹水が著明に出現する	黄疸など肝障害の症状や脾腫やメドゥーサの頭など門脈圧亢進に伴う症状
	栄養障害性浮腫	低栄養，吸収不良症候群，悪性腫瘍など	下肢に強く出現する．臥位では腰背部にみられる	総蛋白，アルブミン，コレステロールなどの低下
	内分泌性浮腫	甲状腺機能低下症，橋本病	主に下半身に出現する	倦怠感など甲状腺機能低下による症状
	薬剤性浮腫	ホルモン剤，解熱鎮痛薬，降圧薬など	原因薬物により異なる	原因薬物により異なる

症状

- 皮膚の変化：圧痕，浮腫感覚，皮膚色の変化，皮膚温の低下，乾燥など
- 尿量減少と尿の性状の変化(蛋白尿など)
- 体重増加
- 四肢の屈曲や手指把持の困難など
- 全身倦怠感，脱力感
- 不安，不快感，苛立ちなど

診断・検査値

- まず浮腫が全身性か局所性かを見極める必要がある．浮腫が狭い範囲に限局している場合は局所性である(表 18-2)．

1) **問診，視診，触診，聴診，測定**：体温，脈拍，呼吸，血圧，体重，水分出納，四肢周囲長，腹囲など
2) **浮腫の性状の観察**：圧痕の有無(脛骨，仙骨など骨表面の皮下組織を指で 5～10 秒強く押し，指を離して陥凹の程度を観察)，硬さ，発赤，熱感，圧痛の有無
3) **既往歴，現病歴**：心疾患，腎疾患，肝疾患，甲状腺疾患，腫瘍，薬物の服用歴
4) **浮腫以外の症状の有無**
5) **基本的検査**：尿検査，胸部 X 線検査，心電図，末梢血検査，血液生化学検査など
6) **基本的検査結果より推定される原疾患に応じた検査**：腎機能検査：PSP(フェノールスルホンフタレイン)試験，クレアチニンクリアランス，循環機能検査(心電図・静脈圧測定)，下肢静脈造影など

合併しやすい症状

- 浮腫が続くと皮膚は酸素不足，栄養不足となり，抵抗性が低下して外傷や感染を生じやすくなる．
- 浮腫の増悪により肺水腫や腹水を招いたり，浮腫の原因となっている原疾患が悪化する危険性がある．
- 浮腫により四肢の可動性の低下や倦怠感により，活動性の低下や転倒の危険性がある．

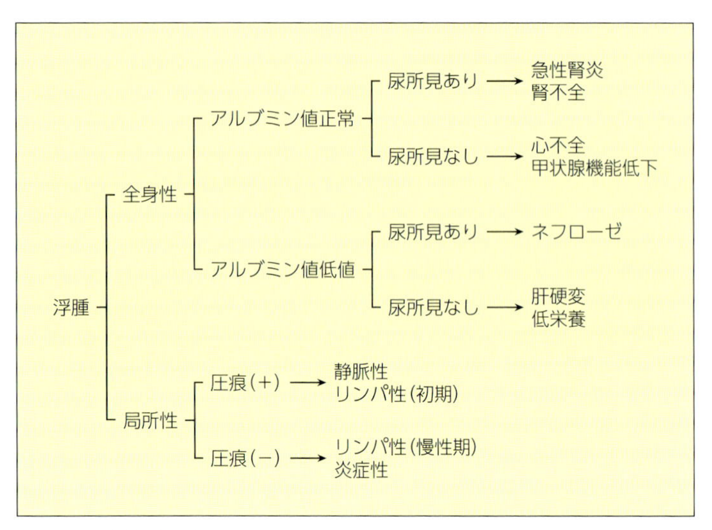

■図18-1　浮腫の鑑別

治療法

●皮膚・粘膜の清潔と保護

●外傷の予防：刺激の少ない寝衣の工夫，保湿，爪の手入れなどを行う．
●清潔の保持：とくに口腔，眼瞼，陰部などの清潔を保つ，洗浄時は強くこすらない．
●褥瘡予防：長時間の同一体位を避ける，マットレスなどを工夫する．

●血流の促進

●保温：罨法，入浴・部分浴，室温調整などを行う．
●体位の工夫：上下肢など末梢部位の挙上，適度な臥床時間の確保などを工夫する．
●衣服の圧迫の除去やマッサージなどを行う．

●浮腫の原因疾患に合わせた全身管理

●原因疾患に合わせた，安静，栄養管理，塩分・水分出納の管理，薬物管理を行う．

浮腫のある高齢者の看護

看護の視点

- 高齢者は，心機能や腎機能の低下や栄養状態の低下をきたしやすく，組織圧の低下から浮腫を招きやすい．さらに運動機能障害があると活動量の減少により筋肉ポンプ(筋肉が収縮することで静脈血が心臓に還流すること)の働きが低下して浮腫を起こしやすくなる．このように，高齢者は浮腫を起こしやすい状態にあるため，日々の観察と支援が大切である．
- 浮腫を起こした部位の皮膚は，非常に傷つきやすいため保護が必要である．とくに高齢者では，身体可動性の低下や認知力の低下により，自ら有効な予防手段をとることが困難な場合もあるため支援する必要がある．
- 浮腫が起こる背景には重大な疾患が隠れている場合があるため，既往歴を把握して予防的に対処したり，浮腫以外の症状や全身状態を把握し，原疾患の悪化防止に努める必要がある．

●浮腫の改善と予防のための看護の視点

【皮膚・粘膜の保護と血流の促進】 浮腫を起こしている組織は，過剰な水分のために緊満し，循環障害のために酸素や栄養の不足，皮膚温の低下を生じ，著しく代謝が障害される．皮膚は傷つきやすく，感染を受けやすく回復にも時間がかかる．したがって，二次的な障害を起こさないために，皮膚の保清と保護が優先される．同時に，浮腫軽減のために塩分・水分出納の管理や，血流促進への援助も必要となる．高齢者で多くみられる長時間の同一姿勢による浮腫には，浮腫部位の挙上などの体位の工夫や軽い運動も有効である．

【浮腫の原因に合わせた生活援助】 浮腫の原因には，心疾患，腎疾患，肝疾患など，高齢者の罹患率が高い疾患が多く関係している．それらに加えて高齢者は，複数の薬を服用している場合も多く，薬物に関連した浮腫も考えられる．歯牙欠損や嗜好の変化，消化吸収障害などにより栄養状態の低下もきたしやすい．このように高齢者の浮腫の背景にはさまざまな原因が考えられるため，浮腫への対症療法にとどまらず，原因の明確化とそれに合わせた生活援助により，浮腫を予防することが重要となってくる．

STEP ① アセスメント ▶ STEP ② 看護の焦点の明確化 ▶ STEP ③ 計画 ▶ STEP ④ 実施

情報収集・情報分析

	必要な情報	分析の視点
疾患関連情報	**現疾患と既往歴，症状** ・浮腫の出現時期と経過 ・浮腫の症状と随伴症状 ・浮腫の原因となる疾患	□浮腫が急激な発症か，徐々に増悪していないか，日内変動はないか □浮腫の部位は全身性か局所性か，圧痕の程度はどうか □浮腫の症状として，尿量減少，体重増加，皮膚温低下，皮膚乾燥，四肢の屈曲困難，全身倦怠感などがないか □浮腫の随伴症状として，呼吸困難，発熱，全身倦怠感などがないか □浮腫の原因となる疾患の既往(心疾患，腎疾患，肝疾患，甲状腺疾患など)はないか
	検査と治療 ・基本的検査と推定される原因疾患に応じた検査 ・薬剤や輸液などの治療による影響	□血液検査，尿検査，心電図検査などの結果からどのような原因を予測できるか □浮腫を引き起こす可能性のある薬の服用や過剰輸液などはないか

	必要な情報	分析の視点
身体的要因	**運動機能** ・浮腫や原因疾患による身体可動性への影響 ・身体可動性の低下による二次障害	□浮腫により四肢の屈曲困難などが出現していないか □原因疾患からくる症状（倦怠感，呼吸困難，食欲不振，発熱など）はみられないか □倦怠感や身体可動性の低下，治療・処置に伴う体動制限により褥瘡や筋力低下などの二次的障害が起きていないか
	認知機能，言語機能 ・浮腫の自覚症状 ・浮腫についての理解	□浮腫の起こっている部位に痛みやかゆみなどがないか，またその症状を認識して伝えられるか □浮腫の軽減や予防についての理解と協力が得られるか
	感覚・知覚 ・皮膚の乾燥やかゆみ，痛みなど	□浮腫の起こっている部位に痛み（自発痛，圧痛），乾燥やかゆみはみられないか □浮腫の起こっている皮膚に掻破した傷や褥瘡などはみられないか
心理・霊的要因	**健康知覚・意向，自己知覚，価値・信念，信仰** ・浮腫の症状や原因疾患への認識	□浮腫の症状や原因疾患をどのように受けとめて，対処しようとしているのか
	気分・情動，ストレス耐性 ・浮腫の症状による心理的影響	□浮腫による不快感や，活動の制限によるストレス，いら立ちを覚えていないか □浮腫による不快感や全身倦怠感から活動意欲が低下していないか □浮腫によるボディイメージの変化のために，気分が落ち込んでいないか
社会・文化的要因	**仕事・家事・学習・遊び，社会参加** ・浮腫の症状が役割遂行や社会参加に与える影響	□全身倦怠感や身体可動性の低下から，これまでできていた活動を億劫に感じていないか □浮腫によるボディイメージの変化のために，他者との交流を避けていないか
睡眠・休息	**睡眠・休息のリズム** ・安静療法への理解や心理的影響 ・休息をとりやすい環境	□浮腫の状態や原疾患による安静の必要性を理解しているか □いつでも自由に臥床したり，浮腫部位を挙上したりできる環境にあるか □浮腫による倦怠感や安静により昼夜逆転が生じていないか
	睡眠・休息の質 ・浮腫や原因疾患の症状や処置による睡眠への影響	□安静を強いられることでストレスを感じていないか □浮腫部位の不快感（かゆみや冷感）や原因疾患の症状（咳嗽や呼吸困難）などにより，睡眠を阻害されていないか □浮腫部位の挙上や除圧のための体位は，安楽に保たれているか
	心身の回復・リセット ・安静療法による浮腫改善の効果	□安静後に浮腫が改善しているか

	必要な情報	分析の視点
覚醒・活動	**覚醒** ・覚醒の時間と時間帯	□浮腫による倦怠感や安静により，日中の覚醒時間が減少していないか
	活動の個人史・意味，活動の発展 ・浮腫の症状や治療・処置に伴う制限が活動意欲に及ぼす影響 ・活動量の低下による二次的な影響	□浮腫による倦怠感や身体可動性の低下，治療・処置に伴う活動制限による活動意欲の低下がみられないか □どのくらいの活動耐性があるのか(心肺機能，腎機能，肝機能など) □長時間の同一体位(座位や臥位など)をとっていないか □安静を確保しながらも，できる活動や興味をもてる活動はあるか □倦怠感や治療に伴う安静により日常生活動作の低下はみられていないか
食事	**食事準備，食思・食欲，姿勢・摂食動作，咀嚼・嚥下機能** ・治療による食欲への影響 ・浮腫や倦怠感による摂食動作への影響	□塩分摂取量の制限により食欲低下がみられないか，また食事の好みを伝えることができるか □塩分や水分摂取量の制限について理解しているか，そのことでストレスは感じていないか □浮腫により手指の巧緻性が低下して，摂食動作に影響がないか □浮腫や倦怠感によって，安定した食事姿勢に影響がないか
	栄養状態 ・水分・食事摂取量 ・水分出納，栄養状態，体重変化など	□体重の変化(毎日の変化，日内変動の状況)はみられないか □必要な栄養(とくに蛋白質)を摂取できているか
排泄	**尿意・便意，姿勢・排泄動作** ・浮腫や倦怠感が排泄動作に及ぼす影響	□浮腫や倦怠感により，トイレまでの移動や衣類の着脱，後始末などの動作が困難になっていないか
	尿・便の排出，状態 ・排尿・排便の量や性状	□尿量，尿回数，尿の性状はどうか □水分出納はどうか □便秘または下痢はないか(内臓の浮腫による影響はないか)
身じたく	**清潔** ・皮膚・粘膜の保清，保護の状態 ・皮膚症状(乾燥，かゆみ，発赤など)	□浮腫や倦怠感により，入浴，更衣，手洗い，口腔ケア，ひげそりなどの動作に影響がでていないか □皮膚・粘膜の清潔と保護の必要性を理解しているか □皮膚・粘膜の清潔が保たれているか(入浴や清拭などの状況，使用している洗浄料の種類，口腔ケアの状況など) □皮膚・粘膜の乾燥状態と保湿のためのケアはどうなっているか(保湿クリームの塗布や部屋の温度や湿度など) □皮膚にかゆみや発赤，掻破したあとなどはないか □長時間の同一体位により褥瘡の好発部位に発赤などはみられないか
	身だしなみ，おしゃれ ・皮膚への刺激が少ない衣服の選択	□皮膚への圧迫が少ない衣服を選択できているか(例えば，足首を締めつけるようなゴムのきつい靴下を選択していないか) □高齢者の好みを取り入れた衣服の選択ができているか

	必要な情報	分析の視点
コミュニケーション	**伝える・受け取る，コミュニケーションの相互作用・意味，コミュニケーションの発展** ・浮腫が社会参加に及ぼす影響	□かゆみや痛み，倦怠感などの症状を伝えることができるか □浮腫によるボディイメージの変化により人との交流を避けていないか □安静により人との交流機会が減少していないか

アセスメントの視点（病態・生活機能関連図へと導くための指針）

高齢者の浮腫には複数の疾患が関連していることが多く，発生機序も複雑である．浮腫の状態観察はもとより，原因となる疾患からくる症状を見逃さず悪化を予防することが重要である．浮腫のある皮膚は循環障害，皮膚の伸展，乾燥などにより非常に脆弱であるため，皮膚を保護し，循環を促す必要がある．また浮腫の原因となる疾患の治療では水分や塩分が制限されることも多く，高齢者の食事の楽しみが奪われかねない．浮腫のある高齢者では栄養状態が低下している者も多いため，制限を守りながらも食事の満足感が得られるような援助が必要である．それらに焦点をあてて看護を展開していく．

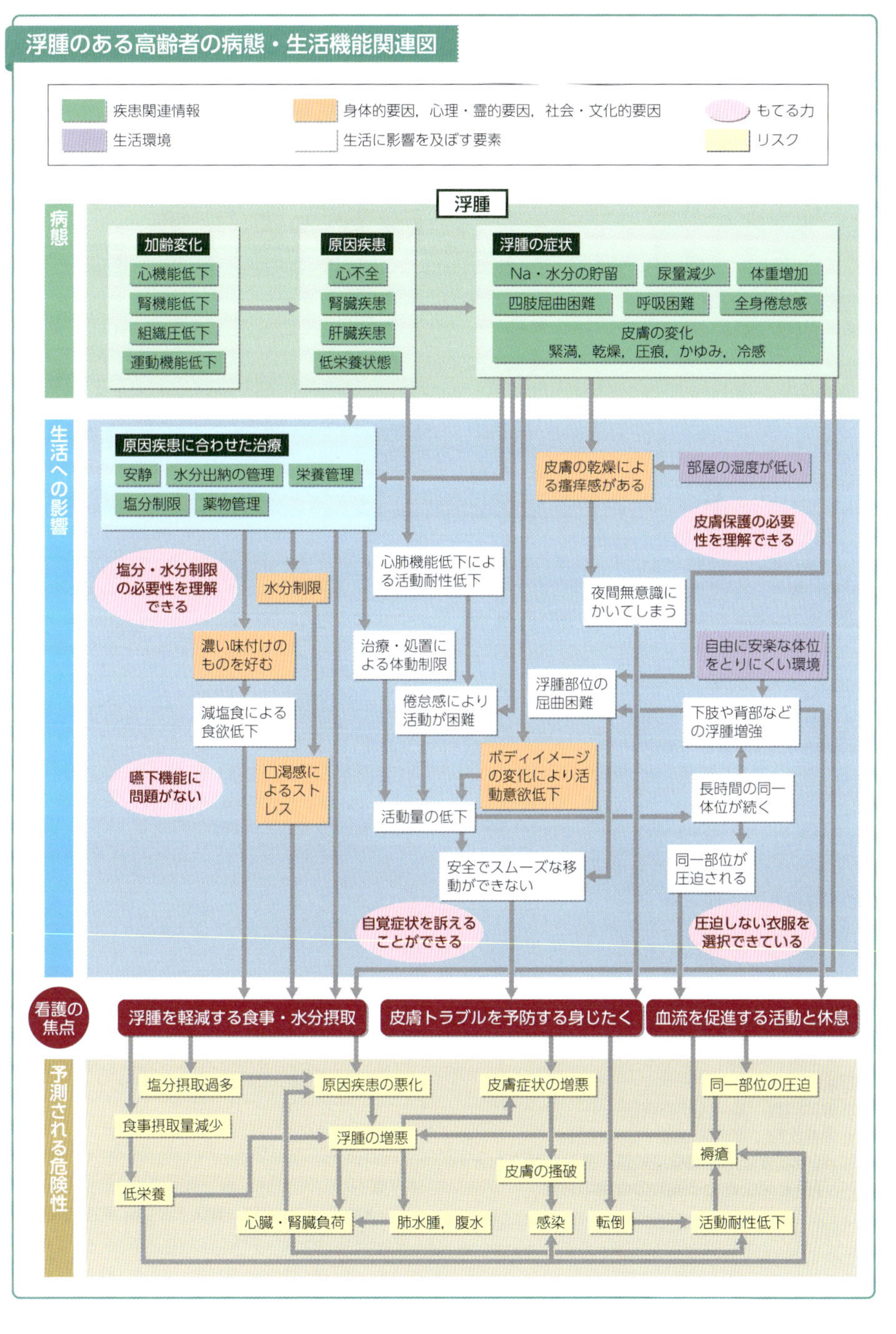

浮腫のある高齢者の病態・生活機能関連図
疾患関連情報
身体的要因，心理・霊的要因，社会・文化的要因
もてる力
生活環境
生活に影響を及ぼす要素
リスク
浮腫
病態
加齢変化
心機能低下
腎機能低下
組織圧低下
運動機能低下
原因疾患
心不全
腎臓疾患
肝臓疾患
低栄養状態
浮腫の症状
Na・水分の貯留
尿量減少
体重増加
四肢屈曲困難
呼吸困難
全身倦怠感
皮膚の変化
緊満，乾燥，圧痕，かゆみ，冷感
生活への影響
原因疾患に合わせた治療
安静
水分出納の管理
栄養管理
塩分制限
薬物管理
皮膚の乾燥による瘙痒感がある
部屋の湿度が低い
皮膚保護の必要性を理解できる
塩分・水分制限の必要性を理解できる
水分制限
心肺機能低下による活動耐性低下
夜間無意識にかいてしまう
濃い味付けのものを好む
治療・処置による体動制限
自由に安楽な体位をとりにくい環境
浮腫部位の屈曲困難
倦怠感により活動が困難
減塩食による食欲低下
下肢や背部などの浮腫増強
ボディイメージの変化により活動意欲低下
嚥下機能に問題がない
口渇感によるストレス
長時間の同一体位が続く
活動量の低下
同一部位が圧迫される
安全でスムーズな移動ができない
自覚症状を訴えることができる
圧迫しない衣服を選択できている
看護の焦点
浮腫を軽減する食事・水分摂取
皮膚トラブルを予防する身じたく
血流を促進する活動と休息
予測される危険性
塩分摂取過多
原因疾患の悪化
皮膚症状の増悪
同一部位の圧迫
食事摂取量減少
浮腫の増悪
褥瘡
皮膚の掻破
低栄養
心臓・腎臓負荷
肺水腫，腹水
感染
転倒
活動耐性低下

STEP 1 アセスメント　STEP 2 看護の焦点の明確化　STEP 3 計画　STEP 4 実施

看護の焦点の明確化

#1　浮腫が軽減できるよう栄養状態を保ち，おいしく食事や水分を摂取できる
#2　皮膚や粘膜のトラブルを起こすことなく，快適な身じたくができる
#3　皮膚が圧迫されることなく，血流を促進するための適度な活動と休息をとることができる

STEP 1 アセスメント　STEP 2 看護の焦点の明確化　STEP 3 計画　STEP 4 実施

1　看護の焦点	看護目標
浮腫が軽減できるよう栄養状態を保ち，おいしく食事や水分を摂取できる	1) 浮腫が軽減する 2) 減塩食でもメニューの選択によりおいしく食べることができる 3) 少量で高栄養な食品を摂取することで，必要な栄養をとることができる 4) 浮腫の増強や脱水を起こさずに飲水できる 5) 定期的な排便がある

具体策(支援内容)	根拠
1. 浮腫や全身状態の変化の観察	
1) **浮腫の部位**：眼瞼，顔面，上下肢，足背，胸部，腹部，背部，殿部，陰部など 2) **浮腫の程度**：皮膚の色・つや・乾燥，圧痕，四肢や腹部の周囲長など	●浮腫の発生は原因疾患によって異なる ・急性腎炎：両眼瞼の浮腫が顕著．浮腫の発生には重力の影響を受けない ・右心不全：重力の影響を受けて，夕方に下肢に浮腫が増強 ・肝臓性浮腫：腹水が著明
3) **体重測定**：朝・夕2回/日 4) **浮腫の随伴症状**：全身倦怠感，脱力感，四肢屈曲や手指把持の困難，瞼や顔が腫れぼったい，不快感など	●一般に両下肢に強い圧痕を残す場合は2～3L程度の水分が貯留していると考えられる．そのため体重の変化を把握することは大切である．また，浮腫の状態は毎日の変化だけでなく，日内変動にも着目する必要がある
5) **バイタルサイン**：血圧，脈拍，呼吸，体温	●局所的な変化だけでなく，全身状態の観察も必要である
6) **浮腫以外の症状の有無** ・起座呼吸：心不全，肝硬変など ・蛋白尿：ネフローゼなど ・血清アルブミン低下：低栄養，肝硬変，ネフローゼ症候群など ・腹水：肝硬変など ・頸静脈の怒張：心不全など 7) **水分出納の観察** 8) **排尿回数，量，性状の観察** 9) **栄養状態**：食事摂取量，血液検査 10) **腎機能検査，循環機能検査，肝機能検査など**	●浮腫の特徴と浮腫以外の症状，各種検査結果などから総合的に判断して原因疾患を特定する
11) **浮腫を発生させる薬物の服用の有無**	●浮腫を生じる薬物には，副腎皮質ホルモン製剤，性ホルモン製剤，非ステイロイド性抗炎症薬，降圧薬などがある

2. 治療・処置上の注意

1) 薬物療法：利尿薬，ジギタリス製剤(心臓性)，アミノ酸製剤(蛋白質の補給)など

● 利尿薬は低カリウム血症など電解質のバランスを崩す危険性がある．高齢者では容易に脱水を起こす可能性があるため，注意が必要である

2) 正確な与薬

3) 薬の作用と有害事象の観察

● 夜間の排尿の増加により睡眠に影響する場合もあるため，服薬時間の調整も必要である

4) 処置：血圧測定のマンシェットは浮腫部位に巻かない，テープ類の使用は避けて包帯でゆるめに巻くなど

3. おいしく食事や水分を摂取するための工夫

1) 塩分制限：できるだけ高齢者の嗜好に合ったメニューを工夫する(理想目標は5 g/日だが，高齢者の場合は7～8 g/日を上限とする)

● 浮腫の原因によらず，腎臓からNaと水分の排泄が障害されていることは共通している．そのため塩分・水分の制限が必要である

2) 水分制限：1日の排尿量を飲水量の目安とする(発熱や発汗の状況により調整する)

● 高齢者では一般に塩分の濃い味付けを好む場合が多く，減塩食によって食欲不振を招く可能性もあるため，工夫が必要である

3) 良質な蛋白質の補給：食べやすい形態や調理法を工夫

4) 少量でも高栄養の食品の選択

● 血漿蛋白の低下は血漿膠質浸透圧の低下を招き，浮腫を増強させる．高齢者は低栄養などを起こしやすいため，蛋白質の積極的な摂取が必要となる．しかし急性腎炎では蛋白質の制限が必要である

4. 便通を調整する支援

- 排便確認と腹部症状の観察
- 食事量と内容の把握
- 消化のよい食品を取り入れる
- 症状に合わせて腹部の罨法やマッサージを実施する
- スムーズな排便が難しい場合は，薬剤を検討する

● 浮腫は，皮膚のみではなく消化管にも現れるため，食欲不振や消化・吸収機能を障害して排便異常や腹部膨満をきたしやすい

2 看護の焦点

皮膚や粘膜のトラブルを起こすことなく，快適な身じたくができる

看護目標

1) 皮膚や粘膜の清潔を保つことができる
2) 皮膚や粘膜を保護するための快適な身じたくの方法を選択できる
3) 外傷，褥瘡，感染などを起こさない

具体策(支援内容) / 根拠

1. 清潔の保持と快適な身じたくのための支援

- 皮膚および粘膜(口腔，眼瞼，陰部)の清潔を保つ
- 清拭や洗浄時は皮膚を強くこすらない

● 浮腫がある表皮は薄く伸展しており，刺激に対して損傷を受けやすい

● 眼瞼の浮腫は分泌物が増加し，結膜炎などを起こしやすい

- 洗浄料は皮膚に刺激の少ない弱酸性で，保湿効果の高い無添加のものを使用する
- 口腔ケアには軟らかい歯ブラシを使用する

● 口腔粘膜の浮腫は，口内炎や耳下腺炎などを起こしやすい

- 保清後には低刺激のクリームなどで保湿を行う

● 浮腫を起こしている部位は，汗腺や皮脂腺の機能も低下しており，皮膚は乾燥してひび割れたり，かゆみを起こす原因にもなる

具体策（支援内容）	根拠
2. 外傷や褥瘡の予防と快適な身じたくのための支援	
・皮膚を掻破しないように爪を短く切る ・柔らかい寝衣・寝具を選択する ・定期的な体位変換やポジショニング，除圧マットレスの使用により褥瘡を予防する	●外傷や炎症が起こると局所の浮腫が悪化し，感染を続発して回復が遅れる可能性がある ●浮腫がある部位は血液循環が悪く皮膚は薄く乾燥して非常に脆弱であり，浮腫発生の背景に低栄養状態があることも多いため，褥瘡が発生しやすい
・足に合った靴を選択する	●1日靴を履いて過ごす場合，朝はちょうどよい靴でも，夕方には重力により下肢の浮腫が著明となることで圧迫され，靴擦れや褥瘡につながることがある
・移動・移乗時の打撲や擦過傷に十分注意する ・歩行や移乗時の転倒予防に努める	●下肢の浮腫が強いと，歩行が不安定になる場合もあるため転倒に注意が必要である

3 看護の焦点	看護目標
皮膚が圧迫されることなく，血流を促進するための適度な活動と休息をとることができる	1）衣類や寝具による皮膚の圧迫がない 2）保温やマッサージなどを自ら取り入れて，浮腫を緩和できる 3）浮腫の状態や生活状況に合わせた体位の工夫ができる

具体策（支援内容）	根拠
1. 皮膚の圧迫を除去する支援	
・ゆるめの衣服や下着・靴下などを身につける ・長時間の同一部位への圧迫を避ける：通常よりも頻回に体位変換を行うなど ・ベッドや車椅子に除圧マットレスを使用する	●締めつける衣服などは循環障害を引き起こし，浮腫を増強させる ●身体の下になる部位は重力の関係で浮腫が増強しやすく，長時間の圧迫が続くと，酸素や栄養の供給をさらに低下させて褥瘡を生じやすい
2. 血流を促進する支援	
1）**保温**：温罨法，入浴・部分浴，室温や衣服による調整 2）**マッサージ**：ローションなどを使用して摩擦を軽減し，末梢から中枢に向かってマッサージする，波動マッサージ器の活用など 3）**弾性ストッキングの活用** 4）**軽い運動**：ベッド上での自動・他動による等尺運動，屈伸運動など	●浮腫をきたしている皮膚は，血行が障害されているため冷たい．保温によって血管を拡張して組織間液の還流を促す入浴など，全身を温めると腎血流量が増加し利尿を促す ●熱傷を起こす危険性もあるため，やや低めの温度での罨法や入浴を配慮する必要がある ●運動機能に障害のある高齢者では，1日の活動量が減少しやすく筋肉ポンプが働きにくい．そのため，適度な運動は効果的である ●過度の運動は心臓や腎臓の負荷を増大させ，蛋白質の代謝を亢進し，浮腫を増強させる危険性があるため注意が必要である
3. 安静および体位の工夫	
1）**安静の確保**：臥床，ストレス解消など	●安静は心臓や腎臓の負担を軽減し，有効循環血漿量を増加させ，アルドステロンの分泌を抑制するため，尿量の増加を図ることができる

2) 体位の工夫

・高齢者が安楽な体位をとる
・四肢の浮腫が強い場合には，浮腫がある部位を挙上する
・呼吸困難がある場合：座位，半座位
・長時間の同一体位（座位や臥位）は避けて，定期的に体位を変える

● 運動機能に障害のある高齢者では，長時間座位のまま過ごすことも多い．高齢者や麻痺がある場合は組織圧が低下し，重力の影響で下肢に浮腫が起こりやすい
● 心不全がある場合は臥床により浮腫が軽減しやすいが，心臓への血液還流が急激に増加することにより呼吸困難が悪化し，心臓への負荷も増大するため半座位とする

関連項目

※もっと詳しく知りたいときは，以下の項目を参照しよう．

浮腫の原因・誘因

● 「7 心不全（→ p.164）」：心不全の随伴症状としての浮腫がみられていないか確認しよう

浮腫に関連したリスク

● 「11 褥瘡（→ p.229）」：皮膚の酸素・栄養不足と活動性の低下から褥瘡を発生させる危険はないか確認しよう
● 「10 老人性皮膚瘙痒症（→ p.215）」：皮膚の乾燥によるかゆみの増強はみられないか調べておこう

浮腫をもつ高齢者への看護

● 「第 1 編」の「3 食事（→ p.18）」：塩分制限などで食欲が低下していてもおいしく食べられる工夫はないか考えてみよう

19 排尿障害（尿失禁・排尿困難・頻尿・過活動膀胱）

山下いずみ

病態生理

●排尿のメカニズム（図 19-1）

膀胱に尿が貯留すると，膀胱壁の伸展刺激が仙髄（排尿中枢）から大脳皮質に伝わり，尿意として認識する．そして，交感神経が働き膀胱排尿筋が弛緩して蓄尿され，尿が漏れないように尿道括約筋が収縮する．排尿時は大脳皮質から排尿の命令が排尿中枢に伝わり，副交換神経の働きにより膀胱排尿筋の収縮と尿道括約筋の弛緩が起こり，尿が排出される．

●排尿障害とは

排尿障害とは，膀胱に尿をためられない蓄尿障害（尿が近い，尿が漏れるという訴え）と，膀胱から尿を出せない尿排出障害（尿が出にくい，すっきりしないという訴え），およびその両方が困難な蓄尿・尿排出障害がある．

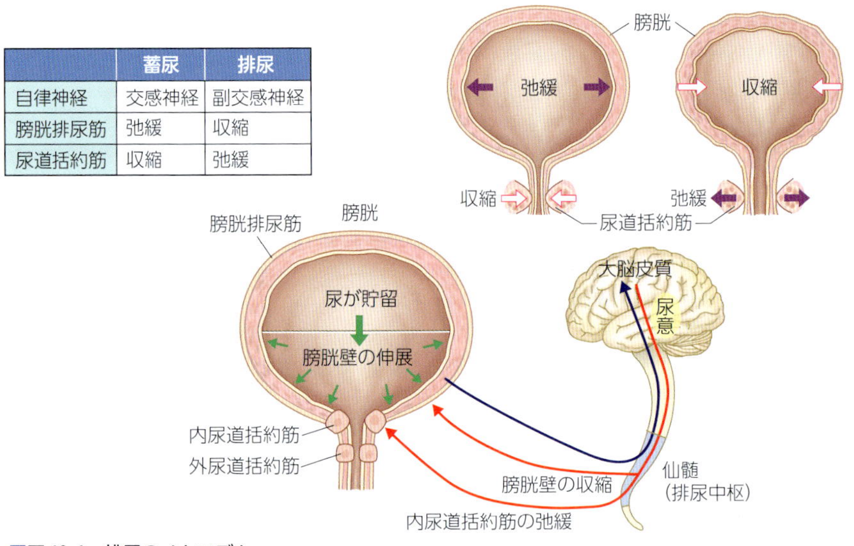

	蓄尿	排尿
自律神経	交感神経	副交感神経
膀胱排尿筋	弛緩	収縮
尿道括約筋	収縮	弛緩

■図 19-1　排尿のメカニズム

病因・分類

●排尿障害の原因となる疾患・病態

排尿障害の原因となる疾患・病態は多彩で，表 19-1 のように分類して考えることができる．蓄尿障害では，頻尿，尿意切迫感，尿失禁がよくみられる．尿排出障害では，前立腺肥大症・尿道狭窄による尿道の通過障害，神経因性膀胱による排尿筋の収縮障害がみられる．

●排尿障害の種類

1) **尿失禁**：尿が不随意，無意識に漏れる状態．症状と原因により表 19-2 に示す 5 つに分類される．
2) **排尿困難**：排尿後に膀胱内に 100 mL 以上尿が残っている状態．排尿時腹圧が必要となることがある．
3) **頻尿**：「尿が近い，回数が多い」という愁訴（日本泌尿器科学会）．一般的には，朝起きてから就寝までの排尿回数が 8 回以上の場合．夜間頻尿は就寝後 1 回以上の排尿があることで，高齢者になるほど罹患率が高い．24 時間の排尿回数が 15 回以上の場合，「重度の頻尿」といわれる．
4) **多尿**：24 時間尿量が体重 1 kg あたり 40 mL 以上で，昼夜問わず尿が過剰産生される状態．夜間の尿量が多いときは夜間多尿という．夜間多尿指数（夜間尿量/24 時間尿量）は，高齢者では 0.33 以上，成人では 0.20 以上とされている．

5) 過活動膀胱：尿意切迫感を主症状とし，通常は頻尿および夜間頻尿を伴う．切迫性尿失禁を伴う場合もある（2002 年国際禁制学会）．
6) 神経因性膀胱：蓄尿・尿排出に関する中枢・末梢神経系の障害による膀胱尿道機能障害の総称．
7) 尿閉：膀胱内に尿が充満しているが，排尿不可能な状態．

症状

●下部尿路症状

排尿障害では下部尿路症状（lower urinary tract syndrome：LUTS）が生じる．LUTS は国際禁制学会の用語基準によれば，「蓄尿症状」「排尿症状」「排尿後症状」「その他」に分類される．

1) 蓄尿症状

昼間頻尿（起きている間の排尿回数が多い），夜間頻尿（夜間に排尿のため 1 回以上起きる），尿意切迫感（突然強い尿意が起こり我慢できない），尿失禁（尿が漏れる）

2) 排尿症状

尿勢低下（尿の勢いが弱い），尿線途絶（尿線が途中で途切れる），排尿遅延（尿が出始めるまでに時間がかかる），腹圧排尿（排尿時にいきむ），終末滴下（排尿の終わりかけに尿がぽとぽとと垂れる）

3) 排尿後症状

残尿感（排尿後にまだ尿が残っていると感じる），排尿後尿滴下（排尿後に下着をつけてから尿が出る）

4) その他

性交に伴う症状（性交痛，腟乾燥，尿失禁），骨盤臓器脱に伴う症状（異物感，腰痛，重い感じ，引っ張られる感じなど），生殖器痛・下部尿路痛（膀胱痛，尿道痛，外陰部痛，腟痛，陰嚢痛，会陰痛，骨盤痛）など

診断・検査値

●診断

1) 問診：排尿状態（日中・夜間の排尿回数・量・性状，尿意，尿意切迫感，失禁・残尿感・排尿時痛，おむつや尿とりパッドなどの使用），既往歴と関連症状，服薬状況，1 日の過ごし方，日常生活動作能力，睡眠の自覚，認知機能状態，不安や心配事などを把握する．症状の把握には，主要下部尿路症状スコア（CLSS）（表 19-3），国際前立腺症状スコア（IPSS）（表 9-1，p.201），過活動膀胱症状質問票（OABSS）（表 19-4）などが使用されている．

■表 19-1　排尿障害の原因となる疾患・病態

前立腺・下部尿路の疾患・病態	前立腺の疾患	前立腺肥大症（下部尿路閉塞を伴うもの，伴わないもの），前立腺炎，前立腺がん
	膀胱の疾患・病態	膀胱炎，間質性膀胱炎，膀胱がん，膀胱結石，膀胱憩室，過活動膀胱
	尿道の疾患	尿道炎，尿道狭窄，尿道憩室
骨盤内臓器の疾患・病態	骨盤臓器脱	
	子宮筋腫	
	出産（回数，出産児体重），便秘，産科合併症，骨盤内手術後	
神経系の疾患・病態	脳の疾患	脳血管障害，認知症，パーキンソン病，多系統萎縮症，脳腫瘍
	脊髄の疾患	脊髄損傷，多発性硬化症，脊髄腫瘍，脊椎変性疾患（脊柱管狭窄症，椎間板ヘルニア），脊髄血管障害，二分脊椎
	末梢神経の疾患・病態	糖尿病
	その他	自律神経系の活動亢進
その他の疾患・病態	女性ホルモン（エストロゲン）欠乏，薬剤性，多尿，睡眠障害，心因性，肥満，加齢	

（日本泌尿器科学会編：男性下部尿路症状・前立腺肥大症診療ガイドライン．p.59，表 4，リッチヒルメディカル，2017 および　日本排尿機能学会・日本泌尿器科学会編：女性下部尿路症状診療ガイドライン　第 2 版．p.79，表 3，リッチヒルメディカル，2019 を参考に作成）

■表 19-2　排尿障害の種類

種類	症状		原因
尿失禁	腹圧性尿失禁	咳やくしゃみ，重い荷物を持ったときなど腹圧がかかったときに尿が漏れる	加齢，妊娠・出産などにより骨盤底筋が弱くなり尿道括約筋が緩んで生じる
	切迫性尿失禁	突然強い尿意が生じ我慢できずに漏れる	神経因性膀胱や前立腺肥大症に伴って膀胱が不随意に収縮し生じる
	混合性尿失禁	腹圧性尿失禁と切迫性尿失禁の混合	腹圧性尿失禁と切迫性尿失禁の原因の混合
	溢流性尿失禁	膀胱に尿が充満し，少しずつ漏れる	排尿障害（尿閉，排尿筋の収縮力低下など）により生じる
	機能性尿失禁	トイレの場所がわからない，間に合わない，行けないために尿が漏れる	排尿機能に異常はないが，日常生活動作や認知機能の障害により生じる
排尿困難	尿勢低下，尿線分割・尿線散乱，尿線途絶，排尿遅延，腹圧排尿，終末滴下		前立腺肥大症，前立腺がんなどによる尿道狭窄，神経損傷，排尿筋の収縮力低下，薬剤の有害事象
頻尿	起床から就寝までの尿回数が 8 回以上．夜間頻尿は就寝後の排尿が 1 回以上		多飲，多尿，薬剤（利尿薬，降圧薬など）の有害事象，抗利尿ホルモンの減少，膀胱が小さい，膀胱が過敏，残尿がある
多尿	ドライアイ，口腔乾燥，口渇，体重減少		多尿では水分過剰摂取，尿崩症，糖尿病，夜間多尿では高血圧，うっ血性心不全，薬剤（利尿薬，降圧薬，抗コリン薬など）の有害事象，アルコール・カフェイン摂取など
過活動膀胱	尿意切迫感，頻尿，夜間頻尿		神経疾患に起因する神経因性（脳血管障害，パーキンソン病など）と明らかな神経疾患が見出せない非神経因性（加齢，骨盤の脆弱化，骨盤臓器脱など）に分類される
神経因性膀胱	蓄尿症状と排尿症状が混在		脳血管障害，脊髄障害，変性疾患（パーキンソン病など），糖尿病性神経障害などによる神経疾患
尿閉	排尿困難，残尿感．自覚症状がない場合もある		前立腺肥大症，前立腺がん，尿道狭窄，薬剤（抗コリン薬，抗ヒスタミン薬，抗うつ薬，感冒薬など）の有害事象

2) **観察**：排尿に関連する日常生活動作能力，排尿環境

3) **排尿日誌**：排尿時刻，1 回排尿量，失禁量，尿意切迫感，残尿感，食事・水分摂取量などを記載する．

●検査値

1) **尿検査**：尿中の蛋白，血液，糖などの有無と量の測定．泌尿器科疾患（尿路感染症，尿路結石，尿道狭窄，膀胱がんなど）を鑑別する．

2) **血液検査**：腎機能評価のため血清クレアチニン値（Cr）を測定．基準値は男性 1.2 mg/dL 以下，女性 1.0 mg/dL 以下．腎機能低下により高値となる．前立腺特異抗原（PSA）は，前立腺がんの診断に有用である．PSA 値は加齢とともに上昇する．年齢ごとの基準値は 50～64 歳 3.0 ng/mL 以下，65～69 歳 3.5 ng/mL 以下，70 歳以上 4.0 ng/dL 以下が推奨されている．

3) **超音波検査**：残尿量，膀胱の形態，膀胱がん，膀胱結石などを評価する．身体侵襲が少なく簡便に実施できる．

4) **残尿測定**：排尿直後に膀胱内に尿が残っていないかを測定する．残尿測定には，排尿直後に導尿する方法と携帯型の残尿測定専用装置を使用し超音波で残尿量を測定する 2 つの方法がある．50 mL 以下を軽度，50～100 mL を中等度，100 mL 以上を高度の残尿とする．

5) **パッドテスト**：尿失禁の重症度を客観的に評価することができる．500 mL の飲水後に腹圧性尿失禁を誘発する動作を 1 時間行った後に，失禁量を評価する 1 時間パッドテストと，日常生活のなかで 24 時間の失禁量を評価する 24 時間パッドテストがある．

6) **尿流動態検査**(urodynamic study：UDS)：下部尿路機能の評価を行う．尿流測定，膀胱内圧測定，尿道内圧検査，腹圧下漏出時圧，内圧尿流検査，尿道括約筋筋電図，ビデオウロダイナミクスといった検査がある．
7) **内視鏡検査**(膀胱・尿道内視鏡検査)：尿道口から内視鏡を挿入し膀胱・尿道の観察を行う．
8) **排尿時膀胱尿道造影**：膀胱の変形，蓄尿時の膀胱頸部開大の有無，膀胱尿管逆流などを評価する．
9) **経静脈性尿路造影**：下部尿路機能障害により生じた上部尿路障害や膀胱尿管逆流を評価する．

合併しやすい症状

腎機能障害，尿路感染症，尿路結石，膀胱尿逆流症，水腎症，萎縮膀胱など

■表 19-3　主要下部尿路症状スコア(Core Lower Urinary Tract Symptom Score：CLSS)

主要下部尿路症状質問票

この 1 週間の状態にあてはまる回答を 1 つだけ選んで，数字に○をつけてください．

何回くらい，尿をしましたか					
1	朝起きてから寝るまで	0	1	2	3
		7 回以下	8～9 回	10～14 回	15 回以上
2	夜寝ている間	0	1	2	3
		0 回	1 回	2～3 回	4 回以上
以下の症状が，どれくらいの頻度でありましたか					
		なし	たまに	時々	いつも
3	我慢できないくらい，尿がしたくなる	0	1	2	3
4	我慢できずに，尿が漏れる	0	1	2	3
5	咳，くしゃみ，運動の時に，尿が漏れる	0	1	2	3
6	尿の勢いが弱い	0	1	2	3
7	尿をするときに，お腹に力を入れる	0	1	2	3
8	尿をした後に，まだ残っている感じがする	0	1	2	3
9	膀胱(下腹部)に痛みがある	0	1	2	3
10	尿道に痛みがある	0	1	2	3

●1 から 10 の症状のうち，困る症状を 3 つ以内で選んで番号に○をつけてください．

1	2	3	4	5	6	7	8	9	10	0　該当なし

●上で選んだ症状のうち，もっとも困る症状の番号に○をつけてください(1 つだけ)．

1	2	3	4	5	6	7	8	9	10	0　該当なし

現在の排尿の状態がこのまま変わらずに続くとしたら，どう思いますか？

0	1	2	3	4	5	6
とても満足	満足	やや満足	どちらでもない	気が重い	いやだ	とてもいやだ

注：この主要下部尿路症状質問票は，主要下部尿路症状スコア(CLSS)質問票(10 症状に関する質問)に，困る症状と全般的な満足度の質問を加えたものである．

(日本泌尿器科学会編：男性下部尿路症状・前立腺肥大症診療ガイドライン．p.86，表 9，リッチヒルメディカル，2017 より転載)

■表 19-4　過活動膀胱症状質問票（Overactive Bladder Symptom Score：OABSS）

以下の症状がどれくらいの頻度でありましたか．この 1 週間のあなたの状態に最も近いものを，ひとつだけ選んで，点数の数字を○で囲んで下さい．

質問	症状	点数	頻度
1	朝起きた時から寝る時までに，何回くらい尿をしましたか	0	7 回以下
		1	8～14 回
		2	15 回以上
2	夜寝てから朝起きるまでに，何回くらい尿をするために起きましたか	0	0 回
		1	1 回
		2	2 回
		3	3 回以上
3	急に尿がしたくなり，我慢が難しいことがありましたか	0	なし
		1	週に 1 回より少ない
		2	週に 1 回以上
		3	1 日 1 回くらい
		4	1 日 2～4 回
		5	1 日 5 回以上
4	急に尿がしたくなり，我慢できずに尿を漏らすことがありましたか	0	なし
		1	週に 1 回より少ない
		2	週に 1 回以上
		3	1 日 1 回くらい
		4	1 日 2～4 回
		5	1 日 5 回以上
合計点数			点

過活動膀胱の診断基準　尿意切迫感スコア（質問 3）が 2 点以上かつ OABB 合計スコアが 3 点以上
過活動膀胱の重症度判定　OABB 合計スコア　軽症 5 点以下，中等症 6～11 点，重症 12 点以上

（日本排尿機能学会過活動膀胱診療ガイドライン作成委員会編：過活動膀胱診療ガイドライン．第 2 版，p.105，リッチヒルメディカル，2015 より転載）

治療法

1) **原疾患の治療**：排尿障害の原因となっている疾患の治療を行う．
2) **排尿誘導**：①時間排尿誘導（一定時間ごとにトイレ誘導を行う），②パターン排尿誘導（排尿パターンを把握し，適切な時刻にトイレ誘導を行う），③排尿習慣の再学習（尿意や失禁の有無を確認した上でトイレ誘導を行う．排尿に成功したときは一緒に喜ぶ）．
3) **膀胱訓練**：1 回排尿量が 150～200 mL 以上になるように排尿時刻を設定しトイレ誘導を行う．頻尿，腹圧性尿失禁，切迫性尿失禁の場合に行う．
4) **骨盤底筋訓練**：骨盤底筋群を鍛える運動を行う．腹圧性尿失禁，切迫性尿失禁に有効である．
5) **薬物療法**：蓄尿障害：抗コリン薬（作用：膀胱収縮力低下，副作用：残尿増加，尿閉，便秘，口渇，認知障害への影響など），β_3 刺激薬（作用：膀胱平滑筋弛緩，副作用：心拍数増加など）．
尿排出障害：α_1 遮断薬（作用：尿道拡張，副作用：起立性低血圧），PDE5 阻害薬（作用：平滑筋弛緩，心血管系障害を有する場合は禁忌），5α 還元酵素阻害薬（作用：前立腺縮小，効果発現まで数か月必要），コリンエステラーゼ阻害薬（作用：膀胱収縮力強化，副作用：循環不全，呼吸不全）．
6) **間欠導尿**：1 日に数回カテーテルを挿入し導尿を行う．排尿困難な状況がある場合に選択される．
7) **手術療法**：蓄尿障害の重症例には膀胱拡大術や尿道括約筋移植術，薬物療法で効果のみられない尿排出障害には尿道抵抗を低下させる手術を行うことがある．

排尿障害をもつ高齢者の看護

看護の視点

- 排尿障害をもつ高齢者は，膀胱・尿道機能の低下・障害に加え，加齢による日常生活動作能力や認知機能の低下・障害を抱えている場合が多く，快適な排尿が困難な状態にある．しかし，排尿は羞恥心を伴う行為であり，誰もができる限り自力で行いたいと願っている．
- 高齢者の排尿障害は加齢が原因と考えられがちだが，病態を把握したうえで治療とケアを行うことが重要である．
- 排尿障害を改善し，高齢者の苦痛，心配や不安を緩和・除去することが，その人らしい生活を送ることにつながる．

※そのために，以下のような日常生活の看護のポイントに留意して支援していく．

1. **高齢者がどのような生活をしたいと願っているのかを確認し，意思を尊重しながら支援する．**
2. **排尿障害があっても高齢者の望む排尿状態に近づけるように支援する．**
3. **排尿障害の種類に応じて適切に支援する．**

STEP 1 アセスメント　STEP 2 看護の焦点の明確化　STEP 3 計画　STEP 4 実施

情報収集・情報分析

	必要な情報	分析の視点
疾患関連情報	**現病歴と既往歴** ・膀胱炎，前立腺肥大症，脳血管障害，認知症，パーキンソン病，糖尿病など ・女性の場合は出産歴，月経	□排尿障害を引き起こしている現病歴や既往歴は何か □出産経験が排尿に影響を及ぼしていないか □閉経後のエストロゲン低下が排尿障害を引き起こしていないか
疾患関連情報	**症状** ・下部尿路症状（頻尿，尿意切迫感，尿勢低下・途絶，排尿遅延，腹圧排尿，終末滴下，排尿後滴下，残尿感） ・尿失禁のタイプ	□いつ・どのような下部尿路症状が出現するか □尿失禁がある場合はどのタイプか □下部尿路症状により日常生活のどこに支障があるか □下部尿路症状が精神面に影響（気分が落ち込む，憂うつになる，みじめになるなど）を及ぼしていないか
疾患関連情報	**検査** ・下部尿路機能の評価 ・排尿障害の確定診断	□排尿障害を引き起こしている原因は何か
疾患関連情報	**治療** ・行動療法の内容と効果 ・薬物療法の内容と効果 ・手術療法の内容と効果 ・その他の治療法の内容と効果	□治療により下部尿路症状は改善したか □治療による合併症が出現していないか
身体的要因	**運動機能** ・移動能力 ・姿勢保持能力 ・手指の巧緻性	□現病歴や既往歴，加齢による日常生活動作能力の低下により一連の排泄動作に影響を及ぼしていないか

<table>
<tr><th></th><th>必要な情報</th><th>分析の視点</th></tr>
<tr><td rowspan="3">身体的要因</td><td>認知機能
・トイレの場所の認識
・一連の排泄動作の理解</td><td>□一連の排泄動作を困難にさせる認知機能障害(記憶障害，見当識障害，理解力の低下，失行・失認・失語，実行機能障害など)はないか</td></tr>
<tr><td>言語機能
・尿意の伝達
・意思の伝達</td><td>□尿意を言葉で他者に伝えることができるか
□必要な援助や希望を言葉で支援者に伝えることができるか</td></tr>
<tr><td>感覚，知覚
・視力・聴力
・尿意の知覚</td><td>□視力・聴力の低下が一連の排泄動作に影響を及ぼしていないか
□現病歴や既往歴により尿意の知覚が障害されていないか</td></tr>
<tr><td>心理・霊的要因</td><td>健康知覚，意向，自己知覚，価値・信念，信仰，気分・情動，ストレス耐性
・排尿障害に対する病識
・排尿障害をもちながら生活することへの思い
・現在の治療やケアへの思い，希望，不安，心配
・今後の生活に対する希望，不安，心配
・排尿障害によるストレスとその対処方法</td><td>□排尿障害をどのように受け止めているか
□排尿障害をもつことでどのように生活が変化したか
□排尿障害をもつことによってQOLは低下していないか
□排尿障害の何を問題と感じているか
□どのような治療やケアを希望しているか
□今後どのような生活を希望しているか
□排尿障害によって，どのようなストレスをもっているか．そのストレスに対して，本人なりの対処方法はあるか</td></tr>
<tr><td rowspan="2">社会・文化的要因</td><td>役割・関係
・家族構成，キーパーソン，家庭での役割</td><td>□排尿障害によって家庭での役割が変化していないか
□家族は高齢者の排尿障害をどのように受け止め，何を問題と感じ，今後どのような生活を希望しているか</td></tr>
<tr><td>仕事・家事，学習，遊び，社会参加
・1日の過ごし方，日課
・仕事や家事の内容，頻度
・趣味活動の内容，頻度
・社会参加に対する思い</td><td>□排尿障害によって社会参加の機会が制限されていないか
□排尿障害によって社会参加に消極的になっていないか</td></tr>
<tr><td rowspan="3">睡眠・休息</td><td>睡眠・休息のリズム
・夜間の排尿による中途覚醒の回数，時間帯，排尿後に寝付くまでの時間</td><td>□夜間の排尿により睡眠が分断されていないか</td></tr>
<tr><td>睡眠・休息の質
・熟眠感
・日中の疲労感，眠気</td><td>□排尿による睡眠への影響はないか
□日中の活動に影響するような疲労感や眠気は生じていないか</td></tr>
<tr><td>心身の回復・リセット
・下部尿路症状による身体的・心理的苦痛</td><td>□何度もトイレに行くなど，下部尿路症状に対応することで疲労感が生じていないか
□尿失禁への不安や緊張から，心理的な苦痛を感じていないか</td></tr>
<tr><td>覚醒・活動</td><td>覚醒
・活動時の居眠りの有無</td><td>□夜間頻尿により熟眠感が得られず，日中の活動に影響していないか</td></tr>
</table>

	必要な情報	分析の視点
覚醒・活動	**活動の個人史・意味** ・活動全般に対する意欲 ・現在の日課，趣味	□尿失禁，頻尿，尿意切迫感があることにより，外出や他者との交流の機会が減少していないか □排尿障害があっても日課や趣味を継続できる方法はないか
	活動の発展 ・活動についての希望や思い	□毎日どのように過ごしたいと考えているか □排尿障害があることで希望の活動ができないという思いはないか
食事	**食事準備** ・食事前の排尿	□排尿により食事が中断されないよう，食事前にトイレに行くなど準備ができているか
	食思・食欲 ・バイタルサイン ・薬剤の有害事象 ・食事中の尿意	□食思・食欲の低下につながるバイタルサインの変化はないか □食思・食欲の低下につながる薬剤を使用していないか □頻尿や尿失禁，尿意切迫感が食事への集中を妨げていないか
	姿勢・摂食動作 ・食事中の姿勢 ・食事にかかる時間	□食事中に尿意を感じている様子や我慢している様子はないか □食事にかかる時間が長いために疲労し，排尿動作に影響していないか
	咀嚼・嚥下機能 ・嚥下困難，嚥下障害の状態 ・歯，歯肉，口腔粘膜の状態	□食事・水分摂取に影響する咀嚼・嚥下機能の低下はないか □口腔乾燥(抗コリン薬の有害事象など)が摂食に影響していないか □摂食に影響する口腔内の苦痛や不快はないか □摂食に影響する義歯の不具合(合わない，金具のはずれ，変形など)はないか
	栄養状態 ・食事・水分摂取量の変化 ・カフェイン，アルコールの摂取状況 ・脱水の徴候 ・身長，体重，BMI，体重の変化 ・血液検査データ	□栄養状態に影響するような食事・水分摂取量の低下がないか □頻尿や尿失禁が心配で食事・水分摂取量を制限していないか □カフェイン，アルコールの摂取が頻尿，多尿に影響していないか
排泄	**尿・便をためる** ・頻尿，尿意切迫感，尿失禁の状況	□尿意を感じる頻度や間隔はどのくらいか □どのようなときに尿失禁があるか
	尿意・便意 ・尿意の知覚 ・尿意の伝え方	□尿意を感じているか □尿意を自分なりの方法で他者に伝えることができるか
	姿勢・排泄動作 ・起き上がり動作 ・トイレまでの移動動作 ・座位保持状況 ・衣類の着脱方法 ・尿器・便器の使用方法 ・後始末・手洗いの方法	□排泄動作を妨げる日常生活動作能力の低下や障害はないか □一連の排泄動作を理解し行動できるか
	尿・便の排出 ・排泄する場所の環境 ・下部尿路症状の有無 ・便失禁・便秘の有無	□プライバシーが保護され安心して排泄できる環境となっているか □便秘に伴い，直腸にたまった便が尿道や膀胱を圧迫して，蓄尿・排尿に影響していないか

	必要な情報	分析の視点
排泄	**尿・便の状態** ・排尿回数・量・性状・時刻 ・利尿薬や排尿障害に関する薬剤の使用状況 ・排便回数・量・性状(ブリストルスケールなど)・時刻 ・下剤や浣腸の使用状況	□頻尿や尿失禁，尿意切迫感に影響する薬剤を使用していないか □排便状況に合わせた下剤や浣腸が使用され，便秘は改善しているか
身じたく	**清潔** ・入浴中の尿意，陰部・殿部の皮膚状況 ・口腔ケア方法，歯，歯肉，口腔粘膜の状態，義歯使用と状態	□頻尿や尿失禁，尿意切迫感が入浴の継続を妨げていないか □陰部・殿部の清潔が保持され，感染徴候がないか □食事・水分摂取に影響するような口腔内の苦痛や不快はないか
	身だしなみ ・おむつやパッドの使用状況，交換のタイミング ・衣服の選択	□排尿障害に合わせた排泄用具を選択できているか □尿失禁による臭気への対応ができているか □尿意を感じたときに着脱しやすい衣服を選択しているか
	おしゃれ ・おしゃれに対する関心・意欲	□下部尿路症状への対応による疲労感，不安や心配でおしゃれに対する関心・意欲が低下していないか □おむつやパッドなどの排泄用具の使用により，おしゃれに消極的になっていないか
コミュニケーション	**伝える・受け取る** ・意思の伝え方 ・尿意の伝え方	□どのような方法(言語・非言語)で他者に意思を伝えているか □どのような方法で支援者に尿意を伝えているか □支援者に尿意を伝えることに対し遠慮していないか
	コミュニケーションの相互作用・意味 ・支援者の援助内容 ・家族との関係	□支援者に援助の希望を伝えることができているか □排尿に関する不安や心配，今後の希望を話せる家族や相談相手がいるか
	コミュニケーションの発展 ・他者との付き合い方	□排尿障害により他者と交流する機会が制限されていないか □排尿障害により他者との交流に消極的になっていないか

アセスメントの視点(病態・生活機能関連図へと導くための指針)

排尿障害はその種類によって，治療による改善が期待できるので，適切な治療が受けられるように症状をこまやかに観察し，医師と情報共有することが重要である．

症状の現れ方や受け止め方には，障害や加齢変化の影響を受けて個人差がある．高齢者の思い(悩みや希望)を聞いて，適切なケアを検討する．

排尿障害をもつことにより気分が落ち込んだり，ストレスになったり，さらに行動範囲が縮小する場合もあるため，生活リズムに影響を及ぼす．安心・安全に排尿できる環境を整え，高齢者が望む生活ができるように支援していく．

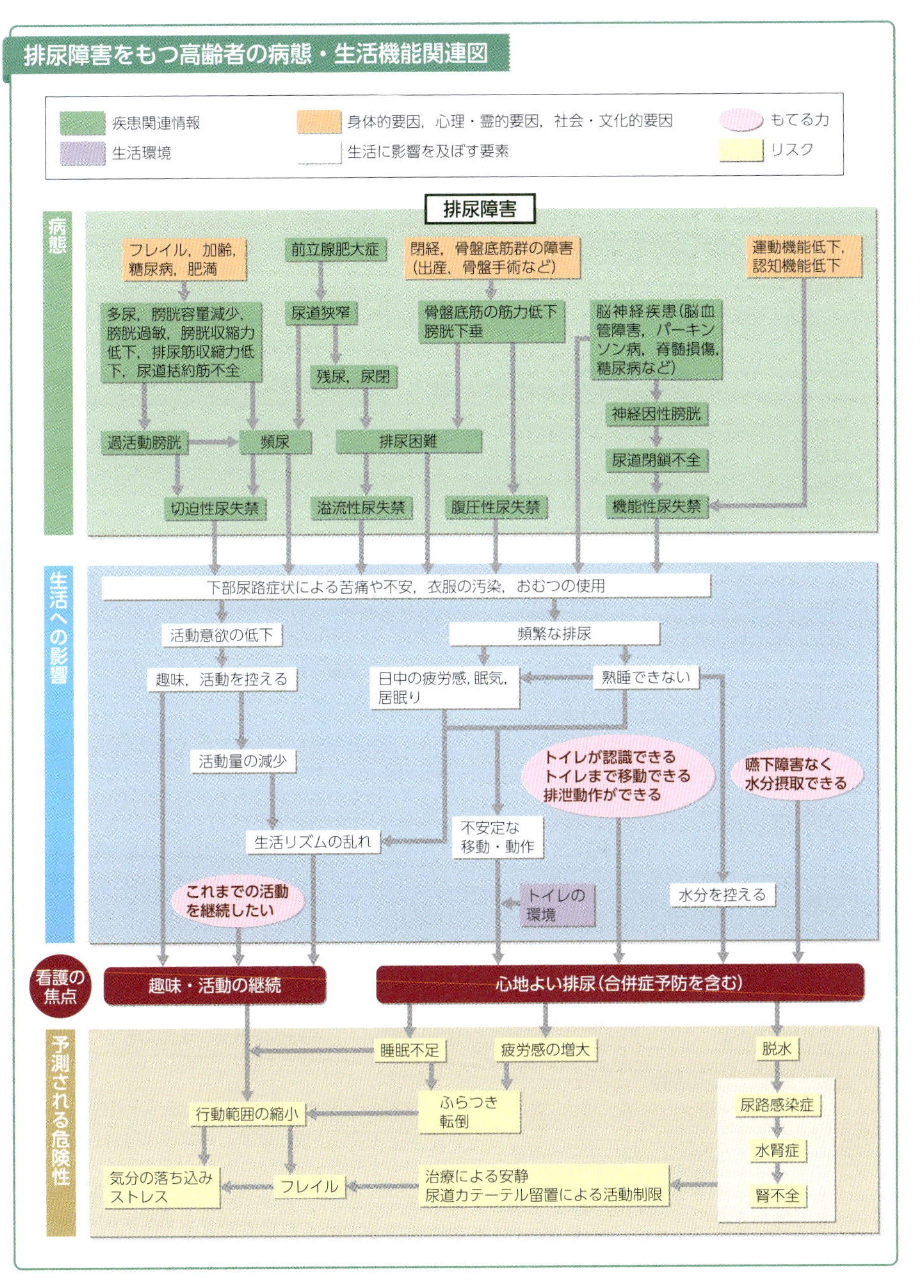

排尿障害をもつ高齢者の病態・生活機能関連図
疾患関連情報
身体的要因，心理・霊的要因，社会・文化的要因
もてる力
生活環境
生活に影響を及ぼす要素
リスク
排尿障害
病態
フレイル，加齢，糖尿病，肥満
前立腺肥大症
閉経，骨盤底筋群の障害（出産，骨盤手術など）
運動機能低下，認知機能低下
多尿，膀胱容量減少，膀胱過敏，膀胱収縮力低下，排尿筋収縮力低下，尿道括約筋不全
尿道狭窄
骨盤底筋の筋力低下 膀胱下垂
脳神経疾患（脳血管障害，パーキンソン病，脊髄損傷，糖尿病など）
残尿，尿閉
神経因性膀胱
過活動膀胱
頻尿
排尿困難
尿道閉鎖不全
切迫性尿失禁
溢流性尿失禁
腹圧性尿失禁
機能性尿失禁
生活への影響
下部尿路症状による苦痛や不安，衣服の汚染，おむつの使用
活動意欲の低下
頻繁な排尿
趣味，活動を控える
日中の疲労感，眠気，居眠り
熟睡できない
活動量の減少
トイレが認識できる トイレまで移動できる 排泄動作ができる
嚥下障害なく水分摂取できる
生活リズムの乱れ
不安定な移動・動作
これまでの活動を継続したい
トイレの環境
水分を控える
看護の焦点
趣味・活動の継続
心地よい排尿（合併症予防を含む）
予測される危険性
睡眠不足
疲労感の増大
脱水
ふらつき 転倒
尿路感染症
行動範囲の縮小
水腎症
気分の落ち込み ストレス
フレイル
治療による安静 尿道カテーテル留置による活動制限
腎不全

STEP① アセスメント　STEP② 看護の焦点の明確化　STEP③ 計画　STEP④ 実施

看護の焦点の明確化

#1　下部尿路症状による苦痛や不安が軽減し，楽しみながら趣味・活動を継続できる
#2　排尿障害に伴う合併症を起こすことなく，もてる力を活かして心地よく排尿できる

STEP① アセスメント　STEP② 看護の焦点の明確化　STEP③ 計画　STEP④ 実施

1 看護の焦点	看護目標
下部尿路症状による苦痛や不安が軽減し，楽しみながら趣味・活動を継続できる	1) 下部尿路症状による苦痛や不快が軽減する 2) 睡眠・休息のリズムが整い，熟睡感が得られる 3) 楽しみながら趣味・活動を継続できる

具体策（支援内容）	根拠
1. 下部尿路症状による苦痛や不安を表出できる環境づくり	
・排尿日誌から症状の変化や治療の効果を確認する ・症状による苦痛，不安や心配が表出された時は記録に残し，高齢者と家族，多職種チームとともに共有しケアを検討する	●記録から症状の変化や治療の効果，苦痛，不安や心配を把握し，多職種チームで共有しケアを検討することが必要である
・家族にも状況を理解してもらい，高齢者と一緒に治療や生活の工夫に取り組めるように支援する	●排尿障害をもちながら生活する高齢者にとって，家族の理解や見守りは安心して生活できるために重要である
2. 下部尿路症状による苦痛や不安への支援	
・苦痛や不安に感じている下部尿路症状について高齢者本人に確認し，ケアを検討する	●下部尿路症状は主観的で個人差が大きい．高齢者本人が「困っている」「つらい」と感じていることを確認したうえでケアを検討する
・排尿日誌により高齢者の排尿間隔や1日の排尿パターンを把握し，排尿誘導などを行う	●失禁回数が減少することにより尿失禁への不安や心配が軽減し，排尿を過度に気にすることなく活動ができる
・皮膚トラブルを予防する	●陰部・殿部の皮膚に長時間尿が付着した場合，皮膚トラブルを生じるおそれがあるため，清潔を保持するケアが必要である
・安全に排尿できる環境を整える	●排尿に関連した転倒などの事故が起こらないよう，トイレの位置の確認やトイレ内の環境，衣服の選択などの環境調整が重要である
3. 睡眠・休息リズムの調整	
・1日の尿量は体重(kg)×20～30 mLを目標とする ・就寝3時間前には飲水を終えるようにする ・就寝前のアルコール，カフェインなど利尿作用のある飲み物は控える	●多尿によって頻尿や尿失禁になっている場合には，糖尿病や尿崩症などの疾患を除外し適切な水分摂取ができるように支援する ●頻尿や尿失禁への心配から水分摂取を控えることがあるが，脱水は合併症を誘発するため，就寝前の飲水量，刺激物の摂取に注意しながら必要な水分量が摂取できるように支援する
・排尿状況に応じてポータブルトイレ，収尿器，尿パッド，おむつなどの使用を検討する	●排尿状況に合わせた排泄用具の使用により安心して入眠できる場合がある．また，排泄用具を使用し自立して排尿できる可能性がある

・日中は休息しながら離床できる時間を設定する	●日中の座位時間が長いと腎血流量の低下により尿回数が減少するが，臥床により腎血流量が増加し利尿状態(尿回数の増加)となる
4. 楽しみとしている活動参加への支援 ・楽しみとしている趣味などの活動前には，排尿を済ませるように声をかける ・排尿日誌から排尿パターンを把握し，失禁する前にトイレに行けるように支援する ・活動中にもトイレに通いやすいようにトイレの位置を確認しておく	●尿失禁への不安や心配が行動範囲の縮小に影響するため，活動中も快適に排尿できるよう環境を整えることが必要である
・排尿状況に応じておむつや尿パッドの使用を検討する	●排泄用具を使用することにより安心して活動に参加できる場合がある

2 看護の焦点

排尿障害に伴う合併症を起こすことなく，もてる力を活かして心地よく排尿できる

看護目標

1) できる限り自力で排泄動作ができる
2) 一連の排泄動作を転倒することなく行うことができる
3) プライバシーが保護されているという安心のもと排尿できる
4) 排尿障害に伴う合併症がない

具体策(支援内容)	根拠
1. 排泄動作の支援 ・尿意を感じ，自室からトイレに行き，後始末をしてトイレから自室へ戻るまでの一連の排泄動作の確認と支援を行う	●排尿のためには，①尿意の知覚，②自室からトイレへの移動，③便器の認識，④脱衣，⑤便器の使用，⑥排尿，⑦後始末，⑧着衣，⑨トイレから自室までの移動という一連の動作が必要である．日常生活動作や認知機能の障害がある場合は，一連の動作のなかで何が，なぜできないのかを確認し，支援内容を検討する
2. 排泄に伴うもてる力を引き出すための環境整備 ・快適に排尿できるように排泄用具(ポータブルトイレ，尿器，差し込み便器，おむつ，尿パッドなど)の使用を検討する	●排泄用具の使用によって改善可能な排尿障害は機能性尿失禁である．排泄用具は多種多様であるため，高齢者の日常生活動作と認知機能を確認し，高齢者の生活に合ったもの，QOLを改善するものを選択する．安易な用具の選択は廃用症候群の原因になるため注意する
・自室からトイレまでの距離をできるだけ短くする	●切迫性尿失禁，過活動膀胱でトイレに間に合わない場合や，日常生活動作に障害があり長距離の移動が困難な場合は，移動距離を検討する
・自室，トイレ，廊下の照明を調整し歩行しやすくする	●夜間の照明が暗いことでトイレが見つけられなかったり，転倒の危険がある
・着脱しやすい衣類や着慣れた衣類を選択する	●高齢者は巧緻性が低下するため，衣類の着脱に時間がかかり失禁する場合がある．認知症高齢者では，着脱方法がわからず失禁する場合がある

・トイレが認識できるように目印をつける

●認知症や視力障害のある高齢者は，トイレの場所がわからない，見えないということで失禁する場合がある

3. プライバシーに配慮した環境整備

・自室で排尿する場合は扉，カーテン，スクリーンを使用し，排尿音，臭気，羞恥心に配慮する

●周囲が気になったり，緊張感があると快適に排尿できない．プライバシーの保護に配慮した環境を整える

4. 排尿障害の種類に応じた支援

・排尿日誌を記録し，排尿障害の種類と程度をアセスメントし支援を検討する

●排尿日誌は3日以上の記録が推奨される．排尿日誌により排尿パターン，排尿障害の種類，治療の効果を読み取ることができる

・腹圧性尿失禁では，膀胱訓練や骨盤底筋訓練の実施，肥満・急激な体重増加があった場合は減量を検討する．便秘の改善を行う

●骨盤底筋が弱くなり尿道括約筋が緩んで失禁が生じている場合は骨盤底筋を鍛えることが必要．また，肥満と腹圧性尿失禁の関連が報告されている．便秘がある場合は努責の際に失禁することがある

・切迫性尿失禁では，薬物療法（抗コリン薬など）と膀胱訓練の併用，骨盤底筋訓練を実施する

●まずは原疾患（膀胱炎，結石，腫瘍，前立腺肥大症など）の治療を行う．抗コリン薬使用時は有害事象（残尿増加，排尿障害，尿閉，便秘，口渇，認知障害への影響など）を観察する

・溢流性尿失禁・排尿困難・尿閉では，残尿の確認が重要．腹部膨満・緊満の観察，残尿測定の実施．治療による改善がみられない場合，間欠導尿，尿道カテーテル留置を検討する

●残尿を放置すると膀胱炎，尿路感染症，水腎症などの合併症につながる

・機能性尿失禁では，運動障害，認知機能障害に合わせた排泄動作の支援と環境整備を行う

●排泄動作の障害となっていることを見極め，解決できるように支援する

・頻尿・多尿では，飲水量と時間，カフェインやアルコールの摂取量，内服薬（利尿薬，降圧薬など）を確認し，原因と考えられるものを改善する

●飲水量が2,000 mL/日以上であったり，就寝前に飲水する習慣があると夜間の尿量が増える．カフェインやアルコール，利尿薬や降圧薬などの内服薬には利尿作用がある

・過活動膀胱では，骨盤底筋訓練の実施，薬物療法（抗コリン薬，β_3 刺激薬など）を検討する

●過活動膀胱は非神経因性の場合は骨盤底筋を鍛える必要があり，神経因性の場合は膀胱の緊張を和らげ尿道括約筋を締める作用のある薬剤を使用する．薬剤使用時は有害事象の観察が必要

・神経因性膀胱による尿排出障害の場合は薬物療法（α_1 遮断薬など），間欠導尿，尿道カテーテル留置，蓄尿障害の場合は薬物療法（抗コリン薬，β_3 刺激薬など）を検討する

●尿排出障害の場合は残尿を放置すると膀胱炎，尿路感染症，水腎症などの合併症につながる．薬剤使用時は有害事象の観察が必要

5. 合併症の理解の促進

・高齢者が疾患，症状，治療について理解できるように，わかりやすい言葉で説明する

●高齢者が治療に取り組むためには現状を理解することが必要となる

・排尿日誌を自分で記載してもらう

●自分で排尿日誌を記載することにより排尿状況を客観的に把握することができる

・検査や治療に伴う不安や心配を表出できる環境を整え，家族の理解と支援が受けられるように関わる

●高齢者が家族の協力を得ながら生活ができるように家族に情報提供を行う

6. 合併症の予防の実践

・1日の飲水量が1,000〜1,500 mLとなるよう水分摂取を勧める

●水分摂取を控えることで脱水となり，尿路感染症や尿管結石などの合併症を発症する可能性がある

・症状が増悪した場合は家族や医療関係者に伝えたり，病院を受診できるように支援する

●尿閉を放置することにより，水腎症や腎機能障害など重篤な合併症につながる可能性があるため，症状に応じた治療，ケアが受けられるように行動できることが必要である

関連項目

※もっと詳しく知りたいときは，以下の項目を参照しよう

排尿障害の原因・誘因について

- 「9 前立腺肥大症（→ p.199）」：どのような種類の排尿障害が出現するか確認しよう
- 「3 脳卒中（→ p.93）」「2 パーキンソン病（→ p.73）」：疾患特有の症状が排泄動作に影響していないか確認しよう
- 「1 認知症（→ p.56）」：中核症状（記憶障害，見当識障害，理解力の低下，実行機能障害，失行・失認・失語）が排泄動作に影響していないか確認しよう
- 「8 糖尿病（→ p.182）」：どのような種類の排尿障害がみられるか確認しよう

排尿障害に影響を及ぼす障害・状態について

- 「15 摂食嚥下障害（→ p.304）」：神経系の疾患・病態に伴う嚥下障害が水分摂取に影響していないか確認しよう
- 「29 転倒（→ p.504）」：移動や姿勢保持の障害が排泄動作に影響していないか確認しよう
- 「28 フレイル（→ p.491）」：運動機能・活動性の低下が食事・水分摂取状況や排泄動作に影響していないか確認しよう
- 「21 睡眠障害（→ p.394）」：夜間頻尿が睡眠に影響していないか確認しよう

排尿障害に関連したリスクについて

- 「17 脱水（→ p.340）」：水分摂取を控えることで脱水の危険はないか確認しよう
- 「13 尿路感染症（→ p.272）」：残尿量の増加により尿路感染症を合併する危険はないか確認しよう

排尿障害をもつ高齢者への看護について

- 「第1編」の「4 排泄（→ p.27）」：快適な排尿のための支援を考えよう
- 「第1編」の「2 覚醒・活動（→ p.10）」：排尿障害による活動への影響を考えながら高齢者の望む活動ができるような支援を考えよう
- 「第1編」の「1 睡眠・休息（→ p.2）」：排尿障害による休息への影響を考えながら生活リズムを整える休息の方法を考えよう

20 排便障害(便秘・下痢)

大久保抄織

病態生理

●排便のメカニズム

摂取した食物は，消化管を通過して消化酵素により分解され，胃や小腸から栄養素として吸収される．食物繊維などの未消化のものが大腸に運ばれ，水分や電解質が吸収されて便が形成される．便が直腸に下りると排便中枢に刺激が伝わり，便意を感じる．このとき自律神経支配下である内肛門括約筋は緩むが，体性神経支配である外肛門括約筋は随意的に収縮できるので，トイレに移動して排便を行うことができる(図 20-1, 20-2)．

便意は我慢しているとやがて消えてしまい，便意がなくなってからではなかなか排便できない．排便するときのトイレでは，いきみやすい前屈姿勢をとることも必要である．便意といきみ・排便姿勢は，排便のための重要な要因である．

正常な便は水分を 70～80% 含み，ブリストルスケールによる便の性状(表 20-1)ではタイプ 3～5 の状態で茶褐色である．

●排便障害とは

便の量や回数，硬さなど，排便に関して何らかの問題が生じた状態．便秘や下痢，便失禁などがある．

1) **便秘**：便の結腸や直腸の通過時間が長く，停滞や貯留により水分が吸収されて便が硬くなり，本来体外に排出すべき便を十分量かつ快適に排出できない状態．ブリストルスケールのタイプ 1～2 の状態で，排便回数が減少する．一般的には 3～4 日排便がない時とされることもあるが，排便周期は個人差が大きいため，排便がない日数や回数のみでの判断は適切ではない．
2) **下痢**：便の結腸や直腸の通過時間が短く，消化・吸収されないため形がない便となる状態．水分を 80% 以上含み，ブリストルスケールのタイプ 6～7 の状態．腹痛を伴い，排便回数が増えることが多い．
3) **便失禁**：肛門括約筋の障害や下痢などにより，便が漏れる状態．

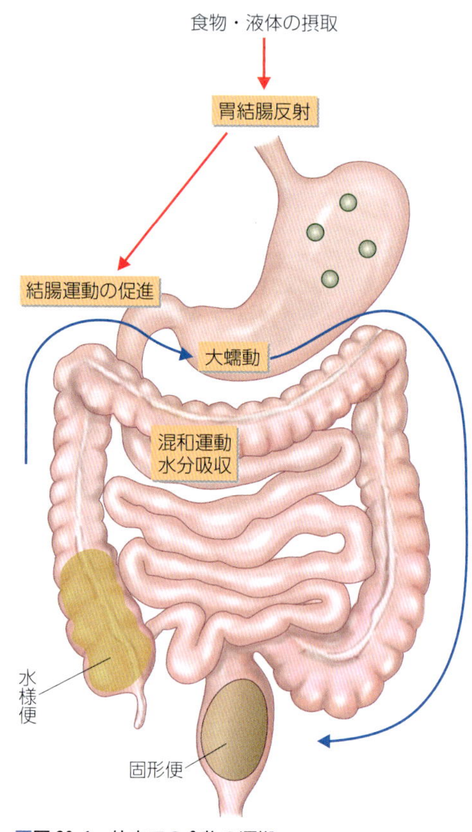

■図 20-1　体内での食物の運搬

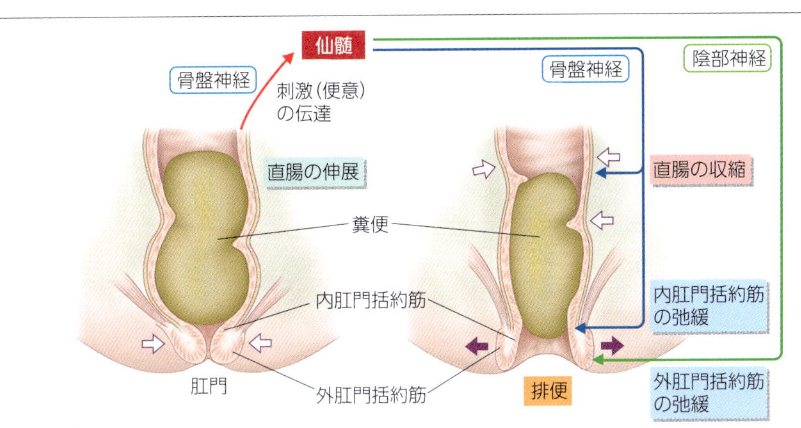

直腸が伸展すると反射的に内肛門括約筋が弛緩する．ほぼ同時に外肛門括約筋が収縮し，便が漏れるのを防いでいる．

■図 20-2　排便の仕組み

■表 20-1　ブリストルスケールによる便の性状

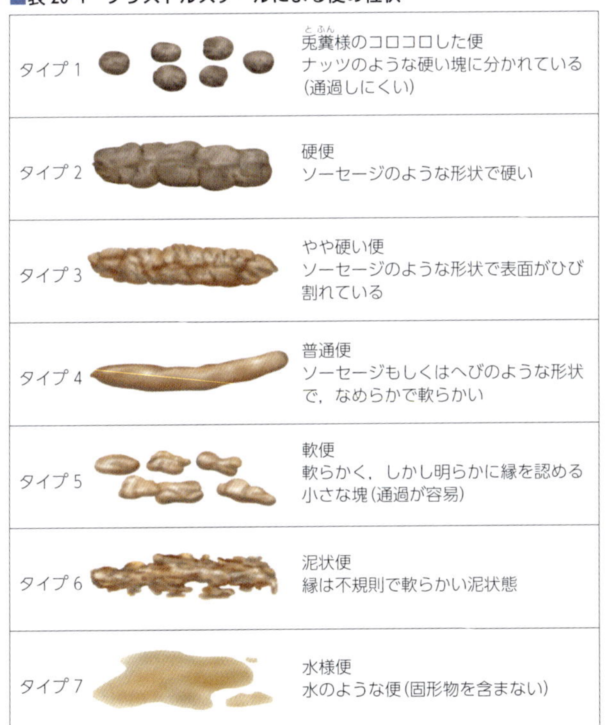

タイプ 1	兎糞(とふん)様のコロコロした便 ナッツのような硬い塊に分かれている(通過しにくい)
タイプ 2	硬便 ソーセージのような形状で硬い
タイプ 3	やや硬い便 ソーセージのような形状で表面がひび割れている
タイプ 4	普通便 ソーセージもしくはへびのような形状で，なめらかで軟らかい
タイプ 5	軟便 軟らかく，しかし明らかに縁を認める小さな塊(通過が容易)
タイプ 6	泥状便 縁は不規則で軟らかい泥状態
タイプ 7	水様便 水のような便(固形物を含まない)

■表 20-2　排便障害の分類と原因

排便障害	分類				メカニズム	原因
便秘	急性	機能性			ストレスにより自律神経が影響を受ける	旅行や生活環境の変化，ストレスなど
		器質性			疾患が原因となり，腸管が塞がれる	イレウス，腸捻転，腸重積
	慢性	器質性	狭窄性		器質的な疾患により腸管の狭窄や閉塞をきたす	大腸がん，クローン病，虚血性大腸炎など
			非狭窄性	排便回数減少型	蠕動運動が正常に行われない	巨大結腸など
				排便困難型	〈器質性便排出障害〉 器質的な疾患により便が排出されない	直腸瘤，直腸重積，巨大直腸，小腸瘤，S 状結腸瘤など
		機能性		排便回数減少型	〈大腸通過遅延型〉 疾患や薬剤の影響により腸管運動が低下する	特発性 症候性：代謝・内分泌疾患，神経・筋疾患，膠原病，便秘型過敏性腸症候群など 薬剤性：向精神薬，抗コリン薬，オピオイド系薬など
					〈大腸通過正常型〉 経口摂取量や食物繊維量の低下により排便回数が減少する	経口摂取不足(食物繊維摂取不足を含む) 大腸通過時間検査での偽陰性など
				排便困難型	〈硬便による排便困難〉 硬便により排出できない	硬便による排便困難・残便感(便秘型過敏性腸症候群など)
					〈機能性便排出障害〉 直腸壁の刺激感受性の低下により便意を催さない．腹筋の脆弱化，寝たきりにより腹圧をかけられない	骨盤底筋協調運動障害 腹圧(努責力)低下 直腸感覚低下 直腸収縮力低下など
下痢	浸透圧性下痢				腸内の浸透圧が上がり，体液が腸管内に移動する．絶食により症状は消失する	摂取した食物が消化酵素不足で消化できないこと(乳糖不耐症，胃切除や回腸切除など)，吸収されないもの(マグネシウム含有の制酸薬，ソルビトール，ラクツロース)や非電解質(グリセリン，グルコース)の摂取など
	滲出性下痢				腸粘膜から多量の滲出液が腸管内に分泌される	細菌性大腸炎(サルモネラなど)，ウイルス性大腸炎(ノロウイルスなど)，炎症性腸疾患(潰瘍性大腸炎，クローン病)など
	分泌性下痢				消化管粘膜からの分泌が異常に亢進することによって生じる．絶食しても症状は消失しない	細菌毒素，ホルモン，胆汁酸，脂肪酸など
	腸管運動異常による下痢	腸管運動の亢進			腸管の内容物が腸管内を早く通過するため，水分吸収ができない	過敏性腸症候群，甲状腺機能亢進症など
		腸管運動の低下			腸管の内容物の停滞により腸内細菌が増殖し，胆汁酸の脱抱合を招いて脂肪や水分の吸収を妨げる	糖尿病など
便失禁	腹圧性便失禁				咳やくしゃみなど腹圧がかかったときに便が漏れる状態	肛門括約筋の筋力低下，手術などによる損傷
	切迫性便失禁				便意はあるが，我慢できずに漏れてしまう．多くの場合，下痢を伴っている	便意があるため内肛門括約筋は正常．外肛門括約筋の弛緩
	溢流性便失禁				便意を感じず，いつの間にか漏れている	内肛門括約筋の弛緩，嵌入便(図 20-3)など
	機能性便失禁				トイレの場所がわからない，トイレまで歩けない，排泄動作が間に合わないことにより漏れてしまう	認知症，脳血管障害など

病因・分類

●分類

1) 便秘

急性と慢性に分類される．さらに，それぞれ器質性と機能性に分類される(表 20-2)．

2) 下痢

発生機序により，浸透性，滲出性，分泌性，腸管運動異常によるものに分類される．また，下痢の持続時間により，急性と慢性に分類されることもある．

※嵌入便(図 20-3)：直腸に溜まった便の表面だけが少しずつ溶け，流れ出てくる状態．便が直腸にあるため便意を常に感じるが，出せない状態が続く．下痢と間違えて止痢薬が投与されることもあるが効果はない．寝たきりや高齢者に多くみられる．

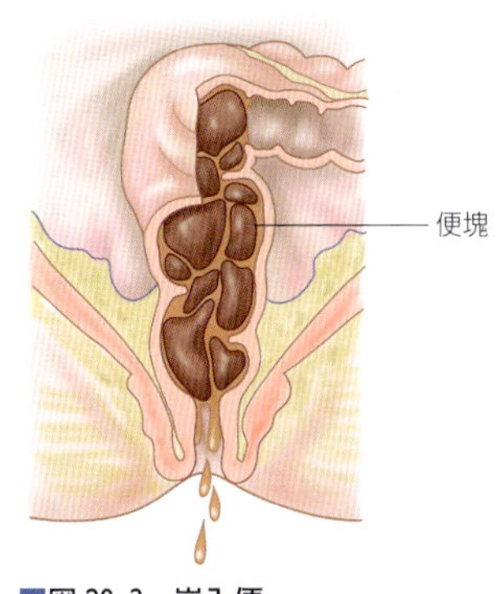

■図 20-3　嵌入便

症状

●便秘の症状

腹痛，悪心・嘔吐，食欲不振，腹部膨満感，ストレスなど

●下痢の症状

腹痛，悪心・嘔吐，食欲不振，発熱，脱水，口渇，肛門痛，ストレスなど

リスク

●便秘のリスク

イレウス，痔核，努責による血圧上昇，大腸憩室炎など

●下痢のリスク

脱水，栄養状態の悪化，体力の低下，活動の低下，スキントラブルなど

診断

●問診

主訴，既往歴，現病歴，排便回数，便の性状，量，トイレ環境，おむつ使用の有無，随伴症状，精神状態，使用薬剤(下剤，自律神経に作用する薬など)，食事内容，水分摂取量，日常生活動作，女性の場合は出産歴など

●検査

・直腸指診，腹部診察
・腹部単純 X 線検査，肛門内圧検査，排便造影検査，大腸内視鏡検査，大腸通過時間測定検査など
・糞便検査(細菌培養，便潜血反応)
・血液検査

治療法

●便秘の治療法

・薬物療法：下剤，整腸薬，浣腸剤(表 20-3)
・摘便
・外科的治療：器質性便秘の原因となる疾患によっては適応となる．
・食事療法：腸内細菌の善玉菌を増加させるプロバイオティクスと，その働きを助けるプレバイオティクスを摂取する．
・定期的な運動や活動への参加
・排便習慣の調整・確立

■表 20-3　排便障害に用いられる主な治療薬

排便障害	分類	一般名	商品名
便秘	浸透圧性下剤	酸化マグネシウム(カマ)	マグラックス
		マクロゴール 4000・塩化ナトリウム・炭酸水素ナトリウム・塩化カリウム合剤	モビコール
	刺激性下剤	センノシド	プルゼニド
		センナ・センナジツ合剤	アローゼン
		ピコスルファートナトリウム水和物	ラキソベロン
	ビタミン製剤	パンテチン	パントシン
	整腸薬	ラクトミン	ビオフェルミン
		ビフィズス菌	ラックビー
	過敏性腸症候群治療薬	ポリカルボフィルカルシウム	ポリフル，コロネル
	漢方薬	大建中湯	大建中湯
		大黄甘草湯	大黄甘草湯
		麻子仁丸	麻子仁丸
	粘膜上皮機能変容薬	ルビプロストン	アミティーザ
		リナクロチド	リンゼス
	胆汁酸トランスポーター阻害薬	エロビキシバット水和物	グーフィス
	浣腸剤	グリセリン	グリセリン
	坐剤	ビサコジル	テレミンソフト
		炭酸水素ナトリウム・無水リン酸二水素ナトリウム合剤	新レシカルボン
下痢	止痢薬	ロペラミド塩酸塩	ロペミン
		タンニン酸アルブミン	タンナルビン
		天然ケイ酸アルミニウム	アドソルビン
	抗菌薬(ニューキノロン系)	レボフロキサシン水和物	クラビット
	胃腸機能調整薬	トリメブチンマレイン酸塩	セレキノン
	整腸薬	ラクトミン	ビオフェルミン
		ビフィズス菌	ラックビー
		耐性乳酸菌	エントモール

●下痢の治療法

・薬物療法：止痢薬，整腸薬，抗菌薬(表 20-3)
・輸液療法：水・電解質バランスの是正，栄養補給
・食事療法：症状が落ち着くまで絶食とする．低脂肪・低残渣食とし，冷たいものや香辛料は避ける．
・安静，保温

排便障害をもつ高齢者の看護

看護の視点

- 高齢者は複数の疾患を抱えており，加齢による変化により排便障害をきたしやすい．また，食事の偏り，内服薬の有害事象として排便障害を起こすこともある．
- 高齢者は筋力の低下や障害による姿勢保持困難，トイレで排泄できない環境，認知症などにより1人でトイレに行けないなどが原因となり，排泄行動に援助が必要な場合がある．
- 支援者は，なぜ排便障害が起きているのかをアセスメントするとともに，日常生活に支障をきたしていることは何か，もてる力は何か，必要な援助は何かを見極める必要がある．また，一般的に排泄動作や排泄物は他者の目に触れないものであることから，援助に携わるにあたっては，高齢者の自尊心への配慮が求められる．

※そのために，以下のような日常生活の看護のポイントに留意して支援していく．

1. 快適に排便できるよう，食事やトイレなどの生活環境を整える．
2. 下痢が早期に改善するよう配慮し，普段の生活に戻れるよう支援する．

STEP 1 アセスメント　STEP 2 看護の焦点の明確化　STEP 3 計画　STEP 4 実施

情報収集・情報分析

	必要な情報	分析の視点
疾患関連情報	**現疾患と既往歴** ・便秘をもたらす疾患 ・下痢をもたらす疾患 ・機能性便失禁 ・女性の場合は出産歴	□パーキンソン病，イレウス，過敏性腸症候群，甲状腺機能低下症，大腸がんなどの疾患や治療薬が便秘の原因になっていないか □細菌性大腸炎，ウイルス性大腸炎，炎症性腸疾患，過敏性腸症候群，甲状腺機能亢進症，糖尿病などの疾患や治療薬が下痢の原因になっていないか □認知症，脳血管障害などの疾患や治療薬が便失禁の原因になっていないか □出産による骨盤底筋群への影響はないか
	症状 ・便秘：腹痛，悪心・嘔吐，食欲不振，腹部膨満，ストレスなど ・下痢：腹痛，悪心・嘔吐，食欲不振，発熱，脱水，口渇，肛門痛，ストレスなど	□便秘または下痢の症状はいつから始まったか，どれくらい続いているか □便秘または下痢と食事との関係はないか □治療薬の有害事象によって便秘になっていないか □治療薬の有害事象によって下痢になっていないか
	検査 ・血液検査 ・検便，便培養	□炎症反応はあるか □出血はあるか，細菌やウイルスは検出されていないか
	治療 ・薬剤(軟化剤，下剤，止痢薬)の内容，用量，使用時間，効果の程度 ・排便に必要な筋力リハビリテーションの内容	□薬剤の使用量や使用時間，使用期間(長期間となっていないか)，種類の選択は適切か □リハビリテーションは腹筋や骨盤底筋群に効果をもたらしているか

	必要な情報	分析の視点
身体的要因	**運動機能** ・立位や座位の安定性，起き上がり，立ち上がり，移動方法（歩行，車椅子など），移乗動作，麻痺の有無，衣服の着脱動作，排便後の後始末動作	□歩行障害や麻痺がトイレまでの移動や脱衣などに時間を要して，排便に影響していないか □手指の巧緻性の低下などにより，後始末動作に支障をきたしていないか
	認知機能，言語機能 ・便意の表現方法 ・トイレの場所の認識や記憶の有無	□便意を他者に伝えることができるか，どのように伝えているか □言語障害により言葉で便意を伝えることができない状態ではないか □トイレの場所を認識しているか
	感覚，知覚 ・視力の低下，視野欠損の有無	□視覚の障害により，排泄動作に影響はないか
心理・霊的要因	**健康知覚，意向** ・排便障害に対する受け止め方 ・排便障害を抱えながら生活する上での意向	□排便障害をどう受け止め，生活していきたいと考えているか □自分でできることは可能な限り自分でしたいという思いはあるか □トイレで排便したいと思っているか □可能であれば薬に頼りたくないと思っているか，自然に近い排便をしたいと思っているか
	自己知覚，価値・信念，信仰，気分・情動，ストレス耐性 ・排便障害が続くことへの不安，イライラ，ストレス ・排泄動作の援助を受ける苦悩 ・便失禁やおむつの使用による気分の落ち込み ・環境の変化	□苦悩やストレスが排便に影響していないか □排便障害が続くことで精神的な影響はないか □排便に対し，満足感が得られているか □便失禁やおむつの使用による自尊心の低下や気分の落ち込みなどはないか □環境の変化によって排便習慣・リズムに影響はないか
社会・文化的要因	**役割・関係** ・仕事や家庭内での役割 ・家族関係，友人関係	□排便が気になり，仕事や家庭内での役割に影響がないか □排便障害により，家族や他者に対する遠慮はないか
	仕事・家事・遊び，社会参加 ・仕事や家事，遊びや社会参加の機会 ・家族や友人などとの交流	□症状がつらかったり，便失禁が気になったりするため，人との交流を避けていないか □排便障害が原因で，家族や友人などとの交流にも影響が及んでいないか
睡眠・休息	**睡眠・休息のリズム，質** ・睡眠時間，休息時間，熟眠感，中途覚醒，日中の眠気，就寝時間	□下剤の効果が現れる時間により，夜間の睡眠が妨げられていないか □睡眠・休息のリズムが崩れていないか，日中の活動への影響はないか

	必要な情報	分析の視点
睡眠・休息	**心身の回復・リセット** ・排便障害に対する苦悩やストレス ・排便介助を受ける苦悩やストレス ・楽しみにしている活動やストレスを解消する方法	□高齢者本人は排便障害をどのように受け止めているか □排便障害やそれに伴うストレスに対処するために，本人なりに工夫していることはあるか □羞恥心から排便介助を受けることが苦悩やストレスにつながっていないか □頻回な排便や腹痛などにより，休息を妨げられていないか
覚醒・活動	**覚醒** ・活動中の覚醒状態 ・夜間の覚醒	□夜間に排便により覚醒し，日中傾眠状態になっていないか
	活動の個人史・意味，活動の発展 ・活動内容・役割 ・活動に参加している時間・程度 ・活動に対するためらいや不安	□活動により排便を促進できているか □活動の不足が排便に影響していないか □排便障害が気になり，活動への参加にためらいや不安はないか □リハビリテーションへの意欲はあるか □好む活動に参加できているか □社会や家庭での役割をもっているか
食事	**食事準備，食思・食欲** ・食事前の便意 ・悪心・嘔吐 ・食欲 ・食物の嗜好	□便意により，食事に集中できない状態ではないか □嗜好による食事内容の偏りはないか □便秘や下痢を助長するような食物を摂取していないか □下痢により食事や水分摂取量が低下していないか
	姿勢・摂食動作，咀嚼・嚥下機能 ・食形態 ・咀嚼・嚥下機能(義歯使用の有無，義歯の適合，痛み，摂取にかかる時間) ・経管栄養	□高繊維の食品の摂取が多すぎて便が軟らかくなっていないか □高繊維の食品の摂取が少ないために便が硬くなっていないか □咀嚼機能の低下により食物繊維を避けていないか □嚥下機能の状態に合わせた摂取可能な食形態となることが便性に影響していないか □摂取が難しい食材や形態のものはあるか □下痢は経管栄養が影響していないか
	栄養状態 ・食事や水分の摂取量 ・食事内容 ・体重の推移	□食事摂取量の少なさが便秘の原因となっていないか □水分摂取量の不足が便秘の原因になっていないか □プロバイオティクスとプレバイオティクスの不足により，便秘を起こしていないか □高脂肪，高残渣の食事の摂取により下痢を起こし，体重が減少していないか
排泄	**尿・便をためる** ・排便の周期，排便の時間帯，便の性状 ・便失禁(腹圧性，切迫性，溢流性，機能性)	□排便の周期はどれくらいか，排便のある時間帯は規則性があるか □便失禁の原因は何か，どのようなタイプの便失禁か
	尿意・便意 ・便意と伝える方法	□便意はあるか □便意はどのように伝えているか(言葉，ジェスチャーなど) □便意があるとき，行動に変化があるか(そわそわする，物事に集中できない，どこかに行こうとするなど) □便意を他者に伝えることができずにタイミングよく排便できないことが，便秘の原因となっていないか

	必要な情報	分析の視点
排泄	**姿勢・排泄動作** ・排便する場所(トイレ，ポータブルトイレ，ベッド上) ・トイレまでの移動方法 ・便座への移乗動作 ・排便姿勢の保持 ・着脱衣動作，後始末動作	□入院や治療などにより，排泄する場所がポータブルトイレやベッド上に変更されていないか □周りが気になって排便できないということはないか，排便するときのプライバシーは確保されているか □トイレまでどのように移動しているか(歩行，歩行器や車椅子の使用など) □トイレではどのように便座に座るか，介助が必要か □便座に座るときの姿勢は安定しているか，前傾姿勢を保つことができるか □着脱衣動作は自分でできるか，着脱するあいだ立位を保つことができるか □トイレットペーパーがどこにあるかを認知しているか，トイレットペーパーを準備できるか，拭く動作はできるか □手を洗えるか
	尿・便の排出 ・腹圧 ・腹痛，肛門痛，残便感	□腹圧をかけることができるか □腹痛，肛門痛，残便感などの不快な症状により，日常生活に支障をきたしていないか
	尿・便の状態 ・便の性状(色，硬さ，形，におい)，量，出血 ・鉄剤の内服	□色はどうか，灰白色や黒色ではないか □血液の付着はあるか □ブリストルスケールではどれにあてはまるか □量はどれくらいか
身じたく	**清潔** ・肛門周囲の皮膚の状態，臭気 ・保清の手段(入浴や洗浄の頻度)	□保清は十分か □スキントラブルはないか □臭気やスキントラブルが日常生活に支障をきたしていないか
	身だしなみ，おしゃれ ・おむつの使用 ・衣服の汚れ，薄着，重ね着	□排便障害の程度に応じておむつを適切に選択しているか □衣服が便で汚れることを気にしていないか □薄着により身体が冷えていないか □重ね着により排便が間に合わないことはないか
コミュニケーション	**伝える・受け取る** ・便意や症状を伝える方法(言葉，ジェスチャー) ・言葉の理解力	□便意や症状を他者にどのように伝えているか □支援者の言葉をどの程度理解しているか □どのように伝えれば理解することができるか
	コミュニケーションの相互作用・意味，コミュニケーションの発展 ・パターン化した行動 ・他者とのコミュニケーションに対するためらいや不安	□便意のサインとなるようなパターン化した行動はあるか □排便障害を気にして人とのコミュニケーションに消極的になっていないか

アセスメントの視点(病態・生活機能関連図へと導くための指針)

排便障害の原因を見極め，高齢者それぞれの生活行動に目を向けて，生活全体を整えていく．排泄は人の目に触れない生活行動であることから，自尊心に配慮しながら高齢者のスタイルを大切にし，もてる力を活かした排便行動へ導くことが必要である．

便秘の場合，食事や活動などの生活を見直すことで，より自然に近い快適な排便が可能になる．

下痢の場合は，体力の低下などの回復を促進することも重要である．

ここでは，便秘と下痢を併せもつ排便障害のある高齢者に焦点をあてて看護を展開していく．

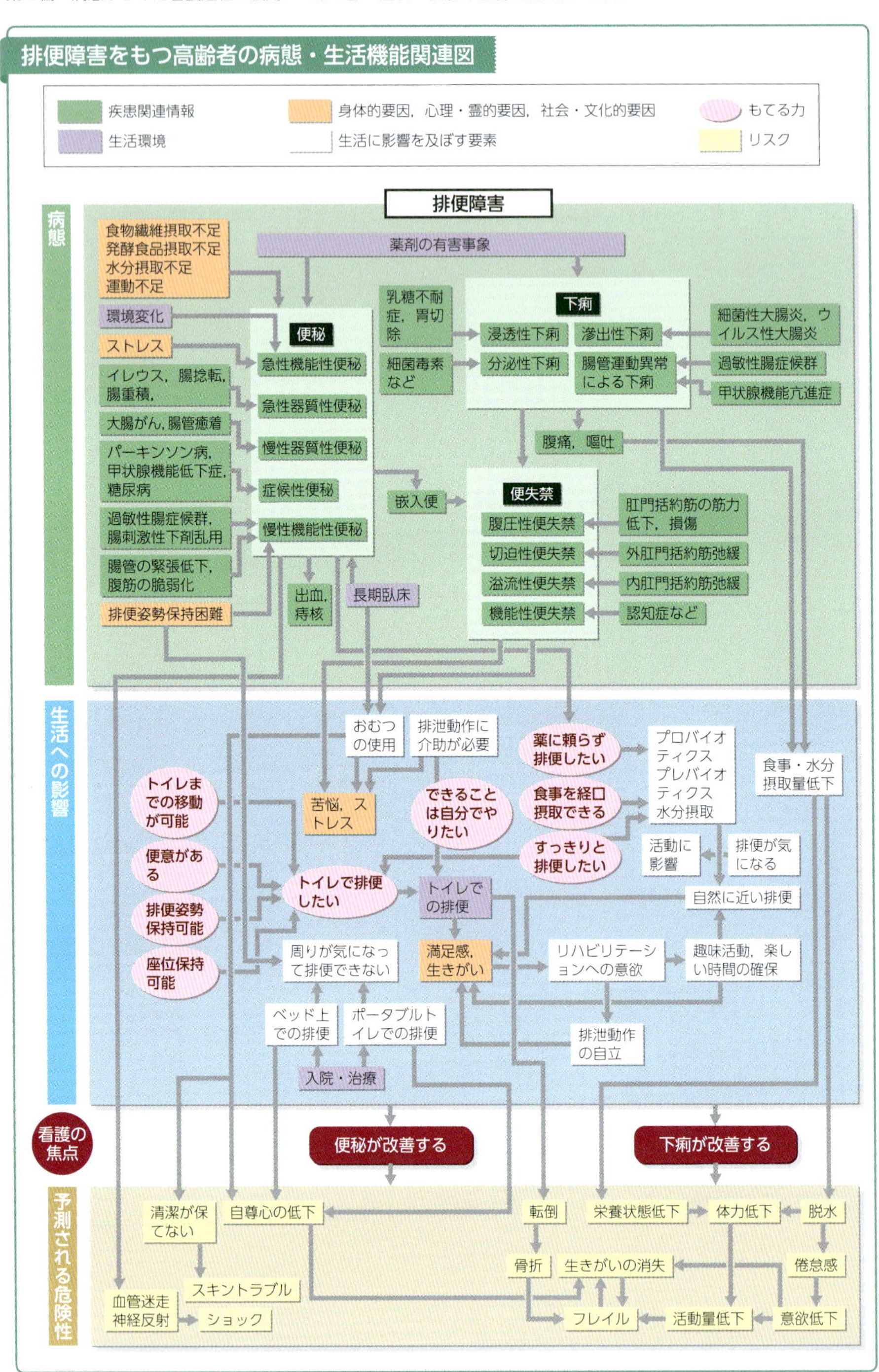
排便障害をもつ高齢者の病態・生活機能関連図
疾患関連情報
身体的要因，心理・霊的要因，社会・文化的要因
もてる力
生活環境
生活に影響を及ぼす要素
リスク
排便障害
病態
食物繊維摂取不足
発酵食品摂取不足
水分摂取不足
運動不足
薬剤の有害事象
環境変化
ストレス
イレウス，腸捻転，腸重積，
大腸がん，腸管癒着
パーキンソン病，甲状腺機能低下症，糖尿病
過敏性腸症候群，腸刺激性下剤乱用
腸管の緊張低下，腹筋の脆弱化
排便姿勢保持困難
便秘
急性機能性便秘
急性器質性便秘
慢性器質性便秘
症候性便秘
慢性機能性便秘
出血，痔核
長期臥床
乳糖不耐症，胃切除
細菌毒素など
下痢
浸透性下痢
滲出性下痢
分泌性下痢
腸管運動異常による下痢
細菌性大腸炎，ウイルス性大腸炎
過敏性腸症候群
甲状腺機能亢進症
腹痛，嘔吐
嵌入便
便失禁
腹圧性便失禁
切迫性便失禁
溢流性便失禁
機能性便失禁
肛門括約筋の筋力低下，損傷
外肛門括約筋弛緩
内肛門括約筋弛緩
認知症など
生活への影響
おむつの使用
排泄動作に介助が必要
薬に頼らず排便したい
プロバイオティクス
プレバイオティクス
水分摂取
食事・水分摂取量低下
トイレまでの移動が可能
苦悩，ストレス
できることは自分でやりたい
食事を経口摂取できる
便意がある
すっきりと排便したい
活動に影響
排便が気になる
トイレで排便したい
トイレでの排便
自然に近い排便
排便姿勢保持可能
座位保持可能
周りが気になって排便できない
満足感，生きがい
リハビリテーションへの意欲
趣味活動，楽しい時間の確保
ベッド上での排便
ポータブルトイレでの排便
排泄動作の自立
入院・治療
看護の焦点
便秘が改善する
下痢が改善する
予測される危険性
清潔が保てない
自尊心の低下
転倒
栄養状態低下
体力低下
脱水
骨折
生きがいの消失
倦怠感
スキントラブル
血管迷走神経反射
ショック
フレイル
活動量低下
意欲低下

STEP 1 アセスメント　STEP 2 看護の焦点の明確化　STEP 3 計画　STEP 4 実施

看護の焦点の明確化

#1　便秘が改善し規則的な排便により，満足できる食事をとることができる
#2　下痢の改善により，普段の活動を再開することができる

STEP 1 アセスメント　STEP 2 看護の焦点の明確化　STEP 3 計画　STEP 4 実施

1 看護の焦点	看護目標
便秘が改善し規則的な排便により，満足できる食事をとることができる	1) 便意があるときにトイレで排便できる 2) 排便後に「すっきりした」と話すことができる 3) 腹部の不快感なく食事をとることができる

具体策（支援内容）	根拠
1. 規則的な排便に向けた支援	
1) 便意を我慢しないようにする支援	
・便意を訴えたときは，速やかにトイレに行けるよう配慮する	●便意を我慢すると直腸性便秘になる可能性がある
2) 排便周期に応じた支援	
・排便日誌をつけ，排便の状態を把握する（図20-4） ・排便周期をふまえて，ゆとりをもってトイレで排泄できるよう支援する	●排便した時間や排便量，便の性状，便意の有無などから規則性を把握すると同時に，水分摂取量や薬剤の使用時間との関連を把握することができる ●ブリストルスケールは客観的な指標となるため，使用することによりチーム内での便の性状の共通認識が可能となる

月日	排便時間（6 10 14 16 20 0 6）	食事摂取量	水分摂取量(mL)	腹部の状態や症状	排便ケア内容	備考
○月1日(水)	浣腸 10：30 ④中 12：30 ⑤小	朝 主10/副6 昼 主8/副10 夕 主10/副10 間食 プリン1個	朝 200 昼 300 夕 200 その他 150	腹部の張り	腹部マッサージ 温罨法	
○月2日(木)		朝 主8/副8 昼 主10/副10 夕 主8/副10 間食	朝 300 昼 200 夕 200 その他 100			
○月3日(金)	8：30 ④小	朝 主10/副8 昼 主10/副10 夕 主10/副10 間食 ヨーグルト1個	朝 350 昼 200 夕 200 その他 150		腹部マッサージ	
○月4日(土)	9：00 ④小	朝 主8/副8 昼 主10/副10 夕 主8/副8 間食	朝 250 昼 150 夕 200 その他 200	腹部の張り	腹部マッサージ 20：00 アローゼン 0.5g	
○月5日(日)	8：30 ⑤中	朝 主8/副8 昼 主8/副10 夕 主8/副10 間食	朝 300 昼 200 夕 200 その他 150	腹痛		
○月6日(月)		朝 主10/副10 昼 主10/副10 夕 主8/副10 間食	朝 350 昼 150 夕 200 その他 200			
○月7日(火)	9：00 ④小 12：15 ⑤中	朝 主10/副8 昼 主6/副5 夕 主8/副10 間食 みかん	朝 300 昼 200 夕 200 その他 200			

ブリストルスケール／①コロコロ　②硬い　③やや硬い　④普通　⑤やや軟　⑥泥状　⑦水様

■図 20-4　排便日誌

具体策（支援内容）	根拠
・排便日誌から得た情報により，排便がよくある時間帯や起床後，食後にトイレに行くよう勧める	●便意がなくてもトイレに座ることで排便できることがある．起床後の活動や水分の摂取，食後の胃-結腸反射により蠕動運動が促進される

- 排便日誌を参考に，便秘が続いているときは，腹部マッサージと腰背部の温罨法を行い便意を促す

●腹部マッサージは腸の形状に沿って行うことで，S 状結腸にある便を直腸に下ろすことができる．温罨法は体性-内臓反射や副交感神経の働きを高めることにより，腸蠕動運動を促す

2. 快適な排便のための環境づくり

- 座位保持が可能な場合は，トイレやポータブルトイレなどでの排便を検討する．座位を保持できるよう背もたれや手すり，便器の高さを工夫する
- 立位の保持や移乗動作，着脱衣，後始末など自分でできることを行うよう勧める
- 部屋で落ち着いて排便できるよう配慮する．カーテンでの仕切りだけではなく，他者の出入りがないようプライバシーを確保する

●座って排便することは自然なことで，腹圧をかけやすい．また，高齢者の尊厳を守るうえでも重要である．臥床している機会が多い高齢者は，起座位により低血圧となる可能性があるため，座位訓練が必要である．安全面での注意も必要である

●本来，排泄行動は他者の目に触れるものではなく 1 人で行う行為である．周りを気にすることなく，リラックスした環境で排便することで便秘が改善する可能性もある

3. 排便を促進するための支援

1) 食事と水分をおいしく適量摂取するための支援

- プロバイオティクスとプレバイオティクスが含まれる食品を一緒に摂取するよう勧める
  プロバイオティクス：ヨーグルト，乳酸菌飲料，納豆，味噌，ぬか漬けなど
  プレバイオティクス：食物繊維（水溶性：海藻類，オクラ，果物，不溶性：豆類，きのこ，玄米，イモ類，ゴボウなど），オリゴ糖など
  その他：オリーブオイル（オレイン酸），玉ねぎ，らっきょう（硫化アリル）
- 在宅の場合，食事をつくる家族やヘルパーの協力を依頼する
- 脱水にならないよう水分摂取を勧める（茶や水，好きな飲み物など）
- おいしく食事や水分を摂取するため，食器や 1 回量などの環境面も工夫する

●プロバイオティクスは腸内細菌の善玉菌を増やし，プレバイオティクスはその働きを助ける．同時に摂取すると効果が高くなる

●水溶性食物繊維は水に溶ける繊維で，便を軟らかくする．不溶性食物繊維は水に溶けず便の量を増やし，腸蠕動を促進する

●オリゴ糖は善玉菌の栄養源となる

●オリーブオイルに含まれるオレイン酸は，大腸を刺激して蠕動運動を促し，潤滑油の働きをする．玉ねぎやらっきょうに含まれる硫化アリルは，蠕動運動を促進する

●脱水になると便が硬くなり，便秘の原因となる可能性がある

2) 排便姿勢の保持と筋力を強化する支援

- 腹圧をかけやすいように床に足底をつけ，姿勢が前傾となるよう整える(図 20-5)

●座位で前傾姿勢を保持することによって，腹圧が加わる方向と便を排出する方向が一致し，重力の影響も受けて排便しやすくなる(図 20-6)

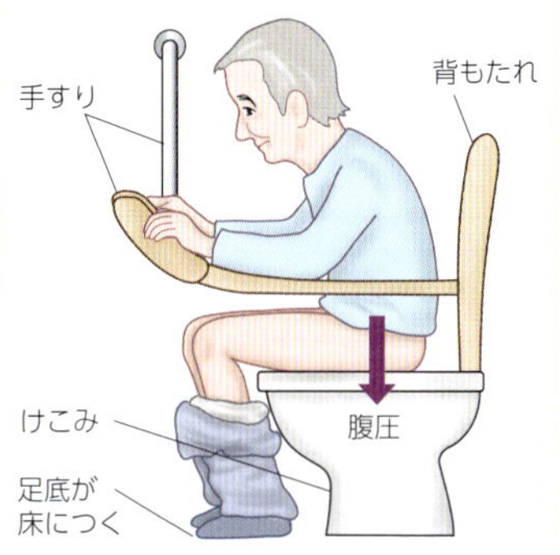

■図 20-5　排便姿勢

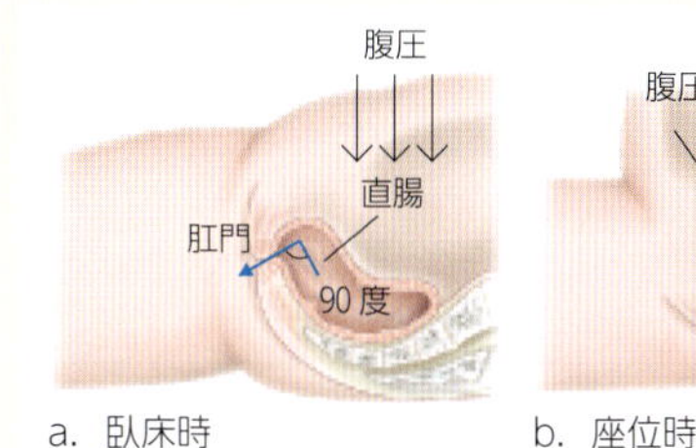

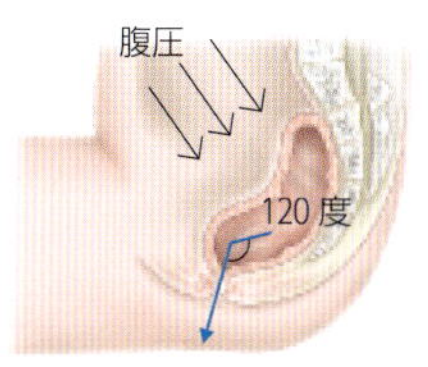

a. 臥床時　b. 座位時

■図 20-6　直腸-肛門の角度

- 座位や歩行する機会をもつ(座位になってお茶を飲む，散歩に行くなど)．腹筋への刺激を考慮し，車椅子に乗っている場合は足だけでこぐよう勧める

●骨盤底筋群や腹筋が強化されると，腹圧がかかりやすくなり，便失禁が減少する．座位姿勢も保持しやすくなる．さらに身体を動かすことにより，腸の蠕動運動を促進する

- 身体を動かすレクリエーションへの参加を勧める．好む趣味活動への参加を勧め，楽しく笑える機会をもつ

●日常生活に自然なかたちで骨盤底筋群や腹筋を使う機会を取り入れられるとよい．笑うことも腹筋を使う

3) 薬剤，浣腸，摘便

- 下剤の種類，量，服用時間を確認する．どのタイプの便秘なのかにより，その使用の適切性を見極める

●腸刺激性の下剤は腸蠕動を促進するため，腹痛や下痢を起こしやすく習慣性がある．痙攣性便秘や直腸性便秘は適応ではない

- 下剤の有害事象(腹痛，下痢，悪心，下腹部不快感など)を観察する．酸化マグネシウム製剤を内服している場合，高マグネシウム血症(悪心・嘔吐，起立性低血圧，徐脈，傾眠など)に留意する

●酸化マグネシウム製剤を長期間使用している場合や腎機能障害を有する場合，また活性型ビタミン D_3 製剤などを内服している場合，高齢者では高マグネシウム血症になりやすい

- 坐薬使用時は側臥位で膝関節を屈曲し深呼吸をしてもらう

●膝関節を屈曲すると腹圧がかからない．側臥位で挿入すると肛門の観察がしやすい

- 坐薬の効果が出るまでに数十分かかること，便意が強くなったら排便することを説明する

●坐薬は挿入後，10～30 分で溶解する

- グリセリン浣腸を行うときは，左側臥位で膝関節を屈曲し深呼吸をしてもらい，手順を説明する

●直腸から S 状結腸，下行結腸の走行より，左側臥位をとることで液が流れやすくなる．立位での浣腸は直腸穿孔の危険性が高いため避ける．左側臥位で実施するときも，直腸穿孔を防止するためカテーテルを挿入する長さに留意する

- 浣腸液注入後に便意を催した場合は，腹圧をかけてもらい排出を促す．便意がない場合は腹部マッサージや温罨法を行う

●浣腸液を注入後は，高齢者の苦痛を考慮し，すぐにでも排便できる環境を整える必要がある．排便を我慢することによる腸の蠕動運動促進や便の軟化の効果は明らかではない

- 摘便を行うときは，側臥位で膝関節を屈曲し深呼吸をしてもらい，手順を説明する

●摘便は直腸に便がつまり，自力で排出できないときに実施する

・支援者の指を仙骨側に引いて肛門を開き，便を出すタイミングに合わせて高齢者にいきんでもらう．便意がない場合は腹部マッサージや温罨法を行う	●指で直腸壁を損傷する危険性がある．硬くて大きい便を出そうとすると肛門や直腸の粘膜を損傷するおそれがあるので注意する．また高齢者に身体を急に動かさないよう声をかける
・薬剤使用後，浣腸後や摘便後は，血圧の低下や冷汗，顔面蒼白などの症状がないか注意して観察する	●直腸への刺激は，血管迷走神経反射により循環動態が変動するおそれがある

2 看護の焦点	看護目標
下痢の改善により，普段の活動を再開することができる	1) 脱水を起こさない 2) 普段の食事や水分を摂取できる 3) 普段の活動を再開できる 4) 肛門周囲の皮膚の清潔を保持できる

具体策（支援内容）	根拠
1. 苦痛の緩和および回復促進のための支援	
1) 痛み，発熱などへの対応	
・発熱がみられる場合は冷罨法を行う	●腋窩動脈や大腿動脈を冷やすとよい．ただし，長時間にわたる同一部位の冷罨法は避ける
・脱水の症状（口唇や舌，皮膚の乾燥，口渇，尿量減少，発熱など）がないか観察する ・皮膚の状態（発赤やびらんの大きさ，痛み，出血，かゆみなど）を観察する	●高齢者は細胞内液量が低下しているため，下痢による水分喪失により脱水をきたしやすい．加齢による口渇中枢の感受性低下もあり症状が現れないこともある．認知機能の低下，言語障害などにより支援者に症状を訴えられないこともある．トイレに行く回数を意識的に減らすために水分摂取を控えることもある
・冷えによる腹痛に対しては，腹巻きなどを利用して保温する，あるいは温罨法を実施する	●腹部の冷えは腸蠕動を亢進させる．保温により消化管の循環血液量を増加させて消化吸収を促す．リラックス効果もある
2) 下痢を防ぐ食事と水分の補給方法の工夫	
・急性下痢の場合は，症状が落ち着くまで絶食とする	●嘔吐や腹痛，食欲不振を伴うことが多く，食事の摂取が困難である場合が多い．また胃腸の消化能力が低下しているため，症状が落ち着くまで絶食とする
・症状が落ち着いたら，腸への刺激が少ない食事を徐々に開始する．脂肪を多く含むもの（揚げ物，肉類など），香辛料，多量の不溶性食物繊維，冷たいものは避ける．乳糖不耐症では乳製品を避ける	●脂肪を多く含むものや香辛料，多量の不溶性食物繊維，冷たいものは腸を刺激し蠕動運動を促進する
・慢性下痢の場合は，低脂肪・低残渣食とし，冷たいものや香辛料は避ける	●冷たいものや香辛料は腸への刺激が強い
・水分が不足している場合は，白湯や常温のスポーツドリンクなどを少量ずつとるよう勧める．冷たいものやカフェイン，アルコールを含むものは避ける	●冷たいものやカフェイン，アルコールは腸への刺激が強い
・経管栄養を行う場合は，経腸ポンプなどを利用し適切な速度で注入する	●注入速度が速すぎると栄養剤の通過時間が短く，消化できないため下痢となる
・経管栄養剤は室温に戻してから注入する	●栄養剤が低温だと腸蠕動運動が亢進する

- 経管栄養剤が下痢の原因になっている場合は薄める，または量を少なくする．さらに食物繊維を多く含むものや脂肪含有量の低いもの，半固形化栄養剤への変更などを検討する

● 高浸透圧の栄養剤は吸収できず，腸壁から水分が奪われ下痢となる．栄養剤の量が多いと吸収できず，脂肪含有量が多くても吸収できず下痢となる．半固形化栄養剤は粘性のため，胃食道逆流防止や下痢の防止，栄養剤注入時間の短縮などのメリットがある

3) 安静

- 安静にすることを勧める

● 活動により腸蠕動が促進されるため，安静にして鎮静を図る

- 症状が落ち着いたら少しずつ離床を勧め，活動の時間を増やす

● 廃用症候群を予防するため，症状が落ち着いた後は少しずつもとの生活に戻していく

4) 薬剤の検討

- 下剤が過剰となっていないか，下痢が始まった時期と抗菌薬などの使用が開始された時期に関連がないか確認する

● 便秘で使用している下剤の量が適切か，下痢は薬剤の有害事象によるものか見極める必要がある

- 止痢薬や整腸薬（ビフィズス菌，乳酸菌，耐性乳酸菌など）の使用が適切か見極める

● 感染性の下痢の場合，細菌やウイルスを体外に出そうとする反応であるため，止痢薬の使用は適切ではない．抗菌薬を使用すると善玉菌が死滅するため，抗菌薬に抵抗力をもつ耐性乳酸菌を使用する

2. スキントラブルの予防・改善のためのケア

- 排便後は速やかに肛門周囲を洗浄する．洗浄には弱酸性の洗浄剤を使用し，頻回の使用は避ける．拭く場合はこすらず押さえるように拭く

● 下痢便には消化酵素が含まれアルカリ性であるため，弱酸性の皮膚に化学的刺激を与える．また，何度も拭きとることは物理的刺激を与え，皮膚のバリア機能を破壊する

- おむつは重ね使いを避ける．排便後は速やかに交換する

● おむつの使用によって，通気性の悪さや排泄物による湿潤により皮膚のバリア機能が低下する

- ワセリンやオリーブオイルなどで皮膚を保護する

● ワセリンなどで皮膜をつくり，刺激から皮膚を守る

関連項目

※もっと詳しく知りたいときは，以下の項目を参照しよう．

排便障害の原因・誘因

● 「2 パーキンソン病（→ p.73）」「3 脳卒中（→ p.93）」「8 糖尿病（→ p.182）」：疾患が排泄動作や便の排出に及ぼす影響を確認しよう

● 「1 認知症（→ p.56）」：失認や失行，実行機能障害などが便意や排泄動作に及ぼす影響について確認しよう

● 「25 抑うつ状態（→ p.451）」：抗うつ薬の有害事象が便の排出に及ぼす影響について確認しよう

排便に影響を及ぼす障害・状態

● 「15 摂食嚥下障害（→ p.304）」：摂食嚥下障害と排便障害との関連について確認しよう

排便障害に関連したリスク

● 「17 脱水（→ p.340）」：下痢による脱水の危険性について確認しよう

● 「27 高血圧・低血圧（→ p.478）」：排便に伴う血圧の変動について確認しよう

排便障害をもつ高齢者への看護

● 「第 1 編」の「2 覚醒・活動（→ p.10）」：排便を気にせず活動に参加できるような工夫をしよう

● 「第 1 編」の「3 食事（→ p.18）」：排便障害があっても，おいしく楽しい食事をするための工夫をしよう

● 「第 1 編」の「4 排泄（→ p.27）」：排便に満足感が得られるようなケアの視点をもとう

21 睡眠障害

萩野　悦子

病態生理

●睡眠障害とは

何らかの理由で眠れないこと，睡眠と覚醒が出現する時間帯がずれたり，不規則になること，睡眠に伴って起こる呼吸や行動，感覚の異常現象など様々な状態によって，日中の生活に支障があったり，社会的な生活を営むことが困難になることをいう．

睡眠が障害されると，倦怠感，頭重感，注意の維持や記憶，集中力や作業能力の低下，実行機能の障害を引き起こす．とくに認知症をもつ高齢者の睡眠が障害されると，不穏，焦燥感，徘徊，夜間せん妄のような認知症の行動・心理症状(behavioral and psychological symptoms of dementia：BPSD)が現れやすくなる．

病因・増悪因子

●睡眠を調節するメカニズム

睡眠はどのようにして起こるのだろう．現在，睡眠の調節のメカニズムには，2つの種類があることがわかっている．

1) 恒常性維持機構

疲れると眠る，というメカニズムをいう．日中に目覚めた状態で活動していると，体内に睡眠促進物質がたまっていくことによって，睡眠が誘発されて眠りを引き起こす．ただし，そのときに眠ってもずっと眠り続けることはなく，覚醒が起こるようになっている．この働きは時刻とは関係せず，どのくらいの時間覚醒していたか，すなわち睡眠が不足している程度によって決められている．睡眠不足になったときには，恒常性維持機構によって長く深いノンレム睡眠を取り戻すように睡眠の質や量を調節している．

2) 体内時計機構

体内時計の働きにより，一定の時刻になると眠気が生じたり，朝に目覚めさせたりする仕組みをいう．前夜にぐっすり眠っても，また日中に疲れるような活動をしなかった日でも，夜の一定の時刻になると自然と眠気を感じる．これは，体内時計が睡眠と覚醒が現れるタイミングを管理しているためである．

ヒトにはさまざまな周期の生体リズムが存在しているが，そのうち約1日の周期をもつものを，概日リズム(サーカディアンリズム)という．睡眠に関係する概日リズムは，睡眠・覚醒リズム，深部体温リズム，内分泌ホルモンリズムなどがある．深部体温は，午後に最高値を示し明け方に最低値を示す．松果体から分泌されるメラトニンは，夕方から夜にかけて産出されて脳の睡眠中枢に作用して睡眠を引き起こすが，朝になるとつくられなくなる．体内時計は，睡眠に関連する概日リズムを秩序正しい関係に保ちながら発振させ，発振されたリズムを生体機能へ伝達させる．

ヒトの概日リズムは約25時間周期であるため，1日24時間とのあいだにずれが生じる．視交叉上核にある体内時計は，網膜から神経を介して伝えられる光を使ってこのずれを修正する．概日リズムを24時間周期に修正させるものを同調因子といい，光のほかに身体運動や食事，社会的なスケジュール(仕事や学校に行くなど)がある．

分類，症状，病因・増悪因子

睡眠障害の分類と症状・症候		病因・増悪因子
1. 不眠症 眠る機会や環境が適切であるにもかかわらず，睡眠の開始と持続，安定性，あるいは睡眠の質に持続的な障害を認める．そのことによって，日中に疲労や全身倦怠感，気分のすぐれなさ，いらいら感，眠気，注意力・集中力・記憶力の低下などが生じて，仕事や社会生活，家庭生活に何らかの障害をきたしている状態．		【夜間の睡眠や日中の覚醒維持に適さない過ごし方】 ・眠気がないのにベッド上で過ごす，長時間の昼寝 ・夜間の運動 ・精神的なストレスや生活上の変化，感情を乱すような活動 ・睡眠環境における光，騒音 【疾患の症状としての不眠】 ・かゆみ，痛み，発熱，夜間頻尿を呈する疾患 ・呼吸器系，心疾患系，消化器系，筋骨格系疾患のように，運動制限や呼吸障害をきたすような疾患 ・アルツハイマー型認知症，脳血管障害，脳腫瘍などの脳器質性疾患や，睡眠中枢や体内時計の障害によるもの．気分障害，不安障害，統合失調症など 【薬物や物質によるもの】 ・パーキンソン病治療薬，精神刺激薬，降圧薬，ステロイド薬，気管支拡張薬，インターフェロン，インターロイキン製剤 ・アルコール，カフェイン，ニコチン
①入眠困難	眠ろうと意識したときから入眠するまでの時間が延長する状態．	
②睡眠維持困難	いったん入眠した後，翌朝起床するまでの間に何度も目覚める状態．	
③早朝覚醒	早朝に覚醒してしまい，その後入眠できない状態．	
2. 睡眠関連呼吸障害		
睡眠時無呼吸症候群	10秒以上持続する無呼吸が睡眠中に頻回に生じて，血中の酸素飽和度が低下したり頻回な夜間覚醒が起こる． 大きないびき，睡眠時の窒息感，あえぎ呼吸，夜間の頻尿，覚醒時の倦怠感，昼間の眠気を認める．	閉塞性無呼吸は，機能的，形態的因子によって入眠に伴い上気道が閉塞する．これによって無呼吸あるいは低呼吸となった際に，睡眠の分断や血液酸素飽和度の低下が起こる． 肥満，アルコール摂取や鎮静薬の使用が誘因となる．レム睡眠時の筋緊張の低下によって上気道が閉塞しやすくなること，女性の場合，上気道の開大筋の働きを高めるプロゲステロンが閉経により低下することも関連するといわれている． 中枢性無呼吸は，中枢神経系の疾患や呼吸中枢の障害により起こる．また，閉塞性無呼吸と中枢性無呼吸の混合型もある．
3. 概日リズム睡眠・覚醒障害(図21-1)		
①睡眠相前進症候群	入眠と覚醒時刻が極端に早い型．入眠を遅くしようと努力しても，夕方からの眠気のために，20時頃には就床を余儀なくされ，2～3時頃には目覚めて再入眠ができない状態． 本人が入眠時刻を遅くしようと努力しても眠ってしまうため，夜間の活動が困難になったり，早く起きてしまうことで，同居者の睡眠が妨げられるなどの社会生活への支障が生じることもある．	加齢に伴って，深部体温の位相が前進することが影響する． 早い時刻に目覚めて活動することで，太陽の高照度光を長時間浴びるような生活習慣が，睡眠が前進するきっかけとなる．

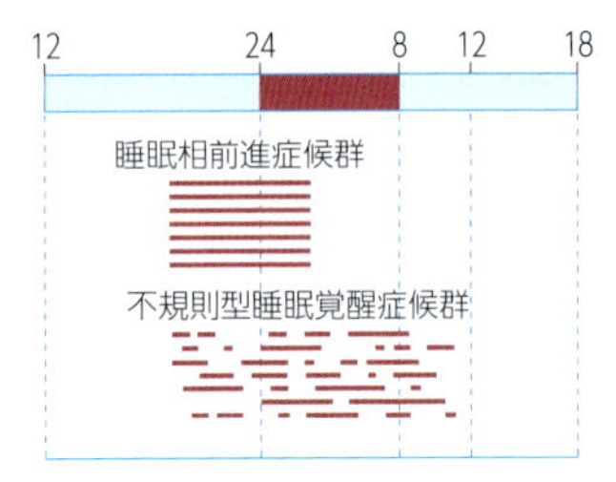

■図 21-1　概日リズム睡眠・覚醒障害のパターン
〔草薙宏明，三島和夫：睡眠・覚醒リズム障害(概日リズム障害)．立花直子編：睡眠医学を学ぶために，pp.282-292，永井書店，2006 より一部抜粋〕

②不規則型睡眠・覚醒パターン	睡眠と覚醒の出現が昼夜問わず不規則になる．夜間における不眠や日中の過度の眠気(あるいは睡眠)が生じる．睡眠が細切れになるため，ひと続きの睡眠が一般的には 4 時間未満となる．睡眠が 1 日の一定の時間に現れず，主要な睡眠・覚醒パターンを見出すことが難しい．	アルツハイマー型認知症，パーキンソン病のような神経変性疾患や，施設入所の高齢者に起こりやすい．低照度環境での生活，社会的な刺激の減少，身体運動の低下による睡眠覚醒リズムの外的同調因子の減弱などによって起こると考えられている．
4. 睡眠時随伴症		
レム睡眠行動障害	レム睡眠中に出現する行動で，夢の内容と一致する寝言や手足を動かす行動，起き上がって他者を殴る，壁を蹴飛ばすなどの動作が伴うこともある．このような行動によって，睡眠時に本人もしくは周囲の人がケガをしたり，睡眠の分断を招く．	レビー小体型認知症，パーキンソン病，進行性核上性麻痺，多系統萎縮症などに併存しやすい． レム睡眠中は脳からの運動指令による骨格筋の動きが抑制されるが，何らかの原因によって抑制機構が働かなくなっていると考えられる．
5. 睡眠関連運動障害		
①むずむず脚症候群	臥床したり座って安静にしていると，下肢に虫が這うような感覚，かゆみ，ほてり，痛みとして表現され，常に下肢を動かしたいという欲求にかられ，動かすことにより改善する．これにより入眠が困難になる．症状は上肢にもみられることがあり，日中よりも夕方から夜間にかけて強くなる．	慢性腎不全，長期臥床が誘因とされている． 原因は解明されていないが，脳内での鉄欠乏，中枢のドパミン作動系の機能障害が考えられる．
②周期性四肢運動障害	睡眠中に，片側もしくは両側の足関節の背屈運動を主体とする周期的な不随意運動が反復して起こる．	ドパミン作動系の機能障害が考えられる． 周期性四肢運動障害とむずむず脚症候群は合併して起こることがある．

診断・検査値

終夜睡眠ポリグラフは，睡眠障害の診断がつきにくい場合や重症度を把握する必要のあるときに行われるが，臨床的には，問診や調査票，睡眠日誌を用いて診断する．

●問診

入眠状況(就床時刻，寝つくまでの時間，1 日の就寝時間)，睡眠の持続時間，1 日の睡眠時間，中途覚醒の有無とその回数，中途覚醒の原因，早朝覚醒の有無(時刻，再入眠が可能か)，睡眠の満足感(熟眠感)，朝の覚醒状況(目覚め，気分，体調)，夢をみるか(内容)，催眠・鎮静薬の服用の有無，服用方法とその効果，どのくらい眠ったらよいと考えているか，睡眠の状態が日常生活にどのような影響を及ぼしているかなどを質問する．また，睡眠中の状況を本人が把握していることはまれである．睡眠時無呼吸症候群やレム睡眠行動障害のように本人が気づいていない場合や，実際には眠っているのに眠っていないと感じる（睡眠状態誤認）場合もある．同室で寝ている人の情報も重要である．

●調査票

睡眠感調査法（OSA 睡眠調査票，Post-Sleep Inventory など），眠気の自覚的評価法（エップワース眠気尺度，自覚症状調べなど），生活習慣調査法（東京都神経科学総合研究所式生活習慣調査）がある．

●睡眠日誌（図 21-2）

少なくとも 1 週間記録する．就床時間帯，眠っていたと思う時間帯，食事，排泄，薬物の使用時刻，目覚めの気分や 1 日を通しての体調などを記入する．

治療法

●生活習慣の改善

睡眠障害をきたしている原因疾患がわかっているときは，まずその治療を行う．加えて，日ごろから運動する習慣をつけて身体を適度に疲労させる，できるだけ規則正しいリズムで生活をするなど，生活習慣を改善する．

●薬物療法

日中の過ごし方や夜間に良眠を得るための工夫をしても眠れないことが続き，日中の生活に著しく支障をきたすときは，睡眠薬の使用を本人，医師とともに検討する．

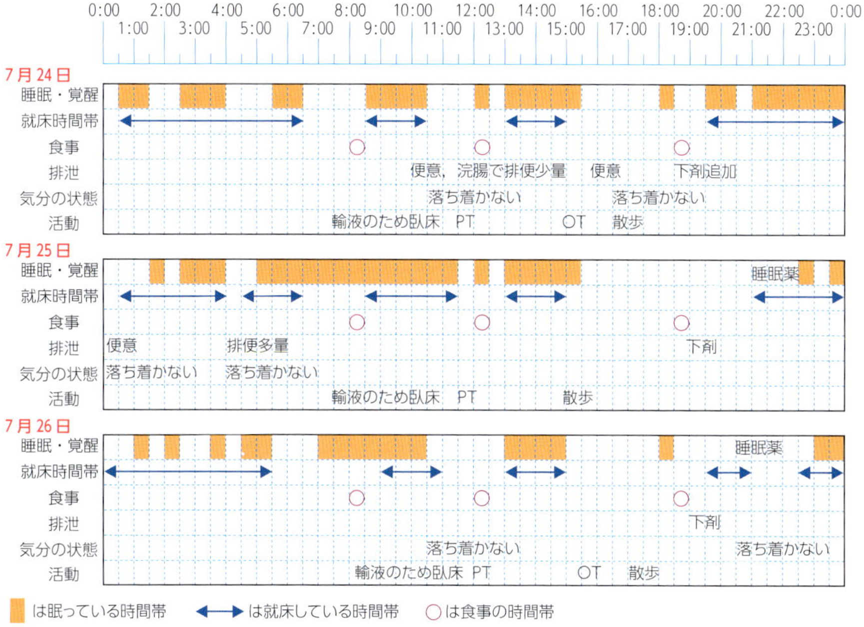

0:00 1:00 2:00 3:00 4:00 5:00 6:00 7:00 8:00 9:00 10:00 11:00 12:00 13:00 14:00 15:00 16:00 17:00 18:00 19:00 20:00 21:00 22:00 23:00 0:00

7月24日
睡眠・覚醒
就床時間帯
食事
排泄　便意，浣腸で排便少量　便意　下剤追加
気分の状態　落ち着かない　落ち着かない
活動　輸液のため臥床　PT　OT　散歩

7月25日
睡眠・覚醒　睡眠薬
就床時間帯
食事
排泄　便意　排便多量　下剤
気分の状態　落ち着かない　落ち着かない
活動　輸液のため臥床　PT　散歩

7月26日
睡眠・覚醒　睡眠薬
就床時間帯
食事
排泄　下剤
気分の状態　落ち着かない　落ち着かない
活動　輸液のため臥床　PT　OT　散歩

■は眠っている時間帯　↔は就床している時間帯　○は食事の時間帯

排泄に関する時刻や処置，服薬についても記入してください　気分の状態には，落ち着き，イライラ，集中などを記入してください　活動に関する情報も記入してください（PT：理学療法，OT：作業療法，散歩，体操，入浴など）

■図 21-2　睡眠日誌

〔萩野悦子：認知症の人の日常生活における困難とケアのポイント④；睡眠のケア，看護技術　53(12)：59，2007〕

睡眠障害をもつ高齢者の看護

看護の視点

- 高齢者は，様々な身体的要因や疾患のために夜間の睡眠が妨げられやすいこと，加齢や疾患により，身体的あるいは精神的活動能力が低下しているために日中の活動量が少ないこと，脳の器質的変化のために体内時計が障害されやすいことから，睡眠を調整する恒常性維持機構や体内時計機構がうまく働かなくなっており睡眠障害を起こしやすい．
- 睡眠障害は，生活習慣の改善や環境づくりによって改善できることもあるので，昼夜の生活状況を詳しく観察し，以下のような日常生活の看護のポイントに留意して支援する，

1. 昼夜のメリハリのある生活習慣の支援
   1) 朝にすっきり目覚める．
   2) 日中の活動を高める．
   3) 昼間に必要な休息をとる．
   4) スムーズに入眠する．
   5) 夜間の睡眠を持続させる．
2. 睡眠障害によって阻害されている生活行動の支援
3. 適切な薬物療法

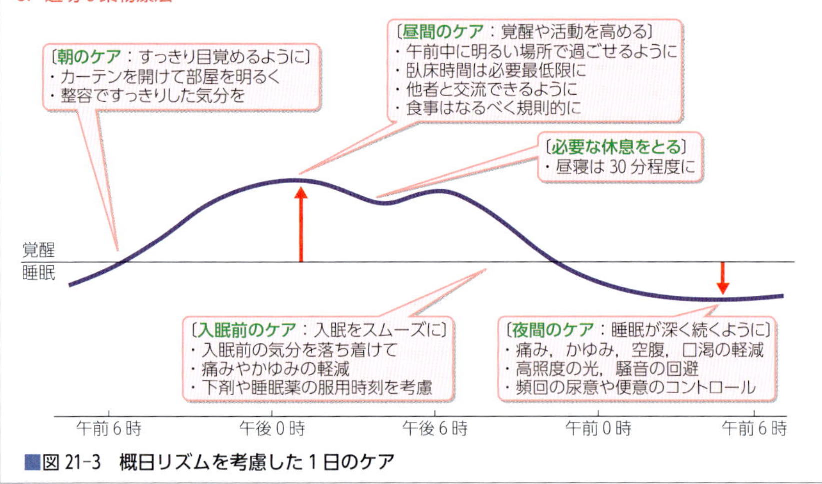

■図 21-3　概日リズムを考慮した 1 日のケア

STEP 1 アセスメント　STEP 2 看護の焦点の明確化　STEP 3 計画　STEP 4 実施

情報収集・情報分析

	必要な情報	分析の視点
疾患関連情報	現疾患と既往歴 ・睡眠障害の原因・誘因となる疾患 ・脳器質性疾患，抑うつ状態	□アルツハイマー型認知症，血管性認知症，脳卒中などの脳器質性疾患が，視交叉上核の変化や視交叉上核からの信号伝達系の機能障害を伴い，睡眠障害を引き起こしているか □抑うつ状態によって不眠が起きているか □睡眠時無呼吸症候群，むずむず脚症候群，周期性四肢運動障害によって睡眠が中断されているか
	症状 ・発熱，痛み，かゆみ，排	□発熱，痛み，かゆみ，排泄障害によって，睡眠が阻害されているか

	必要な情報	分析の視点
疾患関連情報	泄障害	□寝返りができずに身体の痛みによって睡眠が中断していないか
	検査と治療 ・睡眠障害の原因・誘因となる薬物・物質	□アルコール，中枢神経作用薬，パーキンソン病治療薬によって，不眠が起きていないか □睡眠薬による持ち越し効果によって，昼間の眠気が起こっていないか
身体的要因	**運動機能** ・運動能力の低下，ふらつき	□不眠による倦怠感や頭重感によって，運動能力の低下やふらつきが起きているか
	認知機能 ・記憶力，見当識，注意の維持，集中力，実行機能，学習能力の低下	□睡眠障害によって，注意機能や記憶，実行機能が低下していないか
	言語機能，感覚・知覚 ・ろれつのまわらなさ ・聞き取り違い	□睡眠不足や睡眠薬の持ち越し効果による眠気の影響があるか
心理・霊的要因	**気分・情動，ストレス耐性** ・不安なこと，とらわれていること ・寂しさ，心ぼそさ ・倦怠感，不機嫌，易刺激性(怒りっぽさ)，無表情	□気分が落ちつかず眠れなくなっていることがないか □入眠前に繰り返し訴えるような不安なこと，とらわれていること，心ぼそさや寂しさがないか □眠れないことで，感情の制御ができなくなることはないか
社会・文化的要因	**役割・関係** ・社会的なスケジュール	□規則的な予定や行わなければならない役割はあるか
	仕事・家事・学習・遊び，社会参加 ・他者との交流	□覚醒して行わなければならないような用事はあるか
睡眠・休息	**睡眠・休息のリズム** ・1日の睡眠時間，夜間と昼間の睡眠時間 ・1日の就床時間，夜間と昼間の就床時間 ・夜間中途覚醒回数，中途覚醒後再入眠までに要する時間，夜間入眠時刻差，昼間の眠気，熟眠感，就床時刻	□睡眠時間，睡眠の時間帯が日常生活を営むうえで適切か □日中に休息が多すぎることによって，夜に眠りづらくなっていないか □どうしてもその時間に就床する必要があるか
	睡眠と休息の質，心身の回復・リセット ・日中の休息の様子，排尿に関するストレス ・社会的なスケジュール ・くつろげる時間や場所	□何もすることがなくて，臥床していることが多いか □前夜に眠れなかった時は，睡眠不足を補うために臥床で安静にしなければならないと思っているか □「今夜も眠れないのではないか」という緊張状態にないか □不安やイライラが強く，くつろぐ時間をもてない状態にないか

	必要な情報	分析の視点
覚醒・活動	**覚醒** ・活動時の居眠り	□活動時に十分覚醒していられるか
	活動の個人史・意味，発展 ・活動全般に対する意欲の低下 ・現在の楽しみ，日中の過ごし方についての希望 ・戸外に出る機会，活動する時間	□倦怠感や眠気が，活動の意欲や活動の拡大を阻害することがないか □活動が概日リズムを整える要因になりうるか □覚醒していたいと思えるような楽しみや心待ちにしていることがあるか □他者と交流する機会はあるか
食事	**食事準備，食思・食欲** ・空腹感，口渇感	□眠れない時に，空腹感，口渇感はないか
	姿勢・摂食動作，咀嚼・嚥下機能 ・食事中の居眠り，むせ	□食事の時間帯に十分覚醒していられるか □過度の眠気が食欲や摂食動作，咀嚼・嚥下機能を低下させていないか
	栄養状態 ・食事摂取量	□必要な食事量はとれているか
排泄	**尿・便をためる** **尿意・便意** ・昼夜の排尿回数 ・尿意・便意とその伝達	□夜間の頻回な尿意・便意のために睡眠が中断されていないか □昼間でも，眠気のために尿意・便意が鈍くなっていることがあるか □尿意・便意の有無，尿意を伝えることができるか
	姿勢・排泄動作 ・移動・移乗動作，排泄姿勢，着脱衣動作，後始末動作，手洗い動作の状態	□倦怠感，眠気のために排泄動作が困難になっていないか
身じたく	**清潔，身だしなみ，おしゃれ** ・意欲，動作の障害の有無	□不眠による倦怠感や眠気などによって，身だしなみやおしゃれに対する意欲や動作が阻害されていないか
コミュニケーション	**伝える・受け取る，コミュニケーションの相互作用・意味，発展** ・交流を楽しみにしている相手	□眠気や集中力の低下によってコミュニケーションに支障をきたしていないか □睡眠障害によるイライラ感によって，他者との関係づくりが阻害されていないか □コミュニケーションの障害によって，他者との交流が減少し，そのことが日中の覚醒に影響を及ぼしていないか

アセスメントの視点（病態・生活機能関連図へと導くための指針）

高齢者は加齢や疾患の影響で睡眠が浅くなり中断しやすくなる．そのためには，入眠や睡眠持続を阻害する要因を軽減し，これまでの習慣も取り入れつつ心身がリラックスした状態で夜間の心地よい睡眠を導く．夜間に深い眠りが得られるように，休息も考慮しつつ日中の活動性を高める支援をする．そのうえで，睡眠障害のために日中の生活に著しく支障をきたす時は睡眠薬の使用を検討する．

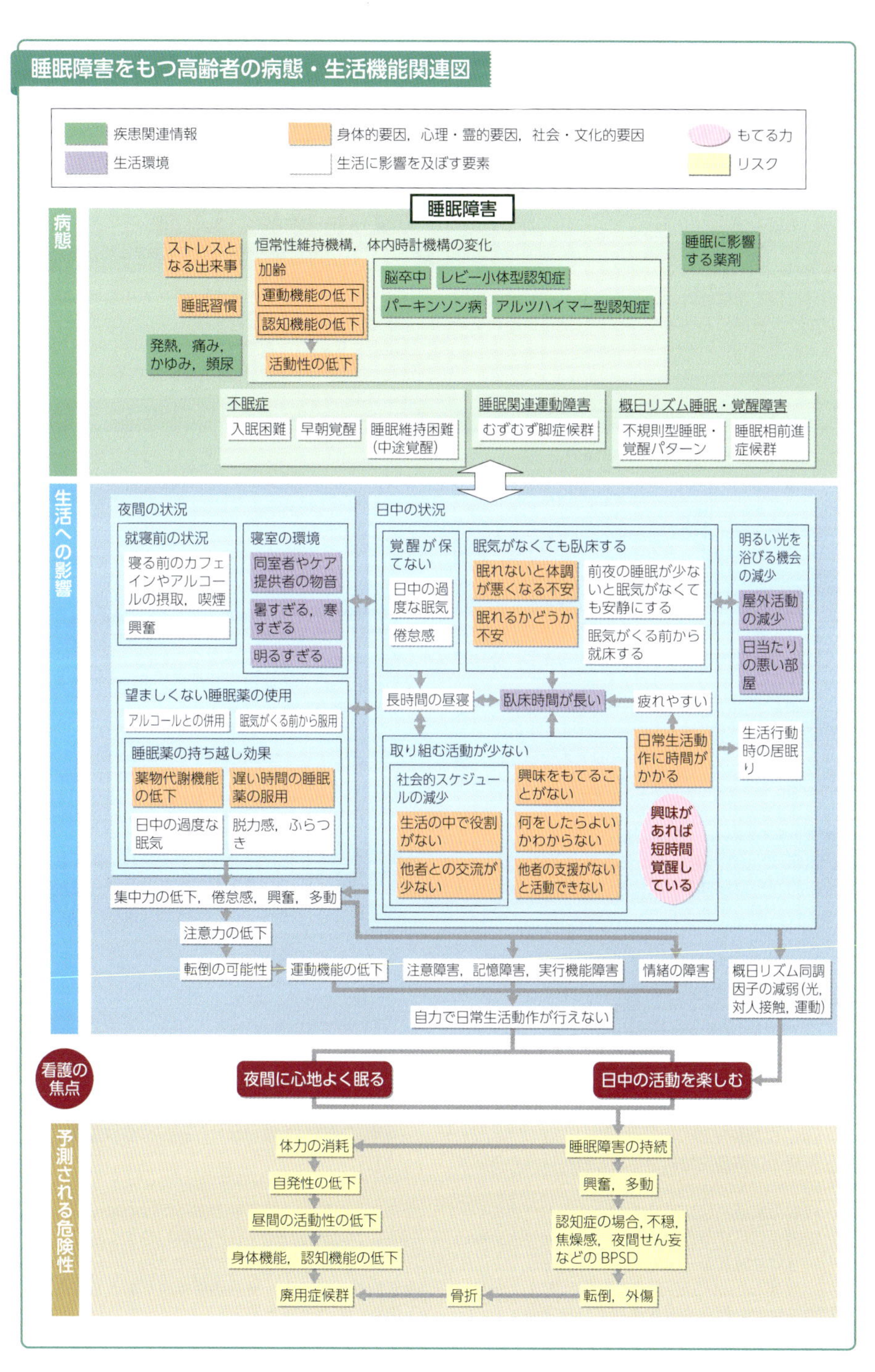
睡眠障害をもつ高齢者の病態・生活機能関連図
疾患関連情報
身体的要因，心理・霊的要因，社会・文化的要因
もてる力
生活環境
生活に影響を及ぼす要素
リスク
病態
睡眠障害
ストレスとなる出来事
恒常性維持機構，体内時計機構の変化
加齢
運動機能の低下
認知機能の低下
活動性の低下
脳卒中
レビー小体型認知症
パーキンソン病
アルツハイマー型認知症
睡眠に影響する薬剤
睡眠習慣
発熱，痛み，かゆみ，頻尿
不眠症
入眠困難
早朝覚醒
睡眠維持困難（中途覚醒）
睡眠関連運動障害
むずむず脚症候群
概日リズム睡眠・覚醒障害
不規則型睡眠・覚醒パターン
睡眠相前進症候群
生活への影響
夜間の状況
就寝前の状況
寝る前のカフェインやアルコールの摂取，喫煙
興奮
寝室の環境
同室者やケア提供者の物音
暑すぎる，寒すぎる
明るすぎる
望ましくない睡眠薬の使用
アルコールとの併用
眠気がくる前から服用
睡眠薬の持ち越し効果
薬物代謝機能の低下
遅い時間の睡眠薬の服用
日中の過度な眠気
脱力感，ふらつき
日中の状況
覚醒が保てない
日中の過度な眠気
倦怠感
眠気がなくても臥床する
眠れないと体調が悪くなる不安
眠れるかどうか不安
前夜の睡眠が少ないと眠気がなくても安静にする
眠気がくる前から就床する
明るい光を浴びる機会の減少
屋外活動の減少
日当たりの悪い部屋
長時間の昼寝
臥床時間が長い
疲れやすい
取り組む活動が少ない
社会的スケジュールの減少
生活の中で役割がない
他者との交流が少ない
興味をもてることがない
何をしたらよいかわからない
他者の支援がないと活動できない
日常生活動作に時間がかかる
生活行動時の居眠り
興味があれば短時間覚醒している
集中力の低下，倦怠感，興奮，多動
注意力の低下
転倒の可能性
運動機能の低下
注意障害，記憶障害，実行機能障害
情緒の障害
概日リズム同調因子の減弱（光，対人接触，運動）
自力で日常生活動作が行えない
看護の焦点
夜間に心地よく眠る
日中の活動を楽しむ
予測される危険性
体力の消耗
睡眠障害の持続
自発性の低下
興奮，多動
昼間の活動性の低下
認知症の場合，不穏，焦燥感，夜間せん妄などのBPSD
身体機能，認知機能の低下
廃用症候群
骨折
転倒，外傷

STEP 1 アセスメント　STEP 2 看護の焦点の明確化　STEP 3 計画　STEP 4 実施

看護の焦点の明確化

#1　自分に適した就寝前の過ごし方やベッド環境を選択でき，夜間に心地よくぐっすり眠ることができる
#2　昼夜のメリハリある生活によって，日中の活動を楽しむことができる

STEP 1 アセスメント　STEP 2 看護の焦点の明確化　STEP 3 計画　STEP 4 実施

1 看護の焦点	看護目標
自分に適した就寝前の過ごし方やベッド環境を選択でき，夜間に心地よくぐっすり眠ることができる	1) ベッドに入ってから入眠するまでの時間が短縮する 2) 夜間に持続した睡眠が得られる 3)「よく眠れた」という言葉が聞かれる

具体策（支援内容）	根拠
1. 就寝に向けた過ごし方の支援	
・睡眠に影響を及ぼすものの摂取を控える（カフェイン，ニコチン，アルコール，利尿作用のある飲み物，多量の水分など）	●交感神経系の活動が活発になると，入眠を妨げてしまう
・トイレで排泄して残尿を出し切る（薬剤の影響も含む）	
・洗面や着替えをして眠る準備を整える	
・祈り，音楽を聴く，読書をするなど睡眠のために行う習慣があればそれができるように支援する	●自分に合った方法でリラックスすることで，入眠を促進する ●軽いストレッチ体操や，音楽，香りなどは入眠前に心身をリラックスさせる
・入眠までに，心配事，考え事などで気持ちが高ぶらないように話を聞く	
・痛みやかゆみが周期的に出現する場合には，夜の眠りにつく時間帯には軽減されているように内服薬や外用薬の使用時間を調整する	
・入眠前の激しい運動は避ける	
・就寝 30～60 分前の熱い湯温での入浴は避ける	●末梢血管を拡張させることで放熱し，深部体温を低下させることで入眠を促進するが，湯温が高すぎると交感神経系が活発化し眠りにくくなる
・夕方から就眠にかけて，部屋が徐々に暗くなるように調整する	
・室内が真っ暗だとかえって入眠が困難な場合は，直接目に光が入らない足元灯を用いる	
・眠くなってから就床する	
2. 夜間の睡眠を持続するための支援	
・寝具の硬さ，掛け物の材質や重さ，枕の種類や高さを調整する	
・室温環境は，冬期は 16～20℃，夏期は 25～28℃ に調整する	●室温や寝床環境が暑すぎると，深部体温が低下せず，覚醒しやすくなり，睡眠の質が低下する
・夜間の作業音や器械音などの騒音は極力排除する	
・夜間の医療的な処置やおむつ交換のためにやむを得ず点灯するときは，直接目に光が入らないように注意する	●単に光が眩しくて不快であるだけでなく，メラトニンの分泌が低下して覚醒しやすくなり，睡眠の質が低下する
・空腹あるいは口渇で目覚めるときは，クラッカーなどの軽食や喉を潤す水分を摂る	●空腹を感じると，覚醒調整機構が働きやすく，睡眠の質が低下する

具体策(支援内容)	根拠
・下剤を服用するときは，夜間に便意をもよおすことがないように，効果発現時間を考慮して服薬時刻を決める	
3. 睡眠薬の検討	
・上記の支援でも十分な睡眠が得られない場合に睡眠薬を検討する ・睡眠薬を使わないと眠ることができず，日中の生活に著しく支障をきたすときは，医師を交えて本人と相談して睡眠薬の使用を検討する ・高齢者には作用時間が短く，代謝されやすい睡眠薬を選択する	●高齢者は，若年者に比べて睡眠薬の有効作用時間が延長しやすく，翌日への持ち越し効果がみられやすい
・筋弛緩作用の少ない睡眠薬を選択する ・睡眠薬を服用したあとは，集中力が必要な活動は行わず，眠気がおきたら就床する ・睡眠薬を自己管理している高齢者には，アルコールと併用しないように伝える ・睡眠薬の服用により心身の休息が図れているか，翌日の日中の眠気，ふらつき，脱力，頭痛，倦怠感などの持ち越し効果がないか確認し，あれば睡眠薬の変更や減量を医師とともに検討する	●ベンゾジアゼピン系睡眠薬は筋弛緩作用により，転倒や無呼吸症候群の増悪を招くことがある ●ベンゾジアゼピン系睡眠薬以外の，メラトニン受容体作動薬やオレキシン受容体拮抗薬の処方も医師とともに検討する ●眠ろうとする意気ごみが強いことで緊張が生まれ，かえって覚醒する
・睡眠のケアをいつまでも睡眠薬だけに頼ることがないように，睡眠が改善したら睡眠薬の減量や中止に向けていく	●薬物だけで睡眠を維持するのは困難であり，昼夜の過ごし方を改善する必要がある

2 看護の焦点	看護目標
昼夜のメリハリある生活によって，日中の活動を楽しむことができる	1) 朝にしっかり起床して身じたくできる 2) 興味や関心のある活動を楽しむことができる 3) 疲れすぎないように活動と休息を調整できる

具体策(支援内容)	根拠
1. 朝にすっきり目覚めるための支援	
・カーテンを開けて，太陽の光を取り込み部屋を明るくする ・寝床で長く過ごしすぎると熟睡感が減少するので，体調不良でなければ起床を促す ・洗面や着替えをして1日の始まりを意識する	●光は交感神経活動を亢進させ，日中の覚醒度を上げるのに有効であるといわれている ●1,500〜2,500ルクス程度の光を浴びるとメラトニン分泌が抑制され，それによって深部体温が上昇すると，より覚醒しやすい状態になる ●メラトニンは明光で分泌が抑制されてから15〜16時間後に再分泌され，眠気を生じさせる
・体調不良がなければ，朝食の時間は一定にする	●食事摂取は，概日リズムの同調因子である．朝食の摂取によって体温が高まり，活動が活発になる
2. 日中の覚醒を維持し活動を楽しむための支援	
・午前中は，サンルームのような場所で活動することで，高照度の自然光にあたる機会をつくる	●眩しさは不快である．白内障があると眩しさを感じやすいので注意する

・前夜の睡眠が少なくても，体調不良がなければ，起床して活動した方がよいことを伝える	●前夜の睡眠が少ない時には安静していることで，かえって眠りにくくなることがある
・活動は，本人の活動の個人史を参考にしながら，興味のある，あるいは習慣になっている活動に参加する	
・活動には，体操のように適度な身体運動を伴うものを取り入れる	
・他者と交流する機会をもつ ・お茶やおやつの時間を取り入れる	●他者との交流は，概日リズムの同調因子の 1 つであるが，難聴があったり個室で療養していると，外界からの刺激が少なくなりやすい
3. 日中の過ごし方と夜間の睡眠とのバランス調整	
・睡眠日誌をつけて変化を把握し，活動量・活動時間の調整を検討する	
・日中は休憩が過度にならないように，15 時前の 20～30 分にとどめる休み方を調整する	●長時間の昼寝で深い眠りの段階に達してしまうと，覚醒時に眠気やだるさが残り (睡眠慣性)，休息による疲労の回復感を得られない
・疲れすぎて早い時間に就寝してしまわないように休息を促す	●夕方以降の昼寝は，夜の眠気の出現を遅らせ就寝時刻が遅くなる
・必要に応じて日中の活動量や役割を調整する	
4. 睡眠障害によって阻害されている生活行動の支援	
・倦怠感や眠気によって，水分や食事摂取量が減少していないか注意する ・睡眠の障害によって注意力，判断力の低下がある場合は，転倒や転落の危険がないように見守る	●日中の眠気のために水分や食事摂取量が低下すると，脱水症状を引き起こすことがある．強い眠気と脱水による意識障害を見誤ると，重篤な状態になる可能性がある

関連項目

※もっと詳しく知りたいときは，以下の項目を参照しよう．

睡眠障害に影響を及ぼす疾患や障害

- 「1 認知症 (→ p.56)」「3 脳卒中 (→ p.93)」「28 フレイル (→ p.491)」：日中の活動性の低下が睡眠障害に影響を及ぼしていないか確認しよう
- 「2 パーキンソン病 (→ p.73)」：パーキンソン病治療薬の服用による影響はないか，筋強剛 (筋固縮) のために寝返りができず身体の痛みで睡眠が中断されていないか確認しよう
- 「25 抑うつ状態 (→ p.451)」：抑うつ状態の症状として睡眠障害が現れていないか確認しよう
- 「10 老人性皮膚瘙痒症 (→ p.215)」：夜間のかゆみが睡眠を中断させていないか確認しよう
- 「19 排尿障害 (→ p.364)」：夜間の頻尿が睡眠を中断させていないか確認しよう

睡眠障害に関連したリスク

- 「26 せん妄 (→ p.465)」：睡眠障害がせん妄を引き起こす間接的な原因となっていないか調べてみよう
- 「29 転倒 (→ p.504)」：睡眠不足による危険回避力の低下はないか，睡眠薬の服用によるふらつきはないか確認しよう
- 「17 脱水 (→ p.340)」：日中の眠気によるむせで，1 日に必要な水分摂取量が確保できず脱水になる危険性はないか確認しよう

22 言語障害（失語症・構音障害）

横山　晃子

病態生理

●言語障害のメカニズム

1) 言語野（図 22-1）

言語の理解や表現をつかさどる代表的な言語中枢には，ブローカ野（運動性言語中枢，主として言語の産生に関与）とウェルニッケ野（感覚性言語中枢，主として言語の理解に関与）がある．2 つを結ぶ弓状束はウェルニッケ野の情報をブローカ野に送る役割を果たす．角回，縁上回は文字言語にかかわりがあるとされる．

2) 発声と構音（図 22-2）

発声発語には，肺から口唇に至る呼吸・嚥下に関連する諸器官がかかわっており，発声発語器官と総称する．発音のもとになる声は，息を吸って肺にとどめた空気が，肺の弾性や腹直筋などの呼吸筋によって押し出され，声帯をふるえさせることで生じる．さらに軟口蓋を挙上させて鼻への空気のもれを防ぎ，下顎，舌，口唇などを細かく動かすことで，様々な構音（発音）が可能になる．

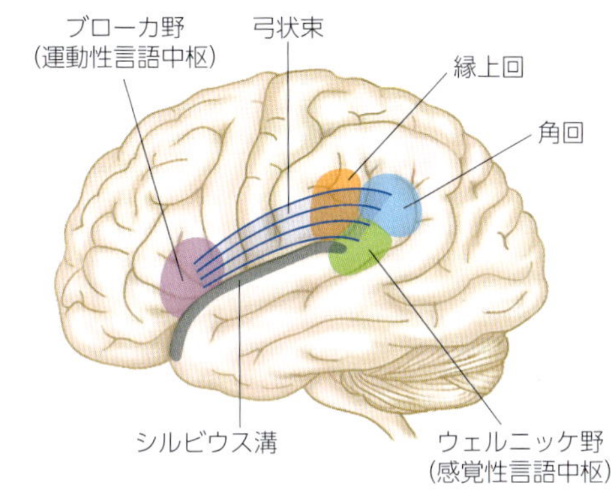

■図 22-1　言語中枢（言語野）

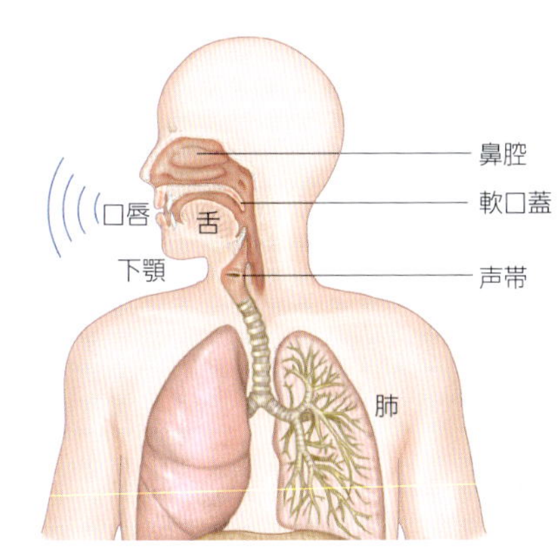

■図 22-2　発声と構音

●言語障害とは

言語の適切な理解と表現が障害された状態をいう．言語障害には様々あり，その原因・発生機序も症状の特徴も多様である．ここでは，言語（language）の障害である失語症と，話し言葉（speech）の障害である構音障害の 2 つを扱う．

●失語症とは

言語中枢（言語野）が損傷された結果，それまで正常に働いていた言語機能が障害され，言語の理解と表出が障害された状態である．「言葉を話す」「聞いて理解する」「読む」「書く」すべての機能において，程度の差こそあれ障害が生じる．

●構音障害とは

中枢から末梢に至る神経・筋系のいずれかの病変による構音器官の運動障害のために，「言葉を話す」うえでの構音（声・発音）が障害された状態である．

病因・分類

●失語症の原因と分類

失語症を引き起こす最大の原因疾患は脳血管障害であり，外傷性脳損傷，脳腫瘍，感染性疾患，変性疾患などでも生じる．

シルビウス溝周辺領域の障害では，運動性（ブローカ）失語，感覚性（ウェルニッケ）失語，伝導失語が出現し，これを外から取り囲むシルビウス溝周辺外領域の障害では超皮質性運動失語，超皮質性感覚失語などが出現する．主な失語症の分類と特徴を表 22-1 に示す．

表 22-1　主な失語症の分類と特徴

分類	病巣	特徴		
		話す	聞いて理解	読む・書く
運動性失語（ブローカ失語）	前頭葉 下前頭回後部 ブローカ野と隣接領域	・発話は非流暢で短い ・構音の誤りやぎこちなさ，韻律（リズム，抑揚など）の障害 ・文の形式で話すことが困難（単語の羅列，格助詞の省略など）	・良好．日常会話では問題ない ・一字一句をおろそかにできないような文では，すべての正確な理解は困難	・書字に比べて読み（とくに読解）の方が保たれやすい ・中等度以降では漢字に比べ，仮名の読み書きの障害が目立つことが多い
感覚性失語（ウェルニッケ失語）	側頭葉 上側頭回後部 ウェルニッケ野，隣接領域にかかることもある	・発話は流暢で多弁 ・喚語困難や錯語，新造語（実在しない語）などが混在するため，内容は空疎になりやすい ・意味不明なジャーゴン様発話になる場合もある	・著しく障害され，単語の意味もわからなくなる場合が多い	・聴覚的理解よりも読解の方が容易な場合もある ・錯読が生じても，気づかないことが多い．音読できても，内容を誤って把握することもある ・書字障害は通常高度．錯書がみられる
伝導失語	弓状束 多くは左縁上回を中心とするシルビウス溝深部	・発話は流暢で構音も正常 ・音韻性錯語が多発．漸近反応（段階的接近とも．何回も言い直して徐々に正答に至る）が特徴的 ・復唱に障害	・複雑な文でなければ良好	・読解は一般的に良好だが，漢字単語に錯読がある ・仮名単語の書き取りに錯書が現れる傾向
失名詞失語（健忘失語）	角回，左側頭葉後下部など．一定しないという見解もある	・発話は流暢，構音は正常 ・復唱にも問題ない．著しい喚語困難 ・錯語はあまり出現しないが，名詞の呼称に重度の障害	・良好．例外的に障害されているタイプもある	・実用的な読み書き能力が保たれていることが多い ・錯書が生じることもある
全失語	ブローカ野，ウェルニッケ野を含む左中大脳動脈領域の全域	・まったく発語がないか，あっても同じ語や音に限られる	・重度に障害される．身内の人や会社のことなど，感情に強く訴える言葉は理解できることもあり，話し手の口調から大まかな意味を理解できることが多い	・重度に障害される．慣れ親しんだ単語はわかることもあり，身振りや絵の指し示しなどを交えることで状況を読み取ることは可能

●構音障害の原因と分類

構音障害は病変の部位により，大きく 3 つに分類できる．①運動障害性構音障害（発声発語器官の運動にかかわる大脳から発声発語器官までの神経や筋肉の病変によるもの）．②器質性構音障害（構音器官の形態異常によるもの．口蓋裂や舌がん・口腔がんの手術後など）．③機能性構音障害（幼少のころより発現し，構音器官の形態・機能に異常がないもの）．ここでは，運動障害性構音障害を取り上げ，特徴を表 22-2 に，分類を表 22-3 に示す．

■表 22-2 運動障害性構音障害の特徴

病変部位	原因疾患	特徴
脳	脳血管障害(脳梗塞，脳出血，くも膜下出血)，脳外傷，脳性麻痺など	急激に発症し，進行はしない
神経・筋	パーキンソン病，筋萎縮性側索硬化症，脊髄小脳変性症，重症筋無力症など	ゆっくり発症し，徐々に進行する

■表 22-3 運動障害性構音障害の分類

分類	病巣	原因疾患	話し方の特徴
痙性	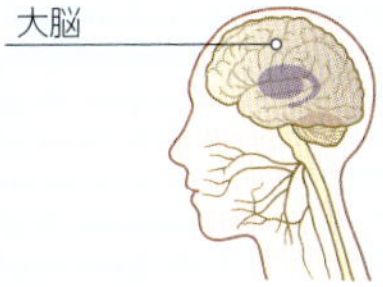 大脳 大脳皮質～脳幹	脳血管障害(脳梗塞，脳出血，くも膜下出血)など	・身体や音声器官が力みやすく，ゆっくりとした話し方 ・声のかすれや声量の低下も伴うことがある
運動低下性	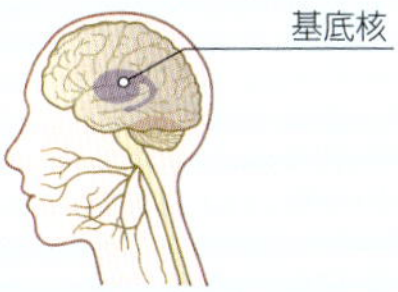 基底核 大脳基底核が主	パーキンソン病など	・声量が低下し，ぼそぼそとした単調な話し方 ・早口になることもある
運動過多性	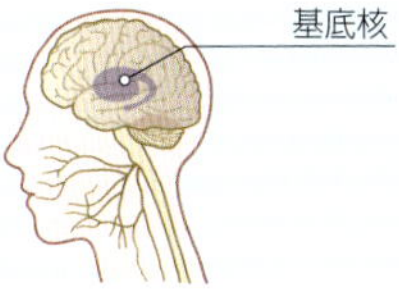 基底核 大脳基底核が主	ハンチントン病，脳性麻痺や向精神薬の有害事象など	・のどを過剰に詰めたような話し方で，発話がとぎれやすい ・呼吸のタイミングも不規則になる
弛緩性	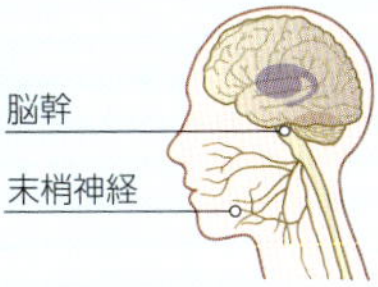 脳幹 末梢神経 脳幹～末梢神経，筋肉	脳血管障害(脳梗塞，脳出血，くも膜下出血)や重症筋無力症など	・音声器官に力が入らず，息も続きにくいため，発話がとぎれやすい ・鼻から息がもれる「開鼻声」が著しい
失調性	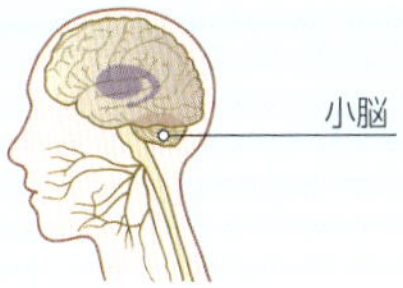 小脳 小脳	脳血管障害(小脳出血など)や脊髄小脳変性症など	・突然声が大きくなったり，声の抑揚に欠けたりする ・1音1音途切れたような話し方や，間延びした話し方になりやすい
混合性		病変部位が広汎な場合や脳血管障害(脳梗塞，脳出血，くも膜下出血)が再発した場合など	上記5タイプの2つ以上が重なったもの

症状

●失語症の症状

失語症の主な症状を表 22-4 に示すが，一人ひとり症状の現れ方が異なり，非典型例も少なくない．

●運動障害性構音障害の症状

運動障害性構音障害は，病変部位や原因疾患によって症状の程度や組み合わせが異なる．

①声質（嗄声）：粗糙(そぞう)性（がらがら声），気息性（かすれ声，重度の場合はささやき声），無力性（弱々しくか細い声），努力性（のどに力が入ったしぼり出すような声）

②声の高さ・大きさ：高（低）すぎる，声の翻転，大き（小さ）すぎる，だんだん小さくなる，爆発性発話（声の大きさが不安定），声のふるえ

③話す速さ：速（遅）すぎる，だんだん速（遅）くなる，変動する

④話し方：不自然な発話のとぎれ，抑揚の乏しさ，音や単語などの繰り返しなど

⑤共鳴・構音：開鼻音（鼻へもれる声），置換（他の音に置き換わる．すいか→すいた），省略（語音の音素が省略され母音部分のみになる（てれび→てえび），ひずみ（日本語の語音として表記できない音）

⑥全体的な自然度，明瞭度の低下

主な症状を図 22-3 に示す．

■表 22-4　失語症の主な症状

症状		内容	例
話す	喚語困難，呼称障害	言いたい語を必要に応じて喚起し言うことができない．程度や性質の差はあるが，大多数の失語症で現れる 目の前にある物の名前を思い出せない場合を呼称障害という	めがね→なんだっけ，こう…（目のあたりを指す）
	語性錯語	意図している言葉とは別の言葉が出る	そば→うどん
	音韻性錯語	語中の特定の音が他の音に置き換わる（構音自体には障害がない）	こども→このも くつした→つくした
	文法（構文）障害	喚語能力がある程度改善しても，組み合わせて正しい文をつくることが困難	子どもに顔が洗っている 子ども…顔…ゴシゴシ
	ジャーゴンまたはジャルゴン	意味をなさない発話	はい，コレマーワ，ジューダン，こうなるができないわけですね
	保続	一度言った言葉が，自分の意図と関係なく繰り返し出現する	花瓶→え…花瓶，洗面器→花瓶…いやあの…花瓶…
	再帰性発話（常同言語）	重度の失語症に認められ，決まった音や言葉が何回も反復される．イントネーションの上げ下げを利用して，自分の意図をある程度伝えられることもある	タン，タン，タン…タンターン
聞く	語音認知の障害	聴力が正常であるにもかかわらず，言葉として聞きとりにくい	（人の話し声が雑音や外国語のように聞こえる）
	語義（意味）理解の障害	言葉を聞きとれても意味を理解することが困難である．大多数の失語症でみられる．周囲の状況や前後関係をもとにした状況文脈の把握は良好で，日常生活場面のやりとりは比較的理解されやすい	名前は？→なまえって何だろう？
読む	読解の障害	文字や文章を見ても意味を理解したり，うまく音読したりすることが困難になる	（長い文章の掲示ではとくに理解しにくい）
	音読の障害・錯読	音読における単語の読み誤りがある	カメラ→カネラ 机→椅子
書く	自発書字・書き取りの障害	漢字と仮名の書字機能に乖離を示し，文レベルの書字が困難になりやすい．言葉で言うことができても文字として書くことができない場合もある	着物→着物・き（空白） 封筒→不当・ふうとう
	錯書	誤った文字を書く	娘→妹，時計→ときい

■図 22-3　運動障害性構音障害の主な症状

診断・検査値

●失語症の検査

1) スクリーニング検査

聴覚的理解，呼称，復唱，読解などに関する簡単な言葉のやりとりにより，障害の全般的特徴を把握する．

2) 総合的失語症検査

標準失語症検査（standard language test of aphasia：SLTA）は，「聞く」「話す」「読む」「書く」「計算」能力の検査を 26 項目 6 段階で評価する．すべての検査を行うと，折れ線グラフのプロフィール表となり，失語症のタイプや重症度を評価する．このほかに WAB（Western Aphasia Battery）失語症検査日本語版，老研版失語症鑑別診断検査などがある．上記だけでは把握できない症状を詳細に調べるための掘り下げ検査を行う場合もある．

3) 失語症者のコミュニケーション能力の評価

実用コミュニケーション能力検査（CADL 検査）は，失語症者の日常生活場面でのコミュニケーション能力を評価する．

●構音障害の検査

1) 標準ディサースリア検査（assessment of motor speech for dysarthria：AMSD）

構音障害の総合的な検査であり，①一般的情報の収集（疾患名や日常生活の自立状況など），②発話の検査：発話の明瞭度，自然度，発話の速さなど，③発声発語器官検査：舌や口唇などの部位ごとの運動範囲，反復運動の速度，筋力といった項目からなる．このほかに構音検査法，麻痺性構音障害評価表などがある．

2) 機器を用いた検査

呼吸機能，発声機能，鼻咽腔閉鎖機能，口腔・構音機能など．

合併しやすい症状

●失語症

身体的側面のみならず，心理的側面でも易疲労性がみられる．

1) 身体的側面：運動障害（右上下肢の麻痺や不全麻痺），半側空間無視，失行，失認など．

2) **心理的・霊的側面**：一次性の変化では，防衛機制としての病態（障害）否認，破局反応，うつ状態，障害の無認知などが認められることがある．加えて，注意力の変動，集中力の欠如，情緒不安定，感情の統制力の減退，抽象的思考能力の低下など．
3) **社会・文化的側面**：社会的孤立，失職・経済的破綻，役割の変化に伴う人間関係のゆがみなど．

●構音障害

1) **身体的側面**：見た目の変化（顔面の麻痺などにより相貌が崩れる，流涎など），摂食嚥下障害など．
2) **心理的・霊的側面**：相手に伝わらないもどかしさ，話すことへの自信喪失やあきらめなど．
3) **社会・文化的側面**：自分の声や話し方を気にしての交流減少，話す・歌う趣味の減少，外出や他者と会う機会の減少．

治療法

言語聴覚士が症状や重症度に合わせた訓練プログラムを立案する場合が多いが，リハビリテーションは多職種チームによる連携のもとで行う．

●失語症に対する治療的アプローチ

1) **言語機能訓練**：障害を受けた言語機能をできる限り改善させることを目標に置いた訓練．
2) **実用コミュニケーション訓練**：音声言語以外のコミュニケーション手段を効果的に使用できるための訓練．
3) **カウンセリング**：障害の受容と自己洞察を含む様々な心理的問題の客観的評価や対応など．
4) **環境調整，社会参加支援**：家族に対する助言，社会（職業）復帰の支援，地域における活動参加を促進する社会資源に関する情報提供など．

●構音障害のリハビリテーション

1) **言語療法**：「呼吸（発声発語のための呼吸運動）」「発声（意識的な発声）」「共鳴（発語のための鼻咽腔閉鎖）」「構音（発語動作の正確な持続）」における個々の病状・能力に合わせた訓練．
2) **代替コミュニケーション手段の使用練習**：構音障害が重度で音声言語によるコミュニケーションが困難である場合，身体機能に合わせながら筆記具・磁気ボード，文字盤などの手段を用いる．
3) **構音器官の治療**：舌接触補助床の使用，咽頭弁形成手術など．

●原因疾患の再発予防

加齢に伴う発症や再発，悪化や進行のリスクがある原因疾患（脳血管障害など）を予防する．

言語障害(失語症・構音障害)をもつ高齢者の看護

看護の視点

- 言語障害は，外見上わかりにくいという特徴がある．その結果，周囲の人々から正しく理解されにくいうえに，自分の状況を言葉で伝える機能が障害されていることで，誤解を生んだり，能力を低く評価されたりすることもある．
- 言語障害があることによる心理・社会的影響は大きい．突然コミュニケーション手段を失った失語症・構音障害の人々は，絶望感や不安を生じやすい．
- 言語障害の改善・回復には長時間を要することが多く，しかも病前と同レベルの言語機能の回復・獲得が得られないことが多い．

以上の特徴から，障害と折り合いをつけつつ，もてる力を維持・向上するための支援が求められる．

1. **言語障害の状況に合わせたコミュニケーション手段の獲得・維持と機能回復に向けた支援**
2. **言語障害に伴う心理的影響に対する支援**

コミュニケーション自体が双方向のやり取りであることから，周囲の環境やコミュニケーション相手が及ぼす影響も大きい．支援者はもちろん，家族・知人なども重要な人的環境として捉える必要がある．

●病期に応じた長期的な看護の視点(表 22-5)

【急性期】 神経学的に症状が変動しやすい時期であり，易疲労性が強い．能力に見合った意思疎通方法を確保し，不安定な全身状態や高齢者本人・家族の心理状態にも細心の注意を払う．

【回復期】 全身状態も安定し，言語機能の集中的な訓練・治療が最も期待できる時期である．治療内容を日常生活にも活用していく一方で，障害に関連した心理的危機にも配慮する．

【維持期】 心身の機能の回復がゆるやかになる時期．高齢者のもつ言語機能を活かして，実用的なコミュニケーションや生活行動の維持を図りながら社会適応・復帰に向けて支援する．

■表 22-5　言語障害の病期別にみた看護の視点

急性期	回復期	維持期
1)言語機能の暫定的評価・意思の疎通方法の確保 2)全身管理(感染予防，褥瘡予防など) 3)心理的支援(衝撃など) 4)環境調整	1)コミュニケーション能力の維持・拡大 2)心理的支援(障害・訓練・治療に関する不安など) 3)環境調整 4)全身管理(再発予防，フレイルなど)	1)コミュニケーション能力の維持 2)環境調整 3)社会適応・復帰への支援 4)心理的支援(障害受容など)

STEP 1 アセスメント　STEP 2 看護の焦点の明確化　STEP 3 計画　STEP 4 実施

情報収集・情報分析

	必要な情報	分析の視点
疾患関連情報	**現病歴と既往歴** ・原因疾患(脳血管障害，脳外傷，脳腫瘍など)と病期 ・失語症や構音障害の分類 ・構音に影響を及ぼす疾患，障害，治療(薬物治療を含む)	□言語障害の原因疾患は何か □言語障害はいつ発症し，どのような経過をたどっているか □言語障害は，失語症か構音障害か．どのような分類に該当し，どのような症状の特徴をもっているか □構音に影響を及ぼす疾患や障害，治療はあるか．使用している薬物の種類・作用や有害事象も含め情報収集する

	必要な情報	分析の視点
疾患関連情報	**症状** ・失語症の症状 ・構音障害の症状 ・合併症の有無	□失語症の症状は何か．「話す」「聞いて理解」「読む・書く」機能はどの程度か □構音障害の症状は何か □失語症に合併しやすい症状である易疲労性，注意力の低下などはないか □構音障害に合併しやすい症状である摂食嚥下障害などはないか
	検査と治療 ・失語症または構音障害に関する検査の内容，結果 ・リハビリテーションの目的，内容 ・治療に対する高齢者本人や家族の思い	□どのような検査が行われたか．どのような言語機能がどの程度障害されているか．重症度はどうか □言語聴覚士(ST)をはじめ，どのような職種が，どのような目的でどのようなリハビリテーションを行っているか □治療プログラムに関して，高齢者本人や家族はどのような思いを抱いているか
身体的要因	**運動機能** ・上肢の運動機能，利き手と麻痺・拘縮の有無 ・加齢変化の影響	□身振りなどの身体表現や書くことに支障をきたす運動障害(とくに利き手)はないか □加齢に伴う視聴覚機能の変化(難聴など)や記憶力の低下などがコミュニケーションに影響していないか
	認知機能 ・注意障害など	□非言語的・言語的コミュニケーションにおける理解の程度はどうか □注意障害があることでコミュニケーションが中断されたり，内容に集中しにくいことはないか
	言語機能，感覚・知覚 ・現在の言語的手段 ・ニーズの表現方法 ・口腔内の状態 ・補聴器や眼鏡などの補助具の使用と活用状況	□現在の言語的手段はどうか．高齢者独自の伝える手段はあるか □ニーズ(とくに身体的苦痛や不快感などの生理的ニーズ)をどのように伝えられているか □歯の欠損や義歯未装着，口内炎などの構音機能を阻害する因子が言語障害を助長していないか □補聴器や眼鏡などの補助具を状況に応じて適切に活用しているか
心理・霊的要因	**健康知覚・意向，自己知覚** ・現在の状態に対する思い，今後の生活に対する意向・希望	□疾患や症状をどのように受け止め，対処しようとしているか □今後のコミュニケーションに対して，どのような意向・希望をもっているか
	価値・信念，信仰 ・言語を使うことへの価値・信念 ・よりどころ，安らぎを得る手段	□言語の使用に対して，どのような価値・信念をもっているか □よりどころや安らぎを得る手段は病後も継続できているか
	気分・情動，ストレス耐性 ・言語障害による体験と思い ・人との交流時におけるストレス ・ストレスから再起する手段への影響	□相手に伝わりにくい，理解してくれないなどの体験が，言語的コミュニケーションを消極的・否定的にしていないか □人との交流にストレスを感じていないか □言語障害は，ストレスや逆境が生じた時に再起するための手段に影響しないか

	必要な情報	分析の視点
社会・文化的要因	**役割・関係** ・方言など地域独自の言語表現，教育歴と獲得言語 ・生活をともにする人との関係	□方言など生まれ育った地域独自の言語，教育により獲得した言語によるコミュニケーションへの影響はどうか □言語障害により大きな誤解を受けるなど，生活をともにする人との関係に影響はないか
	仕事・家事・学習・遊び，社会参加 ・環境の影響 ・仕事や交流への影響，社会参加状況 ・交流の機会 ・表出しやすい話題	□環境(騒々しい，慌ただしいなど)による影響はあるか □言語障害によって，これまで築いてきた家事・就業などの社会的役割や活動に影響が及んでいないか □言語障害により家族や友人，知人との交流に影響はないか □集団リハビリテーションやセルフヘルプグループなど同じような言語障害をもつ人との交流の機会はあるか □生活史に根づく内容や趣味，楽しみなど，高齢者が言語を表出しやすい話題はあるか
睡眠・休息	**睡眠・休息のリズム** ・睡眠薬の影響 ・休息希望時の表現	□睡眠薬の持ち越しなどが，構音機能に影響していないか □休息したいときに，誰かに伝えることはできているか
	睡眠・休息の質，心身の回復・リセット ・疲労の回復 ・言語障害によるストレスの影響	□言語障害に合併しやすい疲労を回復・リセットするための休息・睡眠が十分とれているか □言語障害によるストレスが睡眠障害をきたしていないか
覚醒・活動	**覚醒** ・覚醒状態	□覚醒状態がコミュニケーションに影響を及ぼしていないか
	活動の個人史・意味 ・活動意欲 ・活動による個人史・意味	□活動意欲は言語障害を有する前後で著しく変化していないか □言語障害がありながらも，自ら語りたくなるような活動による個人史はあるか □言語障害により，これまでの活動や楽しみが縮小していないか
	活動の発展 ・活動の発展の可能性	□現在の言語機能をふまえると，どのような活動に発展の可能性をもっているか
食事	**食事準備，食思・食欲** ・食事準備や食べたいもの・飲みたいものの表現への影響 ・食欲への影響	□言語障害や併発する麻痺により，買い物などの食事準備や食べたいもの・飲みたいものの表現方法に支障をきたしていないか □言語障害によるストレスが食欲に影響を及ぼしていないか
	姿勢・摂食動作，咀嚼・嚥下機能 ・摂食動作，咀嚼・嚥下機能への影響 ・摂食嚥下機能への影響	□言語障害に併発する麻痺や失語症に伴う集中力の低下により，摂食動作，咀嚼・嚥下機能に影響を及ぼしていないか □構音障害の合併症として摂食嚥下機能への影響はどうか
	栄養状態 ・食事・水分摂取量，栄養状態への影響	□失語症に伴う集中力の低下が，食事・水分摂取量に影響していないか．その結果，栄養状態にも影響が及んでいないか

	必要な情報	分析の視点
排泄	**尿・便をためる，尿意・便意** ・排泄リズムの把握 ・尿意・便意の伝達方法	□排泄リズムを把握し，尿意・便意のサインをいち早く支援者側がキャッチできる体制が整っているか □言語障害により尿意・便意を伝えられず，排泄をがまんしていないか □急に立ち上がる，そわそわするなど尿意・便意のサインはあるか
	姿勢・排泄動作 ・排泄動作の伝達状況	□排泄動作に支援を必要とする際，言語障害により伝えられない状況はないか
	尿・便の排出・状態 ・排泄のコントロール，不快な状態の伝達方法	□便秘や排泄コントロールのための薬物などによる不快な状態を伝える方法はどうか
身じたく	**清潔，身だしなみ，おしゃれ** ・清潔行為や身だしなみへの希望，対処 ・おしゃれに関する価値観，希望	□清潔行為や身だしなみに関する希望を表出できているか □構音障害に合併しやすい流涎がある時，機能に見合った効果的な対処をとれているか □おしゃれに関する価値観や現在の状況に対する希望を伝達できているか
コミュニケーション	**伝える・受けとる** ・コミュニケーション手段	□現在，言語障害によって「伝える力」や「受け取る力」のどこがどのように難しくなっているのか，また，どのようなコミュニケーション手段をとっているか □コミュニケーション手段の拡大に向けて，どのような希望や可能性をもっているか □言語障害の特性から，どのようなコミュニケーション手段の拡大が可能か
	コミュニケーションの相互作用・意味 ・コミュニケーションの相手 ・コミュニケーションの内容	□家族や医療関係者，同室者など，コミュニケーションの相手にどのような希望をもっているか □高齢者にかかわる相手が，現在，どのようなコミュニケーションスキルをもっているか □伝えたい目的や内容が相手に伝わっているか．相手がどう対応すると，うまく伝えることができるか
	コミュニケーションの発展 ・かかわり合いに関する希望	□新たなコミュニケーション手段の獲得を機会に，かかわり合いに関する希望はあるか

アセスメントの視点（病態・生活機能関連図へと導くための指針）

言語障害によって，思うように意思の疎通ができないことによる心理的影響や易疲労性などの合併症に配慮しながら，高齢者の言語障害の特性をふまえたコミュニケーション手段の再獲得に向け，回復状況に応じた達成可能な目標を設定して支援する．その際，かかわる専門職はもとより家族や知人などといったコミュニケーションの相手が及ぼす影響にも目を向け，高齢者が望むコミュニケーション手段を共有できるように調整する．さらに，高齢者の加齢変化をふまえ，これまで高齢者が築いてきた活動の継続や現在の言語機能を活かした新たな活動にチャレンジすることを含めて暮らしを再構築していけるように，以下では，回復期を中心とした看護を展開する．

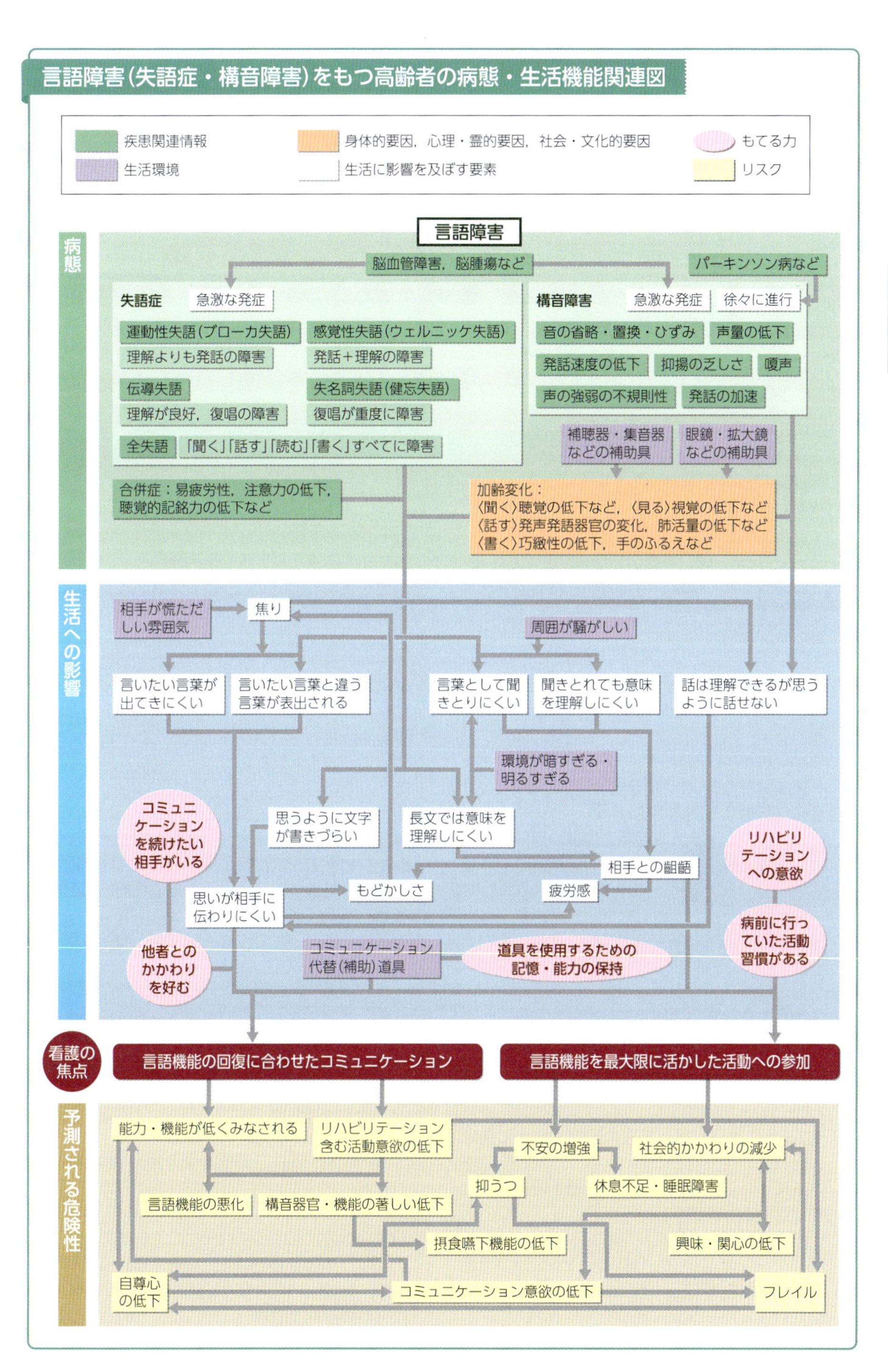
言語障害(失語症・構音障害)をもつ高齢者の病態・生活機能関連図
疾患関連情報
生活環境
身体的要因，心理・霊的要因，社会・文化的要因
生活に影響を及ぼす要素
もてる力
リスク
病態
言語障害
脳血管障害，脳腫瘍など
パーキンソン病など
失語症
急激な発症
運動性失語(ブローカ失語)
理解よりも発話の障害
感覚性失語(ウェルニッケ失語)
発話＋理解の障害
伝導失語
理解が良好，復唱の障害
失名詞失語(健忘失語)
復唱が重度に障害
全失語
「聞く」「話す」「読む」「書く」すべてに障害
構音障害
急激な発症
徐々に進行
音の省略・置換・ひずみ
声量の低下
発話速度の低下
抑揚の乏しさ
嗄声
声の強弱の不規則性
発話の加速
補聴器・集音器などの補助具
眼鏡・拡大鏡などの補助具
合併症：易疲労性，注意力の低下，聴覚的記銘力の低下など
加齢変化：
〈聞く〉聴覚の低下など，〈見る〉視覚の低下など
〈話す〉発声発語器官の変化，肺活量の低下など
〈書く〉巧緻性の低下，手のふるえなど
生活への影響
相手が慌ただしい雰囲気
焦り
周囲が騒がしい
言いたい言葉が出てきにくい
言いたい言葉と違う言葉が表出される
言葉として聞きとりにくい
聞きとれても意味を理解しにくい
話は理解できるが思うように話せない
環境が暗すぎる・明るすぎる
コミュニケーションを続けたい相手がいる
思うように文字が書きづらい
長文では意味を理解しにくい
リハビリテーションへの意欲
相手との齟齬
疲労感
もどかしさ
思いが相手に伝わりにくい
病前に行っていた活動習慣がある
他者とのかかわりを好む
コミュニケーション代替(補助)道具
道具を使用するための記憶・能力の保持
看護の焦点
言語機能の回復に合わせたコミュニケーション
言語機能を最大限に活かした活動への参加
予測される危険性
能力・機能が低くみなされる
リハビリテーション含む活動意欲の低下
不安の増強
社会的かかわりの減少
抑うつ
休息不足・睡眠障害
言語機能の悪化
構音器官・機能の著しい低下
摂食嚥下機能の低下
興味・関心の低下
自尊心の低下
コミュニケーション意欲の低下
フレイル

STEP1 アセスメント　STEP2 看護の焦点の明確化　STEP3 計画　STEP4 実施

看護の焦点の明確化

#1　言語機能の回復に合わせて，「話したい」「人とかかわり合いたい」という気持ちを満たすコミュニケーションができる

#2　言語機能を最大限に活かして，活動に参加できる

STEP1 アセスメント　STEP2 看護の焦点の明確化　STEP3 計画　STEP4 実施

1　看護の焦点	看護目標
言語機能の回復に合わせて，「話したい」「人とかかわり合いたい」という気持ちを満たすコミュニケーションができる	1) 用いやすい手段で他者とコミュニケーションできる 2) もどかしさなどに対処しながら，伝えることを継続できる

具体策（支援内容）	根拠
1. 高齢者にとって意思疎通しやすい環境づくり	
1) 高齢者の「話したい」という思いの保証 ・話しやすい話題から会話を始める ・「話したい」思いを尊重した態度でかかわる ・コミュニケーションの輪に加われる機会を用意する	●いきいきとした様子や表情などの非言語的メッセージを参考にしながら，好きなことなどの話しやすい話題から会話を始める ●自己を表現したいという欲求は言語障害を有しても変わらない．高齢者に合った方法で「話したい」ことが伝えられたり，言葉を多く発しなくともコミュニケーションの輪に加われたりする機会を用意する．
2) コミュニケーションに影響する加齢変化への対応 ・歯，義歯の状態など ・視聴覚機能の調節（補聴器，眼鏡の使用など）	●加齢に伴う視聴覚の変化や歯の欠損などが言語障害を助長していることもあるため，事前に調整する．義歯を装着しただけでも聞きやすくなることもある
3) 会話を促進する環境づくり ・コミュニケーション相手の表情や口もと，身ぶりなど見やすい位置関係や照度に配慮する	●相手の表情や口唇の動き，身ぶりなどは，高齢者が話を理解する助けになる．コミュニケーション相手の表情が見える距離や高さに位置付けるよう配慮したり，照度などの環境にも配慮する
・高齢者が対話に集中できる静かな環境を整える（テレビを消す，静かな空間へ移動するなど）	●失語症では，注意力の低下により，周囲が騒々しいと集中できず，話を理解しにくくなる
・構音障害をもつ高齢者は，身体が沈み込んだり背中が丸くならないような椅子を用意し，会話の際に正しい座位姿勢になれるよう支援する	●体幹の筋力が低下している運動障害性構音障害をもつ高齢者は，姿勢が不安定であると上体や頸部が必要以上に緊張し，発声・構音にも影響を及ぼす
2. コミュニケーション手段の獲得・拡大に向けた支援 状況に応じて，高齢者自身が代替手段を選択，活用できるよう支援する．	
・YES-NO 質問（例：「食事はあっさりしたものがいいですか？」「はい」→「肉がいいですか？」「いいえ」→「魚がいいですか？」「はい」）	●日常会話の理解は比較的保たれていることが多いため，「はい」「いいえ」で答えられる質問を重ね，言いたいことを互いに絞り込んでいくことで意思疎通を図る

- ジェスチャーの使用(※失語症では単独での使用不可)，実物を見る，関連する場に実際に行くなど視覚的情報を活用する

●視覚からの情報を活用することで理解できる内容は増加する
※失語症では，ジェスチャーの単独使用では理解しにくくなるため，あくまで言葉と併用するものとして活用する

- コミュニケーションボード，コミュニケーションノート(図 22-4，22-5)を活用する．市販されているが，高齢者個々の生活環境や言語能力に応じ，個別に作成したものを用いることが多い

●コミュニケーションノートは日常生活で必要な語彙を絵や文字で項目ごとに整理したものであり，コミュニケーションボードはよく使用する単語を集約しボードにしたものである．失語症をもつ高齢者は後者の方が使いやすいことが多い

■図 22-4　コミュニケーションボード

■図 22-5　コミュニケーションノート

- 漢字の活用

●失語症では仮名の理解が難しくなる．例えば，「大根」と漢字で書かれていると意味がわかるが，「だいこん」と平仮名で書かれると意味が理解できない場合がある

- 書字(筆談，要約筆記)，五十音表などの文字盤(※失語症では使用不可)，意思伝達装置，音声出力装置など

●運動障害性構音障害では，基本的に言語知識に障害がないため，音声による意思疎通が困難である場合には書字言語を利用する．ただし，最初から文字に頼りすぎると，“話し言葉で伝えたい”という気持ちを維持しにくいため注意する．病状が進行するパーキンソン病などでは，その時々の状態に応じた手段を確保できるようにする．
※失語症をもつ高齢者は，多くの場合，仮名の読み書きがしにくくなるため，五十音表は苦痛に感じる

3. 伝わらないもどかしさや焦りなどへのケア

- 現在の状態に対する高齢者の思いや希望について，ゆったりと伝えられる時間と空間を確保する

●言語障害をもつ高齢者は言葉でうまく表現できない分，内面にはさまざまな思いがある．前述「1. 高齢者にとって意思疎通しやすい環境づくり」の内容も参考にしつつ，思いや希望が伝えられる場づくりを行う

具体策(支援内容)	根拠
・現在，できていることを言語化したり，フィードバックすることで，高齢者が言語機能回復を実感し，自信へとつなげられるよう支援する	●言語障害を生じる前の自分や他者と比較して落ち込んだり，思うように話せないもどかしさや焦りを繰り返すことで，回復意欲が低下したり，人との交流をあきらめたりすることがある．そのような負のスパイラルに陥らないよう，いまできていることに着目し，言語機能の回復を実感できるよう支え続けることが大切である
・言語障害によって思うように人に伝わらないもどかしさやつらさ，焦りなどについて傾聴する．そのストレスが身体症状や休息状況などに影響していないかを確認する ・内容に応じて，臨床心理士や言語聴覚士などのフォローアップを依頼し，多職種チームで共有・検討する	●言語障害をもちながらの会話は，著しく集中力や注意力を要するうえに，思うように話せないもどかしさや焦り，言語能力が思うように回復しないなどといった不安などから，活気がなくなったり，いらいらした態度を不本意にとったりすることもある
・子ども扱い，クイズの出題，病前との比較などの自尊心を傷つける周囲の言動に細心の注意をはらう	●言葉の不自由さを受けて無意識のうちに，あるいはよかれと思ってとる周囲の言動が，高齢者を不愉快にしたり，できないことの再認識になったりする
・家族や友人・知人の面会時，障害に関する受けとめや思いについて話を聞く．必要に応じて，情報提供やコミュニケーション方法に関する肯定的なフィードバックをする	●言語障害は高齢者本人のみならず，退院後に主なコミュニケーション相手となりうる家族や友人・知人にとっても衝撃を受けることである

2 看護の焦点	看護目標
言語機能を最大限に活かして，活動に参加できる	1) 体調に合わせながら活動を継続できる 2) 現在の言語機能や疲労度に合わせて，これまで行ってきた活動を継続できる 3) 新たな活動案のなかから，関心のあるものを試行できる 4) 家族など周囲の人々とのかかわり合いをもてる

具体策(支援内容)	根拠
1. 言語機能を最大限に活かせるための体調の整え	
・痛みや疲労感などの身体的不快感や尿意・便意，口渇感などといった生理的ニーズについて高齢者と確認する	●生理的ニーズは，快適な生活を送るうえで重要であるが，とくに訓練中の身体的不快感や便意・尿意は効果的な言語訓練に影響し，口腔内の乾燥は構音を妨げる．そわそわする動作や表情，姿勢など非言語的側面の観察に基づき高齢者ならではのサインに注意を払い，高齢者とすり合わせる
・言語障害の原因疾患や合併症をはじめ，全身状態を把握する	●リハビリテーションを進めるうえで，基盤となる全身状態が安定している必要がある．言語障害の進行・再発，合併症を予防するうえでも，原因疾患や合併症をふまえた全身状態の把握・管理方法を選択する．心理的側面の整えについては#1の「3. 伝わらないもどかしさや焦りなどへのケア」を参照する

2. 言語機能機能を最大限に活かすための支援

高齢者とかかわる人々が，どのようにコミュニケーションを図っているかを確認し，必要に応じて調整や以下の留意点について提案をする

1) 高齢者に話すときの留意点

・高齢者にわかりやすい言葉を選択し，短い文で，ゆっくり，はっきりと話す

●失語症をもつ高齢者は，ゆっくりはっきり端的な話し方がとくに聞きとりやすい．ただし，一音一音区切って言うとかえってわかりにくくなるため注意する

・気持ちに余裕をもって接し，せかさない

●運動性失語をもつ高齢者は，発話をどうにかしようとすればするほど話しづらくなる．言葉がまとまるのを待ったり，言葉に詰まったときに「ご主人のことですか？」などと水を向けたりすることで発話しやすくなる

・一度でわかりにくいときは繰り返し話す，伝え方を変える．文字やジェスチャーを用いたり絵や写真，実物を一緒に見ながら話せるように配慮する

●感覚性失語をもつ高齢者が繰り返し聞き返すのは，聴覚的分析の困難によるものである．大きな声で話す必要はなく，かえって聞きとりづらくなる．実物を一緒に見るなどの具体的な手がかりがあるとさらにわかりやすい

・話題を変えるときは，ジェスチャーや文字などを用いて転換がはっきりわかるように工夫する

●感覚性失語などで聴理解の障害が重度の場合，話題の変化についていけなくなりやすい

・状況に即したこと(例：食事中に食事のこと)や具体的な内容(例：調子はいかがですか？→だるさはよくなりましたか？)を確認したり，書いてもらったりする

●漠然とした質問は，回答するために多くの言葉を必要とする

・言葉が誤っているが，話の流れから意味がわかる場合には，文字や絵，ジェスチャーを使って一つひとつゆっくり確認する

●相手への遠慮や疲れから，わからなくてもうなずくことがある．感覚性失語をもつ高齢者では，正確に理解できなくても「はい，そうですね」などと理解しているような回答をすることがある

2) 高齢者の話を聞くときの留意点

・言葉だけに頼らず，表情，身ぶり，指さし，その時の生活行為などとの関連から，伝えたい意図を判断する

●錯語が多い高齢者の場合，言葉だけにとらわれると，高齢者が本当に伝えたいことが伝わらない．感覚性失語をもつ高齢者では，自身の言葉の誤りに気づきにくいこともあるため，後に齟齬となりやすい．全失語や重度の運動性失語をもつ高齢者では，うなずくなどの肯定の動作よりも首や手を振るなどの否定の動作が難しくなり，肯定の動作を意図せずすることがある．非言語的手段やその時の生活行為との関連などから，高齢者の伝えたい真意をくみ取ることが必要である

・言葉が途中まで出ている時や考えている時には，言いたい言葉が言えるまで待つ

●高齢者が伝えたい言葉が出てこないが，聞き手がわかった場合，先回りして伝えてばかりいると，高齢者がせかされた感じや，自分で発することができない不全感や失望をもたらす

・聞きとれない場合は，質問によって内容を確認したり，聞きとりづらい言葉だけを書いてもらったりする

●わかったふりをすると高齢者は敏感に感じとるため，頑張りの報われなさ，不愉快さにつながる

・言葉が誤っているが，話の流れから意味がわかる場合には，文字や絵，ジェスチャーを使って一つひとつゆっくり確認する

●ようやく発した言葉を訂正されることは，自尊心を傷つけることにもなる．高齢者が言いたい言葉を見つけられた際には“理解した”という返答を表情と合わせて確実に返すなど，高齢者の「伝わる感じ」に結び付くようなかかわりをする

・構音障害をもつ高齢者の場合，聞きとりにくい場合は「短くゆっくり」(唾液がたまっている場合は飲み込んでから)言うよう提案する

●病前の発話速度で話すと，構音器官の動きが追い付かずに発音がはっきりしない．短くゆっくり話すだけで，構音が聞きとりやすくなる．ただし，こちらも同様にゆっくり話すとばかにされたと感じることもあるため注意する

3)周囲の人々のかかわり方の統一

・高齢者が希望するかかわり方や，得意とする伝達方法を共有し，チーム間でかかわり方を統一する

●維持期，退院後の生活も見すえて，高齢者とかかわる人々が高齢者のメッセージの協力的な受け手，豊かなコミュニケーションの相手となれるよう支援が必要である

・家族や周囲の人々も高齢者が望む方法でかかわれるように情報を交換するなどの調整を行う

●思うように意思の疎通ができないことによる高齢者本人のあきらめ，できないだろうという周囲の思い込みを防ぐため，互いの思いや望みを共有する

3. 言語機能の回復・維持に向けたリハビリテーションの継続

1)言語訓練の効果を維持できる生活の工夫

言語聴覚士(ST)や作業療法士(OT)，理学療法士(PT)などと協働し，言語訓練を生活のなかに取り入れる

●言語療法やその他発声発語器官や姿勢保持にかかわる筋骨格に対して訓練が実施されている場合は，多職種で目標を共有し，生活のなかに訓練の要素を取り入れることで，継続したリハビリテーションになる

※言語障害の種類や重症度によって，訓練の内容や進める順序が異なるため，訓練状況のタイムリーな把握が必要

①失語症：呼称訓練などの言語機能訓練，実用コミュニケーション訓練など

●失語症に対する治療的アプローチとして刺激法(関心のある言葉や慣れ親しんだ言葉にふれる)，代償的アプローチとしてコミュニケーション能力促進法(言語以外の手段を併用しつつ伝達し合う)などがある

②構音障害：呼吸訓練・発声訓練などの言語療法，代替コミュニケーション手段の使用練習など

●構音障害の言語訓練は，発声発語器官の正しい運動パターンの回復をねらいとする

2)自主訓練を継続して実施するための工夫

日課として自主訓練を取り入れる際は，実施後にカレンダーに印をつけるなど，高齢者が好む可視化の方法を取り入れる

●自主訓練時間を日課に組み込んだり，達成感を重ねられる工夫をしたりすることは，習慣化や士気の維持につながる

3)易疲労性などへの配慮

易疲労性や注意力の低下などに配慮して，話題や話す場・時間を検討する．適度な休息を取り入れる．

●加齢に加えて，失語症に合併しやすい症状として易疲労性などがある．構音障害に対する呼吸訓練は疲労をもたらしやすい

4. 活動の継続，発展に向けた支援

1)活動史・活動の意向の共有

・高齢者のこれまでの活動状況の把握と，今後の活動に対する意向を確認する

●言語障害があることで，やりたい活動があってもあきらめていることがある．交流を通じた会話への自信や生活のメリハリなど，活動がもた

らすよい影響を高齢者が実感できるよう支援する

・活動の試行をした場合は，活動を行った際の取り組み状況や活動前後の思いを共有する

●活動が継続できるよう，思いを共有しながら進める

2) これまで行ってきた活動を継続するための支援

・好きなテレビやラジオ，新聞や雑誌を読むなど，人との会話以外に言葉に触れる活動の機会を尊重する

●以前から愛読していた新聞や雑誌などは，文字をすべて読まなくとも漢字や写真などから内容をつかむことができる．またニュースを見ることで，社会や時勢を知る機会となり，社会的側面の維持につながる．高齢者の負担にならないよう注意しながら機会を用意する

・以前から行っていた活動（カラオケ，将棋など）を継続できるよう調整する．必要に応じて周囲の人々にも協力を得る

●以前から継続していた活動は，身体が覚えていたり，ルールを知っていたりするため，変わらず楽しめることが多い．高齢者自身ができることに気付いていないこともあるため，周囲の人々が声をかけて勧めるとよい．ただし，失語症をもつ高齢者は点数計算を間違えやすいため，ピンポイントでの支援が必要となる

3) 新たな活動を始めるための支援

・新たな活動を導入するときは創造性の高い活動（絵を描く，写真を撮る，書道など）のなかから，関心のあるものを高齢者が選択できるようにする

●絵を描くなどの創造性の高い活動は，言葉の働きをあまり使わないため，取り組みやすい

4) 合併症などへの配慮

・リハビリテーションの時間などの予定を考慮し，活動前後の休息ができる時間を設定する．易疲労性や注意力の低下に注意し，最初は慣れた活動を短時間から始める

●活動を継続するためにも，無理のない活動スケジュールや内容になるよう配慮する

・麻痺や半側空間無視などの合併症がある場合には，道具を使えるように必要に応じて固定をしたり，使いやすい位置に移動したりする

●合併症がある場合には，道具などを活用しながら，もてる力が発揮できるように環境を整える

・失語症をもつ高齢者の場合は，活動日時・場所や内容などの大切なことは書きとめられるよう支援する

●失語症では語性錯語や語義理解の障害などの症状により，聞く内容―理解する内容―話す内容に違いが生じやすい．視覚的に示すことで内容を互いに確認する

・運動障害性構音障害をもつ高齢者の場合，ポケットティッシュや筆記用具などの用意ができるよう支援する

●運動障害性構音障害による流涎や伝わらないもどかしさへの対処は，他者とかかわる意欲を保つことにつながる

5) セルフヘルプグループとの交流

・同じ言語障害をもつ人々同士の交流の機会や場をつくる，資源（失語症友の会など）を高齢者・家族へ紹介する

●言語障害という同じ体験をもつからこそ，分かち合える苦悩や対処方法をもっている．励まし合える場・情報交換の場として活用したい

関連項目

※もっと詳しく知りたいときは，以下の項目を参照しよう．

言語障害の誘因・原因

- 「3 脳卒中（→ p.93）」：脳卒中による様々な機能障害と言語障害がどのように関連し合い，生活に影響を及ぼしているかを考えてみよう
- 「2 パーキンソン病（→ p.73）」：構音障害の原因疾患について学習しよう

言語障害に影響を及ぼす障害・状態

- 「12 白内障（→ p.259）」「14 口腔機能低下症（→ p.286）」「23 老人性難聴（→ p.423）」：コミュニケーション障害を助長するものとして感覚機能や口腔機能の低下がないか確認してみよう
- 「15 摂食嚥下障害（→ p.304）」：言語障害に摂食嚥下障害も併発していないか確認しよう

言語障害に関連したリスク

- 「25 抑うつ状態（→ p.451）」「28 フレイル（→ p.491）」：思うように意思疎通ができないことによる抑うつ状態やフレイルのリスクがないか確認しよう
- 「21 睡眠障害（→ p.394）」：言語障害によるストレスが睡眠障害を増悪させていないか確認しよう

言語障害をもつ高齢者への看護

- 「第 1 編」の「6 コミュニケーション（→ p.44）」：高齢者の新たなコミュニケーション手段の獲得と生き生きとした相互作用を支援するための看護の視点を広げよう
- 「第 1 編」の「2 覚醒・活動（→ p.10）」：高齢者が言語障害をもっていても活動を継続，発展できるための看護の視点を学ぼう

23 老人性難聴

鈴木真理子

病態生理

●老人性難聴とは

●加齢に伴い，内耳の蝸牛の中にある有毛細胞（音を感知・増幅する）が障害を受け，音の情報をうまく脳に送ることができない状態．通常は，数年かけてゆっくりと進行し，両耳に同じ程度の聴力低下が起こる．音はわかるが，言葉が聞きとりにくいという特徴がある．老人性難聴は基本的に感音難聴であるが，感音難聴に伝音難聴が加わった混合難聴もみられる．

●感音難聴とは

●内耳か聴神経に障害がある難聴のこと．聞き分けが困難なために言葉が聞きとれない，間違って聞こえるなどの症状がみられる．神経障害のため治療が困難である．原因として，老人性難聴のほか，内耳炎，薬物（ストレプトマイシン，カナマイシンなど），音響外傷，メニエール病，突発性難聴，聴神経腫瘍などがある．

●伝音難聴とは

●外耳と鼓膜および中耳の障害による難聴のこと．音が伝わりにくくなる．原因として，耳垢栓塞，外耳道閉塞，耳管機能不全，鼓膜外傷，中耳炎，耳硬化症，外耳・中耳腫瘍などがある．

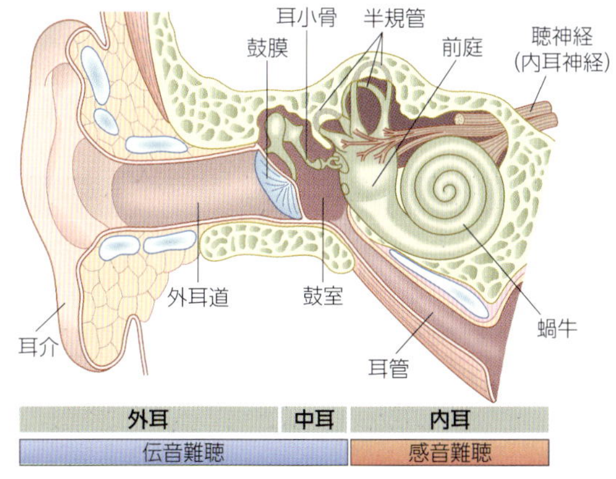

■図 23-1　耳の構造と難聴の分類

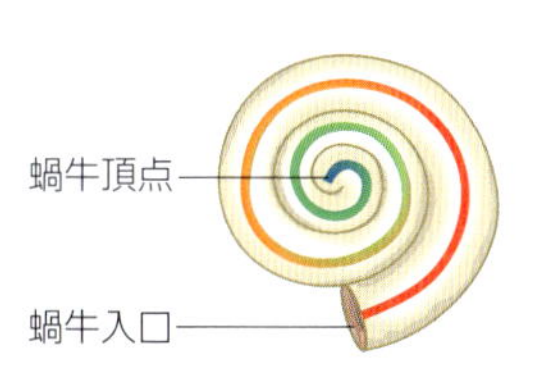

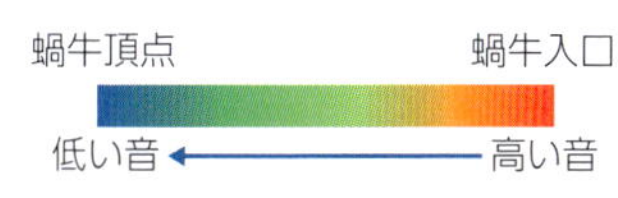

■図 23-2　蝸牛と音波の伝わり方

蝸牛の入口の部分から徐々に感覚細胞の加齢が進むため，周波数の高い高音から徐々に聞きとりにくくなる．

■表 23-1　世界保健機関（WHO）の聴覚障害等級表

等級	ISO 聴力測定値	聞こえ方
0　正常	0〜25 dB	ささやき声を聞きとることができる
1　軽度難聴	26〜40 dB	1 m 離れて普通に話す言葉を聞きとり復唱できる
2　中等度難聴	41〜60 dB	1 m 離れて大声で話す言葉を聞きとり復唱できる
3　高度難聴	61〜80 dB	よいほうの耳で叫び声によるいくつかの言葉を聞きとれる
4　重度難聴	81 dB 以上	叫び声でも理解できない

（WHO Report of the Informal Working Group On Prevention Of Deafness And Hearing Impairment Programme Planning. Geneva, 1991）

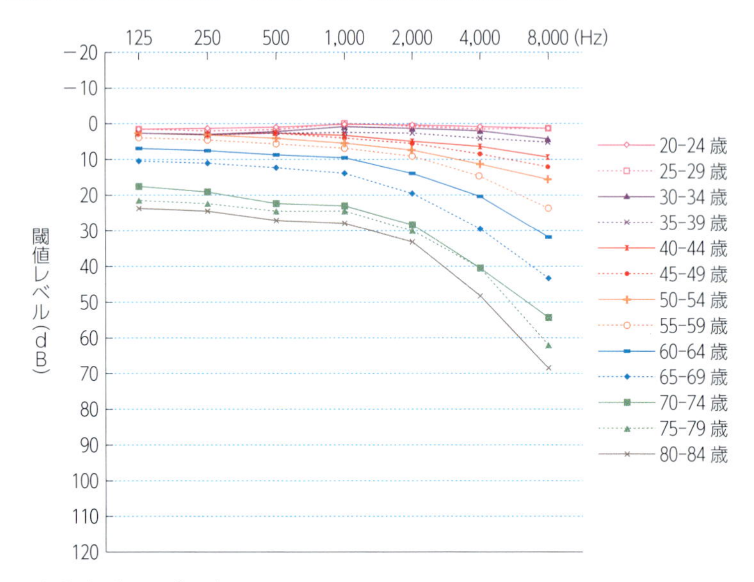

■図 23-3　年齢別平均オージオグラム
横軸が周波数(音の高さ)，縦軸が聞こえのレベルを示す．高齢者ほど高い音が聞きとりにくくなる．
(立木孝ほか：日本人聴力の加齢変化の研究．AUDIOLOGY JAPAN 45：244，図 1，2002)

病因・増悪因子

- 老人性難聴の原因は，加齢に伴う蝸牛の有毛細胞の劣化，減少である．また，内耳から脳への経路障害，蝸牛の血管障害，聴神経の機能低下，脳の認知機能低下など，様々な原因が重なって起こる(図 23-2)．
- 老人性難聴を悪化させる要因としては，糖尿病，動脈硬化症，脂質異常症などの生活習慣病があげられる．

症状

●高音が聞きとりにくい

- 高音から聞こえが悪くなり，次第に低音も聞こえが悪くなる(図 23-3)．聴力の低下には個人差があるが，40 歳代から周波数が 8,000 Hz という聴力検査で測定できる最も高い音に対する聴力の低下がみられ，60 歳代になると日常会話(500～2,000 Hz)に不都合が生じるようになる．

●言葉を聞き分ける力が低下する

- 日常会話のなかで高い音域に属する「サ行」や「タ行」が聞きとりにくくなり，音は聞こえていても相手が話した言葉とは違う言葉に聞こえるという現象が起こる．その他「ラ行」「ガ行」「ダ行」「バ行」でも起こりやすい．また，「サ」と「シャ」の音の聞き違えや，「タ」と「ラ」の音を聞き違えることもしばしばみられる．このようなことが起こっても多くの場合，話の内容を完全に取り違えてしまうわけではなく，その前後の言葉や話などから，話の内容を正しく理解することができる．

●早口がわかりにくい

- 音と音の区切りがわかりにくくなるため，早口で話されると，そのスピードについていけず，話の内容がわからないという状況が起こる．

●大勢の中での会話が聞きとれない(リクルートメント現象)

- 小さな音が聞こえないのに，少し大きな音に対してうるさいと感じる．そのため，大勢の人がいる場所では，会話をするのが難しくなる．

■表 23-2　補聴器の種類と特徴

種類	長所	短所
耳かけ型 耳にかけて使用するタイプ	・広い聴力レベルに対応できる ・ダイヤルを目で確認しながら操作できるので扱いやすい ・アナログ式は価格が手頃である ・比較的目立ちにくい	・耳穴型に比べ大きい ・汗に弱い ・デジタル式は高価である
耳穴型 耳穴に収まるタイプ（オーダーメイドのものもある）	・小型・軽量で目立たない．両耳に使っても邪魔にならない ・集音機能を活かした自然な音が得られる	・高価である ・小さいので操作・扱いがより困難である ・高度・重度の難聴には適用に限界がある ・オーダーメイドでないと性能が劣る
ポケット型（箱型） 本体からコードでつながるイヤフォンを使用するタイプ	・高出力（大きな音を出すこと）が可能なので，重度の難聴にも対応できる ・性能の割に安価である ・手元で操作できるので簡単である ・話者に本体を向けることで，より聞きとりやすくなる	・本体が大きく，ポケットなどのしまう場所が必要である ・コードがあるので目立つ ・ポケット内で衣服のずれる音まで拾ってしまう

診断

●問診

●難聴発症の時期，進行性，左右差の有無，基礎疾患の有無，家族性難聴の有無，職歴（とくに騒音曝露歴），薬物療法（ストレプトマイシンなど）．

●視診

●耳垢，鼓膜穿孔，中耳炎の有無．

●聴力検査

●純音聴力検査，語音明瞭度検査．

●画像診断

●X 線検査，CT 検査，MRI 検査．

検査

●純音聴力検査

●伝音難聴と感音難聴を診断する．オージオメーターを用いて，どの程度の大きさの音が聞きとれるかを調べる検査．125，250，500，1,000，2,000，4,000，8,000 Hz の高さの純音をそれぞれ提示し，音の聞こえる最も小さな値（閾値）を調べる．

●語音明瞭度検査

●言葉の聞きとり能力を調べる．「あ」「い」「か」「さ」といった語音（言語音）を聞いてもらい，いくつ聞きとることができるかを調べ，聞きとることのできた語音の数を百分率で表す．検査の結果が 60% 以上の場合は，補聴器によって日常生活の会話ができるとされている．

●画像検査

●内耳から脳にかけて何らかの疾患が疑われる場合は，必要に応じて CT 検査や MRI 検査を行う．

治療法

- 老人性難聴は加齢に伴う生理的な変化のため，その進行を抑えることはできない．そのため，補聴器を使って聴力を補うことが有効な対処法となる(表 23-2)．
- 補聴器は，基本的にすべての音を拾って増幅する仕組みのため，本来の耳の機能のように，聞きたい音だけを選択して聞くということには限界がある．まずは耳鼻咽喉科で，補聴器が有効であるか診断を受ける必要がある．そのうえで，補聴器を選ぶ際には補聴器相談医に相談し，適切な調整ができる知識・技能をもった補聴器技能者がいる補聴器販売店を選択することや，「価格が高いほど性能がよい」というわけではないことを助言し，要望を伝え，納得できるまで生活環境に合ったものを選ぶ必要がある．
- 両耳ともに平均 70 dB 以上しか聞き取れない場合，語音明瞭度が 50% 以下の場合などには身体障害者として認定を受け，補聴器の公的補助が受けられる．
- 「補聴器を使うと年老いた感じがして嫌だ」という人が多いが，認知症のリスク要因の 1 つに難聴が挙げられていることもあり，早めの装着が望ましい．

老人性難聴をもつ高齢者の看護

看護の視点

- 老人性難聴をもつ高齢者は，会話の内容が聞きとりにくい，言葉の聞き落としや聞き違えなどの症状のために周囲の人とうまく会話ができない，情報不足から誤解を生じるなど，対人関係に変化をきたしやすく，また孤立した状況に陥りやすい．そのため，支援者は難聴によってどのような体験をしているのか，どのような心理状態にあるかを理解することを前提として援助することが重要となる．
- 老人性難聴をもつ高齢者は，すべての音が聞きとれないわけではなく，聞きとりやすい環境に調整することで他者との交流を十分に行うことができる．支援者は，高齢者が不安なく意思疎通できるよう高齢者とともにコミュニケーション方法を検討していくとともに，閉じこもりや活動の減少などを予防することが必要である．

※そのために，以下のような日常生活の看護のポイントに留意して支援する．

1. 聴力低下を補うためのコミュニケーション手段の構築や環境調整を図る．
2. 日常生活での援助の際には，意思や意向を必ず確認してから行うことで，不安を軽減する．
3. 生活のなかでできている活動を継続できるよう支援する．
4. 他者と交流を図る機会をつくり，周囲との人間関係を促進するよう支援する．

STEP 1 アセスメント　STEP 2 看護の焦点の明確化　STEP 3 計画　STEP 4 実施

情報収集・情報分析

	必要な情報	分析の視点
疾患関連情報	**現病歴と既往歴** ・糖尿病，動脈硬化症，脂質異常症 ・脳血管障害など	□老人性難聴の悪化要因である生活習慣病の有無と重症度はどうか □難聴以外に構音障害や失語などのコミュニケーション障害の要因はないか
	症状 ・聴力の程度，左右差	□聞きとりにくい音はどのような音か □言葉の聞き分けはどの程度できるか □会話の速度はどの程度の速さで聞きとれるか
	検査と治療 ・標準純音聴力検査，語音明瞭度検査 ・内服薬 ・補聴器の使用状況	□検査結果ではどの程度の大きさの音や言葉が聞きとれるか □聴力に影響する薬物を内服していないか □補聴器は自分で操作できるか □補聴器の使用頻度や調整レベルはどうか，ハウリング(補聴器からピーピーという音が鳴る，うるさい音がする)はないか
身体的要因	**運動機能** ・日常生活動作機能 ・廃用症候群	□日常生活動作の自立度はどの程度か □活動性の低下がある場合は，筋力低下や食欲不振など退行性の変化をきたしていないか
	認知機能 ・聴覚からの情報不足による注意力の低下	□聞きとった音や言葉を適切に解釈，判断できるか □聞こえないことから注意力が低下していないか □聴覚からの情報不足によって起こるリスクを理解しているか，または実際に事故が起こったり，危険が増していないか
	言語機能，感覚・知覚 ・聴覚以外の感覚・知覚障害	□聞きとりにくい状況を言葉で表現できるか □聴覚以外の感覚・知覚によってどの程度，外界からの情報を受けとれるか

	必要な情報	分析の視点
心理・霊的要因	**健康知覚・意向，自己知覚** **価値・信念，信仰** **気分・情動，ストレス耐性** ・聴力低下に対する不安，つらさ ・周囲の人の理解不足によるつらさ ・話すことへの意欲	□聞きとりにくいことが，どのような本人の苦悩になっているか □聴力低下によって生活に対する不安はないか □聞くことに対してどのような希望をもっているか □外出や大勢の人との交流によって緊張することはないか □他者に症状を理解してもらえず孤立感を抱いていないか □自分の聞こえの悪さが，対人関係を悪化させていると思っていないか，またそのことで自分を責めていないか □治療法がないこと，緩徐でも症状が進行することに苦悩はないか □老人性難聴への理解不足による他者の対応(やみくもに大声で話す，聞きとれないことに不快な表情を示すなど)によって，自尊心を傷つけられていないか □話すことに消極的になっていないか
社会・文化的要因	**役割・関係** ・老人性難聴発症前と現在の役割	□聴力低下に伴い家庭内や地域での役割が変化していないか
社会・文化的要因	**仕事・家事・学習・遊び，社会参加** ・仕事，家事，遊びの機会の減少，社会参加の機会の減少	□聴力低下が原因となって，近所付き合いなどの社会的な活動を控えていないか，療養中の場合は，施設内や同室の人々と交流をしているか □外出することを控えていないか □聴力低下が理由で，継続してきた活動や趣味をやめていないか，また遠慮したり，あきらめていないか
睡眠・休息	**睡眠・休息のリズム** ・活動低下による生活リズムの変化	□聴力低下の影響によるストレスはないか，またストレスから不眠につながっていないか □活動を控えることで休息をとりすぎていないか，またそれにより生活リズムが崩れていないか
睡眠・休息	**心身の回復・リセット** ・聴力低下による疲労感	□外出や集団での活動，他者との交流において疲労していないか
覚醒・活動	**覚醒，活動の個人史・意味，発展** ・活動全般に対する意欲の低下 ・現在の楽しみ，対人関係についての希望	□聞こえないという理由で，今まで行っていた活動をしなくなったり，あきらめていないか □補助具などの資源があれば活動内容を拡充できるか □楽しんで行える活動はあるか，したい活動はあるか □対人関係についてどのような希望をもっているか
食事	**食事準備，食思・食欲** **姿勢・摂食動作** **食事に対する認知**	□調理の際に，煮立った音などに気づけないことによるリスクはないか □聞こえに対するストレスから食欲不振になっていないか □聴力低下が摂食動作に影響を与えていないか □聴力低下が，食物の認知やおいしく食べることに影響を与えていないか □食事中の団らんを楽しめているか
排泄	**尿意・便意** **姿勢・排泄動作** ・トイレまでの移動方法	□うまく会話できないことから尿意・便意を伝えることを遠慮していないか □聴力低下によって移動中にリスクを伴っていないか □聴力低下によって排泄行動に影響を及ぼしていないか

	必要な情報	分析の視点
身じたく	清潔 身だしなみ，おしゃれ ・身だしなみ，おしゃれへの関心の低下	□外出や社会的活動の機会が減る，もしくは人付き合いを避けることによって，身だしなみへの関心が低下していないか □聴力低下が清潔動作や更衣の際に影響を及ぼしていないか
コミュニケーション	伝える・受け取る，コミュニケーションの相互作用・意味，コミュニケーションの発展 ・聴力低下を補う手段，補助具 ・相手の難聴に対する理解度	□聴力低下を補うための手段(筆談やジェスチャーなど)や補助具はあるか，その手段や補助具を受け入れ，適切に選択し活用しているか □1日のなかでどの程度コミュニケーションをとっているか □人と交流をもつことに対して遠慮していないか □楽しんでコミュニケーションをとれる相手や場面はあるか □気軽に話す相手がいるか，いない場合は孤立感を感じていないか □相手が高齢者の聴力レベルやコミュニケーション手段を理解しているか □発信者が，難聴に対する偏見(「言ってもどうせ聞こえない」など)から伝える内容を制限したり，会話する機会をもつことをあきらめていないか

アセスメントの視点(病態・生活機能関連図へと導くための指針)

WHO の聴覚障害等級表(前掲表 23-1)による中等度難聴にある高齢者は，聞きとりやすい環境であれば他者との交流を十分に行うことができる．聴力低下による小さな変化の積み重ねは，高齢者の心理的な負担や対人関係の悪化を招きやすいが，高齢者は「人と話したい」「今まで通りの生活がしたい」という望みをもっている．また，周囲の者が難聴に対する正しい知識をもち，適切なコミュニケーション方法を獲得することで解決する可能性も大きい．ここからは，それらに焦点をあてて看護を展開していく．

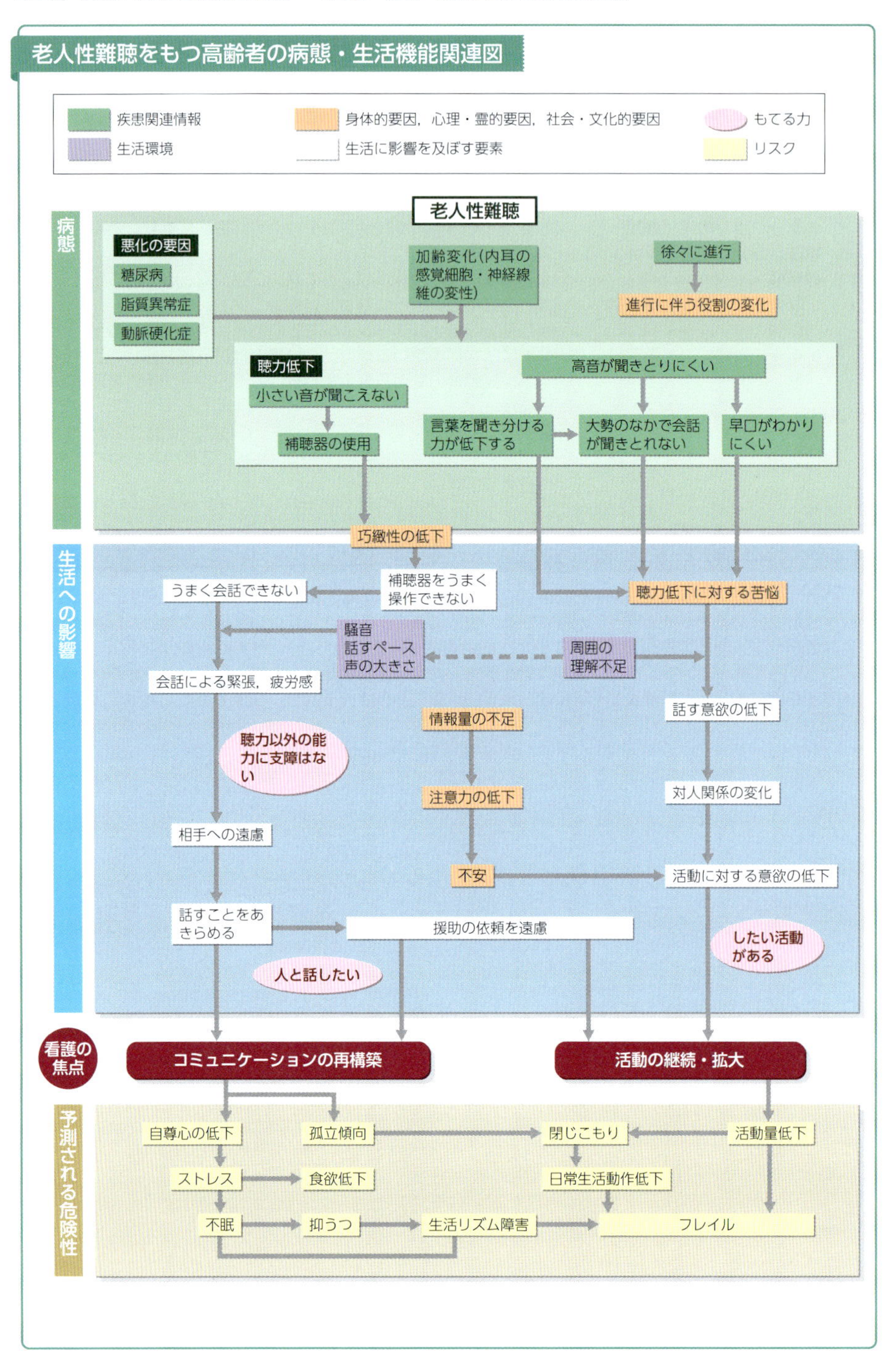
老人性難聴をもつ高齢者の病態・生活機能関連図
疾患関連情報
身体的要因，心理・霊的要因，社会・文化的要因
もてる力
生活環境
生活に影響を及ぼす要素
リスク
老人性難聴
病態
悪化の要因
糖尿病
脂質異常症
動脈硬化症
加齢変化（内耳の感覚細胞・神経線維の変性）
徐々に進行
進行に伴う役割の変化
聴力低下
小さい音が聞こえない
補聴器の使用
高音が聞きとりにくい
言葉を聞き分ける力が低下する
大勢のなかで会話が聞きとれない
早口がわかりにくい
巧緻性の低下
生活への影響
補聴器をうまく操作できない
うまく会話できない
聴力低下に対する苦悩
騒音
話すペース
声の大きさ
周囲の理解不足
会話による緊張，疲労感
話す意欲の低下
情報量の不足
聴力以外の能力に支障はない
注意力の低下
対人関係の変化
相手への遠慮
不安
活動に対する意欲の低下
話すことをあきらめる
援助の依頼を遠慮
したい活動がある
人と話したい
看護の焦点
コミュニケーションの再構築
活動の継続・拡大
予測される危険性
自尊心の低下
孤立傾向
閉じこもり
活動量低下
ストレス
食欲低下
日常生活動作低下
不眠
抑うつ
生活リズム障害
フレイル

STEP 1 アセスメント　STEP 2 看護の焦点の明確化　STEP 3 計画　STEP 4 実施

看護の焦点の明確化

#1　老人性難聴による聴力低下を補うためのコミュニケーション手段を獲得することによって，会話がしやすくなる
#2　難聴に対する周囲の協力を得て，継続して行ってきた活動や新たな活動を楽しむことができる

STEP 1 アセスメント　STEP 2 看護の焦点の明確化　STEP 3 計画　STEP 4 実施

1 看護の焦点	看護目標
老人性難聴による聴力低下を補うためのコミュニケーション手段を獲得することによって，会話がしやすくなる	1) 補聴器などの補助具を活用できる 2) 非言語的手段を活用できる 3) 聞こえないことによるストレスがもたらす不眠や食欲低下などの身体症状がない

具体策（支援内容）	根拠
1. 会話しやすい環境づくり	
1) 静かな環境のもとで会話できるよう調整する ・高齢者が騒音と感じる音や，聞きとりづらいと感じる状況をあらかじめ確認する	●高齢者は聞きたい音や声を聞き分けることが難しいため，相手の声が聞きとりやすいように静かな環境に調整することが大切である．とくに補聴器を使用している場合は，すべての音を拾って増幅させるため，うるさく感じないよう調整することが必要である
・大勢の人がいる場所や，アラームなどの信号音が鳴る場所から離れて会話する ・会話の邪魔にならないよう，テレビやラジオの音量を下げる	●入院や施設入所している場合は，同室者の生活によって発生する音が会話の支障にならないように配慮する
2) 高齢者が聞きとりやすいコミュニケーション手段を用いる ・口の動きがわかるよう，対面してから会話を始める ・ジェスチャーを用いる，物や場所を指さすなど，伝えたい内容について視覚からの情報を利用する ・低い声ではっきりと発話する（大声を出さない） ・短い文で，わかりやすい言葉を選択する ・高齢者の反応から伝わっていないと判断される場合は，繰り返し伝える．その際，非言語的手段を活用しながら伝え方を工夫し，落ち着いた態度で接する ・日常生活動作を援助する際には，必ず高齢者の同意を得てから行う ・繰り返し伝える内容がある場合は，高齢者とともにわかりやすいサインを考える	●高齢者は聴覚のみでなく，相手の口の動きを読みとったり，表情や身振り手振りなどから話し手が発しているメッセージを受けとっている．そのため，言葉だけでなく視覚による情報を高齢者に伝えることが効果的である ●小さな音は聞こえないが，大きな音はうるさく感じるという現象が起こるため，会話するときはむやみに声を大きくしない ●高齢者は，聞きとりづらい場合でも，話し手に何度も聞き返すことを遠慮する傾向にある．そのため，適当に相づちをうったり，理解したというサインを話し手に送る場合もある．高齢者が納得できるまで聞き返すことや，確認することを遠慮せずに行えるよう，話し手の態度も重要となる
2. 補助具の適切な使用への支援	
1) 補聴器の使用状況と操作方法の確認 ・補聴器の使用頻度を確認し，必要なときに使用されているか確認する ・補聴器の操作が困難ではないか確認する	●補聴器は目立たないように小さなサイズで設計されているため，手指の巧緻性が低下している高齢者にとっては操作が難しくなる．とくにハウリングを起こしやすい場合は，操作が不便で

・どのようなときに補聴器の調節が難しいか確認し，高齢者とともに改善策を検討する．必要なときは援助する

あると使用の中断につながりやすい

●周囲の状況によって，その都度調節が必要な場合もある．高齢者自身での調節が難しい場合は，援助して行うことが使用の継続につながる

2) 補聴器以外の補助具の活用

・補聴器以外にも小さな音を増幅させる簡便な補助具がある．補聴器の使用が難しい場合はそれらの導入を検討する

●高齢者が継続して補助具を使用するには，高齢者が使いやすいものを選択することが大切である(たとえば助聴器「もしもしフォン」など)

3. 非言語的なコミュニケーション手段の獲得と活用への支援

1) 高齢者が代替手段を選択し，活用できるよう支援する

・筆談：ノートやホワイトボードの活用
・コミュニケーションボードやカードの活用
・ジェスチャー

●視覚や認知機能に障害がない場合，筆談やコミュニケーションボードは簡便に取り入れることができ，効果的な手段となる．高齢者の状況に応じて使いやすいものを，高齢者とともに検討する

2) 必要な時に代替手段でコミュニケーションが図れるよう，周囲の協力を得る

・必要なときに活用できるよう，携帯用のノートや筆記用具，その他の道具を準備する
・家族や友人，同室者などに聞きとりにくい状況を説明し，代替手段の活用を依頼する．また，高齢者自身が協力を得られるよう，普段から活用することを促す

●周囲への遠慮から，代替手段を用いてコミュニケーションをとることを諦めないよう，周囲へ協力を依頼するとともに，必要な時にすぐに使えるようにしておくことも大切である

4. 聴力低下によるストレス・苦悩に対する心理的支援

・聴力の低下によって体験している内容や思いを表出できるよう，ゆっくりと話を聞く時間を設ける．またそのときに気兼ねなく集中して話せる場所を確保する

●高齢者は，聴力低下があることを恥ずかしいと感じて周囲の人にわからないように振る舞ったり，聞こえないことが自分のせいだと思い込んだり，周囲の人が難聴をもつ人へのかかわり方を理解していないために自尊心を傷つけられる体験をしている

・聴力低下に対する苦悩やストレスを把握し，対処方法を高齢者とともに考える
・家族や友人，同室者などとのコミュニケーションで悩んでいることがあれば傾聴する．また，必要時に対人関係における調整を行う

●うまく会話できないことに苛立つことがある，情報不足から誤解を生じていたり，会話に参加できないことで孤立感を感じていたりするなど心理的な負担を抱えやすく，それが対人関係に影響を及ぼしていることがある

・自尊心を傷つけることがないよう支援者は言動に注意を払うとともに，家族や同室者の言動にも注意する
・ストレスから不眠や食欲低下などきたしていないか，自覚症状の確認とともに観察を行う

●高齢者は，話し手の声の大きさやトーン，表情や態度から言葉以外の情報を受けとっている．聞こえないからといって，むやみに大きな声で話しかけたり，単語のみで伝えたり，伝わらないことに苛立つ，あるいは会話を中断することがないようにしなければならない

・同じような障害を抱える人たちと話し合うなど，気持ちを表現したり，わかち合える場をつくる

●同じような体験をしている人がいることで自分だけではないと感じたり，支え合える関係を築くことにつながる

2 看護の焦点	看護目標
難聴に対する周囲の協力を得て，継続して行ってきた活動や新たな活動を楽しむことができる	1) 高齢者の希望する活動が実施できる 2) 活動を楽しむことができる

具体策（支援内容）	根拠
1. 周囲のコミュニケーションスキル向上	
1) 難聴に対する周囲の理解が深まるための支援 ・症状の特徴について説明し，どのような状況や話し方で接すればよいか情報を提供する ・「看護の焦点＃1」の具体策（支援内容）「1. 会話しやすい環境づくり」を参照	●相手が高齢者とコミュニケーションを図りたいと思っていても，難聴に対する知識が不足していることで会話が進まず，思うようにかかわれないため，疎遠になってしまうこともある．まずは，相手が知識をもつことでどのようにかかわればよいのか理解し，自信をもって高齢者と接する必要がある
2) 周囲の人たちが，統一したかかわり方を行うための支援 ・高齢者がどのような手段でかかわることを望んでいるのか把握する	●コミュニケーションは一方的ではなく，双方向で行う．高齢者が，周囲とどのような方法でかかわりたいと思っているかが大切である
・高齢者がわかりやすいサインなどを共有し，統一してかかわる．情報共有においては，記録などを活用する	●スムーズに意思疎通できた場合や高齢者がわかりやすいと評価した方法について，周囲の人々とこまめに情報を共有する
2. 活動の継続や新たな活動を楽しむための支援	
・高齢者が難聴になる前まで行っていた活動，継続して行っている活動，やむなく中断した活動などの情報を得る．また，これからどのような活動を行いたいか希望を確認する ・高齢者とともに「したい活動」に取り組むためにはどうしたらよいかを検討し，実施できるよう支援する．その際，周囲の人のサポートが必要であれば，調整する	●新たにコミュニケーション手段を活用することによって継続できること，新たに取り組めることがあるなど，高齢者とともに生活に希望を見出し，障害をもちながら前向きに生活することにつなげていく
・活動の際には聞くことに集中力を要するため，緊張や疲労感がないか観察し，休息がとれるように配慮する	●聞くことを伴う活動は，高齢者にとって緊張や疲労につながりやすい．身体的な疲労から活動の中断につながらないよう，スケジュールや休息時間をあらかじめ計画して行う必要がある
・人とかかわること以外に１人で実施できる活動はあるか，新たに取り組みたい活動はあるか情報を得る	●会話をせずに１人で行える活動は比較的リラックスして実施できるため，有効に活用したい

関連項目

※もっと詳しく知りたいときは，以下の項目を参照しよう．

老人性難聴に関連したリスク

● 「21 睡眠障害（→ p.394）：難聴によるストレスから睡眠障害に至っていないか確認しよう

● 「25 抑うつ状態（→ p.451）」「28 フレイル（→ p.491）」：難聴によるストレスや対人関係の変化，活動の低下から，抑うつ状態やフレイルのリスクがないか確認しよう

老人性難聴をもつ高齢者への看護

● 「第１編」の「6 コミュニケーション（→ p.44）」：高齢者の新たなコミュニケーション方法を構築するため，コミュニケーションの意味や手段を学び，高齢者に合ったコミュニケーション方法を考えよう

● 「第１編」の「2 覚醒・活動（→ p.10）」：活動が低下しがちな高齢者に，生活の楽しみがもてるようにしよう

24 痛み・しびれ

三浦　直子

病態生理

痛み・しびれは，感覚障害として最も多い症状である．感覚障害は，感覚低下，錯感覚(外界から与えられた刺激とは異なって感じる他覚的感覚)，異常感覚(しびれ，ジンジン，ピリピリなどが自発的にある感覚)，感覚過敏，疼痛(痛み)の5種類に大別される．

痛み・しびれは，きわめて不愉快な感覚で，日常生活に与える影響が大きいため適切な診断と治療が必要となる．

●痛みとは

痛みは，国際疼痛学会(IASP)の定義(1981)では，「組織の実質的あるいは潜在的な障害に伴う，あるいは，そのような障害を表す言葉で表現される不快な感覚あるいは情動体験」と表されているように，他者の目には見えない主観的な体験であるため，第三者が客観的に評価することは難しい．また痛みは，過去の経験や情動，環境によっても変化するものである．

痛みは，身体に生じた異常事態を知らせる警告反応として大切な役割をもっている．多くの痛みは原因となる病態の改善とともに軽減消失する．これを急性痛という．異常を警告するという役割を終えた痛みが様々な理由で長びくと，より強い痛みや新しい種類の痛みが加わり，疾患の部位の器質的異常や機能低下だけではなく身体的・精神的・社会的要因が複雑に関与しはじめ，生活の質(quality of life：QOL)に大きく影響するようになる．これを慢性痛という．

●痛みのメカニズム(図24-1)

痛みが生じるメカニズムによって3つに大別される．

①**侵害受容性疼痛**：組織損傷を引き起こす可能性のある侵害刺激により，侵害受容器が興奮して，Aδ線維やC線維を介した痛み情報伝達により生じる痛み．生理的な痛み(体性痛：切る，刺す，叩くなどの機械的刺激や，炎症などの化学的な刺激など，体表への刺激により惹起される痛みであり，瞬間に感じる痛みと，その後に続く鈍い痛みに分けられる)や炎症痛(内臓痛：痛みの部位が不明瞭で絞られるような，または押されるような痛み)である．

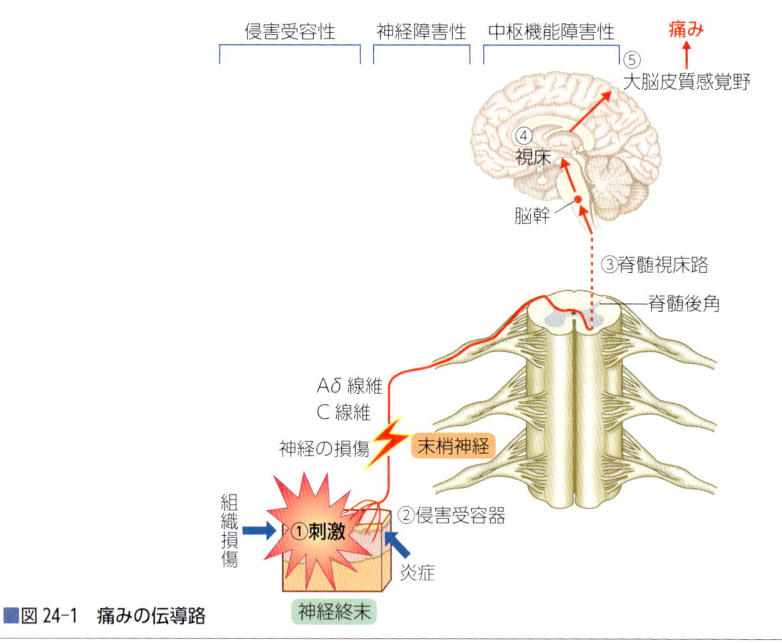

■図24-1　痛みの伝導路

②**神経障害性疼痛**：末梢あるいは中枢神経系そのものの機能異常による痛み.「電気が走る」「熱傷のような」「ジリジリとした」痛みなどと表現されることが多い.
神経の圧迫(例)：腫瘍，椎間板の破裂，または手根管症候群など，神経が圧迫されることによる痛み
神経の損傷(例)：体全体に影響を及ぼす疾患(糖尿病など)や，体の一部に影響を及ぼす疾患(帯状疱疹など)により，神経が損傷されて生じる痛み
脳と脊髄が痛みの信号を処理する過程の異常または妨害(幻肢痛，帯状疱疹後神経痛など)
③**中枢機能障害性疼痛**：痛みの原因となりうる明らかな組織損傷や神経損傷などの異常がみつからない痛み.心理社会的疼痛ともいう.

●しびれとは

しびれとは，感覚の経路(感覚受容器から末梢神経，脊髄，大脳へ至る感覚の伝導路)のいずれかに障害が起きると出現する.3つの主要な感覚(触覚，温痛覚，および位置覚・振動覚)が同程度または異なる程度に障害されて生じる異常感覚の訴えである.

●しびれのメカニズム

感覚が正常に機能するには，感覚受容器が体の内部または周囲の情報を検知する必要があり，それらの受容器は，感覚神経→脊髄神経根として背骨の椎骨と椎骨の間をくぐり，脊髄に合流→脊髄を上行→脳幹を上行→信号を受け取って解釈する脳の部位(大脳皮質感覚野)に到達する.

病因・分類

●痛みの原因と分類

痛みは，発生部位による分類，原因による分類，経過による分類など，異なる観点から様々な分類があり，それぞれに対処法が異なる.

●発生部位による分類

①体性痛：痛みの部位が限局していて，うずくような痛み，刺しこむような痛みと表現される.
1) 表在痛：皮膚など表面の痛み
2) 深部痛：骨(骨膜)，腱・筋肉(筋膜)，靭帯などの痛み
②内臓痛：痛みの部位が明確でなく，締め付けられるような痛みで，特有の不快感を伴う.
③関連痛：痛みが発生している部位から離れた場所に感じる痛み.

●原因による分類(図 24-2)

①侵害受容性疼痛：侵害受容器を介した痛みで，急性痛は侵害受容性疼痛がほとんどであり，慢性痛への移行も少なくない.
②神経障害性疼痛：神経が障害されたことで生じる痛み(侵害受容器を介さない).
③心理社会的疼痛：心理社会因子が関係する痛み(侵害受容器を介さない).

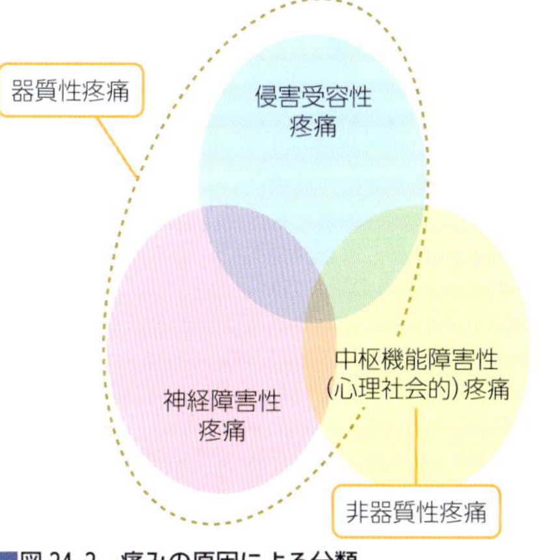

■図 24-2　痛みの原因による分類

●経過による分類

①急性痛：主に侵害受容性疼痛で症状の1つ.痛み刺激の解除や損傷の治療により痛みは緩和する.交感神経の活動亢進が関連する.
②慢性痛：疾患が治癒した後も持続する痛み.痛みそのものが疾患であり，痛みに伴う様々な症状や訴えなどすべて含めた概念である.発症からおおむね3か月以上症状が持続する病態を指す.

●しびれの原因と分類

しびれの原因は，神経障害性と非神経障害性に大きく分けると理解しやすい.

●神経障害性

感覚受容器から末梢神経を介して脊髄，視床，大脳皮質感覚野に投射されるまでのいずれの部位の障害でも発生する.
①末梢神経障害
1) 単神経障害：手根管症候群，橈骨神経麻痺，帯状疱疹など

2) 多発単神経障害：血管炎，膠原病など
3) 多発神経障害：代謝障害（糖尿病など），ビタミン B_1 欠乏症，尿毒症，アルコール多飲，中毒性（重金属，農薬，有機溶剤など），薬物性（抗がん剤など），神経免疫性疾患（ギラン・バレー症候群，がんなど），遺伝性神経疾患など

②脊髄・神経根障害：脊髄圧迫（脊椎症，脊椎椎間板ヘルニア，脊髄炎，脊髄腫瘍など），脱髄疾患（多発性硬化症など），血管障害（脊髄梗塞など），脳神経障害（三叉神経痛など），脊髄空洞症，ビタミン B_{12} 欠乏症（亜急性連合性脊髄変性症）など

③脳障害：脳血管障害（脳梗塞，脳出血など），脳腫瘍，脱髄疾患（多発性硬化症），脳炎など

● **非神経障害性**

末梢循環，代謝・内分泌，過換気，その他筋障害に起因するものが含まれ，しびれの症状は神経障害の分布に一致しない．

①血管系の異常：頸部，肩，上肢のしびれ・痛みを訴える場合は胸郭出口症候群（前斜角筋症候群），四肢（主に下肢）のしびれ，痛みを訴える場合は閉塞性動脈硬化症，バージャー病などを考慮する．

②内科疾患：以下の症状を訴えた場合に考慮すべき疾患をあげる．
1) 四肢のしびれや筋痙攣（四肢の突っ張りなど）：過換気症候群，副甲状腺機能低下症
2) 左上腕内側のしびれ：虚血性心疾患（狭心症，心筋梗塞）
3) 四肢のしびれ，肩こり，頭痛：緊張型頭痛（肩こり頭痛）

症状

痛み・しびれは，ともに主観的な症状であり，「うずくように痛い」「ひりひりする」「じーんとしびれる」など多種多様な言葉で表現される．また人によっては，感覚の障害でなく筋力低下や筋萎縮，運動麻痺などの運動機能障害を「しびれ」と称することにも注意する．

認知症をもつ高齢者は，表現方法が限られることも多く，訴えやサインを見逃さないよう細心の注意を払い，積極的に耳を傾けるよう努める．コミュニケーションに制限がある場合は，表情や声，ケアへの反応，興奮症状などを，痛みの表現ととらえる姿勢が大切である．また，しびれに対しても，高齢者が感じていることを具体的にとらえることが必要である．

〈痛み・しびれの訴え方〉

・表情：しかめ顔，眉間にシワを寄せる，瞬きが速い，閉眼したまま
・発語や発声：うめき声，ため息，助けを求める，呼吸の荒さ
・体動：防御姿勢やそわそわ感，体の緊張，いつもと違う動きや歩行状態，わずかな刺激への強い反応
・対人関係：ケアへの抵抗や攻撃性・言動，易怒性，引きこもりや反応の乏しさ
・活動パターンの変化：睡眠パターンや日中の活動の変化，食欲の変化や拒否，徘徊の増加
・気持ちの変化：イライラ，泣く，混乱，興奮

● **痛みの悪循環**

急性痛の原因が治癒すると，痛みは消失するが，3～6 か月以上痛みが続いた場合，慢性痛へと移行する．痛みが長引くと，血行不良が生じ多くの発痛物質が出現する．さらにこの発痛物質は感覚神経を刺激し，“痛みの悪循環”を引き起こす（図 24-4）．

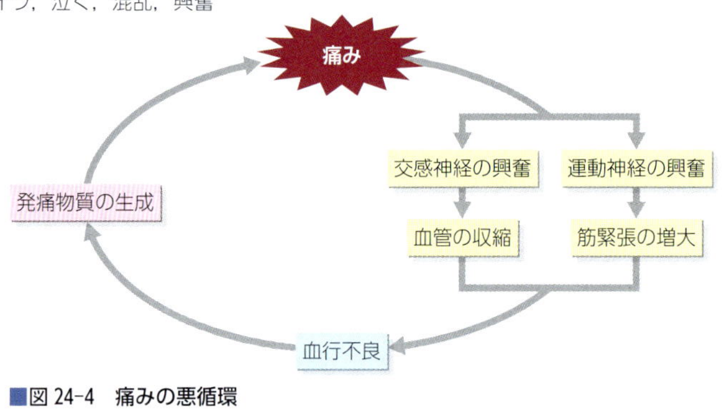

■図 24-4　痛みの悪循環

診断・検査

●痛み

痛みは主観的な体験であり，個々によって異なることから，これまで客観的評価は困難であったが，昨今，画像診断の進歩により，磁気共鳴画像（MRI），ポジトロン放出断層撮影（PET），核磁気共鳴スペクトロスコピー（MRS）などによる機能的画像診断法が確立し，痛みの脳内機構に関する様々な知見が明らかになってきた．

痛みの原因を追求するには，患者自身の訴えが，痛みの存在や程度を把握するうえで最も信頼性のある手段だと認識することが重要である．痛みの訴えに耳を傾け，眼で診て，触れて，特定の動作を行うなどにより痛みの原因を探っていくことで，必要に応じて血液検査や尿検査，画像検査，神経伝導速度検査など行う判断にもなる．とくに，感染症や膠原病，神経変性疾患，腫瘍疾患などの鑑別には，非常に重要である．

問診内容，診察内容は次のとおりである．

〈問診内容〉

- 発症時期
- 日常生活への影響
- 痛みのパターン
- 痛みの強さ（図 24-3）
  ※臨床で使用されている痛みの評価ツール
  numerical rating scale（NRS）
  visual analogue scale（VAS）
  verbal rating scale（VRS）
  Wong-Baker faces pain rating scale
  （FPS，フェイススケール）
- 痛みの部位
- 痛みの経過
- 痛みの性状
- 痛みの増悪因子・軽快因子
- 睡眠障害の有無
- 気分変化の有無
- 他の身体症状
- 既往歴や現在治療中の疾患
- 現在行っている治療の反応

〈診察内容〉

- 歩行状態や姿勢
- 表情や言動
- 話し方
- 視診
- 触診
- 圧診
- 打診
- 筋力検査
- 反射検査
- 知覚検査
- 画像検査
- 血液検査
- その他（筋電図，神経伝導速度，心理検査など）

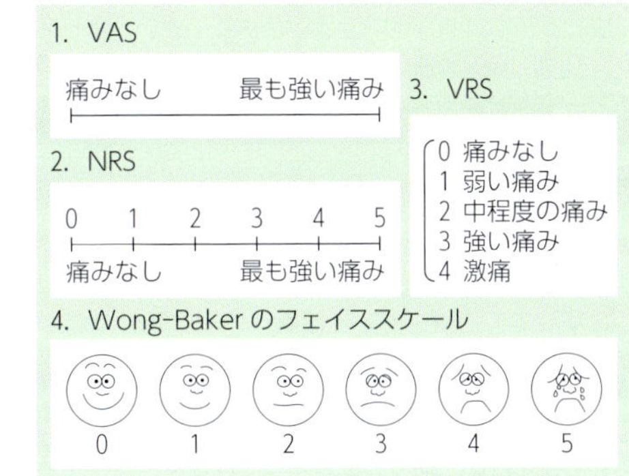

■図 24-3　臨床で使用されている痛みの評価ツール

●しびれ

多くの疾患が原因となり，また人によって「しびれ」と表現する内容に違いもあるため，丁寧に評価を行っていく．問診や診察内容は，痛みと同様である．身体診察では，神経学的診察を行い，反射，運動，感覚機能の障害がみられる部位と神経領域の同点に視点をおく．反射検査が最も客観性が高く，感覚の検査が最も主観的である．

合併しやすい症状

痛みは生体にはストレッサーとして作用し，ストレスにより慢性痛の症状が悪化することがしばしばある．痛みの悪化がさらなるストレスとなり，悪循環を招く．このような状況では，うつ状態を合併することが多い．

しびれの原因となる疾患は多岐にわたる．基本的には神経の圧迫や血流障害があると，しびれは容易に生じる．しびれが他の症状を合併するというよりも，しばしば原疾患に由来する様々な症状が同時にみられる．他の随伴症状をふまえて原疾患を診断し，早期に治療を行うことが重要である．

治療法

●痛みの治療

痛みが長期化することにより病態が複雑化し，心理社会的な要因も痛みの構成要素となる．したがって，治療に関しては薬物療法や理学療法などのリハビリテーション，神経ブロック，心理療法などを組み合わせた集学的治療を行い，痛みの改善だけではなく，日常生活の改善を目指すことが重要となる．

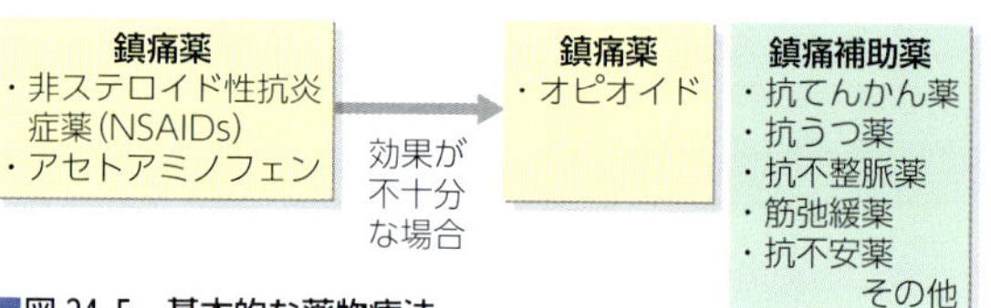

■図24-5　基本的な薬物療法

〈薬物療法〉

薬物療法では，頭痛，筋肉痛，打撲，けがなどの多くの侵害受容性疼痛に対して，非ステロイド性抗炎症薬(NSAIDs)やアセトアミノフェンを用いる．非ステロイド性抗炎症薬が効きにくい神経障害性疼痛やがん性疼痛などには麻薬系鎮痛薬のオピオイドを用いる．さらに，鎮痛効果が得られない場合は鎮痛補助薬を用いる．鎮痛補助薬には非ステロイド性抗炎症薬やオピオイドと併用することで鎮痛効果を示す抗てんかん薬，抗うつ薬，ステロイドなどがある(図24-5)．

がん性疼痛は，疾患そのものが致命的であり，痛みは身体的・精神的に大きな苦痛を生じることから，痛みをできる限りなくす必要がある．一方，非がん性疼痛は日常生活を最大限に改善する鎮痛効果と有害事象を最小とする薬物療法が求められる．

慢性痛は，神経障害や心因性の要因が痛みに関与することが多い．急性痛に有効な鎮痛薬の効果は乏しく，高齢者の状態に応じた鎮痛補助薬を組み合わせ調整していく．

〈神経ブロック〉

鎮痛薬の効果が乏しく，また原因疾患を治療しても消失しない痛みが治療対象となる．主にがんによる痛み，血流不足による虚血性の痛み，帯状疱疹，手術後の長引く痛み，外傷性の痛みに対して行われる．

〈リハビリテーション〉

運動療法や温熱療法，電気刺激療法などの理学療法を行い，痛みに伴う症状緩和を目的とする．

●しびれの治療

しびれの原因となっている基礎疾患の治療を行う．

①リハビリテーション：牽引や電気刺激などの理学療法で神経症状を緩和する．

②薬物療法：神経の回復を助ける薬剤として主にビタミンB_{12}が用いられる．

③手術療法：薬物療法で効果がない場合，麻痺症状(手足が動かしづらい，歩きづらい)などの症状が出現した場合に手術を行うことがある．

痛み・しびれをもつ高齢者の看護

看護の視点

- 高齢者は慢性的な痛み・しびれを抱えている場合も多く，症状がどのように日常生活に影響を与えているか把握することが大切である．高齢者は加齢に伴う心身の変調や環境の変化など様々な課題を抱えやすいこともあり，痛み・しびれは日常生活の継続を阻害する要因となりかねない．どのように生活に影響を及ぼすのか，どのような時に症状が出現し，またやわらぐのか，高齢者を生活者の視点でとらえ，気持ちに寄り添う看護が求められる．
- 痛みは，身体的な痛みだけではなく，不安やおそれ・孤独感などの精神的な痛み，経済面や人間関係などの社会的な痛みなどが複雑に絡み合っていることが多く，さらには罪悪感や生きる意味，苦しみの意味，自分自身の存在価値などスピリチュアルな苦痛も絡み合い形成されている．すなわちトータルペイン(全人的苦痛，図 24-6)を高齢者は体験している．
- 高齢者の痛みは，関節の変形による痛みや，帯状疱疹後神経痛など加齢変化に起因することが多く，難治性に陥りやすい．さらに ADL の低下に直結する場合が多く，フレイルにつながる危険性がある．
- 高齢者の痛みは臨床症状が典型的でないことも多く，症状を過小評価してしまうことも危惧しなければならない．痛みの強さを他者が客観的に評価し，共通認識するための痛みの評価ツールとして，NRS (numerical rating scale)，VAS (visual analogue scale)，VRS (verbal rating scale) が信頼性・妥当性ともに検証されているが，高齢者ではこれらを用いることが難しい場合が多い．
- コミュニケーションが困難な場合，非言語的なサインを見逃さず，痛み・しびれとの関連を丁寧にアセスメントすることが大切である．進行した認知症をもつ高齢者に対する評価ツールとして，pain assessment in advanced (PAINAD)，Abbey pain scale，DOLOPLUS-2 scale がある．
- 痛み・しびれの緩和に対し，以下のバリアが存在する．これらのバリアに対して，高齢者本人と家族を含めた多職種での検討が必要である．

1. ケア提供者のバリア

1) 「高齢者だから」「認知症だから」痛みを感じにくいという思い込みや偏見
2) 訴えがないから問題はない(痛いと言っていたのに今は言っていないなど)という思い込みや偏見
3) 年齢的に鎮痛薬など薬は体によくないという誤解

2. 医療・介護システムのバリア

1) 診断の困難さ
2) 高齢者の痛みの治療の難しさ
3) 医療用麻薬使用者の受け入れが困難

3. 高齢者・家族のバリア

1) 薬物は中毒になるという知識不足
2) 服薬管理の困難さ

- **痛み・しびれによって制限された生活行動に向けた看護の視点**

【全人的・包括的アセスメント】

- 高齢者の心身の機能と生活の様子から，痛みやしびれの有無，程度を推測する．

【痛みのマネジメントにおける看護の役割】

- 予測性をもった症状緩和に努め，また状態に応じた薬物療法などの治療やケアが行われているか適宜評価し，多職種との連携・調整を行う．

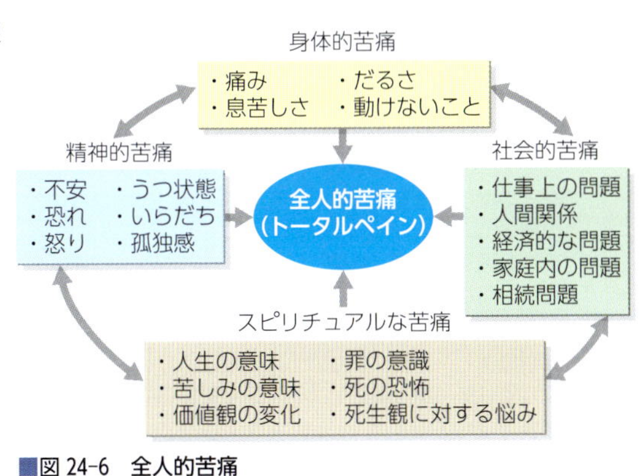

図 24-6　全人的苦痛

STEP ❶ アセスメント　STEP ❷ 看護の焦点の明確化　STEP ❸ 計画　STEP ❹ 実施

情報収集・情報分析

	必要な情報	分析の視点
疾患関連情報	**現病歴と既往歴** ・痛み・しびれの原因：誘因となる疾患，炎症や外傷，限局的・局所症状 ・器質性か非器質性か ・痛み・しびれの経過と治療内容 ・内服状態	□痛み・しびれを引き起こしている現病歴や既往歴はないか □痛み・しびれの原因は何か（前出の分類法からアセスメント） □痛み・しびれを引き起こすほかの症状はないか □原因疾患や加齢などの変化が，痛み・しびれの経過にどう影響しているか □現病歴や既往歴の治療が痛み・しびれにどう影響しているか □身体的・精神的・社会的・スピリチュアルな痛みが絡み合い現症状（全人的苦痛）となっていないか
	症状 ・痛み・しびれの部位・範囲 ・痛みの性質 ・痛み・しびれの強さ ・痛み・しびれが出現するパターン（図 24-7）	□痛み・しびれのアセスメントから推測できる特徴は何か ＊部位・範囲は「身体的要因」の「感覚・知覚」を参照 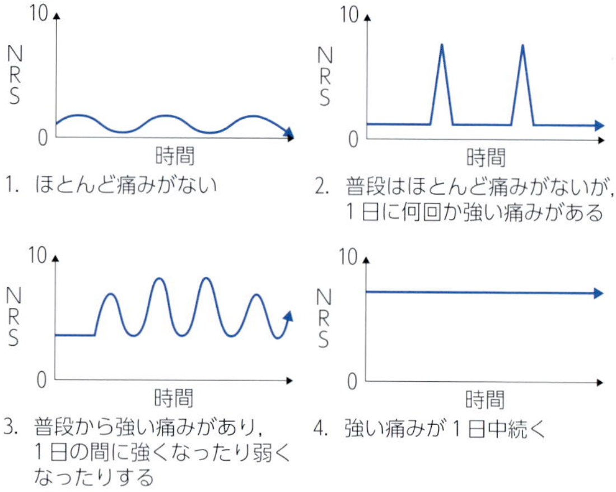 10　NRS　0　時間 1. ほとんど痛みがない 10　NRS　0　時間 2. 普段はほとんど痛みがないが，1 日に何回か強い痛みがある 10　NRS　0　時間 3. 普段から強い痛みがあり，1 日の間に強くなったり弱くなったりする 10　NRS　0　時間 4. 強い痛みが 1 日中続く ■図 24-7　痛みのパターン・患者からみた痛み （日本緩和医療学会ガイドライン統括委員会編：がん疼痛の薬物療法に関するガイドライン 2020 年版．p.28，図 5，金原出版，2020）
	検査 ・血液検査，尿検査 ・磁気共鳴画像（MRI），ポジトロン放出断層撮影（PET），核磁気共鳴スペクトロスコピー（MRS）などの機能的画像診断法の結果 ・神経伝導速度検査，筋電図検査など	□血液検査や尿検査から炎症性，限局性，局所性などの原因や症状の特徴が推測できるか □画像診断や末梢神経の機能検査などの結果，どのような治療方針となるか □高齢者の検査に関する受け止めはどうか □検査に伴う疲労はないか
	治療 ・薬物療法 ・リハビリテーション ・神経ブロック ・心理療法 ・上記治療を組み合わせた集学的治療	□治療により痛み・しびれは緩和したか □治療による有害事象が出現していないか

	必要な情報	分析の視点
身体的要因	**運動機能** ・痛み・しびれによる日常生活への影響 ・体動・移動時の様子 ・治療薬による影響(抗がん剤など)	□痛み・しびれがADLに影響を与えていないか，身体をかばう様子(特定の箇所を押さえる，さするなど)があるか □痛み・しびれがあることで，安静が優先され，ADLが低下していないか □末梢神経障害が日常生活に支障をきたしていないか
	認知機能，言語機能 ・痛み・しびれの表現方法や表情 ・客観的な認知機能(理解力，判断力，注意力低下など)の評価	□痛み・しびれを支援者に適切に伝えられるか □言語障害などによって，症状をうまく伝えられないことはないか □痛み・しびれの増強因子を防ぐことができるか □薬物を正しい時間・量・方法で自己管理できているか
	感覚・知覚 ・痛み・しびれの感じ方や程度	□しびれがどこから始まり，どのように進展しているのか □痛み・しびれは「ジンジン」「ピリピリ」「チクチク」「電気が走る」「うずくような」などと表現することが多い．高齢者はどのように感じているか □しびれや神経障害性疼痛などの感覚障害を伴う症状に関して，体験している症状の部位をデルマトーム(図24-8)にあてることで，原因を探る手助けとなるか ■図24-8　デルマトーム (日本緩和医療学会ガイドライン統括委員会編：がん疼痛の薬物療法に関するガイドライン2020年版．p.24，図2，金原出版，2020)
心理・霊的要因	**健康知覚・意向，自己知覚** ・痛み・しびれの増悪因子と緩和因子 ・痛み・しびれの症状や原因に対する認識 ・痛みに関する認識･バリア	□痛みの増強因子として不眠，不安，疲労，悲しみ，怒り，抑うつ，倦怠感，孤独感，痛みの体験，社会的地位の喪失などはないか □痛みの緩和因子として，受容，十分な睡眠，不安の軽減，他症状・緊張感の緩和，感情表出，創造的活動，気分の高揚，人とのふれあい，過去の痛みからの回復体験などはあるか

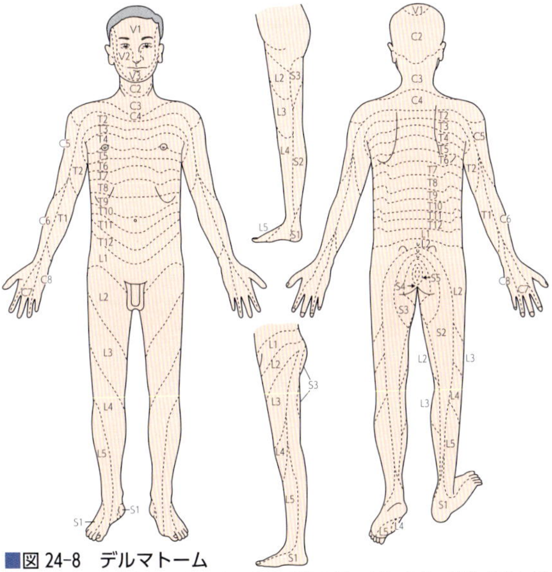

	必要な情報	分析の視点
心理・霊的要因	**価値・信念，信仰** ・人生の意味 ・自己の存在価値 ・痛み・しびれによる苦しみの意味 ・痛み・しびれを体感していることでの罪の意識 ・痛み・しびれを体感しながら生きていくことの意味 ・神の存在への追究 ・死生観	□痛み・しびれを高齢者自身がどうとらえているか □痛み・しびれによる苦しみや，それらを体感しながら生きていくことを，高齢者自身がどのように意味づけているか □進行性のがん疾患の場合，または，コントロールが困難な痛み・しびれがある場合，スピリチュアルな部分が痛みにどのように影響しているか □進行性のがん疾患の場合，死生観をどう捉えているのか(最期を迎える場所，自分らしく生き抜くことなど)
	気分・情動，ストレス耐性 ・痛み・しびれの心理的影響	□痛み・しびれが，不安，いらだち，孤独感，恐怖，怒りなどの心理面に影響を及ぼしていないか □痛み・しびれに対する耐性はどうか
社会・文化的要因	**役割・関係** ・経済的な問題 ・人間関係 ・仕事上の問題 ・家庭内の問題 ・痛み・しびれによって生じた変化	□社会的要因が痛み・しびれにもたらす影響はないか □痛み・しびれによって生じた社会的背景(役割遂行・社会参加など)の変化をどう受け止め，対応しているか □これまでの人間関係(家庭内，近所づきあい，友人関係など)への影響はないか
	社会参加，仕事，家事，学習，遊び ・痛み・しびれとの向き合い方 ・好む活動や仕事への影響 ・活動への影響	□痛み・しびれが原因となって仕事や家事に支障をきたしていないか □痛み・しびれが原因となって，いままで好んでいた趣味や活動をあきらめていないか
睡眠・休息	**睡眠・休息のリズム，質** ・痛み・しびれによる睡眠への影響 ・夜間の睡眠状況による生活リズムの変化 ・薬物の有害事象	□痛み・しびれに妨げられず夜間の睡眠が確保できているか □安静時に痛み・しびれが消失しているか □睡眠不足により，生活リズムが崩れていないか □薬物の有害事象が眠気を誘発していないか
	心身の回復・リセット ・休息をとることの意味の理解 ・休息をとりやすい環境 ・ストレス ・疲労感	□痛み・しびれがあることで安静を優先し，活動を低下させていないか □症状出現時，休息をとれる環境にあるか □痛み・しびれがストレスの原因になっていないか □痛み・しびれにより睡眠や休息が崩れ，疲労が出現していないか

	必要な情報	分析の視点
覚醒・活動	**覚醒，活動の個人史・意味，発展** ・活動全般に対する意欲 ・日中の覚醒状況 ・これまでの活動状況と現在との比較 ・活動に対する考えと思い	□痛み・しびれがあることで，活動の意欲が低下していないか □痛み・しびれがあることで，活動が低下していないか □夜間の睡眠不足が影響し，日中，傾眠がみられないか □活動の意欲・希望があっても，痛み・しびれが影響し，行動ができていないのではないか
食事	**食事準備，食思・食欲，姿勢・摂食動作，咀嚼・嚥下機能** ・食事時の姿勢，移動 ・食事にかかる時間 ・食事時の表情 ・食欲 ・摂食動作	□食事時のポジショニングを決める際や，食事の場所への移動時の様子はどうか □食事にかかる時間はいつもより長くないか □食事は，おいしく食べられているか □同じ姿勢をとることによる痛み・しびれはないか □痛み・しびれが食欲に影響していないか □痛み・しびれが摂食動作に影響を及ぼしていないか
排泄	**尿意・便意，姿勢・排泄動作** ・排泄に伴う移動動作 ・排泄時の姿勢 ・尿意・便意	□痛み・しびれがトイレまでの移動に影響を及ぼしていないか □排泄に伴う一連の動作が行えているか □排泄時の姿勢を保つ際に，痛み・しびれが誘発されていないか □尿意・便意がある際，どのように他者に伝えるか(言葉，しぐさ，ジェスチャー，ソワソワする，集中力の低下といった行動変化など)
	尿・便の排出，状態 ・尿閉または頻尿 ・残尿感 ・便の性状と回数 ・排便の周期，時間	□内服薬の有害事象として排尿や排便に伴う症状が出現していないか □便の性状はブリストルスケールでどの段階に該当するか □痛み・しびれがあることによって便意を我慢していないか
身じたく	**清潔** ・清潔習慣の低下 ・清潔動作の状況	□痛み・しびれが原因で，清潔習慣が低下していないか □入浴，洗面，歯磨き，手洗い，ひげ剃りなどの清潔・更衣・整容動作に影響はないか
	身だしなみ，おしゃれ ・整容に対する意欲 ・痛み・しびれを誘発する衣服の着用	□これまでの容姿・整容と比較し，意欲の低下が推測されないか □痛み・しびれが，意欲の低下を引き起こしていないか □体の締め付けの強い衣服を着用していないか □衣服着用に伴う動作が，痛み・しびれを誘発していないか
コミュニケーション	**伝える・受け取る，コミュニケーションの相互作用・意味，発展** ・痛み・しびれの程度を共通認識する手段 ・ケア提供者や家族の主観的な症状(痛み・しびれ)に対する理解 ・非言語的表現の観察 ・他者との交流	□痛み・しびれの程度を共通認識するためのスケール(評価指標)を用いて情報収集しているか □ケア提供者や家族が，高齢者の痛み・しびれのSOSをキャッチできずにバリアになっていないか □痛み・しびれを非言語的なサインで訴えていないか □痛み・しびれの訴えには，孤独感・寂しさが影響していないか

アセスメントの視点（病態・生活機能関連図へと導くための指針）

高齢者は加齢に伴う疾患や病態が多い．身体面・精神面でも加齢が基盤にあり，複数の基礎疾患を有していることを念頭におかなければならない．とくに加齢に伴う原因には，虚血性疾患や骨の変形・変性なども多くみられ，神経障害性の痛み・しびれを発症する頻度が高くなり，難治性に移行しやすい．慢性化した痛み・しびれは高齢者のADLやQOLの低下に直結し，全人的苦痛を伴う悪循環を引き起こすため，積極的な症状の緩和に努めることが必要である．これらの原因は，その経過や性質・部位・強さ・頻度などで疾患を絞り込むことができる．しかし，認知機能の低下がみられる場合は中核症状の1つである実行機能障害によって，痛みやしびれが出現するであろう予測が困難となり，いつ，どんな時に，どんなふうに，どのくらいの強さで痛みやしびれが出現するのかを伝えられない．要するに，段取りよく予防的に行動することが難しくなる．

高齢者の症状は多様で，鑑別対象も多岐にわたるが，丁寧に観察し多職種との情報共有を行い，高齢者が体感している症状をキャッチすることが重要である．また，原因を明らかにしていくことで，高齢者の生活に視点を向けたもてる力の活用が可能となる．

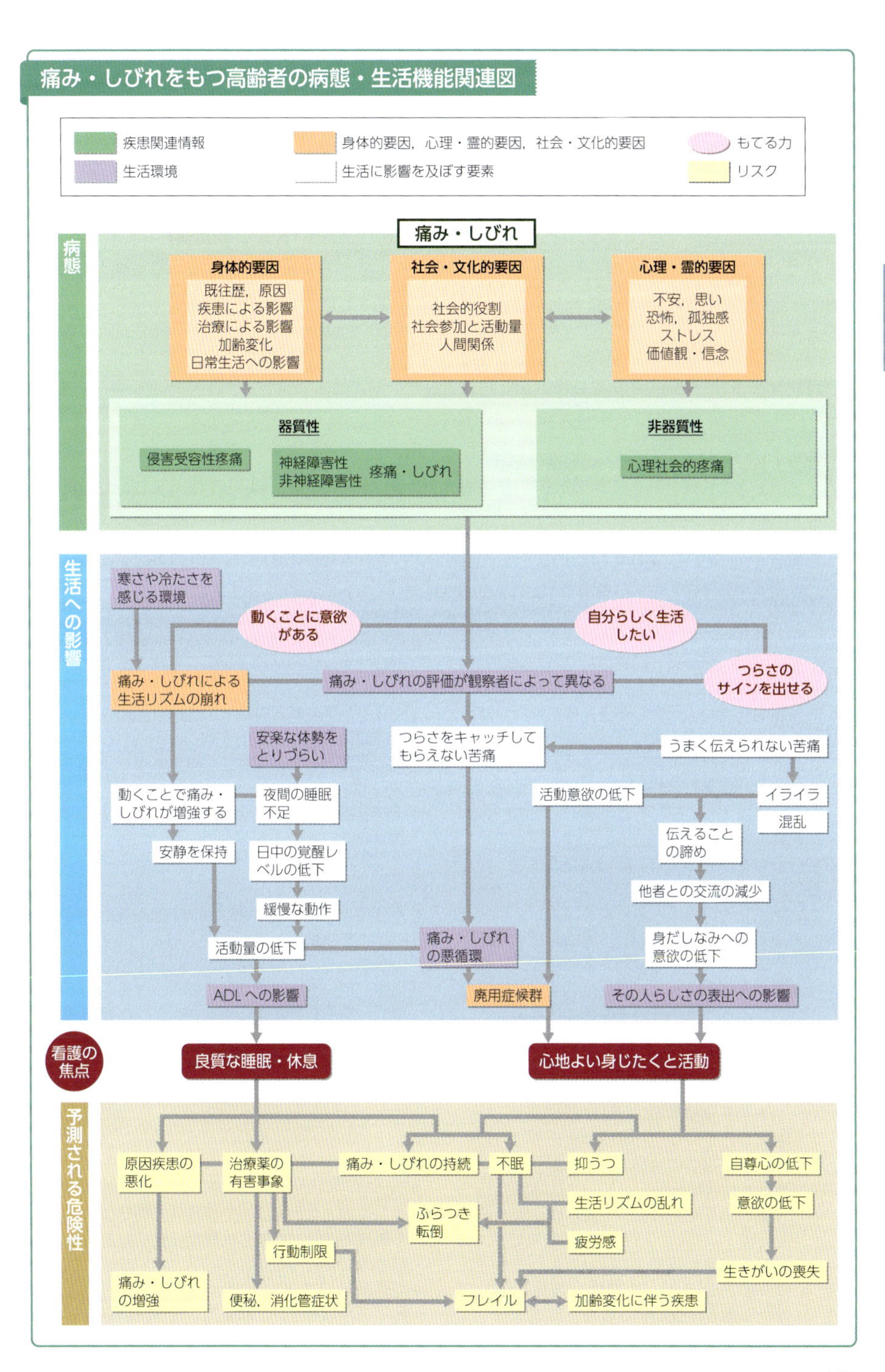

痛み・しびれをもつ高齢者の病態・生活機能関連図
疾患関連情報
生活環境
身体的要因，心理・霊的要因，社会・文化的要因
生活に影響を及ぼす要素
もてる力
リスク
病態
痛み・しびれ
身体的要因
既往歴，原因
疾患による影響
治療による影響
加齢変化
日常生活への影響
社会・文化的要因
社会的役割
社会参加と活動量
人間関係
心理・霊的要因
不安，思い
恐怖，孤独感
ストレス
価値観・信念
器質性
侵害受容性疼痛
神経障害性
非神経障害性
疼痛・しびれ
非器質性
心理社会的疼痛
生活への影響
寒さや冷たさを
感じる環境
動くことに意欲
がある
自分らしく生活
したい
痛み・しびれによる
生活リズムの崩れ
痛み・しびれの評価が観察者によって異なる
つらさの
サインを出せる
安楽な体勢を
とりづらい
つらさをキャッチして
もらえない苦痛
うまく伝えられない苦痛
動くことで痛み・
しびれが増強する
夜間の睡眠
不足
活動意欲の低下
イライラ
混乱
伝えること
の諦め
安静を保持
日中の覚醒レ
ベルの低下
他者との交流の減少
緩慢な動作
痛み・しびれ
の悪循環
身だしなみへの
意欲の低下
活動量の低下
ADL への影響
廃用症候群
その人らしさの表出への影響
看護の
焦点
良質な睡眠・休息
心地よい身じたくと活動
予測される危険性
原因疾患の
悪化
治療薬の
有害事象
痛み・しびれの持続
不眠
抑うつ
自尊心の低下
生活リズムの乱れ
意欲の低下
ふらつき
転倒
疲労感
行動制限
生きがいの喪失
痛み・しびれ
の増強
便秘，消化管症状
フレイル
加齢変化に伴う疾患

STEP 1 アセスメント　STEP 2 看護の焦点の明確化　STEP 3 計画　STEP 4 実施

看護の焦点の明確化

#1　痛み・しびれの症状が緩和され，良質な睡眠・休息がとれる
#2　痛み・しびれを誘発することなく，心地よい身じたくと活動が維持・継続できる

STEP 1 アセスメント　STEP 2 看護の焦点の明確化　STEP 3 計画　STEP 4 実施

1 看護の焦点	看護目標
痛み・しびれの症状が緩和され，良質な睡眠・休息がとれる	1) 痛み・しびれの症状が緩和できる 2)「ぐっすり眠れた」「ゆっくり休めた」との言葉が聞かれ，疲労感がない

具体策（支援内容）	根拠
1. 安楽な睡眠への支援 **1) 痛み・しびれが与える睡眠への影響の把握**	
・睡眠障害の分類（「21 睡眠障害」参照）を把握し，鎮痛薬の効果や持続時間と照らし合わせアセスメントおよびモニタリングする ・睡眠を妨げている原因が，痛み・しびれ以外にあるかを確認する（「21 睡眠障害」参照）	●睡眠障害の分類に照らし合わせることで，現在処方されている薬物評価につながる ●安楽で十分な睡眠が得られていないようであれば薬剤を検討する
・痛み・しびれにより，睡眠が妨げられていないか確認する ・睡眠時間，熟睡感，目覚めた回数，睡眠時の体位を把握し，具体的な支援に結びつける	●睡眠不足は，身体的な苦痛だけでなく全人的な苦痛に大きく影響する．まずは，夜間の安眠が得られるよう症状のコントロールが必要である
・睡眠や休息時の安楽な体位・姿勢を保持できるよう調整する ・痛み・しびれを誘発しないよう室温やエアコンの風，空気の流れなどの環境を整える	●マットレスや枕，ソファの硬軟は，時によって他の痛み・しびれを引き起こすおそれがあるため，高齢者の安楽に合わせ選択する
・高齢者が不快と感じる音やにおいがないよう環境を整える	●不快な音やにおいがストレスとなり症状を増強させることもある
2) 自分らしさが表出できる環境調整と休息への支援	
①大切にしている人と過ごせる環境づくり ・以下の関係性を確認し，高齢者がくつろいで過ごせるような時間や場所を確保する 家族関係：キーパーソン，ペット，家族以外の重要他者の存在 交流関係：友人，近所付き合い，同僚，社会活動でのつながり ・ともに時間を過ごせるよう，スケジュールや場所を調整する	●家族であっても関係性が崩れていることもあり，十分な情報収集が必要である．また，血縁にかかわらず，高齢者が大切にしている人，または，ペットと過ごせる時間を設けることで心理的・霊的な苦痛から解放されることがある ●これまで，どのような人生を歩んできたのかを知ることは，高齢者の意向を知る手助けになる
②高齢者が自分のつらさを受け止めてもらえたと思える支援への調整 ・客観的な情報を得るために十分な観察を行う ・主観的情報を得るための受容的姿勢と傾聴を示す ・症状の程度や認知症の程度により，オープン・クエスチョンやクローズド・クエスチョンなどを使い分けながら質問する	●評価ツールの使用は，個人的な高齢者への偏見，否定的な思い込みで評価するのではなく，多職種で情報を共有し，早期発見・対応につなげるのに役立つ ●認知機能の低下だけではなく，社会的・心理的・スピリチュアルな要因が複雑に絡み合って

・言語的・非言語的コミュニケーションを取り入れる

いることで，自分の思いを表現することが難しい場合も少なくない．そのため，客観的な観察だけではなく，主観的な情報を得るためのコミュニケーションスキルを磨くことも重要である

・高齢者が普段，生活を営んでいる場所で心身ともに休息できる環境を設ける
　くつろげるソファ
　痛み・しびれを誘発しないための体位の工夫ができるクッションなどの設置
　宗教や信仰などを継続できる場所の工夫

・リラックス効果のあるアロマテラピー

●アロマテラピーは，嗅覚を刺激し深呼吸や腹式呼吸を介し副交感神経を優位な状態にすることで，リラックス効果が生まれる

2. 痛み・しびれの緩和に向けた支援

1) 薬物療法

①治療薬の評価

・治療の開始や内服薬の増減により，痛み・しびれがどう変化したかをアセスメントする

●鎮痛薬変更の際は，治療の効果を知るために，痛み・しびれの強さを記録に残すことが重要である

●痛み・しびれ以外の症状があった場合，それらの症状が生じるタイミングと内服薬の効果時間が一致しているかを確認する

・内服薬の有害事象のチェックをする

●高齢者は肝臓での薬物代謝や腎臓での排泄機能などの生理機能の低下により有害事象の発現率が高いため，一般状態のほか，検査データも注意する

②神経ブロック

・治療に伴い，出血傾向の有無，迷走神経反射による血圧低下・徐脈，アナフィラキシーショック，神経損傷などの症状に注意する

●抗血小板や抗凝固薬の内服の有無を確認する

●局所麻酔薬のアレルギー既往歴を確認する

●運動神経麻痺を合併することもあるため，ブロック治療中・後の観察を行う

2) 非薬物療法

①温罨法

・筋肉痛，関節痛に行う．心地よさを引き出すリラクセーション効果もある

●効果：血管拡張による血液循環の向上，組織の伸縮性の増加，副交感神経の優位な働きによる痛みの緩和
禁忌：皮膚の脆弱・意識障害・感覚障害がある人，温熱刺激により症状の悪化が考えられる疾患(多発性硬化症，温熱蕁麻疹，リンパ浮腫など

②冷罨法

・炎症，筋痙攣に行う

●効果：血管収縮による血液循環の抑制，炎症症状の軽減
禁忌：開放創，循環不全，レイノー病など

③マッサージ

・筋緊張，リンパ浮腫に行う．不安の軽減，リラクセーションを目的とすることもある

●効果：筋緊張の緩和，新陳代謝の促進，リンパ液など体内の老廃物の排出，関節の可動性・柔軟性の向上など
禁忌：炎症や膿形成のある場合，心不全，深部静脈血栓症など

④安楽な姿勢の工夫

・術後疼痛，関節拘縮，関節変形性疾患などの疾患では安楽な姿勢がとれるよう支援する

●効果：良肢位の保持，体重・バランスの支持，患部の安静保持，関節拘縮予防，筋緊張の緩和など
注意：装具・補助具は適正なものを使用し，循環障害，腓骨神経麻痺などの合併症に注意する

具体策(支援内容)	根拠
⑤タッチング，傾聴，アクティビティケアなどを行う	●高齢者の不安を和らげ，意欲を引きだし，前向きな気持ちへ変化をもたらす．タッチングの際は，急に触れると驚いたり，不信感，不快感などを招くおそれがあるため，やさしく触れるよう心がける

2 看護の焦点

看護の焦点	看護目標
痛み・しびれを誘発することなく，心地よい身じたくと活動が維持・継続できる	1)痛み・しびれを誘発することなく活動できる 2)支援を受けながらしびれや痛みのコントロールが図れ，活動への意欲的な言葉が聞かれる

具体策(支援内容)	根拠
1. 高齢者と共有できる日常生活の営みに向けた目標設定	
・高齢者が望む日常生活活動ができるよう，痛み・しびれのコントロールの目標を共有する 例：具体的に何ができるようになりたいか(髪を整えたい，衣類の着脱ができるようになりたいなど)	●痛み・しびれの強さにだけ着目するのではなく，ADLの維持や向上，これまでの活動の継続に焦点をあて，高齢者も含めたチームで目標を共有し支援することが大切である
・症状の増強因子・軽減因子をチェックする	●どのような時に症状が増強するかを確認し，その活動前に予防的にレスキュー薬の投与を検討する ●増強因子の排除や回避できる環境を整えるとともに，高齢者が増強因子・軽減因子を把握し，コントロールできるよう支援していく
・治療薬の管理状況を確認する ・高齢者のセルフケア能力を把握する	●鎮痛薬の薬物動態(効果発現時間，最高血中濃度時間，半減期，効果持続時間など)を把握し，高齢者が正しい時間，正しい量，正しい方法で内服または貼用されているかを確認することで，その状況に応じた指導や投与方法が検討できる
2. 痛み・しびれを誘発しない日常生活の工夫	
1)食事と水分補給への支援	
・食事が摂取しやすい安楽なポジショニングを工夫する ・好物を取り入れるなど，食事内容や食べやすい食形態を検討する ・食器の重みにより症状が誘発される場合は，軽い食器へ移す ・冷たい食品の摂取によりしびれが誘発される場合は，温めてから提供する	●安楽なポジショニングとは安静にすることではなく，ADLを維持して二次的な合併症である廃用症候群を防ぐ目的で行う．症状をアセスメントしながらADLを低下させない支援が必要である
2)排泄への支援	
・排泄行為が症状を誘発していないかをチェックする 移動動作：症状を誘発させないよう，歩行を補助する用具の使用を検討する 下着の上げ下ろし：ゆとりのある衣服を着用する	●症状をうまく伝えられない高齢者も多い．症状を誘発させないよう“じっとしている”など，症状を自己コントロールしている場合も少なくない．排尿・排便回数，水分摂取量を観察し，高齢者の症状をとらえる

頻回の尿意：水分摂取量のチェック，回数によっては泌尿器科の受診の検討を医師に相談する
・下痢・便秘：ブリストルスケールによる便の状態をチェックする．痛み・しびれが排便により誘発されるようであれば，緩下剤や整腸薬の調整を医師に相談する

●腰痛や膝の関節痛などがある際にはコルセットやサポーターなどの固定により痛みを緩和していることがある．締め付けの程度によってはしびれを誘発することもあるため注意する

・治療薬の有害事象として便秘症状や消化器症状がないかチェックする

●がん性疼痛などオピオイドによる治療が行われる場合は，高い確率で便秘が生じる．その場合，腸の蠕動運動も抑制されるため悪心などの消化器症状を生じることがあるため，便秘に対する予防策が必要である

3) 身じたくの支援

・患部の保持を行いながら，できる限り高齢者のもてる力を活かす工夫を行う

●高齢者の意思を尊重しながら，セルフケアが維持・継続できるように支援する

・高齢者の清潔習慣に合わせ，痛み・しびれの程度により支援できる内容を検討する

●慢性疼痛の場合，痛みをゼロにすることだけに目標を設定するのではなく，高齢者の ADL を向上・維持できるよう現実的に到達できる目標をともに設定する

・清潔行為によって体が冷えないような工夫を行う
・痛み・しびれが上下肢にある場合，更衣の際は健側から着脱する
・好みの服装やヘアスタイル，化粧などのおしゃれができるよう，痛み・しびれの事前のコントロールや，誘発させないための姿勢の工夫を行う
・入浴は負担の少ない方法・時間で行う

●入浴は酸素消費量が多く疲労が増すので注意する

4) 社会活動参加への支援

・これまでの他者との交流や社会的な参加ができるよう，多職種で検討する
・活動時期，時間，場所，移動距離，支援者の有無を確認する

●外出は計画的に行い，短距離・短時間から開始し，その後評価を行い，徐々に活動時間，距離を伸ばしていく

・社会的資源の有無と活用を検討する

関連項目

※もっと詳しく知りたいときは，以下の項目を参照しよう．

痛み・しびれの誘因・原因

●「1 認知症（→ p.56）」「22 言語障害（→ p.405）」：認知機能，言語機能，感覚・知覚の障害などが治療や症状緩和に影響を及ぼしていないか調べてみよう

●「3 脳卒中（→ p.93）」「変形性膝関節症（→ p.128）」：運動機能が痛み・しびれの誘因・原因になっていないか確認しよう

痛み・しびれに関連したリスク

●「3 脳卒中（→ p.93）」：高次機能，認知機能が日常生活に影響する内容を確認し，痛み・しびれとの関係性を調べてみよう

●「21 睡眠障害（→ p.394）」「29 転倒（→ p.504）」：睡眠が影響するリスクについて調べよう

●「20 排便障害（→ p.378）」：痛み・しびれの治療薬の有害事象について病態関連情報をチェックし原因を調べよう

●「28 フレイル（→ p.491）」：痛み・しびれがあることで生じるリスクの身体的要因，心理・霊的要因，社会・文化的要因を参照しよう

痛み・しびれをもつ高齢者への看護

- 第 1 編「1 睡眠・休息（→ p.2）」「2 覚醒・活動（→ p.10）」：痛み・しびれの症状だけではなく，高齢者の日常生活が維持・継続できるよう着目しよう
- 第 1 編「6 コミュニケーション（→ p.44）」：高齢者のコミュニケーション方法を調べよう

25 抑うつ状態

木島　輝美

病態生理

●抑うつ状態とは

憂うつや悲しみなどの抑うつ気分や，楽しみであった活動への興味または喜びの減退を中心的な症状とし，加えて，疲労感，睡眠障害，体重減少など自律神経症状や身体症状など多彩な症状があらわれる．

●うつ病とは

上記の抑うつ状態が 2 週間以上継続し，生活機能にも支障をきたしている場合に診断される．

うつ病の病態には，モノアミンとよばれるセロトニン，ノルアドレナリンなど脳内の神経伝達物質の減少が関わっていると考えられてきた(モノアミン仮説)．現在，主に使用されている抗うつ薬は，この仮説のもとにモノアミンの再取り込みを阻害し，シナプス間隙におけるこれらの物質の濃度を高める働きをもつ．しかし近年は，服薬により脳内のモノアミン濃度が高まっても，実際に抑うつ状態が改善するまでには数週間かかることから，受容体仮説が提唱されている．これは，うつ病では病前から脳内のモノアミン濃度が少なく，これを補うために，後シナプスでは少ないモノアミンを捉えるために受容体の感度を高めているが，そこにストレスなどでモノアミン放出量が急激に増加すると受容体が過剰反応して混乱し，うつ病を発症するというものである．抗うつ薬は，モノアミン濃度を維持することにより過剰な受容体の感受性を修正する働きがあり，その修正には時間がかかるため，効果発現までに数週間かかると考えられている．

病因

抑うつ状態の発症原因はいまだ解明されていないことも多く，モノアミン仮説，受容体仮説以外の要因も複雑に関連していると考えられている．

抑うつ状態の発症には，心理・社会的ストレス(社会的役割の喪失，身近な人の死，自身の病気など)，病前の性格傾向(勤勉，几帳面，完璧主義など)，うつ病，脳の器質的障害，内分泌疾患，膠原病などの身体疾患，薬物の有害事象などが関連しているといわれている．

症状

●抑うつ状態の症状

抑うつ気分と興味・喜びの減退を中心に，さまざまな症状を示す．

1) 抑うつ気分：憂うつ，悲しい，落ち込むなどと表現されることが多いが，「ばかばかしい」「感情がわかない」と表現したり，易怒性が強くなるなど表現形も多様である．こうした抑うつ気分には日内変動がある場合が多く，午前中は抑うつ気分が強く，夕方から夜には楽になる特徴がある．

2) 興味・喜びの減退：以前は楽しんでいた趣味や活動に関心がわかなくなったり，喜びを感じなくなったりする．テレビなどへの関心が低下したり，身だしなみやおしゃれにも興味がなくなることも多い．

3) 精神運動焦燥，制止(抑制)：焦燥では，落ち着かない，静かに座っていられない，皮膚や服を引っ張る・こするなどの行動の変化がみられる．高齢者の抑うつ状態では抑うつ気分が目立たず，不安や焦燥感が強い場合が多い．

制止(抑制)では，会話，思考，体動が遅くなる，声に抑揚がなく小さくなる，無口になる，考えが浮かばない・進まない，仕事にとりかかるのが遅いなどがみられる．

4) 集中力低下，決断困難：考えたり集中したりすることができず，記憶力の低下がみられることもあり，些細なことの決断にも困難が生じる．高齢者では，記憶力の低下を主訴として訴えることもあり，認知症との区別が難しい場合がある(仮性認知症)．

5) 無価値観，罪責感：「まわりに迷惑をかけてばかりで申し訳ない」「自分はダメな人間だ」など自分が無価値であると思い込んだり，「あの時，重大な罪を犯してしまったので，もう取り返しがつかない」など，過去の些細な失敗を思い悩むような妄想的な部分も認められる．

6) 希死念慮：終わりのない苦しみや将来に希望を持てないこと，周りの人に迷惑をかけたくないことから死にたくなる気持ちが生じる．その気持ちにはさまざまな段階があり，「事故にあって死ねたらいいな」という受動的な願いのレベルから，具体的な死に方を考えて実行に移すレベルまである．

7) 身体症状：食欲の減退または亢進がみられ，それに伴い体重の減少または増加がみられる．睡眠障害では，入眠困難，中途覚醒，早朝覚醒などの睡眠困難または睡眠が増加する過眠がみられることもある．疲労感・気力の減退では，持続的な疲労を訴え，最低限の日常生活動作にもいつもより長い時間を要するようになる．その他，多様な身体症状を訴える場合がある．

診断・検査値

●うつ病の診断

ICD-10（WHO の国際疾病分類）や DSM-5（米国精神医学会作成の診断・統計マニュアル）の診断基準を用いることが多い．

DSM-5 におけるうつ病（大うつ病性障害）の診断基準には，①抑うつ気分，②興味または喜びの著しい減退，③体重減少または増加，または食欲の減退または増加，④不眠または過眠，⑤精神運動焦燥または制止，⑥疲労感または気力の減退，⑦無価値観または罪責感，⑧思考力や集中力の減退，または決断困難，⑨死についての反復思考，自殺念慮，自殺企図，自殺の計画，といった 9 つの症状が挙げられている．これらのうち，①または②を含む 5 つ以上が，ほとんど 1 日中，ほとんど毎日，2 週間以上にわたって認められ，そのために著しい苦痛または社会的，職業的，または他の重要な領域における機能障害を引き起こすとしている[1]．

●高齢者の抑うつ状態の特徴と鑑別が必要な疾患

1) 仮面うつ病：気分の落ち込みよりも身体的な不定愁訴が目立つうつ病である．身体的には異常が認められず症状に対する治療を行っても改善しないが，うつ病の治療をすることで改善する特徴がある．しかし高齢者では，複数の身体疾患が合併している場合も多く鑑別が困難となりやすい．

2) 仮性認知症：注意力の低下や記憶力の低下がみられ，日常生活動作にも支障をきたす場合があるため認知症と間違われやすい．認知機能の低下を強く自覚して訴え，認知機能検査などに対しては「わからない」とすぐにあきらめてしまう傾向がみられる．しかし，失語，失行，失認などの症状はなく，記銘力も本人が訴えるほどは低下していない場合が多い．仮性認知症であれば，抗うつ薬の投与により認知機能も改善する．しかし近年，高齢者のうつ病と認知症が合併する例や，うつ病から認知症へ移行する場合があることがわかっており，両者を明確に区別することは容易ではない．

3) せん妄：高齢者では，体調変化，治療，環境の変化などによりせん妄を起こしやすい．とくに低活動型せん妄は，抑うつ状態の精神運動制止（抑制）や集中力低下との区別が難しいため注意が必要である．

4) 抑うつ状態を伴う身体疾患：抑うつ状態はさまざまな身体疾患に起因して発症する可能性がある．抑うつ状態を引き起こしやすい疾患には，脳血管障害，認知症，パーキンソン病，甲状腺疾患，副腎疾患，虚血性心疾患，消化器疾患，膠原病，悪性腫瘍，更年期障害などがある．高齢者は複数の疾患を抱えている場合が多いため，原因疾患を特定し治療する必要がある．

5) 血管性うつ病：従来から脳卒中後に抑うつ状態を示す例が多いことは知られていたが，脳卒中発作がなく神経学的症状もみられない無症候性脳梗塞でも抑うつ状態がみられる例が多いことがわかり，血管性うつ病といわれるようになった．抑うつ気分や不安，焦燥はあまり目立たず，無欲や自発性の低下など精神運動制止（抑制）が前景に出る特徴がある．

6) 抑うつ状態を引き起こす薬剤・物質：抑うつ状態を引き起こしやすい薬剤や物質は，副腎皮質ホルモン，インターフェロン，パーキンソン病治療薬，H_2 受容体拮抗薬，降圧薬などがある．高齢者は複数の薬剤を服用している場合も多いため，抑うつ状態の発症と原因となる薬剤・物質との関連を注意深く観察し調整をする必要がある．

合併しやすい症状

抑うつ状態ではさまざまな身体症状が出現する可能性がある．一方で身体的疾患から抑うつ状態が発症している場合もあるため，鑑別が困難な場合も多い．

治療法

抑うつ状態の治療の基本は休養と環境調整，薬物療法，精神療法そして自殺予防である．

●休養と環境調整

「こうなったのは自分が悪いからだ」と自責の念を持っているため，今の状態はうつという病気からくるものであり，治療により必ず回復することを伝える．そして，十分な休養をとることを勧め，安心して休めるように環境調整をする．その際，家族など周囲の人に対しても「怠けている」「甘えている」などの誤解のないように説明する．十分に休養をとる環境が得られない場合は入院治療を検討する．

また，周囲から「頑張って」などと激励されると，本人は期待にそえない自分を責めることにもなる．本人が感じている悲しみやあせりを受け止め，本人のペースで過ごせるように穏やかに見守ることが大切である．

●薬物療法

1) 薬物療法の基本：抗うつ薬の投与である（表 25-1）．第一世代抗うつ薬といわれる三環系抗うつ薬や第二世代の四環系抗うつ薬は副作用の抗コリン作用が強く，認知機能低下，便秘，せん妄，尿閉などの危険性が高いので基本的には高齢者には使用しない．近年の高齢者のうつ病治療の第一選択薬は，第三世代以降の選択的セロトニン再取り込み阻害薬（SSRI）やセロトニン-ノルアドレナリン再取り込み阻害薬（SNRI），ノルアドレナリン作動性・特異的セロトニン作動性抗うつ薬（NaSSA）である．

これらの薬は三環系や四環系抗うつ薬よりも抗コリン作用が少ないが，SNRI のミルナシプラン塩酸塩は副作用に尿閉があるため前立腺肥大がある場合は禁忌である．いずれの抗うつ薬も効果が現れるまでには 2～3 週間かかるが，副作用だけが先行して出現することもあるため患者の理解を得ることが重要である．また，不安・焦燥が強い場合はベンゾジアゼピン系抗不安薬を併用する．

■表 25-1　各抗うつ薬の特徴

分類	一般名	商品名	効果	主な副作用
三環系	イミプラミン塩酸塩	トフラニール	抗うつ効果が最も強いが，副作用も強い	抗コリン作用：口渇，排尿困難，便秘，緑内障の悪化，せん妄 抗ヒスタミン作用：眠気，倦怠感 抗 α 作用：起立性低血圧，頻脈，ふらつき キニジン様作用：不整脈，QT 延長症候群
	クロミプラミン塩酸塩	アナフラニール		
	アミトリプチリン塩酸塩	トリプタノール		
	アモキサピン	アモキサン		
	ノルトリプチリン塩酸塩	ノリトレン		
四環系	マプロチリン塩酸塩	ルジオミール	抗うつ効果は三環系に劣るが，鎮静効果により不安・焦燥を鎮める	三環系よりも抗コリン作用が少ない 眠気 痙攣発作 発疹
	ミアンセリン塩酸塩	テトラミド		
SSRI	フルボキサミンマレイン酸塩	デプロメール，ルボックス	三環系，四環系よりも抗うつ効果がやや弱く，効果発現も遅いが，副作用が少ない	抗コリン作用，抗ヒスタミン作用，抗 α 作用は示さない セロトニン症候群 消化器症状（悪心・嘔吐，食欲不振，下痢） 性機能障害
	パロキセチン塩酸塩水和物	パキシル，パキシル CR		
	塩酸セルトラリン	ジェイゾロフト		
	エスシタロプラムシュウ酸塩	レクサプロ		
SNRI	ミルナシプラン塩酸塩	トレドミン	SSRI とほぼ同様の効果を示すが，ノルアドレナリン作用により SSRI よりも意欲向上効果がある	抗コリン作用，抗ヒスタミン作用，抗 α 作用は示さない ノルアドレナリン作用増強による頭痛，頻脈，尿閉 禁忌：前立腺肥大
	デュロキセチン塩酸塩	サインバルタ		
NaSSA	ミルタザピン	リフレックス，レメロン	SSRI，SNRI よりも効果発現が早く鎮静作用が強い	眠気 食欲亢進，体重増加

2) 抗うつ薬の効果が乏しい場合：強い希死念慮，重症な妄想や制止，混迷などがあり，食事や会話もできない状況では，電気けいれん療法(ECT)を行う必要がある．現在は，修正型電気けいれん療法(modified ECT)が主流である．これは，筋弛緩薬を使用して施行することで筋肉が痙攣しないため，咬舌，脱臼，骨折などの合併症が軽減される方法である．

●精神療法

日常のかかわりのなかで実践できるものとして支持的精神療法がある．これは非審判的，非指示的な態度で患者の気持ちを傾聴し，患者の苦しみに共感し，患者がつらいなかでも対処できている健康な部分を支えるようなかかわりをするものである．その他，患者のパターン化した悲観的な思い込みや歪んだ認知を修正していく認知行動療法も，薬物療法と並行して実施される場合もある．

●自殺予防

自殺の危険性はうつ病の発症直後，回復期，退院直後に多いといわれる．「死にたい」と直接的に言葉にすることもあるが，「誰も知らないところに行きたい」などと表現することもある．また，突然，脈絡もなく感謝の言葉を口にしたり，身辺を整理したりといった様子の変化にも注意が必要である．

●参考文献

1) American Psychiatric Association(髙橋三郎ほか監訳)：DSM-5 精神疾患の診断・統計マニュアル，pp.160-161，医学書院，2014

抑うつ状態にある高齢者の看護

看護の視点

- 高齢者では，一般的なうつ病にみられるような著しい抑うつ気分は目立たないが，不眠や倦怠感，食欲不振，めまいなどの身体症状が前面に出ることが多い．また，集中力の低下が記銘力の低下を引き起こし，自発性の低下により生活行動がとりにくくなることから，認知症との区別がつきにくい場合がある．そのため，高齢者の抑うつ状態は発見が遅れやすい傾向にあり，日頃から注意深い観察が必要である．
- 高齢者の抑うつ状態は，活動量の低下や身体機能の低下を招くリスクがある．また，食欲不振は栄養状態の低下を招くなど二次的な障害をきたしやすい．休養を重視しつつも活動とのバランスを考えた支援が必要である．

※以下のような日常生活の看護のポイントに留意して支援する．

1. 安心して十分に休息できる環境を調整する．

1) 高齢者のつらい気持ちに共感し，励ますことなく穏やかにかかわる．
2) 自殺予防のため，さりげなく見守りつつ自由も確保する．
3) さまざまな心気的な症状の訴えに対して誠実に対応する．

2. 高齢者のペースに合わせて負担をかけないよう日常生活を支援する．

1) うつ症状の変化をとらえて，調子のよいときに活動を働きかける．
2) ゆっくり待つ姿勢で，高齢者のペースに合わせて生活行動を支援する．
3) 食事・水分摂取量や睡眠・活動時間などから全身状態を把握する．

3. 抗うつ薬の効果と有害事象を把握し適切に対処する．

4. うつ病の原因となる生活背景を理解して調整する．

●うつ状態のステージに応じた看護の視点

【初期】 抑うつ状態を早期発見・治療することにより，少量の薬物使用で有害事象の発現も抑えながら効果を得られ，遷延化を防ぐことで二次的な障害を予防できる．高齢者の不眠，食欲不振，閉じこもり，記憶力の低下などのわずかな変化も見逃さないことが重要である．また，高齢者は身近な人の死や生活環境の変化，体調不良などが抑うつ状態に結びつくケースもあるため，それらとの関係をアセスメントし，調整することも必要である．

【急性期】 あせり，不安，悲しみなどのつらさに共感し，穏やかに対応することが重要である．安易に励ますことはせず，高齢者が自分のペースで行動できるよう，ゆっくり待つ姿勢で温かく見守る．また，休養の必要性を伝えて，安心して休養できる環境を確保する．簡単な生活行動ができない場合も多いので，食事，排泄，洗面，更衣などの支援，休息時間，食事量，水分摂取量の確認，抗うつ薬の有害事象などの観察が不可欠となる．介助をする際は，高齢者が負担に感じないようさりげなく支援することも必要である．

【回復期】 徐々に活動範囲を広げていく時期であるが，「早くよくなりたい」という高齢者のあせりから無理をしないように見守る必要がある．高齢者は長期の安静により身体機能の低下を招く危険性が高いため，活動と休息のバランスを調整する必要がある．レクリエーションなどは，高齢者の意向があれば気分転換に有効なこともあるが，無理強いはしないことが大切である．この時期に最も自殺の危険性が高くなるともいわれるため見守りが必要である．再発を防ぐためには，薬物に頼るだけでなく，うつ病発症のきっかけとなった生活背景，ライフイベントなどについても知り，調整する必要がある．

STEP 1 アセスメント　STEP 2 看護の焦点の明確化　STEP 3 計画　STEP 4 実施

情報収集・情報分析

	必要な情報	分析の視点
疾患関連情報	**現病歴と既往歴，症状** ・うつ症状の発症時期と経過 ・うつ症状（抑うつ気分，不安，焦燥感，精神運動の抑制，自律神経症状など）の出現状況 ・うつ症状の変動 ・症状に関する訴え ・うつ病以外の疾患	□うつ症状の発症時期の特定とその誘因となる出来事は何か □高齢者の抑うつ状態では，一般的な症状だけではなく，さまざまな身体的不調や記銘力の低下などの訴えとして症状が現れることも多いため，注意が必要である □1日のなかでもうつ症状の変化がないか観察する（朝に症状が重く，夕方に症状が軽くなるなど） □高齢者の訴える症状が，他の疾患に起因する可能性もあるため既往歴や他の疾患の有無の確認をする
	検査と治療 ・抗うつ薬	□抗うつ薬の内服状況と効果はどうか．有害事象（消化器症状，頭痛，ふらつき，口渇，排尿困難，便秘など）はないか
身体的要因	**運動機能** ・うつ症状や抗うつ薬による運動機能への影響 ・活動量低下による運動機能の低下	□うつ症状により活動が極端に制限されることはないか □抗うつ薬の有害事象により，倦怠感やふらつきなどはないか □長期間の安静により運動機能の低下はないか
	認知機能 ・認知機能に関する高齢者の訴え ・客観的な認知力低下の状態（認知症やせん妄との鑑別）	□高齢者から記憶力の低下などの認知機能の低下に関する強い訴えがないか（高齢者が訴えるほど認知機能が低下していないことも多い） □客観的な認知機能はどうか（発生時期や経過，日常生活の自立度，意識状態，不穏な行動の有無などから認知症やせん妄との鑑別を行う）
	言語機能・感覚・知覚 ・発話の減少や応答の緩慢さ	□著しく無口であったり，ボーッとしていたり，応答が緩慢になっていないか
心理・霊的要因	**健康知覚・意向，自己知覚** ・うつ症状に対する認識 ・心気的訴え ・気分の落ち込みや不安，焦燥感の状況	□現在の自分の状態に対するとらえ方はどうか □さまざまな身体症状の訴えが増えていないか □つらい状況を表現することはできるか □気分の落ち込みや不安の訴えはないか □焦燥感を表す落ち着きのない様子はないか
	価値・信念・信仰，気分・情動，ストレス耐性	□安心して休息をとることができているか □希死念慮は強くなっていないか
社会・文化的要因	**役割・関係** ・役割遂行に対する不安やあせりなど	□抑うつ状態によりこれまでにできていた役割遂行が妨げられていないか □今までどおりにできなくなったことで不安やあせりをもっていないか
	仕事・家事・学習・遊び，社会参加 ・抑うつ状態の誘因となるような喪失体験	□これまで楽しめたことが楽しめなくなっていないか □身近な人の死や住み慣れた家を離れるなど，抑うつ状態のきっかけとなるような喪失体験はなかったか

	必要な情報	分析の視点
睡眠・休息	**睡眠・休息のリズム** ・入眠困難，夜間・早朝覚醒や過眠 ・不眠に対する訴え ・日中の眠気と午睡の状況	□睡眠時間，1日を通した睡眠のパターンはどうか □夜間・早朝覚醒，過眠などの睡眠状況はどうか □入眠困難や熟眠感がないなどの高齢者の訴えはどうか
	睡眠・休息の質 ・不安や焦燥感による休息への影響 ・自由に休息がとれているか	□不眠や焦燥感による心身への影響はどうか □不安や焦燥感などが睡眠・休息に影響していないか □好きなときに自由に休息がとれているか
	心身の回復・リセット ・安心して休息できる環境	□安心できる環境は整えられているか □休息をとることに罪悪感を覚えていないか
覚醒・活動	**覚醒** ・夜間・早朝覚醒の有無 ・活動全般に対する意欲低下の有無と日内変動 ・不安と焦燥感で落ち着かない様子の有無	□夜間・早朝覚醒など適切でない時間帯に覚醒していないか □活動時に覚醒していられるか □続けて活動できる時間はどのくらいか □活動全般に対する意欲はどうか □気分がよい時間帯はいつか
	活動の個人史・意味，活動の発展 ・過ごし方についての希望	□1日をどのように過ごしたいと考えているか □これまで楽しんでいた得意なことはないか □担っている役割を遂行できないことを気にしていないか
食事	**食事準備，食思・食欲** ・食欲や時間帯による変化 ・食事場所やメニューの希望	□食欲はどうか．食欲の時間帯による違いはあるか □味覚の鈍麻はないか □メニューや食事の盛り付けの違いが食欲に影響するか □食事場所の希望はあるか(食堂まで行けない，集団で食事をすることを好まないなど)
	姿勢・摂食動作，咀嚼・嚥下機能 ・抗うつ薬の有害事象による口渇や悪心・嘔吐	□抗うつ薬の有害事象による口渇や悪心・嘔吐はないか □食形態によって咀嚼や食塊形成に困難はないか
	栄養状態 ・食事・水分摂取量，栄養状態	□食欲不振によって食事量や水分量が不足していないか □体重が減少していないか □栄養補助食品など食事摂取量の不足を補う方法は何か
排泄	**尿・便をためる** ・量や性状 ・抗うつ薬の有害事象による排尿困難や便秘の有無	□水分出納はどうか □抗うつ薬の有害事象による排尿困難や便秘はないか □腸蠕動を促す運動量を確保できているか
	尿意・便意 ・尿意・便意の伝え方	□尿意・便意を伝えることができるか
	姿勢・排泄動作 ・排泄動作の阻害要因	□排泄動作を行う時にめまい，ふらつきはないか □動作が緩慢なことで失禁などの問題はないか □排泄ケアを受けることに対して，遠慮や申し訳なさを感じていないか

	必要な情報	分析の視点
身じたく	**清潔，身だしなみ，おしゃれ** ・清潔や身だしなみに対する関心	□身体の清潔が保たれているか □入浴，手洗い，口腔ケア，洗面，更衣など基本的な清潔行動がとれているか □身だしなみを整えることに関心を示すか
コミュニケーション	**伝える・受け取る，コミュニケーションの相互作用・意味** ・他者との交流の状況 ・心気的症状の訴えや悲観的内容の発言	□人と接することを避けたり，部屋に閉じこもりがちになっていないか □自ら話しかけることが少なく，話しかけに対する応答が鈍くないか □体調の悪さを頻繁に訴えたりしていないか □話の内容が悲観的であったり，「死にたい」という発言が聞かれないか
	コミュニケーションの発展 ・安心して気持ちを表出できる関係性	□家族，友人，看護師など，本人が安心して気持ちを表出できる人間関係はあるか

アセスメントの視点(病態・生活機能関連図へと導くための指針)

抑うつ状態からの回復期にある高齢者は，「何かしなければ」というあせりを抱えながらも，なかなか行動に移せない傾向にある．そのため，支援者は不安やあせりを受け止めつつ，無理をせず安心して休息をとれる環境をつくることが重要である．そして，高齢者の気持ちやペースを尊重しながら食事，排泄，清潔などの生活行動を安全に行えるようサポートしていくなかで，活動性の低下による二次的な障害を予防していく必要がある．それらに焦点をあてて看護を展開していく．

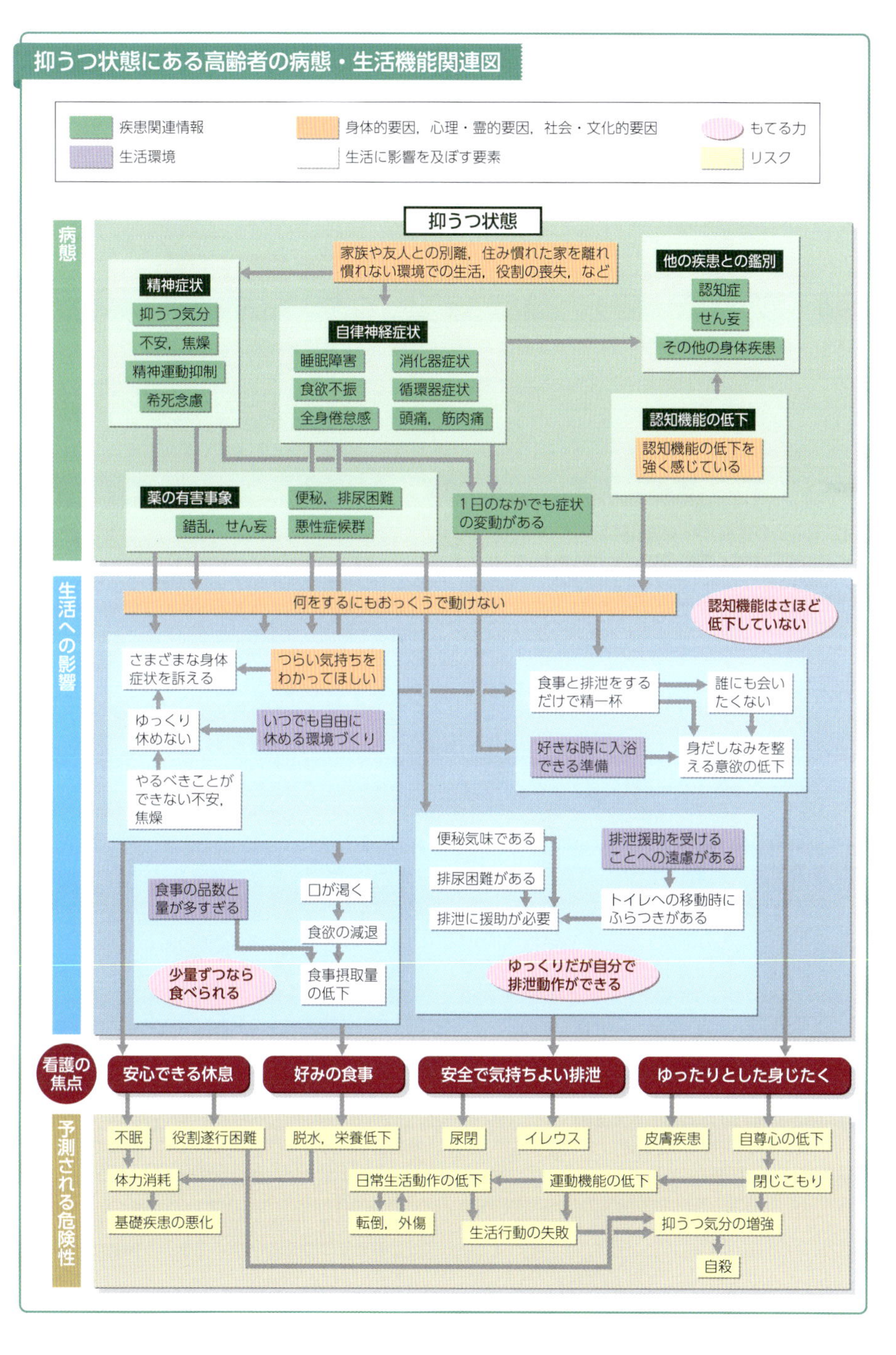

抑うつ状態にある高齢者の病態・生活機能関連図
疾患関連情報
身体的要因，心理・霊的要因，社会・文化的要因
もてる力
生活環境
生活に影響を及ぼす要素
リスク
病態
抑うつ状態
家族や友人との別離，住み慣れた家を離れ慣れない環境での生活，役割の喪失，など
精神症状
抑うつ気分
不安，焦燥
精神運動抑制
希死念慮
自律神経症状
睡眠障害
消化器症状
食欲不振
循環器症状
全身倦怠感
頭痛，筋肉痛
他の疾患との鑑別
認知症
せん妄
その他の身体疾患
認知機能の低下
認知機能の低下を強く感じている
薬の有害事象
錯乱，せん妄
便秘，排尿困難
悪性症候群
1日のなかでも症状の変動がある
生活への影響
何をするにもおっくうで動けない
認知機能はさほど低下していない
さまざまな身体症状を訴える
つらい気持ちをわかってほしい
ゆっくり休めない
いつでも自由に休める環境づくり
やるべきことができない不安，焦燥
食事と排泄をするだけで精一杯
誰にも会いたくない
好きな時に入浴できる準備
身だしなみを整える意欲の低下
便秘気味である
排泄援助を受けることへの遠慮がある
排尿困難がある
トイレへの移動時にふらつきがある
排泄に援助が必要
ゆっくりだが自分で排泄動作ができる
食事の品数と量が多すぎる
口が渇く
食欲の減退
食事摂取量の低下
少量ずつなら食べられる
看護の焦点
安心できる休息
好みの食事
安全で気持ちよい排泄
ゆったりとした身じたく
予測される危険性
不眠
役割遂行困難
脱水，栄養低下
尿閉
イレウス
皮膚疾患
自尊心の低下
体力消耗
日常生活動作の低下
運動機能の低下
閉じこもり
基礎疾患の悪化
転倒，外傷
生活行動の失敗
抑うつ気分の増強
自殺

STEP❶ アセスメント　STEP❷ 看護の焦点の明確化　STEP❸ 計画　STEP❹ 実施

看護の焦点の明確化

#1　不安やあせりでつらい気持ちになることなく，ゆっくり休息をとることができる
#2　調子のよい時間に好みのメニューなら少しずつ食事をとることができる
#3　抗うつ薬の有害事象が生じることなく，安全に気持ちよく排泄できる
#4　調子のよい時間にゆっくりならば，自分で身じたくができる

STEP❶ アセスメント　STEP❷ 看護の焦点の明確化　STEP❸ 計画　STEP❹ 実施

1 看護の焦点	看護目標
不安やあせりでつらい気持ちになることなく，ゆっくり休息をとることができる	1) 安心して休息をとることができる 2) あせりや不安が軽減する 3) 役割をもつことで自分のなかに閉じこもらない 4) 身体症状の訴えが減少する 5) 家族の理解のもとであせらずに回復できる

具体策（支援内容）	根拠
1. 安心して休養できる環境整備	
・1 日の活動と睡眠の状況を観察する	
・高齢者のつらい気持ちを受け止め，この状態が疾患によるもので休息が必要であることを伝え，安心して休息できるような環境づくりをする	●抑うつ状態はエネルギーを消耗している状態であるため安心して休養できるような人的・物的環境の整備が最優先である
・高齢者にとって負担にならない距離感を保ちながら短時間の訪室を増やし信頼関係を築く	●長時間の訪問を少ない回数行うよりも，短時間でも頻回に声をかけるほうが負担が少なく安心感をもてる場合がある
・決して励ますことなくゆっくり待つ姿勢でかかわり，高齢者のペースで過ごせるよう配慮する	●励ますことは，それに応えられない自分への絶望感を強めて苦しめることになる
・服薬状況と有害事象について観察する	●高齢者ではとくに薬の有害事象が強く出現することが多いが，抑うつ状態の身体症状との区別が難しい場合もあるため細かな観察が必要である．また，訴えの背後に身体疾患が隠れている場合もあるため注意が必要である
・身体症状の訴えがある場合には，よく話を聞き，マッサージや湿布など誠意をもって対処する	●身体的な衰えに関連した心気的な訴えが執拗に続く場合があるが，訴えをよく聞き，そのつど丁寧に説明することで安心できる
・妄想に対しては否定せず，安易に同意せず，さりげなく話題を変える	
2. 回復に合わせた活動の拡大支援	
・調子のよい時間帯を把握して活動を促す	●高齢者の抑うつ状態の遷延化は，孤独や生きがいを見出せない状況，役割や目標の喪失などによって起こりやすいため，調子のよいときには，穏やかで現実的な刺激を提供し，新たな楽しみをみつけることができるよう援助が必要である

具体策（支援内容）	根拠
・活動に参加できない場合は，気分に配慮しながら天気や食事などの軽い話題をみつけて話しかける	●話題の選択に配慮し，家族や仕事の話は抑うつ気分を深める可能性があるので避ける
・気分転換として散歩や過去に興味のあった簡単なゲームなどに誘う．それらを楽しめないことがあるので無理強いはしない	
・活動内容は他者に合わせる必要のないものとし，活動量を調節しやすくし，適宜休息を促す	●回復期には早くもとの状態に戻りたいとあせったり，頑張りすぎたり，疲れても作業を休まない傾向があるため休息を促す
・活動の範囲が拡大するとともに自殺企図の可能性に対する十分な観察と援助をする（危険物の除去と管理や高齢者が自らを表現できるようなかかわりなど）	●自殺は初期と回復期に多い．高齢者のもつ罪責感や自己嫌悪感を傾聴し危険性をキャッチする必要がある
3. 家族の理解を促す支援	
・家族が疾患を正しく理解できるように支援する	●高齢者にとって重要な存在である家族の対応が回復の鍵となる．家族の言葉や態度によって高齢者の病状は影響を受ける
・家族が回復をあせらずゆっくりと見守り，適切なかかわりができるように支援する	●高齢の配偶者などでは，うつ症状が疾患によるものと理解しにくく，「怠けている」などと捉えやすいため，丁寧な根気強い説明が必要なこともある
・必要に応じて家族の面会時に支援者が同席する	

2 看護の焦点	看護目標
調子のよい時間に好みのメニューなら少しずつ食事をとることができる	1) 食べる意欲が向上する 2) 食事摂取量が増える 3) 食欲がなくて食べられないときには，他の方法で栄養・水分を摂取できる

具体策（支援内容）	根拠
1. 食べる意欲を引き出す環境づくり	
・定時の食事時間に勧めても断るときには，うつ症状の調子がよい時間をみはからって，高齢者の負担にならない範囲で再度勧める	●うつ症状が強いときは食欲も低下しているため，日内変動や日によって異なる症状の変化を観察し，少しでも調子がよい時間帯に食事ができるように調整する
・高齢者の希望に応じて食事の場所を決める．できるだけ大勢がいる食堂ではなく，自分のペースで食べられる静かな場所にする．その際，ベッドから離れて食べるようにする	●うつ症状の強いときには，大勢の人と一緒にいること自体が負担になることがあるため，気楽に自分のペースで食べられる環境を配慮する必要がある．しかし，食事時間をベッドから離れる機会として活かすために場所を考慮する
2. 食べやすい食形態の工夫	
・食欲不振が強い場合，患者の嗜好を考慮してやや濃い味つけにしたりメニューを調整する ・少量でも高栄養の食品を選択する ・口渇がみられる場合は，パサパサした食品は避ける	●うつ症状の強いときには味覚も鈍麻する傾向にあり，さらに抗コリン薬の有害事象で口渇が出現するとさらにおいしく食べられないため工夫が必要である

具体策（支援内容）	根拠
・少量ずつ小皿に盛り付けるなど，見た目も工夫する	●大皿にたくさん盛り付けられているのを見るだけで食欲が減退することもあるため，小皿に少し取り分けることも食欲増進に効果的である
・少しでも食べられたことをねぎらい，食べられなくても気にしないように声をかける	●食べられないことに罪悪感を抱く場合もあるため，支援者が過度に心配する様子をみせないよう配慮する
3. 低栄養状態，脱水の予防 ・食事・水分の摂取状況の観察 ・栄養状態観察（体重測定，血液検査など） ・必要に応じて点滴療法などを検討する	●高齢者は食欲不振から摂取量が減少すると，容易に脱水や栄養状態の低下を招く可能性があるため注意が必要である

3 看護の焦点

看護の焦点	看護目標
抗うつ薬の有害事象が生じることなく，安全に気持ちよく排泄できる	1）便の性状が改善する 2）腸蠕動運動が起こり，排便できる 3）自然排便が得られない場合は，薬物を用いて排便できる 4）自然排尿が困難な場合は，導尿により排尿できる 5）トイレ歩行時に転倒しない

具体策（支援内容）	根拠
1. トイレへの安全な移動の支援 ・抗うつ薬の有害事象により，ふらつきがみられる場合は，トイレ移動時に見守る	●自力歩行が可能であっても，抗うつ薬や睡眠薬の有害事象による脱力やふらつきが強い可能性があり，見守りが必要である．とくに睡眠薬を服用している場合は，夜間の転倒の危険が高い
・尿意・便意があった場合は，遠慮なくナースコールで支援者を呼ぶことを伝えるとともに，排尿パターンを把握して，さりげなく見守る体制をつくる	●遠慮して支援者を呼ばないことも多いため，支援者は排尿パターンを把握してさりげなく見守ることが必要である ●活動性が低下した状態にある高齢者の廃用性変化を防ぐためにも，トイレまでの歩行は重要な運動の1つととらえて援助する
2. 排尿困難に対する支援 ・水分出納の観察 ・排尿状況，腹部症状を観察し，必要時に導尿を実施する	
・原因となる抗うつ薬の減量や変更の検討	●三環系うつ薬やミルナシプラン塩酸塩では排尿障害が出現し，ひどい場合は尿閉になることもある
3. 便秘を解消するための支援 ・毎日の排便確認と腹部症状の観察	●抗うつ薬には抗コリン作用が強いものがあり，便秘が起こりやすく，放置するとイレウスなどに進展することもある
・食事量と内容の把握とともに，発酵食品や食物繊維を多く含む食品を取り入れる	●うつ症状による食欲低下により，食事・水分の摂取量が減少することは便秘を誘発する

・水分摂取量の把握とともにできるだけ飲水を勧める ・腹部のマッサージを実施する	
・調子のよいときには散歩など軽い運動を取り入れる	●うつ症状により，臥床がちな生活が続き，運動量が減少することも便秘の1つの原因となる
・自然排便が難しい場合は，定期的な下剤投与を検討する	●高齢者は加齢により腸蠕動運動が弱まり，便秘を起こしやすいうえに，薬の有害事象も出現しやすいという特徴がある．自然排便が難しいことも多く，薬物により排便を促す必要がある

4 看護の焦点	看護目標
調子のよい時間にゆっくりならば，自分で身じたくができる	1) 自分のペースで清潔動作ができる 2) 身だしなみに関心を向けることができる

具体策（支援内容）	根拠
1. 身体の清潔を保つ支援	
・気分のよい日や時間を見計らって勧める	●時間や日によって異なる気分の変化を観察し，誘うタイミングを検討する
・他の人がいない時間や個室入浴を準備し，自分のペースで入浴できるようゆっくり見守る	●他人のペースに合わせられないことで自尊心が低下する場合もあるため，個別浴を勧める
・入浴の負担感が強いときには部分浴を勧める	
・入浴剤などを利用して気持ちよくリラックスできるよう工夫する	●やっとの思いで行った入浴が不快な経験で終わっては次回につながらないため，気分のよい体験として残るよう配慮する
・さりげなく背中を流すなど，援助されている負い目をもたないよう配慮する	●高齢者の動作は緩慢でできない部分も多いが，「申し訳ない」という気持ちを起こさせないよう，さりげなく援助する
・入浴後には水分摂取を促し，休養を勧める	●通常でも高齢者は，入浴による発汗で脱水に注意が必要である．うつ症状で食欲減退のある高齢者は，水分摂取量が減少しているため水分摂取は必須である
2. 整容，おしゃれの意欲を引き出す支援	
・一つひとつの行動について声をかけて促す	●高齢者の意思を尊重しながらセルフケアが維持されるように援助する
・拒否するときには無理をせず，調子のよい時間帯に再度声をかける	●積極的な介入は，高齢者のあせりや自尊心の低下を招く可能性があるため，援助はさりげなく，負担にならない程度から始めていく
・とくに健康上に影響がある行動から促していく．できないところは支援する（歯磨きや手洗いなどから）	●整容などは当面は健康問題に直結しないので，「できなくてもたいしたことではない」という態度で接して，高齢者のあせりを軽減する
・施設のスケジュールや一般的習慣に合わせるのではなく，高齢者のペースに合わせて進める	
3. 高齢者のペースの尊重と安全確保	
・支援が必要なときにはいつでも言ってほしいことを伝え，高齢者の負担にならない距離感でさりげなく見守る	●うつ病の場合，自ら要求を伝えてくることは少ないため，見守りが必要であるが，高齢者の負担を強めない距離感が大切である

・できるだけ自分でできるように状態のよいときに行動するよう勧める	●過度な休息が長期間に及ぶと身体機能が低下する可能性があるため，清潔行動をリハビリテーションの機会として活用する
・活動にあたっては，ふらつきや転倒に注意する	●抗うつ薬の有害事象による起立性低血圧や脱力感など，また，長期にわたる臥床がちな生活は廃用性の筋力低下などを招くため，起床・歩行時のふらつきや転倒に注意する

関連項目

※もっと詳しく知りたいときは，以下の項目を参照しよう．

抑うつ状態にある高齢者への看護

- 「第 1 編」の「1 睡眠・休息（→ p.2）」「21 睡眠障害（→ p.394）」：安心して十分な休息を得るためのケアについて調べてみよう
- 「19 排尿障害（→ p.364）」「20 排便障害（→ p.378）」：薬の有害事象や活動の減少による排泄障害へのケアについて調べてみよう
- 「28 フレイル（→ p.491）」：活動性の低下による二次的な障害を予防するためのケアについて調べてみよう

26 せん妄

長谷川真澄

病態生理

●せん妄とは

せん妄は，脳機能の一次的な低下により生じる軽度の意識混濁と意識の変容を伴う症候群である．注意障害，認知障害，知覚障害，精神運動障害，情動障害，睡眠障害などの症状が急激に出現し，症状が1日の中で変動する特徴がある．入院患者のせん妄有病率は10～30％で，認知症高齢者，手術後やがん終末期にある者，その他の疾患の重症者のせん妄リスクはさらに高くなる．

●せん妄の病態

せん妄の病態は十分に解明されていないが，脳幹網様体賦活系の機能低下による意識障害を基盤に，機能不全を起こす部位により出現する症状が異なると考えられている．大脳辺縁系の機能亢進は過活動型せん妄に関与し，中脳，視床，皮質系を含む広範な大脳機能の低下は低活動型せん妄に関与していると想定されている[1]．

これらの脳機能不全の病因として，以下に示す複数の仮説が提唱されているが[2]，いずれも単独ですべての病態を説明できず，複数の病態が関連してせん妄が発症すると考えられている．

〈主なせん妄の病態仮説〉

- **神経炎症**：感染や手術，外傷などの生体侵襲に対するサイトカインの産生，炎症反応が神経伝達物質の異常をきたし，せん妄を誘発する．
- **加齢**：加齢による脳実質の変化には，神経細胞の喪失と神経伝達物質系の変化，脳代謝の低下，脳の微小血管の梗塞と基底核，前頭前野などの血流減少，メラトニンの減少，アセチルコリン合成の減少，循環性炎症性メディエーター（サイトカインおよび急性期蛋白質）の増加などがある．これらの加齢変化は，神経炎症，酸化ストレス，神経伝達物質の異常に関連し，せん妄を誘発する．
- **酸化ストレス**：組織損傷，低酸素血症，感染症などを原因とする酸化ストレスが，脳の細胞を障害し，酸素消費量の増加や呼吸抑制を引き起こし，脳機能障害およびせん妄を誘発する．
- **神経伝達物質の異常**：脳内アセチルコリン系の機能低下，ドパミン系の機能亢進，ノルアドレナリン系の機能亢進，GABA（γ-アミノ酪酸）系の機能低下が，覚醒の調整およびせん妄の発症に関与する．
- **神経内分泌の異常**：急性ストレスによりグルココルチコイドの過剰な分泌をきたし，脳機能障害を誘発する．
- **概日リズム調節障害**：24時間の概日周期（概日リズム）の障害が睡眠障害やせん妄を誘発する．概日リズムの調節に主要な役割を果たすメラトニンの分泌低下が関連する．
- **神経ネットワーク障害**：せん妄の原因は多様である一方，過活動型，低活動型という共通の臨床症候があり，その基盤となる神経系（コリン作動性神経系，GABA作動性神経系など）の障害が想定される．

病因・分類

●せん妄の発症要因

発症要因は，**準備因子**，**直接因子**，**誘発因子**に大別される（表26-1）．準備因子は，高齢，認知症，脳神経疾患の既往など，その人の脳機能の脆弱性を表す因子であり，これらの因子をもつ人は，せん妄を起こしやすいハイリスク者といえる．直接因子は，せん妄を引き起こす直接の原因となる身体疾患や薬物が含まれる．誘発因子は，せん妄を誘発する日常生活や環境の変化，心理的ストレスが含まれる．せん妄は，これらの複数の要因が複合的に関連して発症する．

●せん妄の類型

高齢者の活動や発語の変化などから，過活動型，低活動型，混合型の3つに分類される[3]．

- **過活動型せん妄**：活動量の増加，活動制御の低下，落ち着きがない，徘徊などがみられる．
- **低活動型せん妄**：活動量の減少，動作速度の遅延，発語量の減少，発語速度の遅延，無気力，覚醒度の低下などがみられる．
- **混合型せん妄**：24時間以内に過活動型と低活動型のせん妄症状が反復してみられる．

■表 26-1　せん妄の発症要因

準備因子	高齢，認知症，脳神経疾患の既往，せん妄の既往
直接因子	脳神経疾患：脳梗塞，脳出血，脳腫瘍，頭部外傷など 循環器疾患：心不全，心筋梗塞，不整脈など 呼吸器疾患：呼吸不全，肺梗塞など 感染性疾患：肺炎，尿路感染症，敗血症など 内分泌・代謝障害：腎不全，肝不全，低血糖・高血糖，電解質異常，脱水，甲状腺機能異常など その他：栄養障害，アルコール離脱 薬物：抗コリン薬，パーキンソン病治療薬，三環系抗うつ薬，ベンゾジアゼピン系睡眠薬，抗ヒスタミン薬，消化性潰瘍治療薬，副腎皮質ステロイド薬，非ステロイド系抗炎症薬，オピオイド鎮痛薬など
誘発因子	不快症状：疼痛，瘙痒感など 排泄障害：便秘，下痢，頻尿，失禁，尿閉，膀胱留置カテーテルの挿入，排泄方法の変更 可動制限：安静指示，身体拘束，カテーテル類の挿入など 感覚障害：視覚障害，聴覚障害，不適切な感覚刺激(騒音，モニターの音・光，夜間照明，個室への隔離など) 絶飲食 睡眠障害：不眠，昼夜逆転など 心理的ストレス：不安，緊張，拘束感，孤独感，怒り，不信感，対人トラブルなど

症状

●せん妄の症状

意識障害，注意障害，記憶障害，見当識障害，幻覚・錯覚，妄想，精神運動障害，情動障害，睡眠障害など多彩で，出現する症状は人によって様々である(表 26-2)．

●せん妄症状の経過

入院や手術後の数日間にせん妄を発症することが多い．入院した高齢者をよく観察すると，せん妄と診断される前から，落ち着きのなさ，同じことを何度も言う，表情が険しいなどの前駆症状が明らかにみられる場合がある．また，住み慣れた自宅や施設で暮らす高齢者でも，尿路感染症や肺炎などをきっかけにせん妄を発症する場合もある．そのため，せん妄症状の出現は，何らかの疾患や身体状態の悪化のサインととらえることが重要である．

せん妄症状は，その原因が取り除かれれば数日間で回復する．しかし，重症な疾患や認知症をもつ高齢者では，症状が数週間以上続く場合もある．また高齢者のなかには，せん妄発症後に認知機能の低下が持続し，認知症と診断されるケースもある．

診断・検査値

せん妄の診断は，せん妄症状の出現状況やせん妄を引き起こす身体疾患の所見などから判断される．せん妄の直接因子を特定するために，血液検査や画像検査などが行われる場合がある．

●せん妄の診断基準

せん妄の診断は，WHO の国際疾病分類(ICD-10)[4]や米国精神医学会の診断基準 DSM-5[5]が用いられる．両診断基準に共通するのは，①意識障害，②注意障害，③認知障害(幻覚・錯覚，失見当識，記憶障害など)がみられることである．これらに加え，ICD-10 では，精神運動障害，睡眠 - 覚醒周期の障害，感情障害が症状の軽重にかかわらず必須となる．また，DSM-5 では，短期間のうちに症状が出現し，1 日のなかで重症度が変動する傾向と，症状が身体疾患の直接的結果によるという根拠があることを診断基準に含めている．

●鑑別診断

せん妄症状は，認知症の症状と類似しているため，その鑑別を行うことが適切な治療とケアを提供するために重要となる(表 26-3)．また，認知症高齢者がせん妄を発症する場合もあるが，その人をよく知る家族や施設職員からみると，せん妄状態のときは明らかに「普段と違う」と見分けることが可能である．認知症とせん妄の鑑別には，その人の普段の様子を把握しておく必要がある．

●せん妄の評価ツール

せん妄の疑いがある人を見分けるために用いるスクリーニング・ツールや，せん妄の診断や重症度を測るためのツールがある．評価ツールは，せん妄症状の種類と軽重の程度を点数で客観的に示すことが

■表 26-2　せん妄の症状

意識障害	意識の清明度が低下し，注意障害，見当識障害，自発性の低下がみられる
注意障害	落ち着きがない，注意が散漫，こちらの話に集中できない
記憶障害	つい先ほどのことを覚えていない，何度も同じことを聞く
見当識障害	日時や自分がいる場所，家族，医療者など周囲の人を正しく認識できない
幻覚・錯覚	幻覚(実在しないものを知覚する幻視・幻聴など)：実在しないのに「人がいる」「話し声がする」などという，何もないのに宙を手でつかむようなしぐさをする 錯覚(実在するものを誤って知覚する錯視など)：天井のシミが虫に見える
妄想	「財布を盗られた」「実験台にされる」など，事実と異なる考えに確信をもち訂正できない
精神運動障害	精神運動亢進：多弁，多動，興奮状態，ライン類の抜去，徘徊 精神運動抑制：自発的な言動の低下，指示に対する応答が乏しい
情動障害	不安，恐怖，抑うつ，易怒性，多幸感(感情のコントロールができず，場にそぐわない情動反応がみられる)
睡眠障害	夜間不眠，断眠，日中傾眠，昼夜逆転

(長谷川真澄，粟生田友子編著：チームで取り組むせん妄ケア―予防からシステムづくりまで．p.23，医歯薬出版，2017より一部改変)

■表 26-3　せん妄とアルツハイマー型認知症の鑑別点

	せん妄	アルツハイマー型認知症
発症	急激で発症時期が明確	緩徐で年単位の進行
症状の変化	1 日のなかで症状が変動する	ほぼ一定(BPSD を除く)
会話	つじつまが合わない 話のまとまりがない	同じ話を繰り返す 昔の話が多い
睡眠パターン	不眠，昼夜逆転	パターンは一定

できるため，せん妄症状の変化やリスクを多職種間で情報共有しやすい．臨床において看護師が使用する代表的なせん妄の評価ツールを以下に示す．

- **せん妄スクリーニング・ツール(DST)**[6]：意識・覚醒・環境認知，認知の変化，症状の変動に関する計 11 項目について 24 時間を振り返って評価し，せん妄の可能性を判断する．
- **Intensive Care Delirium Screening Checklist(ICDSC)**[7]：意識レベルの変化など 7 項目のせん妄症状と症状の変動の計 8 項目の有無を評価し，合計点 4 点以上をせん妄と評価する．日本集中医療学会の J-PAD ガイドラインにおいて ICU 患者のモニタリングツールとして推奨されている．
- **NEECHAM(ニーチャム)混乱・錯乱スケール(NCS)**[8]：認知・情報処理，行動，生理学的コントロールに関する計 10 項目について評価し，合計点により「中程度～重度の混乱・錯乱状態」から「正常な機能の状態」の 4 段階でリスクや重症度が示唆される．

合併しやすい症状

- せん妄症状により，身体疾患の治療やケアが遂行できずに全身状態が悪化する，転倒・転落，カテーテル類の誤抜去などの事故が起こりやすい．
- せん妄発症者の体験に関する研究[9]では，せん妄の発症期間中に不安，恐怖，孤独などの苦悩を体験しており，幻覚の記憶がせん妄回復後の PTSD(心的外傷後ストレス障害)と関連することが報告されている．せん妄は意識障害を基盤とするが，記憶が全くないわけではないことがわかる．せん妄を発症している高齢者は心身のストレスの限界状態にあり，つらい体験をしていることを，支援者は理解してかかわる必要がある．

治療法

せん妄の直接因子は身体疾患や薬物によるため，治療はその原因を取り除くことが原則となる．しかし，原因を特定し，それらを治療するのに時間を要する場合も多く，その間の対症療法として薬物療法が行われる場合がある．また，非薬物療法的介入はせん妄の予防としても推奨されている．

●せん妄の直接因子の治療

せん妄を直接引き起こす身体疾患を特定し，その治療を行う．高齢者では脱水，低酸素血症，感染症などが原因でせん妄を発症することが多いため，日頃から全身状態を整えておくことが重要となる．

また，加齢により薬物代謝・排泄能が低下した高齢者では，薬物が原因でせん妄を発症することも多い．せん妄を誘発する薬物を服用している場合は，医師や薬剤師に相談し，該当薬物の中止，代替薬への変更を検討する．ただし，ベンゾジアゼピン系薬などを長期間服用している場合は，急に中止すると離脱せん妄を起こす場合があるので注意する．

●非薬物療法的介入

せん妄の誘発因子を取り除き，高齢者が心地よく安全に過ごせるよう環境を整えることは，せん妄の予防および重症化や遷延化の防止につながる．

●対症療法としての薬物療法

せん妄の対症療法として用いられる薬物には，抗精神病薬，抗うつ薬などがあるが，保険適応をもつ薬物はほとんどない．現在，チアプリド塩酸塩のみが，脳梗塞後遺症に伴うせん妄に限って適応とされている．

興奮が強いせん妄では，ハロペリドール，リスペリドン，オランザピン，クエチアピンフマル酸塩などの抗精神病薬が鎮静の目的で用いられる．ただし，高齢者では，過鎮静，血圧低下，不整脈，高血糖，嚥下障害，錐体外路症状などの有害事象に注意が必要である．

不安が強い場合や低活動型せん妄では，トラゾドン塩酸塩，ミルタザピンなどの抗うつ薬が用いられる．

睡眠障害に対してベンゾジアゼピン系・非ベンゾジアゼピン系睡眠薬が使用されることがあるが，単独での使用はせん妄を悪化させるため推奨されない．抗精神病薬の補助薬として使用する場合があるが，持ち越し効果による眠気，ふらつきなどに注意が必要である．近年，ラメルテオンがせん妄の予防や改善に効果があるとされ，有害事象が少ないことから高齢者でも使用しやすい．ラメルテオンは，脳内のメラトニン受容体に作用し，体内時計を介して睡眠・覚醒リズムを整える効果がある．

●参考文献
1) 和田健：ポケット版せん妄の臨床─苑リアルワールド・プラクティス．改訂，p.53，新興医学出版，2019
2) 押淵英弘，西村勝治：せん妄の病態・機序．Prog Med　36：1621-1625，2016
3) Meagher D, et al：A new data-based motor subtype schema for delirium. J Neuropsychiatry Clin Neurosci 20：185-193, 2008
4) 融道男，中根充文，小宮山実ほか監訳：ICD-10 精神および行動の障害─臨床記述と診断ガイドライン．新訂版，pp.69-70，医学書院，2005
5) 髙橋三郎，大野裕監訳：DSM-5 精神疾患の分類と診断の手引き．p.276，医学書院，2014
6) 町田いづみ，青木孝之，上月清司ほか：せん妄スクリーニング・ツール(DST)の作成．総合病院精神医学 15(2)：150-155，2003
7) 卯野木健，剱持雄二：ICDSC を使用したせん妄の評価．看護技術 57：133-137，2011
8) 綿貫成明，酒井郁子，竹内登美子：せん妄のアセスメントツール①　日本語版ニーチャム混乱・錯乱スケール．一瀬邦弘，太田喜久子，堀川直史監：せん妄すぐに見つけて！　すぐに対応！　pp.22-39，照林社，2002
9) Partridge JS, et al：The delirium experience：what is the effect on patients, relatives and staff and what can be done to modify this? Int J Geriatr Psychiatry 28：804-812, 2013

せん妄のリスクをもつ高齢者の看護

看護の視点

- せん妄は身体疾患の発症や悪化に伴って生じる急性脳機能不全である．高齢者，とくに認知症をもつ高齢者では，入院や手術後にせん妄を発症することが少なくない．そのため，せん妄の発症は身体状態の悪化のサインととらえて適切に対応する必要がある．
- 認知症高齢者はせん妄のハイリスク者であるが，普段からその人をよく知っていると，認知症症状とせん妄症状とを見分けることができる．身体疾患の治療目的で認知症高齢者が入院する場合は，家族や施設職員などから普段の様子を詳細に把握しておくことが，せん妄の早期診断や鑑別に役立つ．
- せん妄状態にある人は，現実の出来事を歪んだ形で認識し，その人なりの理屈や物語の展開に沿った言動がみられる．また，その体験中には，恐怖や孤独感，怒り，猜疑心，無力感などを抱いていることが多い．支援者は，このような高齢者の情動を理解してかかわる必要がある．
- せん妄は種々の発症要因が複合的に関連して発症し，その人により発症要因は異なる．また，終末期や重症者では，せん妄を予防することが困難なケースも多い．誘発因子の除去など看護ケアで予防可能なせん妄は防ぎ，予防困難なせん妄は早期発見，重症化・遷延化を防ぐことを目標とし，多職種チームで対応することが重要である．

※そのために，以下のような日常生活の看護のポイントに留意して支援していく．

1. **高齢者のもつ力を最大限に活かしながら基本的ニーズを充足する**
2. **高齢者が心地よく安全に過ごせるよう環境を整える**
3. **高齢者のこれまでの生活習慣や生活史を踏まえ，言動の真意を理解してかかわる**

●せん妄の予防と発症時の看護の視点

【予防のための看護】高齢者が入院する場合は，あらかじめせん妄のリスクを予測し，予防ケアを行う．また，定期的にせん妄の評価ツールを用いてせん妄症状の定量的測定を行い，支援者間で情報を共有し，せん妄の早期発見・早期対応に努める．

【発症時の看護】せん妄発症時は，高齢者の安全を確保しながら，せん妄の発症要因を特定し，それらを除去・軽減する援助を行う．

【家族への看護】家族は，せん妄状態にある高齢者の普段とは異なる様子にショックを受け，どのようにかかわればよいか困惑することが多い．また，同室者や支援者に「せん妄で迷惑をかけている」という負い目を感じたり，支援者の対応に不信感をいだくこともある．入院時などにあらかじめせん妄のリスクがあること，その予防や発症時の対応について家族にわかりやすく説明する．高齢者だけでなく家族もケアの対象者であることを認識してかかわることが重要である．

STEP 1 アセスメント ＞ STEP 2 看護の焦点の明確化 ＞ STEP 3 計画 ＞ STEP 4 実施

アセスメント（情報収集・情報分析）

	必要な情報	分析の視点
疾患関連情報	**現病歴と既往歴** ・せん妄の発症要因となる現疾患，既往 ・せん妄の既往	□せん妄の準備因子，直接因子（表 26-1）となる現病歴，既往歴はないか □以前にせん妄のエピソードはなかったか
	症状 ・せん妄症状 ・せん妄症状の変動，経過 ・せん妄の発症要因となる苦痛・不快症状	□いつから，どのようなせん妄症状（表 26-2）が出現したか □ 24 時間の中で，せん妄症状はどのように変化しているか □せん妄の誘発因子となる疼痛，瘙痒感などはないか

	必要な情報	分析の視点
疾患関連情報	**検査と治療** ・せん妄の発症要因となる薬物の使用 ・せん妄の発症要因となる侵襲を伴う検査・治療 ・血液検査データ	□せん妄の直接因子となる薬物（表26-1）が処方されていないか □侵襲を伴う検査や治療がある場合，高齢者の身体的・心理的な耐性は十分か □せん妄の直接因子（感染症，貧血，低酸素血症，脱水，電解質異常，高血糖・低血糖，腎機能低下，肝機能低下，低栄養など）を示唆する検査データの異常がないか
身体的要因	**運動機能** ・入院・治療に伴う可動制限 ・日常生活動作	□せん妄の誘発因子となる可動制限（安静指示のほか，モニター装着やカテーテル類の挿入を含む）や身体拘束はないか □せん妄発症により日常生活動作が低下していないか
	認知機能 ・普段の認知機能 ・せん妄による認知機能の変化	□普段の認知機能はどうか □普段とは異なる急激な認知機能の低下がないか（表26-3）
	言語機能，感覚・知覚 ・普段の言語機能 ・せん妄による言語機能の変化 ・視覚障害・聴覚障害	□普段の言語機能はどうか □せん妄により言語障害が生じてないか □せん妄の誘発因子となる視聴覚障害はないか □眼鏡，補聴器などの補助具を適切に使用しているか
心理・霊的要因	**健康知覚・意向，自己知覚，価値・信念，信仰** ・入院・入所，治療の必要性や内容の理解	□入院・入所や治療の必要性を理解し，納得しているか
	気分・情動，ストレス耐性 ・不安，緊張，心理的ストレス	□せん妄の誘発因子となる不安，緊張などの心理的ストレスがないか
社会・文化的要因	**役割・関係** ・社会的な役割 ・家庭内での役割	□入院・入所により社会あるいは家庭内での役割が果たせず，そのことが気がかりとなっていないか
	仕事・家事・学習・遊び，社会参加 ・家族等の面会，サポートの有無 ・同室者との関係性 ・支援者との関係性	□家族などの親しい人がそばにいないことで不安になっていないか □高齢者本人にとって，同室者や支援者との関係において気がかりや困っていることなどはないか
睡眠・休息	**睡眠・休息のリズム** ・入眠時間，睡眠時間 ・昼寝・休息時間	□せん妄の誘発因子でもあり症状でもある不眠や睡眠覚醒リズムに乱れはないか □日中の昼寝や休息時間が過剰で不眠や昼夜逆転となっていないか
	睡眠・休息の質 ・中途覚醒の回数 ・中途覚醒後の入眠状況 ・熟眠感の有無	□夜間の頻尿や疼痛，処置などが原因で睡眠を妨げていないか □熟眠感など睡眠に対する高齢者の主観的評価はどうか

	必要な情報	分析の視点
睡眠・休息	**心身の回復・リセット** ・普段のリラクセーション，気分転換の方法	□普段行っているリラクセーションや気分転換活動はどのようなものか
覚醒・活動	**覚醒** ・覚醒度の程度 ・疲労の程度	□急な覚醒度の低下がないか □疲労の訴えや活気の低下がないか
	活動の個人史・意味 ・普段の過ごし方	□治療や処置により，生活リズムが崩れていないか
	活動の発展 ・生きがいや楽しみにしている活動	□高齢者の生きがいや楽しみにしている活動を日課に取り入れることができているか
食事	**食思・食欲** ・食欲低下 ・絶食指示や飲水制限	□絶食により時間感覚がわからなくなっていないか □飲水制限による脱水のリスクはないか
	姿勢・摂食動作，咀嚼・嚥下機能 ・栄養状態に影響を及ぼす摂食嚥下機能の低下	□摂食嚥下機能の低下による栄養障害のリスクはないか
	栄養状態 ・食事・水分摂取量 ・体重，BMI ・血液検査データ	□栄養障害を示唆する食事摂取量の低下，体重減少，BMI 低値，血液検査データ(血清アルブミン値など)の異常はないか
排泄	**尿・便をためる** ・尿意，便意	□せん妄の誘発因子となる頻尿，残尿感，失禁，便秘，下痢などの排泄障害がないか □尿意，便意はあるか，伝えることができるか
	姿勢・排泄動作 ・移動・排泄動作の機能 ・視覚障害，認知障害 ・トイレ環境 ・支援者	□自力でトイレまで移動できるか □排泄動作が可能か，視覚障害や認知障害による排泄動作への影響はないか □トイレの環境が高齢者にとって排泄しやすいように整っているか □トイレへの移動，排泄動作，着脱衣を支援してくれる人はいるか
	尿・便の排出，状態 ・排尿回数・量，性状 ・排便回数・量，性状 ・排尿障害，尿失禁 ・排尿・排便に影響を及ぼす疾患・薬物の使用 ・水分摂取状況 ・食事摂取状況 ・おむつ，膀胱留置カテーテルの使用	□普段の排尿・排便の回数・量や性状はどうか，変化はないか □神経因性膀胱，前立腺肥大症など排尿障害を生じる疾患はないか □利尿薬による頻尿や脱水はないか □水分・食事摂取量が減少していないか □おむつの装着，膀胱留置カテーテルの挿入など，普段と異なる排泄方法の変更や制限がないか，また，その状況を納得しているか □せん妄の誘発因子となる膀胱留置カテーテルの違和感や苦痛を訴えていないか

	必要な情報	分析の視点
身じたく	**清潔** ・口腔内の状態 ・皮膚の状態 ・入浴・口腔ケアの頻度	□感染症を誘発するような不衛生な皮膚・粘膜の状態にないか □皮膚障害による瘙痒感，疼痛などがないか □入浴や口腔ケアの頻度はどのくらいか
	身だしなみ，おしゃれ ・着衣の乱れの有無 ・更衣・洗面・整容の日常生活動作	□せん妄により着衣が乱れていたり，身だしなみに無頓着になっていないか □支援を受けることなく，更衣，洗面，整容ができるか
コミュニケーション	**コミュニケーションの相互作用・意味，コミュニケーションの発展** ・認知・言語・視聴覚機能の障害 ・相手の理解，見当識の状況 ・周囲の環境	□せん妄による注意障害，記憶障害，見当識障害などでコミュニケーションが困難になっていないか □コミュニケーションを妨げる認知・言語・視聴覚機能の障害がないか □周囲の人や支援者とどのように意思の疎通をはかっているか □テレビ，モニター音などコミュニケーションを妨げる騒音はないか

アセスメントの視点（病態・生活機能関連図へと導くための指針）

せん妄は多要因が関連して発症し，高齢者によって症状も発症要因も様々である．したがって，高齢者がもつ発症要因を系統的にアセスメントしてリスクを評価し，その人がもつ直接因子や誘発因子を除去・軽減する援助を行うことが看護の焦点となる．加齢変化や慢性疾患をもつ高齢者では，少しの体調変化や環境変化がせん妄の引き金となることを認識し，基本的ニーズの充足，苦痛やストレスの回避，生活リズムを整える援助，他者との良好なコミュニケーションが築けるような援助をしていくことが重要である．また，これらの援助の実践にあたっては，看護チームだけでなく多職種チームで検討し，対応することが効果的である．

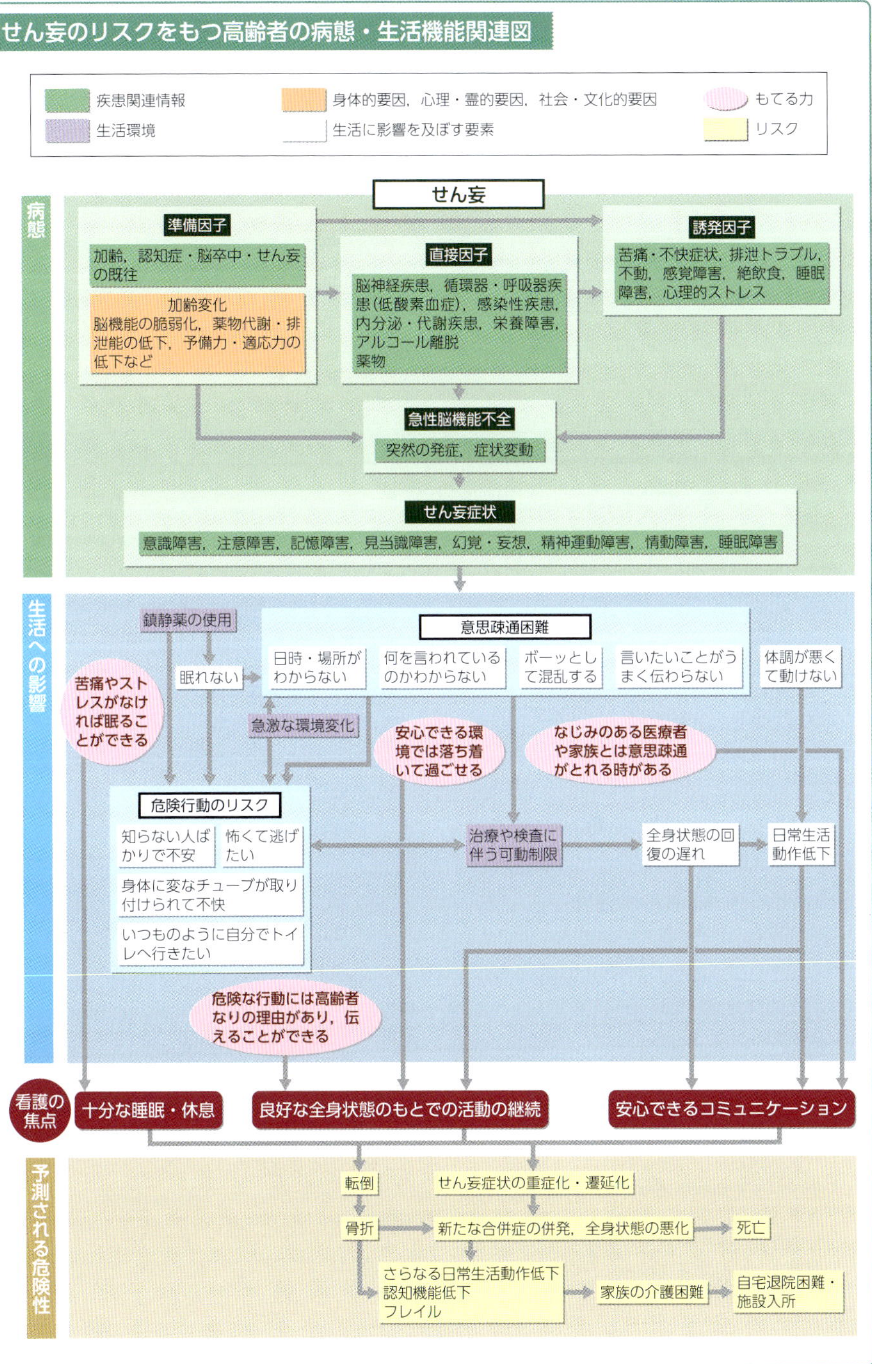
せん妄のリスクをもつ高齢者の病態・生活機能関連図
疾患関連情報
身体的要因，心理・霊的要因，社会・文化的要因
もてる力
生活環境
生活に影響を及ぼす要素
リスク
病態
せん妄
準備因子
加齢，認知症・脳卒中・せん妄の既往
加齢変化
脳機能の脆弱化，薬物代謝・排泄能の低下，予備力・適応力の低下など
直接因子
脳神経疾患，循環器・呼吸器疾患(低酸素血症)，感染性疾患，内分泌・代謝疾患，栄養障害，アルコール離脱
薬物
誘発因子
苦痛・不快症状，排泄トラブル，不動，感覚障害，絶飲食，睡眠障害，心理的ストレス
急性脳機能不全
突然の発症，症状変動
せん妄症状
意識障害，注意障害，記憶障害，見当識障害，幻覚・妄想，精神運動障害，情動障害，睡眠障害
生活への影響
鎮静薬の使用
眠れない
意思疎通困難
日時・場所がわからない
何を言われているのかわからない
ボーッとして混乱する
言いたいことがうまく伝わらない
体調が悪くて動けない
苦痛やストレスがなければ眠ることができる
急激な環境変化
安心できる環境では落ち着いて過ごせる
なじみのある医療者や家族とは意思疎通がとれる時がある
危険行動のリスク
知らない人ばかりで不安
怖くて逃げたい
身体に変なチューブが取り付けられて不快
いつものように自分でトイレへ行きたい
治療や検査に伴う可動制限
全身状態の回復の遅れ
日常生活動作低下
危険な行動には高齢者なりの理由があり，伝えることができる
看護の焦点
十分な睡眠・休息
良好な全身状態のもとでの活動の継続
安心できるコミュニケーション
予測される危険性
転倒
せん妄症状の重症化・遷延化
骨折
新たな合併症の併発，全身状態の悪化
死亡
さらなる日常生活動作低下
認知機能低下
フレイル
家族の介護困難
自宅退院困難・施設入所

STEP 1 アセスメント　STEP 2 看護の焦点の明確化　STEP 3 計画　STEP 4 実施

看護の焦点の明確化

#1　苦痛や不安・ストレスを最小限にとどめて，十分な睡眠・休息を確保できる
#2　全身状態を良好に保ち，生活習慣に応じた活動を継続できる
#3　状況を理解して安心して過ごすことで，他者と円滑にコミュニケーションできる

STEP 1 アセスメント　STEP 2 看護の焦点の明確化　STEP 3 計画　STEP 4 実施

1 看護の焦点	看護目標
苦痛や不安・ストレスを最小限にとどめて，十分な睡眠・休息を確保できる	1) 苦痛やストレスなく，快適な環境で過ごすことができる 2) 気持ちよく排泄できる 3) 安全に動くことができる 4) まとまった睡眠がとれ，熟眠感がある

具体策(支援内容)	根拠
1. 苦痛やストレスの緩和	
・疼痛，瘙痒感，呼吸苦などの不快症状の緩和 ・積極的な疼痛コントロール ・不安など精神的ストレスの軽減 ・気分転換，リラクセーション	●疼痛などの不快症状がせん妄の誘発因子となる ●高齢者や認知症をもつ人は，苦痛や不安があっても言語的に訴えない場合もある ●苦痛やストレスが緩和することでせん妄の症状がやわらぐこともある
2. 快適な環境の提供	
・不快な音・光刺激を除去する ・適度な感覚刺激を提供する	●加齢による感覚機能の低下がある高齢者では，過剰・過少な感覚刺激がせん妄の誘発因子となる
・部屋移動などの環境変化を最小限にする ・なじみの支援者がかかわる	●認知症高齢者などは，急な環境変化に混乱し，せん妄を発症しやすい
・見当識が維持できる環境や声かけ・かかわりを提供する	●認知症やせん妄により見当識障害が生じやすい
3. 気持ちよく排泄するための支援	
・排泄障害の有無の観察 ・便秘・下痢，頻尿・残尿感，失禁の予防援助	●排泄障害がせん妄の誘発因子となる
・入院・治療に伴う排泄方法の変更についての認識の把握	●高齢者にとって排泄の自立は自尊心にも影響する
・高齢者の排泄パターンに沿った誘導 ・高齢者の意向や身体機能をふまえた心地よい排泄環境の調整	●排泄のために支援者を呼ぶことや，普段と異なる排泄方法を強いられることがストレスとなり，せん妄を発症する場合もある
4. 安全な環境の提供	
・可動制限や身体拘束を避ける ・カテーテル類やモニター類の装着は最小限にする ・早期離床・早期リハビリテーションを促す ・高齢者が活動するスペース(ベッド周囲など)を安全に環境整備する	●可動制限や身体拘束はせん妄の誘発因子となる

・危険行動が予測される場合は，そばにいる時間を増やし，会話，他者との交流を促進する	●危険行動にみえても，「トイレに行きたい」などの高齢者なりの理由があって行動している
5. 概日リズムを考慮した生活リズムの維持 ・絶飲食を避ける ・日中の適切な活動と休息の維持 ・入眠を促す支援 ・適切な睡眠環境の維持	●睡眠障害はせん妄症状の1つであるが，せん妄の誘発因子でもあり，睡眠障害の予防・改善がせん妄の予防・回復に影響する ●検査や治療に伴う絶飲食により体内時計がリセットされず，せん妄を誘発する場合がある
6. 適切な薬物管理 ・不眠時のベンゾジアゼピン系薬使用の回避	●ベンゾジアゼピン系薬はせん妄の直接因子となる
・せん妄による興奮や不眠などの症状がある場合は，精神科医，薬剤師と連携する ・薬物の有害事象をモニタリングし，症状の緩和に努める	●高齢者は薬物代謝・排泄能が低下しているため，せん妄の対症療法として投与される抗精神病薬，抗うつ薬，睡眠導入薬がせん妄を悪化させる場合もある

2 看護の焦点	看護目標
全身状態を良好に保ち，生活習慣に応じた活動を継続できる	1) 適切な水分出納バランスを保持し，脱水を起こさない 2) 適切な酸素化を保つことができる 3) 栄養障害や感染症を予防し，免疫力を保つことができる 4) これまでの習慣に沿って活動を継続できる

具体策(支援内容)	根拠
1. 脱水の予防・改善 ・脱水症状の早期発見	●高齢者は容易に脱水を起こしやすい．脱水の徴候に注意する
・適切な水分出納の保持 ・適切な電解質バランスの保持	●高齢者は電解質バランスを崩しやすく，せん妄の直接因子となる
2. 適切な酸素化の保持 ・低酸素血症の早期発見：異常呼吸，動脈血中酸素飽和度の低下，チアノーゼ，貧血，低血圧，発熱など ・適切な酸素化の保持：気道内の清浄化，換気しやすい体位の保持，必要時酸素吸入 ・呼吸器・循環器疾患の予防	●呼吸器・循環器疾患などに伴う低酸素血症はせん妄の直接因子である
3. 栄養障害の予防・改善 ・低栄養の早期発見 ・栄養摂取の維持	●低栄養はせん妄の直接因子である
・高齢者の嗜好・習慣を考慮し，食事がおいしく食べられるような工夫	●食欲減退は低栄養をまねく
4. 感染症の予防・改善 ・感染症の早期発見・早期治療 ・肺炎・尿路感染症の予防 ・習慣を考慮した清潔・身だしなみの援助	●肺炎や尿路感染症などの感染症は，せん妄の直接因子である

5. せん妄誘発薬物の早期発見と変更

・せん妄を誘発する薬物の有無の確認
・せん妄を誘発する薬物の中止，減量，代替薬変更の検討

●高齢者が慢性疾患の治療のために常用している薬物が，せん妄の直接因子となる場合がある

・投与薬の有害事象の観察，緩和

●高齢者は薬物代謝・排泄能が低下しているため有害事象が生じやすい

6. せん妄の早期発見と早期対応

・意識レベルの低下，バイタルサイン・検査データの異常，せん妄症状の有無の観察

●高齢者は加齢による臓器機能の低下や慢性疾患により，全身状態が悪化しやすく，それらがせん妄の直接因子となる場合がある

・せん妄評価ツールによる定期的なモニタリング

●高齢者のせん妄は認知症やうつ病と誤認されやすく，適切な治療の遅れにつながりやすい

・上記 1～5 以外のせん妄の直接因子(脳血管疾患，低血糖・高血糖，腎障害，肝障害，甲状腺機能障害など)の早期発見
・せん妄の徴候や直接因子が同定された場合は，すみやかに多職種で情報を共有し，連携しながら対応する

●せん妄は多要因が関連して発症するため，その人の発症要因をすみやかに特定し，医師，薬剤師，リハビリテーション職，栄養士などと連携して対応する必要がある

7. 生活習慣に応じた活動の継続に向けた支援

1)生きがいや楽しみとしてきた活動の日課への導入

・毎朝 7 時に新聞を読み，10 時に散歩し，15 時にはお茶を楽しみ，夕方は好きな野球や相撲などをテレビで観戦するなど，これまで生きがいや楽しみとしてきた活動を日課に取り入れる

●入院や入所を契機に，これまで生きがいや楽しみとしてきた活動が継続できなくなることにより，生活リズムが乱れ，せん妄発症の誘因となっていることがある

・機能訓練を行っている場合は，理学療法士や作業療法士，言語聴覚士とも協働してプログラムに取り入れる

●生きがいや楽しみとする活動の継続・活動を目標にプログラムに取り入れることで，機能訓練に対する意欲が高まり，結果として効果的なリハビリテーションにつながる

2)休息と活動のバランスに配慮した活動の支援

・状態像に応じて，治療時間や，休息と活動のバランスに配慮して，活動を取り入れる

●大切にしてきた活動を，治療や休息・活動のバランスに配慮しながら日課として取り入れることは，せん妄の予防にも有効である

3)活動前の身じたくと楽しい気分に向けた支援

・活動前に，髪をとかす，服を選んでおしゃれするなど，身だしなみを整える支援を通して，活動に向けて楽しい気分を高めることを支援する

●身じたくを整えるといった活動前の準備行動は，活動の意欲にもつながる

4)家族や親しい知人などとの交流や活動の機会づくり

・セミプライベート空間などで，家族や知人と交流できる機会や活動の場を整える

●入院や入所による環境の変化があった場合に，家族や知人などとの交流の機会は，自己を保つうえでも大切である

3 看護の焦点

状況を理解して安心して過ごすことで，他者と円滑にコミュニケーションできる

看護目標

1) おかれている状況や他者の話を理解できる
2) 自分の思いを他者に伝えることができる

具体策(支援内容)	根拠
1. 高齢者の視聴覚機能，認知機能，言語機能に応じたコミュニケーション	
・会話時は周囲の騒音を排除し，目線を合わせ，理解しやすい言葉で話す	●視聴覚機能や認知機能の低下に加え，せん妄症状により意思疎通が困難となりやすい
・視聴覚補助具を適切に使用する	
・言語障害をもつ高齢者では，症状に応じたコミュニケーション手段を用いる	●言語障害をもつ高齢者では，コミュニケーションに困難を感じている場合がある
2. 高齢者自身の思いの把握	
・会話に集中できる環境を提供する	●高齢者が気兼ねせずに話せるよう，静かな環境で時間的余裕をもって傾聴姿勢を示す
・非言語的サインからも高齢者の思いを読み取る	
・高齢者の生活史や生活習慣を把握する	●認知症やせん妄の症状により，言語的に思いを伝えることに困難がある場合，その人の過去の出来事や習慣などは，高齢者の言動の真意を理解するヒントになる
・せん妄による幻覚，妄想，興奮，情動障害などの症状がある場合は，静かな環境で高齢者の訴えを否定せずによく聞き，高齢者の体験世界を理解して対応する	

関連項目

※もっと詳しく知りたいときは，以下の項目を参照しよう．

せん妄の誘因・原因

- 「1 認知症(→ p.56)」「3 脳卒中(→ p.93)」：認知症や脳卒中の既往のある高齢者は，せん妄を発症しやすい
- 「4 大腿骨近位部骨折(→ p.111)」：大腿骨骨折後の疼痛や可動制限はせん妄の誘発因子となり，せん妄発症率が高い
- 「5 肺炎(→ p.129)」「13 尿路感染症(→ p.272)」：感染症はせん妄の直接因子となる
- 「6 慢性閉塞性肺疾患(→ p.143)」「7 心不全(→ p.164)」：慢性閉塞性肺疾患，心不全による低酸素血症はせん妄の直接因子となる
- 「12 白内障(→ p.259)」「22 言語障害(→ p.405)」「23 老人性難聴(→ p.423)」：視聴覚障害はせん妄の誘発因子となり，視聴覚機能や言語の障害はせん妄発症時のコミュニケーションを困難にさせる
- 「17 脱水(→ p.340)」：高齢者は脱水に陥りやすく，せん妄の直接因子となる
- 「16 低栄養(→ p.323)」：低栄養はせん妄の直接因子となる
- 「19 排尿障害(→ p.364)」「20 排便障害(→ p.378)」：排尿障害，排便障害はせん妄の誘発因子となる
- 「21 睡眠障害(→ p.394)」：睡眠障害はせん妄の誘発因子であり，せん妄症状の 1 つでもある

せん妄に関連したリスク

- 「29 転倒(→ p.504)」：せん妄は転倒の誘発因子であり，せん妄への適切な対応が転倒リスクを減らす

せん妄をもつ高齢者への看護

- 「第 1 編」の「1 睡眠・休息(→ p.2)」「2 覚醒・活動(→ p.10)」：せん妄の予防や発症時のケアにおいて，睡眠・覚醒リズムを整えるケアが重要である
- 「4 排泄(→ p.27)」：せん妄の誘発因子として排泄障害がある場合は，排泄を整えるケアを行う
- 「第 1 編」の「6 コミュニケーション(→ p.44)」：せん妄状態では，コミュニケーションに困難をきたすため，高齢者の特徴に配慮したコミュニケーションを行う

27 高血圧・低血圧

吉岡　真由

病態生理

●血圧とは

心臓から流れる血液が血管壁に与える圧力のことをいう．

血圧(mmHg)＝心拍出量×末梢血管抵抗*

心拍出量＝１回拍出量×心拍数

＊末梢血管抵抗は，血管の弾性，血液の粘性に関係している．

●血圧調節のメカニズム

1) 神経性調節

血圧は，頸動脈洞や大動脈弓にある圧受容器により感知され，舌咽神経，迷走神経を介して，延髄の心臓血管中枢を刺激し，交感神経と副交感神経(迷走神経)によって調節される．

2) 体液性調節

血圧低下または腎血流量が減少すると，レニンが分泌され，アンジオテンシンⅡを活性化し，血管収縮を引き起こして血圧を上昇させる．また，副腎皮質にも作用し，アルドステロンの分泌を刺激し，Na と水の再吸収を促進し，血圧を上昇させる(レニン-アンジオテンシン-アルドステロン系)．他には，アドレナリンやノルアドレナリンなどのカテコールアミンによって血管が収縮・拡張し，血圧が調節される．

●高齢者の血圧の特徴

- 加齢に伴い動脈壁が硬化することで，収縮期血圧は上昇し，拡張期血圧はむしろ低下傾向となり，脈圧(収縮期血圧と拡張期血圧の差)が大きくなる．
- 圧受容器反射機能の低下や自律神経機能の低下により，血圧の低下や上昇を短時間で調節することが困難となるため，血圧変動が大きくなる．一過性の血圧上昇だけではなく過降圧の危険性もあり，起立性低血圧や食後低血圧を生じやすい．また長期的にも血圧は変動し，日内変動，日間変動，季節変動を認める．
- フレイル，認知機能障害，自律神経障害，腎疾患，心疾患，肺疾患など，他の疾患を合併していることが多く，しばしばポリファーマシーの状態にある．
- 腎機能障害，肝機能障害，心予備能の低下のため，降圧薬の有害事象が発現しやすく，また消失しにくい．

病因・分類

高血圧には，明らかな原因は不明であるが，塩分の取りすぎや肥満，遺伝，環境が関係している本態性高血圧と，腎疾患や副腎疾患などの原疾患による二次性高血圧がある(表 27-1)．

低血圧は，原因が不明の本態性低血圧と，原疾患の症状として起こる症候性低血圧(二次性低血圧)，急に立ち上がった時などに起こる起立性低血圧がある．そのほかにも，薬物性低血圧，食後低血圧などがある(表 27-2)．

■表 27-1　高血圧の分類

分類	病因
本態性高血圧	原因不明である 遺伝や生活習慣(塩分・脂肪過剰摂取，喫煙，肥満)，加齢などの影響を受けているといわれている
二次性高血圧	原疾患によるもの 腎実質性高血圧(慢性糸球体腎炎，糖尿病性腎症，慢性腎盂腎炎，多発性嚢胞腎など)，腎血管性高血圧，原発性アルドステロン症，睡眠時無呼吸症候群など

■表 27-2　低血圧の分類

分類	病因・誘因
本態性低血圧	原因不明．血圧が慢性的に低い状態
症候性低血圧（二次性低血圧）	心血管疾患，神経疾患，内分泌疾患，感染，中毒などの基礎疾患や，外傷・出血などによる循環血液量の減少によって二次的に引き起こされる
起立性低血圧	循環血液量の減少（脱水・失血），起立時の静脈還流量の減少，薬物（利尿薬，降圧薬，睡眠薬など）などにより，立ち上がった時に血圧が低下する状態．長期臥床や過度の運動，過労，睡眠不足，大食，加齢，疼痛なども原因となる．また，パーキンソン病やレビー小体型認知症などの自律神経障害の症状としても起立性低血圧が起こる
食後低血圧	食物摂取により内臓血流が増加した時，交感神経が亢進し，末梢血管収縮，心拍数増加により血圧は維持される．しかし，加齢に伴う圧受容器反射の低下，交感神経系の代償機能低下のために血圧を維持することができず血圧低下を起こす．また，パーキンソン病やレビー小体型認知症，糖尿病などの自律神経障害においても食後低血圧が起こりやすい
入浴時低血圧	入浴は水浸負荷と温熱負荷により血圧が変動する．入浴直後は水圧によって四肢や腹部の血液が心臓や肺に集まり（血液の中心化），いったん血圧は上昇するが，熱放散のために時間経過とともに血圧は低下傾向となる．入浴後は，座位から立位となり，水圧がなくなり，重力の影響を受けることにより，血液の中心化が急速に戻る．さらに，深部温はすぐには下がらず，皮膚血管拡張も持続した状態であることから，低血圧を起こしやすくなる
排尿時低血圧 排便時低血圧	排尿・排便時のいきみや立位による静脈還流量の減少，排尿・排便による迷走神経刺激により，血圧低下を起こす．長時間臥床後や夜間就寝後に起こることが多く，排尿時低血圧では飲酒，利尿薬・血管拡張薬服用による影響で低血圧が助長される
循環血液量減少による低血圧	脱水（水分摂取量不足，下痢，嘔吐，多尿，発汗など），出血，電解質異常，低蛋白血症などにより循環血液量が減少することで低血圧を起こす
薬物性低血圧	降圧薬，利尿薬，抗狭心症薬，抗パーキンソン病薬，抗精神病薬，抗うつ薬，抗不安薬，麻酔薬，睡眠薬，抗ヒスタミン薬，抗がん剤，インスリン，アルコールなどにより血圧低下となる

症状

●高血圧

本態性高血圧では，無症候のことが多いが，頭痛，肩こり，しびれ，動悸，倦怠感などが現れることもある．二次性高血圧では，原疾患によって症状が異なる．

●低血圧

無症候のこともあるが，めまい，立ちくらみ，顔面蒼白，頭痛，悪心・嘔吐，食欲不振，倦怠感，動悸，息切れなどの症状が現れ，失神を起こすこともある．

診断・検査値

●高血圧

成人における血圧値の分類は表 27-3 に示すとおりである．高血圧のほとんどが本態性高血圧であることから，身体症状や血液データなどから二次性高血圧を疑わせる徴候がない場合は，本態性高血圧として検査・治療を行う．

診察室で測定した血圧が高血圧であっても，診察室外血圧では正常域血圧を示す白衣高血圧や，診察室血圧が正常域血圧であっても診察室外血圧では高血圧を示す仮面高血圧がある．そのため，診察室外血圧測定として，家庭血圧測定や 24 時間自由行動下血圧測定を行うことが推奨されている．

また，血圧測定時には，コロトコフ音の第 1 音の後にしばらく音が中断する現象（聴診間隙）が起こることがあるため，十分に加圧する必要がある．

●低血圧

高血圧とは異なり明確な診断基準はないが，一般的に収縮期血圧 100 mmHg 以下，拡張期血圧 60 mmHg 以下とすることが多い．

■表 27-3　血圧値の分類と診断基準

分類	診察室血圧(mmHg)			家庭血圧(mmHg)		
	収縮期血圧		拡張期血圧	収縮期血圧		拡張期血圧
正常血圧	<120	かつ	<80	<115	かつ	<75
正常高値血圧	120-129	かつ	<80	115-124	かつ	<75
高値血圧	130-139	かつ/または	80-89	125-134	かつ/または	75-84
Ⅰ度高血圧	140-159	かつ/または	90-99	135-144	かつ/または	85-89
Ⅱ度高血圧	160-179	かつ/または	100-109	145-159	かつ/または	90-99
Ⅲ度高血圧	≧180	かつ/または	≧110	≧160	かつ/または	≧100
(孤立性)収縮期高血圧	≧140	かつ	<90	≧135	かつ	<85

(日本高血圧学会高血圧治療ガイドライン作成委員会編：高血圧治療ガイドライン 2019．p.18，表 2-5，ライフサイエンス出版，2019)

■表 27-4　主な降圧薬の作用および有害事象と使用上の注意

分類	作用	有害事象，使用上の注意
利尿薬	腎尿細管で Na，水の再吸収を抑制し，循環血液量を減少させ血圧を下げる	低 K 血症，高尿酸血症，脱水
β遮断薬	心拍出量の低下，レニン産生の抑制，中枢での交感神経抑制など，心機能を抑制することによって血圧を下げる．狭心症や頻脈を伴った高血圧に効果がある	徐脈，気管支喘息，房室ブロック，レイノー症状，褐色脂肪腫には禁忌 β遮断薬は交感神経の働きを強めて血糖値の上昇を抑制するため，糖尿病治療中は低血糖症状である動悸やふるえなどの自覚症状も隠されてしまい，低血糖の発見が遅れる隠蔽作用に注意する
Ca 拮抗薬	Ca の流入を阻害し，血管平滑筋を弛緩し，血管を拡げることで血圧を下げる．また，利尿効果も有している	動悸，頭痛，顔面のほてり，下腿の浮腫，便秘
ACE 阻害薬	レニン-アンジオテンシン系を阻害することにより，血管を拡張し血圧を下げる	空咳，発疹，血管神経性浮腫による呼吸困難
アンジオテンシンⅡ受容体拮抗(ARB)薬	AEC 阻害薬と同じくレニン-アンジオテンシン系を阻害することによって血管を拡張し，降圧効果を期待する．臓器保護作用や動脈硬化予防効果が高い	ACE 阻害薬と比べて，咳，発疹，血管神経性浮腫などが少ない ACE 阻害薬との併用は腎機能障害，高 K 血症および低血圧を起こすおそれがある

1)起立性低血圧

起立後 3 分間以内に少なくとも収縮期血圧が 20 mmHg 以上，または拡張期血圧が 10 mmHg 以上低下する場合

2)食後低血圧

- 食事摂取後 1 時間以内に平均血圧が 20 mmHg 以上低下する場合
- 食事摂取後 2 時間以内に収縮期血圧が 20 mmHg 以上低下する場合

合併しやすい症状

●高血圧

脳梗塞，脳出血，くも膜下出血，心筋梗塞，狭心症，慢性腎臓病，腎不全，眼底出血，大動脈解離，大動脈瘤などを合併しやすい．

●低血圧

めまい，立ちくらみ，失神によって転倒を招き，骨折する可能性がある．

治療法

●高血圧

高齢者は多くの疾患をもち，病態は多様で個人差が大きい．とくに 75 歳以上の後期高齢者では顕著である．そのため，『高血圧治療ガイドライン 2019』では，74 歳以下と 75 歳以上の降圧治療の対象と降圧目標を以下のように示している．

1) 降圧治療の対象

74 歳以下は 140/90 mmHg 以上．75 歳以上で収縮期血圧 140～149 mmHg や，自力での外来通院不能(フレイル，認知症，要介護，エンドオブライフ含む)な高齢者は個別に判断

2) 降圧目標

74 歳以下は 130/80 mmHg 未満．75 歳以上は 140/90 mmHg 未満，ただし忍容性があれば積極的に 130/80 mmHg 未満を目指す．

3) 治療法

- 生活習慣の修正：塩分制限(6 g/日)，適正体重の維持，運動，節酒，禁煙，室内の寒暖差・入浴時の湯温の調整，睡眠環境の調整，排便コントロール
- 薬物療法：主な降圧薬を表 27-4 に示す．

●低血圧

- 低血圧を起こしやすい要因の排除：脱水，高温環境，過度の緊張，過食，便秘，排便・排尿時のいきみなどの要因を排除する．
- 物理・理学療法：起立時には必ず座位の状態から立ち上がる．活動時には下半身への血液貯留防止のため弾性ストッキングを着用する．
- 食事療法
  高血圧や心疾患を合併しておらず塩分制限がない場合は，高塩分食，水分摂取
  血管拡張抑制作用のあるカフェインの摂取
  血管内浸透圧を高め，循環血液量を維持する高蛋白食の摂取
  食後低血圧の場合は炭水化物・アルコールは控える．
- 薬物療法：昇圧薬，制吐薬，抗不安薬，抗めまい薬

高血圧・低血圧をもつ高齢者の看護

看護の視点

- 長年にわたる生活習慣や加齢に伴う動脈硬化などにより，高血圧をもつ高齢者は多い．また，加齢による自律神経機能の低下から，起立性低血圧や食後低血圧を引き起こしやすい．さらに，自律神経障害が出現する疾患を併せもっている高齢者もいる．高血圧であっても急な血圧の低下がみられる可能性がある．
- 高血圧によって，食習慣などの生活習慣の修正が必要な場合には，高齢者が今まで大切にしてきたことや，疾患に対する思いをもとに，自尊心に配慮した活動を支援することが大切である．
- 高齢者は圧受容器反射機能の低下や自律神経機能の低下により，血圧が変動しやすいため，日頃の血圧を把握し，変動する要因を見極める必要がある．
- 起立性低血圧や食後低血圧などは，急激な血圧低下によってめまい，立ちくらみ，失神が起こり，転倒につながることもある．転倒はその後の QOL にも影響を及ぼすため，血圧変動の徴候に注意する．

※以上のことから，次に示す看護のポイントに留意して支援する．

1. 高血圧・低血圧に留意し，合併症を起こすことなく，食事を楽しむことができるように支援する．
2. 血圧の変動を最小限に抑えて，安全に活動を継続できるように支援する．

STEP 1 アセスメント　STEP 2 看護の焦点の明確化　STEP 3 計画　STEP 4 実施

情報収集・情報分析

	必要な情報	分析の視点
疾患関連情報	**現病歴・既往歴** ・高血圧の経過 ・低血圧の経過 ・脳血管疾患，自律神経障害，腎疾患，心疾患，肺疾患 ・日内変動，日間変動，季節変動	□高血圧，低血圧の発症から現在までの経過はどうか □高血圧の病因は，本態性高血圧か，二次性高血圧か □低血圧の病因は，本態性低血圧，症候性低血圧，起立性低血圧，薬物性低血圧，食後低血圧，入浴時低血圧，排尿時・排便時低血圧のいずれか □高血圧，低血圧をきたすような疾患はないか □血圧変動の傾向として，日内変動，日間変動，季節変動はないか
	症状 ・高血圧の症状 ・低血圧の症状	□高血圧に伴う頭痛，肩こり，しびれ，動悸，易疲労感などの症状はないか □低血圧に伴うめまい，立ちくらみ，顔面蒼白，頭痛，悪心・嘔吐，食欲不振，倦怠感，動悸，息切れなどの症状はないか □自覚症状の訴えがなくても，いつもと違う様子はないか（表情，言動）
	検査と治療 ・内服薬の内容 ・食事制限の有無	□正しく内服できているか □服薬をサポートしてくれる人はいるか □内服薬の有害事象は出現していないか □血圧はコントロールできているか

	必要な情報	分析の視点
身体的要因	**運動機能** ・姿勢の保持，移動動作 ・歩行状態 ・移動の方法	□適正体重の維持のための運動はどの程度可能か □運動療法を行うために必要な支援はあるか □めまい，立ちくらみなどの症状出現時に転倒・転落の危険性はないか
	感覚・知覚 ・視力，聴力 ・眼鏡，補聴器などの補助具の使用	□生活習慣の修正に必要な説明を受けることに困難はないか
	認知機能 ・内服薬服用の理解 ・自覚症状の認識	□内服の必要性を理解できているか □症状出現時に自覚症状を認識できているか
心理・霊的要因	**健康知覚・意向，自己知覚，価値・信念，信仰** ・疾患・治療に対する受け止め方	□高血圧・低血圧の症状についてどのように受け止めているか □低血圧症状出現時の体験から，恐怖心や不安を感じていないか
	気分・情動，ストレス耐性 ・日常生活への思い・不安 ・疾患・治療に対するストレス ・ストレスの対処法	□生活習慣の改善に対してどのようにしたいと思っているか，また不安はあるか □ストレスが血圧の変動に影響していないか □ストレスを感じた時に対処できているか
社会・文化的要因	**役割・関係** ・社会的役割，家族役割	□役割を遂行するうえで，血圧の変動をもたらすことはないか
	仕事・家族・学習・遊び，社会参加 ・家族との関係性，キーパーソン ・友人や近隣住民との関係 ・大切にしている趣味や活動	□塩分制限があっても，家族や友人などとの食事の機会を楽しめているか □血圧の変動が気になるあまり，楽しみとしている趣味や活動に影響が出ていないか
睡眠・休息	**睡眠・休息のリズム，質** ・睡眠時間，睡眠障害	□睡眠状況が血圧に影響していないか □居室の環境や他者との関係が休息を妨げていないか
	心身の回復・リセット	□活動と休息のバランスはとれているか
覚醒・活動	**覚醒** ・1日の覚醒状態	□倦怠感，疲労によって，覚醒状態に影響している要因はないか
	活動の個人史・意味，活動の発展 ・活動に対する意欲の低下とその要因	□血圧変動に対する恐怖心などによって，活動に対する意欲が低下していないか □意欲が低下している要因は何か
食事	**食事準備**	□高齢者，家族は，塩分制限について理解して食事を準備できているか

	必要な情報	分析の視点
食事	**食思・食欲，姿勢・摂食動作，咀嚼・嚥下機能** ・食事摂取量 ・食事の仕方，食べる速度 ・食事後のめまい，立ちくらみ ・塩分制限 ・食事制限に対する思い ・食習慣，嗜好品	□塩分制限によって，食欲が低下していないか □塩分制限を守るうえで，困難なことはないか □塩分制限を守りつつ，食事を楽しめているか □ゆっくりしたペースで，よく咀嚼し，食後低血圧を引き起こさないような食事の仕方ができているか □食後にめまい，立ちくらみ，失神はないか □食後すぐに入浴やリハビリテーションなどの活動が計画されていないか，また，休息を十分とれる配慮はされているか □食習慣や嗜好品は血圧に影響しているか
	栄養状態 ・食事内容（カロリー，減塩食，間食） ・水分摂取量 ・血液データ ・身長，体重，BMI	□必要なカロリーは摂取できているか □蛋白質，ミネラルは十分摂取できているか □適正な水分摂取によって循環血液量は保たれているか □体重，BMI は適正か □体重の増減の推移はどうか
排泄	**尿・便をためる** ・尿・便の性状と量 ・食事，水分の摂取量と時刻	□下痢により脱水になっていないか，また，便秘になっていないか
	尿意・便意 ・尿意・便意の状態，切迫感 ・尿意・便意の訴え方と伝達手段 ・尿意・便意に関連する薬物	□尿意・便意の切迫感により，血圧が上昇していないか □排泄に介助が必要な場合，家族や支援者に遠慮して尿意・便意を我慢していないか □利尿薬や下剤の作用によって，急なトイレ移動を強いられていないか □浣腸施行後に血圧が低下していないか
	姿勢・排泄動作 ・居室やリビングからトイレまでの距離，移動動作，移行動作 ・トイレ空間 ・部屋・廊下・トイレの室温 ・排泄時の姿勢動作の状況 ・衣服の着脱，後始末動作，手洗い動作	□トイレまでスムーズに移動できるか □排泄に適した姿勢をとることができるか □立位から座位，座位から立位へは，手すりにつかまりゆっくりとした動作で行えているか □便座の高さ，トイレの広さや明るさといったトイレの環境が血圧変動に影響を及ぼしていないか □急激な室温の変化や便座の温度が血圧変動の要因になっていないか □排泄動作の困難さが，血圧変動の要因になっていないか
	尿・便の排出，状態 ・排便時の努責，息切れ ・排泄後のめまい，立ちくらみ	□便秘のため努責をかけて排便していないか □排泄後に血圧が低下していないか
身じたく	**清潔** ・入浴時間，湯温 ・浴槽の水位 ・居室，廊下，脱衣所，浴室の温度 ・入浴の習慣	□長風呂や高温の湯温によって血圧変動が起きていないか □入浴時，浴槽の水位は心臓より下にあり，血圧の変動を抑えられているか □居室と浴室の移動で，急激な温度変化はないか □高齢者の入浴の習慣を尊重しつつ，血圧変動を起こさない配慮がされているか

	必要な情報	分析の視点
コミュニケーション	伝える・受け取る，コミュニケーションの相互作用・意味，発展	□症状出現時に他者に伝えることができているか □症状出現時にどのような表現方法で伝えているか □疾患や生活に対する思いや考えを話す相手はいるか

アセスメントの視点（病態・生活機能関連図へと導くための指針）

高血圧をもつ高齢者は，成人期の対象者と同様に，薬物療法と生活習慣の修正を行いながら，血圧のコントロールができ，悪化を防ぐことが大切である．低血圧は，出現した症状の緩和に努めることも必要であるが，日常生活動作や環境に注意し，症状の出現を回避することが大切である．高齢者においては，高血圧であっても低血圧を引き起こす可能性もあるため，高血圧と低血圧の両方に着目していく．また，血圧の変動は日常生活動作と密接に関係していることから，血圧変動の要因を排除し，高齢者が安心して過ごせるように生活環境を調整していくことが必要である．

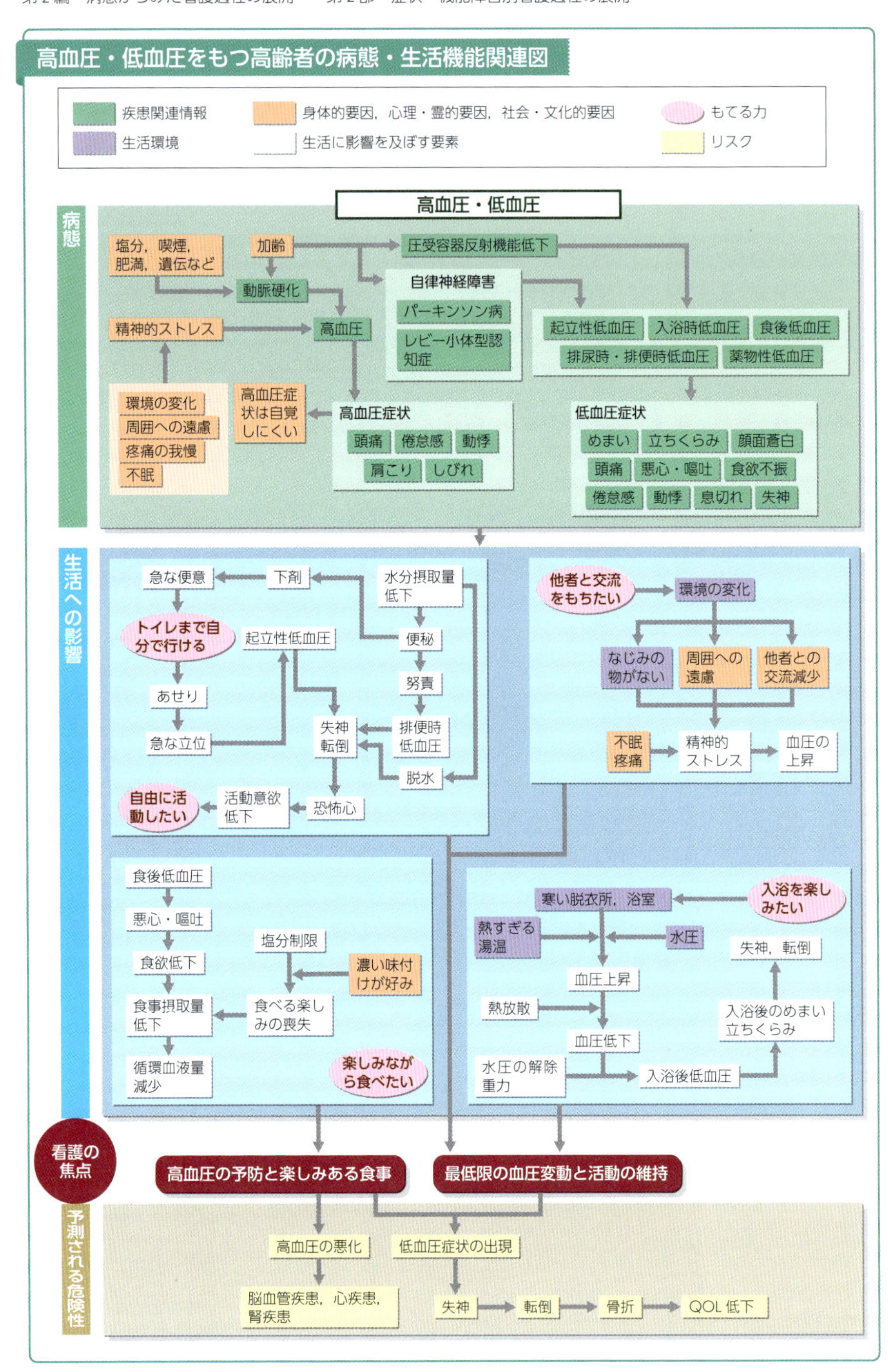

高血圧・低血圧をもつ高齢者の病態・生活機能関連図
疾患関連情報
身体的要因，心理・霊的要因，社会・文化的要因
もてる力
生活環境
生活に影響を及ぼす要素
リスク
高血圧・低血圧
病態
塩分，喫煙，肥満，遺伝など
加齢
圧受容器反射機能低下
動脈硬化
自律神経障害
パーキンソン病
レビー小体型認知症
精神的ストレス
高血圧
起立性低血圧
入浴時低血圧
食後低血圧
排尿時・排便時低血圧
薬物性低血圧
環境の変化
周囲への遠慮
疼痛の我慢
不眠
高血圧症状は自覚しにくい
高血圧症状
頭痛
倦怠感
動悸
肩こり
しびれ
低血圧症状
めまい
立ちくらみ
顔面蒼白
頭痛
悪心・嘔吐
食欲不振
倦怠感
動悸
息切れ
失神
生活への影響
急な便意
下剤
水分摂取量低下
トイレまで自分で行ける
起立性低血圧
便秘
努責
あせり
失神転倒
排便時低血圧
急な立位
脱水
自由に活動したい
活動意欲低下
恐怖心
他者と交流をもちたい
環境の変化
なじみの物がない
周囲への遠慮
他者との交流減少
不眠疼痛
精神的ストレス
血圧の上昇
食後低血圧
悪心・嘔吐
塩分制限
食欲低下
濃い味付けが好み
食事摂取量低下
食べる楽しみの喪失
循環血液量減少
楽しみながら食べたい
寒い脱衣所，浴室
入浴を楽しみたい
熱すぎる湯温
水圧
失神，転倒
血圧上昇
熱放散
入浴後のめまい立ちくらみ
血圧低下
水圧の解除重力
入浴後低血圧
看護の焦点
高血圧の予防と楽しみある食事
最低限の血圧変動と活動の維持
予測される危険性
高血圧の悪化
低血圧症状の出現
脳血管疾患，心疾患，腎疾患
失神
転倒
骨折
QOL低下

STEP 1 アセスメント　STEP 2 看護の焦点の明確化　STEP 3 計画　STEP 4 実施

看護の焦点の明確化

#1　高血圧に留意し合併症を起こすことなく，楽しみながら食事をすることができる
#2　血圧の変動を最小限に抑え，現在の活動を維持することができる

STEP 1 アセスメント　STEP 2 看護の焦点の明確化　STEP 3 計画　STEP 4 実施

1 看護の焦点	看護目標
高血圧に留意し合併症を起こすことなく，楽しみながら食事をすることができる	1) 血圧が適正な範囲内に保たれる 2) 減塩，禁煙，節酒ができる

具体策（支援内容）	根拠
1. 血圧の把握，全身状態の観察	
・血圧の把握：定期的に測定する ・自覚症状の有無と程度を把握し，変化に留意する ・疾患や治療内容に関する本人の認識を確認する	●日内変動，日間変動，季節変動が起こりやすいため，日ごろの血圧を把握しておく必要がある
2. 生活習慣を改善するための支援	
1) 減塩（6 g/日未満）に向けた工夫 ・薬味を用いてしょう油や塩の使用を控える ・だししょう油，減塩しょう油，酢を活用する ・しょう油やソースはかけるより，つけて食べる ・全品薄味にするより1品を濃い味，その他は減塩・無塩にする ・だしや旨味を活かしたメニューを取り入れる ・熱いものは熱いうちに，冷たいものは冷たいうちに食べられるように配膳する	●塩分制限は，体内のNa量，体液量を減らし心拍出量を減少させるため，末梢血管抵抗を下げて血圧を低下させる ●今までの食習慣を変更することは容易ではなく，薄い味の食事によって，食欲の低下を招くこともある ●減塩食でも満足感を得られるように，1日の合計で塩分が6 g未満となるように調整する
・減塩に関する高齢者の思いを確認する	●食事に関する制限がストレスとなることが多いため，食習慣の変更が必要な場合は，高齢者の意向を十分に配慮する必要がある
2) 禁煙の勧め ・喫煙者の場合，禁煙を勧める ・散歩など，気分転換につながることを提案する	●ニコチンは交感神経を刺激し血管を収縮させるため，血圧が上昇する
3) 節酒の工夫 ・過度の飲酒を避けることができるように，日々の飲酒状況をもとに本人と話し合う	●エタノール換算で男性20～30 mL（おおよそ日本酒1合，ビール中瓶1本，焼酎半合弱，ウイスキー・ブランデーダブル1杯，ワイン2杯弱に相当），女性はその約半分の10～20 mL/以下
4) 食事の楽しみに向けた支援 ・好みや間食したいものを話し合う ・間食や食事会に参加できるように，医師，介護士，栄養士と調整する	

3. 室内温度差の調整

・移動する際には，室内，廊下，トイレ，脱衣所，浴室の温度を一定に保つ

●寒冷によって血圧は上昇するため，冬季には居室だけでなく，廊下やトイレ，脱衣所，浴室を温める必要がある

4. 服薬管理に向けた支援

・飲み忘れがないように薬カレンダー（図 27-1）を用いる

●血圧が正常範囲内に保たれていると高血圧が治ったかのように思い，自己判断で内服を中止してしまうこともあるため，内服の必要性を理解してもらうことが大切である

■図 27-1　薬カレンダー

・自己管理が困難な場合は，確実に内服できるように配薬方法の工夫や，一包化などを検討する

・指示通り内服できているか確認する

●内服の管理方法，確認方法は認知機能の程度によって異なるため，介護士と連携していく

・食事摂取量，水分摂取量が低下した時や，食事を摂取しなかった時は，降圧薬，利尿薬を服用するか確認する

●食事摂取量，水分摂取量が低下した状態で降圧薬や利尿薬を服用すると，脱水や低血圧などの有害事象を引き起こす危険性がある．また，食事を摂取しなかった場合に降圧薬や利尿薬を中止すると，血圧のコントロールができない．そのため，血圧や食事摂取量，水分摂取量，尿量，排便回数などの情報を合わせて確認する必要がある

5. 精神的ストレスの軽減

・入院や施設入所に伴う環境の変化によって生じるストレスの緩和：なじみの物を使用する，できるだけ同じ支援者が担当する，他の高齢者との関係をつなぐなどする

●慣れない環境によるストレスによって，交感神経活動が活発になる

・表情，言動の変化を把握する

●疼痛などの症状を言語化できず，我慢し血圧が上昇することもあるため，いつもとは違う表情や言動がないか観察する

・静かな環境下で，思いを表現できるように関わる

●同室者など，周囲に気を遣って思いを表出できないこともある

2 看護の焦点	看護目標
血圧の変動を最小限に抑え，現在の活動を維持することができる	1) 起立時，食後，入浴後に血圧の急激な変動がみられない 2) めまいやふらつきがなく，起立できる 3) 意欲的に活動できる

具体策（支援内容）	根拠
1．血圧の変動を防ぐための支援	
1) 起立性低血圧を防ぐための工夫	
・起立前に臥床した状態で，四肢の屈伸運動を行う ・ゆっくりと上体を起こし座位になる ・座位を保持した後，めまいやふらつきがないことを確認してからゆっくり立位になる	●起立時に 500～700 mL の血液が上半身から下半身へ移動し貯留する．そのため，静脈還流量が減少し血圧が低下する
・長時間の立位保持は避ける	●長時間，立位で静止することで，筋肉によるポンプの働きが低下し静脈還流量が減少する
・活動時には弾性ストッキングを着用する	●筋肉ポンプの働きを弾性ストッキングで補い，静脈還流量を改善させる
2) 食後低血圧を防ぐための工夫	
・少量，頻回の食事とする	●一度に大量の食物を摂取することで，血圧が低下しやすい
・食事に時間をかける	●食事時間が短いほど血圧が低下しやすい
・できるだけ，高温の飲食物は避ける	●高温の食事は深部温度が上昇し，血圧が低下しやすい
・炭水化物の摂取を少なくする	
・十分な水分摂取	●水分摂取は交感神経活動の増加により，血圧が上昇する
・食事中の起立，息こらえ，食後の立位による排尿は避ける	
3) 入浴時の血圧変動を防ぐための工夫	
・脱衣所と浴室の温度差を減らす	●急激な温度差は血管を収縮させ，血圧を上昇させる
・38～40℃ くらいの湯温で，心臓より下の半身浴とし，10 分程度浴槽につかる	●熱い湯につかることで血管が拡張し，血圧が下がる ●心臓より湯の水位が高いと水圧の影響を受ける
・入浴前後に水分摂取する	●入浴による水分喪失は 400 mL 程度であり，水分摂取によって脱水を予防する必要がある
・入浴後は座って着衣をする ・入浴介助をする際には，保温やプライバシーの確保に努める	
4) 排泄による血圧変動を防ぐための工夫	
・尿意，便意は我慢しすぎない	●尿意，便意の我慢により，血圧が上昇する．その後大量に排泄することで，迷走神経が刺激され，失神する危険性がある
・排便，排尿のリズムを把握し，援助する際にはタイミングを逃さない	●便意を我慢することで便秘につながる ●排便時の努責により血圧が上昇する
・腹圧がかかりやすいように姿勢を整える	●足底が床につき，前傾姿勢がとれるようにすることで，腹圧がかかりやすい
・排便状態を確認する ・水分摂取量を確認し，不足しているようであれば摂取を促す ・排便困難時には，下剤の使用を検討する	

5) 循環血液量減少による低血圧を防ぐための工夫

・とくに制限のない場合は水分摂取を促す（最低でも1日1,000〜1,500 mL は摂取）
●脱水を防ぎ，循環血液量を増加させる

・蛋白質やミネラル（海藻類，大豆製品，緑黄色野菜など）を豊富に摂取する
●蛋白質，ミネラルが不足することによって血漿蛋白が低下し，血液の粘稠度が低下し，血圧が低下する

2. 活動による血圧変動を防ぐための支援

・全身状態の観察，バイタルサイン，自覚症状の有無を確認する

・血圧の日内変動を把握したうえで，1日のスケジュールを決める
●血圧は1日のうちに変動を繰り返す
●高齢者の意思を尊重しながら，血圧の変動が悪化しないように援助する

・高血圧，低血圧時には，入浴やリハビリテーションの時間帯を調整する

・仕事や外出中に休息できる場所を確保する

・趣味やレクリエーションでは，所要時間や負荷を確認したうえで活動する
●血圧の変動は，日常生活全般に影響を受けやすく，あらゆる場面で，症状出現を想定して援助する

関連項目

※もっと詳しく知りたいときは，以下の項目を参照しよう．

高血圧・低血圧の原因・誘因

●「7 心不全（→ p.164）」：高血圧と心不全の関係について確認しよう
●「2 パーキンソン病（→ p.73）」：パーキンソン病と低血圧について確認しよう
●「17 脱水（→ p.340）」：脱水による循環血液量と血圧の変動について確認しよう

高血圧・低血圧に関連する障害について

●「29 転倒（→ p.504）」：低血圧時の症状による転倒の危険について確認しよう
●「19 排尿障害（→ p.364）」：利尿薬使用による影響について確認しよう
●「20 排便障害（→ p.378）」：便秘による排便時の努責と血圧の変動の関連について確認しよう

高血圧・低血圧をもつ高齢者への看護

●「第1編」の「1 睡眠・休息（→ p.2）」「2 覚醒・活動（→ p.10）」：血圧の変動に留意した活動と休息について確認しよう

28 フレイル(サルコペニア・廃用症候群)

木島　輝美

病態生理

●フレイルとは

フレイルとは，英語の“frailty(フレイルティ)”が語源で，2014年に日本老年医学会が「高齢期に生理的予備能が低下することでストレスに対する脆弱性が亢進し，生活機能障害，要介護状態，死亡などの転帰に陥りやすい状態で，筋力の低下により動作の俊敏性が失われて転倒しやすくなるような身体的問題のみならず，認知機能障害やうつなどの精神・心理的問題，独居や経済的困窮などの社会的問題を含む概念である」と定義した[1]．

従来，frailtyは「虚弱」などと訳され，加齢による衰えであり回復しないものと認識されることも少なくなかった．しかしフレイルは，健康と要介護状態の中間の段階と考えられ(図28-1)，少しのストレスによって容易に要介護状態に陥る可能性はあるが，適切な介入による予防や回復の可能性も含んでいる．

●サルコペニアとは

身体的フレイルの重要な一因としてサルコペニアがある．サルコペニアとは，「筋量と筋力が進行性かつ全身性の減少に特徴づけられる症候群で，身体機能障害，QOL低下，死のリスクを伴うもの」と定義されている[2]．

●廃用症候群とは

疾患や治療に伴い安静臥床や不活動の状態が続くことにより生じる廃用症候群は，廃用性筋萎縮や骨密度の低下などの筋骨格系をはじめとして，循環器系，呼吸器系，内分泌・代謝系，精神機能など全身の機能低下をきたすものである．廃用症候群では活動性の低下に加えて低栄養を合併していることが多く，フレイルやサルコペニアと深く関連していると考えられている．

病因・増悪因子

フレイル発症に関連する因子は，身体的問題，精神・心理的問題，社会的問題が複雑に関係している．主たる因子は加齢であるが，慢性疾患，活動量低下，低栄養，認知機能低下，社会的孤立など非常に多面的である(表28-1)．

サルコペニア発症には，加齢，活動性の低下，疾患，栄養状態の低下が関連しており，身体的フレイルの1つとされるため，フレイルの発症関連因子と同様である．

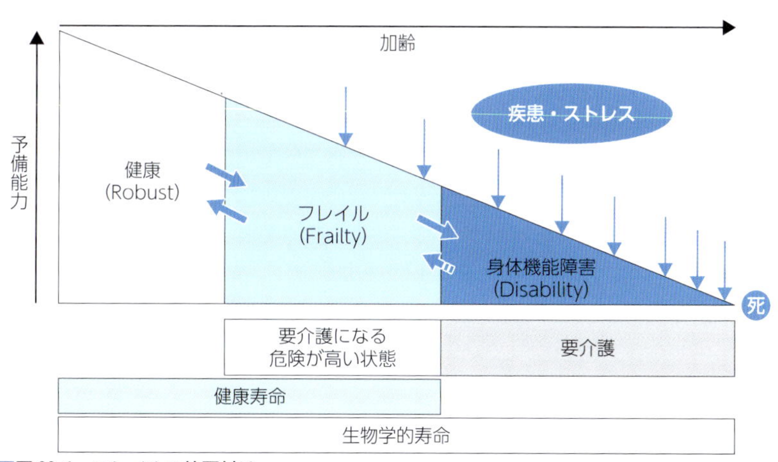

■図28-1　フレイルの位置付け

〔佐竹昭介：虚弱(フレイル)の評価を診療の中に．長寿医療研究センター病院レター 49：2，2014より改変〕
(原出典　葛谷雅文：老年医学におけるSarcopenia & Frailtyの重要性．日老医誌 46(4)：279-285，2009)

■表 28-1　フレイルの発症に関連する因子

身体的フレイル	精神・心理的フレイル	社会的フレイル
サルコペニア 疾患(生活習慣病，心血管疾患) 活動量の減少 栄養状態の低下 ポリファーマシー 感覚機能の低下	認知機能の低下 抑うつ 意欲の低下	独居 外出頻度の減少 交流機会の減少 老老介護 経済的困窮 孤立

症状

フレイルのある高齢者は，各臓器・器官機能に低下があっても，ストレスの少ない日常生活を送っている場合，大きな問題は起きない．しかし，疾患や障害などにより入院治療が必要となった場合に様々な問題が発生する．例えば，環境変化によるせん妄，ポリファーマシー(多剤服用による有害事象)，腎機能の低下，疾患・治療による合併症の発症，嚥下機能の低下や低栄養，脱水，免疫機能の低下，転倒・骨折など多種多様な症状が発生して死亡リスクも高まる．

さらに療養が長期にわたると，日常生活動作や認知機能の低下をきたして要介護状態となり，在宅生活が困難となることもある．

診断・検査値

フレイルは，加齢に伴って生理的予備能が低下することで徐々に進行するが，疾患の影響や環境変化，活動性の低下などのない状態では明確な症状がみられないため，高齢者自身が機能低下を自覚することは難しい．また症状が現れた後も，その現れ方は多種多様であるため発見が遅れる危険性がある．

フレイルの評価には様々な方法が提唱されているが，Fried が提唱した Cardiovascular Health Study(CHS)基準が用いられることが多い．これは 5 つの項目〔①体重減少，②易疲労感，③身体活動性の減少，④身体能力(歩行速度)の減弱，⑤筋力(握力)の低下〕のうち 3 項目以上に該当した場合をフレイル，1～2 項目該当した場合をプレフレイルと定義している[3]．わが国では，CHS の各項目の評価基準を日本人用に改変した日本版 CHS 基準(J-CHS)も推奨されている[4]．統一した診断基準でフレイルを早期に発見することにより，問題が発生してからの対処ではなく予防的なかかわりが可能となる．

●検査

フレイルの症状は多様であるため，出現症状，出現リスクの高い症状に対して検査を実施する．

- 関節可動域測定，筋力測定など
- 栄養状態(体重，血液検査など)
- 心肺機能検査
- 精神機能検査(抑うつ状態，認知機能など)
- その他

治療法

フレイルは多面的な要因により発症するため，その予防・回復にも多面的な治療・ケアが必要である．最も重要な治療法は運動療法と栄養療法である．

- 運動療法：蛋白質合成を促進するレジスタンス運動と有酸素運動
- 栄養療法：蛋白質(1.0～1.2 g/kg/日の摂取推奨)，ビタミン D(日光曝露，鮭・青魚，卵黄，チーズなど)を十分に摂取する．
- 口腔機能の向上：咀嚼・嚥下機能の低下は食事摂取量減少から低栄養につながりやすい．
- 感染症予防：感染症罹患を契機に要介護状態となる場合もある．加齢や低栄養により免疫機能が低下するため感染予防は重要である．
- 疾患の管理：生活習慣病や心血管疾患などの増悪に伴い様々な合併症を生じる危険性がある．
- ポリファーマシー対策：多剤服用による有害事象を見極めて薬の種類・量を最小限にする．
- 社会参加の促進：人との交流や外出機会の増加により身体的・心理的・社会的に活動性を高める．

フレイルを早期発見し予防するためには，地域で暮らす高齢者自身がフレイルに気づくことができるように知識を普及することも重要である．

●参考文献
1) 日本老年医学会：フレイルに関する日本老年医学会からのステートメント．https://www.jpn-geriat-soc.or.jp/info/topics/pdf/20140513_01_01.pdf (2020/08/28 閲覧)
2) Cruz-Jentoft AJ, Baeyens JP, Bauer JM, et al : Sarcopenia : European consensus on definition and diagnosis : Report of the European Working Group on Sarcopenia in Older People. Age Ageing 39(4) : 412-423, 2010
3) Fried LP, Tangen CM, Walston J, et al : Frailty in older adults : evidence for a phenotype. J Gerontol A Biol Sci Med Sci 56 : M146-M156, 2001
4) 荒井秀典(編集主幹)，要介護高齢者，フレイル高齢者，認知症高齢者に対する栄養療法，運動療法，薬物療法に関するガイドライン作成に向けた調査研究班編：フレイル診療ガイド 2018 年版．ライフ・サイエンス，2018

高齢者のフレイルを予防・回復する看護

看護の視点

フレイルのある高齢者は，いままでできていた様々なことがいつの間にかできなくなっていることで自信を喪失している場合や，精神・心理的フレイルにより抑うつや認知機能低下がみられようになっている場合もある．支援者は活動性を高めるために高齢者のもてる力を発見し，「自分でやってみよう」という気持ちを引き出しながら支援していく．

1. 常に「もっと何かできることはないか」という視点で見守る．
2. 高齢者が自分でできるように環境を調整する．
3. 小さなことでもできたことを一緒に喜ぶ．
4. 高齢者も支援者も回復をあせらずゆっくり進めていく．

●フレイルの側面からみた看護の視点

【身体的フレイル】身体的フレイルの予防・回復のためには，運動（活動）の増加と栄養の改善が重要である．そのためには理学療法士，作業療法士，言語聴覚士などのリハビリテーション職や管理栄養士との連携が必要である．また看護師の役割としては，日常生活での活動性を高めるとともに安全・安楽に食事摂取できるよう支援する必要がある．疾患などにより入院が必要となった場合は，症状や治療のために活動が制限されることも多い．高齢者は体調がすぐれないことで食事摂取量が減少したり，活動に消極的になったりしやすい．支援者は，高齢者が安全においしく食事が摂取できるよう支援し，活動の必要性を理解してもらいながら徐々に生活行動を拡大していく．

【精神・心理的フレイル】高齢者は何らかの疾患や障害があったり，大切な人を失ったことによる喪失感や意欲低下からうつ状態となり，活動性や食欲が低下することも多い．また認知機能が低下することにより，これまでできていたことができなくなったり，自発的な活動が困難になったりすることもある．高齢者のつらい気持ちを受け止めつつ，小さなことでも自信をもってできることから始めていく．

【社会的フレイル】高齢者は社会的役割の減少や身体機能の低下により外出頻度や他者との交流機会が減少しやすい．独居の高齢者や，高齢者が高齢者を介護する「老老介護」の世帯では，とくに孤立しやすい．さらに独居や老老介護世帯では栄養バランスのとれた食事の確保が困難であり，意欲の低下から食事に関心をもてなくなる場合もある．したがって，高齢者が社会的な交流をもてるような場づくりや，十分に栄養摂取できるような生活支援が必要である．また，地域全体にフレイル予防の知識を普及していくことも重要である．

STEP❶ アセスメント　STEP❷ 看護の焦点の明確化　STEP❸ 計画　STEP❹ 実施

情報収集・情報分析

	必要な情報	分析の視点
疾患関連情報	**現病歴と既往歴，症状** ・生活習慣病や生活行動に影響を及ぼす疾患や障害	□生活行動に影響を及ぼす疾患や障害（心血管疾患，脳血管疾患の後遺症，骨折，心肺機能低下など）はあるか □生活習慣病（糖尿病，高血圧など）や慢性疾患がある場合，その状態はどうか □疾患による活動制限や食事摂取の問題はないか
	検査と治療 ・ポリファーマシーによる影響の有無 ・治療・処置による活動への影響 ・機能訓練の内容や意欲 ・栄養状態改善のための治療	□薬物の有害事象（血圧低下，倦怠感，ふらつき，食欲不振など）はみられていないか □疾患に伴う治療・処置のなかで，必要以上に活動を阻害しているものはないか □機能訓練（理学療法，作業療法，言語聴覚療法）の目標・訓練内容と高齢者の意欲はどうか □経口による食事摂取状況はどうか．栄養状態改善のための治療はどのような内容か

	必要な情報	分析の視点
身体的要因	**運動機能** ・運動機能低下の原因(基礎疾患によるものか，活動量減少によるものか) ・日常生活動作の状態	□基礎疾患による運動機能への影響の程度はどうか □活動量が減少したことによる筋力低下や関節可動域の制限などの変化の程度はどうか □姿勢保持，体位変換，移動方法(寝返り，起き上がり，座位保持，立ち上がり，立位保持，歩行など)の状態はどうか □活動耐性はどうか(姿勢変化や体動時に起立性低血圧や動悸，息切れなどの症状はみられないか) □移動時に補助具(杖，歩行器，車椅子など)を必要性としているか □手指の巧緻性はどの程度か
	認知機能，言語機能，感覚・知覚 ・活動の必要性についての理解 ・認知機能や抑うつによる活動への影響 ・感覚の機能低下による食欲への影響	□活動の必要性を理解しているか □活動量の低下に伴い不安，抑うつ，認知機能の低下(見当識障害，記憶障害)などの症状がみられないか □抑うつや認知機能低下により活動量が減少していないか □感覚(視力，嗅覚，味覚など)の低下が食欲に影響していないか
心理・霊的要因	**健康知覚・意向，自己知覚，価値・信念・信仰** ・安静に対する認識 ・食事に対する認識	□安静に関して誤解していることはないか(体調が悪いときには，安静にしていなければいけないと思い込んでいるなど) □栄養バランスに関する知識はあるか．栄養と全身状態の関係についての認識はどうか
	気分・情動，ストレス耐性 ・機能低下に対する思い ・回復への意欲	□これまで普通にできていたことが，いつの間にかできなくなっていることでストレスを感じたり，自信を失ったりしていないか □自身の回復に対してあきらめていたり，できることに対しても意欲をなくしていたりしていないか □リハビリテーションに対して前向きに取り組もうという姿勢がみられるか
社会・文化的要因	**役割・関係，仕事・家事・学習・遊び，社会参加** ・活動低下の誘因 ・役割や楽しみの継続の可能性	□活動の低下につながるような喪失体験(大切な人を亡くす，住み慣れた場所を離れるなど)はないか □これまでの役割や楽しんでいたことを継続することができるか，またその意欲はあるか
睡眠・休息	**睡眠・休息のリズム** ・活動と休息のバランス	□睡眠・休息と活動のパターンはどうなっているか □必要な休息はとれているか(活動ばかりが注目されて，必要な休息が確保されない可能性もある)
	睡眠・休息の質 ・十分な休息	□夜間の睡眠は十分にとれているか(入眠困難，中途覚醒などはないか) □日中の活動時に倦怠感や傾眠傾向はみられないか □睡眠を阻害する要因(排泄，瘙痒感，痛みなど)はないか
	心身の回復・リセット ・回復へのあせり	□思うように回復しないことで，あせりやあきらめを感じていないか(いったん身体機能が低下してしまうと回復に時間がかかる場合が多い)

	必要な情報	分析の視点
覚醒・活動	**覚醒** ・1日の活動量と活動耐性	□活動時の覚醒状態はどうか □1日の活動量はどのくらいか(離床時間，歩行時間，食事・排泄・清潔など生活行動に伴う活動時間，機能訓練時間，レクリエーション時間など) □活動耐性はどうか(姿勢変化や体動時に起立性低血圧や動悸・息切れなどの症状はみられないか，どのくらい活動を継続できるか) □活動を楽しむことを遠慮したり，あきらめたりしていないか
覚醒・活動	**活動の個人史・意味，活動の発展** ・楽しめる活動と実施の可能性 ・活動意欲 ・活動による食欲への影響	□どのような活動なら楽しむことができるか(以前の趣味や職業などから興味のあることを探り，どのような方法ならば実施可能かを検討する) □活動を楽しむことや他者との交流などにより，食欲にもよい影響があるか
食事	**食事準備，食思・食欲** ・活動や環境が食欲に与える影響	□食欲はあるか(身体的な負荷がかからないため，空腹を感じにくくなっている可能性もある) □食事直前の活動で疲労して，食欲が低下していないか □食事時間や場所，メニューによって食欲に変化はあるか
食事	**姿勢・摂食動作** ・自力摂取することへの意欲 ・摂食動作の状況と阻害する因子	□食事を自力で摂取しようとする意欲はあるか □食事姿勢は保持できるか，そのことによる疲労はないか □箸やスプーンはスムーズに使用できるか □食事にどのくらい時間がかかるか □食事時間の経過とともに姿勢，摂食動作，食事ペースなどに変化はないか
食事	**咀嚼・嚥下機能** ・咀嚼・嚥下機能の低下 ・咀嚼・嚥下機能に影響する要因	□咀嚼・嚥下機能は低下していないか(疾患による影響はないか，オーラルフレイルはないか) □姿勢，食形態，疲労などが咀嚼・嚥下機能に影響していないか
食事	**栄養状態** ・低栄養や脱水 ・低栄養や脱水を改善するための食事の工夫	□低栄養や脱水の有無(食事摂取量，飲水量，体重，血液データなど)はどうか □高齢者の食事や飲水に対する思いはどうか □食事や飲み物の好みはどうか，咀嚼・嚥下機能に適した食形態となっているか □蛋白質とビタミンDを摂取できる食品の工夫はあるか
排泄	**尿・便をためる，尿意・便意** ・尿意・便意の知覚	□尿意・便意はあるか，それらを伝えられるか(非言語的表現にも着目する)
排泄	**姿勢・排泄動作** ・現在の排泄方法とトイレでの排泄の可能性	□どのような方法で排泄しているか(トイレ，ポータブルトイレ，おむつ，膀胱留置カテーテルなど)，より自然に近い排泄方法を選択できそうか □トイレで排泄する意欲はあるか(トイレに行くことをあきらめていないか) □トイレで排泄することは可能か(トイレまでの移動・移乗，衣類の上げ下げ，便座での座位保持，拭き取る動作などはどうか)
排泄	**尿・便の排出，尿・便の状態** ・排尿・排便のトラブル	□排尿のトラブルはないか(頻尿，排尿困難，残尿，失禁など) □排便のトラブルはないか(便秘，下痢，腹圧をかけられないなど)

	必要な情報	分析の視点
身じたく	**清潔** ・清潔動作の状況と意欲	□入浴，手洗い，口腔ケア，ひげそりなどの動作はできるか，実施する意欲はあるか □衣服の着脱動作はどのくらいできるか
	身だしなみ，おしゃれ ・身だしなみやおしゃれに対する関心	□身だしなみやおしゃれに関心をもっているか，あきらめていないか
コミュニケーション	**伝える・受け取る，コミュニケーションの相互作用・意味** ・他者との交流の状況 ・気分の落ち込み ・認知機能の低下	□他者との交流に関心を向けているか(人と接することを避けたり，部屋に閉じこもりがちになったりしていないか) □好きな時に部屋，食堂，デイルームなどで他者と交流する機会をもつことができるか □支援者との交流ではどのような反応をみせているか □「もうだめだ」など回復をあきらめているような抑うつ的な発言は聞かれないか □認知機能の低下を思わせるような言葉は聞かれていないか
	コミュニケーションの発展	□他者とのコミュニケーションをとることで，活動範囲の拡大や食事摂取量の増加につながる可能性はないか

アセスメントの視点(病態・生活機能関連図へと導くための指針)

フレイルのある高齢者が入院した場合，疾患の影響や環境変化，活動性の低下などのストレスにより様々な機能低下が顕在化してくる．それらの機能低下の回復のためには，筋力を向上する運動と十分な栄養補給が重要である．そのためリハビリテーションスタッフや栄養士と連携して援助する．高齢者の活動意欲や食欲が低下していることも多いため，高齢者の思いを把握するとともに，高齢者の生活背景を知り，好きなものや得意なことを取り入れて楽しく継続できるような工夫も重要である．それらに焦点をあてて看護を展開していく．

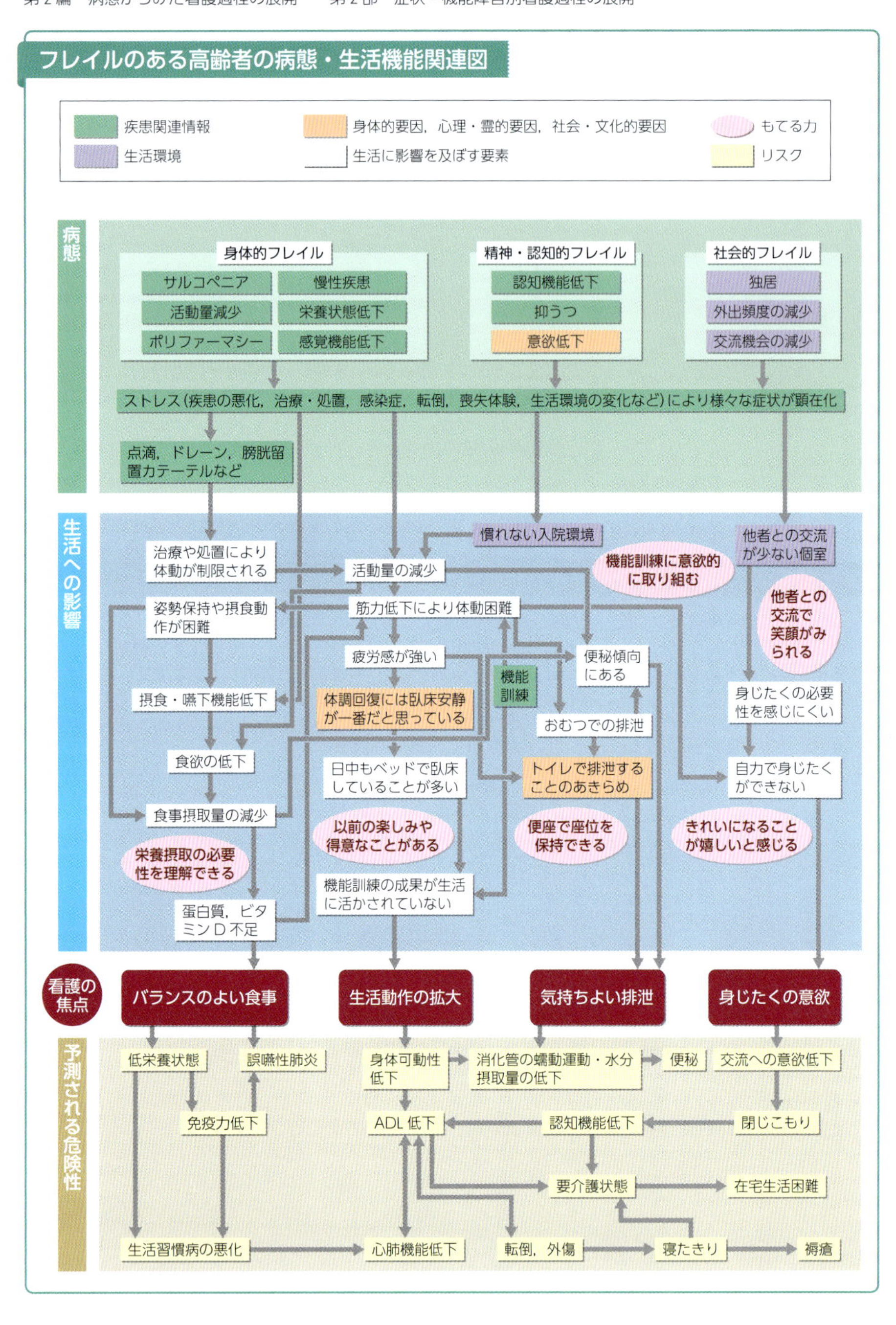

フレイルのある高齢者の病態・生活機能関連図
疾患関連情報
生活環境
身体的要因，心理・霊的要因，社会・文化的要因
生活に影響を及ぼす要素
もてる力
リスク
病態
身体的フレイル
サルコペニア
慢性疾患
活動量減少
栄養状態低下
ポリファーマシー
感覚機能低下
精神・認知的フレイル
認知機能低下
抑うつ
意欲低下
社会的フレイル
独居
外出頻度の減少
交流機会の減少
ストレス（疾患の悪化，治療・処置，感染症，転倒，喪失体験，生活環境の変化など）により様々な症状が顕在化
点滴，ドレーン，膀胱留置カテーテルなど
生活への影響
慣れない入院環境
他者との交流が少ない個室
治療や処置により体動が制限される
活動量の減少
機能訓練に意欲的に取り組む
他者との交流で笑顔がみられる
姿勢保持や摂食動作が困難
筋力低下により体動困難
疲労感が強い
便秘傾向にある
機能訓練
摂食・嚥下機能低下
体調回復には臥床安静が一番だと思っている
おむつでの排泄
身じたくの必要性を感じにくい
食欲の低下
日中もベッドで臥床していることが多い
トイレで排泄することのあきらめ
自力で身じたくができない
食事摂取量の減少
以前の楽しみや得意なことがある
便座で座位を保持できる
きれいになることが嬉しいと感じる
栄養摂取の必要性を理解できる
機能訓練の成果が生活に活かされていない
蛋白質，ビタミンD不足
看護の焦点
バランスのよい食事
生活動作の拡大
気持ちよい排泄
身じたくの意欲
予測される危険性
低栄養状態
誤嚥性肺炎
身体可動性低下
消化管の蠕動運動・水分摂取量の低下
便秘
交流への意欲低下
免疫力低下
ADL低下
認知機能低下
閉じこもり
要介護状態
在宅生活困難
生活習慣病の悪化
心肺機能低下
転倒，外傷
寝たきり
褥瘡

STEP 1 アセスメント　STEP 2 看護の焦点の明確化　STEP 3 計画　STEP 4 実施

看護の焦点の明確化

#1　フレイルから健康な状態へと向かうために，誤嚥を防ぎながらバランスのよい食事をとることで低栄養を改善できる
#2　機能訓練の成果を生活のなかでも活かすことで，活動を拡大できる
#3　トイレでの排泄動作を自力で行うことで，気持ちよく排泄できる
#4　他者との交流をもつことで，身じたくを整える意欲をもつことができる

STEP 1 アセスメント　STEP 2 看護の焦点の明確化　STEP 3 計画　STEP 4 実施

1 看護の焦点	看護目標
フレイルから健康な状態へと向かうために，誤嚥を防ぎながらバランスのよい食事をとることで低栄養を改善できる	1)低栄養状態が改善する 2)食事摂取量が増加する 3)むせることなく安全に食べられる 4)自助具も活用しながら摂食動作がスムーズになる

具体策(支援内容)	根拠
1. 低栄養状態の改善のための支援	
1)栄養状態の評価 ・体重，BMI，体重減少率，皮下脂肪厚など ・血液検査(総蛋白，血清アルブミン値など)	●フレイルのある高齢者では，長期間にわたり食事摂取量が減少していたり，栄養バランスが偏った食事(とくに蛋白質不足)をしたりしている場合が多い
2)必要栄養量の確保 ・エネルギー量，蛋白質，ビタミンDの必要量確保のため管理栄養士と連携して食事内容を検討する ・三食の必要摂取量が困難な場合，補食や栄養補助食品を検討する ・上記でも必要量確保が困難な場合は，医師と点滴療法なども検討する	●フレイル改善のために重要な栄養素は，蛋白質とビタミンDである ●高齢者に必要な蛋白質は1.0～1.2 g/kg/日といわれる．高齢者は筋蛋白質の合成機能が低下しているため成人より多くの蛋白質摂取が必要である．また一食に多くの蛋白質を摂取するよりも，毎食適量摂取するほうが筋蛋白質合成の活性化に有効である ●ビタミンDは1日800 IU以上の摂取が必要である．鮭や青魚など脂質の多い魚に含まれる．また，日光曝露により皮膚で生成されるため，日光浴も効果的である
2. 食欲を増進する生活リズムの調整	
1)食前の疲労を避けるスケジュールの調整 ・食欲に合わせた食事時間を調整する ・1日の活動量を増やしつつ，食前に疲労を残さないようスケジュールを調整する	●食欲は，適度な活動で身体的負荷をかけ，エネルギー消費を促すことで増進する．しかし食事の前に機能訓練や入浴などで疲労すると食欲が低下することもある．したがって，食事時間に食欲が出るようなスケジュールを調整することも必要である
・食事前に排泄をすませておく	●食事に専心できるように，排泄などをすませ身体の準備を行う

2) 食事の調整

- 食欲不振が強い場合，高齢者の嗜好を考慮して好みの味付けや希望のメニューを調整する
- 少量でも高栄養(高蛋白質，高ビタミンD)の食品を選択する
- 少量ずつ小皿に盛りつけるなど，見た目を工夫する
  - ●大皿にたくさん盛りつけられているのを見るだけで，食欲が減退することもある．小皿に少しずつ盛りつけることも，食欲増進に効果的である

3. 誤嚥を予防するための支援

- 摂食・嚥下機能に応じた食形態
- 安定した食事姿勢の保持
- 毎食前の嚥下体操の実施
- 毎食後の口腔ケア
  - ●フレイルのある高齢者は，目に見える骨格筋の低下だけではなく，口腔機能低下(オーラルフレイル)を合併していることも多い．そのために食事摂取量が減少し低栄養に陥っていることも少なくない

4. 自立した食事動作のための工夫

- ベッドから離れて座位で食事ができるよう工夫する
  - ●食事中に姿勢が崩れると，誤嚥の危険性とともに，不安定な姿勢が疲労を招き，食事が進まなくなる可能性がある
- 安定した食事姿勢に整える(テーブルや椅子の高さの調整，クッションの使用，足置き台の使用など)
- 必要な自助具を準備して自力摂取に向けて援助する(握りの太いスプーン，滑りどめ加工の器など)
- 動作が緩慢でも一定の摂食動作がみられるときは，自分のペースで食べてもらう
  - ●周囲の慌しさや介助者にせかされることで，ペースが乱れて途中で疲労してしまう
- 疲れた表情，ペースが遅くなる，嚥下に時間がかかる，姿勢の傾きが大きくなるなどの変化が現れた場合は，疲労を確認して必要に応じて介助する
  - ●食事に時間をかけすぎると，満腹中枢が作用して少ない摂取量で食事を中断してしまうこともある
- 少しでも自力で食べられたことを一緒に喜ぶ
  - ●自力で最後まで食べられなかったことで落ち込むこともあるため，中断したことを気にさせない配慮も必要である
- 食後は十分な休息をとる(ただし，すぐに臥床せず30分程度は上体を起こした姿勢をとる)
  - ●高齢者にとっては，座位を保つことや摂食動作だけでも疲労するため食後は休息が必要である
  - ●食後すぐに臥床すると胃食道逆流が起こる可能性がある

2 看護の焦点

機能訓練の成果を生活のなかでも活かすことで，活動を拡大できる

看護目標

1) 適度な休息をとりながら活動時間が増加する
2) 機能訓練の成果を日常生活に活かすことができる
3) 以前の楽しみや特技を活かした活動ができる

具体策(支援内容)	根拠
1. 活動と休息のバランスを整えるための支援	
・1日の生活リズムと日中の傾眠や夜間の浅眠などがないか観察する ・高齢者の活動を妨げている治療や処置がないか確認し，医師と連携してできるだけ排除する ・規則正しい起床・就寝時間を保ち，日中に離床時間を確保して覚醒を促す	●フレイルのある高齢者の生活は，日中何もしない時間が多かったり，傾眠傾向であったりするため，覚醒・睡眠のリズムを整える必要がある
・日中でも疲労に応じて休息時間を設ける(夜間の睡眠へ影響がないか確認する)	●フレイルにより体力が低下しているため，ささいな動作でも非常に疲れることを理解し，適宜休息を促すことも重要である
2. 機能訓練の成果を日常生活に活かす支援	
・疲労のない覚醒した状態で機能訓練に臨めるよう，食事や排泄，入浴の時間などを調整する	●フレイルの予防・回復のためには，運動療法を単独で実施するのではなく，栄養療法を組み合わせることで高い効果が得られる ●運動療法では，筋力回復のために蛋白質を合成させるレジスタンス運動と有酸素運動を組み合わせると効果的である ●高齢者が機能訓練にしっかり取り組めるように生活を調整する必要がある
・リハビリテーションスタッフと情報を交換し，訓練室でできている動作を日常生活に取り入れていく	●訓練室で実施できる動作を日常生活で活かせていない場合もあるため，リハビリテーションスタッフとの情報交換が重要である
・高齢者に訓練室での運動を日常生活でも活かしていく必要性を伝えて，生活のなかでできることを話し合う	●高齢者は，訓練室での運動を日常生活動作とつなげて考えられていない場合もあるため，よく話し合う必要がある
3. 楽しみながら活動を継続する工夫	
・以前から興味のあることや，新たにやってみたいことなど高齢者の意向を確認する	●長時間趣味や活動に没頭して，食事のときに疲れてしまわないよう活動の時間を考慮する
・緻密な作業が困難な場合は，単純化・粗大化する	●緻密な作業は，単純化・粗大化することで，巧緻性が低下しても好きなことを続けられる場合がある
・支援者も積極的に会話し，ともに楽しむ機会をつくる	●作業は困難でも，和紙の素材や色を選ぶ，絵の構図を考えるなどアドバイザーとして関与することもできる
・気の合う仲間との交流ができるような場づくりをする(食事やデイルームでの配置など)	●同年代の気の合う仲間との交流は，共感や安心感をもたらす効果がある

3 看護の焦点	看護目標
トイレでの排泄動作を自力で行うことで，気持ちよく排泄できる	1) トイレでの排泄動作を可能な限り自力で行うことができる 2) 定期的に排便がみられる

具体策(支援内容)	根拠
1. トイレ排泄への支援	
・尿意・便意があった場合は遠慮なく知らせるよう伝えてナースコールをセットするととも	●排泄ケアは自尊心にも影響が及ぶ支援の1つである.「トイレ」という言葉にも不快を感じる

に，排泄パターンをふまえて，機能訓練や散歩のついでにトイレに立ち寄れるように誘い方も工夫する	高齢者もいる．排泄パターンを観察して，行為のついでにトイレに立ち寄ることができるようにするなど，言葉のかけ方や誘導のしかたを工夫する
・移動にあたっては高齢者のもてる力を発揮できる補助具（杖，歩行器，車椅子）を準備し，自力で移動できるときは見守る	●トイレ移動の際，高齢者の自力移動では時間がかかりすぎて間に合わないときは，行きは介助し帰りだけ自力で歩行することも検討する
・一連の排泄動作を観察し，できない部分を介助する	●排泄行動は，1日に数回行われる必然的な行動であるため，毎回トイレまで移動することは運動効果が期待できる
・転倒を予防するため，いつでも支えられる位置で見守る	●臥床期間が長い場合，起立性低血圧を起こしやすいため，ふらつきや転倒に注意する．また排泄後に血圧が低下する場合もあるため注意する ●起立性低血圧の観察ポイントは，全身倦怠感，耳鳴，あくび，意識消失などの症状のほかに顔色の変化，表情の消失，落ち着きのなさなどが症状として現れることがある
2. 便秘予防の支援	
・毎日の排便確認と腹部症状を観察する ・座位姿勢での排泄により重力を利用する ・食事量と内容の把握とともに，食物繊維や発酵食品を多く含む食品を取り入れる ・水分摂取量の把握とともに，できるかぎり飲水を勧める ・腹部のマッサージを実施する	●加齢変化に加えて，長期臥床のため消化管の蠕動運動が低下することや，食欲低下により食事・水分の摂取量が減少することで便秘になりやすい
・自然排便が難しい場合は，下剤の投与を検討する	●自然排便が難しい場合には，薬物により定期的に排便を促す方法を検討する

4 看護の焦点	看護目標
他者との交流をもつことで，身じたくを整える意欲をもつことができる	1）他者との交流の機会をもつことができる 2）身だしなみに関心をもち，自分の好みを表現することができる 3）清潔動作や更衣などは，介助を受けながらでも自力で行うことができる

具体策（支援内容）	根拠
1. 身だしなみを整える支援	
1）交流機会に身だしなみに関心を向ける支援	
・他者と会う機会（デイルームに行くとき，棟外への散歩や売店などに行くとき，機能訓練室に行くときなど）には必ず鏡を見てもらい頭髪を整えたり，服装を整えたりする	●1人で過ごす時間が長いと，身だしなみへの関心も低下してしまう．他者との交流の機会をもつことにより，他者から見られることの意識から身だしなみに関心をもちやすくなる
2）自力で整容するための支援	
・洗顔，口腔ケア，ひげそり，ブラッシング，化粧は，自分でできるところを行ってもらう ・高齢者が使い慣れた物や軽くて扱いやすい道具を活用して，自分でできる部分を増やす	●高齢者の意思を尊重しながらセルフケアが維持されるように援助する必要がある

・手鏡などで確認してもらいながら，高齢者の意向を取り入れる	●清潔に美しく整えられる自分の姿を見ることで，清潔動作への意欲が向上する可能性がある
3) 自力で更衣するための支援	
・朝晩の着替えはできる限り行い，終日パジャマで過ごすことがないようにする	●更衣をすることにより，生活にめりはりがつく．終日臥床がちな生活の高齢者にとって重要な行為である
・ゆったりとして襟ぐりが大きく，伸縮性があって着脱しやすい衣服が，自立した更衣動作には望ましい（家族にお気に入りの服などを持ってきてもらう） ・巧緻性を確認しながら適宜ボタンやファスナーの形状を検討する	●衣服はおしゃれのなかでも大きな位置を占めるため，高齢者の好みを反映することが大切である
2. 身体の清潔を保つための支援	
・入浴，シャワーの利用は疲れさせるため食事の直前は避ける ・入浴やシャワーの一連の動作のなかで，自分で行えることを見守り，困難なところは介助する	●高齢者は1人で行えても入浴・シャワー後に疲労が強く，次の生活動作ができなくなる場合があることに配慮する
・時間がかかっても高齢者があせらないようゆったりした雰囲気で見守る（疲労や寒さを感じる場合は介助する）	●最初は介助量が多いかもしれないが，できるところを見極めて，徐々に自力でできる部分を増やしていくよう援助する
・自力での入浴が困難な場合は，状態に応じてリフト，特別浴槽などを使用し介助する	●関節拘縮を予防するために動かすことができるよう，状態に合った浴槽を選ぶ
・浴槽につかっているときには，身体を十分に温めてから軽い関節運動などを促す	●関節拘縮の予防には，各関節の正常可動域を1日数回動かすだけでも効果がある
・全身の皮膚を観察する（とくに褥瘡の好発部位）	●入浴は全身の皮膚状態を観察する機会でもあるため異変を見逃さないことが大切である

関連項目

※もっと詳しく知りたいときは，以下の項目を参照しよう．

フレイルの誘因

●「3 脳卒中（→ p.93）」「16 低栄養（→ p.323）」「29 転倒（→ p.504）」：身体可動性の低下を招く誘因になっていないか確認しよう

●「1 認知症（→ p.56）」「25 抑うつ状態（→ p.451）」：活動量の減少を招く誘因になっていないか確認しよう

フレイルをもつ高齢者の看護

●「第1編」の「2 覚醒・活動（→ p.10）」：生活に楽しみをもちながら活動を増やしていくケアについて把握しよう

●「27 高血圧・低血圧（→ p.478）」：起立性低血圧を予防しながら生活を拡大するためのケアについて押さえておこう

●「15 摂食嚥下障害（→ p.304）」：安全に自分で食べることができるような援助について押さえておこう

●「16 低栄養（→ p.323）」：フレイル改善のために，食欲を増進させ，蛋白質・ビタミンDを十分摂取できるための援助について把握しよう

●「20 排便障害（→ p.378）」：自然排便を促す援助について明確にしておこう

29 転倒

北川　公子

基礎知識

●転倒とは

交通事故のように他からの外力によるもの，自分の故意によるもの，突発的な意識消失によるものを除き，人が床や地面に倒れることと定義する．つまずいて転ぶことだけでなく，階段を踏み外して転落することや車椅子から立ち上がろうとして滑り落ちることも含む．

高齢者の転倒を事故という側面のみから注目すると，「転倒ゼロ」を目指すあまり，身体拘束などの活動を制限する再発防止策を導きかねない．一方，転倒の背景には必ず高齢者の自発的な活動があり，転倒と活動は表裏一体といえる．高齢者の転倒への対応には，活動することと安全であることの双方のマイナス面，プラス面の検討が重要となる．

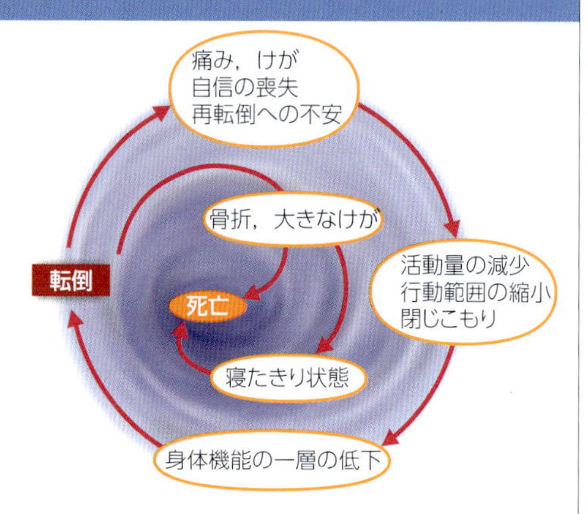

■図 29-1　転倒による負の連鎖

●転倒と受傷

加齢に伴い骨の脆弱性が増し，骨粗鬆症の診断を受ける高齢者も多い．そのため，転んで手をつく，腰を打つなどの転倒が四肢や椎体の骨折に直結する．手術の適応となれば，入院による環境の変化，治療に伴う一定期間の安静，あるいはリハビリテーションが必要になる．順調な回復過程を送れず，骨折前の歩行状態に戻れないこともある．転倒予防を重視する最大の理由は，「転倒→骨折→寝たきり」という負の連鎖(図 29-1)を起こしたくないがためとなる．

高齢者が活動する限り転倒の可能性をゼロにはできないので，転倒予防に加えて，骨折を防ぐ手立ても重要な検討事項となる．

●転倒要因

転倒を引き起こす要因は，表 29-1 のように大きく内的要因と外的要因に分けられる．衣類の変更や屋内の整理整頓など，外的要因のなかには早急に対応可能な要素が多く含まれているため，標準的な確認項目といえる．加齢変化や疾患などの内的要因には解消できない要素が多いので，該当する内的要因があれば，転倒リスク評価へとつなげ，リスクの程度を把握する必要がある．

●転倒リスクの評価

妥当性，信頼性の高い評価指標として，鳥羽らによる fall risk index (FRI) と，Morse らによる Morse Fall Scale の項目を表 29-2 に示す．FRI は地域在住者のなかから転倒リスクのある者をスクリーニングする簡便な指標である．過去 1 年の転倒経験ありが 5 点，それ以外の 4 項目に 2 点が配点され，6 点以上を転倒リスクありと評価する．リスクありとなれば，より詳細な自己評価を行い，該当項目に対する予防策や継続的な評価結果を記入する「転倒予防手帳」も作成されている．

一方，Morse らによるスケールは，表に示すように項目ごとに重みづけがあり，45 点以上をハイリスクとしている．

■表 29-1　高齢者に特徴的な転倒要因

要因	分類	内容
内的要因	加齢変化	・視機能の低下(視野の暗化，視野の狭まり) ・バランス感覚の低下(深部感覚，三半規管，小脳の機能低下) ・筋力低下 ・円背など姿勢の変化 ・歩行の変調(歩幅の狭まり，かかとやつま先の挙上の低下) など
	疾患・症状	・脳血管疾患による片麻痺や半側空間無視 ・一過性脳虚血発作 ・パーキンソン症候群，パーキンソン病 ・関節リウマチ ・白内障 ・認知症 ・せん妄 など
	薬物・治療	・5剤以上の多剤投与 ・注意を要する薬物(精神安定薬，催眠・鎮静薬，抗うつ薬，降圧薬，利尿薬，縮瞳・散瞳作用のある点眼薬) ・血液透析終了後 ・手術後 など
外的要因	衣類	・丈の長いズボンやスカート ・スリッパなど，かかとを覆わない履物 ・サイズの合わない履物 ・ほどけた靴ひも など
	屋内	・濡れた床 ・敷居や玄関などの段差 ・照度不足 ・手すりの不備 ・床の上に置いたままの衣類やカバン，雑誌など ・バスマットや電気コード ・ワゴンやベッドのストッパーのかけ忘れ など
	屋外	・階段 ・雨や凍結により滑りやすい路面や歩道 ・木の根や切り株 など
	非日常的な環境	・入院や入所などの環境変化 ・ICUなどの利用 ・ライン類を多用した治療状況 ・身体拘束の適用 など

■表 29-2　転倒リスク評価指標の概略

名称(著者，発表年)	fall risk index(鳥羽ら，2005年)	Morse Fall Scale(Morse JMら，1989年)
対象	地域在住高齢者	入院患者
項目	①過去1年に転んだことがありますか(5点) ②歩く速度が遅くなったと思いますか(2点) ③杖を使っていますか(2点) ④背中が丸くなってきましたか(2点) ⑤毎日，お薬を5種類以上飲んでいますか(2点)	①転倒経験(25点) ②合併症(15点) ③補助具の使用(30点) ④静脈内注入療法(20点) ⑤歩行レベル(20点) ⑥精神状態(15点)

転倒のリスクをもつ高齢者の看護

看護の視点

●大多数の高齢者が何らかの転倒要因をもち，そのなかには転倒リスクが極めて高いと評価される者も少なからず含まれる．しかし，転倒予防の先にあるはずの「生活」を忘れると，立ち上がろうとする高齢者に「立ち上がらないでください」と言い，一律に押しとどめる対応につながりかねない．転倒予防はよりよい生活の継続・回復のために取り組まれる．したがって，高齢者の身体機能を活かして動くことと，それに伴う転倒リスクの低減することをすり合わせ，「動くこと」と「転ばないこと」の両方をあきらめない援助計画を立てたい．

※そのために，以下のような日常生活の看護のポイントに留意して支援する．

1. 生活環境のなかにある転倒要因を点検し，取り除いていく．
2. 毎日の「睡眠・休息，覚醒・活動，食事，排泄，身じたく，コミュニケーション」の繰り返しが，起居・移動動作の安定につながり，ひいては転倒リスクの低減につながるという好循環を形成する．
3. 急性期状態からの早期回復やリハビリテーションの継続性の向上を図るため，医師，薬剤師，理学療法士・作業療法士など，多職種で転倒予防に取り組む．

●発展的な視点

【転倒予防を理由とした安易な身体拘束の排除】介護保険施設では，緊急やむを得ない場合を除き身体拘束が禁止されている．緊急やむを得ない場合とは，①切迫性，②非代替性，③一時性，の 3 点が確認された場合である．これは医療機関においても重要な観点である．緊急やむを得ない状態から脱するための方策を立て，1 日も早く身体拘束を解除することが求められる．

STEP 1 アセスメント　STEP 2 看護の焦点の明確化　STEP 3 計画　STEP 4 実施

情報収集・情報分析

	必要な情報	分析の視点
疾患関連情報	**現病歴と既往歴** ・転倒経験 ・転倒が起きやすい疾患 ・転倒が起きやすい健康段階	□過去 1 年間あるいは半年の間に転倒の経験がある場合，回数，時間，場所，そのときの状況やけがの有無から，転倒の原因，再転倒のリスクはないか □高血圧症，脳血管疾患，一過性脳虚血発作，心不全，パーキンソン病，関節リウマチ，白内障，認知症などがある場合，症状とその程度，治療（薬物や検査）はどうか □急性期か，リハビリテーション期にあたるか
	症状 ・転倒につながる可能性のある症状：パーキンソニズム，せん妄，めまい，立ちくらみ，起立性低血圧など ・転倒直後の症状：打撲部位の出血，腫脹，熱感，変形，歩行の変調，痛みなど	□その症状はいつ，どのような場面でみられ，どのように推移する見込みか．また，転倒予防策はとられているか □血圧値の変動や薬物の関係を検討したか □認知症のために痛みを訴えない可能性はないか（主訴や活動性のみで判断せず，24 時間は注意深く観察する） □頭部を打撲した場合は慢性硬膜下血腫に至っていないか（1 週間程度注意する）
	検査と治療 ・内服薬の内容と処方期間 ・透析 ・眼底検査，点眼薬	□抗精神病薬，抗不安薬，睡眠薬，抗うつ薬，筋弛緩薬，降圧薬，糖尿病治療薬を内服している場合，期間・量・服用時間と眠気やふらつき，起立性低血圧，脱力感などの有害事象との関係はどうか

	必要な情報	分析の視点
疾患関連情報		□糖尿病治療薬の場合，服用後の血糖値はどの程度か，低血糖への対応策はとられているか □点滴の滴下時間，点滴・内服薬の処方期間はどうか □透析後の血圧変動はどの程度か，透析中・透析後はどのような移動方法をとっているか □用いている点眼薬に散瞳や縮瞳の(副)作用のあることを知り，対処方法を理解しているか
身体的要因	運動機能 ・円背 ・麻痺，関節可動域の制限 ・歩行の変調 ・立ち座りの変調	□立位時のバランスはどうか．杖などの自助具を用いているか □麻痺の部位と程度はどうか．股関節，膝関節，足関節の可動域に制限がある場合，起居・移動動作への影響はどの程度か □歩行速度が遅い，歩幅の狭まり，すり足歩行，交差するような足運び，一歩の踏み出しにくさ，左右・前後のふらつきなどはないか □立ち上がる際に，周囲の物につかまる必要があるか，必要な手すりが配置されているか
	認知機能 ・記憶力の低下 ・失認，失行 ・行動・心理症状	□離床時にナースコールで助けを求めることの必要性を理解し，記憶できるか □移乗の際の安全な動作手順を覚えられるか □ナースコールの使い方がわかるか □杖や歩行器などの自助具の使い方がわかるか □徘徊，夕暮れ症候群*，攻撃的な行動，興奮・混乱，夜間せん妄などがみられる場合，誘発要因，出現時間・パターンはどうか ＊夕暮れ症候群：夕方の薄暗くなる頃から落ち着かなくなり，不安そうな表情であちこちを歩き回る，「家に帰る」と繰り返し訴える，などの症状がみられるもの．幻覚や妄想を伴う場合もある．
	言語機能，感覚・知覚 ・老眼，視野，暗順応 ・平衡感覚	□視野や視力の異常による障害物，段差，掲示の見落としがないか，夜用の照明が用意されているか □立位でとっさに振り向く際にふらつく様子がないか
心理・霊的要因	健康知覚・意向，自己知覚	□自分の身体機能以上に，「動ける」「歩ける」と思い込む，あるいは過信している様子はないか □動くこと，起きることへの意欲はどうか
	価値・信念，信仰	□“自分のことは自分で”という信念が強いと，危険性の高い動作を1人で実施してしまう場合があるので，「見守りや援助を必要とする」という説明をどのようにとらえているのか
	気分・情動，ストレス耐性 ・転倒への恐怖感	□転倒後に動くことに対する不安や恐怖があるか，そのことによって生活範囲が縮小していないか
社会文化的要因	役割・関係	□家事や外出など果たさなければならない役割と，身体機能の間に不一致がないか
	仕事・家事・学習・遊び，社会参加	□転倒予防教室などの社会資源を知っているか．また参加の意欲・関心はあるか
睡眠・休息	睡眠・休息のリズム ・夜間の覚醒	□尿意などにより，夜間，何回ぐらい覚醒するのか，ベッド周囲やトイレの照明は十分か，履物は適切か，ナースコールで介助を求めることができるか

	必要な情報	分析の視点
睡眠・休息	**睡眠・休息の質，心身の回復・リセット**	□呼吸苦，倦怠感，痛みなどの症状が睡眠を妨げていないか，疲労の持続や活動の安定性を阻害していないか □点滴などの治療が心身疲労の回復の妨げになっていないか
覚醒・活動	**覚醒** ・日中への眠気の持続	□抗精神病薬などによる眠気が日中まで残っているか，薬の服用時間はいつか
	活動の発展	□楽しみにしている余暇活動やレクリエーションはあるか □転倒予防教室などへの参加意欲はあるか
食事	**食事準備** ・食事に伴う移動	□食品の買い物をどのような方法で行っているか □自室から食堂への移動に伴う離床，歩行，車椅子操作において，危険はないか，箸やコップを手に持って歩くことがあるか
	食思・食欲，姿勢・摂食動作，咀嚼・嚥下機能，栄養状態	□椅子での座位姿勢で食事をする場合，足底が床に接地しているか □筋力低下につながる低栄養，サルコペニアはみられないか
排泄	**尿・便をためる** ・自律神経症状 ・夜間頻尿	□過活動膀胱など尿意の切迫感がある場合，あわてて移乗・移動をしたり，支援者を呼ばずに行動に移ることはないか □夜間，ナースコールを押せるか，あわてずに行動できているか，周囲の明るさはどの程度か
	尿意・便意 ・利尿薬，下剤	□薬物の影響で急激な強い尿意・便意が起こることがある．これに対して失禁を予防する対策がとられているか，作用時間が夜間にあたらないような投与時間になっているか □利尿薬による循環動態の変動に起因するふらつきはないか
	姿勢・排泄動作 ・トイレでの立ち座り ・衣類の上げ下ろし	□車椅子からトイレなどの移乗動作がある場合，安定して動作が行えるか □衣類の上げ下げを行う際に，安定した立位を保持できるか（とくに片麻痺の場合は注意を要する） □ズボンの裾が床に着かないように引き上げることができるか
	尿・便の排出，状態 ・下痢	□下痢になりそうな場合，あわてて行動することがあるので，便意の程度やポータブルトイレ設置の必要性はどうか
身じたく	**清潔** ・入浴	□立位での着脱の際，ふらつきはないか．ズボンをはくために片足立ちになっているときはどうか □濡れた浴室・浴槽の中でつかまる場所があるか □浴室内の濡れた環境で，安全に歩けるか，あるいはシャワーチェアなどが必要か □脱衣所のバスマットなどにつまずく危険性はないか
	身だしなみ，おしゃれ	□スリッパなどかかとを覆わない履物をはいているか，その場合の理由は何か □丈の長いズボンやスカート，滑りやすい靴下を着用しているか，その場合の理由は何か
コミュニケーション	**伝える・受け取る** ・聴力，聴力 ・伝える方法	□ナースコールからの応答や看護師の声を聞きとることができるか □どのくらいの大きさの文字を読むことができるか □転倒予防を意図して，周囲の人に援助を求めることができるか

アセスメントの視点(病態・生活機能関連図へと導くための指針)

転倒の発端は，起立，歩行，あるいは起立から車椅子などへの移乗の各動作，および「動きたい」という高齢者の意思にある．アセスメントでは，様々な生活場面・生活時間における起立・移乗・移動動作を洗い出し，リスクを探索する．それと同時に，行動の主体者である高齢者自身が転倒の危険性，および自分の動作能力に対する認識と現実とのギャップをどのようにとらえているのかを検討する．

具体策(支援内容)を検討する際には，まず，転倒の外的要因となりうるリスクを取り除くことを考える．次に，見守り，介助方法の変更，治療方針の見直しによって解決できる内的要因の解消に着手するとよい．加えて，日常生活を繰り返し行うこと，リハビリテーションに取り組むこと，転倒予防教室に参加することなど，機能維持・回復に向けた長期的な支援も並行して行いたい．

ここからは，運動機能の不具合，および認知機能の低下から起立・移乗・移動動作に見守りや一部介助が必要なレベルを想定して看護を展開していく．

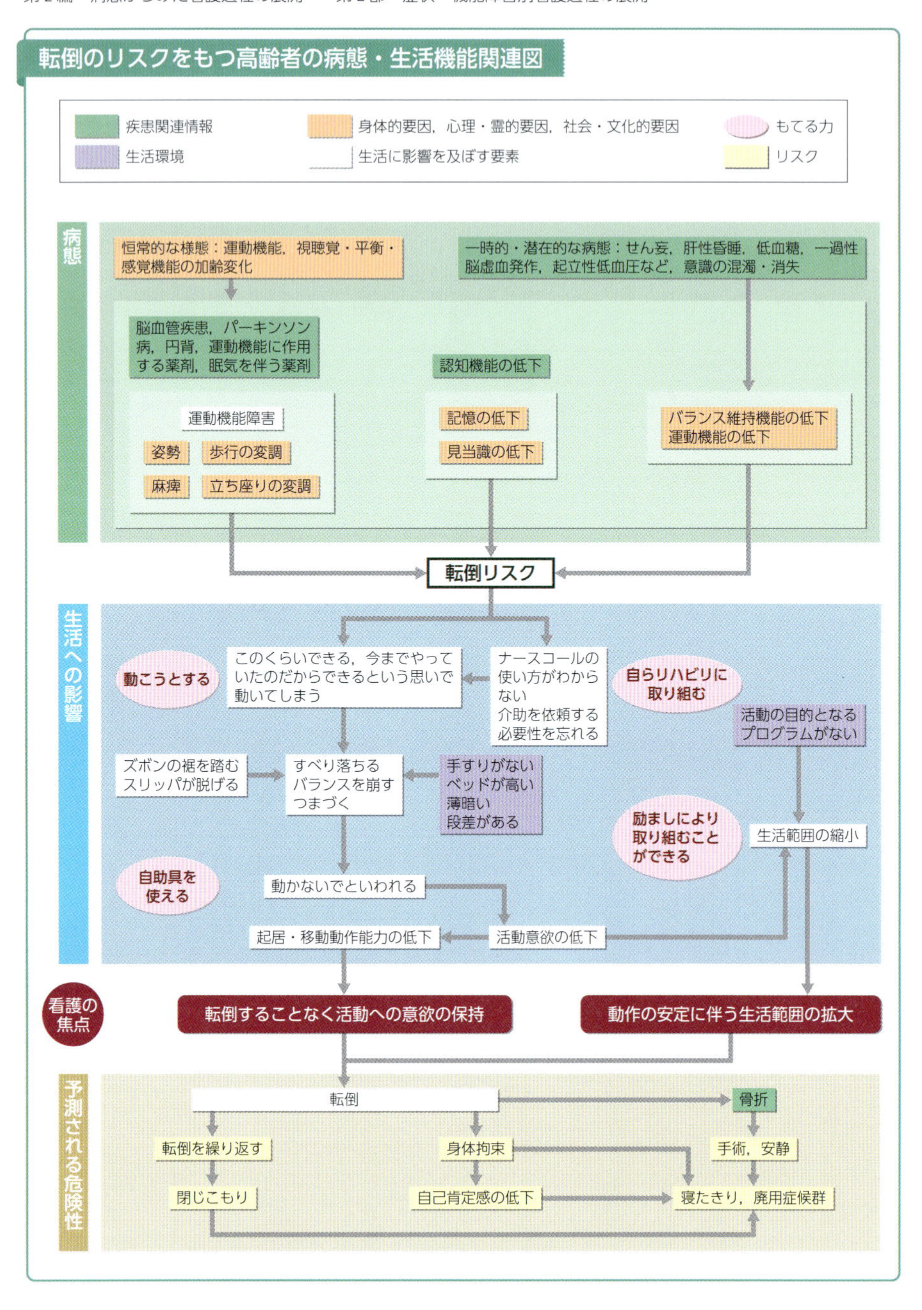
転倒のリスクをもつ高齢者の病態・生活機能関連図
疾患関連情報
身体的要因，心理・霊的要因，社会・文化的要因
もてる力
生活環境
生活に影響を及ぼす要素
リスク
病態
恒常的な様態：運動機能，視聴覚・平衡・感覚機能の加齢変化
一時的・潜在的な病態：せん妄，肝性昏睡，低血糖，一過性脳虚血発作，起立性低血圧など，意識の混濁・消失
脳血管疾患，パーキンソン病，円背，運動機能に作用する薬剤，眠気を伴う薬剤
認知機能の低下
運動機能障害
姿勢
歩行の変調
麻痺
立ち座りの変調
記憶の低下
見当識の低下
バランス維持機能の低下
運動機能の低下
転倒リスク
生活への影響
動こうとする
このくらいできる，今までやっていたのだからできるという思いで動いてしまう
ナースコールの使い方がわからない
介助を依頼する必要性を忘れる
自らリハビリに取り組む
活動の目的となるプログラムがない
ズボンの裾を踏む
スリッパが脱げる
すべり落ちる
バランスを崩す
つまづく
手すりがない
ベッドが高い
薄暗い
段差がある
励ましにより取り組むことができる
生活範囲の縮小
自助具を使える
動かないでといわれる
起居・移動動作能力の低下
活動意欲の低下
看護の焦点
転倒することなく活動への意欲の保持
動作の安定に伴う生活範囲の拡大
予測される危険性
転倒
骨折
転倒を繰り返す
身体拘束
手術，安静
閉じこもり
自己肯定感の低下
寝たきり，廃用症候群

看護の焦点の明確化

#1　転倒することなく，安心してトイレや洗面所に行くことができる
#2　転倒予防教室や個々のリハビリテーションに取り組むことで歩行や移乗動作が安定し，活動範囲を拡大できる

1 看護の焦点	看護目標
転倒することなく，安心してトイレや洗面所に行くことができる	1) 動こうという意欲をもち続けることができる 2) つまずきやふらつきの要因を最小限にして，トイレや洗面所に行くことができる

具体策（支援内容）	根拠
1．転倒を防ぐ生活環境の整備	
1) 転倒を防ぐ衣類，履物の調整	
・ズボンや寝巻きの丈はくるぶしぐらいまでに調節する	●スカートやズボンの裾を踏みつけて，転倒する危険性がある
・足の甲やかかとを覆い，靴底の硬すぎない，サイズの合った靴の使用を勧める	●スリッパや靴のかかとを踏みつけて歩くこと，大きすぎる靴が脱げてしまうことなどによって，つまずくことがある ●靴底が硬いと足部の可動性や支持性をそこなう
・高齢者の好みを色や柄，デザインに反映させる	●高齢者のその人らしさを尊重することは，活動意欲の支えとなる
2) 転倒を防ぐ病床環境の調整	
・転倒要因の保有状況，転倒リスク評価の結果，高齢者の体形，身体機能に応じて病室・居室の場所，ベッドの位置や高さ，ベッド柵の設置を検討する	●観察のしやすさ，高齢者の利便性を考慮し，病室・居室の場所を決める ●端座位になったときに足底が床面に接地すると，支持基底面が広くなる．ベッド柵の必要性や設置場所は，麻痺側や車椅子の設置位置によって異なる
・ベッドや床頭台，オーバーテーブルのストッパーがかかっていることを環境整備のたびに確認する	●これらの備品は可動性があり，移乗や移動の際に手をつく可能性がある．ストッパーがかかっていないとバランスを崩し，けがの原因になる
・濡れている床，マット，廊下のワゴンなど，滑ったり，行動の妨げになる障害物を除去する	●加齢や障害により，床面から足をわずかしか上げられない場合がある
・病室，廊下，トイレの夜間照明を確保する	●加齢に伴う瞳孔の縮小，暗順応の遅延，白内障などにより視野が暗化している
・離床行動を早期に把握するために，センサーマットや赤外線センサーなどを設置する	●ナースコールの使い方がわからない，あるいは忘れてしまうような高齢者の離床を早期に把握できる
・ベッドから車椅子，あるいはポータブルトイレへの移行を行う場合は，動作手順や認知機能の水準に合わせて，移動補助バーの取り付けや車椅子などの位置などを決める	

具体策(支援内容)	根拠
2. 安全な移乗・移動動作の支援	
1) 安全な起き上がり動作，移乗動作	
・起立性低血圧があり高齢者自身の協力が得られる場合は，臥床状態から身体を起こした後，直ちに立ち上がったり，動いたりしないように説明する	●深部感覚の低下などにより通常の加齢変化でも，めまいやふらつきがみられる．これに薬の有害事象や起立性低血圧が加わると，そのリスクはいっそう高まる
・移乗動作における不安定な箇所を明確にする	●移乗動作は上下・回旋運動を伴い複雑なため，動作を細分化して確認し，移乗動作全体が不安定なのか，あるいは移乗動作の一部が問題なのかを明らかにする
2) 安全な歩行，車椅子での移動の支援	
・杖，ウォーカー，シルバーカーなど，現在の機能に合った自助具を選択し，正しい方法で使用できるように援助する	●片麻痺やパーキンソン症候群があると，跛行，麻痺側の足の引きずり，小刻み歩行や突進現象などによって身体支持性はさらに低下する
・屋内の廊下やトイレ，玄関などでは，どの手すりをどのようなタイミングで使用するとよいか確認する	
・車椅子に適切な体位で乗車できるよう，座る位置の確認，座面の調整を行う	●静止時の姿勢，走行・自走時の姿勢を確認する．股関節が開いた状態はずり落ちの原因となる
・フットケアによって下肢の痛みの軽減，足指の可動性の向上を図る	●巻き爪や靴下の常時着用によって，足指が十分に接地面を保持できていない可能性がある

2 看護の焦点

看護の焦点	看護目標
転倒予防教室や個々のリハビリテーションに取り組むことで歩行や移乗動作が安定し，活動範囲を拡大できる	1) 継続することで動作が安定する 2) 動作性の安定を実感することで，活動範囲が拡大する

具体策(支援内容)	根拠
1. 身体活動性維持の取り組み	
1) 生活動作を繰り返す	
・理学療法や作業療法，その他の教室などで習得しつつある立ち座りや杖歩行などの動作を，食事，排泄，身だしなみなどの生活行動に取り入れ繰り返す	●食事やトイレの機会は1日に複数回ある．こういった機会を身体活動性維持の機会ととらえ，下肢への意識的な荷重，端座位の保持を意識しながら車椅子に移乗するなど，生活動作を繰り返し行うことで身体活動性の維持を図る
・下肢筋力の維持と集団活動への参加	●足踏み，起立練習など生活のなかに組み込むことで，下肢筋力の維持を図る．仲間との集団活動を企画することも有効である
2) 目標を設定する	
・高齢者と一緒に日々の目標を設定し，その達成の程度や回復状況を実感できる記録や掲示を作成する	●高齢者自身に目標の達成状況を実感してもらうことで，意欲が継続し自信がもてるようになる
2. 生活行動や活動範囲の拡大に向けた支援	
・病室から院内，居室から屋外へ，買い物や散歩など徐々に行動範囲を広げていく ・行動範囲の拡大に伴い，転倒予防のための注意点を高齢者とともに確認する	●動作の安定性と自信の回復に伴い，生活範囲・行動の拡大につなげ，生活の質の維持・向上を図る

関連項目

※もっと詳しく知りたいときは，以下の項目を参照しよう．

転倒を招きやすい疾患

- 「1 認知症（→ p.56）」「2 パーキンソン病（p.73）」「3 脳卒中（p.93）」「4 大腿骨近位部骨折（p.111）」「12 白内障（p.259）」「26 せん妄（p.465）」「28 フレイル（p.491）」：それぞれの疾患に特有の身体障害，認知機能障害，知覚・感覚機能の障害について理解を深めよう

転倒を生活行動と関連づけて考える

- 「第1編」の「2 覚醒・活動（p.10）」：高齢者にとっての活動の重要性を再確認しよう

付　録

付表1　気をつけたい！　高齢者の治療薬と留意点リスト

高齢者は複数の疾患を抱えていることが多く，多剤併用になりやすいため，服薬の重複や薬物間相互作用のリスクに注意を要する．また，加齢に伴う肝機能や腎機能の低下により，さまざまな有害事象が出現しやすい状態にあり，そのことで日常生活活動や生活の質が低下していることもある．留意点をチェックしてみよう．

	種類	主な一般名(商品名)	特徴
睡眠薬	ベンゾジアゼピン系	長時間型：クアゼパム(ドラール)，フルラゼパム塩酸塩(ダルメート) 中間型：フルニトラゼパム(サイレース)，エスタゾラム(ユーロジン) 短時間型：ブロチゾラム(レンドルミン)，リルマザホン塩酸塩水和物(リスミー)	入眠困難，中途覚醒，早朝覚醒それぞれの症状に合わせて使用する
	非ベンゾジアゼピン系	超短時間型：ゾルピデム酒石酸塩(マイスリー)，ゾピクロン(アモバン)	
	メラトニン受容体作動薬	ラメルテオン(ロゼレム)	
抗精神病薬	セロトニン・ドパミン遮断薬	リスペリドン(リスパダール)	鎮静の目的で使用する ※せん妄の直接的原因の対処や環境調整などを行い，改善がみられない場合に少量から投与する
	ブチロフェノン系	ハロペリドール(セレネース)	
降圧薬	ACE(アンジオテンシン変換酵素)阻害薬	エナラプリルマレイン酸塩(レニベース)，イミダプリル塩酸塩(タナトリル)	レニン-アンジオテンシン系を阻害することにより，血管を拡張し，血圧を下げる．心不全，糖尿病，脳循環不全などの合併症例の第一選択薬として用いられる
	アンジオテンシンⅡ受容体拮抗薬(ARB)	バルサルタン(ディオバン)，テルミサルタン(ミカルディス)，カンデサルタンシレキセチル(ブロプレス)	空咳などの有害事象がなく，ACE阻害薬と同等以上の降圧効果を有している
	Ca拮抗薬	ニフェジピン(アダラート)，アムロジピンベシル酸塩(アムロジン)	血管平滑筋を弛緩し，末梢血管抵抗を減少させる
	α遮断薬	ウラピジル(エブランチル)	交感神経末端の平滑筋側α受容体を選択的に遮断し，血圧を下げる
	β遮断薬	プロプラノロール塩酸塩(インデラル)，アテノロール(テノーミン)	心拍出量の低下，レニン産生の抑制，中枢での交感神経抑制など，心機能を抑制する
利尿薬	ループ利尿薬	フロセミド(ラシックス)	腎尿細管でのNa，水の再吸収を抑制し，循環血液量を減少させる．うっ血性心不全，腎不全，腹水，高血圧などの治療に使用される
	サイアザイド系	トリクロルメチアジド(フルイトラン)	
	K保持性	スピロノラクトン(アルダクトンA)	
抗血栓薬	クマリン系	ワルファリンカリウム(ワーファリン)	ビタミンK作用に拮抗し，肝臓におけるビタミンK依存性血液凝固因子の生合成を抑制する．代表的な抗凝固薬である

害事象	留意点
昼夜逆転 過鎮静，認知機能低下 日中の眠気，倦怠感 せん妄 呼吸抑制 血圧低下，ふらつき	□昼夜逆転になっていないか，日中の活動に注意しよう □日中の眠気，ふらつきが転倒のリスクになっていないか確認しよう □薬剤の作用時間，半減期について確認しよう □ベンゾジアゼピン系，非ベンゾジアゼピン系を内服している時は，せん妄になっていないか確認しよう □血圧低下・ふらつきによる転倒に注意しよう
錐体外路症状，悪性症候群 不眠，焦燥感，頻脈，血圧低下	□薬剤の使用だけではなく，環境の調整や安全の確保についても確認しよう
血圧低下，めまい・ふらつき ACE 阻害薬：空咳 β遮断薬：気管支喘息，徐脈	□確実に内服できているか確認しよう □血圧低下，めまい・ふらつきによる転倒に注意しよう
低 K 血症，低 Na 血症，低 Mg 血症，高尿酸血症 血圧低下，脱水	□尿量，水分摂取量について確認しよう □脱水症状の出現に注意しよう □服用時間からどのくらいで排尿が起こるか確認しよう
出血，肝障害，瘙痒症，悪心・嘔吐	□作用を増強させたり，減弱させたりする併用薬はないか確認しよう 例）増強⇒非ステロイド抗炎症薬，三環系抗うつ薬など 減弱⇒バルビツール酸系睡眠薬，コレスチラミンなど □作用を減弱させる，納豆，クロレラ，青汁などビタミンKを多く含有している食品を摂取していないか確認しよう

（つづく）

付表1　気をつけたい！　高齢者の治療薬と留意点リスト(つづき

	種類	主な一般名(商品名)	特徴
下剤	塩類下剤	酸化マグネシウム(酸化マグネシウム，マグミット)	腸管内容を軟化し，腸管を刺激する
	膨張性下剤	カルメロースナトリウム(バルコーゼ)，カンテン	多量の水分を含み膨張し，排便を促す
	刺激性下剤	センナ(アローゼン)，センノシド(プルゼニド)	大腸の蠕動運動を亢進させる
		ピコスルファートナトリウム水和物(ラキソベロン)	大腸の粘膜刺激によって効果を発揮する
		炭酸水素ナトリウム・無水リン酸二水素ナトリウム配合剤(新レシカルボン坐剤)	腸内で炭酸ガスを発生し蠕動運動を亢進させる
	浣腸剤	グリセリン(グリセリン浣腸，ケンエーG浣腸)	肛門，直腸の粘膜を刺激して，排便を促す
泌尿器系薬	α遮断薬	タムスロシン塩酸塩(ハルナール)，ウラピジル(エブランチル)	尿道を弛緩させる．前立腺肥大による排尿困難に使用する
	頻尿，過活動膀胱治療薬	プロピベリン塩酸塩(バップフォー)	抗コリン作用とCa拮抗作用により膀胱平滑筋の異常収縮を抑制する
		オキシブチニン塩酸塩(ポラキス)	膀胱運動を抑制する
消化性潰瘍治療薬	H_2受容体拮抗薬	シメチジン(タガメット)，ラニチジン塩酸塩(ザンタック)，ファモチジン(ガスター)	胃粘膜壁細胞のヒスタミンH_2受容体に拮抗して働き，胃酸の分泌を抑制する．投与期間に制限がない
鎮痛薬	非ステロイド性抗炎症薬(NSAIDs)	アスピリン(アスピリン)，アスピリン・ダイアルミネート配合(バファリン)，ジクロフェナクナトリウム(ボルタレン)，ロキソプロフェンナトリウム水和物(ロキソニン)	プロスタグランジンの産生を抑制することにより，痛みの閾値を上げ，鎮痛作用を発揮する
漢方薬	抑肝散		認知症に伴う行動・心理症状に対して，非薬物療法や認知症治療薬による効果が不十分な場合に使用を考慮する
	半夏厚朴湯		仮性球麻痺による誤嚥性肺炎の予防に用いる
	麻子仁丸		慢性便秘に用いる
	大建中湯		腸管蠕動運動の不良による便秘，脳卒中による慢性便秘に用いる

有害事象	留意点
下痢，電解質異常，腸管粘膜の機能低下 下剤の長期使用は依存状態となり，便秘を悪化させる	□下剤を使用した時には，水分摂取を促そう □排便時の血圧低下，失神に注意しよう □便の性状についても観察しよう □下剤を使用した時間からどのくらいで排便が起こるか確認しよう
使用直後に血圧が低下し，意識消失を招くおそれがある	□実施前後の血圧測定をしよう □意識消失を予測して排泄環境を整えよう □浣腸を実施する時の体位を確認しよう □使用方法を間違えると腸管穿孔を起こすおそれがあるので注意しよう
血圧低下，めまい，立ちくらみ，ふらつきなど	□ふらつきによる転倒に注意しよう
認知機能の低下，口腔乾燥，便秘，排尿困難，残尿量の増加，尿閉など	□認知機能に変化がないか注意しよう □口腔内の観察をしよう □排尿状態だけではなく，排便状態も観察しよう
認知機能低下，せん妄 血圧低下，下痢，めまい，頭痛，発赤	□消化器症状だけではなく，認知機能やせん妄についても観察しよう
消化性潰瘍・穿孔，胃腸出血，悪心・嘔吐，下痢，口内炎 浮腫，尿量減少，高血圧，腎障害，心不全 出血傾向，骨髄障害など	□消化器症状の訴えがないか観察しよう □腎障害や出血傾向がないか確認しよう □内服薬と坐薬など NSAIDs 同士の併用がないか確認しよう
低 K 血症 肝機能障害	□西洋薬との併用で予想外の有害事象が起こる可能性があるため，内服薬を確認しよう □甘草含有の漢方薬を内服している場合は低 K 血症に注意しよう
過敏症，発疹，発赤，瘙痒	
食欲不振，腹痛，下痢	
間質性肺炎，肝機能障害	

付表 2　高齢者理解のための生活史年表 （＊その年の誕生日以後の満年齢）

生まれた年		2020 年の年齢*	干支	出来事	流行
西暦（年）	元号（年）				
1912	大正元	108	子	明治天皇崩御 タイタニック号沈没	
1913	大正 2	107	丑	パナマ運河開通	
1914	大正 3	106	寅	第一次世界大戦勃発	竹久夢二の美人画
1915	大正 4	105	卯	中国に 21 か条の要求 米国にハリウッド（ユニバーサルスタジオ）誕生	赤痢，腸チフス
1916	大正 5	104	辰	吉野作造「民本主義」大正デモクラシー指導 夏目漱石死去	チャップリン映画の登場
1917	大正 6	103	巳	ロシア革命	
1918	大正 7	102	午	米騒動	
1919	大正 8	101	未	帝国美術院を創設	スペイン風邪
1920	大正 9	100	申	日本最初のメーデー（上野）	
1921	大正 10	99	酉	女学生制服にセーラー服採用 平民宰相：原敬が暗殺される	
1922	大正 11	98	戌	ソビエト連邦の成立	
1923	大正 12	97	亥	関東大震災	
1924	大正 13	96	子	市川房枝らが婦人参政権獲得期成同盟会結成	
1925	大正 14	95	丑	普通選挙法成立 ラジオ放送開始	映画俳優「阪東妻三郎」が大人気
1926	大正 15 昭和元	94	寅	日本放送協会（NHK）設立 ラジオ劇の放送開始 大正天皇崩御	モダンガール（モガ）やモダンボーイ（モボ）とよばれる若者たちが銀座を闊歩
1927	昭和 2	93	卯	金融恐慌 日本初の地下鉄（上野-浅草間）開通	
1928	昭和 3	92	辰	初の電気吹き込み式レコード発売	
1929	昭和 4	91	巳	世界恐慌	就職難の世相を反映した映画「大学は出たけれど」がヒット
1930	昭和 5	90	午	ロンドン海軍軍縮会議	紙芝居「黄金バット」が人気に
1931	昭和 6	89	未	日本初のトーキー（有声映画）上映 満州事変	マンガ「のらくろ」連載開始
1932	昭和 7	88	申	ラジオ聴取契約 100 万人突破 5.15 事件	
1933	昭和 8	87	酉	日本が国際連盟を脱退	電気式パーマネント（電髪）が女性に人気
1934	昭和 9	86	戌	東北地方大凶作 ドイツでヒトラーが総統になる	日本の喜劇王「エノケン（榎本健一）」が映画で活躍 エンタツ・アチャコ漫才ブーム
1935	昭和 10	85	亥	忠犬ハチ公死去 電気蓄音器の普及	千代紙の大流行
1936	昭和 11	84	子	2.26 事件	キューピー人形ブーム
1937	昭和 12	83	丑	日中戦争（支那［シナ］事変）	
1938	昭和 13	82	寅	国家総動員法公布	映画「愛染かつら」ヒット
1939	昭和 14	81	卯	第二次世界大戦勃発 「生活刷新案」閣議決定で男子の長髪，女子のパーマネントが禁止に	
1940	昭和 15	80	辰	日独伊 3 国同盟	

流行歌	流行語	スポーツ
		【五輪】第5回大会(ストックホルム)に日本初参加
ヶ島の雨		
チューシャの唄(松井須磨子)		
ンドラの唄(松井須磨子)	蝶々夫人	【野球】全国中等学校優勝野球大会(現在の夏の甲子園大会)始まる
ンチョネ節	大正デモクラシー	【相撲】56 連勝の横綱太刀山が小結栃木山に敗れる
色夜叉の歌		【駅伝】日本最初の駅伝，東海道五十三次駅伝徒歩競走
待ち草		
	サボる	
		【五輪】テニスの熊谷と柏尾が初メダル 【駅伝】第1回箱根駅伝開催
	恋愛の自由	
	銀ブラ	【野球】全国選抜中等学校野球大会(現在の春の甲子園大会)始まる
	ナチス親衛隊	【相撲】無敵を誇った「史上最軽量の横綱」栃木山引退
	モガ，モボ	
ゃっきり節		【野球】夏の甲子園大会が初めてラジオで実況放送
恋し(二村定一) 浮(はぶ)の港	マネキンガール	【五輪】三段跳びで織田幹雄が日本初金メダル 【五輪】陸上 800 m で人見絹枝が日本女子初メダル(銀)
京行進曲(佐藤千夜子)	大学は出たけれど	
みれの花咲く頃(宝塚歌劇団) 長の娘		
は涙か溜息か(藤山一郎) を越えて(藤山一郎)		
を慕いて(藤山一郎)	話せばわかる 問答無用	【五輪】100 m 背泳ぎで日本勢が金・銀・銅を独占
京音頭		
城の子守唄(東海林太郎)	忠犬ハチ公 欠食児童	【野球】ベーブ・ルースら米選抜来日，17 歳の沢村栄治が快投 【野球】大日本東京野球倶楽部(現在の読売ジャイアンツ)誕生
人は若い(ディック・ミネ， 玲子)		【陸上】「暁の超特急」吉岡隆徳が 100 m で 10 秒 3 の世界タイ記録
京ラプソディー(藤山一郎) あ それなのに(谷真西美)		【野球】沢村栄治が日本プロ野球初のノーヒット・ノーラン達成
れのブルース(淡谷のり子)		
の夜風		
杯のコーヒーから(霧島昇) よあなたは強かった 隊さんよありがとう	産めよ殖やせよ ヤミ	【相撲】横綱双葉山 69 連勝
ン無い千鳥(霧島昇とミス・ ロムビア) 州夜曲(渡辺はま子) に祈る(伊藤久男)	ぜいたくは敵だ	

(つづく)

付表 2　高齢者理解のための生活史年表（つづき）

生まれた年		2020年の年齢*	干支	出来事	流行
西暦(年)	元号(年)				
1941	昭和 16	79	巳	ハワイ真珠湾攻撃 太平洋戦争勃発	
1942	昭和 17	78	午	ミッドウェー海戦	映画「鞍馬天狗」の大立ち回りが話題に
1943	昭和 18	77	未	学徒出陣 山本五十六（いそろく）連合艦隊司令長官・元帥戦死	
1944	昭和 19	76	申	都市に住む学童の疎開が閣議決定され，集団疎開が始まる 神風特別攻撃隊（神風特攻隊）の初出撃	
1945	昭和 20	75	酉	広島・長崎に原爆投下 第二次世界大戦終戦	
1946	昭和 21	74	戌	天皇の人間宣言	NHKのど自慢素人音楽会放送開始 漫画「サザエさん」地方紙に連載開始
1947	昭和 22	73	亥	日本国憲法施行	
1948	昭和 23	72	子	帝銀事件（毒殺事件） 極東軍事裁判判決	
1949	昭和 24	71	丑	下山・三鷹・松川事件 湯川秀樹が日本人初のノーベル賞受賞（ノーベル物理学賞）	映画「青い山脈」
1950	昭和 25	70	寅	朝鮮戦争 特需景気	映画「羅生門」
1951	昭和 26	69	卯	サンフランシスコ条約調印 家庭用テープレコーダー完成	ジャズ喫茶ブーム
1952	昭和 27	68	辰	血のメーデー事件	漫画「鉄腕アトム」連載開始 ラジオドラマ「君の名は」 長編カラー映画「風と共に去りぬ」
1953	昭和 28	67	巳	皇太子外遊 白黒テレビ放送開始	映画「君の名は」の主人公のショールの巻き方「真知子巻き」が女性に流行 映画「ローマの休日」の髪型（ヘップバーン・カット）が流行
1954	昭和 29	66	午	洞爺丸（とうやまる）遭難	映画「麗しのサブリナ」のサブリナパンツが大流行 映画「七人の侍」がヴェネツィア国際映画祭銀獅子賞に 映画「ゴジラ」シリーズ開始
1955	昭和 30	65	未	保守合同（自由民主党結成） 日本でトランジスタラジオ発売	ポニーテールが人気に 映画「7年目の浮気」でマリリン・モンローのスカートがめくれるシーンが話題に
1956	昭和 31	64	申	神武（じんむ）景気 日ソ国交回復 テープレコーダー発売	小説「太陽の季節」が芥川賞受賞し，巷に太陽族あらわる 映画「狂った果実」で石原裕次郎が人気に 映画「ビルマの竪琴」ヴェネツィア国際映画祭でサン・ジョルジオ賞受賞 歌手エルヴィス・プレスリー人気に
1957	昭和 32	63	酉	東海村原子炉完成 5千円札登場	空前の映画ブーム 「嵐を呼ぶ男」「戦場にかける橋」「喜びも悲しみも幾歳月」
1958	昭和 33	62	戌	皇太子と正田美智子様ご婚約 1万円札登場 東京タワー完成	「月光仮面」放送開始 ロカビリーブーム フラフープ
1959	昭和 34	61	亥	伊勢湾台風 皇太子と正田美智子様ご成婚	映画「私は貝になりたい」「人間の条件」封切

流行歌	流行語	スポーツ
	月月火水木金金	
鈴懸(ずかけ)の径(みち)(灰田勝彦)	欲しがりません，勝つまでは	
勘太郎月夜唄(小畑実，藤原亮子)	撃ちてし止まむ	
ラバウル海軍航空隊	神風特攻隊	
ラバウル小唄，同期の桜	堪えがたきを堪え，忍び難きを忍び	
リンゴの唄(並木路子)		【野球】「打撃の神様」川上哲治の赤バット快音
とんがり帽子(川田正子)	ベビーブーム	
東京ブギウギ(笠置シズ子) 憧れのハワイ航路(岡晴夫)	ノルマ	【野球】日本プロ野球初のナイター試合
青い山脈(藤山一郎) 銀座カンカン娘(高峰秀子・笠置シヅ子) 悲しき口笛(美空ひばり)	アジャパー，てんやわんや	【競泳】古橋広之進が全米水泳選手権で3つの世界新記録樹立．「フジヤマのトビウオ」
東京キッド(美空ひばり)	チラリズム	【野球】初のプロ野球ナイターラジオ中継
	親指族(パチンコ族)	
テネシーワルツ(江利チエミ) お祭りマンボ(美空ひばり) リンゴ追分(美空ひばり)	エッチ プータロー(風太郎)	【ボクシング】白井義男が日本人初の世界フライ級王者に
君の名は(織井茂子) 街のサンドイッチマン(鶴田浩二) 雨のふる街を(高英男)	お今晩は さいざんす	【野球・相撲】テレビで野球と相撲の実況放送開始
高原列車は行く(岡本敦郎) 岸壁の母(菊池章子)	ロマンスグレー	【プロレス】力道山・木村組が初の国際試合
月がとっても青いから(菅原都々子)		
ここに幸あり(大津美子) ケ・セラ・セラ(ペギー葉山)	ケ・セラ・セラ 三種の神器(冷蔵庫，洗濯機，白黒テレビ)	【登山】日本隊がヒマラヤ山脈マナスル山登頂
東京だよおっ母さん(島倉千代子) チャンチキおけさ(三波春夫)	デラックス	
無法松の一生(村田英雄) 有楽町で逢いましょう(フランク永井)	ながら族	【野球】長嶋茂雄，一塁を踏み忘れて「幻のホームラン」 【プロレス】力道山の空手チョップ炸裂，世界チャンピオンに
僕は泣いちっち(守屋浩)	タフガイ	【野球】初の天覧試合で長嶋茂雄がサヨナラホームラン

(つづく)

付表 2　高齢者理解のための生活史年表 (つづき)

生まれた年		2020年の年齢*	干支	出来事	流行
西暦(年)	元号(年)				
1960	昭和 35	60	子	60 年安保闘争 カラーテレビ放送開始	ジャズバンド「ハナ肇とクレージーキャッツ」が人気に
1961	昭和 36	59	丑	初の有人宇宙飛行 ケネディ大統領就任	映画「若大将」シリーズ開始
1962	昭和 37	58	寅	マリリン・モンロー死去	ツイスト流行 「おそ松くん」連載開始
1963	昭和 38	57	卯	老人福祉法制定 ケネディ大統領暗殺	「鉄腕アトム」テレビアニメ化
1964	昭和 39	56	辰	東京オリンピック 東海道新幹線開通 キング牧師にノーベル平和賞	漫画「オバケの Q 太郎」連載開始 アイビールック，アイビーカット
1965	昭和 40	55	巳	日韓基本条約調印 家庭用ビデオレコーダー完成 朝永振一郎にノーベル物理学賞	スーパーボールがアメリカからやってくる
1966	昭和 41	54	午	日本の人口 1 億人突破 ビートルズ来日	エレキギター，グループサウンズ 「ウルトラシリーズ」テレビ放送開始
1967	昭和 42	53	未	美濃部革新都政 大阪・阪急千里駅に自動改札機第 1 号設置	テレビ人形劇「ひょっこりひょうたん島」大人気で映画化 ミニスカート リカちゃん人形
1968	昭和 43	52	申	三億円事件 日本初の心臓移植 川端康成にノーベル文学賞	漫画「ハレンチ学園」が物議をかもす 「ゲゲゲの鬼太郎」テレビアニメ化
1969	昭和 44	51	酉	アポロ 11 号人類初の月面着陸	ボウリングブーム 映画「男はつらいよ」シリーズ開始 テレビ「水戸黄門」放送開始 テレビ「8 時だョ！全員集合」が放送開始 反戦フォーク集会
1970	昭和 45	50	戌	大阪万国博覧会(EXPO '70) 日航「よど号」事件(ハイジャック 1 号) 三島事件(割腹自殺)	スマイルバッジが流行
1971	昭和 46	49	亥	ドル・ショック	映画ブルース・リーの「ドラゴンシリーズ」ヒット テレビ「仮面ライダー」シリーズ放送開始
1972	昭和 47	48	子	第一次オイルショック(トイレットペーパー騒動) グアム島から元日本兵・横井庄一さん帰還 連合赤軍浅間山荘事件 沖縄返還 札幌冬季オリンピック	ベルボトムジーンズ 小説「恍惚の人」がベストセラーに
1973	昭和 48	47	丑	江崎玲於奈にノーベル物理学賞 金大中拉致事件	
1974	昭和 49	46	寅	ルバング島から小野田寛郎少尉帰還 佐藤栄作にノーベル平和賞	オセロゲーム
1975	昭和 50	45	卯	ベトナム戦争終結 第 1 回サミット(主要国首脳会議)放送	テレビ「欽ちゃんのドンとやってみよう！」開始

流行歌	流行語	スポーツ
アキラのズンドコ節(小林旭)	ダッコちゃん	
スーダラ節(ハナ肇とクレージーキャッツ) 銀座の恋の物語(石原裕次郎,牧村旬子) 上を向いて歩こう(坂本九)	巨人・大鵬・卵焼き	【相撲】大鵬と柏戸がそろって横綱昇進.「柏鵬(はくほう)時代」へ
可愛いベイビー(中尾ミエ)	シェー	【野球】金田正一が三振奪取 3,509 個の世界記録 【相撲】「土俵の鬼」と呼ばれた横綱若乃花引退
見上げてごらん夜の星を(坂本九)	がちょーん	【野球】王貞治と長嶋茂雄の「ON 砲」が活躍
柔(美空ひばり)	インド人もびっくり	【五輪】日本勢金メダルラッシュ,女子バレー「東洋の魔女」 【野球】王貞治が 55 本の年間本塁打日本新記録樹立
愛して愛して愛しちゃったのよ(和田弘とマヒナスターズ,田代美代子) 函館の女(北島三郎)	スモッグ フィーリング	【ボクシング】ファイティング原田がバンタム級世界チャンピオン 【競馬】シンザンが史上初の五冠馬に
バラが咲いた(マイク真木)	びっくりしたなー,もう シュワッチ	
ブルー・シャトウ(ジャッキー吉川とブルー・コメッツ)	核家族 ボイン	【相撲】高見山が外国人初の関取に昇進
ブルー・ライト・ヨコハマ(いしだあゆみ) 星影のワルツ(千昌夫)		【野球】江夏豊がシーズン奪三振 401 個の世界記録
黒ネコのタンゴ(皆川おさむ)	やったぜベイビー ママレンジ	【野球】金田正一が通算 400 勝を達成して引退
EXPO '70 テーマソング,世界の国からこんにちは(三波春夫ら) 知床旅情(加藤登紀子)	男はだまってサッポロビール	
おふくろさん(森進一) よこはまたそがれ(五木ひろし)	脱サラ ディスカバー・ジャパン	
太陽がくれた季節(青い三角定規)		【五輪】スキージャンプで日本勢「日の丸飛行隊」がメダル独占 【五輪】フィギュアスケートのジャネット・リンの笑顔大人気,「札幌の恋人」「銀盤の妖精」と呼ばれた
わたしの彼は左きき(麻丘めぐみ)	ちょっとだけよ	【野球】川上哲治監督率いる巨人軍が 9 年連続日本シリーズ優勝
襟裳岬(森進一)		【野球】長嶋茂雄引退
北の宿から(都はるみ) 昔の名前で出ています(小林旭)	アンタ　あの娘の何なのさ	【野球】前年最下位の広島カープが優勝,「赤ヘルブーム」 【相撲】大関貴ノ花優勝,元横綱若乃花の弟で初の兄弟優勝達成

(つづく)

付表 2　高齢者理解のための生活史年表 (つづき)

生まれた年 西暦(年)	元号(年)	2020 年の年齢*	干支	出来事	流行
1976	昭和 51	44	辰	ロッキード事件	
1977	昭和 52	43	巳	日航機ハイジャック事件 有珠山噴火	スーパーカーブーム
1978	昭和 53	42	午	日中平和友好条約調印 成田国際空港開港	カラオケブーム ディスコブーム サーファールック
1979	昭和 54	41	未	日本坂トンネル事故	インベーダーゲーム 原宿の歩行者天国で竹の子族ダンス
1980	昭和 55	40	申	1 億円拾得事件 ウォークマン発売	テクノポップ ルービックキューブ 漫才ブームで横山やすし＆西川きよし，夢路いとし＆喜味こいし人気に
1981	昭和 56	39	酉	福井謙一にノーベル化学賞 北炭夕張新炭鉱ガス惨事	クリスタル族登場
1982	昭和 57	38	戌	老人保健法制定 日航機羽田沖墜落事故 ホテルニュージャパン火災	
1983	昭和 58	37	亥	大韓航空機撃墜事件 三宅島噴火	NHK 連続テレビ小説「おしん」 ファミリーコンピュータ
1984	昭和 59	36	子	グリコ・森永事件	
1985	昭和 60	35	丑	日航ジャンボ機墜落事故	
1986	昭和 61	34	寅	三原山大噴火 チェルノブイリ原発事故	ボディコン(ボディコンシャススタイル)，ワンレン(ワンレングス・ボブ)
1987	昭和 62	33	卯	利根川進にノーベル生理学・医学賞 大韓航空機爆破事件	映画「マルサの女」
1988	昭和 63	32	辰	青函トンネル開通	
1989	昭和 64 平成元	31	巳	昭和天皇崩御	
1990	平成 2	30	午	秋篠宮文仁親王ご成婚 バブル経済崩壊	
1991	平成 3	29	未	湾岸戦争勃発 雲仙普賢岳火砕流災害	紺ブレ(紺色ブレザー)
1992	平成 4	28	申	日本人宇宙飛行士毛利衛が宇宙へ出発 東京佐川急便事件	きんさん・ぎんさん
1993	平成 5	27	酉	皇太子徳仁親王ご成婚	
1994	平成 6	26	戌	大江健三郎氏にノーベル文学賞 松本サリン事件	プレイステーション
1995	平成 7	25	亥	阪神淡路大震災 地下鉄サリン事件	Windows 95
1996	平成 8	24	子	病原性大腸菌「O-157」による食中毒が全国各地で発生 「Yahoo! JAPAN」がサービスを開始	ルーズソックス ポケットモンスター
1997	平成 9	23	丑	消費税率を 5% に引き上げ 臓器移植法施行 介護保険法成立	たまごっち

流行歌	流行語	スポーツ
山口さんちのツトム君(斎藤こず恵) およげ！たいやきくん(子門真人)	わかんねぇだろうなぁ	【野球】王貞治が通算 715 本塁打でベーブルースを抜く
UFO(ピンク・レディー) 北国の春(千昌夫)	とんでる たたりじゃぁ	【野球】王貞治が通算 756 本塁打で世界記録更新
与作(北島三郎)	フィーバー	【相撲】横綱北の湖が年間 82 勝の最多勝記録
魅せられて(ジュディ・オング) 別れても好きな人(ロス・インディオス＆シルヴィア)	夕暮れ族 口裂け女	
青い珊瑚礁(松田聖子)	赤信号みんなでわたれば怖くない カラスの勝手でしょ	【野球】王貞治が現役引退
セーラー服と機関銃(薬師丸ひろ子)	ぶりっ子 なめ猫	【相撲】千代の富士が横綱に昇進
北酒場(細川たかし) 年目の浮気(ヒロシ＆キーボー)	ルンルン	【相撲】横綱北の湖が史上 1 位の 873 勝達成
矢切の渡し(細川たかし)		【陸上】佐々木七恵が東京国際女子マラソンで日本人初の優勝
つぐない(テレサ・テン)	ピーターパンシンドローム	【五輪】柔道無差別級の山下が足を負傷しながら金メダル
おら東京さいくだ(吉幾三)	イッキ	【野球】阪神が初の日本シリーズ制覇 【相撲】東京両国に新両国国技館完成．横綱北の湖が引退
天城越え(石川さゆり)	ぷっつん ファミコン	
人生いろいろ(島倉千代子)	マルサの女	【野球】「鉄人」衣笠祥雄が 2,131 試合連続出場達成
乾杯(長渕剛)	朝シャン オバタリアン	【野球】日本初の屋根付き球場「東京ドーム」完成
酒よ(吉幾三)	セクハラ フリーター	
恋唄綴り(堀内孝雄)	バブル経済	
北の大地(北島三郎)	…じゃあ～りませんか 若貴	【相撲】横綱千代の富士が現役引退
白い海峡(大月みやこ)	ほめ殺し カード破産	【五輪】女子 200 m 平泳ぎで 14 歳の岩崎恭子が史上最年少の金メダル
無言坂(香西かおり)	規制緩和	【相撲】外国人力士として初めて曙が横綱に昇進 【サッカー】日本初のプロサッカーリーグ，J リーグ発足
花のワルツ(藤あや子) 夜桜お七(坂本冬美)	イチロー効果 大往生	【相撲】貴乃花が横綱に昇進
捨てられて(長山洋子)	がんばろう KOBE インターネット	【野球】日本人として初めて野茂英雄が米大リーグ・ナショナルリーグの新人王獲得
Don't wanna cry(安室奈美恵) 紅(藤あや子)	アムラー ストーカー	
CAN YOU CELEBRATE?(安室奈美恵)	失楽園	【サッカー】W 杯のアジア最終予選で日本が本戦初出場を決める

(つづく)

付表 2　高齢者理解のための生活史年表 (つづき)

生まれた年		2020 年の年齢*	干支	出来事	流行
西暦(年)	元号(年)				
1998	平成 10	22	寅	和歌山毒物カレー事件 長野冬季オリンピック	映画「タイタニック」 ヴィジュアル系バンドブーム
1999	平成 11	21	卯	東海村の核燃料工場で国内初の臨界事故 脳死判定による初の臓器移植	犬型ロボット AIBO
2000	平成 12	20	辰	白川英樹にノーベル化学賞 三宅島噴火で全島民避難	プレイステーション 2
2001	平成 13	19	巳	敬宮愛子内親王が誕生 JR 東日本，東京圏で IC カード「Suica」サービス開始 アメリカ同時多発テロ(9.11)	映画「千と千尋の神隠し」
2002	平成 14	18	午	初の日朝首脳会談．拉致被害者 5 人が帰国 ノーベル賞で日本初のダブル受賞．東京大学名誉教授の小柴昌俊氏に物理学賞，島津製作所の田中耕一氏に化学賞 完全学校週 5 日制「ゆとり教育」スタート	
2003	平成 15	17	未	新型肺炎(SARS)が世界中で猛威ふるう イラク戦争が勃発，米軍がサダム・フセイン元大統領を拘束 戦後はじめての「有事法制」成立(有事関連三法)	バカの壁(養老孟司)
2004	平成 16	16	申	新潟中越地震(M 6.8，震度 7) スマトラ島沖地震(M 9.1)で大津波発生．30 万人以上の死者・行方不明者 日本国内で 79 年ぶりに「鳥インフルエンザ」発生確認	韓国ドラマ「冬のソナタ」

付表 3　唱歌と童謡

明治		
	14 年	蛍の光
	17 年	仰げば尊し
	29 年	夏は来ぬ
	32 年	鉄道唱歌
	34 年	荒城の月
		箱根八里
	43 年	われは海の子
		ふじの山
		春が来た
		月
	44 年	案山子(かかし)
		鳩
		紅葉
	45 年	茶摘
		村祭
		春の小川

大正		
	元年	村のかじや
	2 年	こいのぼり
		海
	3 年	朧月夜(おぼろづきよ)
		故郷(ふるさと)
	6 年	琵琶湖周航の歌
	7 年	浜辺の歌
	8 年	くつが鳴る
		浜千鳥
	9 年	叱られて
	10 年	七つの子
		てるてる坊主
		どんぐりころころ
		ゆりかごの歌
		青い目の人形
	11 年	シャボン玉

流行歌	流行語	スポーツ
夜空ノムコウ(SMAP) 二輪草(川中美幸)	ハマの大魔神 凡人・軍人・変人	【相撲】大関若乃花が横綱に昇進し史上初の兄弟横綱が誕生
Automatic(宇多田ヒカル) だんご3兄弟(速水けんたろう，茂森あゆみ)	リベンジ カリスマ	
TSUNAMI(サザンオールスターズ) 孫(大泉逸郎)	IT革命 ジコチュー	【五輪】柔道の田村亮子が念願の金メダル 【五輪】女子マラソンで高橋尚子が陸上の日本女子初の金メダル
箱根八里の半次郎(氷川きよし)	聖域なき改革 ドメスティック・バイオレンス(DV)	【野球】メジャーでイチローが新人王・MVP
きよしのズンドコ節(氷川きよし) 白い恋人達(桑田佳祐)	タマちゃん 拉致	【サッカー】日韓W杯，トルシエ監督率いる日本が決勝トーナメント進出
世界に一つだけの花(SMAP) 涙そうそう(夏川りみ)	なんでだろう～ SARS	【相撲】横綱貴乃花と武蔵丸が引退，朝青龍がモンゴル出身初の横綱昇進 【野球】阪神タイガーズ，18年ぶりのリーグ優勝
Jupiter(平原綾香) 栄光の架橋(ゆず)	チョー気持ちいい 冬ソナ	【五輪】女子マラソンで野口みずきが金メダル 【野球】イチロー，大リーグの年間最多安打記録を84年ぶりに更新

大正		赤い靴
	12年	背くらべ
		夕焼け小焼け
		月の砂漠
	13年	兎のダンス
		ペチカ
	14年	雨降りお月さん
		証城寺の狸囃子
昭和	2年	赤とんぼ
	4年	鞠と殿様
	7年	かたつむり
	11年	椰子の実
		うれしいひな祭り
	12年	かもめの水兵さん
	13年	お猿のかごや
	16年	たきび

昭和	20年	里の秋
	21年	みかんの花咲く丘
	21年	朝はどこから
	24年	夏の思い出

索引

記号・数字

欧文

和文

あ

い

う

え

お

か

き

く

け

す

せ

そ

た

ち

ま

み

む

め

も

や

ゆ

よ

ら

り

る

れ

ろ